EUROPA-FACHBUCHREIHE
für Metallberufe

W0194777

Roland Gomeringer   Volker Menges   Claudius Scholer
Max Heinzler   Friedrich Näher   Andreas Stephan
Roland Kilgus   Stefan Oesterle   Falko Wieneke

Tabellenbuch Metall

46., neu bearbeitete und erweiterte Auflage

Europa-Nr.: 10609   mit Formelsammlung

Europa-Nr.: 1060X   ohne Formelsammlung

Europa-Nr.: 10706   XXL, mit Formelsammlung und CD

Europa-Nr.: 14467   XXL ONLINE, mit Formelsammlung und Online-Zugang

VERLAG EUROPA LEHRMITTEL · Nourney, Vollmer GmbH & Co. KG
Düsselberger Straße 23 · 42781 Haan-Gruiten

Autoren:

Roland Gomeringer	Meßstetten
Max Heinzler	Wangen im Allgäu
Roland Kilgus	Neckartenzlingen
Volker Menges	Lichtenstein
Friedrich Näher	Balingen
Stefan Oesterle	Amtzell
Claudius Scholer	Pliezhausen
Andreas Stephan	Marktoberdorf
Falko Wieneke	Essen

Lektorat:
Roland Gomeringer, Meßstetten

Bildbearbeitung:
Zeichenbüro des Verlages Europa-Lehrmittel, Ostfildern

Mitwirkung:
Matthias Büttner, Hechingen

Maßgebend für die Anwendung der Normen und der anderen Regelwerke sind deren neueste Ausgaben. Sie können durch die Beuth Verlag GmbH, Burggrafenstr. 6, 10787 Berlin, bezogen werden.

Inhalte des Kapitels „Programmaufbau bei CNC-Maschinen nach PAL" (Seiten 348 bis 362) richten sich nach Veröffentlichungen der PAL-Prüfungsaufgaben- und Lehrmittelentwicklungsstelle der IHK Region Stuttgart.

46. Auflage 2014

Druck 6 5 4 3

Alle Drucke dieser Auflage sind im Unterricht nebeneinander einsetzbar, da sie bis auf korrigierte Druckfehler und kleine Normänderungen unverändert sind.

ISBN 978-3-8085-1726-0   mit Formelsammlung
ISBN 978-3-8085-1676-8   ohne Formelsammlung
ISBN 978-3-8085-1084-1   XXL, mit Formelsammlung und CD
ISBN 978-3-8085-1447-4   XXL ONLINE, mit Formelsammlung und Online-Zugang

Satz: Satz+Layout Werkstatt Kluth GmbH, 50374 Erftstadt
Umschlag: Grafische Produktionen Jürgen Neumann, 97222 Rimpar
Umschlagfotos: TESA/Brown & Sharpe, CH-Renens und Seco Tools GmbH, Erkrath
Druck: M.P. Media-Print Informationstechnologie GmbH, 33100 Paderborn

Vorwort

Zielgruppen des Tabellenbuches
- Metallberufe aus Handwerk und Industrie
- Technische Produktdesigner
- Meister- und Technikerausbildung
- Praktiker in Handwerk und Industrie
- Studenten des Maschinenbaues

Inhalt
Der Inhalt des Buches ist in sieben Hauptkapitel gegliedert, die in der rechten Spalte benannt sind. Er ist auf die Bildungspläne der Zielgruppen abgestimmt und der Entwicklung der Technik und der KMK-Lehrpläne angepasst.

Die **Tabellen** enthalten die wichtigsten Regeln, Bauarten, Sorten, Abmessungen und Richtwerte der jeweiligen Sachgebiete.

Bei den **Formeln** wird in der Legende auf die Nennung von Einheiten verzichtet, wenn mehrere Einheiten möglich sind. Die oft parallel zum Buch verwendeten **„Formeln für Metallberufe"** geben die Einheiten an, um vor allem Berufsanfängern beim Berechnen eine Hilfestellung zu geben.

Mit der CD **„Tabellenbuch Metall digital"**, der elektronischen Form des Tabellenbuches, können bei Berechnungen die Formeln und Einheiten gewählt und umgestellt werden. Die elektronisch ermittelten Rechenergebnisse können ebenfalls in verschiedenen Einheiten angezeigt werden. Ergänzt wird das Medienangebot durch eine reine Web-Applikation (www.tabellenbuch-metall-online.de).

Das **Inhaltsverzeichnis** am Anfang des Buches wird durch Teilinhaltsverzeichnisse vor jedem Hauptkapitel ergänzt.

Das **Sachwortverzeichnis** am Schluss des Buches enthält neben den deutschen auch die englischen Bezeichnungen.

Im **Normenverzeichnis** sind alle im Buch zitierten aktuellen Normen und Regelwerke aufgeführt.

Änderungen in der 46. Auflage
In der vorliegenden Ausgabe wurden die zitierten Normen aktualisiert und wegen der technischen Entwicklung besonders folgende Kapitel neu strukturiert, aktualisiert, erweitert oder neu aufgenommen:
- Legierungssysteme, Messtechnik, Wälzlagerberechnung (neu)
- Festigkeitslehre (ergänzt und erweitert)
- Spanende Fertigung mit CNC-Technik (neu strukturiert und erweitert)
- Arbeits- und Umweltschutz (neu strukturiert und erweitert)
- Automatisierungstechnik (neu strukturiert und erweitert)

Autoren und Verlag sind auch weiterhin allen Nutzern des Tabellenbuches für Hinweise und Verbesserungsvorschläge an lektorat@europa-lehrmittel.de dankbar.

Dank
Herr Ulrich Fischer hat über viele Jahre durch seine hohe fachliche Kompetenz als Autor und Lektor das Tabellenbuch Metall geprägt. Kollegen und Verlag danken ihm für die gute Zusammenarbeit verbunden mit den besten Wünschen für die Zukunft.

Frühjahr 2014   Autoren und Verlag

Inhaltsverzeichnis

7 Automatisierungstechnik (A)   413

Normenverzeichnis

Sachwortverzeichnis

Normen und andere Regelwerke

Normung und Normbegriffe

Normung ist eine planmäßig durchgeführte Vereinheitlichung von materiellen und nichtmateriellen Gegenständen, wie z.B. Bauteilen, Berechnungsverfahren, Prozessabläufen und Dienstleistungen, zum Nutzen der Allgemeinheit.

Normbegriff	Beispiel	Erklärung
Norm	DIN 7157	Eine Norm ist das veröffentlichte Ergebnis der Normungsarbeit. Beispiel: Die Auswahl bestimmter Passungen in DIN 7157.
Teil	DIN 30910-2	Normen können aus mehreren in Zusammenhang stehenden Teilen bestehen. Die Teilnummern werden mit Bindestrich an die Norm-Nummer angehängt. DIN 30910-2 beschreibt z.B. Sinterwerkstoffe für Filter, während die Teile 3 und 4 Sinterwerkstoffe für Lager und Formteile beschreiben.
Beiblatt	DIN 743 Bbl 1	Ein Beiblatt enthält Informationen zu einer Norm, jedoch keine zusätzlichen Festlegungen. Das Beiblatt DIN 743 Bbl 1 enthält z.B. Anwendungsbeispiele zu den in DIN 743 beschriebenen Tragfähigkeitsberechnungen von Wellen und Achsen.
Entwurf	E DIN EN 10027-2 (2013-09)	Normentwürfe werden zur Einsicht und Stellungnahme veröffentlicht. Die geplante Neufassung DIN EN 10027-2 mit Werkstoffnummern für Stähle lag der Öffentlichkeit z.B. von September 2013 bis Februar 2014 für Einsprüche als Entwurf vor.
Vornorm	DIN V 66304 (1991-12)	Eine Vornorm ist das Ergebnis einer Normungsarbeit, das wegen Vorbehalten nicht als Norm herausgegeben wird. DIN V 66304 behandelt z.B. ein Format zum Austausch von Normteildateien für das rechnergestützte Konstruieren.
Ausgabedatum	DIN 76-1 (2004-06)	Zeitpunkt des Erscheinens, welcher im DIN-Anzeiger veröffentlicht wird und mit dem die Norm Gültigkeit bekommt. Die DIN 76-1, welche Freistiche für metrische ISO-Gewinde festlegt, ist z.B. seit Juni 2004 gültig.

Normenarten und Regelwerke (Auswahl)

Art	Kurzzeichen	Erklärung	Zweck und Inhalte
Internationale Normen (ISO-Normen)	ISO	International Organisation for Standardization, Genf (O und S werden in der Abkürzung vertauscht)	Den internationalen Austausch von Gütern und Dienstleistungen sowie die Zusammenarbeit auf wissenschaftlichem, technischem und ökonomischem Gebiet erleichtern.
Europäische Normen (EN-Normen)	EN	Europäische Normungsorganisation CEN (Comunité Européen de Normalisation), Brüssel	Technische Harmonisierung und damit verbundener Abbau von Handelshemmnissen zur Förderung des Binnenmarktes und des Zusammenwachsens von Europa.
Deutsche Normen (DIN-Normen)	DIN	Deutsches Institut für Normung e.V., Berlin	Die nationale Normungsarbeit dient der Rationalisierung, der Qualitätssicherung, der Sicherheit, dem Umweltschutz und der Verständigung in Wirtschaft, Technik, Wissenschaft, Verwaltung und Öffentlichkeit.
	DIN EN	Deutsche Umsetzung einer europäischen Norm	
	DIN ISO	Deutsche Norm, deren Inhalt unverändert von einer ISO-Norm übernommen wurde.	
	DIN EN ISO	Norm, die von ISO und CEN veröffentlicht wurde, und deren deutsche Fassung als DIN-Norm Gültigkeit hat.	
	DIN VDE	Druckschrift des VDE, die den Status einer deutschen Norm hat.	
VDI-Richtlinien	VDI	Verein Deutscher Ingenieure e.V., Düsseldorf	Diese Richtlinien geben den aktuellen Stand der Technik zu bestimmten Themenbereichen wieder und enthalten z.B. konkrete Handlungsanleitungen zur Durchführung von Berechnungen oder zur Gestaltung von Prozessen im Maschinenbau bzw. in der Elektrotechnik.
VDE-Druckschriften	VDE	Verband der Elektrotechnik Elektronik Informationstechnik e.V., Frankfurt am Main	
DGQ-Schriften	DGQ	Deutsche Gesellschaft für Qualität e.V., Frankfurt am Main	Empfehlungen für den Bereich der Qualitätstechnik.
REFA-Blätter	REFA	Verband für Arbeitsstudien REFA e.V., Darmstadt	Empfehlungen für den Bereich der Fertigung und Arbeitsplanung.

1 Technische Mathematik

Größe	Formel-zeichen	Einheit	
		Name	Zeichen
Länge	l	Meter	m

Oberfläche

$$A_\text{O} = \pi \cdot d \cdot h + 2 \cdot \frac{\pi \cdot d^2}{4}$$

Mantelfläche

$$A_\text{M} = \pi \cdot d \cdot h$$

Sinus	=	$\dfrac{\text{Gegenkathete}}{\text{Hypotenuse}}$
Kosinus	=	$\dfrac{\text{Ankathete}}{\text{Hypotenuse}}$
Tangens	=	$\dfrac{\text{Gegenkathete}}{\text{Ankathete}}$

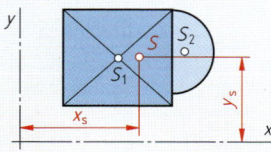

Einheiten im Messwesen

M

SI[1])-Basisgrößen und Basiseinheiten · vgl. DIN 1301-1 (2010-10), -2 (1978-02), -3 (1979-10)

Basisgröße	Länge	Masse	Zeit	Elektrische Stromstärke	Thermodynamische Temperatur	Stoffmenge	Lichtstärke
Basiseinheit	Meter	Kilogramm	Sekunde	Ampere	Kelvin	Mol	Candela
Einheitenzeichen	m	kg	s	A	K	mol	cd

[1]) Die Einheiten im Messwesen sind im Internationalen Einheitensystem (SI = Système International d'Unités) festgelegt. Es baut auf den sieben Basiseinheiten (SI-Einheiten) auf, von denen weitere Einheiten abgeleitet sind.

Basisgrößen, abgeleitete Größen und ihre Einheiten

Größe	Formelzeichen	Einheit Name	Zeichen	Beziehung	Bemerkung Anwendungsbeispiele
Länge, Fläche, Volumen, Winkel					
Länge	l	**Meter**	m	1 m = 10 dm = 100 cm = 1000 mm 1 mm = 1000 µm 1 km = 1000 m	1 inch = 1 Zoll = 25,4 mm In der Luft- und Seefahrt gilt: 1 internationale Seemeile = 1852 m
Fläche	A, S	Quadratmeter Ar Hektar	m² a ha	1 m² = 10 000 cm² = 1 000 000 mm² 1 a = 100 m² 1 ha = 100 a = 10 000 m² 100 ha = 1 km²	Zeichen S nur für Querschnittsflächen Ar und Hektar nur für Flächen von Grundstücken
Volumen	V	Kubikmeter Liter	m³ l, L	1 m³ = 1000 dm³ = 1 000 000 cm³ 1 l = 1 L = 1 dm³ = 10 dl = 0,001 m³ 1 ml = 1 cm³	Meist für Flüssigkeiten und Gase
ebener Winkel (Winkel)	α, β, γ …	Radiant Grad Minute Sekunde	rad ° ' "	1 rad = 1 m/m = 57,2957…° = 180°/π 1° = $\frac{\pi}{180}$ rad = 60' 1' = 1°/60 = 60" 1" = 1'/60 = 1°/3600	1 rad ist der Winkel, der aus einem um den Scheitelpunkt geschlagenen Kreis mit 1 m Radius einen Bogen von 1 m Länge schneidet. Bei technischen Berechnungen statt α = 33° 17' 27,6" besser α = 33,291° verwenden.
Raumwinkel	Ω	Steradiant	sr	1 sr = 1 m²/m²	Ein Objekt, dessen Ausdehnung in einer Richtung 1 rad misst und senkrecht dazu ebenfalls 1 rad, bedeckt einen Raumwinkel von 1 sr.
Mechanik					
Masse	m	**Kilogramm** Gramm Megagramm Tonne	kg g Mg t	1 kg = 1000 g 1 g = 1000 mg 1 t = 1000 kg = 1 Mg 0,2 g = 1 Kt	Gewicht im Sinne eines Wägeergebnisses oder eines Wägestückes ist eine Größe von der Art der Masse (Einheit kg). Masse für Edelsteine in Karat (Kt).
längenbezogene Masse	m'	Kilogramm pro Meter	kg/m	1 kg/m = 1 g/mm	Zur Berechnung der Masse von Stäben, Profilen, Rohren.
flächenbezogene Masse	m''	Kilogramm pro Meter hoch zwei	kg/m²	1 kg/m² = 0,1 g/cm²	Zur Berechnung der Masse von Blechen.
Dichte	ϱ	Kilogramm pro Meter hoch drei	kg/m³	1000 kg/m³ = 1 t/m³ = 1 kg/dm³ = 1 g/cm³ = 1 g/ml = 1 mg/mm³	Für homogene Körper ist die Dichte eine vom Ort unabhängige Größe.

Einheiten im Messwesen

Größen und Einheiten (Fortsetzung)

Größe	Formel-zeichen	Einheit Name	Zeichen	Beziehung	Bemerkung Anwendungsbeispiele
Mechanik					
Trägheitsmo-ment, Massenmoment 2. Grades	J	Kilogramm mal Meter hoch zwei	$kg \cdot m^2$	Für homogene Körper gilt: $J = \varrho \cdot r^2 \cdot V$	Das (Massen-)Trägheitsmoment hängt neben der Gesamtmasse des Körpers auch von dessen Form und der Lage der Drehachse ab.
Kraft	F	Newton	N	$1\ N\ = 1\ \dfrac{kg \cdot m}{s^2} = 1\ \dfrac{J}{m}$	Die Kraft 1 N bewirkt bei der Masse 1 kg in 1 s eine Geschwindigkeitsände-rung von 1 m/s.
Gewichtskraft	F_G, G			$1\ MN = 10^3\ kN = 1\,000\,000\ N$	
Drehmoment Biegemoment Torsionsmoment	M M_b M_T, T	Newton mal Meter	$N \cdot m$	$1\ N \cdot m = 1\ \dfrac{kg \cdot m^2}{s^2}$	1 N · m ist das Moment, das eine Kraft von 1 N bei einem Hebelarm von 1 m bewirkt.
Impuls	p	Kilogramm mal Meter pro Sekunde	$kg \cdot m/s$	$1\ kg \cdot m/s = 1\ N \cdot s$	Der Impuls ist das Produkt aus Masse mal Geschwindigkeit. Er hat die Rich-tung der Geschwindigkeit.
Druck	p	Pascal	Pa	$1\ Pa\ = 1\ N/m^2 = 0,01\ mbar$ $1\ bar = 100\,000\ N/m^2$	Unter Druck versteht man die Kraft je Flächeneinheit. Für Überdruck wird das Formelzeichen p_e verwendet (DIN 1314).
mechanische Spannung	σ, τ	Newton pro Millimeter hoch zwei	N/mm^2	$= 10\ N/cm^2 = 10^5\ Pa$ $1\ mbar\ = 1\ hPa$ $1\ N/mm^2 = 10\ bar = 1\ MN/m^2$ $= 1\ MPa$ $1\ daN/cm^2 = 0,1\ N/mm^2$	1 bar = 14,5 psi (pounds per square inch = Pfund pro Quadratinch)
Flächen-moment 2. Grades	I	Meter hoch vier Zentimeter hoch vier	m^4 cm^4	$1\ m^4 = 100\,000\,000\ cm^4$	früher: Flächenträgheitsmoment
Energie, Arbeit, Wärmemenge	E, W	Joule	J	$1\ J\ = 1\ N \cdot m = 1\ W \cdot s$ $= 1\ kg \cdot m^2/s^2$	Joule für jede Energieart, kW · h bevorzugt für elektrische Energie.
Leistung, Wärmestrom	P Φ	Watt	W	$1\ W = 1\ J/s = 1\ N \cdot m/s$ $= 1\ V \cdot A = 1\ m^2 \cdot kg/s^3$	Leistung beschreibt die Arbeit, die in einer bestimmten Zeit verrichtet wurde.
Zeit					
Zeit, Zeitspanne, Dauer	t	**Sekunde** Minute Stunde Tag Jahr	s min h d a	$1\ min = 60\ s$ $1\ h\ = 60\ min = 3600\ s$ $1\ d\ = 24\ h = 86\,400\ s$	3 h bedeutet eine Zeitspanne (3 Std.), 3^h bedeutet einen Zeitpunkt (3 Uhr). Werden Zeitpunkte in gemischter Form, z.B. $3^h24^m10^s$ geschrieben, so kann das Zeichen min auf m verkürzt werden.
Frequenz	f, ν	Hertz	Hz	$1\ Hz\ = 1/s$	1 Hz $\widehat{=}$ 1 Schwingung in 1 Sekunde.
Drehzahl, Umdrehungs-frequenz	n	1 pro Sekunde 1 pro Minute	1/s 1/min	$1/s\ = 60/min = 60\ m\ n^{-1}$ $1/min = 1\ min^{-1} = \dfrac{1}{60\ s}$	Die Anzahl der Umdrehungen pro Zeiteinheit ergibt die Drehzahl, auch Drehfrequenz genannt.
Geschwin-digkeit	v	Meter pro Sekunde Meter pro Minute Kilometer pro Stunde	m/s m/min km/h	$1\ m/s\ = 60\ m/min$ $= 3,6\ km/h$ $1\ m/min = \dfrac{1\ m}{60\ s}$ $1\ km/h = \dfrac{1\ m}{3,6\ s}$	Geschwindigkeit bei der Seefahrt in Knoten (kn): 1 kn = 1,852 km/h mile per hour = 1 mile/h = 1 mph 1 mph = 1,60934 km/h
Winkel-geschwin-digkeit	ω	1 pro Sekunde Radiant pro Sekunde	1/s rad/s	$\omega = 2\ \pi \cdot n$	Bei einer Drehzahl von $n = 2/s$ beträgt die Winkelgeschwindigkeit $\omega = 4\ \pi/s$.
Beschleuni-gung	a, g	Meter pro Sekunde hoch zwei	m/s^2	$1\ m/s^2 = \dfrac{1\ m/s}{1\ s}$	Formelzeichen g nur für Fallbeschleu-nigung. $g = 9,81\ m/s^2 \approx 10\ m/s^2$

M

Einheiten im Messwesen

M

Größen und Einheiten (Fortsetzung)

Größe	Formel-zeichen	Einheit Name	Zeichen	Beziehung	Bemerkung Anwendungsbeispiele
Elektrizität und Magnetismus					
Elektrische Stromstärke	I	**Ampere**	A		Die bewegte elektrische Ladung nennt man Strom. Die Spannung ist gleich der Potentialdifferenz zweier Punkte im elektrischen Feld. Den Kehrwert des elektrischen Widerstands nennt man elektrischen Leitwert.
Elektr. Spannung	U	Volt	V	$1\,V = 1\,W/1\,A = 1\,J/C$	
Elektr. Widerstand	R	Ohm	Ω	$1\,\Omega = 1\,V/1\,A$	
Elektr. Leitwert	G	Siemens	S	$1\,S = 1\,A/1\,V = 1/\Omega$	
Spezifischer Widerstand	ϱ	Ohm mal Meter	$\Omega \cdot m$	$10^{-6}\,\Omega \cdot m = 1\,\Omega \cdot mm^2/m$	$\varrho = \dfrac{1}{\varkappa}$ in $\dfrac{\Omega \cdot mm^2}{m}$
Leitfähigkeit	$\gamma, \varkappa$	Siemens pro Meter	S/m		$\varkappa = \dfrac{1}{\varrho}$ in $\dfrac{m}{\Omega \cdot mm^2}$
Frequenz	f	Hertz	Hz	$1\,Hz = 1/s$ $1000\,Hz = 1\,kHz$	Frequenz öffentlicher Stromnetze: EU 50 Hz, USA 60 Hz
Elektr. Arbeit	W	Joule	J	$1\,J = 1\,W \cdot s = 1\,N \cdot m$ $1\,kW \cdot h = 3{,}6\,MJ$ $1\,W \cdot h = 3{,}6\,kJ$	In der Atom- und Kernphysik wird die Einheit eV (Elektronenvolt) verwendet.
Phasenver-schiebungs-winkel	φ	–	–	für Wechselstrom gilt: $\cos \varphi = \dfrac{P}{U \cdot I}$	Winkel zwischen Strom und Spannung bei induktiver oder kapazitiver Belastung.
Elektr. Feldstärke	E	Volt pro Meter	V/m	$1\,C = 1\,A \cdot 1\,s; 1\,A \cdot h = 3{,}6\,kC$	$E = \dfrac{F}{Q}, \ C = \dfrac{Q}{U}, \ Q = I \cdot t$
Elektr. Ladung	Q	Coulomb	C	$1\,F = 1\,C/V$	
Elektr. Kapazität	C	Farad	F	$1\,H = 1\,V \cdot s/A$	
Induktivität	L	Henry	H		
Leistung Wirkleistung	P	Watt	W	$1\,W = 1\,J/s = 1\,N \cdot m/s$ $= 1\,V \cdot A$	In der elektrischen Energietechnik: Scheinleistung S in $V \cdot A$
Thermodynamik und Wärmeübertragung					

Größe	Formel-zeichen	Einheit Name	Zeichen	Beziehung	Bemerkung Anwendungsbeispiele
Thermo-dynamische Temperatur	T, Θ	**Kelvin**	K	$0\,K = -273{,}15\,°C$	Kelvin (K) und Grad Celsius (°C) werden für Temperaturen und Temperaturdifferenzen verwendet.
Celsius-Temperatur	t, ϑ	Grad Celsius	°C	$0\,°C = 273{,}15\,K$ $0\,°C = 32\,°F$ $0\,°F = -17{,}77\,°C$	$t = T - T_0; T_0 = 273{,}15\,K$ Umrechnung in °F: Seite 49
Wärme-menge	Q	Joule	J	$1\,J = 1\,W \cdot s = 1\,N \cdot m$ $1\,kW \cdot h = 3\,600\,000\,J = 3{,}6\,MJ$	$1\,kcal \triangleq 4{,}1868\,kJ$
Spezifischer Heizwert	H_u	Joule pro Kilogramm Joule pro Meter hoch drei	J/kg J/m³	$1\,MJ/kg = 1\,000\,000\,J/kg$ $1\,MJ/m^3 = 1\,000\,000\,J/m^3$	Freiwerdende Wärmeenergie je kg (bzw. je m³) Brennstoff abzüglich der Verdampfungswärme des in den Abgasen enthaltenen Wasserdampfes.

Einheiten außerhalb des Internationalen Einheitensystems SI

Länge	Fläche	Volumen	Masse	Energie, Leistung
1 inch (in) = 25,4 mm	1 sq.in = 6,452 cm²	1 cu.in = 16,39 cm³	1 oz = 28,35 g	1 PSh = 0,735 kWh
1 foot (ft) = 0,3048 m	1 sq.ft = 9,29 dm²	1 cu.ft = 28,32 dm³	1 lb = 453,6 g	1 PS = 0,7355 kW
1 yard (yd) = 0,9144 m	1 sq.yd = 0,8361 m²	1 cu.yd = 764,6 dm³	1 t = 1000 kg	1 kcal = 4186,8 Ws
1 See-meile = 1,852 km	1 acre = 4046,856 m²	1 gallon (US) = 3,785 l	1 short ton = 907,2 kg	1 kcal = 1,166 Wh
1 US-Land-meile = 1,6093 km	**Druck, Spannung**	1 gallon (UK) = 4,546 l	1 Karat = 0,2 g	1 kpm/s = 9,807 W
	1 bar = 14,5 pound/in²	1 barrel = 158,8 l	1 pound/in³ = 27,68 g/cm³	1 Btu = 1055 Ws
	1 N/mm² = 145,038 pound/in²			1 hp = 745,7 W

Formelzeichen, mathematische Zeichen

Formelzeichen

vgl. DIN 1304-1 (1994-03)

M

Formel-zeichen	Bedeutung	Formel-zeichen	Bedeutung	Formel-zeichen	Bedeutung
Länge, Fläche, Volumen, Winkel					
l	Länge	r, R	Radius	α, β, γ	ebener Winkel
b	Breite	d, D	Durchmesser	Ω	Raumwinkel
h	Höhe	A, S	Fläche, Querschnittsfläche	λ	Wellenlänge
s	Weglänge	V	Volumen		
Mechanik					
m	Masse	F	Kraft	G	Schubmodul
m'	längenbezogene Masse	F_G, G	Gewichtskraft	μ, f	Reibungszahl
m''	flächenbezogene Masse	M	Drehmoment	W	Widerstandsmoment
ϱ	Dichte	M_T, T	Torsionsmoment	I	Flächenmoment 2. Grades
J	Trägheitsmoment	M_b	Biegemoment	W, E	Arbeit, Energie
p	Druck	σ	Normalspannung	W_p, E_p	potenzielle Energie
p_{abs}	absoluter Druck	τ	Schubspannung	W_k, E_k	kinetische Energie
p_{amb}	Atmosphärendruck	ε	Dehnung	P	Leistung
p_e	Überdruck	E	Elastizitätsmodul	η	Wirkungsgrad
Zeit					
t	Zeit, Dauer	f, ν	Frequenz	a	Beschleunigung
T	Periodendauer	v, u	Geschwindigkeit	g	örtliche Fallbeschleunigung
n	Umdrehungsfrequenz, Drehzahl	ω	Winkelgeschwindigkeit	α	Winkelbeschleunigung
				$Q, \dot{V}, q_v$	Volumenstrom
Elektrizität					
Q	Ladung, Elektrizitätsmenge	L	Induktivität	X	Blindwiderstand
U	Spannung	R	Widerstand	Z	Scheinwiderstand
C	Kapazität	ϱ	spezifischer Widerstand	φ	Phasenverschiebungswinkel
I	Stromstärke	$\gamma, \varkappa$	elektrische Leitfähigkeit	N	Windungszahl
Wärme					
T, Θ	thermodynamische Temperatur	Q	Wärme, Wärmemenge	$\Phi, \dot{Q}$	Wärmestrom
$\Delta T, \Delta t, \Delta\vartheta$	Temperaturdifferenz	λ	Wärmeleitfähigkeit	a	Temperaturleitfähigkeit
t, ϑ	Celsius-Temperatur	α	Wärmeübergangs-koeffizient	c	spezifische Wärme-kapazität
α_l, α	Längenausdehnungs-koeffizient	k	Wärmedurchgangs-koeffizient	H_u	spezifischer Heizwert
Licht, elektromagnetische Strahlung					
E_v	Beleuchtungsstärke	f	Brennweite	I_e	Strahlstärke
		n	Brechzahl	Q_e, W	Strahlungsenergie
Akustik					
p	Schalldruck	L_P	Schalldruckpegel	N	Lautheit
c	Schallgeschwindigkeit	I	Schallintensität	L_N	Lautstärkepegel

Mathematische Zeichen

vgl. DIN 1302 (1999-12)

Math. Zeichen	Sprechweise	Math. Zeichen	Sprechweise	Math. Zeichen	Sprechweise
$\approx$	ungefähr gleich, rund, etwa	$\sim$	proportional	$\log$	Logarithmus (allgemein)
$\hat{=}$	entspricht	a^x	a hoch x, x-te Potenz von a	$\lg$	dekadischer Logarithmus
$\dots$	und so weiter	$\sqrt{}$	Quadratwurzel aus	$\ln$	natürlicher Logarithmus
∞	unendlich	$\sqrt[n]{}$	n-te Wurzel aus	e	Eulersche Zahl (e = 2,718281...)
$=$	gleich	$|x|$	Betrag von x	$\sin$	Sinus
$\neq$	ungleich	$\perp$	senkrecht zu	$\cos$	Kosinus
$\overset{\text{def}}{=}$	ist definitionsgemäß gleich	$\parallel$	ist parallel zu	$\tan$	Tangens
$<$	kleiner als	$\uparrow\uparrow$	gleichsinnig parallel	$\cot$	Kotangens
$\leq$	kleiner oder gleich	$\uparrow\downarrow$	gegensinnig paralle	$(), [], \{\}$	runde, eckige, geschweifte Klammer auf und zu
$>$	größer als	$\sphericalangle$	Winkel	π	pi (Kreiszahl = 3,14159 ...)
$\geq$	größer oder gleich	$\triangle$	Dreieck		
$+$	plus	$\cong$	kongruent zu		
$-$	minus	Δx	Delta x (Differenz zweier Werte)	$\overline{AB}$	Strecke AB
$\cdot$	mal, multipliziert mit			$\overset{\frown}{AB}$	Bogen AB
$-, /, :$	durch, geteilt durch, zu, pro	$\%$	Prozent, vom Hundert	a', a''	a Strich, a zwei Strich
Σ	Summe	$\permil$	Promille, vom Tausend	a_1, a_2	a eins, a zwei

M

Formeln, Gleichungen, Diagramme

Formeln

Die Berechnung physikalischer Größen erfolgt meist über Formeln. Sie bestehen aus:

- Formelzeichen, z.B. v_c für die Schnittgeschwindigkeit, d für den Durchmesser, n für die Drehzahl
- Operatoren (Rechenvorschriften), z.B. $\cdot$ für Multiplikation, + für Addition, – für Subtraktion, — (Bruchstrich) für Division
- Konstanten, z.B. π (pi) = 3,14159 …
- Zahlen, z.B. 10, 15 …

Die Formelzeichen (Seite 13) sind Platzhalter für Größen. Bei der Lösung von Aufgaben werden die bekannten Größen mit ihren Einheiten in die Formel eingesetzt. Vor oder während der Berechnung werden die Einheiten so umgeformt, dass

- der Rechengang möglich wird oder
- das Ergebnis die geforderte Einheit erhält.

Die meisten Größen und ihre Einheiten sind genormt (Seite 10).

Das **Ergebnis** ist immer ein **Zahlenwert** mit einer **Einheit**, z.B. 4,5 m, 15 s

Formel für die Schnittgeschwindigkeit

$$v_c = \pi \cdot d \cdot n$$

Beispiel:

Wie groß ist die Schnittgeschwindigkeit v_c in m/min für $d = 200$ mm und $n = 630$/min?

$$v_c = \pi \cdot d \cdot n = \pi \cdot 200 \text{ mm} \cdot 630 \frac{1}{\text{min}} = \pi \cdot 200 \text{ mm} \cdot \frac{1 \text{ m}}{1000 \text{ mm}} \cdot 630 \frac{1}{\text{min}} = \mathbf{395{,}84 \ \frac{m}{min}}$$

Zahlenwertgleichungen

Zahlenwertgleichungen sind Formeln, in welche die üblichen Umrechnungen von Einheiten bereits eingearbeitet sind. Bei ihrer Anwendung ist zu beachten:

Die Zahlenwerte der einzelnen Größen dürfen nur in der vorgeschriebenen Einheit verwendet werden.

- Die Einheiten werden bei der Berechnung nicht mitgeführt.
- Die Einheit der gesuchten Größe ist vorgegeben.

Zahlenwertgleichung für das Drehmoment

$$M = \frac{9550 \cdot P}{n}$$

Beispiel:

Wie groß ist das Drehmoment M eines Elektromotors mit der Antriebsleistung $P = 15$ kW und der Drehzahl $n = 750$/min?

$$M = \frac{9550 \cdot P}{n} = \frac{9550 \cdot 15}{750} \text{ N} \cdot \text{m} = \mathbf{191 \ N \cdot m}$$

vorgeschriebene Einheiten	
Bezeichnung	Einheit
M Drehmoment	N · m
P Leistung	kW
n Drehzahl	1/min

Gleichungen und Diagramme

Bei Funktionsgleichungen ist y die Funktion von x, mit x als unabhängige und y als abhängige Variable. Die Zahlenpaare (x, y) einer Wertetabelle bilden ein Diagramm im x-y-Koordinatensystem.

Zuordnungsfunktion

$$y = f(x)$$

1. Beispiel:

$y = 0{,}5\,x + 1$

x	−2	0	2	3
y	0	1	2	2,5

2. Beispiel:

Kostenfunktion und Erlösfunktion

$K_G = 60$ €/Stck · M + 200 000 €
$E = 110$ €/Stck · M

M	0	4000	6000
K_G	200 000	440 000	560 000
E	0	440 000	660 000

K_G Gesamtkosten → abhängige Variable
M Menge → unabhängige Variable
K_f Fixe Kosten → y-Koordinatenabschnitt
K_v Variable Kosten → Steigung der Funktion
E Erlös → abhängige Variable

Lineare Funktion

$$y = m \cdot x + b$$

Beispiele:

Kostenfunktion

$$K_G = K_V \cdot M + K_f$$

Erlösfunktion

$$E = E/\text{Stück} \cdot M$$

Umstellen von Formeln

Umstellen von Formeln

Formeln und Zahlenwertgleichungen werden umgestellt, damit die gesuchte Größe allein auf der linken Seite der Gleichung steht. Dabei darf sich der Wert der linken und der rechten Formelseite nicht ändern. Für alle Schritte einer Formelumstellung gilt:

Formel
$P = \dfrac{F \cdot s}{t}$
linke Formel- seite $=$ rechte Formel- seite

Veränderungen auf der linken Formelseite	$=$	Veränderungen auf der rechten Formelseite

M

Zur Rekonstruktion der einzelnen Schritte ist es sinnvoll, jeden Schritt rechts neben der Formel zu kennzeichnen:

$| \cdot t \rightarrow$ beide Formelseiten werden mit t multipliziert.

$| : F \rightarrow$ beide Formelseiten werden durch F dividiert.

Umstellung von Summen

Beispiel: Formel $L = l_1 + l_2$, Umstellung nach l_2

⨯1 $L = l_1 + l_2$	$\| - l_1$	l_1 subtrahieren	⨯3 $L - l_1 = l_2$	Seiten vertauschen
⨯2 $L - l_1 = l_1 + l_2 - l_1$		subtrahieren durchführen	⨯4 $l_2 = L - l_1$	umgestellte Formel

Umstellung von Produkten

Beispiel: Formel $A = l \cdot b$, Umstellung nach l

⨯1 $A = l \cdot b$	$\| : b$	dividieren durch b	⨯3 $\dfrac{A}{b} = l$	Seiten vertauschen
⨯2 $\dfrac{A}{b} = \dfrac{l \cdot b}{b}$		kürzen mit b	⨯4 $l = \dfrac{A}{b}$	umgestellte Formel

Umstellung von Brüchen

Beispiel: Formel $n = \dfrac{l}{l_1 + s}$, Umstellung nach s

⨯1 $n = \dfrac{l}{l_1 + s}$	$\| \cdot (l_1 + s)$	mit $(l_1 + s)$ multiplizieren	⨯4 $n \cdot l_1 - n \cdot l_1 + n \cdot s = l - n \cdot l_1$	$\| : n$	subtrahieren dividieren durch n
⨯2 $n \cdot (l_1 + s) = \dfrac{l \cdot (l_1 + s)}{(l_1 + s)}$		rechte Formelseite kürzen Klammer auflösen	⨯5 $\dfrac{s \cdot n}{n} = \dfrac{l - n \cdot l_1}{n}$		kürzen mit n
⨯3 $n \cdot l_1 + n \cdot s = l$	$\| - n \cdot l_1$	$- n \cdot l_1$ subtrahieren	⨯6 $s = \dfrac{l - n \cdot l_1}{n}$		umgestellte Formel

Umstellung von Wurzeln

Beispiel: Formel $c = \sqrt{a^2 + b^2}$, Umstellung nach a

⨯1 $c = \sqrt{a^2 + b^2}$	$\| (\ )^2$	Formel quadrieren	⨯4 $a^2 = c^2 - b^2$	$\| \sqrt{\ }$ radizieren
⨯2 $c^2 = a^2 + b^2$	$\| - b^2$	b^2 subtrahieren	⨯5 $\sqrt{a^2} = \sqrt{c^2 - b^2}$	Ausdruck vereinfachen
⨯3 $c^2 - b^2 = a^2 + b^2 - b^2$		subtrahieren, Seite tauschen	⨯6 $a = \sqrt{c^2 - b^2}$	umgestellte Formel

M

Größen und Einheiten

Zahlenwerte und Einheiten

Physikalische Größe

10 mm

Zahlenwert   Einheit

Physikalische Größen, z. B. 125 mm, bestehen aus einem
- **Zahlenwert,** der durch Messung oder Berechnung ermittelt wird, und aus einer
- **Einheit,** z. B. m, kg

Die Einheiten sind nach DIN 1301-1 genormt (Seite 10).

Sehr große oder sehr kleine Zahlenwerte lassen sich über Vorsatzzeichen als dezimale Vielfache oder Teile vereinfacht darstellen, z. B. 0,004 mm = 4 µm.

Dezimale Vielfache oder Teile von Einheiten   vgl. DIN 1301-2 (1978-02)

Vorsatz- Zeichen	Vorsatz- Name	Zehner- potenz	Mathematische Bezeichnung	Beispiele
T	Tera	10^{12}	Billion	$12\,000\,000\,000\,000$ N = $12 \cdot 10^{12}$ N = 12 TN (Tera-Newton)
G	Giga	10^{9}	Milliarde	$45\,000\,000\,000$ W = $45 \cdot 10^{9}$ W = 45 GW (Giga-Watt)
M	Mega	10^{6}	Million	$8\,500\,000$ V = $8,5 \cdot 10^{6}$ V = 8,5 MV (Mega-Volt)
k	Kilo	10^{3}	Tausend	$12\,600$ W = $12,6 \cdot 10^{3}$ W = 12,6 kW (Kilo-Watt)
h	Hekto	10^{2}	Hundert	500 l = $5 \cdot 10^{2}$ l = 5 hl (Hekto-Liter)
da	Deka	10^{1}	Zehn	32 m = $3,2 \cdot 10^{1}$ m = 3,2 dam (Deka-Meter)
–	–	10^{0}	Eins	$1,5$ m = $1,5 \cdot 10^{0}$ m
d	Dezi	10^{-1}	Zehntel	$0,5$ l = $5 \cdot 10^{-1}$ l = 5 dl (Dezi-Liter)
c	Zenti	10^{-2}	Hundertstel	$0,25$ m = $25 \cdot 10^{-2}$ m = 25 cm (Zenti-Meter)
m	Milli	10^{-3}	Tausendstel	$0,375$ A = $375 \cdot 10^{-3}$ A = 375 mA (Milli-Ampere)
µ	Mikro	10^{-6}	Millionstel	$0,000052$ m = $52 \cdot 10^{-6}$ m = 52 µm (Mikro-Meter)
n	Nano	10^{-9}	Milliardstel	$0,000\,000\,075$ m = $75 \cdot 10^{-9}$ m = 75 nm (Nano-Meter)
p	Piko	10^{-12}	Billionstel	$0,000\,000\,000\,006$ F = $6 \cdot 10^{-12}$ F = 6 pF (Pico-Farad)

Umrechnung von Einheiten

Berechnungen mit physikalischen Größen sind nur dann möglich, wenn sich ihre Einheiten jeweils auf eine Basis beziehen. Bei der Lösung von Aufgaben müssen Einheiten häufig auf Basiseinheiten umgerechnet werden, z. B. mm in m, h in s, mm² in m². Dies geschieht durch Umrechnungsfaktoren, die den Wert 1 (kohärente Einheiten) darstellen.

Umrechnungsfaktoren für Einheiten (Auszug)

Größe	Umrechnungsfaktoren, z. B.	Größe	Umrechnungsfaktoren, z. B.
Längen	$1 = \dfrac{10\ mm}{1\ cm} = \dfrac{1000\ mm}{1\ m} = \dfrac{1\ m}{1000\ mm} = \dfrac{1\ km}{1000\ m}$	Zeit	$1 = \dfrac{60\ min}{1\ h} = \dfrac{3600\ s}{1\ h} = \dfrac{60\ s}{1\ min} = \dfrac{1\ min}{60\ s}$
Flächen	$1 = \dfrac{100\ mm^2}{1\ cm^2} = \dfrac{100\ cm^2}{1\ dm^2} = \dfrac{1\ cm^2}{100\ mm^2} = \dfrac{1\ dm^2}{100\ cm^2}$	Winkel	$1 = \dfrac{60'}{1°} = \dfrac{60''}{1'} = \dfrac{3600''}{1°} = \dfrac{1°}{60\ s}$
Volumen	$1 = \dfrac{1000\ mm^3}{1\ cm^3} = \dfrac{1000\ cm^3}{1\ dm^3} = \dfrac{1\ cm^3}{1000\ mm^3} = \dfrac{1\ dm^3}{1000\ cm^3}$	Zoll	$1\ inch = 25,4\ mm;\ 1\ mm = \dfrac{1}{25,4}\ inch$

1. Beispiel:

Das Volumen $V = 3416$ mm³ ist in cm³ umzurechnen.

Das Volumen V wird mit dem Umrechnungsfaktor multipliziert, der im Zähler die Einheit cm³ und im Nenner die Einheit mm³ aufweist.

$$V = 3416\ mm^3 = \frac{1\ cm^3 \cdot 3416\ mm^3}{1000\ mm^3} = \frac{3416\ cm^3}{1000} = \mathbf{3,416\ cm^3}$$

2. Beispiel:

Die Winkelangabe $\alpha = 42° 16'$ ist in Grad (°) auszudrücken.

Der Teilwinkel 16' muss in Grad (°) umgewandelt werden. Er wird mit dem Umrechnungsfaktor multipliziert, der im Zähler die Einheit Grad (°) und im Nenner die Einheit Minute (') hat.

$$\alpha = 42° + 16' \cdot \frac{1°}{60'} = 42° + \frac{16 \cdot 1°}{60} = 42° + 0,267° = \mathbf{42,267°}$$

Rechnen mit Größen, Prozentrechnung, Zinsrechnung

Rechnen mit Größen

Physikalische Größen werden mathematisch behandelt wie Produkte.

- **Addition und Subtraktion**

  Bei gleichen Einheiten werden die Zahlenwerte addiert und die Einheit im Ergebnis übernommen.

  Beispiel:

  $L = l_1 + l_2 - l_3$ mit $l_1 = 124$ mm, $l_2 = 18$ mm, $l_3 = 44$ mm; $L = ?$

  $L = 124$ mm $+ 18$ mm $- 44$ mm $= (124 + 18 - 44)$ mm $= \mathbf{98\ mm}$

- **Multiplikation und Division**

  Die Zahlenwerte und die Einheiten entsprechen den Faktoren von Produkten.

  Beispiel:

  $F_1 \cdot l_1 = F_2 \cdot l_2$ mit $F_1 = 180$ N, $l_1 = 75$ mm, $l_2 = 105$ mm; $F_2 = ?$

  $F_2 = \dfrac{F_1 \cdot l_1}{l_2} = \dfrac{180\ \text{N} \cdot 75\ \text{mm}}{105\ \text{mm}} = 128{,}57\ \dfrac{\text{N} \cdot \text{mm}}{\text{mm}} = \mathbf{128{,}57\ N}$

- **Multiplizieren und Dividieren von Potenzen**

  Potenzen mit gleicher Basis werden multipliziert bzw. dividiert, indem die Exponenten addiert bzw. subtrahiert werden.

  Beispiel:

  $W = \dfrac{A \cdot a^2}{e}$ mit $A = 15$ cm², $a = 7{,}5$ cm, $e = 2{,}4$ cm; $W = ?$

  $W = \dfrac{15\ \text{cm}^2 \cdot (7{,}5\ \text{cm})^2}{2{,}4\ \text{cm}} = \dfrac{15 \cdot 56{,}25\ \text{cm}^{2+2}}{2{,}4\ \text{cm}^1} = 351{,}56\ \text{cm}^{4-1} = \mathbf{351{,}56\ cm^3}$

Regeln beim Potenzieren

a — Basis

$m, n \ldots$ Exponenten

Multiplikation von Potenzen

$$a^2 \cdot a^3 = a^{2+3}$$

$$a^m \cdot a^n = a^{m+n}$$

Division von Potenzen

$$\frac{a^2}{a^3} = a^{2-3}$$

$$\frac{a^m}{a^n} = a^{m-n}$$

Sonderformen

$$a^{-2} = \frac{1}{a^2}$$

$$a^{-m} = \frac{1}{a^m}$$

$$a^1 = a \qquad a^0 = 1$$

Prozentrechnung

Der **Prozentsatz** gibt den Teil des Grundwertes in Hundertstel an.
Der **Grundwert** ist der Wert, von dem die Prozente zu rechnen sind.
Der **Prozentwert** ist der Betrag, den die Prozente des Grundwertes ergeben.

P_s Prozentsatz, Prozent P_w Prozentwert G_w Grundwert

Beispiel:

Werkstückrohteilgewicht 250 kg (Grundwert); Abbrand 2 % (Prozentsatz)
Abbrand in kg = ? (Prozentwert)

$P_w = \dfrac{G_w \cdot P_s}{100\,\%} = \dfrac{250\ \text{kg} \cdot 2\,\%}{100\,\%} = \mathbf{5\ kg}$

Prozentwert

$$P_w = \frac{G_w \cdot P_s}{100\,\%}$$

Zinsrechnung

K_0 Anfangskapital Z Zinsen t Laufzeit in Tagen, Verzinsungszeit
K_t Endkapital p Zinssatz pro Jahr

1. Beispiel:

$K_0 = 2800{,}00$ €; $p = 6\,\dfrac{\%}{\text{a}}$; $t = \frac{1}{2}$ a; $Z = ?$

$Z = \dfrac{2800{,}00\ \text{€} \cdot 6\,\frac{\%}{\text{a}} \cdot 0{,}5\ \text{a}}{100\,\%} = \mathbf{84{,}00\ €}$

2. Beispiel:

$K_0 = 4800{,}00$ €; $p = 5{,}1\,\dfrac{\%}{\text{a}}$; $t = 50$ d; $Z = ?$

$Z = \dfrac{4800{,}00\ \text{€} \cdot 5{,}1\,\frac{\%}{\text{a}} \cdot 50\ \text{d}}{100\,\% \cdot 360\,\frac{\text{d}}{\text{a}}} = \mathbf{34{,}00\ €}$

Zins

$$Z = \frac{K_0 \cdot p \cdot t}{100\,\% \cdot 360}$$

1 Zinsjahr (1 a) = 360 Tage (360 d)
360 d = 12 Monate
1 Zinsmonat = 30 Tage

M

M

Winkelarten, Strahlensatz, Winkel im Dreieck, Satz des Pythagoras

Winkelarten

g	Gerade
g_1, g_2	parallele Geraden
α, β	Stufenwinkel
β, δ	Scheitelwinkel
α, δ	Wechselwinkel
α, γ	Nebenwinkel

Werden zwei Parallelen durch eine Gerade geschnitten, so bestehen unter den dabei gebildeten Winkeln geometrische Beziehungen.

Stufenwinkel
$$\alpha = \beta$$

Scheitelwinkel
$$\beta = \delta$$

Wechselwinkel
$$\alpha = \delta$$

Nebenwinkel
$$\alpha + \gamma = 180°$$

Strahlensatz

τ_{ta} Torsionsspannung außen
τ_{ti} Torsionsspannung innen

Werden zwei Geraden durch zwei Parallelen geschnitten, so bilden die zugehörigen Strahlenabschnitte gleiche Verhältnisse.

Beispiel:

$D = 40$ mm, $d = 30$ mm,
$\tau_{ta} = 135$ N/mm²; $\tau_{ti} = ?$

$$\frac{\tau_{ti}}{\tau_{ta}} = \frac{d}{D} \Rightarrow \tau_{ti} = \frac{\tau_{ta} \cdot d}{D}$$

$$= \frac{135 \text{ N/mm}^2 \cdot 30 \text{ mm}}{40 \text{ mm}} = \mathbf{101{,}25 \text{ N/mm}^2}$$

Strahlensatz
$$\frac{a_1}{a_2} = \frac{b_1}{b_2} = \frac{\dfrac{d}{2}}{\dfrac{D}{2}}$$

$$\frac{a_1}{b_1} = \frac{a_2}{b_2} \qquad \frac{b_1}{d} = \frac{b_2}{D}$$

Winkelsumme im Dreieck

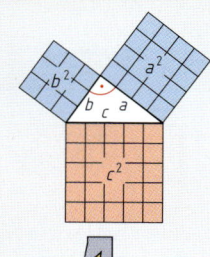

a, b, c	Dreieckseiten
α, β, γ	Winkel im Dreieck

Beispiel:

$\alpha = 21°$, $\beta = 95°$, $\gamma = ?$

$\gamma = 180° - \alpha - \beta = 180° - 21° - 95° = \mathbf{64°}$

Winkelsumme im Dreieck
$$\alpha + \beta + \gamma = 180°$$

In jedem Dreieck ist die Winkelsumme 180°.

Lehrsatz des Pythagoras

Im **rechtwinkligen Dreieck** ist das Hypotenusenquadrat flächengleich der Summe der beiden Kathetenquadrate.

a Kathete
b Kathete
c Hypotenuse

1. Beispiel:

$c = 35$ mm; $a = 21$ mm; $b = ?$
$b = \sqrt{c^2 - a^2} = \sqrt{(35 \text{ mm})^2 - (21 \text{ mm})^2} = \mathbf{28 \text{ mm}}$

2. Beispiel:

CNC-Programm mit $R = 50$ mm und $I = 25$ mm.
$K = ?$
$c^2 = a^2 + b^2$
$R^2 = I^2 + K^2$
$K = \sqrt{R^2 - I^2} = \sqrt{50^2 \text{ mm}^2 - 25^2 \text{ mm}^2}$
$\mathbf{K = 43{,}3 \text{ mm}}$

Quadrat über der Hypotenuse
$$c^2 = a^2 + b^2$$

Länge der Hypotenuse
$$c = \sqrt{a^2 + b^2}$$

Länge der Katheten
$$a = \sqrt{c^2 - b^2}$$
$$b = \sqrt{c^2 - a^2}$$

M

Funktionen im Dreieck

Funktionen im rechtwinkligen Dreieck (Winkelfunktionen)

c Hypotenuse (längste Seite)
a, b Katheten
Bezogen auf den Winkel α ist:
– b die Ankathete und
– a die Gegenkathete
α, β, γ Winkel im Dreieck, mit $\gamma = 90°$
sin   Schreibweise für Sinus
cos   Schreibweise für Kosinus
tan   Schreibweise für Tangens
$\sin\alpha$ Sinus des Winkels α

Winkelfunktionen		
Sinus	=	$\dfrac{\text{Gegenkathete}}{\text{Hypotenuse}}$
Kosinus	=	$\dfrac{\text{Ankathete}}{\text{Hypotenuse}}$
Tangens	=	$\dfrac{\text{Gegenkathete}}{\text{Ankathete}}$

Bezogen auf den Winkel α ist:

$$\sin\alpha = \frac{a}{c} \quad \cos\alpha = \frac{b}{c} \quad \tan\alpha = \frac{a}{b}$$

Bezogen auf den Winkel β ist:

$$\sin\beta = \frac{b}{c} \quad \cos\beta = \frac{a}{c} \quad \tan\beta = \frac{b}{a}$$

1. Beispiel

$L_1 = 150$ mm, $L_2 = 30$ mm, $L_3 = 140$ mm;
Winkel $\alpha = ?$

$$\tan\alpha = \frac{L_1 + L_2}{L_3} = \frac{180\ \text{mm}}{140\ \text{mm}} = 1{,}286$$

Winkel $\alpha = 52°$

2. Beispiel

$L_1 = 150$ mm, $L_2 = 30$ mm, $\alpha = 52°$;
Länge des Stoßdämpfers $L = ?$

$$L = \frac{L_1 + L_2}{\sin\alpha} = \frac{180\ \text{mm}}{\sin 52°} = \textbf{228{,}42 mm}$$

Die Berechnung eines Winkels in Grad (°) oder als Bogenmaß (rad) erfolgt mit der Arcus-Funktion, z.B. arc sin.

Funktionen im schiefwinkligen Dreieck (Sinussatz, Kosinussatz)

Im Sinussatz entsprechen die Seitenverhältnisse dem Sinus der entsprechenden Gegenwinkel im Dreieck. Aus einer Seite und zwei Winkeln lassen sich die anderen Werte berechnen.

Seite $a \to$ Gegenwinkel α
Seite $b \to$ Gegenwinkel β
Seite $c \to$ Gegenwinkel γ

Sinussatz
$a : b : c = \sin\alpha : \sin\beta : \sin\gamma$
$\dfrac{a}{\sin\alpha} = \dfrac{b}{\sin\beta} = \dfrac{c}{\sin\gamma}$

Beispiel

$F = 800$ N, $\alpha = 40°$, $\beta = 38°$; $F_z = ?$, $F_d = ?$
Die Berechnung erfolgt jeweils aus dem Kräfteplan.

$$\frac{F}{\sin\alpha} = \frac{F_z}{\sin\beta} \Rightarrow F_z = \frac{F \cdot \sin\beta}{\sin\alpha}$$

$$F_z = \frac{800\ \text{N} \cdot \sin 38°}{\sin 40°} = \textbf{766{,}24 N}$$

$$\frac{F}{\sin\alpha} = \frac{F_d}{\sin\varphi} \Rightarrow F_d = \frac{F \cdot \sin\varphi}{\sin\alpha}$$

$$F_d = \frac{800\ \text{N} \cdot \sin 102°}{\sin 40°} = \textbf{1217{,}38 N}$$

Die Berechnung eines Winkels in Grad (°) oder als Bogenmaß (rad) erfolgt mit der Arcus-Funktion, z.B. arc cos.

Vielfältige Umstellungen sind möglich:

$a = \dfrac{b \cdot \sin\alpha}{\sin\beta} = \dfrac{c \cdot \sin\alpha}{\sin\gamma}$
$b = \dfrac{a \cdot \sin\beta}{\sin\alpha} = \dfrac{c \cdot \sin\beta}{\sin\gamma}$
$c = \dfrac{a \cdot \sin\gamma}{\sin\alpha} = \dfrac{b \cdot \sin\gamma}{\sin\beta}$

Kosinussatz
$a^2 = b^2 + c^2 - 2 \cdot b \cdot c \cdot \cos\alpha$
$b^2 = a^2 + c^2 - 2 \cdot a \cdot c \cdot \cos\beta$
$c^2 = a^2 + b^2 - 2 \cdot a \cdot b \cdot \cos\gamma$

Umstellung, z.B.

$$\cos\alpha = \frac{b^2 + c^2 - a^2}{2 \cdot b \cdot c}$$

Kräfteplan

Teilung von Längen, Bogenlänge, zusammengesetzte Länge

M

Teilung von Längen

Randabstand = Teilung

l Gesamtlänge $\qquad$ n Anzahl der Bohrungen
p Teilung

Beispiel:

$l = 2$ m; $n = 24$ Bohrungen; $p = ?$

$p = \dfrac{l}{n+1} = \dfrac{2000\ mm}{24+1} = \mathbf{80\ mm}$

Teilung

$$p = \frac{l}{n+1}$$

Randabstand ≠ Teilung

l Gesamtlänge $\qquad$ n Anzahl der Bohrungen
p Teilung $\qquad\qquad$ a, b Randabstände

Beispiel:

$l = 1950$ mm; $a = 100$ mm; $b = 50$ mm;
$n = 25$ Bohrungen; $p = ?$

$p = \dfrac{l-(a+b)}{n-1} = \dfrac{1950\ mm - 150\ mm}{25-1} = \mathbf{75\ mm}$

Teilung

$$p = \frac{l-(a+b)}{n-1}$$

Trennung von Teilstücken

l Stablänge $\qquad$ s Sägeschnittbreite
z Anzahl der Teile $\quad$ l_R Restlänge
l_s Teillänge

Beispiel:

$l = 6$ m; $l_s = 230$ mm; $s = 1,2$ mm; $z = ?$; $l_R = ?$

$z = \dfrac{l}{l_s + s} = \dfrac{6000\ mm}{230\ mm + 1,2\ mm} = 25,95 = \mathbf{25\ Teile}$

$l_R = l - z \cdot (l_s + s) = 6000\ mm - 25 \cdot (230\ mm + 1,2\ mm)$
$\qquad = \mathbf{220\ mm}$

Anzahl der Teile

$$z = \frac{l}{l_s + s}$$

Restlänge

$$l_R = l - z \cdot (l_s + s)$$

Bogenlänge

Beispiel: Schenkelfeder

l_B Bogenlänge $\qquad$ α Mittelpunktswinkel
r Radius $\qquad\qquad$ d Durchmesser

Beispiel:

$r = 36$ mm; $\alpha = 120°$; $l_B = ?$

$l_B = \dfrac{\pi \cdot r \cdot \alpha}{180°} = \dfrac{\pi \cdot 36\ mm \cdot 120°}{180°} = \mathbf{75,36\ mm}$

Bogenlänge

$$l_B = \frac{\pi \cdot r \cdot \alpha}{180°}$$

$$l_B = \frac{\pi \cdot d \cdot \alpha}{360°}$$

Zusammengesetzte Länge

D Außendurchmesser $\qquad$ d Innendurchmesser
d_m mittlerer Durchmesser $\quad$ s Dicke
l_1, l_2 Teillängen $\qquad\qquad$ L zusammengesetzte
α Mittelpunktswinkel $\qquad\qquad$ Länge

Beispiel (Zusammengesetzte Länge, Bild links):

$D = 360$ mm; $s = 5$ mm; $\alpha = 270°$; $l_2 = 70$ mm;
$d_m = ?$; $L = ?$

$d_m = D - s = 360\ mm - 5\ mm = \mathbf{355\ mm}$

$L = l_1 + l_2 = \dfrac{\pi \cdot d_m \cdot \alpha}{360°} + l_2$

$\quad = \dfrac{\pi \cdot 355\ mm \cdot 270°}{360°} + 70\ mm = \mathbf{906,45\ mm}$

Zusammengesetzte Länge

$$L = l_1 + l_2 + \ldots$$

M

Gestreckte Länge, Federdrahtlänge, Rohlänge

Gestreckte Längen

Kreisring

D Außendurchmesser
d Innendurchmesser
d_m mittlerer Durchmesser
s Dicke
l gestreckte Länge
α Mittelpunktswinkel

Gestreckte Länge beim Kreisring

$$l = \pi \cdot d_m$$

Gestreckte Länge beim Kreisringausschnitt

$$l = \frac{\pi \cdot d_m \cdot \alpha}{360°}$$

Kreisringausschnitt

Beispiel (Kreisringausschnitt):

$D = 36$ mm; $s = 4$ mm; $\alpha = 240°$; $d_m = ?$; $l = ?$

$d_m = D - s = 36$ mm $- 4$ mm $= 32$ mm

$l = \dfrac{\pi \cdot d_m \cdot \alpha}{360°} = \dfrac{\pi \cdot 32 \text{ mm} \cdot 240°}{360°} = \mathbf{67{,}02}$ **mm**

Mittlerer Durchmesser

$$d_m = D - s$$

$$d_m = d + s$$

Federdrahtlänge

Beispiel: Druckfeder

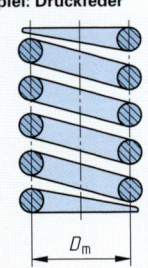

l gestreckte Länge der Schraubenlinie
D_m mittlerer Windungsdurchmesser
i Anzahl der federnden Windungen

Gestreckte Länge der Schraubenlinie

$$l = \pi \cdot D_m \cdot i + 2 \cdot \pi \cdot D_m$$

$$l = \pi \cdot D_m \cdot (i + 2)$$

Beispiel:

$D_m = 16$ mm; $i = 8{,}5$; $l = ?$

$l = \pi \cdot D_m \cdot i + 2 \cdot \pi \cdot D_m$
$ = \pi \cdot 16 \text{ mm} \cdot 8{,}5 + 2 \cdot \pi \cdot 16 \text{ mm} = \mathbf{528}$ **mm**

Rohlänge von Schmiedeteilen und Pressstücken

Beim Umformen ohne Abbrand ist das Volumen des Rohteiles gleich dem Volumen des Fertigteiles. Tritt Abbrand oder Gratbildung auf, wird dies durch einen Zuschlag zum Volumen des Fertigteiles berücksichtigt.

V_a Volumen des Rohteiles
V_e Volumen des Fertigteiles
q Zuschlagsfaktor für Abbrand oder Gratverluste
A_1 Querschnittsfläche des Rohteiles
A_2 Querschnittsfläche des Fertigteiles
l_1 Ausgangslänge der Zugabe
l_2 Länge des angeschmiedeten Teiles

Volumen ohne Abbrand

$$V_a = V_e$$

Volumen mit Abbrand

$$V_a = V_e + q \cdot V_e$$

$$V_a = V_e \cdot (1 + q)$$

$$A_1 \cdot l_1 = A_2 \cdot l_2 \cdot (1 + q)$$

Beispiel:

An einem Flachstahl 50 x 30 mm wird ein zylindrischer Zapfen mit $d = 24$ mm und $l_2 = 60$ mm abgesetzt. Der Verlust durch Abbrand beträgt 10 %. Wie groß ist die Ausgangslänge l_1 der Schmiedezugabe?

$V_a = V_e \cdot (1 + q)$

$A_1 \cdot l_1 = A_2 \cdot l_2 \cdot (1 + q)$

$l_1 = \dfrac{A_2 \cdot l_2 \cdot (1 + q)}{A_1}$

$ = \dfrac{\pi \cdot (24 \text{ mm})^2 \cdot 60 \text{ mm} \cdot (1 + 0{,}1)}{4 \cdot 50 \text{ mm} \cdot 30 \text{ mm}} = \mathbf{20}$ **mm**

M

Eckige Flächen

Quadrat

A Fläche	e Eckenmaß
l Seitenlänge	

Beispiel:

$l = 14$ mm; $A = ?$; $e = ?$

$A = l^2 = (14 \text{ mm})^2 = \mathbf{196 \text{ mm}^2}$

$e = \sqrt{2} \cdot l = \sqrt{2} \cdot 14 \text{ mm} = \mathbf{19,8 \text{ mm}}$

Fläche

$$A = l^2$$

Eckenmaß

$$e = \sqrt{2} \cdot l$$

Rhombus (Raute)

A Fläche	b Breite
l Seitenlänge	

Beispiel:

$l = 9$ mm; $b = 8,5$ mm; $A = ?$

$A = l \cdot b = 9 \text{ mm} \cdot 8,5 \text{ mm} = \mathbf{76,5 \text{ mm}^2}$

Fläche

$$A = l \cdot b$$

Rechteck

A Fläche	b Breite
l Länge	e Eckenmaß

Beispiel:

$l = 12$ mm; $b = 11$ mm; $A = ?$; $e = ?$

$A = l \cdot b = 12 \text{ mm} \cdot 11 \text{ mm} = \mathbf{132 \text{ mm}^2}$

$e = \sqrt{l^2 + b^2} = \sqrt{(12 \text{ mm})^2 + (11 \text{ mm})^2} = \sqrt{265 \text{ mm}^2}$
$= \mathbf{16,28 \text{ mm}}$

Fläche

$$A = l \cdot b$$

Eckenmaß

$$e = \sqrt{l^2 + b^2}$$

Rhomboid (Parallelogramm)

A Fläche	b Breite
l Länge	

Beispiel:

$l = 36$ mm; $b = 15$ mm; $A = ?$

$A = l \cdot b = 36 \text{ mm} \cdot 15 \text{ mm} = \mathbf{540 \text{ mm}^2}$

Fläche

$$A = l \cdot b$$

Trapez

A Fläche	l_m mittlere Länge
l_1 große Länge	b Breite
l_2 kleine Länge	

Beispiel:

$l_1 = 23$ mm; $l_2 = 20$ mm; $b = 17$ mm; $A = ?$

$A = \dfrac{l_1 + l_2}{2} \cdot b = \dfrac{23 \text{ mm} + 20 \text{ mm}}{2} \cdot 17 \text{ mm}$
$= \mathbf{365,5 \text{ mm}^2}$

Fläche

$$A = \frac{l_1 + l_2}{2} \cdot b$$

Mittlere Länge

$$l_m = \frac{l_1 + l_2}{2}$$

Dreieck

A Fläche	b Breite
l Seitenlänge	

Beispiel:

$l = 62$ mm; $b = 29$ mm; $A = ?$

$A = \dfrac{l \cdot b}{2} = \dfrac{62 \text{ mm} \cdot 29 \text{ mm}}{2} = \mathbf{899 \text{ mm}^2}$

Fläche

$$A = \frac{l \cdot b}{2}$$

M

Dreiecke, Vielecke, Kreis

Gleichseitiges Dreieck

A	Fläche
d	Inkreisdurchmesser
l	Seitenlänge
h	Höhe
D	Umkreisdurchmesser

Umkreisdurchmesser

$$D = \frac{2}{3} \cdot \sqrt{3} \cdot l = 2 \cdot d$$

Fläche

$$A = \frac{1}{4} \cdot \sqrt{3} \cdot l^2$$

Beispiel:

$l = 42 \text{ mm}; A = ?$

$$A = \frac{1}{4} \cdot \sqrt{3} \cdot l^2 = \frac{1}{4} \cdot \sqrt{3} \cdot (42 \text{ mm})^2$$
$$= 763{,}9 \text{ mm}^2$$

Inkreisdurchmesser

$$d = \frac{1}{3} \cdot \sqrt{3} \cdot l = \frac{D}{2}$$

Dreieckshöhe

$$h = \frac{1}{2} \cdot \sqrt{3} \cdot l$$

Regelmäßige Vielecke

A	Fläche
l	Seitenlänge
D	Umkreisdurchmesser
d	Inkreisdurchmesser
n	Eckenzahl
α	Mittelpunktswinkel
β	Eckenwinkel
SW	Schlüsselweite
t	Frästiefe

Inkreisdurchmesser

$$d = \sqrt{D^2 - l^2}$$

Umkreisdurchmesser

$$D = \sqrt{d^2 + l^2}$$

Fläche

$$A = \frac{n \cdot l \cdot d}{4}$$

Seitenlänge

$$l = D \cdot \sin\left(\frac{180°}{n}\right)$$

Beispiel:

Sechseck mit $D = 80$ mm; $l = ?$; $d = ?$; $A = ?$

$$l = D \cdot \sin\left(\frac{180°}{n}\right) = 80 \text{ mm} \cdot \sin\left(\frac{180°}{6}\right) = 40 \text{ mm}$$

$$d = \sqrt{D^2 - l^2} = \sqrt{6400 \text{ mm}^2 - 1600 \text{ mm}^2} = 69{,}282 \text{ mm}$$

$$A = \frac{n \cdot l \cdot d}{4} = \frac{6 \cdot 40 \text{ mm} \cdot 69{,}282 \text{ mm}}{4} = 4156{,}92 \text{ mm}^2$$

Mittelpunktswinkel

$$\alpha = \frac{360°}{n}$$

Eckenwinkel

$$\beta = 180° - \alpha$$

Schlüsselweite *SW*, Wellendurchmesser *D*, Fläche *A* und Frästiefe *t*

Vierkant	Sechskant	Achtkant	Zwölfkant
$D = \dfrac{SW}{\cos 45°}$	$D = \dfrac{SW}{\cos 30°}$	$D = \dfrac{SW}{\cos 22{,}5°}$	$D = \dfrac{SW}{\cos 15°}$
$A = SW^2$	$A \approx 0{,}867 \cdot SW^2$	$A \approx 0{,}828 \cdot SW^2$	$A \approx 0{,}804 \cdot SW^2$

Beispiel:

Sechskant $SW = 24$ mm; $D = ?$; $t = ?$

$$D = \frac{SW}{\cos 30°} = \frac{24 \text{ mm}}{0{,}866} = 27{,}71 \text{ mm}$$

$$t = \frac{D - SW}{2} = \frac{27{,}71 \text{ mm} - 24 \text{ mm}}{2} = \frac{3{,}71 \text{ mm}}{2} = 1{,}855 \text{ mm}$$

Frästiefe

$$t = \frac{D - SW}{2}$$

Kreis

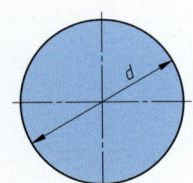

A	Fläche	U	Umfang
d	Durchmesser		

Fläche

$$A = \frac{\pi \cdot d^2}{4}$$

Beispiel:

$d = 60$ mm; $A = ?$; $U = ?$

$$A = \frac{\pi \cdot d^2}{4} = \frac{\pi \cdot (60 \text{ mm})^2}{4} = 2827 \text{ mm}^2$$

$$U = \pi \cdot d = \pi \cdot 60 \text{ mm} = 188{,}5 \text{ mm}$$

Umfang

$$U = \pi \cdot d$$

M

Kreisausschnitt, Kreisabschnitt, Kreisring, Ellipse

Kreisausschnitt

A	Fläche	l	Sehnenlänge
d	Durchmesser	r	Radius
l_B	Bogenlänge	α	Mittelpunktswinkel

Beispiel:

$d = 48$ mm; $\alpha = 110°$; $l_B = ?$; $A = ?$

$$l_B = \frac{\pi \cdot r \cdot \alpha}{180°} = \frac{\pi \cdot 24\,\text{mm} \cdot 110°}{180°} = \mathbf{46{,}1\,mm}$$

$$A = \frac{l_B \cdot r}{2} = \frac{46{,}1\,\text{mm} \cdot 24\,\text{mm}}{2} = \mathbf{553\,mm^2}$$

Fläche

$$A = \frac{\pi \cdot d^2}{4} \cdot \frac{\alpha}{360°}$$

$$A = \frac{l_B \cdot r}{2}$$

Sehnenlänge

$$l = 2 \cdot r \cdot \sin\frac{\alpha}{2}$$

Bogenlänge

$$l_B = \frac{\pi \cdot r \cdot \alpha}{180°}$$

Kreisabschnitt

Kreisabschnitt mit $\alpha \leq 180°$

A	Fläche	b	Breite
d	Durchmesser	r	Radius
l_B	Bogenlänge	α	Mittelpunktswinkel
l	Sehnenlänge		

Beispiel:

$r = 30$ mm; $\alpha = 120°$; $l = ?$; $b = ?$; $A = ?$

$$l = 2 \cdot r \cdot \sin\frac{\alpha}{2} = 2 \cdot 30\,\text{mm} \cdot \sin\frac{120°}{2} = \mathbf{51{,}96\,mm}$$

$$b = \frac{l}{2} \cdot \tan\frac{\alpha}{4} = \frac{51{,}96\,\text{mm}}{2} \cdot \tan\frac{120°}{4} = 14{,}999\,\text{mm} = \mathbf{15\,mm}$$

$$A = \frac{\pi \cdot d^2}{4} \cdot \frac{\alpha}{360°} - \frac{l \cdot (r-b)}{2}$$

$$= \frac{\pi \cdot (60\,\text{mm})^2}{4} \cdot \frac{120°}{360°} - \frac{51{,}96\,\text{mm} \cdot (30\,\text{mm} - 15\,\text{mm})}{2}$$

$$= \mathbf{552{,}8\,mm^2}$$

Radius

$$r = \frac{b}{2} + \frac{l^2}{8 \cdot b}$$

Bogenlänge

$$l_B = \frac{\pi \cdot r \cdot \alpha}{180°}$$

Fläche

$$A = \frac{\pi \cdot d^2}{4} \cdot \frac{\alpha}{360°} - \frac{l \cdot (r-b)}{2}$$

$$A = \frac{l_B \cdot r - l \cdot (r-b)}{2}$$

Sehnenlänge

$$l = 2 \cdot r \cdot \sin\frac{\alpha}{2}$$

$$l = 2 \cdot \sqrt{b \cdot (2 \cdot r - b)}$$

Breite

$$b = \frac{l}{2} \cdot \tan\frac{\alpha}{4}$$

$$b = r - \sqrt{r^2 - \frac{l^2}{4}}$$

Kreisring

A	Fläche	d_m	mittlerer
D	Außendurchmesser		Durchmesser
d	Innendurchmesser	b	Breite

Beispiel:

$D = 160$ mm; $d = 125$ mm; $A = ?$

$$A = \frac{\pi}{4} \cdot (D^2 - d^2) = \frac{\pi}{4} \cdot (160^2\,\text{mm}^2 - 125^2\,\text{mm}^2)$$

$$= \mathbf{7834\,mm^2}$$

Fläche

$$A = \pi \cdot d_m \cdot b$$

$$A = \frac{\pi}{4} \cdot (D^2 - d^2)$$

Ellipse

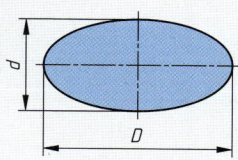

A	Fläche	d	Breite
D	Länge	U	Umfang

Beispiel:

$D = 65$ mm; $d = 20$ mm; $A = ?$

$$A = \frac{\pi \cdot D \cdot d}{4} = \frac{\pi \cdot 65\,\text{mm} \cdot 20\,\text{mm}}{4}$$

$$= \mathbf{1021\,mm^2}$$

Fläche

$$A = \frac{\pi \cdot D \cdot d}{4}$$

Umfang

$$U \approx \pi \frac{D + d}{2}$$

Würfel, Vierkantprisma, Zylinder, Hohlzylinder, Pyramide

M

Würfel

V Volumen l Seitenlänge
A_O Oberfläche

Beispiel:

$l = 20$ mm; $V = ?$; $A_O = ?$
$V = l^3 = (20$ mm$)^3 = $ **8000 mm³**
$A_O = 6 \cdot l^2 = 6 \cdot (20$ mm$)^2 = $ **2400 mm²**

Volumen

$$V = l^3$$

Oberfläche

$$A_O = 6 \cdot l^2$$

Vierkantprisma

V Volumen h Höhe
A_O Oberfläche b Breite
l Seitenlänge

Beispiel:

$l = 6$ cm; $b = 3$ cm; $h = 2$ cm; $V = ?$
$V = l \cdot b \cdot h = 6$ cm $\cdot 3$ cm $\cdot 2$ cm $= $ **36 cm³**

Volumen

$$V = l \cdot b \cdot h$$

Oberfläche

$$A_O = 2 \cdot (l \cdot b + l \cdot h + b \cdot h)$$

Zylinder

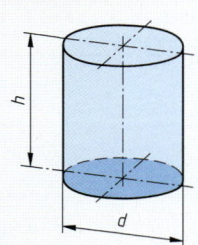

V Volumen d Durchmesser
A_O Oberfläche h Höhe
A_M Mantelfläche

Beispiel:

$d = 14$ mm; $h = 25$ mm; $V = ?$
$$V = \frac{\pi \cdot d^2}{4} \cdot h$$
$$= \frac{\pi \cdot (14 \text{ mm})^2}{4} \cdot 25 \text{ mm}$$
$$= 3848 \text{ mm}^3$$

Volumen

$$V = \frac{\pi \cdot d^2}{4} \cdot h$$

Oberfläche

$$A_O = \pi \cdot d \cdot h + 2 \cdot \frac{\pi \cdot d^2}{4}$$

Mantelfläche

$$A_M = \pi \cdot d \cdot h$$

Hohlzylinder

V Volumen D, d Durchmesser
A_O Oberfläche h Höhe

Beispiel:

$D = 42$ mm; $d = 20$ mm; $h = 80$ mm;
$V = ?$
$$V = \frac{\pi \cdot h}{4} \cdot (D^2 - d^2)$$
$$= \frac{\pi \cdot 80 \text{ mm}}{4} \cdot (42^2 \text{ mm}^2 - 20^2 \text{ mm}^2)$$
$$= 85\,703 \text{ mm}^3$$

Volumen

$$V = \frac{\pi \cdot h}{4} \cdot (D^2 - d^2)$$

Oberfläche

$$A_O = \pi \cdot (D + d) \cdot \left[\frac{1}{2} \cdot (D - d) + h \right]$$

Pyramide

V Volumen l Seitenlänge
h Höhe l_1 Kantenlänge
h_s Mantelhöhe b Breite

Beispiel:

$l = 16$ mm; $b = 21$ mm; $h = 45$ mm; $V = ?$
$$V = \frac{l \cdot b \cdot h}{3} = \frac{16 \text{ mm} \cdot 21 \text{ mm} \cdot 45 \text{ mm}}{3}$$
$$= 5040 \text{ mm}^3$$

Volumen

$$V = \frac{l \cdot b \cdot h}{3}$$

Kantenlänge

$$l_1 = \sqrt{h_s^2 + \frac{b^2}{4}}$$

Mantelhöhe

$$h_s = \sqrt{h^2 + \frac{l^2}{4}}$$

Pyramidenstumpf, Kegel, Kegelstumpf, Kugel, Kugelabschnitt

Pyramidenstumpf

M

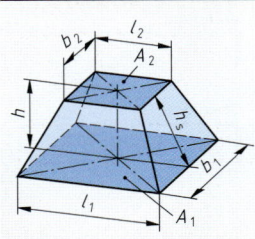

V	Volumen	l_1, l_2	Seitenlängen	b_1, b_2	Breiten
A_1	Grundfläche	A_2	Deckfläche	h	Höhe
		h_s	Mantelhöhe		

Beispiel:

$l_1 = 40$ mm; $l_2 = 22$ mm; $b_1 = 28$ mm;
$b_2 = 15$ mm; $h = 50$ mm; $V = ?$

$V = \dfrac{h}{3} \cdot (A_1 + A_2 + \sqrt{A_1 \cdot A_2})$

$\quad = \dfrac{50 \text{ mm}}{3} \cdot (1120 + 330 + \sqrt{1120 \cdot 330}) \text{ mm}^2$

$\quad = \mathbf{34\,299 \text{ mm}^3}$

Volumen

$$V = \frac{h}{3} \cdot (A_1 + A_2 + \sqrt{A_1 \cdot A_2})$$

Mantelhöhe

$$h_s = \sqrt{h^2 + \left(\frac{l_1 - l_2}{2}\right)^2}$$

Kegel

V	Volumen	h	Höhe
A_M	Mantelfläche	h_s	Mantelhöhe
d	Durchmesser		

Beispiel:

$d = 52$ mm; $h = 110$ mm; $V = ?$

$V = \dfrac{\pi \cdot d^2}{4} \cdot \dfrac{h}{3}$

$\quad = \dfrac{\pi \cdot (52 \text{ mm})^2}{4} \cdot \dfrac{110 \text{ mm}}{3}$

$\quad = \mathbf{77\,870 \text{ mm}^3}$

Volumen

$$V = \frac{\pi \cdot d^2}{4} \cdot \frac{h}{3}$$

Mantelfläche

$$A_M = \frac{\pi \cdot d \cdot h_s}{2}$$

Mantelhöhe

$$h_s = \sqrt{\frac{d^2}{4} + h^2}$$

Kegelstumpf

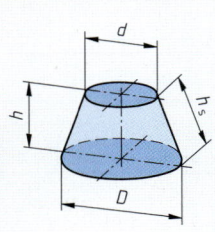

V	Volumen	d	kleiner
A_M	Mantelfläche		Durchmesser
D	großer	h	Höhe
	Durchmesser	h_s	Mantelhöhe

Beispiel:

$D = 100$ mm; $d = 62$ mm; $h = 80$ mm; $V = ?$

$V = \dfrac{\pi \cdot h}{12} \cdot (D^2 + d^2 + D \cdot d)$

$\quad = \dfrac{\pi \cdot 80 \text{ mm}}{12} \cdot (100^2 + 62^2 + 100 \cdot 62) \text{ mm}^2$

$\quad = \mathbf{419\,800 \text{ mm}^3}$

Volumen

$$V = \frac{\pi \cdot h}{12} \cdot (D^2 + d^2 + D \cdot d)$$

Mantelfläche

$$A_M = \frac{\pi \cdot h_s}{2} \cdot (D + d)$$

Mantelhöhe

$$h_s = \sqrt{h^2 + \left(\frac{D - d}{2}\right)^2}$$

Kugel

V	Volumen	d	Kugeldurchmesser
A_O	Oberfläche		

Beispiel:

$d = 9$ mm; $V = ?$

$V = \dfrac{\pi \cdot d^3}{6} = \dfrac{\pi \cdot (9 \text{ mm})^3}{6} = \mathbf{382 \text{ mm}^3}$

Volumen

$$V = \frac{\pi \cdot d^3}{6}$$

Oberfläche

$$A_O = \pi \cdot d^2$$

Kugelabschnitt

V	Volumen	d	Kugeldurchmesser
A_M	Mantelfläche	h	Höhe
A_O	Oberfläche		

Beispiel:

$d = 8$ mm; $h = 6$ mm; $V = ?$

$V = \pi \cdot h^2 \cdot \left(\dfrac{d}{2} - \dfrac{h}{3}\right)$

$\quad = \pi \cdot 6^2 \text{ mm}^2 \cdot \left(\dfrac{8 \text{ mm}}{2} - \dfrac{6 \text{ mm}}{3}\right)$

$\quad = \mathbf{226 \text{ mm}^3}$

Volumen

$$V = \pi \cdot h^2 \cdot \left(\frac{d}{2} - \frac{h}{3}\right)$$

Oberfläche

$$A_O = \pi \cdot h \cdot (2 \cdot d - h)$$

Mantelfläche

$$A_M = \pi \cdot d \cdot h$$

Volumen zusammengesetzter Körper, Berechnung der Masse

Volumen zusammengesetzter Körper

M

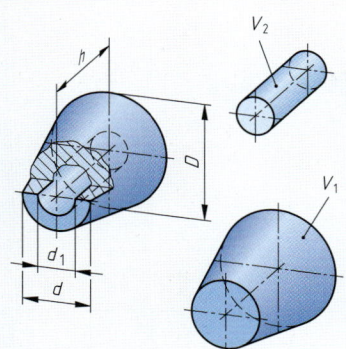

V Gesamtvolumen
V_1, V_2 Teilvolumen

Gesamtvolumen

$$V = V_1 + V_2 + \ldots - V_5 - V_6$$

Beispiel:

Kegelhülse; $D = 42$ mm; $d = 26$ mm;
$d_1 = 16$ mm; $h = 45$ mm; $V = ?$

$V_1 = \dfrac{\pi \cdot h}{12} \cdot (D^2 + d^2 + D \cdot d)$

$\quad = \dfrac{\pi \cdot 45 \text{ mm}}{12} \cdot (42^2 + 26^2 + 42 \cdot 26) \text{ mm}^2$

$\quad = 41610 \text{ mm}^3$

$V_2 = \dfrac{\pi \cdot d_1^2}{4} \cdot h = \dfrac{\pi \cdot 16^2 \text{ mm}^2}{4} \cdot 45 \text{ mm} = 9048 \text{ mm}^3$

$V = V_1 - V_2 = 41610 \text{ mm}^3 - 9048 \text{ mm}^3 = \mathbf{32\,562 \text{ mm}^3}$

Berechnung der Masse

Masse, allgemein

m Masse ϱ Dichte
V Volumen

Masse

$$m = V \cdot \varrho$$

Beispiel:

Werkstück aus Aluminium;
$V = 6{,}4$ dm³; $\varrho = 2{,}7$ kg/dm³; $m = ?$

$m = V \cdot \varrho = 6{,}4 \text{ dm}^3 \cdot 2{,}7 \dfrac{\text{kg}}{\text{dm}^3}$

$\quad = \mathbf{17{,}28 \text{ kg}}$

Werte für Dichte von festen Stoffen, Flüssigkeiten und Gasen: Seiten 116 und 117

Längenbezogene Masse

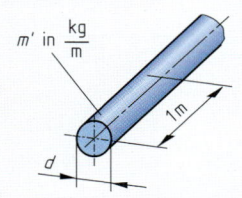

m' in $\dfrac{\text{kg}}{\text{m}}$

m Masse l Länge
m' längenbezogene Masse

Längenbezogene Masse

$$m = m' \cdot l$$

Beispiel:

Rundstahl mit $d = 15$ mm;
$m' = 1{,}39$ kg/m; $l = 3{,}86$ m; $m = ?$

$m = m' \cdot l = 1{,}39 \dfrac{\text{kg}}{\text{m}} \cdot 3{,}86 \text{ m}$

$\quad = \mathbf{5{,}37 \text{ kg}}$

Anwendung: Berechnung der Masse von Profilen, Rohren, Drähten ... mit Hilfe von Tabellenwerten für m' (Seite 155)

Flächenbezogene Masse

m'' in $\dfrac{\text{kg}}{\text{m}^2}$

m Masse A Fläche
m'' flächenbezogene Masse

Flächenbezogene Masse

$$m = m'' \cdot A$$

Beispiel:

Stahlblech
$s = 1{,}5$ mm; $m'' = 11{,}8$ kg/m²;
$A = 7{,}5$ m²; $m = ?$

$m = m'' \cdot A = 11{,}8 \dfrac{\text{kg}}{\text{m}^2} \cdot 7{,}5 \text{ m}^2$

$\quad = \mathbf{88{,}5 \text{ kg}}$

Anwendung: Berechnung der Masse von Blechen, Folien, Be... Hilfe von T... für m'' (Sei...

Linien- und Flächenschwerpunkte

Linienschwerpunkte

M

l, l_1, l_2 Länge der Linien S, S_1, S_2 Schwerpunkte der Linien
x_s, x_1, x_2 waagerechte Abstände der Linienschwerpunkte von der y-Achse
y_s, y_1, y_2 senkrechte Abstände der Linienschwerpunkte von der x-Achse

Strecke

zusammengesetzter Linienzug

$$x_s = \frac{l}{2}$$

Kreisbogen

Berechnung von l und l_B:
Seite 24

allgemein

$$y_s = \frac{r \cdot l}{l_B}$$

$$y_s = \frac{l \cdot 180°}{\pi \cdot \alpha}$$

Halbkreisbogen

$$y_s \approx 0{,}6366 \cdot r$$

Viertelkreisbogen

$$y_s \approx 0{,}9003 \cdot r$$

$$x_s = \frac{l_1 \cdot x_1 + l_2 \cdot x_2 + \ldots}{l_1 + l_2 + \ldots}$$

$$y_s = \frac{l_1 \cdot y_1 + l_2 \cdot y_2 + \ldots}{l_1 + l_2 + \ldots}$$

Flächenschwerpunkte

A, A_1, A_2 Flächen S, S_1, S_2 Schwerpunkte der Flächen
x_s, x_1, x_2 waagerechte Abstände der Flächenschwerpunkte von der y-Achse
y_s, y_1, y_2 senkrechte Abstände der Flächenschwerpunkte von der x-Achse

Rechteck

$$y_s = \frac{b}{2}$$

Dreieck

$$y_s = \frac{b}{3}$$

Kreisausschnitt

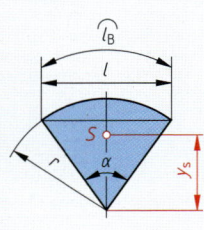

allgemein

$$y_s = \frac{2 \cdot r \cdot l}{3 \cdot l_B}$$

Halbkreisfläche

$$y_s \approx 0{,}4244 \cdot r$$

Viertelkreisfläche

$$y_s \approx 0{,}6002 \cdot r$$

zusammengesetzte Flächen

Kreisabschnitt

$$y_s = \frac{l^3}{12 \cdot A}$$

Berechnung von A:
Seite 24

$$x_s = \frac{A_1 \cdot x_1 + A_2 \cdot x_2 + \ldots}{A_1 + A_2 + \ldots}$$

$$y_s = \frac{A_1 \cdot y_1 + A_2 \cdot y_2 + \ldots}{A_1 + A_2 + \ldots}$$

2 Technische Physik

P

Konstante Bewegung, beschleunigte und verzögerte Bewegung

Konstante Bewegung

Geradlinige Bewegung

Weg-Zeit-Schaubild

v Geschwindigkeit
t Zeit
s Weg

Beispiel:

$v = 48$ km/h; $s = 12$ m; $t = ?$

Umrechnung: $48\,\dfrac{km}{h} = \dfrac{48\,000\,m}{3600\,s} = 13{,}33\,\dfrac{m}{s}$

$t = \dfrac{s}{v} = \dfrac{12\,m}{13{,}33\,m/s} = \mathbf{0{,}9\ s}$

Geschwindigkeit

$$v = \frac{s}{t}$$

$1\,\dfrac{m}{s} = 60\,\dfrac{m}{min} = 3{,}6\,\dfrac{km}{h}$

$1\,\dfrac{km}{h} = 16{,}667\,\dfrac{m}{min}$

$\qquad\quad = 0{,}2778\,\dfrac{m}{s}$

Kreisförmige Bewegung

v Umfangsgeschwindigkeit, n Drehzahl
   Schnittgeschwindigkeit r Radius
ω Winkelgeschwindigkeit d Durchmesser

Beispiel:

Riemenscheibe, $d = 250$ mm; $n = 1400$ min⁻¹;
$v = ?;\ \omega = ?$

Umrechnung: $n = 1400\ min^{-1} = \dfrac{1400}{60\,s} = 23{,}33\ s^{-1}$

$\mathbf{\textit{v}} = \pi \cdot d \cdot n = \pi \cdot 0{,}25\ m \cdot 23{,}33\ s^{-1} = \mathbf{18{,}3\,\dfrac{m}{s}}$

$\boldsymbol{\omega} = 2 \cdot \pi \cdot n = 2 \cdot \pi \cdot 23{,}33\ s^{-1} = \mathbf{146{,}6\ s^{-1}}$

Schnittgeschwindigkeit bei kreisförmiger Schnitt-
bewegung: Seite 31

**Umfangs-
geschwindigkeit**

$$v = \pi \cdot d \cdot n$$

$$v = \omega \cdot r$$

**Winkel-
geschwindigkeit**

$$\omega = 2 \cdot \pi \cdot n$$

$\dfrac{1}{min} = min^{-1} = \dfrac{1}{60\,s}$

Beschleunigte und verzögerte Bewegung

Geradlinig beschleunigte Bewegung

Geschwindigkeit-Zeit-Schaubild

Weg-Zeit-Schaubild

Die Zunahme der Geschwindigkeit in 1 Sekunde
heißt **Beschleunigung**, die Abnahme **Verzögerung**.
Der freie Fall ist eine gleichmäßig beschleunigte
Bewegung, bei der die Fallbeschleunigung g wirksam ist.

v Endgeschwindigkeit bei Beschleunigung,
   Anfangsgeschwindigkeit bei Verzögerung
s Weg t Zeit
a Beschleunigung g Fallbeschleunigung

1. Beispiel:

Gegenstand, freier Fall aus $s = 3$ m; $v = ?$

$a = g = 9{,}81\,\dfrac{m}{s^2}$

$\mathbf{\textit{v}} = \sqrt{2 \cdot a \cdot s} = \sqrt{2 \cdot 9{,}81\ m/s^2 \cdot 3\ m} = \mathbf{7{,}7\,\dfrac{m}{s}}$

2. Beispiel:

Kraftfahrzeug, $v = 80$ km/h; $a = 7$ m/s²;
Bremsweg $s = ?$

Umrechnung: $v = 80\,\dfrac{km}{h} = \dfrac{80\,000\,m}{3600\,s} = 22{,}22\,\dfrac{m}{s}$

$v = \sqrt{2 \cdot a \cdot s}$

$\mathbf{\textit{s}} = \dfrac{v^2}{2 \cdot a} = \dfrac{(22{,}22\ m/s)^2}{2 \cdot 7\ m/s^2} = \mathbf{35{,}3\ m}$

**Bei Beschleunigung
aus dem Stand oder
bei Verzögerung bis
zum Stand gilt:**

**End- oder Anfangs-
geschwindigkeit**

$$v = a \cdot t$$

$$v = \sqrt{2 \cdot a \cdot s}$$

**Beschleunigungsweg/
Verzögerungsweg**

$$s = \frac{1}{2} \cdot v \cdot t$$

$$s = \frac{1}{2} \cdot a \cdot t^2$$

$$s = \frac{v^2}{2 \cdot a}$$

P

Geschwindigkeiten an Maschinen

Vorschubgeschwindigkeit

Drehen

v_f Vorschubgeschwindigkeit
n Drehzahl
f Vorschub
f_z Vorschub je Schneide
z Anzahl der Schneiden, Zähnezahl des Ritzels
P Gewindesteigung
p Teilung der Zahnstange
d Teilkreisdurchmesser des Ritzels

Vorschubgeschwindig-keit beim Bohren, Drehen

$$v_f = n \cdot f$$

Fräsen

1. Beispiel:

Walzenfräser, $z = 8$; $f_z = 0{,}2$ mm; $n = 45$/min; $v_f = ?$

$$v_f = n \cdot f_z \cdot z = 45\,\frac{1}{min} \cdot 0{,}2\,mm \cdot 8 = \mathbf{72}\,\frac{mm}{min}$$

Vorschubgeschwindig-keit beim Fräsen

$$v_f = n \cdot f_z \cdot z$$

P

Gewinde-trieb

Gewindespindel mit Steigung P

2. Beispiel:

Vorschubantrieb mit Gewindespindel, $P = 5$ mm; $n = 112$/min; $v_f = ?$

$$v_f = n \cdot P = 112\,\frac{1}{min} \cdot 5\,mm = \mathbf{560}\,\frac{mm}{min}$$

Vorschubgeschwindig-keit beim Gewindetrieb

$$v_f = n \cdot P$$

Zahnstangen-trieb

3. Beispiel:

Vorschub mit Zahnstangentrieb, $n = 80$/min; $d = 75$ mm; $v_f = ?$

$$v_f = \pi \cdot d \cdot n = \pi \cdot 75\,mm \cdot 80\,\frac{1}{min}$$

$$= 18\,850\,\frac{mm}{min} = \mathbf{18{,}85}\,\frac{m}{min}$$

Vorschubgeschwindigkeit beim Zahnstangentrieb

$$v_f = n \cdot z \cdot p$$

$$v_f = \pi \cdot d \cdot n$$

Schnittgeschwindigkeit, Umfangsgeschwindigkeit

Schnittgeschwindigkeit

v_c Schnittgeschwindigkeit
v Umfangsgeschwindigkeit
d Durchmesser
n Drehzahl

Schnitt-geschwindigkeit

$$v_c = \pi \cdot d \cdot n$$

Beispiel:

Drehen, $n = 1200$/min; $d = 35$ mm; $v_c = ?$

$$v_c = \pi \cdot d \cdot n = \pi \cdot 0{,}035\,m \cdot 1200\,\frac{1}{min}$$

$$= \mathbf{132}\,\frac{m}{min}$$

Umfangsgeschwindigkeit

Umfangs-geschwindigkeit

$$v = \pi \cdot d \cdot n$$

Mittlere Geschwindigkeit bei Kurbeltrieben

maximale Geschwindigkeit / mittlere Geschwindigkeit

v_m mittlere Geschwindigkeit
n Anzahl der Doppelhübe
s Hublänge

Beispiel:

Maschinenbügelsäge, $s = 280$ mm; $n = 45$/min; $v_m = ?$

$$v_m = 2 \cdot s \cdot n = 2 \cdot 0{,}28\,m \cdot 45\,\frac{1}{min}$$

$$= \mathbf{25{,}2}\,\frac{m}{min}$$

Mittlere Geschwindigkeit

$$v_m = 2 \cdot s \cdot n$$

Darstellung, Zusammensetzung und Zerlegung von Kräften

P

Für die folgenden Beispiele gewählt: $M_k = 10$ N/mm

Wirkungslinie

Kräfte sind die Ursache für die Bewegungsänderung oder Verformung eines Körpers.

F_1, F_2, F_i Teilkräfte l Pfeillänge
F_r Resultierende M_k Kräftemaßstab

Darstellung von Kräften (Vektoren) durch Pfeile
Die **Größe** der Kraft F entspricht der Pfeillänge l.
Die **Lage** der Kraft wird durch den Anfangspunkt und die Wirkungslinie dargestellt.
Die **Richtung** der Kraft zeigt die Pfeilspitze.

Pfeillänge

$$l = \frac{F}{M_k}$$

Addieren und Subtrahieren von Kräften auf gleicher Wirkungslinie
Kräfte auf gleicher Wirkungslinie lassen sich algebraisch addieren und subtrahieren.

Beispiel:

$F_1 = 80$ N, $F_2 = 160$ N, gleiche Richtung; $F_r = ?$
$F_r = F_1 + F_2 = 80$ N + 160 N = **240 N**

Resultierende
(Ersatzkraft mit gleicher Wirkung wie die Teilkräfte zusammen)

$$F_r = \Sigma F_i$$

Beispiel: Spannseile

Kräfteplan

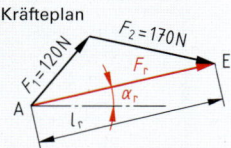

Grafisches Zusammensetzen von Kräften, deren Wirkungslinien sich schneiden
1. Kraftpfeile vom Anfangspunkt A bis zum Endpunkt E winkel- und maßstabsgetreu in beliebiger Reihenfolge aneinander fügen.
2. Die Resultierende F_r liegt zwischen den Punkten A und E des Kräfteplans.
3. Betrag der Resultierenden F_r aus l_r und M_k berechnen und Winkellage von F_r ausmessen.

Beispiel:

Spannseile, $F_1 = 120$ N, $F_2 = 170$ N; $F_r = ?$, $\alpha_r = ?$
Gemessen: $l_r = 25$ mm, $\alpha_r = 13°$
$F_r = l_r \cdot M_k = 25$ mm $\cdot$ 10 N/mm = **250 N**

Beispiel: Schiefe Ebene

Kräfteplan

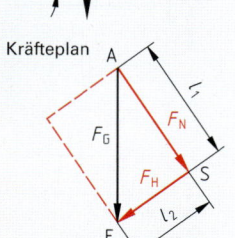

Grafisches Zerlegen einer Kraft in zwei Teilkräfte
1. Bekannte Kraft F ($= F_G$) winkel- und maßstabsgetreu darstellen und Wirkungslinien der gesuchten Teilkräfte durch A und E legen. Diese schneiden sich im Punkt S. Der Linienzug ASE bildet den Kräfteplan.
2. Die Teilkräfte liegen zwischen AS und SE.
3. Beträge der Teilkräfte aus l_1, l_2 und M_k berechnen.

Beispiel:

Schiefe Ebene, $F_G = 200$ N, $\alpha = 35°$; $F_N = ?$, $F_H = ?$
Gemessen: $l_1 = 16$ mm, $l_2 = 11$ mm
$F_N = l_1 \cdot M_k = 16$ mm $\cdot$ 10 N/mm = **160 N**
$F_H = l_2 \cdot M_k = 11$ mm $\cdot$ 10 N/mm = **110 N**

Krafteck-Skizze für Berechnung (unmaßstäblich)

Berechnungen aus dem Kräfteplan
Grundlage der Berechnung ist ein nicht maßstabsgerechter Kräfteplan als Krafteck-Skizze.

Beispiel:

Schiefe Ebene, $F_G = 200$ N, $\alpha = 35°$; $F_N = ?$, $F_H = ?$
Die Gewichtskraft F_G lässt sich entsprechend der Krafteck-Skizze in F_N und F_H zerlegen. Das skizzierte Krafteck ist rechtwinklig. Die Berechnungen erfolgen mit den Winkelfunktionen Kosinus und Sinus.

$F_N = F_G \cdot \cos\alpha = 200$ N $\cdot \cos 35° = $ **163,8 N**
$F_H = F_G \cdot \sin\alpha = 200$ N $\cdot \sin 35° = $ **114,7 N**

Berechnungen aus Kräfteplan (Krafteck)	
Form des Kräfteplans	benötigte Winkelfunktion
Krafteck rechtwinklig	Sinus, Kosinus, Tangens
Krafteck schiefwinklig	Sinussatz, Kosinussatz

Arten von Kräften

Gewichtskraft

Die Erdanziehung bewirkt bei Massen eine Gewichtskraft.

F_G Gewichtskraft g Fallbeschleunigung
m Masse

Beispiel:

Stahlträger, $m = 1200$ kg; $F_G = ?$

$F_G = m \cdot g = 1200 \, \text{kg} \cdot 9{,}81 \, \frac{\text{m}}{\text{s}^2} = \mathbf{11\,772 \, N}$

Gewichtskraft

$$F_G = m \cdot g$$

$g = 9{,}81 \, \frac{\text{m}}{\text{s}^2} \approx 10 \, \frac{\text{m}}{\text{s}^2}$

Berechnung der Masse:
Seite 27

Kräfte bei Beschleunigung und Verzögerung

P

Für die Beschleunigung und die Verzögerung von
Massen ist eine Kraft erforderlich.

F Beschleunigungskraft a Beschleunigung
m Masse

Beispiel:

$m = 50 \, \text{kg}; \quad a = 3 \, \frac{\text{m}}{\text{s}^2}; \quad F = ?$

$F = m \cdot a = 50 \, \text{kg} \cdot 3 \, \frac{\text{m}}{\text{s}^2} = 150 \, \text{kg} \cdot \frac{\text{m}}{\text{s}^2} = \mathbf{150 \, N}$

Beschleunigungskraft

$$F = m \cdot a$$

$1 \, \text{N} = 1 \, \text{kg} \cdot \frac{\text{m}}{\text{s}^2}$

Federkraft (Hooke'sches Gesetz)

Innerhalb des elastischen Bereiches sind Kraft und
zugehörige Längenänderung einer Feder proportional.

F Federkraft s Federweg
R Federrate

Beispiel:

Druckfeder, $R = 8$ N/mm; $s = 12$ mm; $F = ?$

$F = R \cdot s = 8 \, \frac{\text{N}}{\text{mm}} \cdot 12 \, \text{mm} = \mathbf{96 \, N}$

Federkraft

$$F = R \cdot s$$

Federkraftänderung

$$\Delta F = R \cdot \Delta s$$

Fliehkraft

Die **Fliehkraft** F_z entsteht, wenn eine Masse auf einer
gekrümmten Bahn, z. B. einem Kreis, bewegt wird.

F_z Fliehkraft ω Winkelgeschwindigkeit
m Masse v Umfangsgeschwindigkeit
r Radius

Beispiel:

Turbinenschaufel, $m = 160$ g; $v = 80$ m/s;
$d = 400$ mm; $F_z = ?$

$F_z = \frac{m \cdot v^2}{r} = \frac{0{,}16 \, \text{kg} \cdot (80 \, \text{m/s})^2}{0{,}2 \, \text{m}} = 5120 \, \frac{\text{kg} \cdot \text{m}}{\text{s}^2} = \mathbf{5120 \, N}$

Fliehkraft

$$F_z = m \cdot r \cdot \omega^2$$

$$F_z = \frac{m \cdot v^2}{r}$$

Lagerkräfte

Beispiel für Lagerkraft

Zur Berechnung der Lagerkräfte nimmt man einen
Auflagerpunkt als Drehpunkt an.

F_A, F_B Lagerkräfte l, l_1, l_2 wirksame
F_1, F_2 Kräfte   Hebellängen

Beispiel:

Laufkran, $F_1 = 40$ kN; $F_2 = 15$ kN; $l_1 = 6$ m;
$l_2 = 8$ m; $l = 12$ m; $F_A = ?$

Lösung: gewählter Drehpunkt B; die Lagerkraft F_A
wird am einseitigen Hebel angenommen.

$F_A = \frac{F_1 \cdot l_1 + F_2 \cdot l_2}{l} = \frac{40 \, \text{kN} \cdot 6 \, \text{m} + 15 \, \text{kN} \cdot 8 \, \text{m}}{12 \, \text{m}} = \mathbf{30 \, kN}$

Hebelgesetz

$$\Sigma M_l = \Sigma M_r$$

Lagerkraft in A

$$F_A = \frac{F_1 \cdot l_1 + F_2 \cdot l_2 \dots}{l}$$

$$F_A + F_B = F_1 + F_2 \dots$$

P

Drehmoment, Mechanische Arbeit

Drehmoment und Hebel

einseitiger Hebel

Die **wirksame Hebellänge** ist der rechtwinklige Abstand zwischen Drehpunkt und Wirkungslinie der Kraft. Bei scheibenförmigen drehbaren Teilen entspricht die Hebellänge dem Radius r.

M Drehmoment
F Kraft
l wirksame Hebellänge
ΣM_l Summe aller linksdrehenden Momente
ΣM_r Summe aller rechtsdrehenden Momente

zweiseitiger Hebel

Winkelhebel

Beispiel:

Winkelhebel, $F_1 = 30$ N; $l_1 = 0,15$ m; $l_2 = 0,45$ m; $F_2 = ?$

$$F_2 = \frac{F_1 \cdot l_1}{l_2} = \frac{30 \text{ N} \cdot 0,15 \text{ m}}{0,45 \text{ m}} = \textbf{10 N}$$

Drehmoment

$$M = F \cdot l$$

Hebelgesetz

$$\Sigma M_l = \Sigma M_r$$

Hebelgesetz bei nur 2 Kräften

$$F_1 \cdot l_1 = F_2 \cdot l_2$$

Drehmoment bei Zahnradtrieben

Der Hebelarm bei Zahnrädern entspricht dem halben Teilkreisdurchmesser d. Sind die Zähnezahlen zweier ineinandergreifender Zahnräder verschieden, ergeben sich unterschiedliche Drehmomente.

Treibendes Rad
F_{u1} Umfangskraft
M_1 Drehmoment
d_1 Teilkreisdurchmesser
z_1 Zähnezahl
n_1 Drehzahl

Getriebenes Rad
F_{u2} Umfangskraft
M_2 Drehmoment
d_2 Teilkreisdurchmesser
z_2 Zähnezahl
n_2 Drehzahl
i Übersetzungsverhältnis

Beispiel:

Getriebe, $i = 12$; $M_1 = 60$ N · m; $M_2 = ?$

$M_2 = i \cdot M_1 = 12 \cdot 60$ N · m = **720 N · m**

Übersetzungen bei Zahnradtrieben: Seite 259

Drehmomente

$$M_1 = \frac{F_{u1} \cdot d_1}{2}$$

$$M_2 = \frac{F_{u2} \cdot d_2}{2}$$

$$M_2 = i \cdot M_1$$

$$\frac{M_2}{M_1} = \frac{z_2}{z_1}$$

$$\frac{M_2}{M_1} = \frac{n_1}{n_2}$$

$$\frac{M_2}{M_1} = \frac{d_2}{d_1}$$

Mechanische Arbeit, Hubarbeit und Reibungsarbeit

Hubarbeit

Arbeit wird verrichtet, wenn eine Kraft längs eines Weges wirkt.

F Kraft in Wegrichtung
F_G Gewichtskraft
F_R Reibungskraft
F_N Normalkraft
W Arbeit
s Kraftweg
s, h Hubhöhe
μ Reibungszahl

1. Beispiel:

Hubarbeit, $F = 300$ N; $s = 4$ m; $W = ?$

$W = F \cdot s = 300$ N · 4 m = 1200 N · m = **1200 J**

Reibungsarbeit

2. Beispiel:

Reibungsarbeit, $F_N = 0,8$ kN; $s = 1,2$ m; $\mu = 0,4$; $W = ?$

$W = \mu \cdot F_N \cdot s = 0,4 \cdot 800$ N · 1,2 m = 384 N · m = **384 J**

Arbeit

$$W = F \cdot s$$

Hubarbeit

$$W = F_G \cdot h$$

Reibungsarbeit

$$W = \mu \cdot F_N \cdot s$$

$1 \text{ J} = 1 \text{ N} \cdot 1 \text{ m}$

$= 1 \text{ W} \cdot \text{s} = 1 \dfrac{\text{kg} \cdot \text{m}^2}{\text{s}^2}$

$1 \text{ kW} \cdot \text{h} = 3,6 \text{ MJ}$

Einfache Maschinen und Energie

Flaschenzug[1]

n Anzahl der tragenden Seilstränge, Rollenzahl

$$F_1 = \frac{F_G}{n}$$

$$s_1 = n \cdot h$$

$$W_2 = F_G \cdot h$$

Schiefe Ebene[1]

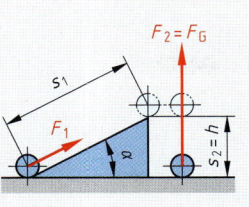

α Neigungswinkel

$$F_1 \cdot s_1 = F_G \cdot h$$

$$F_1 = F_G \cdot \sin \alpha$$

$$W_2 = F_G \cdot h$$

Keil[1]

β Neigungswinkel
$\tan\beta$ Neigung

$$F_1 \cdot s_1 = F_2 \cdot h$$

$$F_2 = \frac{F_1}{\tan \beta}$$

$$s_2 = s_1 \cdot \tan \beta$$

$$W_2 = F_2 \cdot h$$

Schraube (Bewegungsgewinde)[1]

P Gewindesteigung
l Hebellänge
Für 1 volle Umdrehung

$$F_1 \cdot 2 \cdot \pi \cdot l = F_2 \cdot P$$

$$s_1 = 2 \cdot \pi \cdot l$$

$$W_1 = F_1 \cdot 2 \cdot \pi \cdot l$$

$$W_2 = F_2 \cdot P$$

[1] Die Formeln gelten für den gedachten reibungsfreien Zustand. Bei diesem ist die aufgewendete Arbeit W_1 gleich der abgegebenen Arbeit W_2, d.h. was an Kraft gewonnen wird, geht an Weg verloren.

Potenzielle Energie

Lageenergie

Potenzielle Energie ist gespeicherte Arbeit (Lageenergie, Federenergie).

W_p potenzielle Energie s, h Weg, Hub- oder
F_G Gewichtskraft   Fallhöhe
F Federkraft s Federweg
R Federrate

Lageenergie

$$W_p = F_G \cdot s$$

Federenergie

$R = \dfrac{F}{s}$

Beispiel:

Fallhammer, $m = 30$ kg; $s = 2{,}6$ m; $W_p = ?$

$$W_p = F_G \cdot s = 30 \text{ kg} \cdot 9{,}81 \frac{m}{s^2} \cdot 2{,}6 \text{ m} = \mathbf{765 \text{ J}}$$

Federenergie

$$W_p = \frac{R \cdot s^2}{2}$$

Kinetische Energie

geradlinige Bewegung

Kinetische Energie ist Energie der Bewegung.

W_k kinetische Energie
v Geschwindigkeit m Masse

Kinetische Energie bei geradliniger Bewegung

$$W_k = \frac{m \cdot v^2}{2}$$

Beispiel:

Pkw, $m = 1400$ kg, $v_1 = 50$ km/h (13,88 m/s),
$v_2 = 100$ km/h (27,77 m/s); $W_{K1} = ?$, $W_{K2} = ?$

$$W_{K1} = \frac{m \cdot v_1^2}{2} = \frac{1400 \text{ kg} \cdot (13{,}88 \text{ m/s})^2}{2} = \mathbf{135 \text{ kJ}}$$

$$W_{K2} = \frac{m \cdot v_2^2}{2} = \frac{1400 \text{ kg} \cdot (27{,}77 \text{ m/s})^2}{2} = \mathbf{540 \text{ kJ}}$$

P

Leistung und Wirkungsgrad

Leistung bei geradliniger Bewegung

Leistung ist die Arbeit in der Zeiteinheit.

P	Leistung	s	Weg in Kraftrichtung
W	Arbeit	t	Zeit
v	Geschwindigkeit		

1. Beispiel:

Gabelstapler, $F = 15$ kN; $v = 25$ m/min; $P = ?$

$$P = F \cdot v = 15\,000\,\text{N} \cdot \frac{25\,\text{m}}{60\,\text{s}} = 6250\,\frac{\text{N} \cdot \text{m}}{\text{s}} = 6250\,\text{W} = \mathbf{6{,}25\,kW}$$

2. Beispiel:

Kran hebt Werkzeugmaschine, $m = 1{,}2$ t; $s = 2{,}5$ m; $t = 4{,}5$ s; $P = ?$

$F_G = m \cdot g = 1200\,\text{kg} \cdot 9{,}81\,\text{m/s}^2 = 11\,772\,\text{N}$

$$P = \frac{F_G \cdot s}{t} = \frac{11\,772\,\text{N} \cdot 2{,}5\,\text{m}}{4{,}5\,\text{s}} = 6540\,\text{W} = \mathbf{6{,}5\,kW}$$

Leistung von Pumpen und Zylindern: Seite 420

Leistung

$$P = \frac{W}{t}$$

$$P = \frac{F \cdot s}{t}$$

$$P = F \cdot v$$

$1\,\text{W} = 1\,\dfrac{\text{J}}{\text{s}}$

$\phantom{1\,\text{W}} = 1\,\dfrac{\text{N} \cdot \text{m}}{\text{s}}$

$1\,\text{kW} = 1{,}36\,\text{PS}$

Leistung bei kreisförmiger Bewegung

P	Leistung	s	Weg in Kraftrichtung
M	Drehmoment	t	Zeit
F	Umfangskraft	n	Drehzahl
v	Geschwindigkeit	ω	Winkelgeschwindigkeit

Beispiel:

Riementrieb, $F = 1{,}2$ kN; $d = 200$ mm; $n = 2800$/min; $P = ?$

$P = F \cdot \pi \cdot d \cdot n$

$$= 1{,}2\,\text{kN} \cdot \pi \cdot 0{,}2\,\text{m} \cdot \frac{2800}{60\,\text{s}} = 35{,}2\,\frac{\text{kN} \cdot \text{m}}{\text{s}} = \mathbf{35{,}2\,kW}$$

Zahlenwertgleichung:

Einsetzen → M in N · m, n in 1/min
Ergebnis → P in kW

Schnittleistung bei Werkzeugmaschinen: Seiten 319, 329, 335

Leistung

$$P = F \cdot v$$

$$P = F \cdot \pi \cdot d \cdot n$$

$$P = M \cdot 2 \cdot \pi \cdot n$$

$$P = M \cdot \omega$$

oder: Leistung (Zahlenwertgleichung)

$$P = \frac{M \cdot n}{9550}$$

Wirkungsgrad

zugeführte Leistung   abgegebene Leistung

$P_{M1} = P_1$ $P_{G2} = P_2$

$P_{M2} = P_{G1}$

η_1 η_2

$\eta = \eta_1 \cdot \eta_2$

Unter dem Wirkungsgrad versteht man das Verhältnis von abgegebener Leistung oder Arbeit zu zugeführter Leistung oder Arbeit.

P_1	zugeführte Leistung	P_2	abgegebene Leistung
W_1	zugeführte Arbeit	W_2	abgegebene Arbeit
η	Gesamtwirkungsgrad	η_1, η_2	Teilwirkungsgrade

Beispiel:

Antrieb, $P_1 = 4$ kW; $P_2 = 3$ kW; $\eta_1 = 85$ %; $\eta = ?$; $\eta_2 = ?$

$\eta = \dfrac{P_2}{P_1} = \dfrac{3\,\text{kW}}{4\,\text{kW}} = \mathbf{0{,}75};$ $\eta_2 = \dfrac{\eta}{\eta_1} = \dfrac{0{,}75}{0{,}85} = \mathbf{0{,}88}$

Wirkungsgrad

$$\eta = \frac{P_2}{P_1}$$

$$\eta = \frac{W_2}{W_1}$$

Gesamtwirkungsgrad

$$\eta = \eta_1 \cdot \eta_2 \cdot \eta_3 \dots$$

Wirkungsgrade η (Richtwerte)

Steinkohlekraftwerk	0,41	Kfz-Dieselmotor (Teillast)	0,24	Bewegungsgewinde	0,30
Erdgaskraftwerk	0,50	Kfz-Dieselmotor (Volllast)	0,40	Zahnradgetriebe	0,97
Gasturbine	0,38	Großdieselmotor (Teillast)	0,33	Schneckengetriebe $i = 40$	0,65
Dampfturbine (Hochdruck)	0,45	Großdieselmotor (Volllast)	0,55	Reibradgetriebe	0,80
Wasserturbine	0,85	Drehstrom-Motor	0,85	Kettentrieb	0,90
Kraft-Wärmekopplung	0,75	konv. Werkzeugmaschine	0,75	Breitkeilriemengetriebe	0,85
Otto-Motor	0,27	CNC-Werkzeugmaschine	0,80	Hydrogetriebe	0,75

Reibungsarten, Reibungszahlen

Reibungskraft, Reibungsmoment

Haftreibung, Gleitreibung

Die auftretende Reibungskraft ist von der Normalkraft F_N abhängig und von
- der Reibungsart: Haft-, Gleit- oder Rollreibung
- dem Schmierzustand
- der Werkstoffpaarung (Werkstoffkombination)
- der Oberflächenbeschaffenheit

Die Einflüsse werden in der aus Versuchen ermittelten Reibungszahl μ zusammengefasst.

F_N Normalkraft
F_R Reibungskraft
μ Reibungszahl
f Rollreibungszahl

M_R Reibungsmoment
d Durchmesser
r Radius

Reibungsmoment

1. Beispiel:

Gleitlager, $F_N = 100$ N; $\mu = 0,03$; $F_R = ?$
$F_R = \mu \cdot F_N = 0,03 \cdot 100$ N = **3 N**

2. Beispiel:

Stahlwelle in Cu-Sn-Gleitlager, $\mu = 0,05$; $F_N = 6$ kN; $d = 160$ mm; $M_R = ?$

$M_R = \dfrac{\mu \cdot F_N \cdot d}{2} = \dfrac{0,05 \cdot 6000 \text{ N} \cdot 0,16 \text{ m}}{2} = \textbf{24 N·m}$

Rollreibung

3. Beispiel:

Kranrad auf Stahlschiene, $F_N = 45$ kN; $d = 320$ mm; $f = 0,5$ mm; $F_R = ?$

$F_R = \dfrac{f \cdot F_N}{r} = \dfrac{0,5 \text{ mm} \cdot 45\,000 \text{ N}}{160 \text{ mm}} = \textbf{140,6 N}$

Reibungskraft bei Haft- und Gleitreibung

$$F_R = \mu \cdot F_N$$

Reibungsmoment

$$M_R = \frac{\mu \cdot F_N \cdot d}{2}$$

$$M_R = F_R \cdot r$$

Reibungskraft bei Rollreibung[1]

$$F_R = \frac{f \cdot F_N}{r}$$

[1] verursacht durch elastische Verformungen zwischen Rollkörper und Rollbahn

P

Reibungszahlen (Richtwerte)[2]

Werkstoffpaarung	Anwendungsbeispiel	Haftreibungszahl μ		Gleitreibungszahl μ	
		trocken	geschmiert	trocken	geschmiert
Stahl/Stahl	Schraubstockführung	0,50	0,10	0,40	0,10 … 0,05
Stahl/Gusseisen	Maschinenführung	0,20	0,10	0,18	0,10 … 0,05
Stahl/Cu-Sn-Legierung	Welle in Massivgleitlager	0,20	0,10	0,10	0,06 … 0,03[3]
Stahl/Pb-Sn-Legierung	Welle in Verbundgleitlager	0,15	0,10	0,10	0,05 … 0,03[3]
Stahl/Polyamid	Welle in PA-Gleitlager	0,30	0,15	0,30	0,12 … 0,03[3]
Stahl/PTFE	Tieftemperaturlager	0,04	0,04	0,04	0,04[3]
Stahl/Reibbelag	Backenbremse	0,60	0,30	0,55	0,3 … 0,2
Stahl/Holz	Bauteil auf Montagebock	0,55	0,10	0,35	0,05
Holz/Holz	Unterleghölzer	0,50	0,20	0,30	0,10
Gusseisen/Cu-Sn-Legierung	Einstellleiste an Führung	0,25	0,16	0,20	0,10
Gummi/Gusseisen	Riemen auf Riemenscheibe	0,50	–	0,45	–
Wälzkörper/Stahl	Wälzlager[4], Wälzführung[4]	–	–	–	0,003 … 0,001

[2] Die Richtwerte der Reibungszahlen stellen lediglich Tendenzen dar und unterliegen insbesondere bei der Haftreibung großen Schwankungen. Verlässliche Reibzahlen können nur anwendungsspezifische Versuche liefern.

[3] Mit zunehmender Gleitgeschwindigkeit und sich einstellender Misch- und Flüssigkeitsreibung verliert die Werkstoffpaarung ihren Einfluss.

[4] Berechnung erfolgt trotz rollender Bewegung üblicherweise wie bei Haft- bzw. Gleitreibung.

Rollreibungszahlen (Richtwerte)[5]

Werkstoffpaarung	Anwendungsbeispiel	Rollreibungszahl f in mm
Stahl/Stahl	Stahlrad auf Führungsschiene	0,5
Kunststoff/Beton	Transportrollen auf Hallenboden	5
Gummi/Asphalt	Autoreifen auf Straße	8

[5] Angaben zu Rollreibungszahlen schwanken in der Fachliteratur z.T. beträchtlich.

Druckarten, Hydraulische Kraftübersetzung

Druck

p Druck A Fläche
F Kraft

Beispiel:

$F = 2\ MN$; Kolben-$\varnothing\ d = 400\ mm$; $p = ?$

$$p = \frac{F}{A} = \frac{2000000\ N}{\dfrac{\pi \cdot (40\ cm)^2}{4}} = 1592\ \frac{N}{cm^2} = \textbf{159,2 bar}$$

Berechnungen zur Hydraulik und Pneumatik: Seite 420

Druck

$$p = \frac{F}{A}$$

Druckeinheiten

$1\ Pa\quad = 1\ \dfrac{N}{m^2} = 0{,}00001\ bar$

$1\ bar\quad = 10\ \dfrac{N}{cm^2} = 0{,}1\ \dfrac{N}{mm^2}$

$1\ mbar = 100\ Pa = 1\ hPa$

Überdruck, Luftdruck, absoluter Druck

p_e Überdruck (excedens, überschreitend)
p_{amb} Luftdruck (ambient, umgebend)
p_{abs} absoluter Druck

Der Überdruck ist
positiv, wenn $p_{abs} > p_{amb}$ ist und
negativ, wenn $p_{abs} < p_{amb}$ ist (Unterdruck)

Beispiel:

Autoreifen, $p_e = 2{,}2\ bar$; $p_{amb} = 1\ bar$; $p_{abs} = ?$

$\textbf{\textit{p}}_{\textbf{abs}} = p_e + p_{amb} = 2{,}2\ bar + 1\ bar = \textbf{3,2 bar}$

Überdruck

$$p_e = p_{abs} - p_{amb}$$

$p_{amb} = 1{,}013\ bar \approx 1\ bar$
(Normal-Luftdruck)

Schweredruck, Auftriebskraft

p_e Schweredruck F_A Auftriebskraft
       (Eigendruck) V Eintauchvolumen
ϱ Dichte der Flüssigkeit h Flüssigkeitstiefe
g Fallbeschleunigung

Beispiel:

Welcher Schweredruck herrscht in 10 m Wasser-
tiefe?

$$p_e = g \cdot \varrho \cdot h = 9{,}81\ \frac{m}{s^2} \cdot 1000\ \frac{kg}{m^3} \cdot 10\ m$$

$$= 98100\ \frac{kg}{m \cdot s^2} = 98100\ Pa \approx \textbf{1 bar}$$

Schweredruck

$$p_e = g \cdot \varrho \cdot h$$

Auftriebskraft

$$F_A = g \cdot \varrho \cdot V$$

$g = 9{,}81\ \dfrac{m}{s^2} \approx 10\ \dfrac{m}{s^2}$

Dichtewerte: Seite 117

Hydraulische Kraftübersetzung

Druck- kolben

Arbeits- kolben

Druck breitet sich in abgeschlossenen Flüssigkeiten oder Gasen nach allen Richtungen gleichmäßig aus.

F_1, F_2 Kolbenkräfte
A_1, A_2 Kolbenflächen
s_1, s_2 Kolbenwege
i hydraulisches Übersetzungsverhältnis
p_e Überdruck

Beispiel:

$F_1 = 200\ N$; $A_1 = 5\ cm^2$; $A_2 = 500\ cm^2$;
$s_2 = 30\ mm$; $F_2 = ?$; $s_1 = ?$; $i = ?$

$$F_2 = \frac{F_1 \cdot A_2}{A_1} = \frac{200\ N \cdot 500\ cm^2}{5\ cm^2} = 20\,000\ N = \textbf{20 kN}$$

$$s_1 = \frac{s_2 \cdot A_2}{A_1} = \frac{30\ mm \cdot 500\ cm^2}{5\ cm^2} = \textbf{3000 mm}$$

$$i = \frac{F_1}{F_2} = \frac{200\ N}{20\,000\ N} = \frac{1}{100}$$

Verdrängtes Volumen

$$A_1 \cdot s_1 = A_2 \cdot s_2$$

Arbeit an beiden Kolben

$$F_1 \cdot s_1 = F_2 \cdot s_2$$

**Verhältnisse:
Kräfte, Flächen, Wege**

$$\frac{F_2}{F_1} = \frac{A_2}{A_1} = \frac{s_1}{s_2}$$

Übersetzungsverhältnis

$$i = \frac{F_1}{F_2} = \frac{s_2}{s_1}$$

$$i = \frac{A_1}{A_2}$$

P

Druckübersetzung, Durchflussgeschwindigkeit, Zustandsänderung

Druckübersetzung

Druckluft

Öl

A_2

A_1

Schaltzeichen nach DIN ISO 1219-1

A_1, A_2 Kolbenflächen

p_{e1} Überdruck an der Kolbenfläche A_1

p_{e2} Überdruck an der Kolbenfläche A_2

η Wirkungsgrad des Druckübersetzers

Überdruck

$$p_{e2} = p_{e1} \cdot \frac{A_1}{A_2} \cdot \eta$$

Beispiel:

$A_1 = 200 \text{ cm}^2$; $A_2 = 5 \text{ cm}^2$; $\eta = 0,88$;
$p_{e1} = 7 \text{ bar} = 70 \text{ N/cm}^2$; $p_{e2} = ?$

$$p_{e2} = p_{e1} \cdot \frac{A_1}{A_2} \cdot \eta = 70 \frac{\text{N}}{\text{cm}^2} \cdot \frac{200 \text{ cm}^2}{5 \text{ cm}^2} \cdot 0,88$$

$$= 2464 \text{ N/cm}^2 = \mathbf{246,4 \text{ bar}}$$

Durchflussgeschwindigkeiten

Q, Q_1, Q_2 Volumenströme

A, A_1, A_2 Querschnittsflächen

v, v_1, v_2 Durchflussgeschwindigkeiten

Kontinuitätsgleichung

In einer Rohrleitung mit wechselnden Querschnittsflächen fließt in der Zeit t durch jeden Querschnitt der gleiche Volumenstrom Q.

Volumenstrom

$$Q = A \cdot v$$

$$Q_1 = Q_2$$

Verhältnis der Durchflussgeschwindigkeiten

$$\frac{v_1}{v_2} = \frac{A_2}{A_1}$$

Beispiel:

Rohrleitung mit $A_1 = 19,6 \text{ cm}^2$; $A_2 = 8,04 \text{ cm}^2$ und $Q = 120 \text{ l/min}$; $v_1 = ?$; $v_2 = ?$

$$v_1 = \frac{Q}{A_1} = \frac{120\,000 \text{ cm}^3/\text{min}}{19,6 \text{ cm}^2} = 6122 \frac{\text{cm}}{\text{min}} = \mathbf{1,02 \frac{\text{m}}{\text{s}}}$$

$$v_2 = \frac{v_1 \cdot A_1}{A_2} = \frac{1,02 \text{ m/s} \cdot 19,6 \text{ cm}^2}{8,04 \text{ cm}^2} = \mathbf{2,49 \frac{\text{m}}{\text{s}}}$$

Zustandsänderung bei Gasen

Verdichtung

Zustand 1   Zustand 2

p_{abs1}

V_1 T_1

p_{abs2}
V_2 T_2

Gesetz von Boyle-Mariotte

Zustand 1

p_{abs1} absoluter Druck

V_1 Volumen

T_1 absolute Temperatur

Zustand 2

p_{abs2} absoluter Druck

V_2 Volumen

T_2 absolute Temperatur

Allgemeine Gasgleichung

$$\frac{p_{abs1} \cdot V_1}{T_1} = \frac{p_{abs2} \cdot V_2}{T_2}$$

Sonderfälle:

bei konstanter Temperatur

$$p_{abs1} \cdot V_1 = p_{abs2} \cdot V_2$$

bei konstantem Volumen

$$\frac{p_{abs1}}{T_1} = \frac{p_{abs2}}{T_2}$$

bei konstantem Druck

$$\frac{V_1}{T_1} = \frac{V_2}{T_2}$$

Beispiel:

Eine Sauerstoffflasche mit $V = 20 \text{ dm}^3$ und 250 bar Fülldruck ($p_{abs1} = 251$ bar) erwärmt sich in der Sonne von $t_1 = 15\,°\text{C}$ auf $t_2 = 45\,°\text{C}$. Wie groß ist der Druckanstieg Δp in der Gasflasche?

Berechnung der absoluten Temperaturen (Seite 49):

$$T_1 = t_1 + 273 = (15 + 273) \text{ K} = 288 \text{ K}$$

$$T_2 = t_2 + 273 = (45 + 273) \text{ K} = 318 \text{ K}$$

$$p_{abs2} = \frac{p_{abs1} \cdot T_2}{T_1} = \frac{251 \text{ bar} \cdot 318 \text{ K}}{288 \text{ K}}$$

$$= 277 \text{ bar}$$

$$\Delta p = p_{abs2} - p_{abs1} = 277 \text{ bar} - 251 \text{ bar}$$

$$= \mathbf{26 \text{ bar}}$$

P

Belastungsfälle, Beanspruchungsarten, Grenzspannungen

Belastungsfälle

σ_u Unterspannung	σ_m Mittelspannung	S Spannungsverhältnis	
σ_o Oberspannung	σ_a Ausschlagspannung (Spannungsamplitude)		

Spannungs-verhältnis

$$S = \frac{\sigma_u}{\sigma_o}$$

statische Belastung ruhend $S = 1$	dynamische Belastung	
	schwellend $S = 0$	wechselnd $S = -1$

$\sigma_u = \sigma_o$

σ_o
$\sigma_m = \sigma_o/2$
$\sigma_u = 0$

σ_o
$\sigma_m = 0$
σ_u

Belastungsfall I
Größe und Richtung der Belastung sind gleichbleibend, z.B. bei einer Gewichtsbelastung an einer Aufhängung.

Belastungsfall II
Die Belastung steigt auf einen Höchstwert an und geht auf null zurück, z.B. bei Kranseilen und Federn.

Belastungsfall III
Die Belastung wechselt zwischen einem positiven und einem gleich großen negativen Höchstwert, z.B. bei umlaufenden Achsen.

Beanspruchungsarten, Grenzspannungen

Beanspruchungs-art	Spannung	elastische Form-änderung	Werkstoffkennwert/Grenzspannung (σ_{grenz}) für		Belastungs-fall II[3]	Belastungs-fall III[3]
			Belastungsfall I, Werkstoff			
			spröde[1] (z.B. Gusseisen)	zäh[2] (z.B. Stahl)		
Zug F	Zug-spannung σ_z	Dehnung ε Bruch-dehnung A	Zugfestigkeit R_m	Streckgrenze R_e 0,2%-Dehn-grenze $R_{p0,2}$	Zug-Schwell-festigkeit σ_{zSch}	Zug-Druck-Wechsel-festigkeit σ_{zdW}
Druck F	Druck-spannung σ_d	Stauchung ε_d	Druck-festigkeit σ_{dB}	Quetschgrenze σ_{dF} 0,2%-Stauch-grenze $\sigma_{d0,2}$	Druck-Schwell-festigkeit σ_{dSch}	
Biegung F	Biege-spannung σ_b	Durch-biegung f	Biege-festigkeit σ_{bB}	Biege-fließgrenze σ_{bF}	Biege-Schwell-festigkeit σ_{bSch}	Biege-Wechsel-festigkeit σ_{bW}
Abscherung F	Scher-spannung τ_a	–	Scher-festigkeit τ_{aB}	Scher-fließgrenze τ_{aF}	–	–
Torsion (Verdrehung) M_t	Torsions-spannung τ_t	Verdreh-winkel φ	Torsions-festigkeit τ_{tB}	Torsions-fließgrenze τ_{tF}	Torsions-Schwell-festigkeit τ_{tSch}	Torsions-Wechsel-festigkeit τ_{tW}
Knickung F	Knick-spannung σ_k	–	Knick-festigkeit σ_{kB}	Knick-festigkeit σ_{kB}	–	–

[1] Werkstoffkennwert, Grenzspannung gegen Bruch
[2] Werkstoffkennwert, Grenzspannung gegen plastisches Fließen
[3] Werkstoffkennwert, Grenzspannung gegen Dauerbruch (Werkstoffermüdung)

P

Statische Festigkeit, Festigkeitswerte, Sicherheitszahlen, *E*-Modul

Statische Festigkeitsrechnung, zul. Spannung, Vordimensionierung, Spannungsnachweis

Aus Sicherheitsgründen dürfen Bauteile auch bei **Maximalbelastung** nur mit einem Teil (Sicherheitszahl) der Bauteilfestigkeit, ab welcher eine bleibende Verformung oder der Bruch eintritt, belastet werden.

$\sigma(\tau)_{grenz}$ Grenzspannung je nach Beanspruchungsart (Seite 40 und Tabelle unten)

$\sigma(\tau)_{zul}$ zulässige Spannung

$\sigma(\tau)_{vorh}$ vorhandene Spannung

v Sicherheitszahl (Tabelle unten)

Zulässige Spannung (Vordimensionierung)

$$\sigma_{zul} = \frac{\sigma_{grenz}}{v}; \quad \tau_{zul} = \frac{\tau_{grenz}}{v}$$

Nachweis der Spannungen (allgemein)

$$\sigma_{vorh} \leq \sigma_{zul}$$
$$\tau_{vorh} \leq \tau_{zul}$$

P

- **Vordimensionierung**
  (überschlägige Ermittlung des erforderlichen Bauteilquerschnitts)

Bei noch unbekannter Bauteildicke ist die Bauteilfestigkeit nicht genau zu ermitteln. Der überschlägig erforderliche Bauteilquerschnitt wird deshalb mit einer erhöhten Sicherheitszahl und Richtwerten anhand der Nennstreckgrenze (Mindeststreckgrenze für kleinste Erzeugnisdicke) aus den nachfolgenden Tabellen bestimmt.

- **Spannungsnachweis (Nachweis vorhandener Bauteilquerschnitte)**

Im Nachweis sind die vorhandenen Spannungen mit der unter Berücksichtigung der Bauteilfestigkeit und einer erforderlichen Sicherheit (Sicherheitszahl) ermittelten zulässigen Spannung zu vergleichen.

Beispiel:

Statisch belasteter Zugstab aus S275JR;
σ_{zul} für eine Vordimensionierung = ?, σ_{zul} für Nachweis bei d = 25 mm = ?

Vordimensionierung: $\sigma_{grenz} = R_e$ (Tabelle unten) = 275 N/mm² (Seite 131)

v = 1,7 (Tabelle unten)

$$\sigma_{zul} = \frac{\sigma_{grenz}}{v} = \frac{275 \text{ N/mm}^2}{1,7} = \textbf{161 N/mm}^2$$

Nachweis: $\sigma_{grenz} = R_e$ (Tabelle unten) = 265 N/mm² (Seite 131)

v = 1,5 (Tabelle unten)

$$\sigma_{zul} = \frac{\sigma_{grenz}}{v} = \frac{265 \text{ N/mm}^2}{1,5} = \textbf{176 N/mm}^2$$

Statische Festigkeitswerte (Grenzspannungen) und Sicherheitszahlen (Richtwerte)[1]

Beanspruchungsart	Zähe (duktile) Werkstoffe				Spröde Werkstoffe			
	Kennwert	St, GE, Cu-Leg.	AW-Leg.	AC-Leg.	Kennwert	GJL	GJM	GJS
Zug		Streckgrenze R_e ($R_{pC,2}$)				Zugfestigkeit R_m		
Druck	σ_{dF}	R_e	R_e	$1,5 \cdot R_e$	σ_{dB}	$2,5 \cdot R_m$	$1,5 \cdot R_m$	$1,3 \cdot R_m$
Biegung	σ_{bF}	$1,2 \cdot R_e$	R_e	R_e	σ_{bB}	R_m	R_m	R_m
Torsion	τ_{tF}	$0,7 \cdot R_e$	$0,6 \cdot R_e$	$0,65 \cdot R_e$	τ_{tB}	$0,8 \cdot R_m$	$0,7 \cdot R_m$	$0,65 \cdot R_m$
Scherung	τ_{aF}	$0,6 \cdot R_e$	$0,6 \cdot R_e$	$0,75 \cdot R_e$	τ_{aB}	$0,8 \cdot R_m$	$0,7 \cdot R_m$	$0,65 \cdot R_m$
Sicherheitszahl	gegen Fließen				gegen Bruch			
	Spannungsnachweis: $v \approx 1,5$				Spannungsnachweis: $v \approx 2,0$			
	Vordimensionierung: $v \approx 1,7$				Vordimensionierung: $v \approx 2,1$			

[1] Vordimensionierung: R_e = Nennstreckgrenze (Mindeststreckgrenze für die kleinste Erzeugnisdicke)
Spannungsnachweis: R_e = Streckgrenze für die entsprechende Erzeugnisdicke des Bauteils

Elastizitätsmodul *E* in kN/mm² (Mittelwerte)

Werkstoff	Stahl, Stahlguss	EN-GJL-150	EN-GJL-300	EN-GJS-400	GE200	EN-GJMW-350-4	CuZn40	Al-Leg.	Ti-Leg.
E-Modul	210	85	125	175	210	170	90	70	120

Beanspruchung auf Zug, Druck, Flächenpressung

Beanspruchung auf Zug

σ_z Zugspannung
F Zugkraft
S Querschnittsfläche
σ_{zzul} zulässige Zugspannung
ν Sicherheitszahl (Seite 41)

S_{erf} erforderliche Querschnittsfläche
R_e Streckgrenze

Zugspannung

$$\sigma_z = \frac{F}{S}$$

$\sigma_z = \frac{F}{S}$ (Normal-spannung)

1. Beispiel:

Stahldraht, $d = 3$ mm ($S = 7{,}07$ mm²), $F = 900$ N;
$\sigma_z = ?$

$\sigma_z = \dfrac{F}{S} = \dfrac{900\ \text{N}}{7{,}07\ \text{mm}^2} = 127\ \dfrac{\text{N}}{\text{mm}^2}$

erforderliche Querschnittsfläche

$$S_{erf} = \frac{F}{\sigma_{zzul}}$$

2. Beispiel:

Vordimensionierung, Rundstahl S235JR, $F = 15$ kN;
$S_{erf} = ?$; $d = ?$

$\sigma_{zzul} = \dfrac{R_e}{\nu} = \dfrac{235\ \text{N/mm}^2}{1{,}7} = 138\ \text{N/mm}^2$

$S_{erf} = \dfrac{F}{\sigma_{zzul}} = \dfrac{15\,000\ \text{N}}{138\ \text{N/mm}^2} = 108{,}7\ \text{mm}^2 \rightarrow \boldsymbol{d = 12\ \text{mm}}$

Berechnung der elastischen Dehnung: Seite 197

zulässige Zugspannung[1]

$$\sigma_{zzul} = \frac{R_e}{\nu}$$

Festigkeitswerte R_e:
Seiten 131 bis 135

Beanspruchung auf Druck

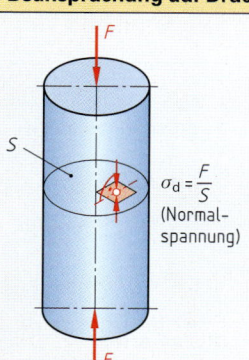

σ_d Druckspannung
F Druckkraft
S Querschnittsfläche
σ_{dzul} zulässige Druckspannung
σ_{dF} Quetschgrenze (Seite 41, bei Stahl $\sigma_{dF} \approx R_e$)
ν Sicherheitszahl (Seite 41)

S_{erf} erforderliche Querschnittsfläche
R_e Streckgrenze

Druckspannung

$$\sigma_d = \frac{F}{S}$$

$\sigma_d = \frac{F}{S}$ (Normal-spannung)

Beispiel:

Vordimensionierung, Gestell aus EN-GJS-400;
$F = 1200$ kN; $S_{erf} = ?$

$\sigma_{dzul} = \dfrac{\sigma_{dB}}{\nu} = \dfrac{1{,}3 \cdot R_m}{2{,}1} = \dfrac{1{,}3 \cdot 400\ \text{N/mm}^2}{2{,}1} = 248\ \text{N/mm}^2$

$S_{erf} = \dfrac{F}{\sigma_{dzul}} = \dfrac{1\,200\,000\ \text{N}}{248\ \text{N/mm}^2} = 4838{,}7\ \text{mm}^2$

Festigkeitswerte R_e: Seiten 131 bis 135

erforderliche Querschnittsfläche

$$S_{erf} = \frac{F}{\sigma_{dzul}}$$

zulässige Druckspannung[1]

$$\sigma_{dzul} = \frac{\sigma_{dF}}{\nu}$$

Beanspruchung auf Flächenpressung

$A = l \cdot b$

Druckspannungen an Berührungsflächen zweier Bauteile bezeichnet man als Flächenpressung.

F Kraft
p Flächenpressung
A Berührungsfläche, projizierte Fläche

p_{zul} zulässige Flächenpressung
R_e Streckgrenze

A_{erf} erforderliche Berührungsfläche

Flächenpressung

$$p = \frac{F}{A}$$

$A = l \cdot d$ (projizierte Fläche)

Beispiel:

Zwei Zuglaschen, je 8 mm dick, mit Bolzen DIN 1445-10h11 x 16 x 30 verbunden, sind mit $F = 2000$ N belastet. $p = ?$

$p = \dfrac{F}{A} = \dfrac{2000\ \text{N}}{8\ \text{mm} \cdot 10\ \text{mm}} = 25\ \dfrac{\text{N}}{\text{mm}^2}$

Festigkeitswerte R_e: Seiten 131 bis 135

erforderliche Berührungsfläche

$$A_{erf} = \frac{F}{p_{zul}}$$

zulässige Flächenpressung[1][2] (Richtwert)

$$p_{zul} = \frac{R_e}{1{,}2}$$

---

[1] Die Berechnungsformel der zulässigen Spannung gilt nur für statische Belastung zäher Werkstoffe (z. B. Stahl). Für spröde Werkstoffe ist die zulässige Spannung sinngemäß zu ermitteln.

[2] Für die Berechnung von Maschinenelementen (z. B. Schrauben) gelten die dort jeweils festgelegten zulässigen Werte.

P

Beanspruchung auf Abscherung, Torsion, Biegung

Beanspruchung auf Abscherung

ein-schnittig **zwei-schnittig**

Festigkeitswerte R_e:
Seiten 131 bis 135

Der belastete Querschnitt darf nicht abgeschert werden.

τ_a Scherspannung
F Scherkraft
S Querschnittsfläche
τ_{azul} zulässige Scherspannung
τ_{aF} Scherfließgrenze (Seite 41, bei Stahl $\tau_{aF} \approx 0.6 \cdot R_e$)
ν Sicherheitszahl (Seite 41)

S_{erf} erforderliche Querschnittsfläche
R_e Streckgrenze

Beispiel:

Zylinderstift $\varnothing$ 6 mm ($S = 28.3$ mm²), einschnittig mit $F = 2200$ N belastet; $\tau_a = ?$

$$\tau_a = \frac{F}{S} = \frac{2200\,\text{N}}{28.3\,\text{mm}^2} = 77.7\ \frac{\text{N}}{\text{mm}^2}$$

Trennen durch Schneiden: Seite 365

[2] Für die Berechnung von Maschinenelementen gelten die dort jeweils festgelegten zulässigen Werte.

Scherspannung

$$\tau_a = \frac{F}{S}$$

erforderliche Querschnittsfläche

$$S_{erf} = \frac{F}{\tau_{azul}}$$

zulässige Scherspannung[1][2]

$$\tau_{azul} = \frac{\tau_{aF}}{\nu}$$

P

Beanspruchung auf Torsion (Verdrehung)

Festigkeitswerte R_e:
Seiten 131 bis 135

Die maximale Spannung in der Randzone des Bauteils wird als Torsionsspannung berechnet.

τ_t Torsionsspannung
M_t Torsionsmoment
W_p polares Widerstandsmoment (Seite 45)
W_{perf} erforderliches polares Widerstandsmoment
τ_{tzul} zulässige Torsionsspannung
τ_{tF} Torsionsfließgrenze (Seite 41, bei Stahl $\tau_{tF} \approx 0.7 \cdot R_e$)
ν Sicherheitszahl (Seite 41)

R_e Streckgrenze

Beispiel:

Welle, $d = 32$ mm, $M_t = 420$ Nm; $W_p = ?$, $\tau_t = ?$

$$W_p = \frac{\pi \cdot d^3}{16} = \frac{\pi \cdot (32\,\text{mm})^3}{16} = 6434\,\text{mm}^3$$

$$\tau_t = \frac{M_t}{W_p} = \frac{420\,000\,\text{N} \cdot \text{mm}}{6434\,\text{mm}^3} = 65.3\ \frac{\text{N}}{\text{mm}^2}$$

Torsionsspannung

$$\tau_t = \frac{M_t}{W_p}$$

erforderliches polares Widerstandsmoment

$$W_{perf} = \frac{M_t}{\tau_{tzul}}$$

zulässige Torsionsspannung[1]

$$\tau_{tzul} = \frac{\tau_{tF}}{\nu}$$

Beanspruchung auf Biegung

σ_b Zug

σ_b Druck

Festigkeitswerte R_e:
Seiten 131 bis 135

Die maximale Zug- oder Druckspannung in der Randzone des Bauteils wird als Biegespannung berechnet.

σ_b Biegespannung
M_b Biegemoment (Seite 44)
W axiales Widerstandsmoment (Seite 45)
W_{erf} erforderliches axiales Widerstandsmoment
σ_{bzul} zulässige Biegespannung
σ_{bF} Biegefließgrenze (Seite 41, bei Stahl $\sigma_{bF} \approx 1.2 \cdot R_e$)
ν Sicherheitszahl (Seite 41)
f Durchbiegung (Seite 44)

R_e Streckgrenze
F Biegekraft

Beispiel:

Achse, S275J0, $d = 70$ mm, statisch belastet; $\sigma_{bzul} = ?$
$R_e = 245$ N/mm² (Seite 127)

$$\sigma_{bzul} = \frac{\sigma_{bF}}{\nu} = \frac{1.2 \cdot 245\,\text{N/mm}^2}{1.5} = 196\ \frac{\text{N}}{\text{mm}^2}$$

Biegespannung

$$\sigma_b = \frac{M_b}{W}$$

erforderliches axiales Widerstandsmoment

$$W_{erf} = \frac{M_b}{\sigma_{bzul}}$$

zulässige Biegespannung[1]

$$\sigma_{bzul} = \frac{\sigma_{bF}}{\nu}$$

[1] Die Berechnungsformel der zulässigen Spannung gilt nur für statische Belastung zäher Werkstoffe (z.B. Stahl). Für spröde Werkstoffe ist die zulässige Spannung sinngemäß zu ermitteln.

Beanspruchung auf Biegung

Biegebelastung auf Bauteilen durch Querkräfte als Punktlasten

P

Beispiel:
$F_1 = 1{,}6$ kN; $l_1 = 180$ mm;
$l_2 = 300$ mm; $l_3 = 240$ mm

a)

b)

c)

Für die Dimensionierung eines biegebeanspruchten Bauteils mit gleichbleibendem Querschnitt ist das größte Biegemoment M_b maßgebend. Unterschiedliche Querschnitte erfordern die Biegemomentbestimmung an verschiedenen Stellen (x), z. B. (1), (2), (3), … des Bauteils. Hierzu wird das Bauteil an den jeweiligen Stellen gedanklich durchtrennt (freigeschnitten) und die inneren Schnittgrößen (M_b und F_q) bestimmt. Dies erfolgt grafisch anhand der Querkraftflächen A_q oder rechnerisch anhand der Gleichgewichtsbedingungen.

Gleichgewichtsbedingungen (in der Ebene)

$$\Sigma F = 0$$

$$\Sigma M_{(x)} = 0$$

Arbeitsschritt:	Beispiel (Abbildung links)
Freischneiden des gesamten Bauteils, d. h. Ermittlung aller angreifender Kräfte F_1, F_2, F_3 … sowie F_A, F_B	a) $F_1 = 1{,}6$ kN; Berechnung Auflagerkräfte (Seite 33) ergibt: $F_A = 1$ kN; $F_B = 0{,}6$ kN
Verlauf der Querkräfte F_q ergibt Querkraftflächen $A_q = F_q \cdot l$ ($\triangleq M_b$). An den Nulldurchgängen der Querkraft sind Biegemomentspitzen.	b) Kräfteverlauf über die Bauteillänge l von links beginnend einzeichnen. Vorzeichenregel der Momente siehe Fußnote [1].
Ermittlung der Biegemomentspitzen oder einer für den Spannungsnachweis erforderlichen Zwischenstelle. **Linke und rechte Seite der Schnittstelle liefern dabei gleiche Ergebnisse.** (Querkraft F_q bewirkt Abscherung [2]) **Stelle (1) grafisch anhand A_q:** linke Seite: $M_{b(1)} = A_{q1} = F_A \cdot l_1$ rechte Seite: $M_{b(1)} = A_{q2} = F_B \cdot l_2$ **Stelle (1) rechnerisch mit $\Sigma M_{(1)} = 0$:** linke Seite: $\Sigma M_{(1)} = 0 = M_{b(1)} - F_A \cdot l_1$ rechte Seite: $\Sigma M_{(1)} = 0 = - M_{b(1)} + F_B \cdot l_2$ **Stelle (2) grafisch anhand A_q:** linke Seite: $M_{b(2)} = A_{q1} + A_{q2/l}$ $= F_A \cdot l_1 + (F_A - F_1) \cdot l_3$ rechte Seite: $M_{b(2)} = A_{q2/r} = F_B \cdot (l_2 - l_3)$ **Stelle (2) rechnerisch mit $\Sigma M_{(2)} = 0$:** linke Seite: $\Sigma M_{(2)} = 0 = M_{b(2)} - F_A \cdot (l_1 + l_3) + F_1 \cdot l_3$ rechte Seite: $\Sigma M_{(2)} = 0 = - M_{b(2)} + F_B \cdot (l_2 - l_3)$	c) Biegemomentspitze bei (1) und einer Zwischenstelle (2) **wahlweise** grafisch oder rechnerisch von linker oder rechter Seite der Schnittstelle ermitteln. z. B. Stelle (1) rechnerisch, linke Seite: $M_{b(1)} = F_A \cdot l_1 = 1$ kN $\cdot$ 0,18 m $M_{b(1)} = 180$ Nm z. B. Stelle (1) grafisch, rechte Seite: $M_{b(1)} = A_{q2} = F_B \cdot l_2 = 0{,}6$ kN $\cdot$ 0,3 m $M_{b(1)} = 180$ Nm z. B. Stelle (2) grafisch, linke Seite: $M_{b(2)} = A_{q1} + A_{q2/l}$ $= F_A \cdot l_1 + (F_A - F_1) \cdot l_3$ $= 1$ kN $\cdot$ 0,18 m $+ (-0{,}6$ kN$) \cdot$ 0,24 m $M_{b(2)} = 36$ Nm z. B. Stelle (2) rechnerisch, rechte Seite: $M_{b(2)} = F_B \cdot (l_2 - l_3)$ $= 0{,}6$ kN $\cdot$ (0,3 m $-$ 0,24 m) $M_{b(2)} = 36$ Nm

[1] linksdrehende Momente positiv (+) und rechtsdrehende Momente negativ (−). Für die Festigkeitsrechnung wird nur der Betrag des Biegemomentes (ohne Vorzeichen) verwendet.
[2] Die Scherspannung bleibt bei der Festigkeitsrechnung biegebeanspruchter Bauteile meist unberücksichtigt.

Biegebelastungsfälle auf Bauteilen (Auswahl von Sonderfällen)

einseitig eingespannt (Einzelkraft)

$$M_b = F \cdot l$$

$$f = \frac{F \cdot l^3}{3 \cdot E \cdot I}$$

einseitig eingespannt (Streckenlast)

$F = F' \cdot l$

$$M_b = \frac{F \cdot l}{2}$$

$$f = \frac{F \cdot l^3}{8 \cdot E \cdot I}$$

auf zwei Stützen (Einzelkraft)

$f < f_{max}$

$$M_b = F \frac{a \cdot b}{l}$$

$$f = \frac{F \cdot a^2 \cdot b^2}{3 \cdot E \cdot I \cdot l}$$

auf zwei Stützen (Streckenlast)

$F = F' \cdot l$

$$M_b = \frac{F \cdot l}{8}$$

$$f = \frac{5 \cdot F \cdot l^3}{384 \cdot E \cdot I}$$

E Elastizitätsmodul; Werte: Seite 41 I Flächenmoment 2. Grades; Formeln: Seite 45; Werte: Seiten 146 bis 151
F' Streckenlast (Last pro Längeneinheit, z. B. N/cm)

Flächen-, Widerstandsmomente, Zusammengesetzte Beanspruchung

Flächenmomente und Widerstandsmomente[1]

Querschnitt	Biegung und Knickung		Verdrehung (Torsion)
	Flächenmoment 2. Grades I	axiales Wider- standsmoment W	polares Wider- standsmoment W_p
	$I = \dfrac{\pi \cdot d^4}{64}$	$W = \dfrac{\pi \cdot d^3}{32}$	$W_p = \dfrac{\pi \cdot d^3}{16}$
	$I = \dfrac{\pi \cdot (D^4 - d^4)}{64}$	$W = \dfrac{\pi \cdot (D^4 - d^4)}{32 \cdot D}$	$W_p = \dfrac{\pi \cdot (D^4 - d^4)}{16 \cdot D}$
	$I = 0{,}05 \cdot D^4 - 0{,}083\, d \cdot D^3$	$W = 0{,}1 \cdot D^3 - 0{,}17\, d \cdot D^2$	$W_p = 0{,}2 \cdot D^3 - 0{,}34\, d \cdot D^2$
	$I = 0{,}003 \cdot (D + d)^4$	$W = 0{,}012 \cdot (D + d)^3$	$W_p = 0{,}2 \cdot d^3$
	$I_x = I_z = \dfrac{h^4}{12}$	$W_x = \dfrac{h^3}{6}$ $W_z = \dfrac{\sqrt{2} \cdot h^3}{12}$	$W_p = 0{,}208 \cdot h^3$
	$I_x = I_y = \dfrac{5 \cdot \sqrt{3} \cdot s^4}{144}$ $I_x = I_y = \dfrac{5 \cdot \sqrt{3} \cdot d^4}{256}$	$W_x = \dfrac{5 \cdot s^3}{48} = \dfrac{5 \cdot \sqrt{3} \cdot d^3}{128}$ $W_y = \dfrac{5 \cdot s^3}{24 \cdot \sqrt{3}} = \dfrac{5 \cdot d^3}{64}$	$W_p = 0{,}188 \cdot s^3$ $W_p = 0{,}123 \cdot d^3$
	$I_x = \dfrac{b \cdot h^3}{12}$ $I_y = \dfrac{h \cdot b^3}{12}$	$W_x = \dfrac{b \cdot h^2}{6}$ $W_y = \dfrac{h \cdot b^2}{6}$	–

[1] Flächenmomente 2. Grades und Widerstandsmomente für Profile: Seiten 149 bis 154 sowie 174 bis 176

Zusammengesetzte Beanspruchung (Auftreten mehrerer Beanspruchungsarten)

Resultierende Spannung

Nur Normalspannungen σ (z.B. Zug, Druck und Biegung) oder nur Schubspannungen τ (z.B. Torsion und Abscherung), die gleichzeitig auftreten, werden jeweils als resultierende Spannungen zusammengefasst.

σ_{res}, τ_{res} resultierende Normal-, Schubspannung
σ_b, $\sigma_{z,d}$ Biege-, Zug-, Druckspannung
τ_t, τ_a Torsions-, Scherspannung
Grenzspannung: jeweils niedrigere Grenzspannung

Resultierende Normalspannung

$$\sigma_{res} = \sigma_b \pm \sigma_{z,d}$$

Resultierende Schubspannung

$$\tau_{res} = \tau_t \pm \tau_a$$

Vergleichsspannung

Bei Normalspannungen σ (z.B. Biegung) und gleichzeitigen Schubspannungen τ (z.B. Torsion) wird eine vergleichbare Normalspannung (Vergleichsspannung) mit gleicher Wirkung wie Normal- und Schubspannung gemeinsam gebildet.

σ_v Vergleichsspannung
σ, τ Normal-, Schubspannung

Vergleichsspannung (Gestaltänderungsenergie- hypothese für zähe Werk- stoffe)[1]

$$\sigma_v = \sqrt{\sigma^2 + 3 \cdot (\alpha_0 \cdot \tau)^2}$$

[1] **Anstrengungsverhältnis** α_0 (Umrechnung Belastungsfall Schubspannung in Belastungsfall Normalspannung), näherungsweise für Stahl: $\alpha_0 \approx 0{,}7$ bei Biegung wechselnd und Torsion statisch oder schwellend, $\alpha_0 \approx 1{,}0$, wenn Biegung und Torsion gleicher Lastfall, $\alpha_0 \approx 1{,}5$ bei Biegung statisch oder schwellend und Torsion wechselnd.

Dynamische Festigkeit, Festigkeitswerte, Sicherheitszahlen

Dynamische Festigkeitsrechnung, Vordimensionierung

P

```
┌─────────────────┐   ┌─────────────────┐
│ Dynamische Be-  │   │ Werkstoff-      │
│ lastungsgrößen, │   │ kennwerte,      │
│ z. B. dynami-   │   │ z. B. Biegewech-│
│ sches Mb, Mt    │   │ selfestigkeit   │
└────────┬────────┘   └────────┬────────┘
         ▼                     ▼
┌─────────────────┐   ┌─────────────────┐
│ Beanspruchun-   │   │ Konstruktions-  │
│ gen und Last-   │   │ faktor mit z. B.│
│ fälle mit z. B. │   │ Kerbwirkung,    │
│ Spannungs-      │   │ Größenbeiwert   │
│ hypothesen      │   │                 │
└────────┬────────┘   └────────┬────────┘
         ▼                     ▼
┌─────────────────┐   ┌─────────────────┐
│ Querschnitts-   │   │ Gestaltwechsel- │
│ geometrie,      │   │ festigkeit,     │
│ z. B. Kreis,    │   │ Über-           │
│ Rechteck        │   │ belastungsfall  │
└────────┬────────┘   └────────┬────────┘
         ▼                     ▼
┌─────────────────┐   ┌─────────────────┐
│ Ermittlung der  │   │ Ermittlung der  │
│ im gefährdeten  │   │ dauerhaft       │
│ Querschnitt     │   │ ertragbaren     │
│ vorhandenen     │   │ Spannung:       │
│ Ausschlag-      │   │ Gestaltaus-     │
│ spannung        │   │ schlagfestigkeit│
└────────┬────────┘   └────────┬────────┘
         │                     ▼
  Nachweis der        ┌─────────────────┐
  Spannungen          │ erforderliche   │
         │            │ Sicherheit      │
    ≤ →  ┌─────────────────────────────┐
         │ zulässige Spannung       ◄──┘
         └─────────────────────────────┘
```

Aus Sicherheitsgründen dürfen Bauteile bei dynamischer Belastung nur mit einem Teil (Sicherheitszahl) der Gestaltausschlagfestigkeit belastet werden, ab welcher eine Werkstoffermüdung und der Dauerbruch eintritt.

- **Vordimensionierung (überschlägige Ermittlung des erforderlichen Bauteilquerschnitts)**
Bei noch unbekannter Bauteilgeometrie kann die Gestaltwechsel- bzw. Gestaltausschlagfestigkeit nicht ermittelt werden. Der überschlägig erforderliche Bauteilquerschnitt wird deshalb anhand der jeweiligen Grenzspannung (Werkstoffkennwert) und der stark erhöhten Sicherheitszahl bestimmt.

$\sigma(\tau)_{grenz}$ Grenzspannung (Seite 40 und Tabelle unten)

ν_D Sicherheitszahl (Tabelle unten)

Eine zusammengesetzte Beanspruchung aus Biegung und Torsion wird entsprechend der Vergleichsspannung (Seite 45) als Vergleichsmoment berücksichtigt.

M_b, M_t, M_v Biege-, Torsions-, Vergleichsmoment
α_0 Anstrengungsverhältnis (Seite 45)
d Entwurfsdurchmesser Vollachse, Vollwelle

Zulässige Spannung
(Vordimensionierung)

$$\sigma_{zul} = \frac{\sigma_{grenz}}{\nu_D}; \quad \tau_{zul} = \frac{\tau_{grenz}}{\nu_D}$$

Vergleichsmoment
(zäher Werkstoff)

$$M_v = \sqrt{M_b^2 + 0{,}75 \cdot (\alpha_0 \cdot M_t)^2}$$

Achsendurchmesser[1]

$$d \approx 3{,}4 \cdot \sqrt[3]{M_b/\sigma_{grenz}}$$

Wellendurchmesser[1]
(nur Torsion)

$$d \approx 2{,}7 \cdot \sqrt[3]{M_t/\tau_{grenz}}$$

Wellendurchmesser[1][2]
(Torsion und Biegung)

$$d \approx 3{,}4 \cdot \sqrt[3]{M_v/\sigma_{grenz}}$$

Berechnungsbeispiel Seite 48.

[1] Dimensionierungsformeln fassen Sicherheitszahl, Belastung, Belastungskombinationen und z.T. Konstruktionserfahrungen zusammen.
[2] Bei noch unbekannten Längen: $M_V \approx 1{,}17 \cdot M_t$ (Lagerabstand normal), $M_V \approx 2{,}1 \cdot M_t$ (Lagerabstand groß)

Dynamische Festigkeitswerte (Grenzspannungen) und Sicherheitszahlen (Richtwerte)[1]

Dauerfestigkeitsschaubild nach Smith:
Bei gleichem Maßstab der Achsen werden die zu einer bestimmten Mittelspannung σ_m gehörenden Werte σ_o und σ_u für die jeweilige Ausschlagfestigkeit σ_A eingetragen.
Beispiel: 41Cr4, Biegung

Ablesung:
- Wechselfestigkeit bei $\sigma_m = 0$ $(S = -1)$
- Schwellfestigkeit bei $\sigma_u = 0$ $(S = 0)$
- obere Begrenzung bei Fließgrenze

Werkstoff[2]	σ_{zSch} σ_{dSch}	σ_{zdW}	σ_{bSch}	σ_{bW}	τ_{tSch}	τ_{tW}
S235	235	140	280	180	160	105
S275	275	170	330	215	190	125
E295	295	195	355	245	205	145
E360	360	275	430	345	250	205
C10E	310	200	370	250	215	150
17Cr3	540	320	655	400	380	240
16MnCr5	640	400	800	500	480	300
20MnCr5	725	480	910	600	590	360
18CrNiMo7-6	725	480	910	600	590	360
C22E	340	200	405	250	235	150
C45E	490	280	590	350	340	210
C60E	580	340	690	425	400	250
41Cr4	650	400	800	500	525	300
30CrNiMo8	750	500	930	625	625	375
GE200	200	150	240	190	140	110
GE300	300	240	360	260	210	155
EN-GJS-400	240	140	345	220	195	115
EN-GJS-500	270	155	380	240	225	130
EN-GJS-600	330	190	470	270	275	160
EN-GJS-700	355	205	520	300	305	175

Sicherheitszahl	Zähe (duktile) Werkstoffe	Spröde Werkstoffe
	Spannungsnachw. $\nu_D \approx 1{,}5$	Spannungsnachw. $\nu_D \approx 1{,}7$
	Vordimensionier. $\nu_D \approx 3...4$	Vordimensionier. $\nu_D \approx 3...6$

[1] Schwellfestigkeitswerte nur für die Vordimensionierung, da Spannungsnachweis Wechselfestigkeitsnachweis.
[2] Werkstoffzustände: Baustähle normalgeglüht; Vergütungsstähle vergütet; Einsatzstähle blindgehärtet.

Gestaltfestigkeit

Gestaltfestigkeit, vereinfachter dynamischer Spannungsnachweis

Die **Gestaltwechselfestigkeit** ist die Wechselfestigkeit (Seite 198) eines dynamisch beanspruchten Bauteilquerschnitts unter zusätzlicher Berücksichtigung der festigkeitsmindernden Einflüsse.

Die wesentlichen Einflüsse sind dabei

- die Form des Bauteils (auftretende Kerbwirkungen)
- Bearbeitungsqualität (Oberflächenrauigkeit)
- Rohteilabmessungen (Bauteildicke)

Die **Gestaltausschlagfestigkeit** berücksichtigt zusätzlich die vorhandene Mittelspannung (Smith-Diagramm, Seite 46) und die Art der betrieblichen Überbeanspruchung.

Spannungsnachweis allgemein: Die vorhandene höchste Ausschlagspannung darf nur einen Teil (Sicherheitszahl) der Gestaltausschlagfestigkeit betragen, ab welcher es in diesem Querschnitt zur Werkstoffermüdung und zum Dauerbruch kommt.

Vereinfachter Spannungsnachweis: Für zähe Werkstoffe wird die Gestaltausschlagfestigkeit mit der Gestaltwechselfestigkeit gleichgesetzt ($\sigma_{GA} = \sigma_{GW}$, $\tau_{GA} = \tau_{GW}$), da sich diese bis zur Fließgrenze nur wenig unterscheiden. Für Spannungsverhältnisse $S > 0$ sind zudem die Sicherheiten gegen Fließen zu überprüfen (Seiten 41 bis 43).

Berechnungsbeispiel Seite 48.

Symbol	Bedeutung
$\sigma(\tau)_{GW}$	Gestaltwechselfestigkeit
$\sigma(\tau)_{W}$	Wechselfestigkeit (Seite 40 und 46)
b_1	Oberflächenbeiwert (Diagramm unten)
b_2	Größenbeiwert (Diagramm unten)
β_k	Kerbwirkungszahl (Tabelle unten)
$\sigma(\tau)_{avorh}$	vorhandene Ausschlagspannung
$\sigma(\tau)_{zul}$	zulässige Spannung
$\sigma(\tau)_{GA}$	Gestaltausschlagfestigkeit
ν_D	Sicherheit gegen Dauerbruch (Seite 46)

Gestaltwechselfestigkeit (dyn. Beanspruchung)

$$\sigma_{GW} = \frac{\sigma_W \cdot b_1 \cdot b_2}{\beta_k}$$

$$\tau_{GW} = \frac{\tau_W \cdot b_1 \cdot b_2}{\beta_k}$$

Nachweis der Spannungen (allgemein)

$$\sigma_{avorh} \leq \sigma_{zul}$$
$$\tau_{avorh} \leq \tau_{zul}$$

zulässige Spannung vereinfachter Nachweis (dyn. Beanspruchung)

$$\sigma_{zul} = \frac{\sigma_{GW}}{\nu_D} = \frac{\sigma_{GA}}{\nu_D}$$

$$\tau_{zul} = \frac{\tau_{GW}}{\nu_D} = \frac{\tau_{GA}}{\nu_D}$$

Kerbwirkung und Richtwerte für Kerbwirkungszahlen β_k für Stahl

Beispiel: Spannungsverteilung bei Zugbeanspruchung

F Nennspannung im ungekerbten Bauteil
σ_n
S
σ_n
σ_{max}
F Spannungsspitze im gekerbten Bauteil

Ungekerbte Querschnitte weisen einen ungestörten Kraftfluss und damit eine gleichmäßige Spannungsverteilung auf. Querschnittsveränderungen führen zu Verdichtungen der Kraftlinien und somit zu Spannungsspitzen. Die Festigkeitsminderung, die sich daraus ergibt, wird in erster Linie von der Kerbform, aber auch von der Kerbempfindlichkeit des Werkstoffes beeinflusst.

Form der Kerbe	R_m N/mm²	Kerbwirkungszahl β_k	
		Biegung	Verdrehung
Welle mit Rundkerbe	300…800	1,2…2,0	1,1…1,9
Welle mit Einstich für Sicherungsring	300…800	2,2…3,5	2,2…3,4
Welle mit Absatz	300…1200	1,1…3,0	1,1…2,0
Passfedernut in Welle (Schaftfräser)	400…1200	1,8…2,6	1,3…2,4
Passfedernut in Welle (Scheibenfräser)	400…1200	1,5…1,9	1,3…2,4
Scheibenfedernut in Welle	400…1200	1,9…3,2	1,8…3,0
Keilwelle	400…1200	1,4…2,3	1,8…3,0
Zahnwelle	400…1200	1,6…2,6	1,8…3,0
Übergangsstelle Pressverband	400…1200	1,8…2,9	1,2…1,8
Welle, Achse mit Querbohrung	400…1200	1,7…2,0	1,7…2,0
Flachstab mit Bohrung	400…1200	1,3…1,6	Zugbelastung 1,5…1,9

Oberflächenbeiwert b_1 und Größenbeiwert b_2 für Stahl

P

Dynamische Festigkeitsrechnung

Beispiele zu den Seiten 46 und 47

Beispiel Vordimensionierung

Die Vorgelegewelle einer Fördereinrichtung aus 16MnCr5 überträgt eine Nennleistung $P = 5{,}5$ kW bei $n = 900$ 1/min. Die Momenteinleitung erfolgt biegefrei durch eine Kupplung. Die Zahnkraft $F_Z = 2$ kN und die Torsionsbelastung wirken, infolge schwankender Beladung der Fördereinrichtung im Betrieb, schwellend.

a) Vordimensionierung bei noch unbekannten Abständen a, b, c:
Belastung $M_t = ?$; Entwurfsdurchmesser $d = ?$

b) Vordimensionierung mit Abständen $a = 50$ mm, $b = 80$ mm, $c = 50$ mm:
Biegemoment $M_b = ?$; Anstrengungsverhältnis $\alpha_0 = ?$
Vergleichsmoment $M_V = ?$; Entwurfsdurchmesser der Welle $d = ?$

Lösung a):

$$P = \frac{M \cdot n}{9550} \text{ (Seite 36)} \quad \mathbf{M_t} = M = 9550 \cdot \frac{P}{n} = 9550 \cdot \frac{5{,}5}{900} = \mathbf{58{,}4 \text{ Nm}}$$

Vordimensionierung (Seite 46):

$$\mathbf{M_V} \approx 1{,}17 \cdot M_t = 1{,}17 \cdot 58{,}4 \text{ Nm} = 68{,}3 \text{ Nm}; \ \sigma_{grenz} = \sigma_{bW} = \mathbf{450 \text{ N/mm}^2}$$

$$d = 3{,}4 \cdot \sqrt[3]{\frac{M_V}{\sigma_{grenz}}} = 3{,}4 \cdot \sqrt[3]{\frac{68300 \text{ Nmm}}{450 \text{ N/mm}^2}} = 18{,}1 \text{ mm} \rightarrow d = \mathbf{20 \text{ mm}}$$

Lösung b):

Biegebelastungsfall (Seite 44):

$$\mathbf{M_b} = F \cdot \frac{a \cdot b}{l} = F_z \cdot \frac{a \cdot b}{l} = 2000 \text{ N} \cdot \frac{50 \text{ mm} \cdot 80 \text{ mm}}{130 \text{ mm}} = 61533 \text{ Nmm} = \mathbf{61{,}5 \text{ Nm}}$$

Zusammengesetzte Beanspruchung von Biegung und Torsion (Seite 45) mit Biegung wechselnd (umlaufende Welle), Torsion schwellend ergibt $\alpha_0 = 0{,}7$
Vordimensionierung, Vergleichsmoment (Seite 46):

$$\mathbf{M_V} = \sqrt{M_b{}^2 + 0{,}75 \cdot (\alpha_0 \cdot M_t)^2} = \sqrt{(61{,}5 \text{ Nm})^2 + 0{,}75 \cdot (0{,}7 \cdot 58{,}4 \text{ Nm})^2} = \mathbf{71 \text{ Nm}}$$

$$\sigma_{grenz} = \sigma_{bW} = 450 \text{ N/mm}^2$$

$$d = 3{,}4 \cdot \sqrt[3]{\frac{M_V}{\sigma_{grenz}}} = 3{,}4 \cdot \sqrt[3]{\frac{71000 \text{ Nmm}}{450 \text{ N/mm}^2}} = 18{,}4 \text{ mm} \rightarrow d = \mathbf{20 \text{ mm}}$$

Beispiel vereinfachter Spannungsnachweis

Umlaufende Achse einer Fördereinrichtung aus E295,
Rohteildurchmesser $d = 50$ mm, gefährdeter Schnitt mit Querbohrung,
Oberflächenrauigkeit $R_z = 25$ µm, ermittelte vorhandene Biege-Ausschlagspannung $\sigma_{avorh} = 55$ N/mm².
Gestaltausschlagfestigkeit $\sigma_{GA} = ?$, zulässige Spannung $\sigma_{zul} = ?$
vorhandene Spannung zulässig?

Lösung:

$\sigma_{bW} = 245$ N/mm² (Seite 46); $R_m = 470$ N/mm² (Seite 127);
$b_1 = 0{,}8$, $b_2 = 0{,}88$; $\beta_k \approx 1{,}8$ (Diagramme, Tabelle Seite 47); $\nu_D = 1{,}5$ (Seite 46)

$$\boldsymbol{\sigma_{GA}} = \sigma_{GW} = \frac{\sigma_w \cdot b_1 \cdot b_2}{\beta_k} = \frac{245 \text{ N/mm}^2 \cdot 0{,}8 \cdot 0{,}88}{1{,}8} = \mathbf{95{,}8 \text{ N/mm}^2}$$

$$\boldsymbol{\sigma_{zul}} = \frac{\sigma_{GA}}{\nu_D} = \frac{95{,}8 \text{ N/mm}^2}{1{,}5} = \mathbf{63{,}8 \text{ N/mm}^2}$$

Vorhandene Biege-Ausschlagspannung $\sigma_{avorh} = 55$ N/mm² zulässig, da $\leq \sigma_{zul}$.

Beispiel Ablesung Dauerfestigkeitsschaubild (Seite 46)

Schaubild Seite 46, Werkstoff 41Cr4, Biegung:
Biegefließgrenze $\sigma_{bF} = ?$; Biegeschwellfestigkeit $\sigma_{bSch} = ?$; Biegewechselfestigkeit $\sigma_{bW} = ?$; Biegeausschlagfestigkeit σ_{bA}
bei einer Mittelspannung $\sigma_m = 740$ N/mm² $= ?$

Lösung:

Ablesung bei / bzw. $S = 1$:   Biegefließgrenze $\sigma_{bF} = \mathbf{960 \text{ N/mm}^2}$
Ablesung bei // bzw. $S = 0$:   Biegeschwellfestigkeit $\sigma_{bSch} = \mathbf{800 \text{ N/mm}^2}$
Ablesung bei /// bzw. $S = -1$:   Biegewechselfestigkeit $\sigma_{bW} = \mathbf{500 \text{ N/mm}^2}$
Ablesung bei $\sigma_m = 740$ N/mm²: Biegeausschlagfestigkeit $\sigma_{bA} = \mathbf{220 \text{ N/mm}^2}$

P

Auswirkungen bei Temperaturänderungen

Temperatur

Temperaturen werden in **Kelvin** (K), **Grad Celsius** (°C) oder **Grad Fahrenheit** (°F) gemessen. Die Kelvinskale geht von der tiefstmöglichen Temperatur, dem absoluten Nullpunkt, aus, die Celsiusskale vom Schmelzpunkt des Eises.

T Temperatur in K
(thermodynamische Temperatur)
t, ϑ Temperatur in °C
t_F Temperatur in °F

Beispiel:

$t = 20\,°C; T = ?$
$T = t + 273 = (20 + 273)\,K = \textbf{293 K}$

Temperatur in Kelvin

$$T = t + 273$$

Temperatur in Fahrenheit

$$t_F = 1{,}8 \cdot t + 32$$

P

Längenänderung, Durchmesseränderung

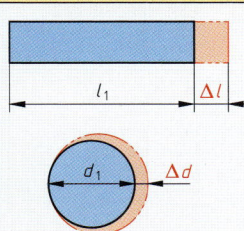

α_1 Längenausdehnungskoeffizient
$\Delta t, \Delta\vartheta, \Delta T$ Temperaturänderung
Δl Längenänderung
Δd Durchmesseränderung
l_1 Anfangslänge
d_1 Anfangsdurchmesser

Beispiel:

Platte aus unlegiertem Stahl, $l_1 = 120\,mm$; $\alpha_1 = 0{,}000\,011\,9\,\frac{1}{°C}$
$\Delta t = 550\,°C$; $\Delta l = ?$
$\Delta l = \alpha_1 \cdot l_1 \cdot \Delta t$
$\quad = 0{,}000\,011\,9\,\frac{1}{°C} \cdot 120\,mm \cdot 550\,°C = \textbf{0{,}785 mm}$

Längenänderung

$$\Delta l = \alpha_1 \cdot l_1 \cdot \Delta t$$

Durchmesseränderung

$$\Delta d = \alpha_1 \cdot d_1 \cdot \Delta t$$

Längenausdehnungskoeffizienten:
Seiten 116 und 117

Volumenänderung

α_V Volumenausdehnungskoeffizient
$\Delta t, \Delta\vartheta, \Delta T$ Temperaturänderung
ΔV Volumenänderung
V_1 Anfangsvolumen

Beispiel:

Benzin, $V_1 = 60\,l$; $\alpha_V = 0{,}001\,\frac{1}{°C}$; $\Delta t = 32\,°C$; $\Delta V = ?$

$\Delta V = \alpha_V \cdot V_1 \cdot \Delta t = 0{,}001\,\frac{1}{°C} \cdot 60\,l \cdot 32\,°C = \textbf{1{,}9 l}$

Volumenänderung

$$\Delta V = \alpha_V \cdot V_1 \cdot \Delta t$$

Für feste Stoffe
$\alpha_V = 3 \cdot \alpha_1$
Volumenausdehnungskoeffizienten: Seite 117
Volumenausdehnung (Zustandsänderung) der Gase: Seite 39

Schwindung

S Schwindmaß in %
l Werkstücklänge
l_1 Modelllänge

Beispiel:

Al-Gussteil, $l = 680\,mm$; $S = 1{,}2\,\%$; $l_1 = ?$

$l_1 = \dfrac{l \cdot 100\,\%}{100\,\% - S} = \dfrac{680\,mm \cdot 100\,\%}{100\,\% - 1{,}2\,\%}$
$\quad = \textbf{688{,}2 mm}$

Modelllänge

$$l_1 = \frac{l \cdot 100\,\%}{100\,\% - S}$$

Schwindmaße:
Seite 168

Wärmemenge bei Temperaturänderung

Die **spezifische Wärmekapazität** c gibt an, wie viel Wärme nötig ist, um 1 kg eines Stoffes um 1 °C zu erwärmen. Bei Abkühlung wird die gleiche Wärmemenge wieder frei.

c spez. Wärmekapazität
$\Delta t, \Delta\vartheta, \Delta T$ Temperaturänderung
Q Wärmemenge
m Masse

Beispiel:

Stahlwelle, $m = 2\,kg$; $c = 0{,}48\,\frac{kJ}{kg \cdot °C}$;
$\Delta t = 800\,°C$; $Q = ?$

$Q = c \cdot m \cdot \Delta t = 0{,}48\,\frac{kJ}{kg \cdot °C} \cdot 2\,kg \cdot 800\,°C = \textbf{768 kJ}$

Wärmemenge

$$Q = c \cdot m \cdot \Delta t$$

$1\,kJ = \dfrac{1\,kW \cdot h}{3600}$

$1\,kW \cdot h = 3{,}6\,MJ$

Spezifische Wärmekapazitäten:
Seiten 116 und 117

Wärme beim Schmelzen, Verdampfen, Verbrennen

Schmelzwärme, Verdampfungswärme

Um Stoffe vom festen in den flüssigen bzw. vom flüssigen in den gasförmigen Zustand zu überführen wird Wärmeenergie (sog. Schmelz- bzw. Verdampfungswärme) benötigt.

Q Schmelzwärme, Verdampfungswärme

q spez. Schmelzwärme

r spezifische Verdampfungswärme

m Masse

Schmelzwärme

$$Q = q \cdot m$$

Verdampfungswärme

$$Q = r \cdot m$$

Spezifische Schmelz- und Verdampfungswärme:
Seiten 116 und 117

Beispiel:

Kupfer, $m = 6{,}5\ kg$; $q = 213\ \frac{kJ}{kg}$; $Q = ?$

$Q = q \cdot m = 213\ \frac{kJ}{kg} \cdot 6{,}5\ kg = 1384{,}5\ kJ \approx \mathbf{1{,}4\ MJ}$

Wärmestrom

Der **Wärmestrom** Φ verläuft innerhalb eines Stoffes stets von der höheren zur niedrigeren Temperatur.

Die **Wärmedurchgangszahl** k berücksichtigt neben der Wärmeleitfähigkeit eines Bauteils die Wärmeübergangswiderstände an den Grenzflächen der Bauteile.

Φ Wärmestrom

λ Wärmeleitfähigkeit

k Wärmedurchgangskoeffizient

$\Delta t, \Delta \vartheta, \Delta T$ Temperaturdifferenz

s Bauteildicke

A Fläche des Bauteils

Wärmestrom bei Wärmeleitung

$$\Phi = \frac{\lambda \cdot A \cdot \Delta t}{s}$$

Wärmestrom bei Wärmedurchgang

$$\Phi = k \cdot A \cdot \Delta t$$

Wärmeleitfähigkeitswerte λ:
Seiten 116 und 117,
Wärmedurchgangskoeffizienten k:
unten auf dieser Seite

Beispiel:

Schaltschrank; Stahlblech lackiert; $A = 5{,}8\ m^2$; $\Delta t = 15\,°C$; $\Phi = ?$

$\Phi = k \cdot A \cdot \Delta t = 5{,}5\ \frac{W}{m^2 \cdot °C} \cdot 5{,}8\ m^2 \cdot 15\,°C = \mathbf{478{,}5\ W}$

Verbrennungswärme

Unter dem **spezifischen Heizwert** H_u (H) eines Stoffes versteht man die bei der vollständigen Verbrennung von 1 kg oder 1 m³ des Stoffes frei werdende Wärmeenergie abzüglich der Verdampfungswärme des in den Abgasen enthaltenen Wasserdampfes.

Q Verbrennungswärme

H_u, H spezifischer Heizwert

m Masse fester und flüssiger Brennstoffe

V Volumen von Brenngasen

Verbrennungswärme fester und flüssiger Stoffe

$$Q = H_u \cdot m$$

Verbrennungswärme von Gasen

$$Q = H_u \cdot V$$

Beispiel:

Erdgas, $V = 3{,}8\ m^3$; $H_u = 35\ \frac{MJ}{m^3}$; $Q = ?$

$Q = H_u \cdot V = 35\ \frac{MJ}{m^3} \cdot 3{,}8\ m^3 = \mathbf{133\ MJ}$

Spezifische Heizwerte H_u (H) für Brennstoffe						Wärmedurchgangskoeffizienten k	
Feste Brennstoffe	**H_u MJ/kg**	**Flüssige Brennstoffe**	**H_u MJ/kg**	**Gasförmige Brennstoffe**	**H_u MJ/m³**	**Material (Beispiele)**	**k $\frac{W}{m^2 \cdot °C}$**
Holz	15 … 17	Spiritus	27	Wasserstoff	10	Stahlblech lackiert	≈ 5,5
Biomasse (trocken)	14 … 18	Benzol	40	Erdgas	34 … 36	Stahlblech rostfrei	≈ 4,5
Braunkohle	16 … 20	Benzin	43	Acetylen	57	Aluminiumblech	≈ 12
Koks	30	Diesel	41 … 43	Propan	93	Al, doppelwandig	≈ 4,5
Steinkohle	30 … 34	Heizöl	40 … 43	Butan	123	Polyester	≈ 3,5

P

Größen und Einheiten, Ohmsches Gesetz, Widerstand

Elektrische Größen und Einheiten

Größe		Einheit	
Name	**Zeichen**	**Name**	**Zeichen**
Elektrische Spannung	U	Volt	V
Elektrische Stromstärke	I	Ampere	A
Elektrischer Widerstand	R	Ohm	Ω
Elektrischer Leitwert	G	Siemens	S
Elektrische Leistung	P	Watt	W

$$1\,\Omega = \frac{1\,V}{1\,A}$$

$$1\,W = 1\,V \cdot 1\,A$$

P

Ohmsches Gesetz

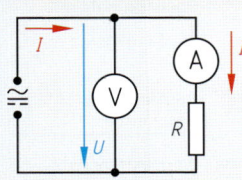

U Spannung in V
I Stromstärke in A
R Widerstand in Ω

Beispiel:

$R = 88\,\Omega$; $U = 230\,V$; $I = ?$

$I = \dfrac{U}{R} = \dfrac{230\,V}{88\,\Omega} = \mathbf{2{,}6\,A}$

Stromstärke

$$I = \frac{U}{R}$$

Schaltzeichen:
Seite 429

Widerstand und Leitwert

R Widerstand in Ω
G Leitwert in S

Beispiel:

$R = 20\,\Omega$; $G = ?$

$G = \dfrac{1}{R} = \dfrac{1}{20\,\Omega} = \mathbf{0{,}05\,S}$

Widerstand

$$R = \frac{1}{G}$$

Leitwert

$$G = \frac{1}{R}$$

Spezifischer elektrischer Widerstand, elektrische Leitfähigkeit, Leiterwiderstand

ϱ spezifischer elektrischer Widerstand in $\Omega \cdot mm^2/m$
γ elektrische Leitfähigkeit in $m/(\Omega \cdot mm^2)$
R Widerstand in Ω
A Leiterquerschnitt in mm^2
l Leiterlänge in m

Beispiel:

Kupferdraht, $l = 100\,m$;
$A = 1{,}5\,mm^2$; $\varrho = 0{,}0179\,\dfrac{\Omega \cdot mm^2}{m}$; $R = ?$

$R = \dfrac{\varrho \cdot l}{A} = \dfrac{0{,}0179\,\frac{\Omega \cdot mm^2}{m} \cdot 100\,m}{1{,}5\,mm^2} = \mathbf{1{,}19\,\Omega}$

Spezif. elektrischer Widerstand

$$\varrho = \frac{1}{\gamma}$$

Leiterwiderstand

$$R = \frac{\varrho \cdot l}{A}$$

Spezifische elektrische Widerstände: Seiten 116 und 117

Widerstand und Temperatur

Werkstoff	T_k-Wert α in 1/K
Aluminium	0,0040
Blei	0,0039
Gold	0,0037
Kupfer	0,0039
Silber	0,0038
Wolfram	0,0044
Zinn	0,0045
Zink	0,0042
Grafit	− 0,0013
Konstantan	± 0,00001

ΔR Widerstandsänderung in Ω
R_{20} Widerstand bei 20 °C in Ω
R_t Widerstand bei der Temperatur t in Ω
α Temperaturkoeffizient (T_k-Wert) in 1/K
Δt Temperaturdifferenz in K

Beispiel:

Widerstand aus Cu; $R_{20} = 150\,\Omega$; $t = 75\,°C$; $R_t = ?$

α $= 0{,}0039\,1/K$; $\Delta t = 75\,°C - 20\,°C = 55\,°C \cong \mathbf{55\,K}$

$R_t = R_{20} \cdot (1 + \alpha \cdot \Delta t)$

$= 150\,\Omega \cdot (1 + 0{,}0039\,1/K \cdot 55\,K) = \mathbf{182{,}2\,\Omega}$

Widerstandsänderung

$$\Delta R = \alpha \cdot R_{20} \cdot \Delta t$$

Widerstand bei Temperatur t

$$R_t = R_{20} + \Delta R$$

$$R_t = R_{20} \cdot (1 + \alpha \cdot \Delta t)$$

Stromdichte, Schaltung von Widerständen

Stromdichte in Leitern

J Stromdichte in A/mm²
I Stromstärke in A
A Leiterquerschnitt in mm²

Beispiel:

$A = 2{,}5 \text{ mm}^2; \; I = 4 \text{ A}; \; J = ?$

$J = \dfrac{I}{A} = \dfrac{4 \text{ A}}{2{,}5 \text{ mm}^2} = \mathbf{1{,}6 \; \dfrac{A}{mm^2}}$

Stromdichte

$$J = \frac{I}{A}$$

P

Spannungsabfall in Leitern

U_a Spannungsabfall im Leiter in V
U Klemmenspannung in V
U_v Spannung am Verbraucher in V
I Stromstärke in A
R_{Ltg} Leiterwiderstand für Zuleitung bzw. Rückleitung in Ω

Spannungsabfall

$$U_a = 2 \cdot I \cdot R_{Ltg}$$

Spannung am Verbraucher

$$U_v = U - U_a$$

Reihenschaltung von Widerständen

R Gesamtwiderstand, Ersatzwiderstand in Ω
I Gesamtstrom in A
U Gesamtspannung in V
R_1, R_2 Einzelwiderstände in Ω
I_1, I_2 Teilströme in A
U_1, U_2 Teilspannungen in V

Beispiel:

$R_1 = 10 \, \Omega; \; R_2 = 20 \, \Omega; \; U = 12 \text{ V}; \; R = ?; \; I = ?;$
$U_1 = ?; \; U_2 = ?$

$R = R_1 + R_2 = 10 \, \Omega + 20 \, \Omega = \mathbf{30 \, \Omega}$

$I = \dfrac{U}{R} = \dfrac{12 \text{ V}}{30 \, \Omega} = \mathbf{0{,}4 \text{ A}}$

$U_1 = R_1 \cdot I = 10 \, \Omega \cdot 0{,}4 \text{ A} = \mathbf{4 \text{ V}}$
$U_2 = R_2 \cdot I = 20 \, \Omega \cdot 0{,}4 \text{ A} = \mathbf{8 \text{ V}}$

Gesamtwiderstand

$$R = R_1 + R_2 + \ldots$$

Gesamtspannung

$$U = U_1 + U_2 + \ldots$$

Gesamtstrom

$$I = I_1 = I_2 = \ldots$$

Teilspannungen

$$\frac{U_1}{U_2} = \frac{R_1}{R_2}$$

Parallelschaltung von Widerständen

R Gesamtwiderstand, Ersatzwiderstand in Ω
I Gesamtstrom in A
U Gesamtspannung in V
R_1, R_2 Einzelwiderstände in Ω
I_1, I_2 Teilströme in A
U_1, U_2 Teilspannungen in V

Beispiel:

$R_1 = 15 \, \Omega; \; R_2 = 30 \, \Omega; \; U = 12 \text{ V}; \; R = ?; \; I = ?;$
$I_1 = ?; \; I_2 = ?$

$R = \dfrac{R_1 \cdot R_2}{R_1 + R_2} = \dfrac{15 \, \Omega \cdot 30 \, \Omega}{15 \, \Omega + 30 \, \Omega} = \mathbf{10 \, \Omega}$

$I = \dfrac{U}{R} = \dfrac{12 \text{ V}}{10 \, \Omega} = \mathbf{1{,}2 \text{ A}}$

$I_1 = \dfrac{U_1}{R_1} = \dfrac{12 \text{ V}}{15 \, \Omega} = \mathbf{0{,}8 \text{ A}}; \qquad I_2 = \dfrac{U_2}{R_2} = \dfrac{12 \text{ V}}{30 \, \Omega} = \mathbf{0{,}4 \text{ A}}$

Gesamtwiderstand

$$\frac{1}{R} = \frac{1}{R_1} + \frac{1}{R_2} + \ldots$$

$$R^{1)} = \frac{R_1 \cdot R_2}{R_1 + R_2}$$

Gesamtspannung

$$U = U_1 = U_2 = \ldots$$

Gesamtstrom

$$I = I_1 + I_2 + \ldots$$

Teilströme

$$\frac{I_1}{I_2} = \frac{R_2}{R_1}$$

1) Berechnung mit dieser Formel nur möglich bei zwei parallel geschalteten Widerständen.

Stromarten

Gleichstrom (DC[1]; Zeichen –), Gleichspannung

Gleichstrom fließt nur in einer Richtung und mit gleich bleibender Stromstärke. Die Spannung ist ebenfalls konstant.

I Stromstärke in A

U Spannung in V

t Zeit in s

[1] von Direct Current (engl.) = Gleichstrom

Stromstärke

$$I = \text{konstant}$$

Spannung

$$U = \text{konstant}$$

Wechselstrom (AC[2]; Zeichen ~), Wechselspannung

P

Periodendauer und Frequenz

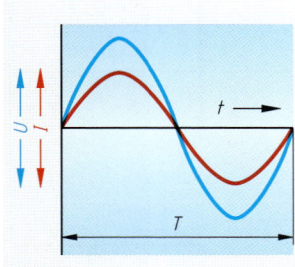

Bei einer sich ständig nach einer Sinuskurve verändernden Spannung wechseln auch die freien Elektronen ständig ihre Fließrichtung.

f Frequenz in 1/s, Hz

T Periodendauer in s

ω Kreisfrequenz in 1/s

I Stromstärke in A

U Spannung in V

t Zeit in s

Beispiel:

Frequenz 50 Hz; $T = ?$

$$T = \frac{1}{50\,\frac{1}{s}} = 0{,}02\ s$$

[2] von Alternating Current (eng .) = Wechselstrom

Periodendauer

$$T = \frac{1}{f}$$

Frequenz

$$f = \frac{1}{T}$$

Kreisfrequenz

$$\omega = 2 \cdot \pi \cdot f$$

$$\omega = \frac{2 \cdot \pi}{T}$$

1 Hertz = 1 Hz = 1/s = 1 Periode je Sekunde

Maximalwert und Effektivwert von Strom und Spannung

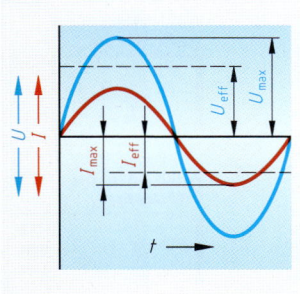

I_{max} Maximalwert der Stromstärke in A

I_{eff} Effektivwert der Stromstärke in A

U_{max} Maximalwert der Spannung in V

U_{eff} Effektivwert der Spannung in V (ergibt an einem Ohmschen Widerstand die gleiche Leistung wie eine ebenso große Gleichspannung)

I Stromstärke in A

U Spannung in V

t Zeit in s

Beispiel:

$U_{eff} = 230$ V; $U_{max} = ?$

$$U_{max} = \sqrt{2} \cdot 230\ V = 325\ V$$

Maximalwert der Stromstärke

$$I_{max} = \sqrt{2} \cdot I_{eff}$$

Maximalwert der Spannung

$$U_{max} = \sqrt{2} \cdot U_{eff}$$

Drehstrom (Dreiphasenwechselstrom)

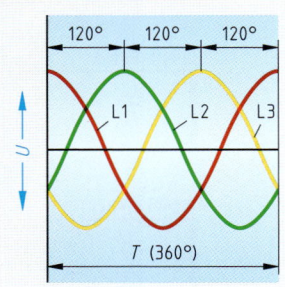

Drehstrom wird aus drei um je 120° versetzte Wechselspannungen erzeugt.

U Spannung in V

T Periodendauer in s

L1 Phase 1

L2 Phase 2

L3 Phase 3

U_{eff} **Effektivspannung zwischen Phase und Nullleiter = 230 V**

U_{eff} **Effektivspannung zwischen zwei Phasenleitern = 400 V**

Maximalwert der Spannung

$$U_{max} = \sqrt{2} \cdot U_{eff}$$

Elektrische Arbeit und Leistung, Transformator

Elektrische Arbeit

W elektrische Arbeit in kW · h
P elektrische Leistung in W
t Zeit (Einschaltdauer) in h

Beispiel:

Kochplatte, $P = 1,8$ kW; $t = 3$ h;
$W = ?$ in kW · h und MJ

$W = P \cdot t = 1,8$ kW · 3 h = **5,4 kW · h = 19,44 MJ**

Elektrische Arbeit

$$W = P \cdot t$$

1 kW · h = 3,6 MJ
= 3 600 000 W · s

P

Elektrische Leistung bei ohmscher Belastung[1]

Gleich- oder Wechselstrom

P elektrische Leistung in W
U Spannung (Leiterspannung) in V
I Stromstärke in A
R Widerstand in Ω

1. Beispiel:

Glühlampe, $U = 6$ V; $I = 5$ A; $P = ?$; $R = ?$
$P = U \cdot I = 6$ V · 5 A = **30 W**
$R = \dfrac{U}{I} = \dfrac{6\,\text{V}}{5\,\text{A}} = 1,2\ \Omega$

**Leistung bei Gleich-
oder Wechselstrom**

$$P = U \cdot I$$

$$P = I^2 \cdot R$$

$$P = \frac{U^2}{R}$$

Drehstrom

2. Beispiel:

Glühofen, Drehstrom, $U = 400$ V; $P = 12$ kW; $I = ?$
$I = \dfrac{P}{\sqrt{3} \cdot U} = \dfrac{12\,000\,\text{W}}{\sqrt{3} \cdot 400\,\text{V}} = $ **17,3 A**

**Leistung bei
Drehstrom**

$$P = \sqrt{3} \cdot U \cdot I$$

[1] d. h. nur bei Wärmegeräten (Ohmsche Widerstände)

Wirkleistung bei Wechsel- und Drehstrom mit induktivem oder kapazitivem Lastanteil[2]

Wechselstrom

P Wirkleistung in W
U Spannung (Leiterspannung) in V
I Stromstärke in A
$\cos \varphi$ Leistungsfaktor

Beispiel:

Drehstrommotor, $U = 400$ V; $I = 2$ A;
$\cos \varphi = 0,85$; $P = ?$

$P = \sqrt{3} \cdot U \cdot I \cdot \cos \varphi = \sqrt{3} \cdot 400$ V · 2 A · 0,85
$= 1178$ W ≈ **1,2 kW**

**Wirkleistung bei
Wechselstrom**

$$P = U \cdot I \cdot \cos \varphi$$

Drehstrom

**Wirkleistung bei
Drehstrom**

$$P = \sqrt{3} \cdot U \cdot I \cdot \cos \varphi$$

[2] z. B. bei Elektro-Motoren und -Generatoren

Transformator

**Eingangs-
seite
(Primärspule)**

**Ausgangs-
seite
(Sekundär-
spule)**

N_1, N_2 Windungszahlen I_1, I_2 Stromstärken in A
U_1, U_2 Spannungen in V

Beispiel:

$N_1 = 2875$; $N_2 = 100$; $U_1 = 230$ V; $I_1 = 0,25$ A; $U_2 = ?$; $I_2 = ?$

$U_2 = \dfrac{U_1 \cdot N_2}{N_1} = \dfrac{230\,\text{V} \cdot 100}{2875} = $ **8 V**

$I_2 = \dfrac{I_1 \cdot N_1}{N_2} = \dfrac{0,25\,\text{A} \cdot 2875}{100} = $ **7,2 A**

Spannungen

$$\frac{U_1}{U_2} = \frac{N_1}{N_2}$$

Stromstärken

$$\frac{I_1}{I_2} = \frac{N_2}{N_1}$$

3 Technische Kommunikation

K

Kartesisches Koordinatensystem

vgl. DIN 461 (1973-03)

K

Koordinatenachsen
- Abszisse (waagrechte Achse; x-Achse)
- Ordinate (senkrechte Achse; y-Achse)

Abzutragende Werte
- Positive: vom Nullpunkt nach rechts bzw. oben
- Negative: vom Nullpunkt nach links bzw. unten

Kennzeichnung der positiven Achsrichtungen mit
- Pfeilspitzen an den Achsen oder
- Pfeilen parallel zu den Achsen

Formelzeichen werden kursiv eingetragen an der
- Abszisse unterhalb der Pfeilspitze
- Ordinate links neben der Pfeilspitze

bzw. vor den Pfeilen parallel zu den Achsen.

Skalen sind meist linear, manchmal auch logarithmisch geteilt.

Größen für Zahlenwerte. Sie stehen bei den Skalen-Teilstrichen. Alle negativen Zahlenwerte erhalten ein Minuszeichen.

Einheiten der Zahlenwerte stehen zwischen den beiden letzten positiven Zahlen von Abszisse und Ordinate oder hinter den Formelzeichen.

Netzlinien erleichtern den Eintrag der Zahlenwerte.

Kennlinien (Kurven) verbinden die im Diagramm eingetragenen Zahlenwerte.

Linienbreiten. Die Linien werden im Verhältnis
Netzlinien : Achsen : Kennlinien = 1 : 2 : 4 gezeichnet.

Diagramm-Ausschnitte werden gezeichnet, wenn vom Nullpunkt aus nicht in jeder Richtung Zahlenwerte abzutragen sind. Der Nullpunkt darf auch unterdrückt werden.

Beispiel (Federkennlinie):

Von einer Tellerfeder sind folgende Werte bekannt:

Federweg s in mm	0	0,3	0,6	1,0	1,3
Federkraft F in N	0	600	1000	1300	1400

Wie groß ist die Federkraft F bei einem Federweg s = 0,9 mm?

Lösung:

Die Kennwerte werden in ein Diagramm übertragen und mit einer Kennlinie verbunden. Eine senkrechte Linie bei s = 0,9 mm schneidet die Kennlinie im Punkt A.

Mithilfe einer waagrechten Linie durch A wird an der Ordinate eine Federkraft $F \approx$ 1250 N abgelesen.

---

[1] Mit Diagrammen werden wertmäßige Zusammenhänge zwischen veränderlichen Größen dargestellt.

Polarkoordinatensysteme, Flächendiagramme

Kartesisches Koordinatensystem (Fortsetzung)   vgl. DIN 461 (1973-03)

Diagramme mit mehreren Kennlinien

Bei stark streuenden Messwerten werden für jede Kennlinie besondere Zeichen verwendet, z. B.: $\bigcirc$, $\times$, $\square$

Kennzeichnung der Kennlinien

- bei Verwendung derselben Linienart durch die Namen der Veränderlichen bzw. durch deren Formelzeichen oder durch unterschiedliche Farben der Kennlinien
- durch unterschiedliche Linienarten

Polarkoordinatensystem   vgl. DIN 461 (1973-03)

Polarkoordinatensysteme besitzen eine 360°-Teilung

Nullpunkt (Pol). Schnittpunkt von waagrechter und senkrechter Achse

Winkelzuordnung. Die waagrechte Achse rechts vom Nullpunkt wird dem Winkel 0° zugeordnet.

Winkelabtrag. Positive Winkel werden entgegen dem Uhrzeigersinn abgetragen.

Radius. Der Radius entspricht der Größe des abzutragenden Wertes. Zum leichteren Abtragen der Werte können um den Nullpunkt konzentrische Kreise gezogen werden.

Beispiel:

> Mithilfe einer Messmaschine wird überprüft, ob die Rundheit einer gedrehten Buchse innerhalb einer geforderten Toleranz liegt.
>
> Die ermittelte Unrundheit wurde vermutlich durch zu starkes Spannen der Buchse im Backenfutter verursacht.

Flächendiagramme

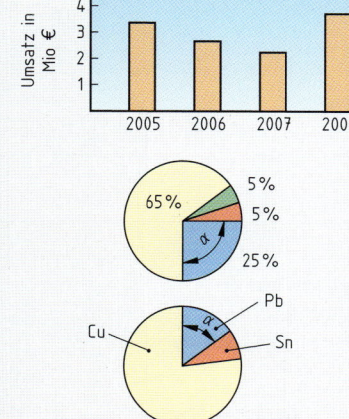

Säulendiagramme

Mit Säulendiagrammen werden die darzustellenden Größen als waagrechte oder senkrechte, jeweils gleich dicke Balken gezeigt.

Kreisflächendiagramme

Mit Kreisflächendiagrammen werden meist Prozentwerte dargestellt. Dabei entspricht der Umfang einer Kreisfläche 100 % ($\widehat{=}$ 360°).

Mittelpunktswinkel. Der zu einem abzutragenden Prozentanteil x gehörende Mittelpunktswinkel beträgt:

$$\alpha = \frac{360° \cdot x\,\%}{100\,\%}$$

Beispiel:

> Wie groß ist der Mittelpunktswinkel für den Bleianteil der Legierung CuPb15Sn8?
>
> Lösung: $\qquad \alpha = \dfrac{360° \cdot 15\,\%}{100\,\%} = 54°$

K

Strecken, Lote, Winkel

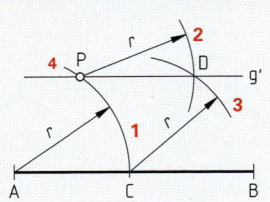

Parallele zu einer Strecke

Gegeben: Strecke $\overline{AB}$ und Punkt P auf gesuchter Parallele g′

1. Kreisbogen mit Radius r um A ergibt Schnittpunkt C.
2. Kreisbogen mit Radius r um P.
3. Kreisbogen mit Radius r um C ergibt Schnittpunkt D.
4. Verbindungslinie $\overline{PD}$ ist Parallele g′ zu $\overline{AB}$.

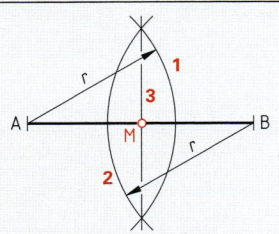

Halbieren einer Strecke

Gegeben: Strecke $\overline{AB}$

1. Kreisbogen 1 mit Radius r um A; $r > \frac{1}{2}\,\overline{AB}$.
2. Kreisbogen 2 mit gleichem Radius r um B.
3. Die Verbindungslinie der Kreisschnittpunkte ist die Mittelsenkrechte bzw. die Halbierende der Strecke $\overline{AB}$.

Fällen eines Lotes

Gegeben: Gerade g und Punkt P

1. Beliebiger Kreisbogen 1 um P ergibt Schnittpunkte A und B.
2. Kreisbogen 2 mit Radius r um A; $r > \frac{1}{2}\,\overline{AB}$.
3. Kreisbogen 3 mit gleichem Radius r um B (Schnittpunkt C).
4. Die Verbindungslinie des Schnittpunktes C mit P ist das gesuchte Lot.

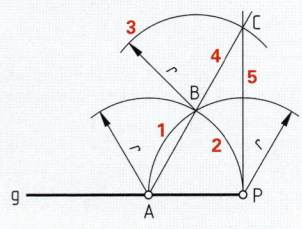

Errichten einer Senkrechten im Punkt P

Gegeben: Gerade g und Punkt P

1. Kreisbogen 1 um P mit beliebigem Radius r ergibt Schnittpunkt A.
2. Kreisbogen 2 mit gleichem Radius r um Punkt A ergibt Schnittpunkt B.
3. Kreisbogen 3 mit gleichem Radius r um B.
4. A und B verbinden und Gerade verlängern (Schnittpunkt C).
5. Punkt C mit Punkt P verbinden.

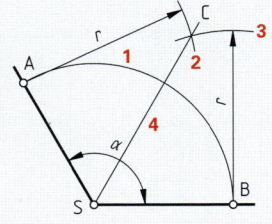

Halbieren eines Winkels

Gegeben: Winkel α

1. Beliebiger Kreisbogen 1 um S ergibt Schnittpunkte A und B.
2. Kreisbogen 2 mit Radius r um A; $r > \frac{1}{2}\,\overline{AB}$.
3. Kreisbogen 3 mit gleichem Radius r um B ergibt Schnittpunkt C.
4. Die Verbindungslinie des Schnittpunktes C mit S ist die gesuchte Winkelhalbierende.

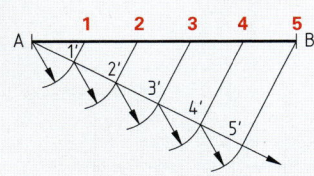

Teilen einer Strecke

Gegeben: Strecke $\overline{AB}$ soll in 5 gleiche Teile geteilt werden.

1. Strahl von A unter beliebigem Winkel.
2. Auf dem Strahl von A aus mit dem Zirkel 5 beliebige, aber gleich große Teile abtragen.
3. Endpunkt 5′ mit B verbinden.
4. Parallelen zu $\overline{5′\,B}$ durch die anderen Teilpunkte ziehen.

K

Tangenten, Kreisbögen, Vielecke

Tangente durch Kreispunkt P

Gegeben: Kreis und Punkt P

1. Verbindungslinie $\overline{MP}$ ziehen und verlängern.
2. Kreis um P ergibt Schnittpunkte A und B.
3. Kreisbögen um A und B mit gleichem Radius ergeben Schnittpunkte C und D.
4. Verbindungslinie CD ist Senkrechte zu $\overline{PM}$.

Tangente von einem Punkt P an den Kreis

Gegeben: Kreis und Punkt P

1. $\overline{MP}$ halbieren. A ist Mittelpunkt.
2. Kreis um A mit Radius $r = \overline{AM}$. T ist Tangentenpunkt.
3. T mit P verbinden.
4. $\overline{MT}$ ist senkrecht zu $\overline{PT}$.

Rundung am Winkel

Gegeben: Winkel ASB und Radius r

1. Parallelen zu $\overline{AS}$ und $\overline{BS}$ im Abstand r ziehen. Ihr Schnittpunkt M ist der gesuchte Mittelpunkt des Kreisbogens mit dem Radius r.
2. Die Schnittpunkte der Lote von M mit den Schenkeln $\overline{AS}$ und $\overline{BS}$ sind die Übergangspunkte C und D.

Verbindung zweier Kreise durch Kreisbögen

Gegeben: Kreis 1 und Kreis 2; Radien R_i und R_a

1. Kreis um M_1 mit Radius $R_i + r_1$.
2. Kreis um M_2 mit Radius $R_i + r_2$ ergibt mit 1 den Schnittpunkt A.
3. A mit M_1 und M_2 verbunden ergibt die Berührungspunkte B und C für den Innenradius R_i.
4. Kreis um M_1 mit Radius $R_a - r_1$.
5. Kreis um M_2 mit Radius $R_a - r_2$ ergibt mit 4 den Schnittpunkt D.
6. D mit M_1 und M_2 verbunden und verlängert ergibt die Berührungspunkte E und F für den Außenradius R_a.

Regelmäßiges Vieleck im Umkreis (z. B. Fünfeck)

Gegeben: Kreis mit Durchmesser d

1. $\overline{AB}$ in 5 gleiche Teile teilen (Seite 58).
2. Kreisbogen mit Radius $r = \overline{AB}$ um A ziehen ergibt C und D.
3. C und D mit 1, 3 … (sämtlichen ungeraden Zahlen) verbinden. Die Schnittpunkte mit dem Kreis ergeben das gesuchte Fünfeck.

   Bei **Vielecken** mit **gerader Eckzahl** sind C und D mit 2, 4, 6 usw. (sämtlichen geraden Zahlen) zu verbinden.

Sechseck, Zwölfeck im Umkreis

Gegeben: Kreis mit Durchmesser d

1. Kreisbögen mit Radius $r = \dfrac{d}{2}$ um A.
2. Kreisbögen mit Radius r um B.
3. Verbindungslinien ergeben Sechseck.

   Für Zwölfeck sind die Zwischenpunkte festzulegen. Einstiche zusätzlich in C und D.

K

Inkreis und Umkreis beim Dreieck, Kreismittelpunkt, Ellipse, Spirale

K

Inkreis eines Dreiecks

Gegeben: Dreieck

1. Winkel α halbieren.
2. Winkel β halbieren (Schnittpunkt M).
3. Inkreis um M.

Umkreis eines Dreiecks

Gegeben: Dreieck

1. Mittelsenkrechte auf der Strecke $\overline{AB}$ errichten.
2. Mittelsenkrechte auf der Strecke $\overline{BC}$ errichten (Schnittpunkt M).
3. Umkreis um M.

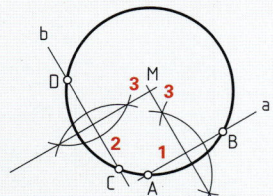

Bestimmung des Kreismittelpunktes

Gegeben: Kreis

1. Beliebige Gerade a schneidet den Kreis in A und B.
2. Gerade b (möglichst senkrecht zur Geraden a) schneidet den Kreis in C und D.
3. Mittelsenkrechte auf den Sehnen $\overline{AB}$ und $\overline{CD}$ errichten.
4. Schnittpunkt der Mittelsenkrechten ist Kreismittelpunkt M.

Ellipsenkonstruktion aus zwei Kreisen

Gegeben: Achsen $\overline{AB}$ und $\overline{CD}$

1. Zwei Kreise um M mit den Durchmessern $\overline{AB}$ und $\overline{CD}$.
2. Durch M mehrere Strahlen ziehen, die die beiden Kreise schneiden (E, F).
3. Parallelen zu den beiden Hauptachsen $\overline{AB}$ und $\overline{CD}$ durch E und F ziehen. Schnittpunkte sind Ellipsenpunkte.

Ellipsenkonstruktion in einem Parallelogramm

Gegeben: Parallelogramm mit den Achsen $\overline{AB}$ und $\overline{CD}$

1. Halbkreis mit Radius $r = \overline{MC}$ um A ergibt E.
2. $\overline{AM}$ (bzw. $\overline{BM}$) halbieren, vierteln und achteln ergibt Punkte 1, 2 und 3. Durch diese Punkte Parallelen zur Achse $\overline{CD}$ ziehen.
3. $\overline{EA}$ halbieren, vierteln und achteln ergibt die Punkte 1, 2 und 3 auf der Achse $\overline{AE}$. Parallelen durch die Punkte zur Achse $\overline{CD}$ ergeben Schnittpunkte F am Kreisbogen.
4. Durch Schnittpunkte F Parallelen zu $\overline{AE}$ bis zur Halbkreisachse, von dort Parallelen zur Achse $\overline{AB}$ ziehen.
5. Parallelenschnittpunkte entsprechender Zahlen sind Ellipsenpunkte.

Spirale (Näherungskonstruktion mit dem Zirkel)

Gegeben: Steigung a

1. Quadrat ABCD mit $a/4$ zeichnen.
2. Viertelkreis mit Radius $\overline{AD}$ um A ergibt E.
3. Viertelkreis mit Radius $\overline{BE}$ um B ergibt F.
4. Viertelkreis mit Radius $\overline{CF}$ um C ergibt G.
5. Viertelkreis mit Radius $\overline{DG}$ um D ergibt H.
6. Viertelkreis mit Radius $\overline{AH}$ um A ergibt I (usw.).

Zykloide, Evolvente, Parabel, Hyperbel, Schraubenlinie

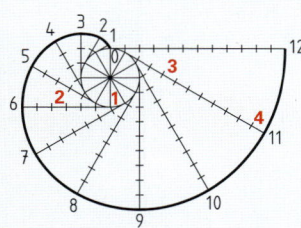

Hilfskreis 5   Schnittpunkt von Hilfskreis 5 mit Parallele 5

Roll-
kreis

Grundlinie
$U = \pi \cdot d$

verlängerte
waagrechte
Mittellinie

Zykloide

Gegeben: Rollkreis mit Radius r

1. Rollkreis in beliebig viele, aber gleich große Teile einteilen, z. B. 12.
2. Grundlinie ($\hat{=}$ Umfang des Rollkreises $= \pi \cdot d$) in gleich große Teile einteilen, hier ebenfalls 12.
3. Senkrechte Linien in den Teilpunkten 1 … 12 auf der Grundlinie ergeben mit der verlängerten waagerechten Mittellinie des Rollkreises die Mittelpunkte M_1 … M_{12}.
4. Um die Mittelpunkte M_1 … M_{12} Hilfskreise mit Radius r ziehen.
5. Die Schnittpunkte dieser Hilfskreise mit den Parallelen durch die Rollkreispunkte mit der gleichen Nummerierung ergeben die Zykloidenpunkte.

Evolvente

Gegeben: Kreis

1. Kreis in beliebig viele, aber gleich große Teile einteilen, z. B. 12.
2. In den Teilpunkten Tangenten an den Kreis ziehen.
3. Vom Berührungspunkt aus auf jeder Tangente die Länge des abgewickelten Kreisumfanges abtragen.
4. Die Kurve durch die Endpunkte ergibt die Evolvente.

K

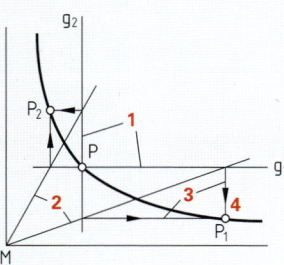

Parabel

Gegeben: Rechtwinklige Parabelachsen und Parabelpunkt P

1. Parallele g zur senkrechten Achse durch Punkt P ergibt P'.
2. Abstand $\overline{OP'}$ auf der waagrechten Achse in beliebig viele Teile (z. B. 5) einteilen und Parallele zur senkrechten Achse ziehen.
3. Abstand $\overline{PP'}$ in gleich viele Teile einteilen und mit 0 verbinden.
4. Schnittpunkte der Linien mit gleichen Zahlen ergeben weitere Parabelpunkte.

Hyperbel

Gegeben: Rechtwinklige Asymptoten durch M und Hyperbelpunkt P

1. Parallelen g_1 und g_2 zu den Asymptoten durch Hyperbelpunkt P ziehen.
2. Von M aus beliebige Strahlen ziehen.
3. Durch die Schnittpunkte der Strahlen mit g_1 und g_2 Parallelen zu den Asymptoten ziehen.
4. Schnittpunkte der Parallelen (P_1, P_2 …) sind Hyperbelpunkte.

Schraubenlinie (Wendel)

Gegeben: Kreis mit Durchmesser d und Steigung P

1. Halbkreis in z. B. 6 gleiche Teile teilen.
2. Die Steigung P in die doppelte Anzahl, z. B. 12, gleicher Strecken unterteilen.
3. Gleiche Zahlen waagerechter und senkrechter Linien zum Schnitt bringen. Die Schnittpunkte ergeben Punkte der Schraubenlinie.

Steigung P

Schriftzeichen

Die Beschriftung von technischen Zeichnungen kann nach Schriftform A (Engschrift) oder nach Schriftform B erfolgen. Beide Formen dürfen senkrecht (V = vertikal) oder um 15° nach rechts geneigt (S = schräg) ausgeführt werden. Um eine gute Lesbarkeit zu gewährleisten, soll der Abstand zwischen den Schriftzeichen zwei Linienbreiten betragen. Der Abstand darf auf eine Linienbreite verringert werden, wenn bestimmte Schriftzeichen zusammentreffen, z. B. LA, TV, Tr.

K

Schriftform B, V (vertikal)

Schriftform B, S (schräg)

Schriftform A, V (vertikal)   **Schriftform A, S (schräg)**

Maße vgl. DIN EN ISO 3098-0 (1998-04)

b_1 bei diakritischen[1] Zeichen
b_2 ohne diakritische Zeichen
b_3 bei Großbuchstaben und Zahlen

[1] diakritisch = zur weiteren Unterscheidung, insbesondere von Buchstaben, dienend

Schrifthöhe h bzw. Höhe der Groß-buchstaben (Nennmaße) in mm	1,8	2,5	3,5	5	7	10	14	20

Verhältnis der Maße zur Schrifthöhe h vgl. DIN EN ISO 3098-0 (1998-04)

Schriftform	a	b_1	b_2	b_3	c_1	c_2	c_3	d	e	f
A	$\frac{2}{14}\cdot h$	$\frac{25}{14}\cdot h$	$\frac{21}{14}\cdot h$	$\frac{17}{14}\cdot h$	$\frac{10}{14}\cdot h$	$\frac{4}{14}\cdot h$	$\frac{4}{14}\cdot h$	$\frac{1}{14}\cdot h$	$\frac{6}{14}\cdot h$	$\frac{5}{14}\cdot h$
B	$\frac{2}{10}\cdot h$	$\frac{19}{10}\cdot h$	$\frac{15}{10}\cdot h$	$\frac{13}{10}\cdot h$	$\frac{7}{10}\cdot h$	$\frac{3}{10}\cdot h$	$\frac{3}{10}\cdot h$	$\frac{1}{10}\cdot h$	$\frac{6}{10}\cdot h$	$\frac{4}{10}\cdot h$

Griechisches Alphabet
vgl. DIN EN ISO 3098-3 (2000-11)

A	α	Alpha	Z	ζ	Zeta	Λ	λ	Lambda	Π	π	Pi
B	β	Beta	H	η	Eta	M	μ	Mü	P	ϱ	Rho
Γ	γ	Gamma	Θ	ϑ	Theta	N	ν	Nü	Σ	σ	Sigma
Δ	δ	Delta	I	ι	Jota	Ξ	ξ	Ksi	T	τ	Tau
E	ε	Epsilon	K	ϰ	Kappa	O	o	Omikron	Y	υ	Ypsilon
									Φ	φ	(ph) Phi
									X	χ	Chi
									Ψ	ψ	Psi
									Ω	ω	Omega

Römische Ziffern

I = 1	II = 2	III = 3	IV = 4	V = 5	VI = 6	VII = 7	VIII = 8	IX = 9
X = 10	XX = 20	XXX = 30	XL = 40	L = 50	LX = 60	LXX = 70	LXXX = 80	XC = 90
C = 100	CC = 200	CCC = 300	CD = 400	D = 500	DC = 600	DCC = 700	DCCC = 800	CM = 900
M = 1000	MM = 2000	Beispiele: MDCLXXXVII = 1687		MCMXCIX = 1999		MMXIV = 2014		

Normzahlen, Radien, Maßstäbe

Normzahlen und Normzahlreihen[1]

vgl. DIN 323-1 (1974-08)

R 5	R 10	R 20	R 40	R 5	R 10	R 20	R 40
1,00	1,00	1,00	1,00	4,00	4,00	4,00	4,00
			1,06				4,25
		1,12	1,12			4,50	4,50
			1,18				4,75
	1,25	1,25	1,25		5,00	5,00	5,00
			1,32				5,30
		1,40	1,40			5,60	5,60
			1,50				6,00
1,60	1,60	1,60	1,60	6,30	6,30	6,30	6,30
			1,70				6,70
		1,80	1,80			7,10	7,10
			1,90				7,50
	2,00	2,00	2,00		8,00	8,00	8,00
			2,12				8,50
		2,24	2,24			9,00	9,00
			2,36				9,50
2,50	2,50	2,50	2,50	10,00	10,00	10,00	10,00
			2,65				
		2,80	2,80				
			3,00				
	3,15	3,15	3,15				
			3,35				
		3,55	3,55				
			3,75				

Reihe	Multiplikator
R 5	$q_5 = \sqrt[5]{10} \approx 1,6$
R 10	$q_{10} = \sqrt[10]{10} \approx 1,25$
R 20	$q_{20} = \sqrt[20]{10} \approx 1,12$
R 40	$q_{40} = \sqrt[40]{10} \approx 1,06$

Radien

vgl. DIN 250 (2002-04)

				0,2			0,3		**0,4**		0,5		**0,6**		0,8	
1		1,2		**1,6**		2		**2,5**		3		**4**		5		**6**		8
10		12		**16**	18	**20**	22	**25**	28	**32**	36	**40**	45	**50**	56	**63**	70	**80**	90
100	110	**125**	140	**160**	180	**200**	Die fett gedruckten Tabellenwerte sind zu bevorzugen.

Maßstäbe[2]

vgl. DIN ISO 5455 (1979-12)

Natürlicher Maßstab	Verkleinerungsmaßstäbe				Vergrößerungsmaßstäbe		
1 : 1	1 : 2	1 : 20	1 : 200	1 : 2000	2 : 1	5 : 1	10 : 1
	1 : 5	1 : 50	1 : 500	1 : 5000	20 : 1	50 : 1	
	1 : 10	1 : 100	1 : 1000	1 : 10 000			

[1] Normzahlen sind Vorzugszahlen, z.B. für Längenmaße und Radien. Durch ihre Verwendung werden willkürliche Abstufungen vermieden. Bei den Normzahlreihen (Grundreihen R5 ... R40) ergibt sich jede Zahl der Reihe durch Multiplizieren der vorhergehenden mit einem für die Reihe gleichbleibenden Multiplikator. Reihe 5 (R 5) ist R 10, diese R 20 und diese R 40 vorzuziehen. Die Zahlen jeder Reihe können mit 10, 100, 1000 usw. multipliziert oder durch 10, 100, 1000 usw. dividiert werden.

[2] Für besondere Anwendungen können die angegebenen Vergrößerungs- und Verkleinerungsmaßstäbe durch Multiplizieren mit ganzzahligen Vielfachen von 10 erweitert werden.

Zeichenblätter

Zeichnungsvordrucke — vgl. DIN EN ISO 5457 (2010-11) und DIN EN ISO 216 (2007-12)

Format	A0	A1	A2	A3	A4	A5	A6
Abmessungen der Formate[1] in mm	841 x 1189	594 x 841	420 x 594	297 x 420	210 x 297	148 x 210	105 x 148
Abmessungen der Zeichenfläche in mm	821 x 1159	574 x 811	400 x 564	277 x 390	180 x 277	–	–

[1] Die Abmessungen Höhe : Breite der Zeichnungsvordrucke verhalten sich wie 1 : $\sqrt{2}$ (= 1 : 1,414).

Faltung auf DIN-Format A4 — vgl. DIN 824 (1981-03)

A3 297 x 420

1. Falte: Rechten Streifen (190 mm breit) nach rückwärts einschlagen.

2. Falte: Restblatt so falten, dass die Kante der 1. Falte vom linken Blattrand einen Abstand von 20 mm hat.

A2 420 x 594

1. Falte: Linken Streifen (210 mm breit) nach rechts einschlagen.

2. Falte: Dreieck in 297 mm Höhe bei 105 mm Breite nach links umlegen.

3. Falte: Rechten Streifen (192 mm breit) nach rückwärts einschlagen.

4. Falte: Faltpaket in 297 mm Höhe nach rückwärts einschlagen.

Schriftfelder — vgl. DIN EN ISO 7200 (2004-05)

Die Breite des Schriftfeldes beträgt 180 mm. Die Maße für die einzelnen Datenfelder (Feldbreiten und Feldhöhen) sind, im Gegensatz zur Vorgängernorm, nicht mehr vorgeschrieben. Die Tabelle unten auf dieser Seite enthält Beispiele für mögliche Feldmaße.

Beispiel für ein Schriftfeld:

Verantwortl. Abtlg.	Technische Referenz	Erstellt durch	Genehmigt von	
AB 131 **11**	Susanne Müller **12**	Christiane Schmid **13**	Wolfgang Maier **14**	**15**

	Dokumentenart		Dokumentenstatus	
Schuler AG **1** Bergstadt	Zusammenbauzeichnung **9**		freigegeben **10**	
	Titel, Zusätzlicher Titel **2** **3**		A225-03300-012 **4**	
	Kreissägewelle komplett mit Lagerung	Änd. **5** A	Ausgabedatum **6** 2014-01-15	Spr. **7** de / Blatt **8** 1/3

Zeichnungsspezifische Angaben, wie z. B. Maßstab, Projektionssinnbild, Toleranzen und Oberflächenangaben, werden außerhalb des Schriftfeldes auf dem Zeichnungsvordruck angegeben.

Datenfelder in Schriftfeldern

Feld-Nr.	Feldname	Höchstzahl der Zeichen	Feldbezeichnung erforderlich	Feldbezeichnung optional	Feldmaße (mm) Breite	Feldmaße (mm) Höhe
1	Eigentümer der Zeichnung	nicht festgelegt	ja	–	69	27
2	Titel (Zeichnungsname)	25	ja	–	60	18
3	Zusätzlicher Titel	25	–	ja	60	
4	Sachnummer	16	ja	–	51	
5	Änderungsindex (Zeichnungsversion)	2	–	ja	7	
6	Ausgabedatum der Zeichnung	10	ja	–	25	
7	Sprachenzeichen (de = deutsch)	4	–	ja	10	
8	Blatt-Nummer und Anzahl der Blätter	4	–	ja	9	
9	Dokumentenart	30	ja	–	60	9
10	Dokumentenstatus	20	–	ja	51	
11	Verantwortliche Abteilung	10	–	ja	26	
12	Technische Referenz	20	–	ja	43	
13	Zeichnungs-Ersteller	20	ja	–	44	
14	Genehmigende Person	20	ja	–	43	
15	Klassifikation/Schlüsselwörter	nicht festgelegt	–	ja	24	

Stücklisten, Positionsnummern

Stücklisten

Stücklisten sind unerlässlich zum Austausch von technischen Informationen innerhalb und außerhalb eines Betriebes, z.B. für die Ermittlung des Teile- und Rohstoffbedarfs. Je nach Einsatzzweck unterscheidet man verschiedene Stücklistenarten, z.B. Konstruktions-, Fertigungs- und Mengenübersichts-Stücklisten (Seite 288).

In Stücklisten von Baugruppen- oder Gesamtzeichnungen (Konstruktions-Stücklisten) sind alle gefertigten Einzelteile (Werkstücke) und alle sonstigen Teile (z.B. Normteile, Kaufteile) einer Baugruppe oder eines ganzen Erzeugnisses aufgelistet. Jedes Teil ist eindeutig beschrieben, z.B. durch Angabe von:

- Positionsnummer
- Menge
- Einheit
- Benennung
- Sach- bzw. Zeichnungsnummer
- Normkurzbezeichnung
- Gewicht
- Bemerkung

Der Stücklistenaufbau (Anzahl der Stücklisten-Spalten) richtet sich nach den Erfordernissen im Betrieb.

Aufgesetzte Konstruktions-Stücklisten

Sie werden auf das Schriftfeld eines Zeichnungsvordruckes aufgesetzt (DN 6771-2, zurückgezogen).
Die Teile werden in der Reihenfolge ihrer Positionsnummern von unten nach oben eingetragen:

Pos.-Nr.	Menge/Einheit	Benennung	Werkstoff/Normkurzbezeichnung	Bemerkung
5	1	Anlage	S275JR	
4	1	Spannscheibe	S275JR	
3	1	Scheibe	ISO 7090-20-300 HV	
2	1	Sechskantmutter	ISO 8673-M20x1,5-LH-8	
1	1	Welle	E295	RD45

Schriftfeld nach DIN EN ISO 7200 (Seite 64) für
„Kreissägewelle mit Lagerung" (Zeichnungsnummer A226-0096-022)

Getrennt erstellte Konstruktions-Stücklisten

Meist werden Stücklisten getrennt von der Zeichnung erstellt. Wegen der Zuordnung muss auf der Stückliste die Baugruppen- bzw. Gesamtzeichnungsnummer angegeben sein.

Stückliste				Blatt 1 von 1	
Zeichnungs-Nr. **A226-0096-022**		Benennung **Kreissägewelle mit Lagerung**		Datum **25.05.2014**	
Pos.-Nr.	Sach-/Zeichnungs-Nr.	Benennung	Werkstoff	Menge	ME
01	A226-00972-027	Welle	E295	1	Stck
02	N701-02064-264	Sechskantmutter ISO 8673-M20x1,5-LH-8		1	Stck
03	N601-16012-320	Scheibe ISO 7090-20-300 HV		1	Stck
04	A426-00966-008	Spannscheibe	S275JR	1	Stck
05	A526-009761-007	Anlage	S275JR	1	Stck

Positionsnummern
vgl. DIN EN ISO 6433 (2012-12)

Jedes Einzelteil auf einer Baugruppen- oder Gesamtzeichnung erhält eine Positionsnummer, die mit der Positionsnummer auf der Stückliste und der Positionsnummer auf der Einzelteilzeichnung übereinstimmen muss. Positionsnummern werden eingetragen (Zeichnung oben):

- übersichtlich
- evtl. eingekreist
- etwa in doppelter Größe wie die Maßzahlen
- mit Hinweislinien (Seite 76) auf die Einzelteile
- außerhalb der Umrisslinien der Einzelteile
- vorzugsweise waagerecht und/oder senkrecht

Linien

Linien in Zeichnungen der mechanischen Technik
vgl. DIN ISO 128-24 (1999-12)

Nr.	Benennung, Darstellung	Beispiele für die Anwendung	
01.1	Volllinie, schmal	• Maß- und Maßhilfslinien • Hinweis- und Bezugslinien • Gewindegrund • Schraffuren • Lagerichtung von Schichtungen (z. B. Trafoblech) • Umrisse eingeklappter Schnitte • kurze Mittellinien • Lichtkanten bei Durchdringungen • Ursprungskreise und Maßlinienbegrenzungen	• Diagonalkreuze zur Kennzeichnung ebener Flächen • Umrahmungen von Einzelheiten • Projektions- und Rasterlinien • Biegelinien an Rohteilen und bearbeiteten Teilen • Kennzeichnung sich wiederholender Einzelheiten (z. B. Fußkreisdurchmesser bei Verzahnungen)
	Freihandlinie, schmal [1]	• Vorzugsweise manuell dargestellte Begrenzung von Teil- oder unterbrochenen Ansichten und Schnitten, wenn die Begrenzung keine Symmetrie- oder Mittellinie ist	
	Zickzacklinie, schmal [1]	• Vorzugsweise mit Zeichenautomaten dargestellte Begrenzung von Teil- oder unterbrochenen Ansichten und Schnitten, wenn die Begrenzung keine Symmetrie- oder Mittellinie ist	
01.2	Volllinie, breit	• sichtbare Kanten und Umrisse • Gewindespitzen • Grenze der nutzbaren Gewindelänge • Schnittpfeillinien • Oberflächenstrukturen (z. B. Rändel)	• Hauptdarstellungen in Diagrammen, Kanten und Fließbildern • Systemlinien (Stahlbau) • Formteillinien in Ansichten
02.1	Strichlinie, schmal	• verdeckte Kanten	• verdeckte Umrisse
02.2	Strichlinie, breit	• Kennzeichnung von Bereichen mit zulässiger Oberflächenbehandlung (z. B. Wärmebehandlung)	
04.1	Strich-Punktlinie (langer Strich), schmal	• Mittellinien • Symmetrielinien	• Teilkreise bei Verzahnungen • Lochkreise
04.2	Strich-Punktlinie (langer Strich), breit	• Kennzeichnung von Bereichen mit (begrenzter) geforderter Oberflächenbehandlung (z. B. Wärmebehandlung)	• Kennzeichnung von Schnittebenen
05.1	Strich-Zweipunktlinie (langer Strich), schmal	• Umrisse benachbarter Teile • Endstellungen beweglicher Teile • Schwerlinien • Umrisse vor der Formgebung • Teile vor der Schnittebene • Umrisse alternativer Ausführungen	• Umrisse von Fertigteilen in Rohteilen • Umrahmung besonderer Bereiche oder Felder • Projizierte Toleranzzone

[1] Es soll nur eine der Linienarten Freihandlinie und Zickzacklinie in einer Zeichnung angewendet werden.

Längen von Linienelementen
vgl. DIN EN ISO 128-20 (2002-12)

Linienelement	Linienart Nr.	Länge	Linienelement	Linienart Nr.	Länge
lange Striche	04.1 und 05.1	$24 \cdot d$	Lücken	02.1, 02.2, 04.1, 04.2 und 05.1	$3 \cdot d$
kurze Striche	02.1 und 02.2	$12 \cdot d$	**Beispiel: Linienart 04.2**		
Punkte	04.1, 04.2 und 05.1	$< 0,5 \cdot d$	$24 \cdot d$ $3 \cdot d$ $0,5 \cdot d$ $3 \cdot d$		

Linien

Linienbreiten und Liniengruppen
vgl. DIN ISO 128-24 (1999-12)

Linienbreiten. In Zeichnungen werden meist zwei Linienarten verwendet. Sie stehen zueinander im Verhältnis 1 : 2.

Liniengruppen. Die Liniengruppen sind im Verhältnis $1 : \sqrt{2}$ ($\approx 1 : 1{,}4$) gestuft.

Auswahl. Linienbreiten und Liniengruppen werden entsprechend der Zeichnungsart und -größe sowie dem Zeichnungsmaßstab und den Anforderungen für die Mikroverfilmung und/oder das Reproduktionsverfahren ausgewählt.

Liniengruppe	zugehörige Linienbreiten (Maße in mm) für		
	breite Linien	schmale Linien	Maß- und Toleranzangaben, grafische Sinnbilder
0,25	0,25	0,13	0,18
0,35	0,35	0,18	0,25
0,5	0,5	0,25	0,35
0,7	0,7	0,35	0,5
1	1	0,5	0,7
1,4	1,4	0,7	1
2	2	1	1,4

Beispiele für Linien[1] in technischen Zeichnungen
vgl. DIN ISO 128-24 (1999-12)

K

Endstellung des beweglichen Teils (05.1)

Symmetrielinie (04.1)

Maßlinie (01.1)

Maßhilfslinie (01.1)

Schraffurlinie (01.1)

Mittellinie (04.1)

Gewindegrund (01.1)

Begrenzungslinie (01.1)

Lichtkanten (01.1)

Umriss eines angrenzenden Teils (05.1)

verdeckte Umrisse (02.1)

Maßlinie (01.1)

Kennzeichnung der Schnittebene (04.2)

sichtbarer Umriss (01.2)

Gewindespitzen (01.2)

sichtbarer Umriss (01.2)

Gewindegrund (01.1)

Umriss des eingeklappten Schnittes (01.1)

A – A

Symmetrielinie (04.1)

Begrenzungslinie (01.1)

kurze Mittellinie (01.1)

Oberflächenstruktur (Rändel) (01.2)

Umrahmung der Einzelheit (01.1)

durchgehärtet

Lochkreis (04.1)

verdeckte Kanten (02.1)

sichtbare Umrisslinien (01.2)

verdeckte Umrisslinie (02.1)

Kennzeichnung der (Wärme-)Behandlung (04.2)

Kante vor der Schnittebene (05.1)

[1] Nummerierung der Linien: Seite 66

Grundregeln für die Darstellung, Projektionsmethoden

Grundregeln für die Darstellung
vgl. DIN ISO 128-30 (2002-05) und DIN ISO 5456-2 (1998-04)

Auswahl der Vorderansicht. Als Vorderansicht wird die Ansicht gewählt, die bezüglich Form und Abmessungen die meisten Informationen liefert.

Weitere Ansichten. Wenn für die eindeutige Darstellung oder die vollständige Bemaßung eines Werkstückes weitere Ansichten erforderlich sind, ist zu beachten:

• Die Auswahl der Ansichten ist auf das Notwendige zu beschränken.
• In den zusätzlichen Ansichten sollen möglichst wenig verdeckt darzustellende Kanten und Umrisse vorhanden sein.

Lage weiterer Ansichten. Die Lage weiterer Ansichten ist von der Projektionsmethode abhängig. Bei Zeichnungen nach den Projektionsmethoden 1 und 3 (Seite 69) muss das Symbol für die Projektionsmethode im Schriftfeld angegeben werden.

Axonometrische Darstellungen[1)]
vgl. DIN ISO 5456-3 (1998-04)

Isometrische Projektion

$X : Y : Z = 1 : 1 : 1$

Dimetrische Projektion

$X : Y : Z = 0,5 : 1 : 1$

Näherungskonstruktion der Ellipse:

1. Rhombus tangential um Bohrung zeichnen, Rhombusseiten halbieren ergibt die Schnittpunkte M_1, M_2 und N.
2. Verbindungslinien von M_1 nach 1 und von M_2 nach 2 ziehen ergibt die Schnittpunkte 3 und 4.
3. Kreisbögen mit Radius R um 1 und 2 und mit Radius r um 3 und 4.

Konstruktion der Ellipsen:

1. Hilfskreis mit Radius $r = d/2$ zeichnen.
2. Höhe d in beliebige Anzahl gleicher Strecken teilen und Felder (1 bis 3) zeichnen.
3. Hilfskreis-Durchmesser in gleiche Felderzahl teilen.
4. Aus Hilfskreis Streckenlängen a, b usw. in Rhombus übertragen.

Hilfskreis

Kavalier-Projektion

$X : Y : Z = 1 : 1 : 1$

Kabinett-Projektion

$X : Y : Z = 0,5 : 1 : 1$

Ellipsenkonstruktion wie Seite 60 (Ellipsenkonstruktion in einem Parallelogramm).

Ellipsenkonstruktion wie bei der dimetrischen Projektion (oben).

[1)] Axonometrische Darstellungen: einfache, bildliche Darstellungen.

K

Projektionsmethoden

vgl. DIN ISO 128-30 (2002-05)
und DIN ISO 5456-2 (1998-04)

Pfeilmethode

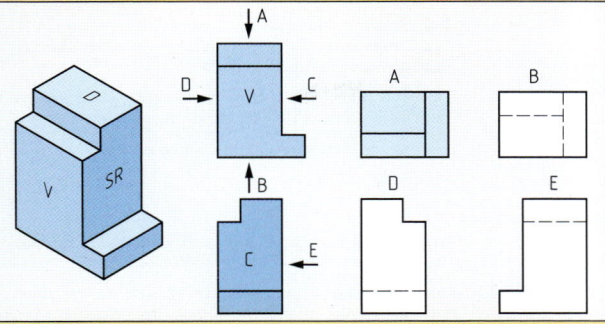

Kennzeichnung der Betrachtungs-richtung:
- mit Pfeillinie (Schenkelwinkel der Pfeile: 30°) und Großbuchstaben

Kennzeichnung der Ansichten:
- mit Großbuchstaben

Lage der Ansichten:
- beliebig zur Vorderansicht

Anordnung der Großbuchstaben:
- oberhalb der Ansichten
- senkrecht in Leserichtung
- oberhalb oder rechts der Pfeillinie

Projektionsmethode 1

Bezogen auf die Vorderansicht V liegen:

D	Draufsicht	unterhalb von V
SL	Seitenansicht von links	rechts von V
SR	Seitenansicht von rechts	links von V
U	Untersicht	oberhalb von V
R	Rückansicht	links oder rechts von V
Sinnbild		

Projektionsmethode 3 [1]

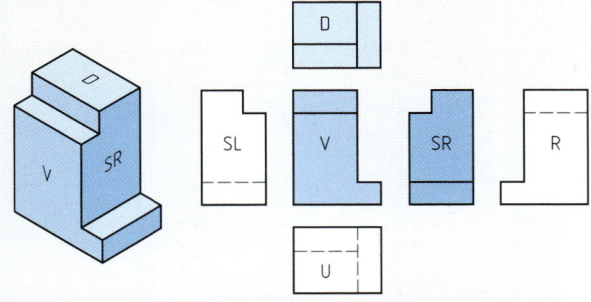

Bezogen auf die Vorderansicht V liegen:

D	Draufsicht	oberhalb von V
SL	Seitenansicht von links	links von V
SR	Seitenansicht von rechts	rechts von V
U	Untersicht	unterhalb von V
R	Rückansicht	links oder rechts von V
Sinnbild		

Sinnbilder für Projektionsmethoden

Sinnbild[2] für

Projektionsmethode 1	Projektionsmethode 3
Anwendung in Deutschland und den meisten europäischen Ländern	englischsprachigen Ländern, z. B. USA

Sinnbild für Projektionsmethode 1

h Schrifthöhe in mm
$H = 2 \cdot h$
$d = 0,1 \cdot h$

---

[1] Eine Projektionsmethode 2 ist nicht vorgesehen.
[2] Das Sinnbild wird auf dem Zeichnungsvordruck angegeben.

K

Ansichten

Teilansichten

Anwendung. Teilansichten werden gekennzeichnet, wenn ungünstige Projektionen oder verkürzte Darstellungen vermieden werden sollen.

Lage. Die Teilansicht wird in Pfeilrichtung oder gedreht dargestellt. Der Drehwinkel muss angegeben werden.

Begrenzung. Diese erfolgt durch eine Zickzacklinie.

Anwendung. Bei Platzmangel z. B. genügt die Darstellung eines Bruchteils des ganzen Werkstückes.

Kennzeichnung. Durch zwei kurze, parallele Volllinien durch die Symmetrielinie außerhalb der Ansicht.

Anwendung. Wenn die Darstellung eindeutig ist, genügt statt einer Gesamtansicht eine Teilansicht.

Darstellung. Die Teilansicht (Projektionsmethode 3) wird durch eine schmale Strich-Punktlinie mit der Hauptansicht verbunden.

Angrenzende Teile

Gehäuse

Anwendung. Angrenzende Teile werden gezeichnet, wenn diese zum Verständnis der Zeichnung beitragen.

Darstellung. Diese erfolgt mit schmalen Strich-Zweipunktlinien. Geschnittene angrenzende Teile werden nicht schraffiert.

Vereinfachte Durchdringungen

Anwendung. Wenn die Zeichnung verständlich bleibt, dürfen gerundete Durchdringungslinien durch gerade Linien ersetzt werden.

Darstellung. Mit breiten Volllinien gezeichnet werden gerundete Durchdringungslinien bei Nuten in Wellen und Durchdringungen von Bohrungen, deren Durchmesser sich wesentlich unterscheiden.

Mit schmalen Volllinien werden gedachte Durchdringungslinien von Lichtkanten und gerundeten Kanten an der Stelle gezeichnet, an der bei scharfkantigem Übergang die (Umlauf-)Kante wäre. Die schmalen Volllinien berühren die Umrisse nicht.

Unterbrochene Ansichten

Anwendung. Um Platz zu sparen, können von langen Werkstücken nur die wichtigen Bereiche dargestellt werden.

Darstellung. Die Begrenzung der belassenen Teile erfolgt durch Freihandlinien oder Zickzacklinien. Die Teile müssen eng aneinander gezeichnet werden.

Ansichten

Wiederkehrende Geometrieelemente

Anwendung. Bei Geometrieelementen, die sich regelmäßig wiederholen, muss das einzelne Element nur einmal gezeichnet werden.

Darstellung. Bei nicht gezeichneten Geometrieelementen wird bei

- symmetrischen Geometrieelementen die Lage mit schmalen Strich-Punktlinien
- unsymmetrischen Geometrieelementen der Bereich, in dem sie sich befinden, mit schmalen Volllinien

gekennzeichnet.

Die Anzahl der Wiederholungen muss durch Bemaßung angegeben werden.

Bauteile in größerem Maßstab (Einzelheiten)

Anwendung. Teilbereiche eines Werkstücks, die nicht deutlich dargestellt werden können, dürfen in größerem Maßstab gezeichnet werden.

Darstellung. Der Teilbereich wird durch eine schmale Volllinie eingerahmt oder eingekreist und mit einem Großbuchstaben versehen. Nach der Darstellung des Teilbereichs in einem größeren Maßstab wird dieser mit demselben Großbuchstaben gekennzeichnet. Zusätzlich wird der Vergrößerungsmaßstab angegeben.

K

Geringe Neigungen

Anwendung. Geringe Neigungen an Schrägen, Kegeln oder Pyramiden, die sich nicht deutlich zeigen lassen, müssen in der zugehörigen Projektion nicht gezeichnet werden.

Darstellung. Mit einer breiten Volllinie wird diejenige Kante gezeichnet, die der Projektion des kleineren Maßes entspricht.

Bewegliche Teile

Anwendung. Kenntlichmachung alternativer Lagen und Extremstellungen von beweglichen Bauteilen in Zusammenbauzeichnungen.

Darstellung. Bauteile in alternativen Lagen und Extremstellungen werden mit Strich-Zweipunktlinien gezeichnet.

Oberflächenstrukturen

Darstellung. Strukturen wie Rändel und Prägungen werden mit breiten Volllinien dargestellt. Vorzugsweise soll die Struktur nur teilweise gezeichnet werden.

Schnittdarstellung

vgl. DIN ISO 128-40, -44 und -50 (2002-05)

Schnittarten

Ansicht Schnitt

Halbschnitt Teilschnitt

Schnittdarstellung. Mit einer Schnittdarstellung kann die innere Form eines Werkstückes oder einzelne Bereiche davon klar erkennbar gezeigt werden.

Schnitt. Beim Schnitt denkt man sich den vorderen Teil eines Werkstücks, der die Sicht auf das Innere verdeckt, herausgeschnitten. Der Schnitt zeigt auch die Umrisse des Werkstücks. Er kann beliebig verlaufen. Meist wird er jedoch in Richtung der Längsachse oder senkrecht zu ihr gelegt.

Halbschnitt. Von einem symmetrischen Werkstück wird eine Hälfte als Ansicht, die andere als Schnitt dargestellt. Bei waagrechter Mittellinie wird die Schnitthälfte bevorzugt unterhalb, bei senkrechter Mittellinie rechts von dieser angeordnet.

Teilschnitt. Ein Teilschnitt zeigt nur einen Teil des Werkstückes im Schnitt.

Begriffe

Schnitt-linie

A–A

Fläche, die durch den Schnitt entsteht

B–B

Schnittebene. Die Schnittebene ist eine gedachte Ebene, in der das Werkstück durchschnitten ist. Komplizierte Werkstücke können auch in zwei oder mehreren Schnittebenen dargestellt werden.

Die beim gedachten Durchschneiden des Werkstückes entstehende Fläche wird durch eine Schraffur (unten und Seite 74) gekennzeichnet.

Schnittlinie. Sie markiert die Lage der Schnittebene, bei zwei oder mehreren Schnittebenen den Schnittverlauf. Die Schnittlinie wird mit einer breiten Strich-Punktlinie gezeichnet.

Bei zwei oder mehreren Schnittebenen wird der Verlauf der Schnittlinie an den Enden der jeweiligen Schnittebene mit kurzen breiten Volllinien angedeutet.

Kennzeichnung der Schnittlinie. Sie erfolgt mit gleichen Großbuchstaben. Pfeile, die mit breiten Volllinien gezeichnet werden, geben die Blickrichtung auf die Schnittebene an. Im Gegensatz zu den Maßpfeilen (Seite 75) beträgt der Schenkelwinkel bei Pfeilen zur Kennzeichnung der Schnittlinie 30°.

Kennzeichnung des Schnittes. Der Schnitt wird mit den gleichen Großbuchstaben wie die Schnittlinie gekennzeichnet.

Schraffur bei Schnitten

Schraffurlinien. Die Schraffurlinien werden mit parallelen schmalen Volllinien, vorzugsweise unter einem Winkel von 45° zur Mittellinie oder zu den Hauptumrisslinien, gezeichnet. Für Beschriftungen wird die Schraffur unterbrochen.

Schraffiert werden bei

• Einzelteilen: alle Schnittflächen in gleicher Richtung und in gleichem Abstand,

• aneinander grenzenden Teilen: die Teile in unterschiedlichen Richtungen oder Abständen,

• großen Schnittflächen: vorzugsweise die Randzonen.

Schnittdarstellung

vgl. DIN ISO 128-40, -44 und -50 (2002-05)

Besondere Schnitte

Profilschnitte. Sie dürfen
- in eine Ansicht gedreht eingezeichnet werden.
  Die Umrisslinien des Schnittes werden mit schmalen Volllinien dargestellt.
- aus einer Ansicht herausgezogen werden.
  Der Schnitt muss mit der Ansicht durch eine schmale Strich-Punktlinie verbunden sein.

Schnitte von Ebenen, die sich schneiden. Schneiden sich zwei Ebenen, so darf eine Schnittebene in die Projektionsebene gedreht werden.

Einzelheiten bei Rotationsteilen. Gleichmäßig angeordnete Einzelheiten außerhalb der Schnittfläche, z. B. Bohrungen, dürfen in die Schnittebene gedreht werden.

K

Umrisse und Kanten. Hinter der Schnittebene liegende Umrisse und Kanten werden nur gezeichnet, wenn sie zur Verdeutlichung der Zeichnung beitragen.

Teile, die nicht geschnitten werden

In Längsrichtung werden nicht geschnitten:
- Teile ohne Hohlräume, z.B. Schrauben, Stifte, Wellen
- Bereiche eines Einzelteils, die sich vom Grundkörper abheben sollen, z.B. Rippen.

Zeichnerische Hinweise

Werkzeugkanten
- **Umlaufkanten.** Kanten, die durch das Schneiden sichtbar werden, müssen dargestellt werden.
- **Verdeckte Kanten.** In Schnitten werden verdeckte Kanten nicht dargestellt.
- **Kanten auf der Mittellinie.** Fällt bei einem Schnitt eine Kante auf die Mittellinie, so wird sie dargestellt.

Halbschnitte bei symmetrischen Werkstücken

Die Schnitthälften symmetrischer Werkstücke werden vorzugsweise bei
- waagrechter Mittellinie unterhalb
- senkrechter Mittellinie rechts

der Mittellinie gezeichnet.

Schraffuren, Systeme der Maßeintragung

Schraffuren

vgl. DIN ISO 128-50 (2002-05)

Schnittflächen werden im Allgemeinen ohne Rücksicht auf den Werkstoff mit der Grundschraffur gekennzeichnet. Teile, deren Stoff besonders herausgehoben werden soll, können mit einer besonderen Schraffur versehen werden.

K

Grundschraffur (ohne Berücksichtigung des Stoffes)

Gase — Feste Stoffe — Flüssigkeiten

Naturstoffe — Metalle — Kunststoffe

Eisen-metalle — NE-Metalle — Wasser

Holz — unleg. Stahl — Leichtmetalle — Thermoplaste — Öl

Glas — leg. Stahl — Schwermetalle — Duroplaste — Fett

Keramik — Gusseisen — Elastomere, Gummi — Kraftstoff

Systeme der Maßeintragung

vgl. DIN 406-10 (1992-12)

Die **Bemaßung und Tolerierung von Werkstücken** kann

- funktionsbezogen,
- fertigungsbezogen oder
- prüfbezogen

erfolgen.

In einer Zeichnung dürfen mehrere Systeme der Maßeintragung verwendet werden.

Funktionsbezogene Maßeintragung

Merkmal. Auswahl, Eintrag und Tolerierung der Maße erfolgen nach konstruktiven Erfordernissen.

Die jeweiligen Fertigungs- und Prüfverfahren werden dabei nicht berücksichtigt.

Fertigungsbezogene Maßeintragung

Merkmal. Maße, die für die Fertigung erforderlich sind, werden aus den Maßen der funktionsbezogenen Maßeintragung berechnet.

Die Maßeintragung hängt von den jeweiligen Fertigungsverfahren ab.

Prüfbezogene Maßeintragung

Merkmal. Maße, die für die Prüfung erforderlich sind, werden meist aus den Maßen der funktionsbezogenen Maßeintragung berechnet.

Die Maßeintragung hängt von den jeweiligen Prüfverfahren ab.

Maßeintragung in Zeichnungen

Maßlinien, Maßlinienbegrenzung, Maßhilfslinien, Maßzahlen vgl. DIN 406-11 (1992-12)

Maßlinien

Ausführung. Maßlinien werden mit schmalen Volllinien gezeichnet.

Eintrag. Maßlinien werden bei
- Längenmaßen parallel zur bemaßenden Länge
- Winkel- und Bogenmaßen als Kreisbogen um den Mittelpunkt des Winkels bzw. des Kreisbogens
eingetragen.

Platzmangel. Bei Platzmangel dürfen Maßlinien
- von außen an Maßhilfslinien gezogen
- innerhalb des Werkstückes eingetragen
- an Körperkanten angesetzt
werden.

Abstände. Maßlinien sollen einen Mindestabstand von
- 10 mm von Körperkanten und
- 7 mm untereinander
haben.

Maßlinienbegrenzung

Maßpfeile. Im Regelfall begrenzen Maßpfeile die Maßlinien.
- Pfeillänge: 10 x Maßlinienbreite
- Schenkelwinkel: 15°

Punkte. Sie werden bei Platzmangel verwendet.
- Durchmesser: 5 x Maßlinienbreite

Maßhilfslinien

durchgezogene Maßhilfslinie

Ausführung. Maßhilfslinien werden rechtwinklig zur zu bemaßenden Länge mit schmalen Volllinien dargestellt.

Besonderheiten

- **Symmetrische Elemente.** Innerhalb symmetrischer Elemente dürfen Mittellinien als Maßhilfslinien verwendet werden.
- **Unterbrochen** werden Maßhilfslinien z.B. für den Maßeintrag.
- **Innerhalb einer Ansicht** darf die Maßhilfslinie zur Bemaßung auseinander liegender gleicher oder ähnlicher Formelemente durchgezogen werden.
- **Zwischen zwei Ansichten** dürfen Maßhilfslinien nicht durchgezogen werden.

Maßzahlen

Eintrag. Maßzahlen werden eingetragen
- in Normschrift nach DIN EN ISO 3098 (Seite 62)
- in einer Mindestgröße von 3,5 mm
- oberhalb der Maßlinie
- von unten und von rechts lesbar
- bei mehreren parallelen Maßlinien: versetzt untereinander.

Platzmangel. Bei Platzmangel darf die Maßzahl
- an einer Hinweislinie
- über der Verlängerung der Maßlinie
eingetragen werden.

K

Maßeintragung in Zeichnungen

Bemaßungsregeln, Hinweis- und Bezugslinien, Winkelmaße, Quadrat und Schlüsselweite

vgl. DIN 406-11 (1992-12) und DIN ISO 128-22 (1999-11)

K

Bemaßungsregeln

Maßeintrag

- Jedes Maß wird nur einmal eingetragen. Gleiche Maße verschiedener Formelemente sind aber getrennt einzutragen.
- Sind mehrere Ansichten gezeichnet, so erfolgt der Maßeintrag dort, wo die Form des Werkstücks am besten erkennbar ist.
- Symmetrische Werkstücke. Die Lage der Mittellinie wird nicht bemaßt.

Maßketten. Geschlossene Maßketten sind zu vermeiden. Falls aus fertigungstechnischen Gründen Maßketten erforderlich sind, muss ein Maß der Kette in Klammern gesetzt werden.

Flächige Werkstücke. Bei flächigen Werkstücken, die nur in einer Ansicht gezeichnet sind, kann das Dickenmaß mit der Kennzeichnung t

- in der Ansicht oder
- in der Nähe der Ansicht

eingetragen werden.

Hinweis- und Bezugslinien

Hinweislinien. Hinweislinien werden mit schmalen Volllinien dargestellt. Sie enden

- mit einem Pfeil, wenn sie auf Körperkanten
- mit einem Punkt, wenn sie auf eine Fläche
- ohne Kennzeichnung, wenn sie auf andere Linien

zeigen.

Bezugslinien. Bezugslinien werden in Leserichtung mit schmalen Volllinien gezeichnet. Sie dürfen an Hinweislinien angebracht werden.

Winkelmaße

Maßhilfslinien. Die Maßhilfslinien zeigen zum Scheitelpunkt des Winkels.

Maßzahlen. Diese werden im Regelfall tangential zur Maßlinie so eingetragen, dass sie oberhalb der waagrechten Mittellinie mit ihrem Fuß, unterhalb mit ihrem Kopf zum Scheitelpunkt des Winkels zeigen.

Quadrat, Schlüsselweite

Quadrat

Sinnbild. Bei quadratischen Formelementen wird das Sinnbild vor die Maßzahl gesetzt. Die Größe des Sinnbilds entspricht der Größe der Kleinbuchstaben.

Bemaßung. Quadratische Formen sollen vorzugsweise in der Ansicht bemaßt werden, in der ihre Form erkennbar ist. Es ist nur eine Seitenlänge des Quadrates anzugeben.

Schlüsselweite

Sinnbild. Bei Schlüsselweiten werden die Großbuchstaben SW vor die Maßzahl gesetzt, wenn der Abstand der Schlüsselflächen nicht bemaßt werden kann.

Maßeintragung in Zeichnungen

Durchmesser, Radius, Kugel, Fasen, Neigung, Verjüngung, Bogenmaße vgl. DIN 406-11 (1992-12)

Durchmesser, Radius, Kugel (sphärisch)

Durchmesser

Sinnbild. Bei allen Durchmessern wird als Sinnbild ⌀ vor die Maßzahl gesetzt. Seine Gesamthöhe entspricht der Höhe der Maßzahlen.

Platzmangel. Bei Platzmangel werden die Maße von außen an die Formelemente gesetzt.

Radius

Sinnbild. Bei Radien wird der Großbuchstabe R vor die Maßzahl gesetzt.

Maßlinien. Die Maßlinien sind
- vom Mittelpunkt des Radius oder
- aus der Richtung des Mittelpunktes

zu zeichnen.

Kugel (sphärisch)

Sinnbild. Bei kugeligen Formelementen wird vor die Durchmesser- oder Radiusangabe der Großbuchstabe S gesetzt.

Fasen, Senkungen

45°-Fasen und Senkungen von 90° können unter Angabe des Winkels und der Fasenbreite vereinfacht bemaßt werden. Die Maße dürfen bei gezeichneten und nicht gezeichneten Fasen mit einer Hilfslinie eingetragen werden.

Andere Fasenwinkel. Bei Fasen mit einem von 45° abweichenden Winkel sind
- der Winkel und die Fasenbreite oder
- der Winkel und der Fasendurchmesser

einzutragen.

Neigung, Verjüngung

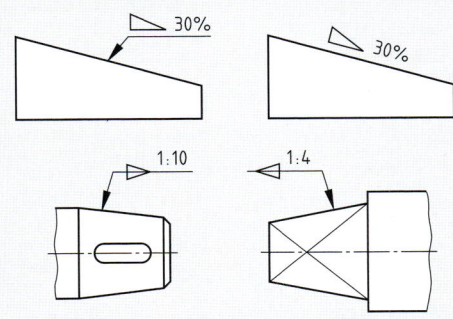

Neigung

Sinnbild. Vor der Maßzahl wird das Sinnbild ◺ angegeben.

Lage des Sinnbildes. Das Sinnbild wird so angeordnet, dass dessen Neigung der Neigung des Werkstückes entspricht. Vorzugsweise wird das Sinnbild mit einer Bezugs- und Hinweislinie mit der geneigten Fläche verbunden.

Verjüngung

Sinnbild. Vor der Maßzahl wird das Sinnbild ▷ auf einer Bezugslinie angegeben.

Lage des Sinnbildes. Die Lage des Sinnbildes muss der Richtung der Werkstückverjüngung entsprechen. Mit einer Hinweislinie wird die Bezugslinie des Sinnbildes mit dem Umriss der Verjüngung verbunden.

Bogenmaße

Sinnbild. Vor der Maßzahl wird das Sinnbild ⌒ eingetragen. Bei manueller Zeichnungserstellung darf der Bogen mit einem ähnlichen Sinnbild über der Maßzahl gekennzeichnet werden.

K

Maßeintragung in Zeichnungen

Nuten, Gewinde, Teilungen
vgl. DIN 406-11 (1992-12) und DIN ISO 6410-1 (1993-12)

Nuten

geschlossene Nut   offene Nut   offene Nut

Nuttiefe. Die Nuttiefe wird bei
- geschlossenen Nuten von der Nutseite
- offenen Nuten von der Gegenseite

bemaßt.

Vereinfachte Bemaßung. Bei nur in der Draufsicht dargestellten Nuten erfolgt der Eintrag der Nuttiefe
- mit dem Buchstaben h oder
- in Kombination mit der Nutbreite.

Bei **Nuten für Sicherungsringe** darf die Nuttiefe ebenfalls durch Kombination mit der Nutbreite eingetragen werden.

Grenzabmaße für die Toleranzklassen JS9, N9, P9 und H11: Seite 109
Nutenmaße
- für Keile: Seite 242
- für Passfedern: Seite 243
- für Sicherungsringe: Seite 269

Gewinde

Kurzbezeichnungen. Für genormte Gewinde werden Kurzbezeichnungen verwendet.

Linksgewinde. Linksgewinde werden mit LH gekennzeichnet. Befinden sich an einem Werkstück sowohl Links- als auch Rechtsgewinde, so erhalten diese den Zusatz RH.

Mehrgängige Gewinde. Bei mehrgängigen Gewinden werden hinter dem Nenndurchmesser die Gewindesteigung und die Teilung angegeben.

Längenangaben. Diese geben die nutzbare Gewindelänge an. Die Tiefe des Grundloches (Seite 212) wird im Regelfall nicht bemaßt.

Fasen. Fasen an Gewinden werden nur dann bemaßt, wenn ihr Durchmesser nicht dem Gewindekern- bzw. dem Gewindeaußendurchmesser entspricht.

Teilungen

Gleiche Formelemente. Bei Teilungen gleicher Formelemente, die untereinander dieselben Abstände oder Winkel aufweisen, werden
- die Anzahl der Elemente
- der Abstand der Elemente
- die Gesamtlänge bzw. der Gesamtwinkel (in Klammern)

angegeben.

Maßeintragung in Zeichnungen

Toleranzangaben vgl. DIN 406-12 (1992-12), DIN ISO 2768-1 (1991-06) und DIN ISO 2768-2 (1991-04)

Toleranzangaben durch Abmaße

Eintrag. Der Eintrag der Abmaße erfolgt

- hinter dem Nennmaß
- bei zwei Abmaßen auch so, dass das obere Abmaß über dem unteren steht
- bei gleich großem oberem und unterem Abmaß durch ein ±-Zeichen vor dem Zahlenwert, der nur einmal eingetragen wird
- bei Winkelmaßen mit der Angabe der Einheit

Toleranzangaben durch Toleranzklassen

Eintrag. Der Eintrag der Toleranzklassen erfolgt bei

- einzelnen Nennmaßen: hinter dem Nennmaß
- gefügt dargestellten Teilen: Die Toleranzklasse des Innenmaßes (Bohrung) steht vor oder über der Toleranzklasse des Außenmaßes (Welle).

Toleranzangaben für bestimmte Bereiche

Gültigkeitsbereich. Der Bereich, in dem eine eingetragene Toleranz gültig ist, wird durch eine schmale Volllinie begrenzt.

Toleranzangaben durch Allgemeintoleranzen

Anwendung. Allgemeintoleranzen werden verwendet für
- Längen- und Winkelmaße
- Form und Lage.
Sie gelten für Maße ohne einzelnen Toleranzeintrag.

Zeichnungseintrag. Der Hinweis auf Allgemeintoleranzen (Seite 110) kann erfolgen:
- in der Nähe der Einzelteilzeichnung
- bei Schriftfeldern nach DIN 6771 (zurückgezogen): im Schriftfeld.

Angaben. Es werden angegeben:
- die Normblatt-Nummer
- die Toleranzklasse für Längen- und Winkelmaße
- bei Bedarf die Toleranzklasse für Form- und Lagetoleranzen.

Maßeintragung in Zeichnungen

Maßarten

Grundmaße. Grundmaße geben die

- Gesamtlänge
- Gesamtbreite
- Gesamthöhe

eines Werkstückes an.

Formmaße. Mit Formmaßen werden z. B. die

- Maße von Nuten
- Maße von Absätzen

festgelegt.

Lagemaße. Mit ihnen wird z. B. die Lage von

- Bohrungen
- Nuten
- Langlöchern

vorgeschrieben.

Besondere Maße

Rohmaße

Aufgabe. Rohmaße informieren z. B. über die Abmessungen von gegossenen oder geschmiedeten Werkstücken vor der spanenden Bearbeitung.

Kennzeichnung. Rohmaße werden in eckige Klammern gesetzt.

Hilfsmaße

Aufgabe. Hilfsmaße dienen der zusätzlichen Information. Zur geometrischen Bestimmung des Werkstückes sind sie nicht erforderlich.

Kennzeichnung. Hilfsmaße werden

- in runde Klammern gesetzt
- ohne Toleranzen eingetragen.

Nicht maßstäblich gezeichnete Maße

Kennzeichnung. Nicht maßstäblich gezeichnete Maße werden, z. B. bei Zeichnungsänderungen, durch Unterstreichen gekennzeichnet.

Unzulässig sind unterstrichene Maße bei Zeichnungen, die rechnerunterstützt angefertigt werden (CAD).

Prüfmaße

Aufgabe. Es wird darauf hingewiesen, dass diese Maße vom Besteller besonders geprüft werden. Gegebenenfalls werden sie einer 100-%-Prüfung unterzogen.

Kennzeichnung. Prüfmaße werden in seitlich abgerundete Rahmen gesetzt.

Theoretisch genaue Maße

Aufgabe. Diese Maße geben die geometrisch ideale (theoretisch genaue) Lage der Form eines Formelementes an.

Kennzeichnung. Die Maße werden ohne Toleranzangaben in einen Rahmen gesetzt.

K

Bemaßungsarten

Parallelbemaßung, steigende Bemaßung, Koordinatenbemaßung[1)] vgl. DIN 406-11 (1992-12)

Parallelbemaßung

Maßlinien. Mehrere Maßlinien werden bei
- Längenmaßen parallel
- Winkelmaßen konzentrisch

zueinander eingetragen.

Steigende Bemaßung

Ursprung. Die Maße werden vom Ursprung aus in jeder der drei möglichen Richtungen eingetragen. Der Ursprung wird mit einem kleinen Kreis angegeben.

Maßlinien. Für den Eintrag gilt:
- im Regelfall wird für jede Richtung nur eine Maßlinie verwendet
- bei Platzmangel dürfen zwei oder mehrere Maßlinien verwendet werden. Die Maßlinien dürfen auch abgebrochen dargestellt werden.

Maße. Diese
- müssen, wenn sie vom Ursprung aus in der Gegenrichtung eingetragen werden, mit einem Minuszeichen versehen sein
- dürfen auch in Leserichtung eingetragen werden.

K

Koordinatenbemaßung

Pos.	X	Y	d
1	50	50	⌀40
2	180	190	⌀30
3	220	115	⌀75
4	325	50	–

Kartesische Koordinaten (Seite 57)

Koordinatenwerte. Diese werden
- in Tabellen eingetragen oder
- in der Nähe der Koordinatenpunkte angegeben.

Koordinatenursprung. Der Koordinatenursprung
- wird mit einem kleinen Kreis angegeben
- kann an beliebiger Stelle der Darstellung liegen.

Maße. Diese müssen, wenn sie vom Ursprung aus in der Gegenrichtung eingetragen werden, mit einem Minuszeichen versehen sein.

Pos.	r	φ	d
1	140	0°	⌀30
2	140	30°	⌀30
3	100	60°	⌀30
4	140	90°	⌀30

Polarkoordinaten (Seite 57)

Koordinatenwerte. Die Koordinatenwerte werden in Tabellen eingetragen.

[1)] Parallelbemaßung, steigende Bemaßung und Koordinatenbemaßung dürfen miteinander kombiniert werden.

Zeichnungsvereinfachung

Vereinfachte Darstellung von Löchern

vgl. DIN 6780 (2000-10)

Lochgrund, Linienbreiten bei vereinfachter Darstellung

vollständige Darstellung, vollständige Bemaßung	vollständige Darstellung, vereinfachte Bemaßung	vereinfachte Darstellung, vereinfachte Bemaßung

Lochgrund

Die Form des Lochgrundes wird, falls erforderlich, durch ein Sinnbild angegeben.

Das **Sinnbild U** z. B. bedeutet einen **flachen Lochgrund** (zylindrische Senkung).

Linienbreiten

Bei Löchern, die vereinfacht dargestellt werden, sind in

- der Draufsicht das Achsenkreuz
- achsparalleler Darstellung die Lage der Löcher

mit breiten Volllinien zu zeichnen.

Gestufte Löcher, Senkungen und Fasen, Innengewinde

K

Gestufte Löcher

Bei zwei oder mehreren gestuften Löchern werden die Maße untereinander geschrieben. Dabei wird der größte Durchmesser in der ersten Zeile genannt.

Senkungen und Fasen

Bei Senkungen und Bohrungsfasen werden der größte Senkdurchmesser und der Senkungswinkel angegeben.

Innengewinde

Die Gewindelänge und die Bohrlochtiefe werden durch einen Schrägstrich getrennt. Löcher ohne Tiefenangabe werden durchgebohrt.

Beispiele

Bohrung ⌀ 10H7
Bohrung durchgehend
Fase 1 x 45°

Linksgewinde M10
Gewindelänge 12 mm
durchgebohrtes Kernloch

Zylindrische Ansenkung ⌀ 8
Senktiefe 0,3 mm
Durchgangsbohrung ⌀ 4,3 mit
kegeliger Ansenkung 90°
Senkdurchmesser ⌀ 8

Darstellung von Zahnrädern

| Darstellung von Zahnrädern[1] | | vgl. DIN ISO 2203 (1976-06) |

Stirnrad	Kegelrad	Schneckenrad

| Stirnrad mit außenliegendem Gegenrad | Stirnrad mit innenliegendem Gegenrad |

links steigend

rechts steigend

K

| Stirnrad mit Zahnstange | Kegelradpaar (Achsenwinkel 90°) |

| Schnecke und Schneckenrad | Kettenräder | Zahnriemen |

[1] Zahnradbemaßung Seite 101

Darstellung von Wälzlagern

Darstellung von Wälzlagern			vgl. DIN ISO 8826-1 (1990-12) und DIN ISO 8826-2 (1995-10)	
Darstellung			**Elemente der detaillierten vereinfachten Darstellung**	
vereinfacht	bildlich	Erläuterung	Element	Erläuterung, Verwendung
		Für allgemeine Zwecke wird ein Wälzlager durch ein Quadrat oder Rechteck und ein freistehendes, aufrechtes Kreuz dargestellt.	———	Lange, gerade Linie; zur Darstellung der Achse des Wälzelements bei Lagern ohne Einstellmöglichkeit.
			⌣	Lange gebogene Linie; zur Darstellung der Achse des Wälzelements bei Lagern mit Einstellmöglichkeit (Pendellager).
		Falls erforderlich, kann das Wälzlager durch die Umrisse und ein freistehendes, aufrechtes Kreuz dargestellt werden.	│	Kurze gerade Linie; zur Darstellung der Lage und Anzahl der Reihen von Wälzelementen.
			◯	Kreis; zur Darstellung von Wälzelementen (Kugel, Rolle, Nadel), die rechtwinklig zu ihrer Achse gezeichnet sind.

Beispiele für die detaillierte vereinfachte Darstellung von Wälzlagern

Darstellung einreihiger Wälzlager			Darstellung zweireihiger Wälzlager		
detailliert vereinfacht	bildlich	Bezeichnung	detailliert vereinfacht	bildlich	Bezeichnung
		Radial-Rillen-kugellager, Zylinderrollenlager			Radial-Rillen-kugellager, Zylinderrollenlager
		Radial-Pendel-rollenlager (Tonnenlager)			Pendelkugellager, Radial-Pendel-rollenlager
		Schrägkugellager, Kegelrollenlager			Schrägkugellager
		Nadellager, Nadelkranz			Nadellager, Nadelkranz
		Axial-Rillenkugel-lager, Axial-Rollenlager			Axial-Rillenkugel-lager, zweiseitig wirkend
		Axial-Pendel-rollenlager			Axial-Rillenkugel-lager mit kugeligen Gehäusescheiben, zweiseitig wirkend

Kombinierte Lager			Darstellung rechtwinklig zur Wälzkörperachse	
		Kombiniertes Radial-Nadellager mit Schrägkugel-lager		Wälzlager mit beliebiger Wälzkörperform (Kugeln, Rollen, Nadeln)
		Kombiniertes Axial-Kugellager mit Radial-Nadel-lager		

K

Darstellung von Dichtungen und Wälzlagern

Vereinfachte Darstellung von Dichtungen · vgl. DIN ISO 9222-1 (1990-12) und DIN ISO 9222-2 (1991-03)

Darstellung			Elemente der detaillierten vereinfachten Darstellung	
vereinfacht	bildlich	Erläuterung	Element	Erläuterung, Verwendung
⊠		Für allgemeine Zwecke wird eine Dichtung durch ein Quadrat oder Rechteck und ein freistehendes, diagonales Kreuz dargestellt. Die Dichtrichtung kann durch einen Pfeil angegeben werden.	──	Lange Linie parallel zur Dichtfläche; für das fest sitzende (statische) Dichtelement.
			╱	Lange diagonale Linie; für das dynamische Dichtelement; z. B. die Dichtlippe. Die Dichtrichtung kann durch einen Pfeil angegeben werden.
			╱	Kurze diagonale Linie; für Staublippen, Abstreifringe.
⊠		Falls erforderlich, kann die Dichtung durch die Umrisse und ein freistehendes, diagonales Kreuz dargestellt werden.	┤	Kurze Linie, die zur Mitte des Sinnbilds zeigt; für den statischen Teil von U- und V-Ringen, Packungen.
			⟩	Kurze Linie, die zur Mitte des Sinnbilds zeigt; für Dichtlippen von U- und V-Ringen, Packungen.
			⊤ ⊔	T und U; für berührungsfreie Dichtungen.

K

Beispiele für die detaillierte vereinfachte Darstellung von Dichtungen

Wellendichtringe und Kolbenstangendichtungen				Profildichtungen, Packungssätze, Labyrinthdichtungen			
		Bezeichnung bei					
detailliert vereinfacht	bildlich	Dreh-bewegung	geradliniger Bewegung	detailliert vereinfacht	bildlich	detailliert vereinfacht	bildlich
⊡		Wellendichtring ohne Staublippe	Stangendichtung ohne Abstreifer	⟩		⌐	
⊠		Wellendichtring mit Staublippe	Stangendichtung mit Abstreifer	⟫		⟂	
⊠		Wellendichtring, doppelt wirkend	Stangendichtung, doppelt wirkend	⌐		⊓	

Beispiele für die vereinfachte Darstellung von Dichtungen und Wälzlagern

Rillenkugellager und Radial-Wellendichtring mit Staublippe[1]

Zweireihiges Rillenkugellager und Radial-Wellendichtring[2]

Packungssatz[2]

[1] Obere Hälfte: vereinfachte Darstellung; untere Hälfte: bildliche Darstellung.
[2] Obere Hälfte: detaillierte vereinfachte Darstellung; untere Hälfte: bildliche Darstellung.

Darstellung von Sicherungsringen, Nuten von Sicherungsringen, Federn, Keilwellen und Kerbverzahnungen

Darstellung von Sicherungsringen und Nuten von Sicherungsringen

	Darstellung	Einbaumaße	Abmaße
Sicherungs-ringe für Wellen (Seite 269)		Bezugsfläche für Bemaßung[1] a = Wälzlager-breite + Sicherungs-ringbreite	Abmaße für d_2: oberes Abmaß: 0 (null) unteres Abmaß: negativ Abmaße für a: oberes Abmaß: positiv unteres Abmaß: 0 (null)
Sicherungs-ringe für Bohrungen (Seite 269)		Bezugsfläche für Bemaßung[1]	Abmaße für d_2: oberes Abmaß: positiv unteres Abmaß: 0 (null) Abmaße für a: oberes Abmaß: positiv unteres Abmaß: 0 (null)

K

[1] Bezugsfläche für die Bemaßung der Nuten ist aus Funktionsgründen die Anlagefläche des zu sichernden Bauteils.

Darstellung von Federn   vgl. DIN ISO 2162-1 (1994-08)

Benennung	Darstellung		Sinnbild	Benennung	Darstellung		Sinnbild
	Ansicht	Schnitt			Ansicht	Schnitt	
Zylindrische Schrauben-Druckfeder (runder Draht)				Zylindrische Schrauben-Zugfeder			
Zylindrische Schrauben-Drehfeder				Zylindrische Schrauben-Druckfeder (quadr. Draht)			
Tellerfeder (einfach)				Tellerfeder-paket (Teller wechselsinnig geschichtet)			
Tellerfeder-paket (gleichsinnig geschichtet)							

Darstellung von Keilwellen und Kerbverzahnungen   vgl. DIN ISO 6413 (1990-03)

	Welle	Nabe	Verbindung
Keilwellen oder Keil-naben mit geraden Flanken. Symbol:			
Zahnwellen oder Zahn-naben mit Evolventen-flanken oder Kerbverzah-nungen. Symbol:			

⇒ **Keilwelle ISO 14-6 x 26 f7 x 30:** Keilwellenprofil mit geraden Flanken nach ISO 14, Keilzahl N = 6, Innendurchmesser d = 26f7, Außendurchmesser D = 30

Butzen an Drehteilen, Werkstückkanten

Butzen an Drehteilen
vgl. DIN 6785 (1991-11)

Butzen-maße

Werkstück — d_{2max} — Butzen — l_{max}

Beispiel — Ø0,5 / 0,3

Zeichnungs-eintrag — Ø0,5 × 0,3

Butzen-maße	Größtdurchmesser des Fertigteils in mm							
	bis 3	über 3 bis 5	über 5 bis 8	über 8 bis 12	über 12 bis 18	über 18 bis 26	über 26 bis 40	über 40 bis 60
$d_{2\,max}$ in mm	0,3	0,5	0,8	1,0	1,5	2,0	2,5	3,5
l_{max} in mm	0,2	0,3	0,5	0,6	0,9	1,2	2,0	3,0

Werkstückkanten
vgl. DIN ISO 13715 (2000-12)

Kante	Werkstückkante liegt bezüglich der ideal-geometrischen Form		
	innerhalb	außerhalb	im Bereich
Außen-kante a	Abtragung	Grat	scharfkantig
Innen-kante a	Abtragung	Übergang	scharfkantig

| Maß a (mm) | $-0,1$; $-0,3$; $-0,5$; $-1,0$; $-2,5$ | $+0,1$; $+0,3$; $+0,5$; $+1,0$; $+2,5$ | $-0,05$; $-0,02$; $+0,02$; $+0,05$ |

Sinnbild zur Kennzeichnung von Werkstückkanten	Sinn-bild-element	Bedeutung für		Grat- und Abtragungsrichtung		
		Außenkante	Innenkante		Außenkante	Innenkante
Feld für Maßeintrag	+	Grat zugelassen, Abtragung nicht zugelassen	Übergang zugelassen, Abtragung nicht zugelassen	Festlegung zugelassen für	Grat	Abtragung
	−	Abtragung gefordert, Grat nicht zugelassen	Abtragung gefordert, Übergang nicht zugelassen	Beispiel	+1	−1
Kreis bei Bedarf	± [1]	Grat oder Übergang zugelassen	Abtragung oder Übergang zugelassen	Bedeutung		
[1] nur mit einer Maßangabe zulässig						

Kennzeichnung von Werkstückkanten

Sammelangaben

+0,5 — −0,2 — −0,5 — −1

Sammelangaben gelten für alle Kanten, für die kein eigener Kantenzustand eingetragen ist.

Kanten, für die die Sammelangabe nicht gilt, müssen in der Zeichnung gekennzeichnet werden.

Hinter der Sammelangabe werden die Ausnahmen in Klammern gesetzt oder durch das Grundsinnbild angedeutet.

−0,3 / +0,5 — **Sammelangaben, die nur für Außen- bzw. Innenkanten** gelten, werden durch entsprechende Sinnbilder eingetragen.

Beispiele

−0,3 — Außenkante ohne Grat. Die zugelassene Abtragung liegt zwischen 0 und 0,3 mm.

+0,3 — Außenkante mit zugelassenem Grat von 0 bis 0,3 mm (Gratrichtung bestimmt).

−0,1 / −0,5 — Innenkante mit zugelassener Abtragung zwischen 0,1 und 0,5 mm (Abtragungsrichtung unbestimmt).

±0,02 — Innenkante mit zugelassener Abtragung zwischen 0 und 0,02 mm oder zugelassenem Übergang bis 0,02 mm (scharfkantig).

K

Gewindeausläufe, Gewindefreistiche

Gewindeausläufe für Metrische ISO-Gewinde   vgl. DIN 76-1 (2004-06)

Außengewinde

Innengewinde

K

Steigung[1] P	ISO-Regelgewinde d	x_1 max.	a_1 max.	e_1	Steigung[1] P	ISO-Regelgewinde d	x_1 max.	a_1 max.	e_1
0,2	–	0,5	0,6	1,3	1,25	M8	3,2	3,75	6,2
0,25	M1	0,6	0,75	1,5	1,5	M10	3,8	4,5	7,3
0,3	–	0,75	0,9	1,8	1,75	M12	4,3	5,25	8,3
0,35	M1,6	0,9	1,05	2,1	2	M16	5	6	9,3
0,4	M2	1	1,2	2,3	2,5	M20	6,3	7,5	11,2
0,45	M2,5	1,1	1,35	2,6	3	M24	7,5	9	13,1
0,5	M3	1,25	1,5	2,8	3,5	M30	9	10,5	15,2
0,6	–	1,5	1,8	3,4	4	M36	10	12	16,8
0,7	M4	1,75	2,1	3,8	4,5	M42	11	13,5	18,4
0,75	–	1,9	2,25	4	5	M48	12,5	15	20,8
0,8	M5	2	2,4	4,2	5,5	M56	14	16,5	22,4
1	M6	2,5	3	5,1	6	M64	15	18	24

[1] Für Feingewinde sind die Maße des Gewindeauslaufs nach der Steigung P zu wählen.

[2] Regelfall; gilt immer dann, wenn keine anderen Angaben gemacht sind.
Ist ein kurzer Gewindeauslauf erforderlich, so gilt:
$x_2 \approx 0{,}5 \cdot x_1$; $a_2 \approx 0{,}67 \cdot a_1$; $e_2 \approx 0{,}625 \cdot e_1$
Ist ein langer Gewindeauslauf erforderlich, so gilt:
$a_3 \approx 1{,}3 \cdot a_1$; $e_3 \approx 1{,}6 \cdot e_1$

Gewindefreistiche für Metrische ISO-Gewinde   vgl. DIN 76-1 (2004-06)

Außengewinde
Form A und Form B

Innengewinde
Form C und Form D

Steigung[1] P	ISO-Regelgewinde d	r	Außengewinde Form A[2] d_g h13	g_1 min.	g_2 max.	Form B[3] g_1 min.	g_2 max.	Innengewinde Form C[2] d_g H13	g_1 min.	g_2 max.	Form D[3] g_1 min.	g_2 max.
0,2	–	0,1	$d-0{,}3$	0,45	0,7	0,25	0,5	$d+0{,}1$	0,8	1,2	0,5	0,9
0,25	M1	0,12	$d-0{,}4$	0,55	0,9	0,25	0,6	$d+0{,}1$	1	1,4	0,6	1
0,3	–	0,16	$d-0{,}5$	0,6	1,05	0,3	0,75	$d+0{,}1$	1,2	1,6	0,75	1,25
0,35	M1,6	0,16	$d-0{,}6$	0,7	1,2	0,4	0,9	$d+0{,}2$	1,4	1,9	0,9	1,4
0,4	M2	0,2	$d-0{,}7$	0,8	1,4	0,5	1	$d+0{,}2$	1,6	2,2	1	1,6
0,45	M2,5	0,2	$d-0{,}7$	1	1,6	0,5	1,1	$d+0{,}2$	1,8	2,4	1,1	1,7
0,5	M3	0,2	$d-0{,}8$	1,1	1,75	0,5	1,25	$d+0{,}3$	2	2,7	1,25	2
0,6	–	0,4	$d-1$	1,2	2,1	0,6	1,5	$d+0{,}3$	2,4	3,3	1,5	2,4
0,7	M4	0,4	$d-1{,}1$	1,5	2,45	0,8	1,75	$d+0{,}3$	2,8	3,8	1,75	2,75
0,75	–	0,4	$d-1{,}2$	1,6	2,6	0,9	1,9	$d+0{,}3$	3	4	1,9	2,9
0,8	M5	0,4	$d-1{,}3$	1,7	2,8	0,9	2	$d+0{,}3$	3,2	4,2	2	3
1	M6	0,6	$d-1{,}6$	2,1	3,5	1,1	2,5	$d+0{,}5$	4	5,2	2,5	3,7
1,25	M8	0,6	$d-2$	2,7	4,4	1,5	3,2	$d+0{,}5$	5	6,7	3,2	4,9
1,5	M10	0,8	$d-2{,}3$	3,2	5,2	1,8	3,8	$d+0{,}5$	6	7,8	3,8	5,6
1,75	M12	1	$d-2{,}6$	3,9	6,1	2,1	4,3	$d+0{,}5$	7	9,1	4,3	6,4
2	M16	1	$d-3$	4,5	7	2,5	5	$d+0{,}5$	8	10,3	5	7,3
2,5	M20	1,2	$d-3{,}6$	5,6	8,7	3,2	6,3	$d+0{,}5$	10	13	6,3	9,3
3	M24	1,6	$d-4{,}4$	6,7	10,5	3,7	7,5	$d+0{,}5$	12	15,2	7,5	10,7
3,5	M30	1,6	$d-5$	7,7	12	4,7	9	$d+0{,}5$	14	17,7	9	12,7
4	M36	2	$d-5{,}7$	9	14	5	10	$d+0{,}5$	16	20	10	14
4,5	M42	2	$d-6{,}4$	10,5	16	5,5	11	$d+0{,}5$	18	23	11	16
5	M48	2,5	$d-7$	11,5	17,5	6,5	12,5	$d+0{,}5$	20	26	12,5	18,5
5,5	M56	3,2	$d-7{,}7$	12,5	19	7,5	14	$d+0{,}5$	22	28	14	20
6	M64	3,2	$d-8{,}3$	14	21	8	15	$d+0{,}5$	24	30	15	21

⇒ **DIN 76-C:** Gewindefreistich Form C

[1] Für Feingewinde sind die Maße des Gewindefreistichs nach der Steigung P zu wählen.

[2] Regelfall; gilt immer dann, wenn keine anderen Angaben gemacht sind.

[3] Nur für Fälle, bei denen ein kurzer Gewindefreistich erforderlich ist.

Darstellung von Gewinden und Schraubenverbindungen

Darstellung von Gewinden

vgl. DIN ISO 6410-1 (1993-12)

Innengewinde

e_1 nach DIN 76-1. Der Gewindeauslauf wird im Regelfall nicht gezeichnet.

Bolzengewinde	Bolzen in Innengewinde

Gewindefreistich	Rohrgewinde und Rohrverschraubung
bildlich	sinnbildlich	

DIN 76-D

DIN 76-A

K

Darstellung von Schraubenverbindungen

Sechskantschraube und Mutter

ausführlich | vereinfacht

h_1 Schraubenkopfhöhe
h_2 Mutternhöhe
h_3 Scheibenhöhe
e Eckenmaß
s Schlüsselweite
d Gewinde-Nenn-ø

$h_1 \approx 0{,}7 \cdot d$
$h_2 \approx 0{,}8 \cdot d$
$h_3 \approx 0{,}2 \cdot d$
$e \approx 2 \cdot d$
$s \approx 0{,}87 \cdot e$

Verbindung mit Zylinderschraube	Verbindung mit Sechskantschraube	Verbindung mit Senkschraube	Verbindung mit Stiftschraube

Zentrierbohrungen, Rändel

Zentrierbohrungen　　　　vgl. DIN 332-1 (1986-04)

Form R　**Form A**

Form B

K

Form C

Form		Nennmaße									
Form	d_1	1	1,25	1,6	2	2,5	3,15	4	5	6,3	8
	d_2	2,12	2,65	3,35	4,25	5,3	6,7	8,5	10,6	13,2	17
R	t_{min}	1,9	2,3	2,9	3,7	4,6	5,8	7,4	9,2	11,4	14,7
	a	3	4	5	6	7	9	11	14	18	22
A	t_{min}	1,9	2,3	2,9	3,7	4,6	5,9	7,4	9,2	11,5	14,8
	a	3	4	5	6	7	9	11	14	18	22
B	t_{min}	2,2	2,7	3,4	4,3	5,4	6,8	8,6	10,8	12,9	16,4
	a	3,5	4,5	5,5	6,6	8,3	10	12,7	15,6	20	25
	b	0,3	0,4	0,5	0,6	0,8	0,9	1,2	1,6	1,4	1,6
	d_3	3,15	4	5	6,3	8	10	12,5	16	18	22,4
C	t_{min}	1,9	2,3	2,9	3,7	4,6	5,9	7,4	9,2	11,5	14,8
	a	3,5	4,5	5,5	6,6	8,3	10	12,7	15,6	20	25
	b	0,4	0,6	0,7	0,9	0,9	1,1	1,7	1,7	2,3	3
	d_4	4,5	5,3	6,3	7,5	9	11,2	14	18	22,4	28
	d_5	5	6	7,1	8,5	10	12,5	16	20	25	31,5

Form	
R:	gewölbte Laufflächen, ohne Schutzsenkung
A:	gerade Laufflächen, ohne Schutzsenkung
B:	gerade Laufflächen, kegelförmige Schutzsenkung
C:	gerade Laufflächen, kegelstumpfförmige Schutzsenkung

Zeichnungsangabe bei Zentrierbohrungen　　　　vgl. DIN ISO 6411 (1997-11)

Zentrierbohrung **ist** am Fertigteil erforderlich	Zentrierbohrung **darf** am Fertigteil vorhanden sein	Zentrierbohrung **darf** am Fertigteil **nicht** vorhanden sein
ISO 6411–A4/8,5	ISO 6411–A4/8,5	ISO 6411–A4/8,5

⇒　**< ISO 6411 – A4/8,5:** Zentrierbohrung ISO 6411: Zentrierbohrung ist am Fertigteil erforderlich. Form und Maße der Zentrierbohrung nach DIN 332: Form A; d_1 = 4 mm; d_2 = 8,5 mm.

Rändel　　　　vgl. DIN 82 (1973-01)

d_1　Nenndurchmesser
d_2　Ausgangsdurchmesser
t　Teilung

Genormte Teilungen
t: 0,5; 0,6; 0,8; 1,0; 1,2; 1,6 mm

Zeichnungsangabe (Beispiel):

DIN 82-RGE 0,8

Kurz-zeichen	Darstellung	Benennung	Spitzen-form	Ausgangs-durchmesser d_2
RAA		Rändel mit achsparallelen Riefen	–	$d_2 = d_1 - 0,5 \cdot t$
RBR	30°	Rechtsrändel	–	$d_2 = d_1 - 0,5 \cdot t$
RBL	30°	Linksrändel	–	$d_2 = d_1 - 0,5 \cdot t$
RGE	30°	Links-Rechts-rändel	erhöht	$d_2 = d_1 - 0,67 \cdot t$
RGV			vertieft	$d_2 = d_1 - 0,33 \cdot t$
RKE		Kreuzrändel	erhöht	$d_2 = d_1 - 0,67 \cdot t$
RKV			vertieft	$d_2 = d_1 - 0,33 \cdot t$

⇒　**DIN 82-RGE 0,8:** Links-Rechtsrändel, Spitzen erhöht, t = 0,8 mm

Freistiche

Form E	Form F	Form G	Form H
für weiter zu bearbeitende Zylinderfläche	für weiter zu bearbeitende Plan- und Zylinderfläche	für kleinen Übergang (bei geringer Beanspruchung)	für weiter zu bearbeitende Plan- und Zylinderfläche

z_1, z_2 = Bearbeitungszugabe

⇒ **Freistich DIN 509 – E 0,8 x 0,3:** Form E, Radius r = 0,8 mm, Einstichtiefe t_1 = 0,3 mm

Freistichmaße und Senkungsmaße

Form	$r^{2)} \pm 0,1$		t_1	t_2	f	g	Zuordnung zum Durchmesser $d_1^{3)}$ für Werkstücke		Mindestmaß a für Senkung am Gegenstück[4]				
	Reihe 1	Reihe 2	+ 0,1 / 0	+ 0,05 / 0	+ 0,2 / 0		mit üblicher Beanspruchung	mit erhöhter Wechselfestigkeit	Freistich $r \times t_1$	Form E	F	G	H
E und F	–	0,2	0,1	0,1	1	(0,9)	> $\varnothing$ 1,6 … $\varnothing$ 3	–	0,2 x 0,1	0,2	0	–	–
	0,4	–	0,2	0,1	2	(1,1)	> $\varnothing$ 3 … $\varnothing$ 18	–	0,4 x 0,2	0,3	0	–	–
	–	0,6	0,2	0,1	2	(1,4)	> $\varnothing$ 10 … $\varnothing$ 18	–	0,6 x 0,2	0,5	0,15	–	–
	–	0,6	0,3	0,2	2,5	(2,1)	> $\varnothing$ 18 … $\varnothing$ 80	–	0,6 x 0,3	0,4	0	–	–
	0,8	–	0,3	0,2	2,5	(2,3)	> $\varnothing$ 18 … $\varnothing$ 80	–	0,8 x 0,3	0,6	0,05	–	–
	–	1	0,2	0,1	2,5	(1,8)	–	> $\varnothing$ 18 … $\varnothing$ 50	1,0 x 0,2	0,9	0,45	–	–
	–	1	0,4	0,3	4	(3,2)	> $\varnothing$ 80	–	1,0 x 0,4	0,7	0	–	–
	1,2	–	0,2	0,1	2,5	(2)	–	> $\varnothing$ 18 … $\varnothing$ 50	1,2 x 0,2	1,1	0,6	–	–
	1,2	–	0,4	0,3	4	(3,4)	> $\varnothing$ 80	–	1,2 x 0,4	0,9	0,1	–	–
	1,6	–	0,3	0,2	4	(3,1)	–	> $\varnothing$ 50 … $\varnothing$ 80	1,6 x 0,3	1,4	0,6	–	–
	2,5	–	0,4	0,3	5	(4,8)	–	> $\varnothing$ 80 … $\varnothing$ 125	2,5 x 0,4	2,2	1,0	–	–
	4	–	0,5	0,3	7	(6,4)	–	> $\varnothing$ 125	4,0 x 0,5	3,6	2,1	–	–
G	0,4	–	0,2	0,2	(0,9)	(1,1)	> $\varnothing$ 3 … $\varnothing$ 18	–	0,4 x 0,2	–	–	0	–
H	0,8	–	0,3	0,05	(2,0)	(1,1)	> $\varnothing$ 18 … $\varnothing$ 80	–	0,8 x 0,3	–	–	–	0,35
	1,2	–	0,3	0,05	(2,4)	(1,5)	–	> $\varnothing$ 18 … $\varnothing$ 50	1,2 x 0,3	–	–	–	0,65

[1] Alle Freistichformen gelten sowohl für Wellen als auch für Bohrungen.
[2] Freistiche mit Radien der Reihe 1 sind zu bevorzugen.
[3] Die Zuordnung zum Durchmesserbereich gilt nicht bei kurzen Ansätzen und dünnwandigen Teilen. Bei Werkstücken mit unterschiedlichen Durchmessern kann es zweckmäßig sein, die Freistiche bei allen Durchmessern in gleicher Form und Größe auszuführen.

[4] Senkungsmaß a am Gegenstück

$d_2 = d_1 + 2a$

K

Zeichnungsangabe bei Freistichen

In Zeichnungen werden Freistiche meist vereinfacht mit der Bezeichnung dargestellt. Sie können jedoch auch vollständig gezeichnet und bemaßt werden.

Beispiel: Welle mit Freistich DIN 509 – F1,2 x 0,2   **Beispiel:** Bohrung mit Freistich DIN 509 – E1,2 x 0,2

vereinfachte Angabe
DIN 509–F 1,2 × 0,2

vollständige Angabe

vereinfachte Angabe
DIN 509–E 1,2 × 0,2

vollständige Angabe

Sinnbilder für Schweißen und Löten

Lage der Sinnbilder für Schweißen und Löten in Zeichnungen   vgl. DIN EN ISO 2553 (2014-04)

Grundbegriffe

Bezugslinie. Sie besteht aus der Bezugs-Volllinie und der Bezugs-Strichlinie. Die Bezugs-Strichlinie verläuft parallel zur Bezugs-Volllinie oberhalb oder unterhalb dieser. Bei symmetrischen Nähten entfällt die Bezugs-Strichlinie.

Pfeillinie. Sie verbindet die Bezugs-Volllinie mit dem Stoß. Bei unsymmetrischen Nähten (z. B. HV-Naht) zeigt sie auf das Teil, an dem die Nahtvorbereitung vorgenommen wird.

Gabel. In ihr können bei Bedarf zusätzliche Angaben gemacht werden über:

- Verfahren, Prozess
- Arbeitsposition
- Bewertungsgruppe
- Zusatzwerkstoff

Stoß. Lage der zu verbindenden Teile zueinander.

Nahtkennzeichnung

Sinnbild. Das Sinnbild kennzeichnet die Nahtform. Es steht vorzugsweise senkrecht auf der Bezugs-Volllinie, bei Bedarf auf der Bezugs-Strichlinie.

Anordnung des Nahtsinnbildes	
Lage des Nahtsinnbildes	Lage der Naht (Nahtoberfläche)
Bezugs-Volllinie	„Pfeilseite"
Bezugs-Strichlinie	„Gegenseite"

Bei Nähten, die im Schnitt oder in Ansicht dargestellt sind, muss die Stellung des Sinnbilds mit dem Nahtquerschnitt übereinstimmen.

Pfeilseite[1]. Pfeilseite ist diejenige Seite des Stoßes, auf die die Pfeillinie hinweist.

Gegenseite[1]. Gegenseite ist die Seite des Stoßes, die der Pfeilseite gegenüberliegt.

Darstellung in Zeichnungen (Grundsinnbilder)   vgl. DIN EN ISO 2553 (2014-04)

Nahtart/ Sinnbild	Darstellung		Nahtart/ Sinnbild	Darstellung	
	bildlich	sinnbildlich		bildlich	sinnbildlich
I-Naht			V-Naht		
Y-Naht			HY-Naht		

[1] Die im Pazifikraum angewandte Methode zur Kennzeichnung von Pfeil- und Gegenseite, die in DIN EN ISO 2553 ebenfalls festgelegt ist, wird hier nicht erläutert.

K

Sinnbilder für Schweißen und Löten

Darstellung in Zeichnungen (Grundsinnbilder)   vgl. DIN EN ISO 2553 (2014-04)

Nahtart/ Sinnbild	Darstellung bildlich	sinnbildlich	Nahtart/ Sinnbild	Darstellung bildlich	sinnbildlich
Bördelnaht			HV-Naht		
Lochnaht			Stirnnaht		
U-Naht			Steilflanken-naht		
HU-Naht			Widerstands-rollen-schweißnaht		
widerstands-geschweißte Punktnaht			schmelz-geschweißte Liniennaht		
schmelz-geschweißte Punktnaht			Halbsteil-flankennaht		
ringsum verlaufend			Auftrags-schweißung		
Kehlnaht			Flächennaht		
Baustellen-naht mit 3 mm Nahtdicke					

K

Sinnbilder für Schweißen und Löten

Kombinierte Grundsinnbilder zur Darstellung symmetrischer Nähte[1]

vgl. DIN EN ISO 2553 (2014-04)

Nahtart	Sinnbild	Darstellung	Nahtart	Sinnbild	Darstellung
Doppel-V-Naht (DV-Naht)			Doppel-U-Naht (DU-Naht)		
Doppel-HV-Naht (DHV-Naht)			Doppel-HY-Naht mit Kehlnaht		

Anwendungsbeispiele für Zusatzsinnbilder

vgl. DIN EN ISO 2553 (2014-04)

Benennung/ Sinnbild	Beispiel	Darstellung	Benennung/ Sinnbild	Beispiel	Darstellung
flach nachbearbeitet			Gegenlage		
konvex (gewölbt)			Ringsumnaht; umlaufende (Kehl-)Naht		
konkav (hohl)			Wurzelüberhöhung		
Nahtübergänge kerbfrei			Baustellennaht		
Naht zwischen zwei Punkten	A ←→ B		versetzte, unterbrochene Naht		

Bemaßungsbeispiele

Nahtart	Darstellung und Bemaßung		Bedeutung des sinnbildlichen Maßeintrages
	bildlich	sinnbildlich	
I-Naht (durchgehend)			I-Naht, durchgehend, Nahtdicke s = 4 mm
V-Naht (durchgeschweißt) mit Gegenlage			V-Naht (durchgeschweißt) mit Gegenlage, hergestellt durch Lichtbogenhandschweißen (Kennzahl 111 nach DIN EN ISO 4063), geforderte Bewertungsgruppe C nach ISO 5817; Wannenposition PA nach ISO 6947; Stabelektroden E42 0 RR nach ISO 2560-A

[1] Am Ende einer Bezugslinie können in einer Gabel ergänzende Anforderungen eingetragen werden.

K

Sinnbilder für Schweißen und Löten, Darstellung von Klebe-, Falz- und Druckfügeverbindungen

Bemaßungsbeispiele (Fortsetzung)

Nahtart	Darstellung und Bemaßung		Bedeutung des sinnbildlichen Maßeintrages
	bildlich	sinnbildlich	
Kehlnaht (durch-gehend)			Kehlnaht, Nahtdicke a = 3 mm (Höhe des gleichschenkligen Dreiecks)
			Kehlnaht, Nahtdicke z = 4 mm (Schenkellänge des gleich-schenkligen Dreiecks)
Kehlnaht (unter-brochen)			Kehlnaht (unterbrochen), Nahtdicke a = 5 mm; 2 Einzelnähte mit je l = 20 mm Länge; Nahtabstand e = 10 mm, Vormaß v = 30 mm
Doppel-Kehlnaht (unter-brochen)			Doppel-Kehlnaht (unter-brochen, symmetrisch), Nahtdicke a = 4 mm; Einzelnahtlänge l = 30 mm, Nahtabstand e = 10 mm, ohne Vormaß
Doppel-Kehlnaht (unter-brochen, versetzt)			Doppel-Kehlnaht (unter-brochen, versetzt), Nahtdicke z = 5 mm; Einzelnahtlänge l = 20 mm, Nahtabstand e = 30 mm, Vormaß v = 25 mm

Sinnbildliche Darstellung von Klebe-, Falz- und Druckfügeverbindungen (Beispiele)

vgl. DIN EN ISO 15785 (2002-12)

Verbin-dungsart	Nahtart/ Sinnbild	Bedeutung/ Zeichnungsangabe	Verbin-dungsart	Nahtart/ Sinnbild	Bedeutung/ Zeichnungsangabe
Klebe-verbin-dungen	Flächen-naht[1]		Falz-verbin-dung	Falz-naht	
	Schräg-naht[1]		Druck-fügever-bindung	Druckfüge-verbindung	

[1] Bei Klebeverbindungen wird das Klebemittel nicht dargestellt.

Wärmebehandelte Teile – Härteangaben

Angaben wärmebehandelter Teile in Zeichnungen
vgl. DIN ISO 15787 (2010-01)

K

Aufbau der Wärmebehandlungsangaben

Wortangabe(n) für Werkstoffzustand	Messbare Größen des Werkstoffzustandes			Mögliche Ergänzungen
Beispiele: vergütet	Härte-wert	HRC HV HB	Rockwellhärte Vickershärte Brinellhärte	**Messstellen.** Eintragung und Bemaßung in der Zeichnung mit Sinnbild (⊥)
gehärtet gehärtet und angelassen	Härte-tiefe	CHD NHD SHD	Einsatzhärtungs-Härtetiefe Nitrier-Härtetiefe Einhärtungs-Härtetiefe	**Wärmebehandlungsbild.** Vereinfachte, meist verkleinerte Darstellung des Bauteils in der Nähe des Schriftfeldes
geglüht	CD CLT		Aufkohlungstiefe Verbindungsschichtdicke	**Mindestzugfestigkeit oder Gefügezustand.** Wenn Prüfung an einem mitbehandelten Teil möglich ist
nitriert	Alle Angaben erfolgen mit Plus-Toleranzen.			

Kennzeichnung der Oberflächenbereiche bei örtlich begrenzter Wärmebehandlung

Bereich muss wärmebehandelt werden.

Bereich darf wärmebehandelt werden.

Zwischenbereich darf nicht wärmebehandelt werden.

Wärmebehandlungsangaben in Zeichnungen (Beispiele)

Verfahren	Wärmebehandlung des ganzen Teiles		Wärmebehandlung örtlich begrenzt
	gleiche Anforderung	unterschiedliche Anforderung	
Vergüten, Härten, Härten und Anlassen	 vergütet 350 + 50 HBW 2,5/187,5	75 + 10 ① gehärtet und angelassen 58 + 4 HRC ① 40 + 5 HRC	110 +5 — · — gehärtet und ganzes Teil angelassen 60 + 3 HRC
Nitrieren, Einsatz-härten	nitriert ≥ 900 HV10 NHD = 0,3 + 0,1	① ② einsatzgehärtet und angelassen ① 60 + 4 HRC CHD = 0,8 + 0,4 ② ≤ 52 HRC	— · — einsatzgehärtet und angelassen 700 + 100 HV10 CHD = 1,2 + 0,5
Rand-schicht-härten	randschichtgehärtet 620 + 120 HV50 SHD 500 = 0,8 + 0,8	①②③ 2 5 — · — randschichtgehärtet und ganzes Teil angelassen ① 54 + 6 HRC ② ≤ 35 HRC ③ ≤ 30 HRC	— · — randschichtgehärtet und angelassen 61 + 4 HRC SHD 600 = 0,8 + 0,8

Härtungstiefen und Toleranzen in mm

Einsatzhärtungs-Härtetiefe CHD	0,05+0,03	0,1+0,1	0,3+0,2	0,5+0,3	0,8+0,4	1,2+0,5	1,6+0,6
Nitrier-Härtetiefe NHD	0,05+0,02	0,1+0,05	0,15+0,05	0,2+0,1	0,25+0,1	0,3+0,1	0,35+0,15
Induktions-Härtetiefe SHD	0,2+0,2	0,4+0,4	0,6+0,6	0,8+0,8	1,0+1,0	1,3+1,1	1,6+1,3
Laser-/Elektronenstrahl-Härtetiefe SHD	0,2+0,1	0,4+0,2	0,6+0,3	0,8+0,4	1,0+0,5	1,3+0,6	1,6+0,8

Regelgrenzhärten in den angegebenen Härtungstiefen

Einsatzhärtungs-Härtetiefe CHD	550 HV1
Nitrier-Härtetiefe NHD	Kernhärte + 50 HV0,5
Einhärtungs-Härtetiefe SHD	0,8 · Oberflächenmindesthärte, gerechnet in HV

Gestaltabweichungen und Rauheitskenngrößen

Gestaltabweichungen

vgl. DIN 4760 (1982-06)

Gestaltabweichungen sind die Abweichungen der Ist-Oberfläche (messtechnisch erfassbare Oberfläche) von der geometrisch idealen Oberfläche, deren Nennform durch die Zeichnung definiert ist.

Ordnung: Gestaltabweichung (Profilschnitt überhöht dargestellt)	Beispiele	Mögliche Entstehungsursachen
1. Ordnung: Formabweichung	Geradheits-, Rundheits- abweichung	Durchbiegungen des Werkstückes oder der Maschine bei der Herstellung des Teiles, Fehler oder Verschleiß in den Führungen der Werkzeugmaschine
2. Ordnung: Welligkeit	Wellen	Schwingungen der Maschine, Lauf- oder Formabweichungen eines Fräsers bei der Herstellung des Teiles
3. Ordnung: Rauheit	Rillen	Form der Werkzeugschneide, Vorschub oder Zustellung des Werkzeuges bei der Herstellung des Teiles
4. Ordnung: Rauheit	Riefen, Schuppen, Kuppen	Vorgang der Spanbildung (z. B. Reißspan), Oberflächenverformung durch Strahlen bei der Herstellung des Teiles
5. und 6. Ordnung: Rauheit Nicht mehr als einfacher Profilschnitt darstellbar	Gefüge- struktur, Gitteraufbau	Kristallisationsvorgänge, Gefügeänderungen durch Schweißen oder Warmumformungen, Veränderungen durch chemische Einwirkungen, z. B. Korrosion, Beizen

K

Oberflächenprofile und Kenngrößen

vgl. DIN EN ISO 4287 (2010-07) und DIN EN ISO 4288 (1998-04)

Oberflächenprofil	Kenngrößen	Erläuterungen
Primärprofil (Ist-Profil; P-Profil)	Gesamthöhe des Profils Pt	Das **Primärprofil** ist die Ausgangsbasis für das Welligkeits- und Rauheitsprofil. Die **Gesamthöhe des Profils** Pt ist die Summe aus der Höhe der größten Profilspitze Zp und der Tiefe des größten Profiltales Zv innerhalb der Messstrecke l_n.
Welligkeitsprofil (W-Profil)	Gesamthöhe des Profils Wt	Das **Welligkeitsprofil** entsteht durch Tiefpassfilterung, d. h. durch Unterdrücken der Rauheit (kurzwellige Profilanteile). Die **Gesamthöhe des Profils** Wt ist die Summe aus der Höhe der größten Profilspitze Zp und der Tiefe des größten Profiltales Zv innerhalb der Messstrecke l_n.
Rauheitsprofil (R-Profil)	Gesamthöhe des Profils Rt	Das **Rauheitsprofil** entsteht durch Hochpassfilterung, d. h. durch Unterdrücken der Welligkeit (langwellige Profilanteile). Die **Gesamthöhe des Profils** Rt ist die Summe aus der Höhe der größten Profilspitze Zp und der Tiefe des größten Profiltales Zv innerhalb der Messstrecke l_n.
	Rp, Rv	**Höhe der größten Profilspitze** Zp**, Tiefe des größten Profiltales** Zv innerhalb der Einzelmessstrecke l_r.
	Größte Höhe des Profils Rz	Rz ist die **größte Höhe des Profils** innerhalb der Einzelmessstrecke l_r. Zur **Ermittlung von** Rz wird in der Regel der arithmetische Mittelwert aus fünf Einzelmessstrecken gebildet (z. B. Rz 16). Ansonsten wird die Anzahl dem Kennzeichen angefügt (z. B. $Rz3$ 16).
	Arithmetischer Mittelwert der Profilordinaten Ra	Der **arithmetische Mittelwert der Profilordinaten** Ra ist der arithmetische Mittelwert der Beträge aller Ordinatenwerte $Z(x)$[1] innerhalb einer Einzelmessstrecke l_r. Zur **Ermittlung von** Ra wird in der Regel der arithmetische Mittelwert aus fünf Einzelmessstrecken gebildet. Ansonsten wird die Anzahl dem Kennzeichen angefügt (z. B. $Ra7$ 0,8).
	Materialanteil des Profils Rmr	Der **Materialanteil des Profils** Rmr ergibt sich als Quotient aus der Summe der tragenden Materiallängen in einer vorgegebenen Schnitttiefe und der Messstrecke l_n.
	Mittellinie (x-Achse) x	Die **Mittellinie (x-Achse)** x ist die Linie, die den langwelligen Profilanteilen (Welligkeit) entspricht, die durch die Profilfilterung unterdrückt werden.

l_n Messstrecke

l_r Einzelmessstrecke

[1] $Z(x)$ Höhe des Profils an beliebiger Position x; Ordinatenwert

Oberflächenprüfung, Oberflächenangaben

Messstrecken für die Rauheit
vgl. DIN EN ISO 4288 (1998-04)

Periodische Profile (z. B. Drehprofile)	Aperiodische Profile (z. B. Schleif- und Läppprofile)		Grenzwellenlänge	Einzel-/Gesamtmessstrecke	Periodische Profile (z. B. Drehprofile)	Aperiodische Profile (z. B. Schleif- und Läppprofile)		Grenzwellenlänge	Einzel-/Gesamtmessstrecke
Rillenbreite RSm mm	Rz µm	Ra µm	mm	l_r, l_n mm	Rillenbreite RSm mm	Rz µm	Ra µm	mm	l_r, l_n mm
>0,01…0,04	bis 0,1	bis 0,02	0,08	0,08/0,4	>0,13…0,4	>0,5…10	>0,1…2	0,8	0,8/4
>0,04…0,13	>0,1…0,5	>0,02…0,1	0,25	0,25/1,25	>0,4…1,3	>10…50	>2…10	2,5	2,5/12,5

Angabe der Oberflächenbeschaffenheit
vgl. DIN EN ISO 1302 (2002-06)

Sinnbild	Bedeutung	Zusätzliche Angaben
	Alle Fertigungsverfahren sind erlaubt.	a Oberflächenkenngröße[1] mit Zahlenwert in µm, Übertragungscharakteristik[2]/Einzelmessstrecke in mm
	Materialabtrag vorgeschrieben, z. B. drehen, fräsen.	b Zweite Anforderung an die Oberflächenbeschaffenheit (wie bei a beschrieben)
	Materialabtrag unzulässig oder Oberfläche verbleibt im Anlieferungszustand.	c Fertigungsverfahren
	Alle Flächen rundum die Kontur müssen die gleiche Oberflächenbeschaffenheit aufweisen.	d Sinnbild für die geforderte Rillenrichtung (Tabelle Seite 99)
		e Bearbeitungszugabe in mm

$$e \bigvee_d^c {}_b^a$$

Beispiele

Sinnbild	Bedeutung	Sinnbild	Bedeutung
Rz 10	• materialabtragende Bearbeitung nicht zulässig • $Rz = 10$ µm (obere Grenze) • Regelübertragungscharakteristik[3] • Regelmessstrecke[4] • „16%-Regel"[5]	Ra 8	• Bearbeitung materialabtragend • $Ra = 8$ µm (obere Grenze) • Regelübertragungscharakteristik[3] • Regelmessstrecke[4] • „16%-Regel"[5] • gilt rundum die Kontur
Ra 3,5	• Bearbeitung kann beliebig erfolgen • Regelübertragungscharakteristik[3] • $Ra = 3,5$ µm (obere Grenze) • Regelmessstrecke[4] • „16%-Regel"[5]	geschliffen 0,5 ⊥0,008-4/Ra 1,6 0,008-4/Ra 0,8	• Bearbeitung materialabtragend • Fertigungsverfahren Schleifen • $Ra = 1,6$ µm (obere Grenze) • $Ra = 0,8$ µm (untere Grenze) • für beide Ra-Werte: „16%-Regel"[5] • Übertragungscharakteristik jeweils 0,008 bis 4 mm • Regelmessstrecke[4] • Bearbeitungszugabe 0,5 mm • Oberflächenrillen senkrecht
Rzmax 0,5	• Bearbeitung materialabtragend • $Rz = 0,5$ µm (obere Grenze) • Regelübertragungscharakteristik[3] • Regelmessstrecke[4] • „max.-Regel"[6]		

[1] **Oberflächenkenngröße,** z. B. Rz, besteht aus dem Profil (hier: Rauheitsprofil R) und der Kenngröße (hier: z).

[2] **Übertragungscharakteristik:** Wellenlängenbereich zwischen dem Kurzwellenfilter λ_s und dem Langwellenfilter λ_c. Die Wellenlänge des Langwellenfilters entspricht der Einzelmessstrecke l_r. Ist keine Übertragungscharakteristik eingetragen, dann gilt die Regelübertragungscharakteristik[3].

[3] **Regelübertragungscharakteristik:** Die Grenzwellenlängen zur Messung der Rauheitskenngrößen sind abhängig vom Rauheitsprofil und werden Tabellen entnommen.

[4] **Regelmessstrecke** l_n = 5 x Einzelmessstrecke l_r.

[5] **„16 %-Regel":** Nur 16% aller gemessenen Werte dürfen die gewählte Kenngröße überschreiten.

[6] **„max.-Regel"** („Höchstwert-Regel"): Kein Messwert darf über dem festgelegten Höchstwert liegen.

Oberflächenangaben

Angabe der Oberflächenbeschaffenheit
vgl. DIN EN ISO 1302 (2002-06)

Sinnbilder für die Rillenrichtung

Darstellung der Rillenrichtung						
Sinnbild	=	⊥	X	M	C	R	P
Rillenrichtung	parallel zur Projektionsebene	senkrecht zur Projektionsebene	gekreuzt in zwei schrägen Richtungen	viele Richtungen	annähernd zentrisch zum Mittelpunkt	annähernd radial zum Mittelpunkt	nichtrillige Oberfläche, ungerichtet oder muldig

Größen der Sinnbilder

	Schrifthöhe h in mm						
	2,5	3,5	5	7	10	14	20
d	0,25	0,35	0,5	0,7	1,0	1,4	2,0
H_1	3,5	5	7	10	14	20	28
H_2	8	11	15	21	30	42	60

Anordnung der Sinnbilder in Zeichnungen

Lesbarkeit
von unten oder von rechts

Anordnung
direkt auf der Oberfläche oder mit Bezugs- und Hinweislinie

Beispiele für den Zeichnungseintrag

K

Rauheit von Oberflächen

Empfohlene Zuordnung von Rauheitswerten zu ISO-Toleranzgraden[1]

Empfohlene Werte für Rz und Ra in µm bei ISO-Toleranzgrad

Nennmaßbereich über … bis mm	5 Rz	5 Ra	6 Rz	6 Ra	7 Rz	7 Ra	8 Rz	8 Ra	9 Rz	9 Ra	10 Rz	10 Ra	11 Rz	11 Ra
1 … 6	2,5	0,4					6,3		10	1,6	16	3,2	25	6,3
6 … 10			4	0,8	6,3	0,8	10	1,6			25		40	
10 … 18	4	0,8							16	3,2		6,3		12,5
18 … 80			6,3		10		16				40		63	
80 … 250	6,3			1,6		1,6	25	3,2	25	3,2				
250 … 500			10		16				40	6,3	63	12,5	100	25

Erreichbare Rauheit von Oberflächen[1]

Fertigungsverfahren (Rz in µm / Ra in µm):

Urformen: Druckgießen, Kokillengießen, Sandformgießen, Sintern (sinterglatt)

Umformen: Fließ- und Strangpressen, Gesenkformen, Tiefziehen von Blechen, Glattwalzen

Trennen: Senkerodieren, Drahterodieren, Laserstrahlschneiden, Wasserstrahlschneiden, Scherschneiden, Bohren ins Volle, Aufbohren, Senken, Reiben, Längsdrehen, Plandrehen, Fräsen, Rund-Längsschleifen, Rund-Einstechschleifen, Flach-Umfangs- und Flach-Planschleifen, Läppen, Kurzhubhonen, Langhubhonen

Bedeutung der Balkenfarben: Erreichbare Rauheiten bei: genauer Fertigung | üblicher Fertigung | grober Fertigung

[1] Rauheitswerte, sofern sie nicht in DIN 4766-1 (zurückgezogen) enthalten sind, nach Angaben der Industrie.

Verzahnungsqualität und Bemaßung von Zahnrädern

Stirnrad-Evolventenverzahnung · vgl. DIN 3966-1 (1978-08)

Für Stirnräder sind folgende geometrische Angaben erforderlich[1]:

(1) Kopfkreisdurchmesser d_a mit Abmaßen
(2) Fußkreisdurchmesser d_f, wenn Angabe der Zahnhöhe fehlt
(3) Zahnbreite b
(4) Bezugselement
(5) Planlauftoleranz sowie Parallelität der Stirnflächen
(6) Rundlauftoleranz
(7) Oberflächen-Kennzeichnung für die Zahnflanken nach DIN EN ISO 1302

Geradzahn-Kegelradverzahnung · vgl. DIN 3966-2 (1978-08)

Für Kegelräder sind folgende geometrische Angaben erforderlich[1]:

K

(1) Kopfkreisdurchmesser d_a mit Abmaßen
(2) Zahnbreite b
(3) Kopfkegelwinkel
(4) Komplementwinkel des Rückenkegelwinkels
(5) Komplementwinkel des inneren Ergänzungskegelwinkels (bei Bedarf)
(6) Kennzeichen des Bezugselementes
(7) Rundlauftoleranz des Radkörpers
(8) Planlauftoleranz des Radkörpers
(9.1) Einbaumaß
(9.2) Äußerer Kopfkreisabstand
(9.3) Innerer Kopfkreisabstand
(9.4) Hilfsebenenabstand
(10) Oberflächenkennzeichen für die Zahnflanken nach DIN EN ISO 1302

Angaben zur Verzahnung · vgl. DIN 3966-1 (1978-08), DIN 3966-2 (1978-08)

Zusätzlich sind für alle Verzahnungen in einer Tabelle (auf der Zeichnung oder auf einem besonderen Blatt) Angaben zum Verzahnwerkzeug, für das Einstellen der Verzahnmaschine und für das Prüfen der Verzahnung erforderlich.

Geradverzahnung (außen) für Stirnrad		
Angaben		Beispiel
Modul	m_n	3
Zähnezahl	z	22
Bezugsprofil		DIN 867
Verzahnungsqualität, Toleranzfeld, Prüfgruppe nach DIN 3961		8 d 25 DIN 3967
Achsabstand im Gehäuse	a	99±0,05
Gegenrad	Sachnummer	25564
	Zähnezahl z	44

Es bedeuten:
8: die Verzahnungsqualität (Verzahnungsqualitäten 1…12)
d: die Zahndickenabmaßreihe (Abmaßreihen a … h)
25: die Zahndickentoleranz (Toleranzreihen 21…30)

Verzahnungsqualität
Die Verzahnungsqualität ist abhängig von der Anwendung (unten), vom Herstellverfahren (unten) und von der Zahnrad-Umfangsgeschwindigkeit.

[1] Zur Herstellung des Radkörpers sind weitere Maße anzugeben, z.B. Bohrungsdurchmesser und Nutmaße.

ISO-System für Grenzmaße und Passungen

Begriffe
vgl. DIN EN ISO 286-1 (2010-11)

Bohrung

N Nennmaß
G_{oB} Höchstmaß Bohrung
G_{uB} Mindestmaß Bohrung
ES oberes Grenzabmaß Bohrung
EI unteres Grenzabmaß Bohrung
T_B Toleranz Bohrung

Welle

N Nennmaß
G_{oW} Höchstmaß Welle
G_{uW} Mindestmaß Welle
es oberes Grenzabmaß Welle
ei unteres Grenzabmaß Welle
T_W Toleranz Welle

∅20H7

| Nennmaß |
| Toleranzklasse |

∅20H7

| Toleranzgrad |
| Grundabmaß |

∅20s6

| Nennmaß |
| Toleranzklasse |

∅20s6

| Toleranzgrad |
| Grundabmaß |

K

Bezeichnung	Erklärung	Bezeichnung	Erklärung
Nennmaß	Theoretisch genaues Maß eines Geometrieelementes.	**Toleranzgrad**	Zahl des Grundtoleranzgrades, z.B. 7 bei IT7.
Grenzabmaß	Oberes bzw. unteres Abmaß, bezogen auf das Nennmaß.	**Grundtoleranz**	Die einem Grundtoleranzgrad, z.B. IT7, und einem Nennmaßbereich, z.B. 30…50 mm, zugeordnete Toleranz.
Toleranzintervall	Bereich zwischen Mindestmaß und Höchstmaß.	**Grundabmaß**	Grenzabmaß, das am nächsten beim Nennmaß liegt. Grundabmaße werden mit Buchstaben, z.B. H, h, gekennzeichnet.
Toleranz	Differenz zwischen Höchst- und Mindestmaß bzw. zwischen oberem und unterem Grenzabmaß.		
		Toleranzklasse	Kombination eines Grundabmaßes mit einem Toleranzgrad, z.B. H7.
Grundtoleranzgrad	Eine Gruppe von Toleranzen, die dem **gleichen** Genauigkeitsniveau, z.B. IT7, zu**ge**ordnet ist.	**Passung**	Geplanter Fügezustand zwischen Bohrung und Welle.

Grenzmaße, Grenzabmaße und Toleranzen
vgl. DIN EN ISO 286-1 (2010-11)

Bohrung

$$G_{oB} = N + ES$$

$$G_{uB} = N + EI$$

$$T_B = ES - EI$$

$$T_B = G_{oB} - G_{uB}$$

Beispiel: Bohrung ∅ 50+0,3/+0,1; G_{oB} = ?; T_B = ?
G_{oB} = $N + ES$ = 50 mm + 0,3 mm = 50,30 mm
T_B = $ES - EI$ = 0,3 mm – 0,1 mm = 0,2 mm

Welle

$$G_{oW} = N + es$$

$$G_{uW} = N + ei$$

$$T_W = es - ei$$

$$T_W = G_{oW} - G_{uW}$$

Beispiel: Welle ∅ 20e8; G_{uW} = ?; T_W = ?
Werte für ei und es: Seite 107
ei = – 73 µm = – 0,073 mm; es = – 40 µm = – 0,040 mm
G_{uW} = $N + ei$ = 20 mm + (– 0,073 mm) = 19,927 mm
T_W = $es - ei$ = – 40 µm – (– 73 µm) = 33 µm

Passungen
vgl. DIN EN ISO 286-1 (2010-11)

Spielpassung
P_{SH} Höchstspiel
P_{SM} Mindestspiel

Übergangspassung
P_{SH} Höchstspiel
$P_{ÜH}$ Höchstübermaß

Übermaßpassung
$P_{ÜH}$ Höchstübermaß
$P_{ÜM}$ Mindestübermaß

$$P_{SM} = G_{uB} - G_{oW}$$

$$P_{SH} = G_{oB} - G_{uW}$$

$$P_{ÜH} = G_{uB} - G_{oW}$$

$$P_{ÜM} = G_{oB} - G_{uW}$$

Beispiel: Passung ∅ 30 H8/f7; P_{SH} = ?; P_{SM} = ?
Werte für ES, EI, es, ei: Seite 107
G_{oB} = $N + ES$ = 30 mm + 0,033 mm = 30,033 mm
G_{uB} = $N + EI$ = 30 mm + 0 mm = 30,000 mm
G_{oW} = $N + es$ = 30 mm + (– 0,020 mm) = 29,980 mm
G_{uW} = $N + ei$ = 30 mm + (– 0,041 mm) = 29,959 mm
P_{SH} = $G_{oB} - G_{uW}$ = 30,033 mm – 29,959 mm = 0,074 mm
P_{SM} = $G_{uB} - G_{oW}$ = 30,000 mm – 29,980 mm = 0,02 mm

ISO-System für Grenzmaße und Passungen

Passungssysteme
vgl. DIN EN ISO 286-1 (2010-11)

Passungssystem Einheitsbohrung (alle Bohrungsmaße besitzen das Grundabmaß H)

Passungssystem Einheitswelle (alle Wellenmaße besitzen das Grundabmaß h)

Grundtoleranzen
vgl. DIN EN ISO 286-1 (2010-11)

Nennmaß-bereich über … bis mm	Grundtoleranzgrade																	
	IT1	IT2	IT3	IT4	IT5	IT6	IT7	IT8	IT9	IT10	IT11	IT12	IT13	IT14	IT15	IT16	IT17	IT18
	Grundtoleranzen																	
	μm											mm						
bis 3	0,8	1,2	2	3	4	6	10	14	25	40	60	0,1	0,14	0,25	0,4	0,6	1	1,4
3 … 6	1	1,5	2,5	4	5	8	12	18	30	48	75	0,12	0,18	0,3	0,48	0,75	1,2	1,8
6 … 10	1	1,5	2,5	4	6	9	15	22	36	58	90	0,15	0,22	0,36	0,58	0,9	1,5	2,2
10 … 18	1,2	2	3	5	8	11	18	27	43	70	110	0,18	0,27	0,43	0,7	1,1	1,8	2,7
18 … 30	1,5	2,5	4	6	9	13	21	33	52	84	130	0,21	0,33	0,52	0,84	1,3	2,1	3,3
30 … 50	1,5	2,5	4	7	11	16	25	39	62	100	160	0,25	0,39	0,62	1	1,6	2,5	3,9
50 … 80	2	3	5	8	13	19	30	46	74	120	190	0,3	0,46	0,74	1,2	1,9	3	4,6
80 … 120	2,5	4	6	10	15	22	35	54	87	140	220	0,35	0,54	0,87	1,4	2,2	3,5	5,4
120 … 180	3,5	5	8	12	18	25	40	63	100	160	250	0,4	0,63	1	1,6	2,5	4	6,3
180 … 250	4,5	7	10	14	20	29	46	72	115	185	290	0,46	0,72	1,15	1,85	2,9	4,6	7,2
250 … 315	6	8	12	16	23	32	52	81	130	210	320	0,52	0,81	1,3	2,1	3,2	5,2	8,1
315 … 400	7	9	13	18	25	36	57	89	140	230	360	0,57	0,89	1,4	2,3	3,6	5,7	8,9
400 … 500	8	10	15	20	27	40	63	97	155	250	400	0,63	0,97	1,55	2,5	4	6,3	9,7
500 … 630	9	11	16	22	32	44	70	110	175	280	440	0,7	1,1	1,75	2,8	4,4	7	11
630 … 800	10	13	18	25	36	50	80	125	200	320	500	0,8	1,25	2	3,2	5	8	12,5
800 … 1000	11	15	21	28	40	56	90	140	230	360	560	0,9	1,4	2,3	3,6	5,6	9	14
1000 … 1250	13	18	24	33	47	66	105	165	260	420	660	1,05	1,65	2,6	4,2	6,6	10,5	16,5
1250 … 1600	15	21	29	39	55	78	125	195	310	500	780	1,25	1,95	3,1	5	7,8	12,5	19,5
1600 … 2000	18	25	35	46	65	92	150	230	370	600	920	1,5	2,3	3,7	6	9,2	15	23
2000 … 2500	22	30	41	55	78	110	175	280	440	700	1100	1,75	2,8	4,4	7	11	17,5	28
2500 … 3150	26	36	50	68	96	135	210	330	540	860	1350	2,1	3,3	5,4	8,6	13,5	21	33

Die Grenzabmaße der Toleranzgrade für die Grundabmaße h, js, H und JS können aus den Grundtoleranzen abgeleitet werden: **h:** $es = 0$; $ei = -IT$ **js:** $es = +IT/2$; $ei = -IT/2$ **H:** $ES = +IT$; $EI = 0$ **JS:** $ES = +IT/2$; $EI = -IT/2$

K

ISO-Passungen

Grundabmaße für Wellen (Auswahl)

vgl. DIN EN ISO 286-1 (2010-11)

Grundabmaße	a	c	d	e	f	g	h	j	k	m	n	p	r	s
genormte Grundtoleranzgrade	IT9 bis IT13	IT8 bis IT12	IT5 bis IT13	IT5 bis IT10	IT3 bis IT10	IT3 bis IT10	IT1 bis IT18	IT5 bis IT8	IT3 bis IT13	IT3 bis IT13	IT3 bis IT9	IT3 bis IT9	IT3 bis IT10	IT3 bis IT10
Tabelle gültig für ...	alle genormten Grundtoleranzgrade	alle genormten Grundtoleranzgrade	alle genormten Grundtoleranzgrade	alle genormten Grundtoleranzgrade	IT4 bis IT9	IT4 bis IT8	IT1 bis IT18	IT7	IT4 bis IT7	IT8 bis IT13	IT4 bis IT7	IT4 bis IT7	IT4 bis IT8	IT4 bis IT9
Nennmaß über ... bis mm	oberes Grenzabmaß es in µm							unteres Grenzabmaß ei in µm						
bis 3	– 270	– 60	– 20	– 14	– 6	– 2	0	– 4	0	+ 2	+ 4	+ 6	+ 10	+ 14
3 ... 6	– 270	– 70	– 30	– 20	– 10	– 4	0	– 4	+ 1	+ 4	+ 8	+ 12	+ 15	+ 19
6 ... 10	– 280	– 80	– 40	– 25	– 13	– 5	0	– 5	+ 1	+ 6	+ 10	+ 15	+ 19	+ 23
10 ... 18	– 290	– 95	– 50	– 32	– 16	– 6	0	– 6	+ 1	+ 7	+ 12	+ 18	+ 23	+ 28
18 ... 30	– 300	– 110	– 65	– 40	– 20	– 7	0	– 8	+ 2	+ 8	+ 15	+ 22	+ 28	+ 35
30 ... 40	– 310	– 120	– 80	– 50	– 25	– 9	0	– 10	+ 2	+ 9	+ 17	+ 26	+ 34	+ 43
40 ... 50	– 320	– 130	– 80	– 50	– 25	– 9	0	– 10	+ 2	+ 9	+ 17	+ 26	+ 34	+ 43
50 ... 65	– 340	– 140	– 100	– 60	– 30	– 10	0	– 12	+ 2	+ 11	+ 20	+ 32	+ 41	+ 53
65 ... 80	– 360	– 150	– 100	– 60	– 30	– 10	0	– 12	+ 2	+ 11	+ 20	+ 32	+ 43	+ 59
80 ... 100	– 380	– 170	– 120	– 72	– 36	– 12	0	– 15	+ 3	+ 13	+ 23	+ 37	+ 51	+ 71
100 ... 120	– 410	– 180	– 120	– 72	– 36	– 12	0	– 15	+ 3	+ 13	+ 23	+ 37	+ 54	+ 79
120 ... 140	– 460	– 200	– 145	– 85	– 43	– 14	0	– 18	+ 3	+ 15	+ 27	+ 43	+ 63	+ 92
140 ... 160	– 520	– 210	– 145	– 85	– 43	– 14	0	– 18	+ 3	+ 15	+ 27	+ 43	+ 65	+ 100
160 ... 180	– 580	– 230	– 145	– 85	– 43	– 14	0	– 18	+ 3	+ 15	+ 27	+ 43	+ 68	+ 108
180 ... 200	– 660	– 240	– 170	– 100	– 50	– 15	0	– 21	+ 4	+ 17	+ 31	+ 50	+ 77	+ 122
200 ... 225	– 740	– 260	– 170	– 100	– 50	– 15	0	– 21	+ 4	+ 17	+ 31	+ 50	+ 80	+ 130
225 ... 250	– 820	– 280	– 170	– 100	– 50	– 15	0	– 21	+ 4	+ 17	+ 31	+ 50	+ 84	+ 140
250 ... 280	– 920	– 300	– 190	– 110	– 56	– 17	0	– 26	+ 4	+ 20	+ 34	+ 56	+ 94	+ 158
280 ... 315	– 1050	– 330	– 190	– 110	– 56	– 17	0	– 26	+ 4	+ 20	+ 34	+ 56	+ 98	+ 170
315 ... 355	– 1200	– 360	– 210	– 125	– 62	– 18	0	– 28	+ 4	+ 21	+ 37	+ 62	+ 108	+ 190
355 ... 400	– 1350	– 400	– 210	– 125	– 62	– 18	0	– 28	+ 4	+ 21	+ 37	+ 62	+ 114	+ 208
400 ... 450	– 1500	– 440	– 230	– 135	– 68	– 20	0	– 32	+ 5	+ 23	+ 40	+ 68	+ 126	+ 232
450 ... 500	– 1650	– 480	– 230	– 135	– 68	– 20	0	– 32	+ 5	+ 23	+ 40	+ 68	+ 132	+ 252

K

Berechnung von Grenzabmaßen

Mithilfe der Tabellen auf dieser Seite und auf Seite 105 und den unten stehenden Formeln können die Grenzabmaße für die in der Tabellenzeile „Tabelle gültig für ..." (oben und Seite 105) angegebenen Grundtoleranzgrade berechnet werden. Die dazu erforderlichen Werte für die Grundtoleranzen IT sind in der Tabelle Seite 103 enthalten.

Formeln

• für Wellenabmaße

$$ei = es - IT$$

$$es = ei + IT$$

• für Bohrungsabmaße

$$EI = ES - IT$$

$$ES = EI + IT$$

Beispiel 1: Welle (Außenmaß) ⌀ 40g5; es = ?; ei = ?
es (Tabelle oben) = – 9 µm
IT5 (Tabelle Seite 103) = 11 µm
$ei = es - IT$ = – 9 µm – 11 µm = – 20 µm

Toleranzintervall der Welle — IT (Grundtoleranz ≙ Toleranz T)

Beispiel 2: Bohrung (Innenmaß) ⌀ 100K6; ES = ?; EI = ?
ES (Tabelle Seite 105) = – 3 µm + Δ
(Wert Δ für Grundtoleranzgrad IT6 nach Tabelle Seite 105 unten: 7 µm)
ES = – 3 µm + 7 µm = 4 µm
IT6 (Tabelle Seite 103) = 22 µm
$EI = ES - IT$ = + 4 µm – 22 µm = – 18 µm

Toleranzintervall der Bohrung — IT (Grundtoleranz ≙ Toleranz T)

ISO-Passungen

Grundabmaße für Bohrungen (Auswahl)[1]   vgl. DIN EN ISO 286-1 (2010-11)

Grundabmaße	A	C	D	E	F	G	H	J	K	M[1]	N	P, R, S	P	R	S
genormte Grundtoleranzgrade	IT9 bis IT13	IT8 bis IT13	IT6 bis IT13	IT5 bis IT10	IT3 bis IT10		IT1 bis IT18	IT6 bis IT8	IT3 bis IT10		IT3 bis IT11	IT3 bis IT10			
Tabelle gültig für …	alle genormten Grundtoleranzgrade			IT5 bis IT9	IT5 bis IT8	IT1 bis IT18	IT8	IT5 bis IT8				IT3 bis IT7	IT8 und IT9	IT8	IT8 und IT9
Nennmaß über … bis mm	unteres Grenzabmaß EI in µm							oberes Grenzabmaß ES in µm (Δ-Werte: Tabelle unten)							
bis 3	+ 270	+ 60	+ 20	+ 14	+ 6	+ 2	0	+ 6	0	− 2	− 4		− 6	− 10	− 14
3 … 6		+ 70	+ 30	+ 20	+ 10	+ 4	0	+ 10	− 1 + Δ	− 4 + Δ	− 8 + Δ		− 12	− 15	− 19
6 … 10	+ 280	+ 80	+ 40	+ 25	+ 13	+ 5	0	+ 12	− 1 + Δ	− 6 + Δ	− 10 + Δ		− 15	− 19	− 23
10 … 18	+ 290	+ 95	+ 50	+ 32	+ 16	+ 6	0	+ 15	− 1 + Δ	− 7 + Δ	− 12 + Δ		− 18	− 23	− 28
18 … 30	+ 300	+ 110	+ 65	+ 40	+ 20	+ 7	0	+ 20	− 2 + Δ	− 8 + Δ	− 15 + Δ		− 22	− 28	− 35
30 … 40	+ 310	+ 120	+ 80	+ 50	+ 25	+ 9	0	+ 24	− 2 + Δ	− 9 + Δ	− 17 + Δ		− 26	− 34	− 43
40 … 50	+ 320	+ 130					0								
50 … 65	+ 340	+ 140	+ 100	+ 60	+ 30	+ 10	0	+ 28	− 2 + Δ	− 11 + Δ	− 20 + Δ		− 32	− 41	− 53
65 … 80	+ 360	+ 150					0							− 43	− 59
80 … 100	+ 380	+ 170	+ 120	+ 72	+ 36	+ 12	0	+ 34	− 3 + Δ	− 13 + Δ	− 23 + Δ		− 37	− 51	− 71
100 … 120	+ 410	+ 180					0							− 54	− 79
120 … 140	+ 460	+ 200	+ 145	+ 85	+ 43	+ 14	0	+ 41	− 3 + Δ	− 15 + Δ	− 27 + Δ		− 43	− 63	− 92
140 … 160	+ 520	+ 210					0							− 65	− 100
160 … 180	+ 580	+ 230					0							− 68	− 108
180 … 200	+ 660	+ 240	+ 170	+ 100	+ 50	+ 15	0	+ 47	− 4 + Δ	− 17 + Δ	− 31 + Δ		− 50	− 77	− 122
200 … 225	+ 740	+ 260					0							− 80	− 130
225 … 250	+ 820	+ 280					0							− 84	− 140
250 … 280	+ 920	+ 300	+ 190	+ 110	+ 56	+ 17	0	+ 55	− 4 + Δ	− 20 + Δ	− 34 + Δ		− 56	− 94	− 158
280 … 315	+ 1050	+ 330					0							− 98	− 170
315 … 355	+ 1200	+ 360	+ 210	+ 125	+ 62	+ 18	0	+ 60	− 4 + Δ	− 21 + Δ	− 37 + Δ		− 62	− 108	− 190
355 … 400	+ 1350	+ 400					0							− 114	− 208
400 … 450	+ 1500	+ 440	+ 230	+ 135	+ 68	+ 20	0	+ 66	− 5 + Δ	− 23 + Δ	− 40 + Δ		− 68	− 126	− 232
450 … 500	+ 1650	+ 480					0							− 132	− 252

Spalte „P, R, S": Werte für obere Grenzabmaße ES: wie Grundtoleranzgrade über IT7, plus Δ

Werte für Δ[2] in µm

Grundtoleranzgrad	Nennmaß über … bis in mm												
	bis 3	3 bis 6	6 bis 10	10 bis 18	18 bis 30	30 bis 50	50 bis 80	80 bis 120	120 bis 180	180 bis 250	250 bis 315	315 bis 400	400 bis 500
IT3	0	1	1	1	1,5	1,5	2	2	3	3	4	4	5
IT4	0	1,5	1,5	2	2	3	3	4	4	4	4	5	5
IT5	0	1	2	3	3	4	5	5	6	6	7	7	7
IT6	0	3	3	3	4	5	6	7	7	9	9	11	13
IT7	0	4	6	7	8	9	11	13	15	17	20	21	23
IT8	0	6	7	9	12	14	16	19	23	26	29	32	34

[1] Sonderfall: Für Toleranzklasse M6, Nennmaßbereich 250…315 mm, ist ES = −9 µm (statt −11 µm, die sich bei Berechnung ergeben).   [2] Berechnungsbeispiele: Seite 104

K

ISO-Passungen

System Einheitsbohrung — vgl. DIN EN ISO 286-2 (2010-11)

Grenzabmaße in µm für Toleranzklassen[1]

Nennmaß-bereich über … bis mm	H6 (für Bohrung)	h5	j5	k6	n5	r5	H7 (für Bohrung)	f7	g6	h6	j6	k6	m6	n6	r6	s6
		für Wellen — Beim Fügen mit einer H6-Bohrung entsteht eine Spiel-, Übergangs-, Übermaßpassung						für Wellen — Beim Fügen mit einer H7-Bohrung entsteht eine								
								Spielpassung			Übergangspassung				Übermaßpassung	
bis 3	+6 / 0	0 / −4	±2	+6 / 0	+8 / +4	+14 / +10	+10 / 0	−6 / −16	−2 / −8	0 / −6	+4 / −2	+6 / 0	+8 / +2	+10 / +4	+16 / +10	+20 / +14
3 … 6	+8 / 0	0 / −5	+3 / −2	+9 / +1	+13 / +8	+20 / +15	+12 / 0	−10 / −22	−4 / −12	0 / −8	+6 / −2	+9 / +1	+12 / +4	+16 / +8	+23 / +15	+27 / +19
6 … 10	+9 / 0	0 / −6	+4 / −2	+10 / +1	+16 / +10	+25 / +19	+15 / 0	−13 / −28	−5 / −14	0 / −9	+7 / −2	+10 / +1	+15 / +6	+19 / +10	+28 / +19	+32 / +23
10 … 14	+11 / 0	0 / −8	+5 / −3	+12 / +1	+20 / +12	+31 / +23	+18 / 0	−16 / −34	−6 / −17	0 / −11	+8 / −3	+12 / +1	+18 / +7	+23 / +12	+34 / +23	+39 / +28
14 … 18	+11 / 0	0 / −8	+5 / −3	+12 / +1	+20 / +12	+31 / +23	+18 / 0	−16 / −34	−6 / −17	0 / −11	+8 / −3	+12 / +1	+18 / +7	+23 / +12	+34 / +23	+39 / +28
18 … 24	+13 / 0	0 / −9	+5 / −4	+15 / +2	+24 / +15	+37 / +28	+21 / 0	−20 / −41	−7 / −20	0 / −13	+9 / −4	+15 / +2	+21 / +8	+28 / +15	+41 / +28	+48 / +35
24 … 30	+13 / 0	0 / −9	+5 / −4	+15 / +2	+24 / +15	+37 / +28	+21 / 0	−20 / −41	−7 / −20	0 / −13	+9 / −4	+15 / +2	+21 / +8	+28 / +15	+41 / +28	+48 / +35
30 … 40	+16 / 0	0 / −11	+6 / −5	+18 / +2	+28 / +17	+45 / +34	+25 / 0	−25 / −50	−9 / −25	0 / −16	+11 / −5	+18 / +2	+25 / +9	+33 / +17	+50 / +34	+59 / +43
40 … 50	+16 / 0	0 / −11	+6 / −5	+18 / +2	+28 / +17	+45 / +34	+25 / 0	−25 / −50	−9 / −25	0 / −16	+11 / −5	+18 / +2	+25 / +9	+33 / +17	+50 / +34	+59 / +43
50 … 65	+19 / 0	0 / −13	+6 / −7	+21 / +2	+33 / +20	+54 / +41	+30 / 0	−30 / −60	−10 / −29	0 / −19	+12 / −7	+21 / +2	+30 / +11	+39 / +20	+60 / +41	+72 / +53
65 … 80	+19 / 0	0 / −13	+6 / −7	+21 / +2	+33 / +20	+56 / +43	+30 / 0	−30 / −60	−10 / −29	0 / −19	+12 / −7	+21 / +2	+30 / +11	+39 / +20	+62 / +43	+78 / +59
80 … 100	+22 / 0	0 / −15	+6 / −9	+25 / +3	+38 / +23	+66 / +51	+35 / 0	−36 / −71	−12 / −34	0 / −22	+13 / −9	+25 / +3	+35 / +13	+45 / +23	+73 / +51	+93 / +71
100 … 120	+22 / 0	0 / −15	+6 / −9	+25 / +3	+38 / +23	+69 / +54	+35 / 0	−36 / −71	−12 / −34	0 / −22	+13 / −9	+25 / +3	+35 / +13	+45 / +23	+76 / +54	+101 / +79
120 … 140	+25 / 0	0 / −18	+7 / −11	+28 / +3	+45 / +27	+81 / +63	+40 / 0	−43 / −83	−14 / −39	0 / −25	+14 / −11	+28 / +3	+40 / +15	+52 / +27	+88 / +63	+117 / +92
140 … 160	+25 / 0	0 / −18	+7 / −11	+28 / +3	+45 / +27	+83 / +65	+40 / 0	−43 / −83	−14 / −39	0 / −25	+14 / −11	+28 / +3	+40 / +15	+52 / +27	+90 / +65	+125 / +100
160 … 180	+25 / 0	0 / −18	+7 / −11	+28 / +3	+45 / +27	+86 / +68	+40 / 0	−43 / −83	−14 / −39	0 / −25	+14 / −11	+28 / +3	+40 / +15	+52 / +27	+93 / +68	+133 / +108
180 … 200	+29 / 0	0 / −20	+7 / −13	+33 / +4	+51 / +31	+97 / +77	+46 / 0	−50 / −96	−15 / −44	0 / −29	+16 / −13	+33 / +4	+46 / +17	+60 / +31	+106 / +77	+151 / +122
200 … 225	+29 / 0	0 / −20	+7 / −13	+33 / +4	+51 / +31	+100 / +80	+46 / 0	−50 / −96	−15 / −44	0 / −29	+16 / −13	+33 / +4	+46 / +17	+60 / +31	+109 / +80	+159 / +130
225 … 250	+29 / 0	0 / −20	+7 / −13	+33 / +4	+51 / +31	+104 / +84	+46 / 0	−50 / −96	−15 / −44	0 / −29	+16 / −13	+33 / +4	+46 / +17	+60 / +31	+113 / +84	+169 / +140
250 … 280	+32 / 0	0 / −23	+7 / −16	+36 / +4	+57 / +34	+117 / +94	+52 / 0	−56 / −108	−17 / −49	0 / −32	+16 / −16	+36 / +4	+52 / +20	+66 / +34	+126 / +94	+190 / +158
280 … 315	+32 / 0	0 / −23	+7 / −16	+36 / +4	+57 / +34	+121 / +98	+52 / 0	−56 / −108	−17 / −49	0 / −32	+16 / −16	+36 / +4	+52 / +20	+66 / +34	+130 / +98	+202 / +170
315 … 355	+36 / 0	0 / −25	+7 / −18	+40 / +4	+62 / +37	+133 / +108	+57 / 0	−62 / −119	−18 / −54	0 / −36	+18 / −18	+40 / +4	+57 / +21	+73 / +37	+144 / +108	+226 / +190
355 … 400	+36 / 0	0 / −25	+7 / −18	+40 / +4	+62 / +37	+139 / +114	+57 / 0	−62 / −119	−18 / −54	0 / −36	+18 / −18	+40 / +4	+57 / +21	+73 / +37	+150 / +114	+244 / +208
400 … 450	+40 / 0	0 / −27	+7 / −20	+45 / +5	+67 / +40	+153 / +126	+63 / 0	−68 / −131	−20 / −60	0 / −40	+20 / −20	+45 / +5	+63 / +23	+80 / +40	+166 / +126	+272 / +232
450 … 500	+40 / 0	0 / −27	+7 / −20	+45 / +5	+67 / +40	+159 / +132	+63 / 0	−131 / −60	−60 / −40	0 / −40	+20 / −20	+45 / +5	+63 / +23	+80 / +40	+172 / +132	+292 / +252

[1] Die **fett** gedruckten Toleranzklassen entsprechen der Reihe 1 in DIN 7157; sie sind bevorzugt zu verwenden.

K

ISO-Passungen

System Einheitsbohrung · vgl. DIN EN ISO 286-2 (2010-11)

Grenzabmaße in µm für Toleranzklassen[1]

Nennmaß-bereich über … bis mm	für Bohrung H8	\(\rightarrow\) für Wellen — Beim Fügen mit einer H8-Bohrung entsteht eine Spielpassung · d9	e8	f7	h9	Übermaßpassung · u8[2]	x8[2]	für Bohrung H11	für Wellen — Beim Fügen mit einer H11-Bohrung entsteht eine Spielpassung · a11	c11	d9	d11	h9	h11
bis 3	+14 / 0	−20 / −45	−14 / −28	−6 / −16	0 / −25	+32 / +18	+34 / +20	+60 / 0	−270 / −330	−60 / −120	−20 / −45	−20 / −80	0 / −25	0 / −60
3 … 6	+18 / 0	−30 / −60	−20 / −38	−10 / −22	0 / −30	+41 / +23	+46 / +28	+75 / 0	−270 / −345	−70 / −145	−30 / −60	−30 / −105	0 / −30	0 / −75
6 … 10	+22 / 0	−40 / −76	−25 / −47	−13 / −28	0 / −36	+50 / +28	+56 / +34	+90 / 0	−280 / −370	−80 / −170	−40 / −76	−40 / −130	0 / −36	0 / −90
10 … 14	+27 / 0	−50 / −93	−32 / −59	−16 / −34	0 / −43	+60 / +33	+67 / +40	+110 / 0	−290 / −400	−95 / −205	−50 / −93	−50 / −160	0 / −43	0 / −110
14 … 18						+60 / +33	+72 / +45							
18 … 24	+33 / 0	−65 / −117	−40 / −73	−20 / −41	0 / −52	+74 / +41	+87 / +54	+130 / 0	−300 / −430	−110 / −240	−65 / −117	−65 / −195	0 / −52	0 / −130
24 … 30						+81 / +48	+97 / +64							
30 … 40	+39 / 0	−80 / −142	−50 / −89	−25 / −50	0 / −62	+99 / +60	+119 / +80	+160 / 0	−310 / −470	−120 / −280	−80 / −142	−80 / −240	0 / −62	0 / −160
40 … 50						+109 / +70	+136 / +97		−320 / −480	−130 / −290				
50 … 65	+46 / 0	−100 / −174	−60 / −106	−30 / −60	0 / −74	+133 / +87	+168 / +122	+190 / 0	−340 / −530	−140 / −330	−100 / −174	−100 / −290	0 / −74	0 / −190
65 … 80						+148 / +102	+192 / +146		−360 / −550	−150 / −340				
80 … 100	+54 / 0	−120 / −207	−72 / −126	−36 / −71	0 / −87	+178 / +124	+232 / +178	+220 / 0	−380 / −600	−170 / −390	−120 / −207	−120 / −340	0 / −87	0 / −220
100 … 120						+198 / +144	+264 / +210		−410 / −630	−180 / −400				
120 … 140	+63 / 0	−145 / −245	−85 / −148	−43 / −83	0 / −100	+233 / +170	+311 / +248	+250 / 0	−460 / −710	−200 / −450	−145 / −245	−145 / −395	0 / −100	0 / −250
140 … 160						+253 / +190	+343 / +280		−520 / −770	−210 / −460				
160 … 180						+273 / +210	+373 / +310		−580 / −830	−230 / −480				
180 … 200	+72 / 0	−170 / −285	−100 / −172	−50 / −96	0 / −115	+308 / +236	+422 / +350	+290 / 0	−660 / −950	−240 / −530	−170 / −285	−170 / −460	0 / −115	0 / −290
200 … 225						+330 / +258	+457 / +385		−740 / −1030	−260 / −550				
225 … 250						+356 / +284	+497 / +425		−820 / −1110	−280 / −570				
250 … 280	+81 / 0	−190 / −320	−110 / −191	−56 / −108	0 / −130	+396 / +315	+556 / +475	+320 / 0	−920 / −1240	−300 / −620	−190 / −320	−190 / −510	0 / −130	0 / −320
280 … 315						+431 / +350	+606 / +525		−1050 / −1370	−330 / −650				
315 … 355	+89 / 0	−210 / −350	−125 / −214	−62 / −119	0 / −140	+479 / +390	+679 / +590	+360 / 0	−1200 / −1560	−360 / −720	−210 / −350	−210 / −570	0 / −140	0 / −360
355 … 400						+524 / +435	+749 / +660		−1350 / −1710	−400 / −760				
400 … 450	+97 / 0	−230 / −385	−135 / −232	−68 / −131	0 / −155	+587 / +490	+837 / +740	+400 / 0	−1500 / −1900	−440 / −840	−230 / −385	−230 / −630	0 / −155	0 / −400
450 … 500						+637 / +540	+917 / +820		−1650 / −2050	−480 / −880				

K

[1] Die **fett** gedruckten Toleranzklassen entsprechen der Reihe 1 in DIN 7157; sie sind bevorzugt zu verwenden.
[2] DIN 7157 empfiehlt: Nennmaße bis 24 mm: H8/x8; Nennmaße über 24 mm: H8/u8.

ISO-Passungen

System Einheitswelle — vgl. DIN EN ISO 286-2 (2010-11)

Grenzabmaße in µm für Toleranzklassen[1]

Beim Fügen mit einer h5-Welle entsteht eine (Spielpass., Übergangspassung, Übermaßpassung) / Beim Fügen mit einer h6-Welle entsteht eine (Spielpassung, Übergangspassung, Übermaßpassung)

Nennmaßbereich über ... bis mm	für Welle h5	H6 (Spielpass.)	J6 (Übergang)	M6 (Übergang)	N6 (Übermaß)	P6 (Übermaß)	für Welle h6	F8 (Spiel)	G7 (Spiel)	H7 (Spiel)	J7 (Übergang)	K7 (Übergang)	M7 (Übergang)	N7 (Übergang)	R7 (Übermaß)	S7 (Übermaß)
bis 3	0 / −4	+6 / 0	+2 / −4	−2 / −8	−4 / −10	−6 / −12	0 / −6	+20 / +6	+12 / +2	+10 / 0	+4 / −6	0 / −10	−2 / −12	−4 / −14	−10 / −20	−14 / −24
3 ... 6	0 / −5	+8 / 0	+5 / −3	−1 / −9	−5 / −13	−9 / −17	0 / −8	+28 / +10	+16 / +4	+12 / 0	+6 / −6	+3 / −9	0 / −12	−4 / −16	−11 / −23	−15 / −27
6 ... 10	0 / −6	+9 / 0	+5 / −4	−3 / −12	−7 / −16	−12 / −21	0 / −9	+35 / +13	+20 / +5	+15 / 0	+8 / −7	+5 / −10	0 / −15	−4 / −19	−13 / −28	−17 / −32
10 ... 18	0 / −8	+11 / 0	+6 / −5	−4 / −15	−9 / −20	−15 / −26	0 / −11	+43 / +16	+24 / +6	+18 / 0	+10 / −8	+6 / −12	0 / −18	−5 / −23	−16 / −34	−21 / −39
18 ... 30	0 / −9	+13 / 0	+8 / −5	−4 / −17	−11 / −24	−18 / −31	0 / −13	+53 / +20	+28 / +7	+21 / 0	+12 / −9	+6 / −15	0 / −21	−7 / −28	−20 / −41	−27 / −48
30 ... 40	0 / −11	+16 / 0	+10 / −6	−4 / −20	−12 / −28	−21 / −37	0 / −16	+64 / +25	+34 / +9	+25 / 0	+14 / −11	+7 / −18	0 / −25	−8 / −33	−25 / −50	−34 / −59
40 ... 50																
50 ... 65	0 / −13	+19 / 0	+13 / −6	−5 / −24	−14 / −33	−26 / −45	0 / −19	+76 / +30	+40 / +10	+30 / 0	+18 / −12	+9 / −21	0 / −30	−9 / −39	−30 / −60	−42 / −72
65 ... 80															−32 / −62	−48 / −78
80 ... 100	0 / −15	+22 / 0	+16 / −6	−6 / −28	−16 / −38	−30 / −52	0 / −22	+90 / +36	+47 / +12	+35 / 0	+22 / −13	+10 / −25	0 / −35	−10 / −45	−38 / −73	−58 / −93
100 ... 120															−41 / −76	−66 / −101
120 ... 140															−48 / −88	−77 / −117
140 ... 160	0 / −18	+25 / 0	+18 / −7	−8 / −33	−20 / −45	−36 / −61	0 / −25	+106 / +43	+54 / +14	+40 / 0	+26 / −14	+12 / −28	0 / −40	−12 / −52	−50 / −90	−85 / −125
160 ... 180															−53 / −93	−93 / −133
180 ... 200															−60 / −106	−105 / −151
200 ... 225	0 / −20	+29 / 0	+22 / −7	−8 / −37	−22 / −51	−41 / −70	0 / −29	+122 / +50	+61 / +15	+46 / 0	+30 / −16	+13 / −33	0 / −46	−14 / −60	−63 / −109	−113 / −159
225 ... 250															−67 / −113	−123 / −169
250 ... 280	0 / −23	+32 / 0	+25 / −7	−9 / −41	−25 / −57	−47 / −79	0 / −32	+137 / +56	+69 / +17	+52 / 0	+36 / −16	+16 / −36	0 / −52	−14 / −66	−74 / −126	−138 / −190
280 ... 315															−78 / −130	−150 / −202
315 ... 355	0 / −25	+36 / 0	+29 / −7	−10 / −46	−26 / −62	−51 / −87	0 / −36	+151 / +62	+75 / +18	+57 / 0	+39 / −18	+17 / −40	0 / −57	−16 / −73	−87 / −144	−169 / −226
355 ... 400															−93 / −150	−187 / −244
400 ... 450	0 / −27	+40 / 0	+33 / −7	−10 / −50	−27 / −67	−55 / −95	0 / −40	+165 / +68	+83 / +20	+63 / 0	+43 / −20	+18 / −45	0 / −63	−17 / −80	−103 / −166	−209 / −272
450 ... 500															−109 / −172	−229 / −292

[1] Die **fett** gedruckten Toleranzklassen entsprechen der Reihe 1 in DIN 7157; sie sind bevorzugt zu verwenden.

K

ISO-Passungen

System Einheitswelle — vgl. DIN EN ISO 286-2 (2010-11)

Grenzabmaße in µm für Toleranzklassen[1]

Nennmaß-bereich über ... bis mm	für Welle **h9**	für Bohrungen — Beim Fügen mit einer h9-Welle entsteht eine — Spielpassung C11	D10	E9	F8	H8	Übergangspassung J9/JS9[2]	N9[3]	P9	für Welle **h11**	für Bohrungen — Beim Fügen mit einer h11-Welle entsteht eine — Spielpassung A11	C11	D10	H11
bis 3	0 / − 25	+ 120 / + 60	+ 60 / + 20	+ 39 / + 14	+ 20 / + 6	+ 14 / 0	+ 12,5 / − 12,5	− 4 / − 29	− 6 / − 31	0 / − 60	+ 330 / + 270	+ 120 / + 60	+ 60 / + 20	+ 60 / 0
3 ... 6	0 / − 30	+ 145 / + 70	+ 78 / + 30	+ 50 / + 20	+ 28 / + 10	+ 18 / 0	+ 15 / − 15	0 / − 30	− 12 / − 42	0 / − 75	+ 345 / + 270	+ 145 / + 70	+ 78 / + 30	+ 75 / 0
6 ... 10	0 / − 36	+ 170 / + 80	+ 98 / + 40	+ 61 / + 25	+ 35 / + 13	+ 22 / 0	+ 18 / − 18	0 / − 36	− 15 / − 51	0 / − 90	+ 370 / + 280	+ 170 / + 80	+ 98 / + 40	+ 90 / 0
10 ... 18	0 / − 43	+ 205 / + 95	+ 120 / + 50	+ 75 / + 32	+ 43 / + 16	+ 27 / 0	+ 21,5 / − 21,5	0 / − 43	− 18 / − 61	0 / − 110	+ 400 / + 290	+ 205 / + 95	+ 120 / + 50	+ 110 / 0
18 ... 30	0 / − 52	+ 240 / + 110	+ 149 / + 65	+ 92 / + 40	+ 53 / + 20	+ 33 / 0	+ 26 / − 26	0 / − 52	− 22 / − 74	0 / − 130	+ 430 / + 300	+ 240 / + 110	+ 149 / + 65	+ 130 / 0
30 ... 40	0 / − 62	+ 280 / + 120	+ 180 / + 80	+ 112 / + 50	+ 64 / + 25	+ 39 / 0	+ 31 / − 31	0 / − 62	− 26 / − 88	0 / − 160	+ 470 / + 310	+ 280 / + 120	+ 180 / + 80	+ 160 / 0
40 ... 50		+ 290 / + 130									+ 480 / + 320	+ 290 / + 130		
50 ... 65	0 / − 74	+ 330 / + 140	+ 220 / + 100	+ 134 / + 60	+ 76 / + 30	+ 46 / 0	+ 37 / − 37	0 / − 74	− 32 / − 106	0 / − 190	+ 530 / + 340	+ 330 / + 140	+ 220 / + 100	+ 190 / 0
65 ... 80		+ 340 / + 150									+ 550 / + 360	+ 340 / + 150		
80 ... 100	0 / − 87	+ 390 / + 170	+ 260 / + 120	+ 159 / + 72	+ 90 / + 36	+ 54 / 0	+ 43,5 / − 43,5	0 / − 87	− 37 / − 124	0 / − 220	+ 600 / + 380	+ 390 / + 170	+ 260 / + 120	+ 220 / 0
100 ... 120		+ 400 / + 180									+ 630 / + 410	+ 400 / + 180		
120 ... 140	0 / − 100	+ 450 / + 200	+ 305 / + 145	+ 185 / + 85	+ 106 / + 43	+ 63 / 0	+ 50 / − 50	0 / − 100	− 43 / − 143	0 / − 250	+ 710 / + 460	+ 450 / + 200	+ 305 / + 145	+ 250 / 0
140 ... 160		+ 460 / + 210									+ 770 / + 520	+ 460 / + 210		
160 ... 180		+ 480 / + 230									+ 820 / + 580	+ 480 / + 230		
180 ... 200	0 / − 115	+ 530 / + 240	+ 355 / + 170	+ 215 / + 100	+ 122 / + 50	+ 72 / 0	+ 57,5 / − 57,5	0 / − 115	− 50 / − 165	0 / − 290	+ 950 / + 660	+ 530 / + 240	+ 355 / + 170	+ 290 / 0
200 ... 225		+ 550 / + 260									+ 1030 / + 740	+ 550 / + 260		
225 ... 250		+ 570 / + 280									+ 1110 / + 820	+ 570 / + 280		
250 ... 280	0 / − 130	+ 620 / + 300	+ 400 / + 190	+ 240 / + 110	+ 137 / + 56	+ 81 / 0	+ 65 / − 65	0 / − 130	− 56 / − 186	0 / − 320	+ 1240 / + 920	+ 620 / + 300	+ 400 / + 190	+ 320 / 0
280 ... 315		+ 650 / + 330									+ 1370 / + 1050	+ 650 / + 330		
315 ... 355	0 / − 140	+ 720 / + 360	+ 440 / + 210	+ 265 / + 125	+ 151 / + 62	+ 89 / 0	+ 70 / − 70	0 / − 140	− 62 / − 202	0 / − 360	+ 1560 / + 1200	+ 720 / + 360	+ 440 / + 210	+ 360 / 0
355 ... 400		+ 760 / + 400									+ 1710 / + 1350	+ 760 / + 400		
400 ... 450	0 / − 155	+ 840 / + 440	+ 480 / + 230	+ 290 / + 135	+ 165 / + 68	+ 97 / 0	+ 77,5 / − 77,5	0 / − 155	− 68 / − 223	0 / − 400	+ 1900 / + 1500	+ 840 / + 440	+ 480 / + 230	+ 400 / 0
450 ... 500		+ 880 / + 480									+ 2050 / + 1650	+ 880 / + 480		

K

1) Die **fett** gedruckten Toleranzklassen entsprechen der Reihe 1 in DIN 7157; sie sind bevorzugt zu verwenden.
2) Die Toleranzfelder J9/JS9, J10/JS10 usw. sind jeweils gleich groß und liegen symmetrisch zur Nulllinie.
3) Die Toleranzklasse N9 ist für Nennmaße ≤ 1 mm nicht anzuwenden.

Allgemeintoleranzen, Wälzlagerpassungen

Allgemeintoleranzen[1] für Längen- und Winkelmaße   vgl. DIN ISO 2768-1 (1991-06)

Toleranzklasse	Längenmaße							
	Grenzabmaße in mm für Nennmaßbereiche							
	0,5 bis 3	über 3 bis 6	über 6 bis 30	über 30 bis 120	über 120 bis 400	über 400 bis 1000	über 1000 bis 2000	über 2000 bis 4000
f (fein)	± 0,05	± 0,05	± 0,1	± 0,15	± 0,2	± 0,3	± 0,5	–
m (mittel)	± 0,1	± 0,1	± 0,2	± 0,3	± 0,5	± 0,8	± 1,2	± 2
c (grob)	± 0,2	± 0,3	± 0,5	± 0,8	± 1,2	± 2	± 3	± 4
v (sehr grob)	–	± 0,5	± 1	± 1,5	± 2,5	± 4	± 6	± 8

Toleranzklasse	Gebrochene Kanten (Rundungen, Fasen)			Winkelmaße				
	Grenzabmaße in mm für Nennmaßbereiche			Grenzabmaße in Grad und Minuten für Nennmaßbereiche (kürzerer Winkelschenkel)				
	0,5 bis 3	über 3 bis 6	über 6	bis 10	über 10 bis 50	über 50 bis 120	über 120 bis 400	über 400
f (fein)	± 0,2	± 0,5	± 1	± 1°	± 0° 30′	± 0° 20′	± 0° 10′	± 0° 5′
m (mittel)								
c (grob)	± 0,4	± 1	± 2	± 1° 30′	± 1°	± 0° 30′	± 0° 15′	± 0° 10′
v (sehr grob)				± 3°	± 2°	± 1°	± 0° 30′	± 0° 20′

Allgemeintoleranzen[1] für Form und Lage   vgl. DIN ISO 2768-2 (1991-04)

Toleranzklasse	Toleranzen in mm für															
	Geradheit und Ebenheit						Rechtwinkligkeit				Symmetrie					Lauf
	Nennmaßbereiche in mm						Nennmaßbereiche in mm (kürzerer Winkelschenkel)				Nennmaßbereiche in mm (kürzeres Formelement)					
	bis 10	über 10 bis 30	über 30 bis 100	über 100 bis 300	über 300 bis 1000	über 1000 bis 3000	bis 100	über 100 bis 300	über 300 bis 1000	über 1000 bis 3000	bis 100	über 100 bis 300	über 300 bis 1000	über 1000 bis 3000		
H	0,02	0,05	0,1	0,2	0,3	0,4	0,2	0,3	0,4	0,5	0,5					0,1
K	0,05	0,1	0,2	0,4	0,6	0,8	0,4	0,6	0,8	1	0,6		0,8	1		0,2
L	0,1	0,2	0,4	0,8	1,2	1,6	0,6	1	1,5	2	0,6	1	1,5	2		0,5

[1] Allgemeintoleranzen gelten für Maße ohne einzelne Toleranzeintragung. Zeichnungseintrag Seite 79.

Toleranzen für den Einbau von Wälzlagern   vgl. DIN 5425-1 (1984-11) (Norm zurückgezogen)

Radiallager

Innenring (Welle)					Außenring (Gehäuse)				
Lastfall	Passung	Belastung	Grundabmaße für Welle[1] bei		Lastfall	Passung	Belastung	Grundabmaße für Gehäuse[1] bei	
			Kugellager	Rollenlager				Kugellager	Rollenlager
Umfangslast	Übergangs oder Übermaßpassung erforderlich	niedrig	h, k	k, m	Punktlast	Spielpassung zulässig	beliebig groß	J, H, G, F	
		mittel	j, k, m	k, m, n, p					
		hoch	m, n	n, p, r					
Punktlast	Spielpassung zulässig	beliebig groß	j, h, g, f		Umfangslast	Übergangs oder Übermaßpassung erforderlich	niedrig	J	K
							mittel	K, M	M, N
							hoch	–	N, P

Axiallager

Belastungsart	Lager-Bauform	Wellenscheibe (Welle)		Gehäusescheibe (Gehäuse)	
		Lastfall	Grundabmaße für Welle[1]	Lastfall	Grundabmaße für Gehäuse[1]
Kombinierte Radial-/Axial-Last	Schrägkugellager Pendelrollenlager Kegelrollenlager	Umfangslast	j, k, m	Punktlast	H, J
		Punktlast	j	Umfangslast	K, M
Reine Axial-Last	Kugellager Rollenlager	–	h, j, k	–	H, G, E

[1] Grundtoleranzgrade: für Wellen meist IT6, für Bohrungen meist IT7. Bei erhöhten Anforderungen an die Laufruhe und die Laufgenauigkeit werden auch kleinere Toleranzgrade verwendet.

Passungsempfehlungen, Passungsauswahl

Passungsempfehlungen[1]   vgl. DIN 7157 (1966-01, zurückgezogen)

aus Reihe 1	C11/h9, D10/h9, E9/h9, F8/h9, H8/f7, F8/h6, H7/f7, H8/h9, H7/h6, H7/n6, H7/r6, H8/x8 bzw. u8
aus Reihe 2	C11/h11, D10/h11, H8/d9, H8/e8, H7/g6, G7/h6, H11/h9, H7/j6, H7/k6, H7/s6

Passungsauswahl (Beispiele)   vgl. DIN 7157 (1966-01, zurückgezogen)

Einheitsbohrung[2]		Merkmal/Anwendungsbeispiele	Einheitswelle[2]	
Spielpassungen				
H8 / 0 / d9	H8/d9	**Großes Passungsspiel** Distanzbuchsen auf Wellen	**D10/h9**	D10 / 0 / h9
H8 / 0 / e8	H8/e8	**Merkliches Passungsspiel:** Die Teile können sehr leicht von Hand gegeneinander verschoben werden. Hebellagerungen, Stellringe auf Wellen	**E9/h9**	E9 / 0 / h9
H8 / 0 / f7	H8/f7	**Größeres Passungsspiel:** Die Teile können leicht von Hand gegeneinander verschoben werden. Wellen-Gleitlagerungen	**F8/h9**	F8 / 0 / h9
H7 / 0 / f7	H7/f7	**Kleines Passungsspiel:** Die Teile sind noch leicht von Hand gegeneinander verschiebbar. Gleitlager allgemein, Schieberäder, Steuerkolben in Zylindern	**F8/h6**	F8 / 0 / h6
H7 / 0 / g6	H7/g6	**Geringes Passungsspiel:** Die Teile können noch von Hand gegeneinander verschoben werden. Aufnahmebolzen in Bohrungen, Wellen in Gleitlagern	G7/h6	G7 / 0 / h6
H8 / 0 / h9	H8/h9	**Kaum merkliches Passungsspiel:** Die Teile können mit Handkraft gegeneinander verschoben werden. Distanzbuchsen, Stellringe auf Wellen	**H8/h9**	H8 / 0 / h9
H7 / 0 / h6	H7/h6	**Ganz geringes Passungsspiel:** Ein Verschieben der Teile mit Handkraft ist eventuell noch möglich. Zentrierungen für Lagerdeckel, Schneidstempel in Stempelplatte	**H7/h6**	H7 / 0 / h6
Übergangspassungen				
H7 / 0 / j6	H7/j6	**Eher Passungsspiel als Passungsübermaß:** Ein Verschieben der Teile mit Handkraft ist eventuell noch möglich. Zahnräder auf Wellen	nicht festgelegt	
n6 / H7 / 0	H7/n6	**Eher Passungsübermaß als Passungsspiel:** Zum Verschieben der Teile ist eine geringe Presskraft erforderlich. Bohrbuchsen, Auflagebolzen in Vorrichtungen		
Übermaßpassungen				
r6 / H7 / 0	H7/r6	**Geringes Passungsübermaß:** Zum Verschieben der Teile ist eine größere Presskraft erforderlich. Buchsen in Gehäusen	nicht festgelegt	
s6 / H7 / 0	H7/s6	**Reichliches Passungsübermaß:** Zum Verschieben der Teile ist eine große Presskraft erforderlich. Gleitlagerbuchsen, Kränze auf Schneckenradkörpern		
u8 / H8 / 0	H8/u8	**Großes Passungsübermaß:** Die Teile lassen sich nur durch Dehnen oder Schrumpfen fügen. Schrumpfringe, Räder auf Achsen, Kupplungen auf Wellen		
x8 / H8 / 0	H8/x8	**Sehr großes Passungsübermaß:** Die Teile lassen sich nur durch Dehnen oder Schrumpfen fügen. Schrumpfringe, Räder auf Achsen, Kupplungen auf Wellen		

[1] Von diesen Passungsempfehlungen soll nur in Ausnahmefällen, z. B. beim Einbau von Wälzlagern, abgewichen werden.

[2] Die **fett** gedruckten Passungen sind Toleranzkombinationen nach Reihe 1. Sie sind bevorzugt zu verwenden.

K

Geometrische Tolerierung

Tolerierung von Form, Richtung, Ort und Lauf
vgl. DIN EN ISO 1101 (2014-04)

Aufbau der Toleranzangaben

Bezug	Toleriertes Element

K

Zeichnungseintrag für Bezüge und tolerierte Elemente

	Bezüge	Einfachbezug	Gemeinsamer Bezug	Mehrfachbezug (zwei oder drei Elemente)
Beispiel				
Bezug im Toleranzrahmen		einzelner Bezugsbuchstabe	Bezugsbuchstaben durch Bindestrich getrennt	Reihenfolge der Bezugsbuchstaben nach ihrer Wichtigkeit

Beispiele

Die Achse der Bohrung muss rechtwinklig zur Auflagefläche verlaufen (Toleranzwert 0,04 mm).

Die Mittelebene der Nut muss symmetrisch zur Mittelebene der Außenflächen verlaufen (Toleranzwert 0,1 mm).

Zur Achse ø20k6 muss die zylindrische Fläche ø24g6 rund und die ebene Fläche plan laufen (Toleranzwert 0,05 mm).

Zur Achse ø25h6 muss die Nut symmetrisch (Toleranzwert 0,06 mm) und parallel (Toleranzwert 0,02 mm) liegen.

Angaben in Zeichnungen
vgl. DIN EN ISO 1101 (2014-04)

Toleriertes Merkmal und Sinnbild	Zeichnungsangabe	Erklärung	Toleranzzone
Formtoleranzen			

Geradheit		Die Linie muss an jeder Stelle der Breite *b* zwischen zwei Geraden vom Abstand *t* = 0,1 mm liegen.	
		Die Achse des Zylinders muss sich innerhalb eines Zylinders vom Durchmesser *t* = 0,04 mm befinden.	
Ebenheit		Die Fläche muss zwischen zwei parallelen Ebenen vom Abstand *t* = 0,03 mm liegen.	

Geometrische Tolerierung

Angaben in Zeichnungen (Fortsetzung)

vgl. DIN EN ISO 1101 (2014-04)

Toleriertes Merkmal und Sinnbild	Zeichnungsangabe	Erklärung	Toleranzzone
Formtoleranzen (Fortsetzung)			
Rund-heit ○	○ 0,08	Die Umfangslinie des Kegelquerschnittes muss an jeder Stelle der Kegellänge l innerhalb zweier konzentrischer Kreise vom radialen Abstand $t = 0,08$ mm liegen.	jeder Kegelquerschnitt
Zylin-der-form ⌭	⌭ 0,1	Die Mantelfläche des Zylinders muss zwischen zwei koaxialen Zylindern liegen, die einen radialen Abstand von $t = 0,1$ mm haben.	
Profil-form (Linie) ⌒	⌒ 0,05	Die Profillinie muss an jeder Stelle der Werkstückdicke b zwischen zwei Hülllinien liegen, deren Abstand durch Kreise vom Durchmesser $t = 0,05$ mm begrenzt ist. Die Mittelpunkte der Kreise befinden sich auf einer Linie von geometrisch idealer Form.	
Profil-form (Fläche) ⌓	⌓ 0,03	Die Kugelfläche muss sich zwischen zwei Hüllflächen befinden, deren Abstand $t = 0,03$ mm durch Kugeln gebildet wird. Die Kugelmittelpunkte liegen auf der geometrisch idealen Fläche.	S⌀t
Richtungstoleranzen			
Paral-lelität ∥	∥ 0,01 A B	Die Achse der Bohrung muss zwischen zwei parallelen Ebenen vom Abstand $t = 0,01$ mm liegen. Die Ebenen liegen parallel zur Bezugsgeraden A und zur Bezugsebene B und in der festgelegten (hier senkrechten) Richtung.	Bezugs-gerade A / Bezugsebene B
	∥ ⌀0,03 A	Die Achse der Bohrung muss innerhalb eines Zylinders vom Durchmesser $t = 0,03$ mm liegen, dessen Achse parallel zur Bezugsgeraden (Achse) A ist.	Bezugs-gerade A
Recht-wink-ligkeit ⊥	⊥ ⌀0,1 A	Die Achse der Bohrung muss innerhalb eines zur Bezugsebene A rechtwinkligen Zylinders vom Durchmesser $t = 0,1$ mm liegen.	⌀t / Bezugs-ebene A
	⊥ 0,03 A	Die Planfläche muss zwischen zwei zur Bezugsgeraden A senkrechten Ebenen vom Abstand $t = 0,03$ mm liegen.	Bezugs-gerade A
Nei-gung ∠	∠ ⌀0,1 A B, 45°	Die Achse der Bohrung muss innerhalb eines Zylinders vom Durchmesser $t = 0,1$ mm liegen. Die Zylinderachse liegt parallel zur Bezugsebene B und ist im theoretisch genauen Winkel von $\alpha = 45°$ zur Bezugsebene A geneigt.	Bezugsebene B / 45° / Bezugs-ebene A
	∠ 0,15 A, 75°	Die geneigte Fläche muss zwischen zwei parallelen Ebenen vom Abstand $t = 0,15$ mm liegen, die im theoretisch genauen Winkel von $\alpha = 75°$ zur Bezugsgeraden A geneigt sind.	Bezugs-gerade A

K

Geometrische Tolerierung

Angaben in Zeichnungen (Fortsetzung)

vgl. DIN EN ISO 1101 (2014-04)

K

Toleriertes Merkmal und Sinnbild	Zeichnungsangabe	Erklärung	Toleranzzone
Ortstoleranzen			
Posi-tion ⌖		Die Achse der Bohrung muss innerhalb eines Zylinders vom Durchmesser $t = 0{,}05$ mm liegen. Die Zylinderachse muss mit dem theoretisch genauen Ort der Bohrungsachse zu den Bezugs-ebenen A, B und C übereinstimmen. Die Fläche muss zwischen zwei parallelen Ebenen vom Abstand $t = 0{,}1$ mm symmetrisch zum theoretisch genauen Ort der tolerierten Fläche, bezogen auf die Bezugsebene A und die Bezugsgerade B, liegen.	
Konzen-trizität ◎		Der Mittelpunkt der Bohrung muss innerhalb eines Kreises vom Durchmesser $t = 0{,}1$ mm liegen, konzentrisch zum Bezugspunkt A im Querschnitt.	
Koaxia-lität ◎		Die Achse des Durchmessers muss sich innerhalb eines Zylinders vom Durchmesser $t = 0{,}05$ mm befinden, dessen Achse auf der gemeinsamen Bezugsachse A-B liegt.	
Sym-metrie ≡		Die Mittelebene der Nut muss zwischen zwei parallelen Ebenen vom Abstand $t = 0{,}05$ mm liegen, die symmetrisch zur Bezugsebene A angeordnet sind.	
Lauftoleranzen			
Rund-lauf radial ↗		Die Umfangslinie muss in jedem Querschnitt rechtwinklig zur gemeinsamen Bezugsgeraden A-B zwischen zwei in der gleichen Ebene liegenden konzentrischen Kreisen liegen, die einen radialen Abstand von $t = 0{,}1$ mm besitzen. Die 120°-Umfangslinie muss in jedem Querschnitt rechtwinklig zur Bezugsgeraden A zwischen zwei in der gleichen Ebene liegenden konzentrischen Kreisen liegen, die einen radialen Abstand von $t = 0{,}1$ mm besitzen.	
Rund-lauf axial ↗		Die Umfangslinie muss an jedem Durchmesser der Planfläche zwischen zwei Kreisen liegen, die einen axialen Abstand von $t = 0{,}04$ mm haben. Die jeweilige Durchmesserachse muss mit der Bezugsgeraden A übereinstimmen.	
Ge-samt-lauf radial ↗↗		Die Mantelfläche muss zwischen zwei koaxialen Zylindern liegen, die einen radialen Abstand von $t = 0{,}03$ mm haben. Die Achsen der Zylinder müssen mit der gemeinsamen Bezugsgeraden A-B übereinstimmen.	
Ge-samt-lauf axial ↗↗		Die Planfläche muss zwischen zwei parallelen Ebenen vom Abstand $t = 0{,}1$ mm liegen, die rechtwinklig zur Bezugsgeraden A sind.	

4 Werkstofftechnik

Wolfram (W)	19,27	3390
Zink (Zn)	7,13	419,5
Zinn (Sn)	7,29	231,9

Unlegierte Stähle	Legierte Stähle	Nichtrost. Stähle

S235	16MnCr5	C60E
31CrMo12	E360	35S20
60WCrV8	X12Cr13	38Si7

W

Stoffwerte von festen Stoffen

Feste Stoffe

Stoff	Dichte ϱ kg/dm³	Schmelz-temperatur ϑ °C bei 1,013 bar	Siede-temperatur ϑ °C bei 1,013 bar	Spezif. Schmelz-wärme q kJ/kg bei 1,013 bar	Wärme-leitfähig-keit λ W/(m·K) bei 20°C	Mittlere spezif. Wärme-kapazität c kJ/(kg·K) bei 0...100°C	Spezif. Wider-stand ϱ_{20} Ω·mm²/m bei 20°C	Längenaus-dehnungs-koeffizient α_l 1/°C od. 1/K 0...100°C
Aluminium (Al)	2,7	659	2467	356	204	0,94	0,028	0,0000238
Antimon (Sb)	6,69	630,5	1637	163	22	0,21	0,39	0,0000108
Asbest	2,1...2,8	≈ 1300	–	–	–	0,81	–	–
Beryllium (Be)	1,85	1280	≈ 3000	–	165	1,02	0,04	0,0000123
Beton	1,8...2,2	–	–	–	≈ 1	0,88	–	0,00001
Bismut (Bi)	9,8	271	1560	59	8,1	0,12	1,25	0,0000125
Blei (Pb)	11,3	327,4	1751	24,3	34,7	0,13	0,208	0,000029
Cadmium (Cd)	8,64	321	765	54	91	0,23	0,077	0,00003
Chrom (Cr)	7,2	1903	2642	134	69	0,46	0,13	0,0000084
Cobalt (Co)	8,9	1493	2880	268	69,1	0,43	0,062	0,0000127
CuAl-Legierungen	7,4...7,7	1040	2300	–	61	0,44	–	0,0000195
CuSn-Legierungen	7,4...8,9	900	2300	–	46	0,38	0,02...0,03	0,0000175
CuZn-Legierungen	8,4...8,7	900...1000	2300	167	105	0,39	0,05...0,07	0,0000185
Eis	0,92	0	100	332	2,3	2,09	–	0,000051
Eisen, rein (Fe)	7,87	1536	3070	276	81	0,47	0,13	0,000012
Eisenoxid (Rost)	5,1	1570	–	–	0,58 (pulv.)	0,67	–	–
Fette	0,92...0,94	30...175	≈ 300	–	0,21	–	–	–
Gips	2,3	1200	–	–	0,45	1,09	–	–
Glas (Quarzglas)	2,4...2,7	520...550[1]	–	–	0,8...1,0	0,73	10^{18}	0,0000005
Gold (Au)	19,3	1064	2707	67	310	0,13	0,022	0,0000142
Grafit (C)	2,26	≈ 3550	≈ 4800	–	168	0,71	–	0,0000078
Gusseisen	7,25	1150...1200	2500	125	58	0,50	0,6...1,6	0,0000105
Hartmetall (K 20)	14,8	> 2000	≈ 4000	–	81,4	0,80	–	0,000005
Holz (lufttrocken)	0,20...0,72	–	–	–	0,06...0,17	2,1...2,9	–	≈ 0,00004[2]
Iridium (Ir)	22,4	2443	> 4350	135	59	0,13	0,053	0,0000065
Iod (I)	5,0	113,6	183	62	0,44	0,23	–	–
Kohlenst. (Diamant)	3,51	≈ 3550	–	–	–	0,52	–	0,00000118
Koks	1,6...1,9	–	–	–	0,18	0,83	–	–
Konstantan	8,89	1260	≈ 2400	–	23	0,41	0,49	0,0000152
Kork	0,1...0,3	–	–	–	0,04...0,06	1,7...2,1	–	–
Korund (Al₂O₃)	3,9...4,0	2050	2700	–	12...23	0,96	–	0,0000065
Kupfer (Cu)	8,96	1083	≈ 2595	213	384	0,39	0,0179	0,0000168
Magnesium (Mg)	1,74	650	1120	195	172	1,04	0,044	0,000026
Magnesium-Leg.	≈ 1,8	≈ 630	1500	–	46...139	–	–	0,0000245
Mangan (Mn)	7,43	1244	2095	251	21	0,48	0,39	0,000023
Molybdän (Mo)	10,22	2620	4800	287	145	0,26	0,054	0,0000052
Natrium (Na)	0,97	97,8	890	113	126	1,3	0,04	0,000071
Nickel (Ni)	8,91	1455	2730	306	59	0,45	0,095	0,000013
Niob (Nb)	8,55	2468	≈ 4800	288	53	0,273	0,217	0,0000071
Phosphor, gelb (P)	1,82	44	280	21	–	0,80	–	–
Platin (Pt)	21,5	1769	4300	113	70	0,13	0,098	0,000009
Polystyrol	1,05	–	–	–	0,17	1,3	10^{10}	0,00007
Porzellan	2,3...2,5	≈ 1600	–	–	1...4	0,75...0,9	10^{12}	0,000004
Quarz, Flint (SiO₂)	2,1...2,5	1480	2230	–	9,9	0,8	–	0,000008
Schaumgummi	0,06...0,25	–	–	–	0,04...0,06	–	–	–
Schwefel (S)	2,07	113	344,6	49	0,2	0,70	–	–
Selen, rot (Se)	4,4	220	688	83	0,2	0,33	–	–
Silber (Ag)	10,5	961,5	2180	105	407	0,23	0,015	0,0000193

[1] Transformationstemperatur   [2] quer zur Faser

W

Stoffwerte von festen, flüssigen und gasförmigen Stoffen

Feste Stoffe (Fortsetzung)

Stoff	Dichte ϱ kg/dm³	Schmelz-temperatur bei 1,013 bar ϑ °C	Siede-temperatur bei 1,013 bar ϑ °C	Spezif. Schmelz-wärme bei 1,013 bar q kJ/kg	Wärme-leitfähigkeit bei 20°C λ W/(m · K)	Mittlere spezif. Wärme-kapazität bei 0…100°C c kJ/(kg · K)	Spezif. Wider-stand bei 20°C ϱ_{20} Ω · mm²/m	Längenaus-dehnungs-koeffizient 0…100°C α_l 1/°C od. 1/K
Silicium (Si)	2,33	1423	2355	1658	83	0,75	2,3 · 10⁹	0,000 004 2
Siliciumkarbid (SiC)	3,2	zerfällt über 3000 °C in C und Si			110[1]	0,7[1]	–	0,000 004 7
Stahl, unlegiert	7,85	≈ 1500	2500	205	48…58	0,49	0,14…0,18	0,000 011 9
Stahl, legiert	7,9	≈ 1500	–	–	14	0,51	0,7	0,000 016 1
Steinkohle	1,35	–	–	–	0,24	1,02	–	–
Tantal (Ta)	16,6	2996	5400	172	54	0,14	0,124	0,000 006 5
Titan (Ti)	4,5	1670	3280	88	15,5	0,52	0,42	0,000 009
Uran (U)	19,1	1133	≈ 3800	356	28	0,12	–	–
Vanadium (V)	6,12	1890	≈ 3380	343	31,4	0,50	0,2	–
Wolfram (W)	19,27	3390	5500	54	130	0,13	0,055	0,000 004 5
Zink (Zn)	7,13	419,5	907	101	113	0,4	0,06	0,000 029
Zinn (Sn)	7,29	231,9	2687	59	65,7	0,24	0,114	0,000 023

Flüssige Stoffe

Stoff	Dichte bei 20 °C ϱ kg/dm³	Zünd-temperatur ϑ °C	Gefrier-bzw. Schmelz-temperatur bei 1,013 bar ϑ °C	Siede-temperatur bei 1,013 bar ϑ °C	Spezif. Verdamp-fungs-wärme[2] r kJ/kg	Wärme-leitfähig-keit bei 20°C λ W/(m · K)	Spezif. Wärme-kapazität bei 20°C c kJ/(kg · K)	Volumen-ausdeh-nungs-koeffizient α_V 1/°C od. 1/K
Äthyläther $(C_2H_5)_2O$	0,71	170	– 116	35	377	0,13	2,28	0,001 6
Benzin	0,72…0,75	220	– 30…– 50	25…210	419	0,13	2,02	0,001 1
Dieselkraftstoff	0,81…0,85	220	– 30	150…360	628	0,15	2,05	0,000 96
Heizöl EL	≈ 0,83	220	– 10	> 175	628	0,14	2,07	0,000 96
Maschinenöl	0,91	400	– 20	> 300	–	0,13	2,09	0,000 93
Petroleum	0,76…0,86	550	– 70	> 150	314	0,13	2,16	0,001
Quecksilber (Hg)	13,5	–	– 39	357	285	10	0,14	0,000 18
Spiritus 95 %	0,81	520	– 114	78	854	0,17	2,43	0,001 1
Wasser, destilliert	1,00[3]	–	0	100	2256	0,60	4,18	0,000 18

[1] starke Schwankungen bei unterschiedlichen Herstellungsbedingungen   [2] bei Siedetemperatur und 0,013 bar   [3] bei 4 °C

Gasförmige Stoffe

Stoff	Dichte bei 0 °C und 1,013 bar ϱ kg/m³	Dichte-zahl[1] ϱ/ϱ_L	Schmelz-temperatur bei 1,013 bar ϑ °C	Siede-temperatur bei 1,013 bar ϑ °C	Wärme-leitfähigkeit bei 20°C λ W/(m · K)	Wärme-leitzahl[2] λ/λ_L	Spezifische Wärmekapazität bei 20°C und 1,013 bar c_p[3] kJ/(kg · K)	c_v[4] kJ/(kg · K)
Acetylen (C_2H_2)	1,17	0,905	– 84	– 82	0,021	0,81	1,64	1,33
Ammoniak (NH_3)	0,77	0,596	– 78	– 33	0,024	0,92	2,06	1,56
Butan (C_4H_{10})	2,70	2,088	– 135	– 0,5	0,016	0,62	–	–
Frigen (CF_2Cl_2)	5,51	4,261	– 140	– 30	0,010	0,39	–	–
Kohlenoxid (CO)	1,25	0,967	– 205	– 190	0,025	0,96	1,05	0,75
Kohlendioxid (CO_2)	1,98	1,531	– 57[5]	– 78	0,016	0,62	0,82	0,63
Luft	1,293	1,0	– 220	– 191	0,026	1,00	1,005	0,716
Methan (CH_4)	0,72	0,557	– 183	– 162	0,033	1,27	2,19	1,68
Propan (C_3H_8)	2,00	1,547	– 190	– 43	0,018	0,69	–	–
Sauerstoff (O_2)	1,43	1,106	– 219	– 183	0,026	1,00	0,91	0,65
Stickstoff (N_2)	1,25	0,967	– 210	– 196	0,026	1,00	1,04	0,74
Wasserstoff (H_2)	0,09	0,07	– 259	– 253	0,180	6,92	14,24	10,10

[1] Dichtezahl = Dichte eines Gases ϱ geteilt durch die Dichte der Luft ϱ_L.
[2] Wärmeleitzahl = Wärmeleitfähigkeit λ eines Gases durch die Wärmeleitfähigkeit λ_L der Luft.
[3] bei konstantem Druck   [4] bei konstantem Volumen   [5] bei 5,3 bar

W

Periodisches System der Elemente

Legende (Beispielkasten):

Ordnungszahl (= Protonenzahl) — **11 Na** — Kurzzeichen
Relative Atommasse — Natrium — 22,989
Radioaktive Elemente in Rot, z. B. 222
künstlich hergestellte Elemente in Klammern, z. B. (261)

Elementname; Zustand bei 273 K (0 °C) und 1,013 bar:
fest: Schwarze Schrift
flüssig: Braune Schrift
gasförmig: Blaue Schrift

1) Leichtmetalle ϱ ≤ 5 kg/dm³; Schwermetalle ϱ > 5 kg/dm³

Periode	I A (Hauptgruppen)	II A	III B	IV B	V B	VI B	VII B	VIII B			I B	II B	III A (Hauptgruppen)	IV A	V A	VI A	VII A	VIII A
1	1 H Wasserstoff 1,008																	2 He Helium 4,002
2	3 Li Lithium 6,941	4 Be Beryllium 9,012											5 B Bor 10,811	6 C Kohlenstoff 12,011	7 N Stickstoff 14,007	8 O Sauerstoff 15,999	9 F Fluor 18,998	10 Ne Neon 20,179
3	11 Na Natrium 22,989	12 Mg Magnesium 24,305											13 Al Aluminium 26,982	14 Si Silicium 28,086	15 P Phosphor 30,974	16 S Schwefel 32,066	17 Cl Chlor 35,453	18 Ar Argon 39,948
4	19 K Kalium 39,102	20 Ca Calcium 40,078	21 Sc Scandium 44,950	22 Ti Titan 47,880	23 V Vanadium 50,942	24 Cr Chrom 51,996	25 Mn Mangan 54,938	26 Fe Eisen 55,847	27 Co Cobalt 58,933	28 Ni Nickel 58,690	29 Cu Kupfer 63,546	30 Zn Zink 65,390	31 Ga Gallium 69,732	32 Ge Germanium 72,590	33 As Arsen 74,922	34 Se Selen 78,960	35 Br Brom 79,904	36 Kr Krypton 83,800
5	37 Rb Rubidium 85,468	38 Sr Strontium 87,620	39 Y Yttrium 88,906	40 Zr Zirconium 91,224	41 Nb Niob 92,906	42 Mo Molybdän 95,940	43 Tc Technecium (98)	44 Ru Ruthenium 101,070	45 Rh Rhodium 102,906	46 Pd Palladium 106,420	47 Ag Silber 107,868	48 Cd Cadmium 112,410	49 In Indium 114,820	50 Sn Zinn 118,710	51 Sb Antimon 121,750	52 Te Tellur 127,600	53 I Iod 126,905	54 Xe Xenon 131,290
6	55 Cs Cäsium 132,905	56 Ba Barium 137,340	71 Lu Lutecium 174,967	72 Hf Hafnium 178,490	73 Ta Tantal 180,948	74 W Wolfram 183,850	75 Re Rhenium 186,207	76 Os Osmium 190,200	77 Ir Iridium 192,200	78 Pt Platin 195,080	79 Au Gold 196,967	80 Hg Quecksilber 200,590	81 Tl Thallium 204,383	82 Pb Blei 207,200	83 Bi Bismut 208,980	84 Po Polonium 210	85 At Astat 210	86 Rn Radon 222
7	87 Fr Francium 223	88 Ra Radium 226,025	103 Lr Lawrencium* (260)	104 Rf Rutherfordium* (261)	105 Ha Hahnium* (262)	106 Sg Seaborgium* (263)	107 Ns Nielsbohrium* (264)	108 Hs Hassium* (285)	109 Mt Meitnerium* (266)									

Lanthanoide 57 … 71

57 La Lanthan 138,906	58 Ce Cer 140,120	59 Pr Praseodym 140,908	60 Nd Neodym 144,240	61 Pm Promethium 145	62 Sm Samarium 150,360	63 Eu Europium 151,960	64 Gd Gadolinium 157,250	65 Tb Terbium 158,925	66 Dy Dysprosium 162,500	67 Ho Holmium 164,930	68 Er Erbium 167,260	69 Tm Thulium 168,934	70 Yb Ytterbium 173,040

Actinoide 89 … 103

89 Ac Actinium 227,028	90 Th Thorium 232,038	91 Pa Protactinium 231,036	92 U Uran 238,029	93 Np Neptunium 237	94 Pu Plutonium 244	95 Am Americium (243)	96 Cm Curium (247)	97 Bk Berkelium (247)	98 Cf Californium (251)	99 Es Einsteinium (252)	100 Fm Fermium (257)	101 Md Mendelevium (258)	102 No Nobelium (260)

Für die Elemente 104 bis 109 bestehen nur Namenvorschläge

* **Element 104:** auch Kurtschatovium (**Ku**) oder Dubnium (**Db**);
* **Element 105:** auch Joliotium;
* **Element 106:** auch Unilhexium (**Unh**);
* **Element 107:** auch Unilseptium (**Uns**);
* **Element 108:** auch Hahnium (**Bh**) oder Uniloctium (**Uno**);
* **Element 109:** auch Unilenneadium (**Une**)

Farblegende:
- Nichtmetalle
- Halbmetalle
- Leichtmetalle 1)
- Schwermetalle 1)
- Edelmetalle
- Halogene
- Edelgase

Chemikalien der Metalltechnik, Molekülgruppen, pH-Wert

Wichtige Chemikalien der Metalltechnik

Technische Bezeichnung	Chemische Bezeichnung	Formel	Eigenschaften	Verwendung
Aceton	Aceton, Propanon	$(CH_3)_2CO$	farblose, brennbare, leicht verdunstende Flüssigkeit	Lösungsmittel für Farben, Acetylen und Kunststoffe
Acetylen	Acetylen, Äthin	C_2H_2	reaktionsfreudiges, farbloses Gas, hoch explosiv	Brenngas beim Schweißen, Ausgangsstoff für Kunststoffe
Kaltreiniger	organische Lösungsmittel	C_nH_{2n+2}	farblose, z.T. leicht brennbare Flüssigkeiten	Lösungsmittel für Fette und Öle, Reinigungsmittel
Kochsalz	Natriumchlorid	$NaCl$	farbloses, kristallines Salz, leicht wasserlöslich	Würzmittel, für Kältemischungen, zur Chlorgewinnung
Kohlensäure	Kohlendioxid	CO_2	wasserlösliches, unbrennbares Gas, erstarrt bei $-78°C$	Schutzgas beim MAG-Schweißen, Kohlensäureschnee als Kältemittel
Korund	Aluminiumoxid	Al_2O_3	sehr harte, farblose Kristalle, Schmelzpunkt 2050°C	Schleif- und Poliermittel, oxidkeramische Werkstoffe
Kupfervitriol	Kupfersulfat	$CuSO_4$	blaue, wasserlösliche Kristalle, mäßig giftig	galvanische Bäder, Schädlingsbekämpfung, zum Anreißen
Salmiakgeist	Ammoniumhydroxid	NH_4OH	farblose, stechend riechende Flüssigkeit, schwache Lauge	Reinigungsmittel (Fettlöser), Neutralisation von Säuren
Salpetersäure	Salpetersäure	HNO_3	sehr starke Säure, löst Metalle (außer Edelmetalle) auf	Ätzen und Beizen von Metallen, Herstellung von Chemikalien
Salzsäure	Chlorwasserstoff	HCl	farblose, stechend riechende, starke Säure	Ätzen und Beizen von Metallen, Herstellung von Chemikalien
Schwefelsäure	Schwefelsäure	H_2SO_4	farblose, ölige, geruchlose Flüssigkeit, starke Säure	Beizen von Metallen, galvanische Bäder, Akkumulatoren
Soda	Natriumcarbonat	Na_2CO_3	farblose Kristalle, leicht wasserlöslich, basische Wirkung	Entfettungs- und Reinigungsbäder, Wasserenthärtung
Spiritus	Ethylalkohol, vergällt	C_2H_5OH	farblose, leicht brennbare Flüssigkeit, Siedepunkt 78°C	Lösungsmittel, Reinigungsmittel, für Heizzwecke, Treibstoffzusatz
Tetra	Tetrachlorkohlenstoff	CCl_4	farblose, nicht brennbare Flüssigkeit, gesundheitsschädlich	Lösungsmittel für Fette, Öle und Farben
Wässrige Reiniger	verschiedene Tenside	$-COO-$ $-OSO_3-$ $-SO_3-$	verschiedene wasserlösliche Substanzen	Lösungsmittel, Reinigungsmittel; Emulgatoren und Verdickungsmittel

Häufig vorkommende Molekülgruppen

Molekülgruppe Bezeichnung	Formel	Erläuterung	Beispiel Bezeichnung	Formel
Carbid	$\equiv C$	Kohlenstoffverbindungen; teilweise sehr hart	Siliciumcarbid	SiC
Carbonat	$=CO_3$	Verbindungen der Kohlensäure; spalten bei Wärmeeinwirkung CO_2 ab	Calciumcarbonat	$CaCO_3$
Chlorid	$-Cl$	Salze der Salzsäure; in Wasser meist leicht löslich	Natriumchlorid	$NaCl$
Hydroxid	$-OH$	Hydroxide entstehen aus Metalloxiden und Wasser; sie reagieren basisch	Calciumhydroxid	$Ca(OH)_2$
Nitrat	$-NO_3$	Salze der Salpetersäure; in Wasser meist leicht löslich	Kaliumnitrat	KNO_3
Nitrid	$\equiv N$	Stickstoffverbindungen; teilweise sehr hart	Siliciumnitrid	SiN
Oxid	$=O$	Sauerstoffverbindungen; häufigste Verbindungsgruppe der Erde	Aluminiumoxid	Al_2O_3
Sulfat	$=SO_4$	Salze der Schwefelsäure; in Wasser meist leicht löslich	Kupfersulfat	$CuSO_4$
Sulfid	$=S$	Schwefelverbindungen; wichtige Erze, Spanbrecher in Automatenstählen	Eisen(II)sulfid	FeS

pH-Wert

Art der wässerigen Lösung	zunehmend sauer						neutral	zunehmend basisch						
pH-Wert	0	1	2	3	4	5	6	7	8	9	10	11	12	13	14
Konzentration H^+ in mol/l	10^0	10^{-1}	10^{-2}	10^{-3}	10^{-4}	10^{-5}	10^{-6}	10^{-7}	10^{-8}	10^{-9}	10^{-10}	10^{-11}	10^{-12}	10^{-13}	10^{-14}

W

Definition und Einteilung von Stahl
vgl. DIN EN 10020 (2000-07)

Stahl	Legierung mit Eisen als Hauptbestandteil und einem Kohlenstoffgehalt unter 2,0 %.

Gefüge	Die **Gefügebestandteile**, z. B. Ferrit, Perlit, Karbide, und die **Gefügeausbildung**, z. B. Feinkorn, Grobkorn, Zeilen, bestimmen die **Stahleigenschaften**, z. B. Festigkeit, Zähigkeit, Umformbarkeit, Zerspanbarkeit, Schweißbarkeit.

Beeinflussung durch

Stahlherstellung

Zusammensetzung	Reinheitsgrad	Desoxidation
– Kohlenstoffgehalt – Legierungselemente	– nichtmetallische Einschlüsse – Phosphor- und Schwefelgehalt	unberuhigt, beruhigt oder vollberuhigt vergossen

Weiterverarbeitung
Zum Beispiel durch
- **Umformen:** Walzen, Prägen, Ziehen, Biegen …
- **Wärmebehandlung:** Vergüten, Randschichthärten …
- **Glühen:** Normalglühen, Weichglühen, Grobkornglühen …
- **Fügen:** Schweißen, Hartlöten …
- **Beschichten:** Verzinken …

Einteilung   Einteilung[1]

W

Unlegierte Stähle
kein Legierungselement erreicht den Grenzwert nach **Tabelle 1**

Legierte Stähle
– mindestens ein Legierungselement erreicht den Grenzwert nach **Tabelle 1**

– Stahlsorten entsprechen nicht der Definition für nichtrostende Stähle

Nichtrostende Stähle[2]
– Chromgehalt mindestens 10,5 %
– Kohlenstoffgehalt höchstens 1,2 %

Einteilung nach Haupteigenschaften in
– korrosionsbeständige Stähle (Seiten 137, 138)
– hitzebeständige Stähle
– warmfeste Stähle

Qualitätsstähle	Edelstähle
Edelstähle unterscheiden sich von Qualitätsstählen durch: – sorgfältigere Herstellung – höheren Reinheitsgrad – verbesserte Desoxidation – genauere Zusammensetzung – verbesserte Härtbarkeit	

Tabelle 1: Grenzwerte für unlegierte Stähle

Element	%	Element	%	Element	%
Al	0,30	Mn	1,65	Se	0,10
Bi	0,10	Mo	0,08	Si	0,60
Co	0,30	Nb	0,06	Ti	0,05
Cu	0,40	Ni	0,30	V	0,10
Cr	0,30	Pb	0,40	W	0,30

Hauptgüteklassen

Unlegierte Qualitätsstähle		Legierte Qualitätsstähle	
Stahlgruppe (Auszug)	Beispiel	Stahlgruppe (Auszug)	Beispiel
unleg. Baustähle	S235JR	Schienenstähle	R900Mn
unleg. Vergütungsstähle	C45	Elektroblech und -band	M390-50E
Automatenstähle	10S20	mikrolegierte Stähle mit höheren Streckgrenzen	H400M
unleg. schweißgeeignete Feinkornbaustähle	S275N	Stähle mit höheren Streckgrenzen	HC260Y
unleg. Druckbehälterstähle	P235GH		

Unlegierte Edelstähle		Legierte Edelstähle	
Stahlgruppe (Auszug)	Beispiel	Stahlgruppe (Auszug)	Beispiel
unleg. Vergütungsstähle	C45E	leg. Vergütungsstähle	42CrMo4
unleg. Einsatzstähle	C15E	leg. Einsatzstähle	16MnCr5
unleg. Werkzeugstähle	C45U	Nitrierstähle	34CrAlNi7
unleg. Stähle für Flamm- und Induktionshärtung	C60E	leg. Werkzeugstähle	X40Cr14
		Schnellarbeitsstähle	HS6-5-2-5

[1] Die Hauptgütegruppe „Grundstähle" wurde gestrichen. Alle bisherigen Grundstähle werden als Qualitätsstähle hergestellt.
[2] Die nichtrostenden Stähle bilden eine eigenständige Stahlgruppe, ohne Unterteilung in Qualitäts- und Edelstähle. Der Begriff „nichtrostende Stähle" gilt für korrosionsbeständige, hitzebeständige und warmfeste Stähle.

Normung von Stahlprodukten

Die Bezeichnung von Stählen und von Stahlprodukten, z. B. von Blechen, Stäben und Rohren, sind durch unterschiedliche, gleichzeitig gültige Normen festgelegt. Für eine vollständige Bezeichnung oder verbindliche Bestellangabe müssen diese Normen miteinander kombiniert werden.

Beispiel:

Geforderte Eigenschaften:
• verschleißfeste Oberfläche • hohe Kernfestigkeit • hohe Dauerfestigkeit

Ritzelwelle

Mögliche Bauteilfertigung:
• Rohteil: Langerzeugnis • Zerspanung und Wärme-   behandlung

Mögliche Werkstoffgruppen:
• Einsatzstähle, Seite 133 • Nitrierstähle, Seite 135 • Stähle zur Flamm- und   Induktionshärtung, Seite 135

Mögliche Langerzeugnisse[1]:
• Warmgewalzte Rundstäbe[1]   aus Stahl, Seite 147 • Blankstahl[1], Seite 148

Gewählt: Einsatzstähle nach DIN EN 10084

Durch die Norm sind festgelegt (z. B.):

Bereiche	Inhalte, Beispiele
Definition	Einsatzstahl
Einteilung, Bezeichnung	unlegierte, legierte Edelstähle, z. B. C15E, 16MnCr5, 15NiCr13
Bestellangaben	Menge, Erzeugnisform, Nummer der Maßnorm, Maße, Kurzname, Wärmebehandlungs- und Oberflächenzustand
Herstellung	beruhigt vergossen, üblicher Lieferzustand
chemische Zusammensetzung	Kohlenstoffgehalt, Legierungselemente, nichtmetallische Einschlüsse
Wärmebehandlung	Temperaturen, Abschreckmedium, Härteverlauf, Härtespanne
Eigenschaften	Bearbeitbarkeit, Scherbarkeit
Gefüge	Korngröße, Einschlüsse
Stahlsorten	36 verschiedene genormte Einsatzstähle
Lieferzustände	weichgeglüht (+A), behandelt auf Härtespanne (+TH)
Oberflächenausführung	warmgeformt (+HW), warmgeformt und gestrahlt (+BC)
Bearbeitbarkeit	Zerspanbarkeit, Scherbarkeit
Prüfung	Härtenachweis

[1] **Begriffsbestimmungen für Stahlerzeugnisse nach DIN EN 10079**

Gewählt: Warmgewalzte Rundstäbe nach DIN EN 10060

Durch die Norm sind festgelegt (z. B.):
– die Bezeichnung
– Vorzugsdurchmesser d
– Länge L (Längenarten, Längenbereiche)
– Grenzabmaße
– Geradheit, Unrundheit
– Messregeln für die Kenngrößen

Bezeichnungssysteme der Stähle, Kurznamen nach DIN EN 10027-1 (Seite 123)

Durch die Norm sind festgelegt (z. B.)
– Eindeutigkeit, Schreibweise, Festlegung, Einteilung und Aufbau der Kurznamen
– Haupt- und Zusatzsymbole

Gewählt: 16MnCr5+A+BC

16MnCr5	→	Hauptsymbole für chemische Zusammensetzung
+A	→	weichgeglüht
+BC	→	warmgeformt und gestrahlt

W

Bezeichnungsbeispiel:

⇒ **Rundstab EN 10060 – 55 x 6000 F Stahl EN 10084 16MnCr5+A+BC**

Rundstab mit d = 55 mm und L = 6000 mm als Festlänge (F) aus Einsatzstahl 16MnCr5, weichgeglüht (+A), warmgeformt und gestrahlt (+BC)

Hinweis: Die normgerechten Bezeichnungen beschreiben jeweils den Lieferzustand.

Die möglichen Zusatzsymbole im Kurznamen oder bei der Werkstoffnummer sind teilweise im Bezeichnungssystem der Stähle und teilweise in den Stahlgruppen-Normen, z. B. „Allg. Baustahl", „Einsatzstähle", „Vergütungsstähle", …, festgelegt.

Bezeichnung von Stählen durch Werkstoffnummern

Werkstoffnummern   vgl. DIN EN 10027-2 (1992-09)

Zur Identifizierung und Unterscheidung von Stählen werden Kurznamen (Seite 123) oder Werkstoffnummern verwendet.

	Kurzname		**Werkstoffnummer** (mit Zusatzsymbol +N)
Bezeichnung von Stahl (Beispiele):	42CrMo4+N	oder	1.7225+N

Die Werkstoffnummern bestehen aus einer Zahlenkombination mit jeweils sechs Stellen (fünf Ziffern und ein Punkt). Sie sind für die Datenverarbeitung besser geeignet als die Kurznamen.

W

Stahl-gruppen-nummer	Stahlgruppen[1]
Qualitätsstähle	
00, 01, 91	allgemeine Baustähle, $R_m < 500$ N/mm²
02, 92	sonstige, nicht für eine Wärmebehandlung bestimmte Baustähle mit $R_m < 500$ N/mm²
03, 93	Stähle mit C < 0,12% oder $R_m < 400$ N/mm²
04, 94	Stähle mit 0,12% ≤ C < 0,25% oder 400 N/mm² ≤ $R_m < 500$ N/mm²
05, 95	Stähle mit 0,25% ≤ C < 0,55% oder 500 N/mm² ≤ $R_m < 700$ N/mm²
06, 96	Stähle mit C ≥ 0,55% oder $R_m ≥ 700$ N/mm²
07, 97	Stähle mit höherem Phosphor- und Schwefelgehalt
Edelstähle	
10	Stähle mit besonderen physikalischen Eigenschaften
11	Bau-, Maschinenbau- und Behälterstähle mit C < 0,5%
12	Maschinenbaustähle mit C ≥ 0,5%
13	Bau-, Maschinenbau- und Behälterstähle mit besonderen Anforderungen
15 ... 18	Unlegierte Werkzeugstähle

Stahl-gruppen-nummer	Stahlgruppen
Qualitätsstähle	
08, 98	Stähle mit besonderen physikalischen Eigenschaften
09, 99	Stähle für verschiedene Anwendungsbereiche
Edelstähle	
20 ... 28	Legierte Werkzeugstähle
32	Schnellarbeitsstähle mit Cobalt
33	Schnellarbeitsstähle ohne Cobalt
35	Wälzlagerstähle
36, 37	Stähle mit besonderen magnetischen Eigenschaften
38, 39	Stähle mit besonderen physikalischen Eigenschaften
40 ... 45	Nichtrostende Stähle
46	Nickellegierungen, chemisch beständig, hochwarmfest
47, 48	Hitzebeständige Stähle
49	Hochwarmfeste Werkstoffe
50 ... 84	Bau-, Maschinenbau- und Behälterstähle mit verschiedenen Legierungskombinationen
85	Nitrierstähle
87 ... 89	Hochfeste schweißgeeignete Stähle

[1] C Kohlenstoff, R_m Zugfestigkeit
Die Werte für die Zugfestigkeit R_m und für den Kohlenstoffgehalt C stellen Mittelwerte dar.

Bezeichnungssystem der Stähle

vgl. DIN EN 10027-1 (2005-10)

Bezeichnung nach dem Verwendungszweck

Die Kurznamen für Stähle bestehen aus Hauptsymbolen und Zusatzsymbolen. Hauptsymbole werden nach dem Verwendungszweck oder nach der chemischen Zusammensetzung gebildet. Die Zusatzsymbole sind von der Stahlgruppe bzw. Erzeugnisgruppe abhängig.

Beispiel: Ritzelwelle

Haupt-symbol Zusatz-symbole	Werkstoff (Beispiele)		Rohteil
S355JR+AR	unlegierter Baustahl	42CrMo4+N	Rundstahl, warmgewalzt
Kurzname	Stahlgruppe	Bezeichnung nach der chemischen Zusammensetzung (Seite 125)	
DIN EN 10027-1	DIN EN 10025-2		DIN EN 10060

Hauptsymbole bei Bezeichnung nach dem Verwendungszweck

Verwendungszweck	Hauptsymbol[1]		Verwendungszweck	Hauptsymbol[1]	
Stähle für den Stahlbau	S	235[2]	Spannstähle	Y	1770[3]
Stähle für den Maschinenbau	E	360[2]	Flacherzeugnisse zum Kaltumformen	D	X52[4]
Stähle für den Druckbehälterbau	P	265[2]	Schienenstähle	R	260[5]
Stähle für Leitungsrohre	L	360[2]	Flacherzeugnisse aus höherfesten Stählen	H	C400[6]
Betonstähle	B	500[2]	Elektroblech und -band	M	400-50[7]
Verpackungsblech und -band	T	S550[2]	Bei **Stahlguss** wird dem Hauptsymbol ein **G** voran gestellt.		

[1] Das Hauptsymbol setzt sich zusammen aus dem Kennbuchstaben und einer Zahl bzw. einem weiteren Buchstaben und einer Zahl.
[2] Streckgrenze R_e für kleinste Erzeugnisdicke
[3] Nennwert für Mindestzugfestigkeit R_m
[4] Walzzustand C, D, X gefolgt von zwei Symbolen
[5] Mindesthärte nach Brinell HBW
[6] Walzzustand C, D, X und Mindeststreckgrenze R_e bzw. Walzzustand CT, DT, XT und Mindestzugfestigkeit R_m
[7] Höchstzulässiger Ummagnetisierungsverlust in W/kg x 100 und Nenndicke x 100, durch Bindestrich getrennt

W

Stähle für den Stahlbau

Bezeichnungsbeispiel:

S 235 JR + N

Kennbuchstabe Stahlbau	Streckgrenze R_e für kleinste Erzeugnisdicke	Zusatzsymbole

Erzeugnisgruppe (Auswahl)	Norm	Zusatzsymbole						
Warmgewalzte unlegierte Baustähle	DIN EN 10025-2	Kerbschlagarbeit in J bei °C						C besondere Kaltumformbarkeit
		JR	27	20°	J2	27	– 20°	+AR Lieferzustand wie gewalzt
		J0	27	0°	K2	40	– 20°	+N normalgeglüht
Normalgeglühte/normalisierend gewalzte, schweißgeeignete Feinkornbaustähle	DIN EN 10025-3	N normalgeglüht oder normalisierend gewalzt, Werte für Kerbschlagarbeit festgelegt bei – 20°C NL wie N, aber Werte für Kerbschlagarbeit festgelegt bei – 50°C						
Thermomechanisch gewalzte, schweißgeeignete Baustähle	DIN EN 10025-4	M thermomechanisch gewalzt, Werte für Kerbschlagarbeit festgelegt bei – 20°C ML wie M, aber Werte für Kerbschlagarbeit festgelegt bei – 50°C						
Warmgewalzte Baustähle mit höherer Streckgrenze im vergüteten Zustand	DIN EN 10025-6	Q vergütet, Werte für Kerbschlagarbeit festgelegt bei – 20°C QL vergütet, Werte für Kerbschlagarbeit festgelegt bei – 40°C QL1 vergütet, Werte für Kerbschlagarbeit festgelegt bei – 60°C						
Stähle für Blankstahlerzeugnisse	DIN EN 10277-1, 2	JR, J2, C wie bei DIN EN 10025-2 (oben) +C kaltgezogen +SH gewalzt und geschält +SL geschliffen						
Warmgewalzte Hohlprofile aus unlegierten Baustählen und Feinkornbaustählen	DIN EN 10210-1	JR, J0, J2 und K2 wie bei DIN EN 10025-2 N, NL wie bei DIN EN 10025-3 H Hohlprofil						

⇒ **S235JR+N**: Stahlbaustahl R_e = 235 N/mm², Kerbschlagarbeit 27 J bei 20°C, normalgeglüht (+N)

Bezeichnungssystem der Stähle

vgl. DIN EN 10027-1 (2005-10)

Stähle für den Maschinenbau

Bezeichnungsbeispiel: **E 355 +AR**

Kennbuchstabe Maschinenbau	Streckgrenze für kleinste Erzeugnisdicke	Zusatzsymbole

Erzeugnisgruppe (Auswahl)	Norm	Zusatzsymbole		
Warmgewalzte unlegierte Baustähle	DIN EN 10025-2	GC besondere Kaltumformbarkeit +AR Lieferzustand wie gewalzt +N normalgeglüht		
Stähle für Blankstahlerzeugnisse	DIN EN 10277-1, 2	GC besondere Kaltumformbarkeit +C kaltgezogen +SH gewalzt und geschält +SL geschliffen		
Rohre, nahtlos kalt gezogen	DIN EN 10305-1	+A geglüht +C zugblank/hart +LC zugblank/weich +N normalgeglüht +SR zugblank und spannungsarmgeglüht		
Nahtlose Rohre aus unlegiertem und legiertem Stahl	DIN EN 10297-1	J2 Kerbschlagarbeit 27J bei – 20°C K2 Kerbschlagarbeit 40J bei – 20°C +AR Lieferzustand wie gewalzt +N normalgeglüht +QT vergütet		

⇒ **E355+AR:** Maschinenbaustahl, Streckgrenze R_e = 355 N/mm², Lieferzustand wie gewalzt (+AR)

Flacherzeugnisse zum Kaltumformen

Bezeichnungsbeispiel: **D C 04 – A – m**

Kennbuchstabe Flacherzeugnis zum Kaltumformen	Kennbuchstabe für Walzzustand X Walzzustand nicht festgelegt C kaltgewalzt D warmgewalzt	Kennzahl Stahlsorte Haupteigenschaften Seite 143	Zusatzsymbole (eigene Festlegung für jede Erzeugnisgruppe)

Erzeugnisgruppe (Auswahl)	Norm	Zusatzsymbole
Kaltgewalzte Flacherzeugnisse aus weichen Stählen zum Kaltumformen	DIN EN 10130	**Oberflächenart und -ausführung** A Fehler, die die Umformbarkeit und die Haftung von Oberflächen- bezügen nicht beeinträchtigen, sind zulässig. B bessere Seite muss soweit fehlerfrei sein, dass Aussehen von Qualitätslackierung oder Überzug nicht beeinträchtigt wird. b besonders glatt g glatt m matt r rau
Kontinuierlich schmelztauch-veredeltes Band und Blech aus weichen Stählen zum Kalt-umformen	DIN EN 10346	D Schmelztauchüberzug **Überzüge** (gefolgt von Auflagemasse in g/m², z.B. Z140) +AS Aluminium-Silicium-Leg. +AZ Aluminium-Zink-Leg. +Z Zink +ZA Zink-Aluminium-Leg. +ZF Zink-Eisen-Leg. **Ausführung des Überzugs aus Zink (+Z):** N übliche Zinkblume M kleine Zinkblume **Oberflächenart:** B verbesserte Oberfläche A übliche Oberfläche C beste Oberfläche

⇒ **DC04 – A – m:** Flacherzeugnis zum Kaltumformen (D), kaltgewalzt (C), Stahlsorte 04 (Seite 143), Oberflächenart A, Oberflächenausführung matt (m)

Flacherzeugnisse aus höherfesten Stählen zum Kaltumformen

Bezeichnungsbeispiel: **H C 300 B – A – g**

Kennbuchstabe Flacherzeugnis höherfester Stahl zum Kaltumformen	Kennbuchstabe für Walzzustand X Walzzustand nicht festgelegt C kaltgewalzt D warmgewalzt	300 Streckgrenze R_e = 300 N/mm² T500 Mindestzugfestigkeit R_m = 500 N/mm²	Zusatzsymbole (eigene Festlegung für jede Erzeugnisgruppe)

Erzeugnisgruppe (Auswahl)	Norm	Zusatzsymbole
Kaltgewalztes Band und Blech aus mikrolegierten Stählen	DIN EN 10268	B bake-hardening-Stahl Y höherfester IF-Stahl I isotroper Stahl LA niedriglegierter/mikrolegierter Stahl **Oberflächenart und -ausführung** für Walzbreiten < 600 mm wie bei DIN EN 10139 für Walzbreiten ≥ 600 mm wie bei DIN EN 10130

⇒ **HC260I – A – g:** Kaltgewalztes Flacherzeugnis aus höherfestem Stahl (H), kaltgewalzt (C), Mindeststreckgrenze R_e = 260 N/mm² (260), isotroper Stahl (I), Oberflächenart A, glatte Oberfläche (g)

W

Bezeichnungssystem der Stähle

vgl. DIN EN 10027-1 (2005-10)

Bezeichnung nach der chemischen Zusammensetzung

Hauptsymbole nach der chemischen Zusammensetzung werden nach vier verschiedenen Bezeichnungsgruppen gebildet. Die Zusatzsymbole sind von der Stahlgruppe bzw. Erzeugnisgruppe abhängig.

Beispiel: Ritzelwelle

Haupt-symbol	Zusatz-symbol	Werkstoff (Beispiele)		Rohteil
42CrMo4+N		Vergütungsstahl	S355JR+AR	Rundstahl, warmgewalzt
Kurzname		Stahlgruppe	Bezeichnung nach dem Verwendungs-zweck (Seite 123)	
DIN EN 10027-1		DIN EN 10083-1		DIN EN 10060

Bezeichnungsgruppen, -beispiele und -anwendung der Hauptsymbole[1]

Unlegierte Stähle Mangangehalt < 1% außer Automatenstähle	Legierte Stähle, Automatenstähle, unlegierte Stähle mit Mangangehalt > 1%	Legierte Stähle Mittlerer Gehalt eines Legierungselementes über 5%	Schnellarbeitsstähle HS 10-4-3-10
			Kennbuchstaben Schnellarbeits-stahl
C15E	**42CrMo4**	**X12CrNi18-8**	
Anwendung für (z. B.):	**Anwendung für (z. B.):**	**Anwendung für (z. B.):**	Prozentualer Gehalt der Legierungselemente in der Reihenfolge W-Mo-V-Co
unlegierte Einsatzstähle,	Automatenstähle,	**Nichtrostende Stähle** korrosionsbeständige,	10 → 10% Wolfram (W)
unlegierte Vergütungsstähle,	legierte Einsatzstähle,	hitzebeständige, warmfeste Stähle	4 → 4% Molybdän (Mo)
	legierte Vergütungsstähle,		3 → 3% Vanadium (V)
unlegierte Werkzeugstähle	legierte Werkzeugstähle,	**Werkzeugstähle** Kaltarbeitsstähle,	10 → 10% Cobalt (Co)
	Federstähle	Warmarbeitsstähle	

W

[1] Bei Stahlguss wird dem Hauptsymbol der Buchstabe **G** voran gestellt;
Bei pulvermetallurgisch hergestelltem Stahl werden dem Hauptsymbol die Buchstaben **PM** voran gestellt.

Unlegierte Stähle mit einem Mangangehalt < 1%, außer Automatenstähle

Bezeichnungsbeispiel: **C15 E+S+BC**

Hauptsymbole	Zusatzsymbole
C Kennbuchstabe (Kohlenstoffstahl)	z.B. für besondere Verwendung, Regelung des Schwefelgehaltes, besondere Kaltumformbar-keit, Wärmebehandlungszustände. Die Zusatzsymbole sind für jede Stahlgruppe separat festgelegt (Seite 126)
15 Kennzahl für den Kohlenstoffgehalt $C_{mittel} = 15/100 \triangleq 0{,}15\%$	

⇒ **C45E+S+BC**: unlegierter Vergütungsstahl, 0,45% C-Gehalt, vorgeschriebener max. Schwefelgehalt (E), behandelt auf Scherbarkeit (+S), gestrahlt (+BC) (Zusatzsymbole Seite 126, Vergütungsstähle)

Legierte Stähle, Automatenstähle, unlegierte Stähle mit einem Mangangehalt > 1%

Bezeichnungsbeispiel: **18CrNiMo7-6 +TH+BC**

Hauptsymbole			Zusatzsymbole
18 Kennzahl für den Kohlenstoffgehalt $C_{mittel} = 18/100 \triangleq 0{,}18\%$ Cr, Ni, Mo Legierungselemente (geordnet nach Massenanteilen)			z. B. für besondere Verwen-dung, Wärmebehandlungs-zustand, Härtespanne, Oberflächenausführung, Verformungsgrade. Die Zusatzsymbole sind für jede Stahlgruppe separat festgelegt (Seite 126)

Faktoren für Legierungsanteile	
Legierungselemente	Faktor
Cr, Co, Mn, Ni, Si, W	4
Al, Be, Cu, Mo, Nb, Pb, Ta, Ti, V, Zr	10
C, Ce, N, P, S	100
B	1000

7-6 Legierungsanteile
$Cr_{mittel} = 7/4 \triangleq 1{,}75\%$
$Ni_{mittel} = 6/4 \triangleq 1{,}5\%$
Mo = geringer Gehalt

⇒ **17CrNiMo6-4+TH+BC**: Legierter Einsatzstahl, 0,17% C-Gehalt (17), 1,5% Cr-Gehalt (6), 1,0% Ni-Gehalt (4), geringer Mo-Gehalt, behandelt auf Härtespanne (+TH), und gestrahlt (+BC) (Zusatz-symbole Seite 126, Einsatzstähle)

Bezeichnungssystem der Stähle

vgl. DIN EN 10027-1 (2005-10)

Stahlgruppe/Auswahl	Norm	Zusatzsymbole
Einsatzstähle, warmgeformt Vergütungsstähle, warmgeformt	DIN EN 10084 DIN EN 10083-1 10083-2 10083-3	E vorgeschriebener maximaler Schwefelgehalt R vorgeschriebener Legierungsbereich für Schwefel **Behandlungszustände:** +U unbehandelt +A weichgeglüht +N normalgeglüht +S behandelt auf Scherbarkeit +TH behandelt auf Härtespanne (nur bei Einsatzstählen) +FP behandelt auf Ferrit-Perlit-Gefüge und Härtespanne (nur bei Einsatzstählen) +QT vergütet (nur bei Vergütungsstählen) +H normale Härtbarkeit +HH engere Härtetoleranz oberer Bereich +HL engere Härtetoleranz unterer Bereich **Oberflächenausführungen:** +HW (oder ohne Kennbuchstabe) warmgeformt +BC warmgeformt und gestrahlt +PI warmgeformt und gebeizt +RM warmgeformt und vorbearbeitet
Automatenstähle, warmgeformt	DIN EN 10087	in der Regel keine Zusatzsymbole vorgesehen (in Sonderfällen bei direkthärtenden Sorten: +QT vergütet)
Nitrierstähle, warmgewalzt	DIN EN 10085	**Behandlungszustände:** +A weichgeglüht +QT vergütet **Oberflächenausführungen:** (ohne Kennbuchstabe) wie gewalzt oder geschmiedet +PI zusätzlich gebeizt +BC zusätzlich gestrahlt
Werkzeugstähle (außer Schnellarbeitsstähle)	DIN EN ISO 4957	U für Werkzeuge +A (oder ohne Kennbuchstabe) weichgeglüht +A+C geglüht und kaltgezogen +QT vergütet +U unbehandelt
Blankstahlerzeugnisse aus Automatenstahl, Einsatzstahl, Vergütungsstahl	DIN EN 10277-1 10277-3, 4, 5	+C kaltgezogen +SH gewalzt und geschält +SL geschliffen E, R, +A, +FP, +QT wie bei DIN EN 10083, 10084 (oben)
Nahtlose Stahlrohre aus Einsatzstählen und Vergütungsstählen	DIN EN 10297-1	+A weichgeglüht +AR wie gewalzt +N normalgeglüht +FP behandelt auf Ferrit-Perlit-Gefüge und Härtespanne +QT vergütet +TH behandelt auf Härtespanne

⇒ **16MnCr5+A:** legierter Einsatzstahl, 0,16% C-Gehalt (16), 1,25% Mn-Gehalt (5), geringer Cr-Gehalt, weichgeglüht (+A)

Legierte Stähle, mindestens ein Legierungselement liegt über 5% (ohne Schnellarbeitsstähle)

Bezeichnungsbeispiel: **X4CrNi18-12 +2D**

Hauptsymbole	Zusatzsymbole
X Kennbuchstabe für Bezeichnungsgruppe 4 Kennzahl für mittleren Kohlenstoffgehalt C_{mittel} = 4/100 = 0,04% Cr, Ni Hauptlegierungselemente (Cr > Ni) 18-12 Legierungsanteile in % Chrom = 18%, Nickel = 12%	Angaben über Wärmebehandlungszustände, Walzzustand, Ausführungsart, Oberflächenbeschaffenheit. Die Zusatzsymbole sind für jede Stahl- und Erzeugnisgruppe separat festgelegt.

Stahlgruppe/ Erzeugnisgruppe (Auswahl)	Norm	Zusatzsymbole (Auswahl)	
		Behandlungszustand	Ausführungsart/Oberflächenbeschaffenheit

Korrosionsbeständige Bleche und Bänder, warmgewalzt	DIN EN 10088-2	+A geglüht
		+QT vergütet
		+QT650 vergütet auf
		    R_m = 650 N/mm²
		+AT lösungsgeglüht
		+P ausscheidungs-
		    gehärtet
		+P1300
		    ausscheidungs-
		    gehärtet auf
		    R_m = 1300 N/mm²
		+SR spannungsarm
		    geglüht
			+1 warmgewalzte Erzeugnisse
			1U nicht wärmebehandelt, nicht entzundert
			1C wärmebehandelt, nicht entzundert
			1E wärmebehandelt, mechanisch entzundert
			1D wärmebehandelt, gebeizt, glatt
			1G geschliffen

Korrosionsbeständige Bleche und Bänder, kaltgewalzt	DIN EN 10088-2		+2 kaltgewalzte Erzeugnisse 2C, E, D, G wie warmgewalzte Erzeugnisse 2B wie D, zusätzlich aber kalt nachgewalzt 2R blankgeglüht 2Q gehärtet und angelassen, zunderfrei 2H kaltverfestigt (mit unterschiedlichen Festigkeitsstufen), blanke Oberfläche

⇒ **X2CrNi18-9+AT+2D:** Legierter Stahl, 0,02% C-Gehalt (2), 18% Cr-Gehalt, 9% Ni-Gehalt, lösungsgeglüht (+AT), kaltgewalzt (+2), wärmebehandelte, gebeizte, glatte Oberfläche (D)

Erzeugnisse aus Stahl – Übersicht

Flach- und Langerzeugnisse, Rohre, Profile (Auswahl) · vgl. DIN EN 10079 (2007-06)

Durch Stranggießen, Druckgießen, Walzen oder Schmieden werden im Stahlwerk Halbzeuge hergestellt, aus denen in der Weiterverarbeitung z. B. Flacherzeugnisse, Langerzeugnisse oder Profile geformt werden.

Flacherzeugnisse

Bleche

Bleche, warmgewalzt (Seite 144)	Bänder, warmgewalzt (Seite 144)
rechteckige oder quadratische Tafeln, Blechkanten im – Walzzustand uneben und leicht gewölbt – im geschnittenen Zustand glatt.	Flacherzeugnisse, die zu Rollen (Coils) aufgewickelt sind. Bandkanten im – Walzzustand uneben und leicht gewölbt – im beschnittenen Zustand glatt.

besondere Walzverfahren für Bleche und Bänder	
normalisierend gewalzt	thermomechanisch gewalzt
Umformgrad und Temperaturführung beim Walzen führen zu einem Gefüge, das dem Zustand „normalgeglüht" (+N) entspricht.	Umformgrad und Temperaturführung beim Walzen führen gezielt zu Stahleigenschaften, z. B. höhere Streckgrenze, die durch eine Wärmebehandlung nicht erreichbar sind.

Bleche, kaltgewalzt (Seite 143, 144)	Bänder, kaltgewalzt (Seite 143, 144)
rechteckige oder quadratische Tafeln, glatte Oberfläche in verschiedenen Ausführungen, Kanten unbearbeitet oder beschnitten, Werkstoff kaltverfestigt.	Flacherzeugnisse, die zu Rollen aufgewickelt sind, glatte Oberfläche, Kanten leicht gewölbt oder beschnitten, Werkstoff kaltverfestigt.

Bandrolle (Coil)

Verpackungsblech und Verpackungsband	
Feinstblech	Weißblech
Bleche und Bänder aus unlegierten Stählen, die durch einmaliges oder doppeltes (doppeltreduziertes) Kaltwalzen hergestellt werden.	Bleche und Bänder aus Feinstblech, die auf beiden Seiten elektrolytisch verzinnt sind.

Langerzeugnisse

Stäbe, warmgewalzt (Seite 147)	Walzdraht
Unterscheidung nach der Form des Querschnittes, z. B. Rundstäbe, Flachstäbe, Vierkantstäbe. Oberfläche im Walzzustand oder entzundert/gebeizt.	warmgewalzte und zu Ringen aufgewickelte Langerzeugnisse mit Dicken $t \le 5$ mm, glatte Oberfläche, Querschnitte wie bei den Stäben.

Stäbe aus Blankstahl, z. B. Rundstäbe, Flachstäbe, Vierkantstäbe		(Seite 148)
Anlieferungszustand		
kaltgezogen	geschält (Rundstäbe)	geschliffen (Rundstäbe)
hohe Form- und Maßgenauigkeit, hohe Oberflächengüte, kaltverfestigte Randzone, ggf. entkohlte Randbereiche	spanend bearbeitete Oberfläche mit hoher Form- und Maßgenauigkeit, hohe Oberflächengüte, keine Randentkohlung	gezogene oder geschälte Stäbe werden geschliffen oder geschliffen und poliert, beste Oberfläche und höchste Maßgenauigkeit

Rohre

Nahtlose Rohre (Seite 145)	Geschweißte Rohre
Herstellung durch Warmwalzen aus vorgelochten Ringen, Weiterverarbeitung durch Kalt- oder Warmwalzen oder Kaltziehen	kreisförmig eingeformte Flacherzeugnisse mit längs- oder spiralförmig verlaufender Schweißnaht

Profile

Warmgewalzte Profile (Seite 149...154)	Kaltprofile
Bezeichnung nach der Form des Querschnittes, z. B. L-Profil, U-Profil, I-Profil, Oberfläche im Walzzustand	Bezeichnung wie warmgewalzte Profile, kaltverfestigte Randzonen, gute Maßhaltigkeit, glatte Oberfläche

W

Stähle – Übersicht

Untergruppen, Lieferzustände	Norm	Haupteigenschaften	Anwendungsbereiche	Erzeugnisformen[1] B	S	P	D
Unlegierte Baustähle, warmgewalzt							Seite 131
Stähle für den Stahl- und Maschinenbau	DIN EN 10025-2	• gut spanend bearbeitbar • schweißbar, außer S185 • kalt und warm umformbar	Schweißkonstruktionen im Stahl- und Maschinenbau, einfache Maschinenteile	•	•	•	•
Stähle für den Maschinenbau		• spanend bearbeitbar • nicht schweißbar • kalt und warm umformbar	Maschinenteile ohne Wärmebehandlung, z.B. durch härten, vergüten	•	•	–	•
Schweißgeeignete Feinkornbaustähle							Seite 132
normalgeglüht	DIN EN 10025-3	• schweißbar • warm umformbar	Schweißkonstruktionen mit hoher Zähigkeit, Sprödbruch- und Alterungsbeständigkeit im Maschinen- und Stahlbau	•	•	•	•
thermomecha-nisch gewalzt	DIN EN 10025-4	• schweißbar • nicht warm umformbar		•	•	–	•
Vergütete Baustähle mit höherer Streckgrenze							Seite 132
legierte Stähle	DIN EN 10025-6	• schweißbar • warm umformbar	hochfeste Schweißkonstruk-tionen im Maschinen- und Stahlbau	•	–	–	–
Einsatzstähle							Seite 133
unlegierte Stähle	DIN EN 10084	• im ungehärteten Zustand gut spanend bearbeitbar • warm umformbar • nach Randaufkohlung oberflächenhärtbar	Kleinteile mit verschleißfester Oberfläche	•	•	–	•
legierte Stähle			dynamisch beanspruchte Teile mit verschleißfester Oberfläche	•	•	–	•
Vergütungsstähle							Seite 134
unlegierte Qualitätsstähle	DIN EN 10083-2	• im weichgeglühten Zustand gut spanend bearbeitbar • warm umformbar • vergütbar (unsichere Ergebnisse bei unlegierten Qualitätsstählen)	Teile mit höherer Festigkeit, die nicht vergütet werden	•	•	–	•
unlegierte Edelstähle			Teile mit höherer Festigkeit und guter Zähigkeit	•	•	•	•
legierte Stähle	DIN EN 10083-3		hoch beanspruchte Teile mit guter Zähigkeit	•	•	–	•
Stähle für Flamm- und Induktionshärtung							Seite 135
unlegierte Stähle	DIN EN 10083-2, DIN EN 10083-3	• im weichgeglühten Zustand gut spanend bearbeitbar • warm umformbar • direkt härtbar; Härtung ein-zelner Werkstückbereiche ist möglich, z.B. Zahnflanken • Vergüten der Werkstücke vor dem Härten	Teile mit geringen Kernfestig-keiten und gehärteten Teil-bereichen	•	•	–	•
legierte Stähle			Teile mit hoher Kernfestigkeit, gehärteten Teilbereichen und größeren Abmessungen	•	•	–	•
Nitrierstähle							Seite 135
legierte Stähle	DIN EN 10085	• im weichgeglühten Zustand gut spanend bearbeitbar • härtbar durch Nitridbildner, geringster Härteverzug • Vergüten der Werkstücke vor dem Nitrieren	Teile mit erhöhter Dauer-festigkeit, auf Verschleiß beanspruchte Teile, auf Temperatur beanspruchte Teile bis 500°C	•	•	–	•
Federstähle							Seite 139
unlegierte und legierte Stähle	DIN EN 10270, DIN EN 10089	• kalt oder warm umformbar • großes elastisches Form-änderungsvermögen • hohe Dauerfestigkeit	Blattfedern, Schraubenfedern, Tellerfedern, Drehstabfedern	–	–	–	•

[1] Erzeugnisformen: B Bleche, Bänder   S Stäbe, z.B. Flach-, Vierkant- und Rundstäbe
                        D Drähte   P Profile, z.B. U-Profile, L-Profile, T-Profile

W

Stähle – Übersicht

Untergruppen, Lieferzustände	Norm	Haupteigenschaften	Anwendungsbereiche	Erzeugnisformen[1]			
				B	S	P	D
Automatenstähle							Seite 135
nicht wärme-behandelbare Stähle	DIN EN 10087	• bestens spanend bearbeitbar (kurzspanig) • nicht schweißbar • beim Einsatzhärten oder Vergüten ggf. nicht gleich-mäßiges Ansprechen auf die Wärmebehandlung	Massendrehteile mit geringen Anforderungen an die Festig-keit	–	•	–	•
Automaten-einsatzstähle	DIN EN 10087		wie unlegierte Einsatzstähle; besser spanend bearbeitbar	–	•	–	•
Automatenver-gütungsstähle	DIN EN 10087		wie unlegierte Vergütungs-stähle; besser spanend bearbeitbar, weniger dauerfest	–	•	–	•
Werkzeugstähle							Seite 136
Kaltarbeits-stähle, unlegiert	DIN EN ISO 4957	• im weichgeglühten Zustand gut spanend bearbeitbar • spanlos kalt und warm umformbar • Durchhärtung bis max. 10 mm Durchmesser	gering beanspruchte Werk-zeuge für spanende und span-lose Formgebung bei Arbeits-temperaturen bis 200 °C	•	•	•	•
Kaltarbeits-stähle, legiert	DIN EN ISO 4957	• im weichgeglühten Zustand spanend bearbeitbar • warm umformbar • größere Einhärtetiefe, höhere Festigkeit, ver-schleißfester als unlegierte Kaltarbeitsstähle	höher beanspruchte Werk-zeuge für spanende und span-lose Formgebung bei Arbeits-temperaturen über 200 °C	•	•	–	•
Warmarbeits-stähle	DIN EN ISO 4957	• im weichgeglühten Zustand spanend bearbeitbar • warm umformbar • Härteannahme über den gesamten Querschnitt	Werkzeuge zur spanlosen Formgebung für Arbeits-temperaturen über 200 °C	•	•	–	•
Schnellarbeits-stähle	DIN EN ISO 4957	• im weichgeglühten Zustand spanend bearbeitbar • warm umformbar • Härteannahme über den gesamten Querschnitt	Schneidstoff für spanende Werkzeuge, Arbeitstempera-turen bis 600 °C, hoch beanspruchte Umform-werkzeuge	•	•	–	•
Korrosionsbeständige Stähle							Seiten 137, 138
Ferritische Stähle	DIN EN 10088-2, DIN EN 10088-3	• spanend bearbeitbar • gut kalt umformbar • schweißbar • keine Festigkeitssteigerung durch Wärmebehandlung	gering beanspruchte nicht-rostende Teile; Teile mit hoher Beständigkeit gegen chlor-bedingte Spannungsriss-korrosion	•	•	•	•
Austenitische Stähle	DIN EN 10088-2, DIN EN 10088-3	• spanend bearbeitbar • sehr gut kalt umformbar • schweißbar • keine Festigkeitssteigerung durch Wärmebehandlung	nichtrostende Teile mit hoher Korrosionsbeständigkeit, breitester Anwendungsbereich aller nichtrostenden Stähle	•	•	•	•
Martensitische Stähle	DIN EN 10088-2, DIN EN 10088-3	• spanend bearbeitbar • im Zustand weichgeglüht kalt umformbar • bei niedrigem Kohlenstoff-gehalt schweißbar • vergütbar	höher beanspruchte nicht-rostende Teile, die auch vergütet werden können	•	•	•	•

[1] Erzeugnisformen: B Bleche, Bänder   S Stäbe, z. B. Flach-, Vierkant- und Rundstäbe
D Drähte   P Profile, z. B. U-Profile, L-Profile, T-Profile

W

Auswahl von Baustählen, Legierungselemente

Die Auswahl von Baustählen kann durch folgendes Schema unterstützt werden:

Weitere Stahlgruppen, zum Beispiel
- kaltgewalzte Flacherzeugnisse aus höherfesten Stählen
- Flacherzeugnisse zum Kaltumformen
- Verpackungsblech und -band
- Elektroblech
- Druckbehälterstähle

Stahlgruppen, zum Beispiel
- Einsatzstähle
- Vergütungsstähle
- Nitrierstähle
- Werkzeugstähle
- korrosionsbeständige Stähle

Einfluss der Legierungselemente

Durch Legierungselemente beeinflusste Eigenschaften	Legierungselemente										
	Cr	Ni	Al	W	V	Co	Mo	Si	Mn	S	P
Zugfestigkeit	●	●	–	●	●	●	●	●	●	–	●
Streckgrenze	●	●	–	●	●	●	●	●	●	–	●
Kerbschlagzähigkeit	○	●	○	–	●	○	●	○	–	○	○
Verschleißfestigkeit	●	○	–	●	●	●	●	○	○	–	–
Warmumformbarkeit	○	●	○	○	○	●	○	●	●	○	–
Kaltumformbarkeit	–	–	–	○	–	○	○	○	○	○	○
Zerspanbarkeit	○	○	–	○	–	–	○	○	○	●	●
Warmfestigkeit	●	●	–	●	●	●	●	●	–	–	–
Korrosionsbeständigkeit	●	●	●	–	–	–	–	●	–	○	○
Härtetemperatur	●	–	–	●	●	–	●	●	○	–	–
Härtbarkeit, Vergütbarkeit	●	●	–	●	●	●	●	●	●	–	–
Nitrierbarkeit	●	–	●	●	●	●	●	○	●	–	–
Schweißbarkeit	○	○	●	–	●	–	○	–	○	○	○

● Erhöhung   ○ Verminderung   – ohne nennenswerten Einfluss

Beispiel: Zahnräder mit harter, verschleißfester Oberfläche, hoher Kernfestigkeit und hoher Kernzähigkeit
Rohteile im Gesenk geschmiedet
Gewählte Stahlgruppe: Einsatzstähle → unlegierter Stahl C ≤ 0,2 %, z. B. C15E
verbesserte Warmumformbarkeit durch Ni, V, Mo, Mn
mögliche Stähle: 16MnCr5, 20MnCr5, 16NiCr4 (Seite 133)

Unlegierte Baustähle

Unlegierte Baustähle, warmgewalzt vgl. DIN EN 10025-2 (2005-04)

Stahlsorte		DO[1]	Kerbschlag-arbeit		Zug-festigkeit R_m [2] N/mm²	Streckgrenze R_e in N/mm² für Erzeugnisdicken in mm				Bruch-deh-nung A [3] %	Eigenschaften, Verwendung
Kurzname	Werk-stoff-nummer		bei °C	KV J		≤ 16	> 16 ≤ 40	> 40 ≤ 63	> 63 ≤ 80		
Stähle für den Stahl- und Maschinenbau											
S185	1.0035	–	–	–	290 … 510	185	175	175	175	18	nicht schweißbar, einfache Stahlkonstruk-tionen
S235JR	1.0038	FN	20								einfache Maschinen-teile, Schweißkonstruk-tionen im Stahl- und Maschinenbau; Hebel, Bolzen, Achsen, Wellen
S235J0	1.0114	FN	0	27	360 … 510	235	225	215	215	26	
S235J2	1.0117	FF	– 20								
S275JR	1.0044	FN	20								
S275J0	1.0143	FN	0	27	410 … 560	275	265	255	245	23	
S275J2	1.0145	FF	– 20								
S355JR	1.0045	FN	20								hoch beanspruchte Schweißkonstruktionen im Stahl-, Kran- und Brückenbau
S355J0	1.0553	FN	0	27	470 … 630	355	345	335	325	22	
S355J2	1.0577	FF	– 20								
S355K2	1.0596	FF	– 20	40	470 … 630	355	345	335	325	22	
S450J0	1.0590	FF	0	27	550 … 720	450	430	410	390	17	
Stähle für den Maschinenbau											
E295	1.0050	FN	–	–	470 … 610	295	285	275	265	20	Achsen, Wellen, Bolzen
E335	1.0060	FN	–	–	570 … 710	335	325	315	305	16	Verschleißteile; Ritzel, Schnecken, Spindeln
E360	1.0070	FN	–	–	670 … 830	360	355	345	335	11	

[1] DO Desoxidationsart: – dem Hersteller freigestellt; FN beruhigt vergossener Stahl;
FF voll beruhigt vergossener Stahl
[2] Die Werte gelten für Erzeugnisdicken von 3 mm bis 100 mm.
[3] Die Werte gelten für Erzeugnisdicken von 3 mm bis 40 mm und Längsproben mit $L_0 = 5,65 \cdot \sqrt{S_0}$ (Seite 197).
Die in der Tabelle erfassten Stahlsorten sind unlegierte Qualitätsstähle nach DIN EN 10020 (Seite 120).

Technologische Eigenschaften

Schweißbarkeit	Warmumformbarkeit
Stähle mit den Gütegruppen JR – J0 – J2 – K2 sind nach allen Verfahren schweißbar. Zunehmende Festigkeit und steigende Erzeugnisdicke erhöhen die Gefahr von Kaltrissen. Die Stähle S185, E295, E335 und E360 sind nicht schweiß-bar, weil die chemische Zusammensetzung nicht festge-legt ist.	Die Stähle sind warm umformbar. Nur Erzeugnisse, die im normalgeglühten (+N) oder normalisierend gewalzten (+N) Zustand bestellt und angeliefert werden, müssen den Anforderungen nach obiger Tabelle ent-sprechen. Der Behandlungszustand ist bei der Bestel-lung anzugeben. Beispiel: S235J0+N oder 1.0114+N

Kaltumformbarkeit

Zur Kaltumformung (Abkanten, Walzprofilieren, Kaltziehen) geeignete Stahlsorten erhalten im Kurznamen das Zusatz-symbol C oder GC und jeweils eine eigene Werkstoffnummer.

Stahlsorten zur Kaltumformung

Kurzname	Werk-stoff-nummer	geeignet zum[1]			Kurzname	Werk-stoff-nummer	geeignet zum[1]			Kurzname	Werk-stoff-nummer	geeignet zum[1]		
		A	W	K			A	W	K			A	W	K
S235JRC	1.0122				S275JRC	1.0128				S355J0C	1.0554			
S235J0C	1.0115	•	•	•	S275J0C	1.0140	•	•	•	S355J2C	1.0579	•	•	•
S235J2C	1.0119				S275J2C	1.0142				S355K2C	1.0594			
E295GC	1.0533	–	–	•	E335GC	1.0543	–	–	•	E360GC	1.0633	–	–	•

[1] Umformverfahren: A Abkanten W Walzprofilieren K Kaltziehen • gut geeignet – nicht geeignet

W

Schweißgeeignete Feinkornbaustähle, vergütete Baustähle

Schweißgeeignete Feinkornbaustähle, warmgewalzt (Auswahl)
vgl. DIN EN 10025-3 und DIN EN 10025-4 (2005-04)

Stahlsorte		$L^{1)}$	Kerbschlagarbeit $KV^{2)}$ in J bei Temperaturen in °C			Zug-festigkeit R_m N/mm²	Streckgrenze R_e in N/mm² für Nenndicken in mm			Bruch-deh-nung A %	Eigenschaften, Verwendung
Kurzname	Werk-stoff-nummer		+ 20	0	– 20		≤ 16	> 16 ≤ 40	> 40 ≤ 63		
Unlegierte Qualitätsstähle											
S275N	1.0490	N	55	47	40	370 … 510	275	265	255	24	hohe Zähigkeit, sprödbruch- und alterungsbeständig; Schweißkonstruk-tionen im Maschi-nen-, Kran-, Brücken- und Fahrzeugbau, Förderanlagen
S275M	1.8818	M				370 … 530					
S355N	1.0545	N	55	47	40	470 … 630	355	345	335	22	
S355M	1.8823	M									
Legierte Edelstähle											
S420N	1.8902	N	55	47	40	520 … 680	420	400	390	19	
S420M	1.8825	M									
S460N	1.8901	N	55	47	40	550 … 720	460	440	430	17	
S460M	1.8827	M				540 … 720					

[1] L Lieferzustand: N normalgeglüht/normalisierend gewalzt; M thermomechanisch gewalzt
[2] Die Werte gelten für Spitzkerb-Längsproben.
Zuordnung der Stähle: DIN EN 10025-3 → S275N, S355N, S420N, S460N
DIN EN 10025-4 → S275M, S355M, S420M, S460M.

Technologische Eigenschaften

Schweißbarkeit	Warmumformbarkeit	Kaltumformbarkeit
Die Stähle sind schweißgeeignet. Zuneh-mende Festigkeit und steigende Erzeugnis-dicke erhöhen die Gefahr von Kaltrissen.	Nur die Stähle S275N, S355N, S420N und S480N sind warm umformbar.	Kaltbiegen oder Abkanten ist bis 16 mm Nenndicke gewährleistet, wenn die Kalt-umformbarkeit bei der Bestellung verein-bart wurde.

Vergütete Baustähle mit höherer Streckgrenze, warmgewalzt (Auswahl)
vgl. DIN EN 10025-6 (2009-08)

Stahlsorte		Kerbschlagarbeit KV in J bei Temperaturen in °C			Zug-festigkeit R_m N/mm²	Streckgrenze R_e in N/mm² für Nenndicken in mm			Bruch-deh-nung A %	Eigenschaften, Verwendung
Kurzname[1]	Werk-stoff-nummer	0	– 20	– 40		> 3 ≤ 50	> 50 ≤ 100	> 100 ≤ 150		
S460Q	1.8908	40	30	–	550 … 720	460	440	400	17	hohe Zähigkeit, hohe Sprödbruch- und Alterungsbeständig-keit; hoch belastete Schweißkonstruktio-nen im Maschinen-, Kran-, Brücken- und Fahrzeugbau, Förder-anlagen
S460QL	1.8906	50	40	30						
S500Q	1.8924	40	30	–	590 … 770	500	480	440	17	
S500QL	1.8909	50	40	30						
S620Q	1.8914	40	30	–	700 … 890	620	580	560	15	
S620QL	1.8927	50	40	30						
S890Q	1.8940	40	30	–	940 … 1100	890	830	–	11	
S890QL	1.8983	50	40	30						
S960Q	1.8941	40	30	–	980 … 1150	960	–	–	10	
S960QL	1.8933	50	40	30						

[1] Q vergütet; QL vergütet, garantierte Mindestwerte für die Kerbschlagarbeit bis – 40 °C

Technologische Eigenschaften

Schweißbarkeit	Warmumformbarkeit	Kaltumformbarkeit
Die Stähle sind nicht uneingeschränkt schweiß-bar. Eine fachkompetente Planung der Schweiß-parameter ist notwendig. Zunehmende Festig-keit und steigende Erzeugnisdicke erhöhen die Gefahr von Kaltrissen.	Eine Warmumformung ist nicht empfehlenswert, weil die Festig-keitswerte durch eine nachfol-gende Wärmebehandlung nicht mehr erreichbar sind.	Kaltbiegen und Abkanten ist bis 16 mm Nenndicke gewährleistet, wenn die Kalt-umformung bei der Bestel-lung vereinbart wurde.

W

Einsatzstähle, unlegiert und legiert

Einsatzstähle, warmgewalzt (Auswahl)   vgl. DIN EN 10084 (2008-06)

Stahlsorte		Härte HB im Lieferzustand[2]		Kerneigenschaften nach der Einsatzhärtung[3]			Härteverfahren[4]		Eigenschaften, Verwendung
Kurzname[1]	Werkstoffnummer	+A	+FP	Zugfestigkeit R_m N/mm²	Streckgrenze R_e N/mm²	Bruchdehnung A %	D	E	
Unlegierte Einsatzstähle									
C10E C10R	1.1121 1.1207	131	90 … 125	490 … 640	295	16	•	•	Kleinteile mit mittlerer Beanspruchung; Hebel, Zapfen, Bolzen, Rollen, Spindeln, Press- und Stanzteile
C15E C15R	1.1141 1.1140	143	103 … 140	590 … 780	355	–	•	•	
Legierte Einsatzstähle									
17Cr3 17CrS3	1.7016 1.7014	174	–	700 … 900	450	11	•	•	Teile mit wechselnder Beanspruchung, z. B. im Getriebebau; Zahnräder, Kegel- und Tellerräder, Antriebsritzel, Wellen, Gelenkwellen
28Cr4 28CrS4	1.7030 1.7036	217	156 … 207	≥ 700	–	–	•	•	
16MnCr5 16MnCrS5	1.7131 1.7139	207	140 … 187	780 … 1080 780 … 1080	590 590	10 10	○	•	
16NiCr4 16NiCrS4	1.5714 1.5715	217	156 … 207	≥ 900	–	–	–	•	
18CrMo4 18CrMoS4	1.7243 1.7244	207	140 …187	≥ 900	–	–	○	•	
20MoCr3 20MoCrS3	1.7320 1.7319	217	145 … 185	≥ 900	–	–	•	–	
20MoCr4 20MoCrS4	1.7321 1.7323	207	140 … 187	880 … 1180	590	10	•	–	
17CrNi6-6 22CrMoS3-3	1.5918 1.7333	229 217	156 … 207 152 … 201	≥ 1100 –	– –	– –	– ○	• •	
15NiCr13 10NiCr5-4	1.5752 1.5805	229 192	166 … 207 137 … 187	920 … 1230 ≥ 900	785 –	10 –	– –	• •	Teile mit hoher wechselnder Beanspruchung, z. B. im Getriebebau; Zahnräder, Kegel- und Tellerräder, Antriebsritzel, Wellen, Gelenkwellen
20NiCrMo2-2 20NiCrMoS2-2	1.6523 1.6526	212	149 … 194	780 … 1080	590	10	•	•	
17NiCrMo6-4 17NiCrMoS6-4 20NiCrMoS6-4	1.6566 1.6569 1.6571	229	149 … 201 149 … 201 154 … 207	≥ 1000 ≥ 1000 ≥ 1100	– – –	– – –	–	•	
20MnCr5 20MnCrS5	1.7147 1.7149	217	152 … 201	980 … 1270	685	8	○	•	Teile mit größeren Abmessungen; Ritzelwellen, Zahnräder, Tellerräder
18NiCr5-4 14NiCrMo13-4 18CrNiMo7-6	1.5810 1.6657 1.6587	223 241 229	156 … 207 166 … 217 159 … 207	≥ 1100 1030 … 1390 1060 … 1320	– – 785	– 10 8	– – –	• • •	

[1] Stahlsorten mit Schwefelzusatz, z. B. 16MnCrS5, weisen eine verbesserte Zerspanbarkeit auf.

[2] Lieferzustand: +A weich geglüht; +FP behandelt auf Ferrit-Perlitgefüge und Härtespanne

[3] Die Festigkeitswerte gelten für Proben mit 30 mm Nenndurchmesser.

[4] Härteverfahren: D Direkthärtung: Die Werkstücke werden direkt aus der Aufkohlungstemperatur abgeschreckt.
    E Einfachhärtung: Nach der Aufkohlung lässt man die Werkstücke in der Regel auf Raumtemperatur abkühlen. Zum Härten werden sie erneut erwärmt.

    • gut geeignet; ○ bedingt geeignet; – nicht geeignet

Wärmebehandlung der Einsatzstähle: Seite 160

Vergütungsstähle, unlegiert und legiert

Vergütungsstähle (Auswahl)   vgl. DIN EN 10083-2 und DIN EN 10083-3

Kurzname	Werkstoffnummer	H[1]	B[2]	R_m in N/mm² >16 ≤40	R_m in N/mm² >40 ≤100	R_e in N/mm² >16 ≤40	R_e in N/mm² >40 ≤100	A in % >16 ≤40	A in % >40 ≤100	Eigenschaften, Verwendung
Unlegierte Vergütungsstähle[3]										vgl. DIN EN 10083-2 (2006-10)
C22E	1.1151	156	+N	410	410	210	210	25	25	
			+QT	470…620	–	290	–	22	–	
C35	1.0501	183	+N	520	520	270	270	19	19	Teile mit geringer Beanspruchung und kleinen Vergütungsdurchmessern; Schrauben, Bolzen, Achsen, Wellen, Zahnräder
C35E	1.1181		+QT	600…750	550…700	380	320	19	20	
C45	1.0503	207	+N	580	580	305	305	16	16	
C45E	1.1191		+QT	650…800	630…780	430	370	16	17	
C55	1.0535	229	+N	640	640	330	330	12	12	
C55E	1.1203		+QT	750…900	700…850	490	420	14	15	
C60	1.0601	241	+N	670	670	340	340	11	11	
C60E	1.1221		+QT	800…950	750…900	520	450	13	14	
28Mn6	1.1170	223	+N	600	600	310	310	18	18	
			+QT	700…850	650…800	490	440	15	16	
Legierte Vergütungsstähle										vgl. DIN EN 10083-3 (2007-01)
38Cr2	1.7003	207	+QT	700…850	600…750	450	350	15	17	Teile mit mittlerer Beanspruchung; Getriebewellen, Schnecken, Zahnräder
46Cr2	1.7006			800…950	650…800	550	400	14	15	
34Cr4	1.7033	223	+QT	800…950	700…850	590	460	14	15	
37Cr4	1.7034			850…1000	750…900	630	510	13	14	
25CrMo4	1.7218	212	+QT	800…950	700…850	600	450	14	15	
25CrMoS4	1.7213									
41Cr4	1.7035	241	+QT	900…1100	800…950	660	560	12	14	Teile mit hoher Beanspruchung und größeren Vergütungsdurchmessern; Wellen, Zahnräder, größere Schmiedeteile
41CrS4	1.7039									
34CrMo4	1.7220	223	+QT	900…1100	800…950	650	550	12	14	
34CrMoS4	1.7226									
42CrMo4	1.7225	241	+QT	1000…1200	900…1100	750	650	11	12	
42CrMoS4	1.7227									
50CrMo4	1.7228	248	+QT	1000…1200	900…1100	780	700	10	12	
51CrV4	1.8159					800				
30NiCrMo16-6	1.6747	270	+QT	1080…1230	1080…1230	880	880	10	10	Teile mit höchster Beanspruchung und großen Durchmessern
34CrNiMo6	1.6582			1100…1300	1000…1200	900	900		11	
36NiCrMo16	1.6773	269	+QT	1250…1450	1100…1300	1050	900	9	10	
30CrNiMo8	1.6580									
20MnB5	1.5530	–	+QT	750…900	–	600	–	15	–	mit Bor legiert; warmgeformte Teile mit verbesserter Härtbarkeit
30MnB5	1.5531			800…950	–	650	–	13	–	
27MnCrB5-2	1.7182	–	+QT	900…1150	800…1000	750	700	14	15	
39MnCrB6-2	1.7189			1050…1250	1000…1200	850	800	12	12	

[1] H Brinellhärte HBW im Anlieferungszustand „weichgeglüht (+A)"

[2] B Behandlungszustand: +N normalgeglüht; +QT vergütet.
Bei den unlegierten Vergütungsstählen gelten die Behandlungszustände +N und +QT jeweils für die Qualitäts- und die Edelstähle, zum Beispiel für C45 und C45E.

[3] Die unlegierten Vergütungsstähle C35, C45, C55 und C60 sind Qualitätsstähle, die Stähle C22E, C35E, C45E, C55E und C60E werden als Edelstähle hergestellt.

Wärmebehandlung der Vergütungsstähle: Seite 161

Nitrierstähle, Stähle für Flamm- und Induktionshärtung, Automatenstähle

Nitrierstähle, warmgewalzt (Auswahl)   vgl. DIN EN 10085 (2001-07)

Stahlsorte		weich-geglüht Härte HB	Zug-festigkeit[1] R_m N/mm²	Streck-grenze[1] R_e N/mm²	Bruch-dehnung[1] A %	Eigenschaften, Verwendung
Kurzname	Werk-stoff-nummer					
31CrMo12	1.8515	248	980 … 1180	785	11	Verschleißteile bis 250 mm Dicke
31CrMoV9	1.8519	248	1000 … 1200	800	10	Verschleißteile bis 100 mm Dicke
34CrAlMo5-10	1.8507	248	800 … 1000	600	14	Verschleißteile bis 80 mm Dicke
40CrAlMo7-10	1.8509	248	900 … 1100	720	13	warmfeste Verschleißteile bis 500 °C
34CrAlNi7-10	1.8550	248	850 … 1050	650	12	große Teile; Kolbenstangen, Spindeln

[1] Festigkeitswerte: Die Werte für die Zugfestigkeit R_m, die Streckgrenze R_e und die Bruchdehnung A gelten für Erzeugnisdicken von 40 … 100 mm im vergüteten Zustand.

Wärmebehandlung der Nitrierstähle: Seite 162

Stähle für Flamm- und Induktionshärtung, warmgewalzt (Auswahl)   vgl. DIN EN 10083[1]

Stahlsorte		weich-geglüht Härte HB	B[2]	Zug-festigkeit[2] R_m N/mm²	Streckgrenze R_e in N/mm² für Nenndicken in mm			Bruch-dehnung A %	Eigenschaften, Verwendung
Kurzname	Werk-stoff-nummer				≤ 16	> 16 ≤ 40	> 40 ≤ 100		
C45E[1]	1.1191	207	+QT	650 … 800	490	430	370	16	Verschleißteile mit hoher Kernfestigkeit und guter Zähigkeit; Kurbelwellen, Getriebewellen, Nockenwellen, Schnecken, Zahnräder
C60E[1]	1.1221	241		800 … 950	580	520	450	13	
37Cr4	1.7034	255	+QT	850 … 1000	750	630	510	14	
46Cr2	1.7006			800 … 950	650	550	400	13	
41Cr4	1.7035	255	+QT	900 … 1100	800	660	560	12	
42CrMo4	1.7225			1000 … 1200	900	750	650	11	

[1] Die bisherige Norm DIN 17212 wurde ersatzlos zurückgezogen. Flamm- und induktionshärtbare Stähle siehe Vergütungsstähle DIN EN 10083-3 (Seite 134). Für unlegierte Edelstähle nach DIN EN 10083-2 ist das Härteergebnis nur dann gesichert, wenn die Stähle mit der Austenitkorngröße ≤ 5 bestellt werden.

[2] B Behandlungszustand: +QT vergütet

Wärmebehandlung der Stähle für Flamm- und Induktionshärtung: Seite 161

Automatenstähle, warmgewalzt (Auswahl)   vgl. DIN EN 10087 (1999-01)

Stahlsorte		B[2]	Für Erzeugnisdicken von 16 … 40 mm				Eigenschaften, Verwendung
			Härte HB	Zug-festigkeit R_m N/mm²	Streck-grenze R_e N/mm²	Bruch-dehnung A %	
Kurzname[1]	Werk-stoff-nummer						
11SMn30	1.0715	+U	112 … 169	380 … 570	–	–	• Zur Wärmebehandlung nicht geeignete Stähle
11SMnPb30	1.0718						Kleinteile mit geringer Beanspruchung; Hebel, Zapfen
11SMn37	1.0736	+U	112 … 169	380 … 570	–	–	
11SMnPb37	1.0737						
10S20	1.0721	+U	107 … 156	360 … 530	–	–	• Einsatzstähle
10SPb20	1.0722						verschleißfeste Kleinteile; Wellen, Bolzen, Stifte
15SMn13	1.0725	+U	128 … 178	430 … 600	–	–	
35S20	1.0726	+U	154 … 201	520 … 680	–	–	• Vergütungsstähle
35SPb20	1.0756	+QT	–	600 … 750	380	16	größere Teile mit höherer Beanspruchung; Spindeln, Wellen, Zahnräder
44SMn28	1.0762	+U	187 … 238	630 … 800	–	–	
44SMnPb28	1.0763	+QT	–	700 … 850	420	16	
46S20	1.0727	+U	175 … 225	590 … 760	–	–	
46SPb20	1.0757	+QT	–	650 … 800	430	13	

[1] Stahlsorten mit Bleizusätzen, z. B. 11SMnPb30, sind besser zerspanbar.

[2] B Behandlungszustand: +U unbehandelt; +QT vergütet

Alle Automatenstähle sind unlegierte Qualitätsstähle. Ein gleichmäßiges Ansprechen auf Einsatzhärten oder Vergüten ist nicht gesichert.   Wärmebehandlung der Automatenstähle: Seite 162

W

Kaltarbeitsstähle, Warmarbeitsstähle, Schnellarbeitsstähle

Werkzeugstähle, warmgewalzt (Auswahl) vgl. DIN EN ISO 4957 (2001-02), Ersatz für DIN 17350

Stahlsorte Kurzname	Werkstoff-nummer	Härte HB[1] max.	Härte-temperatur °C	A[2]	Anlass-temperatur °C	Anwendungsbeispiele, Eigenschaften
Kaltarbeitsstähle, unlegiert						
C45U	1.1730	190	800 … 830	W	180 … 300	ungehärtete Aufbauteile für Werkzeuge, Schraubendreher, Meißel, Messer
C70U	1.1520	190	790 … 820	Ö	180 … 300	Zentrierdorne, kleine Gesenke, Schraubstockbacken, Abgratstempel
C80U	1.1525	190	780 … 810	W	180 … 300	Gesenke mit flachen Gravuren, Meißel, Kaltschlagmatrizen, Messer
C105U	1.1545	213	770 … 800	W	180 … 300	einfache Schneidwerkzeuge, Prägestempel, Reißnadeln, Lochdorne, Spiralbohrer
Kaltarbeitsstähle, legiert						
21MnCr5	1.2162	215	810 … 840	Ö	150 … 180	komplizierte einsatzgehärtete Kunststoff-pressformen; gut polierbar
60WCrV8	1.2550	230	880 … 930	Ö	180 … 300	Schnitte für Stahlblech von 6 … 15 mm, Kaltlochstempel, Meißel, Körner
90MnCrV8	1.2842	220	790 … 820	Ö	150 … 250	Schneidplatten, Stempel, Kunststoffpress-formen, Reibahlen, Messzeuge
102Cr6	1.2067	230	820 … 850	Ö	100 … 180	Bohrer, Fräser, Reibahlen, kleine Schneid-platten, Spitzen für Drehmaschinen
X38CrMo16	1.2316	250	1000 … 1040	Ö	650 … 700	Werkzeuge für die Verarbeitung von chemisch angreifenden Thermoplasten
40CrMnNiMo8-6-4	1.2738	235	840 … 870	Ö	180 … 220	Kunststoffformen aller Art
45NiCrMo16	1.2767	260	840 … 870	Ö, L	160 … 250	Biege- und Prägewerkzeuge, Schermesser für dickes Schneidgut
X153CrMoV12	1.2379	250	1020 … 1050	Ö, L	180 … 250	bruchempfindliche Schneidwerkzeuge, Fräser, Räumwerkzeuge, Schermesser
X210CrW12	1.2436	255	950 … 980	Ö, L	180 … 250	Hochleistungs-Schneidwerkzeuge, Räumwerkzeuge, Presswerkzeuge
Warmarbeitsstähle						
55NiCrMoV7	1.2714	250	840 … 870	Ö	400 … 650	Kunststoffpressformen, kleine und mittel-große Gesenke, Warmschermesser
X37CrMoV5-1	1.2343	235	1020 … 1050	Ö, L	550 … 650	Druckgießformen für Leichtmetalle, Strangpresswerkzeuge
32CrMoV12-28	1.2365	230	1020 … 1050	Ö, L	500 … 670	Druckgießformen für Schwermetalle, Strangpresswerkzeuge für alle Metalle
X38CrMoV5-3	1.2367	235	1030 … 1080	Ö, L	600 … 700	hochwertige Gesenke, hoch beanspruchte Werkzeuge zur Schraubenherstellung
Schnellarbeitsstähle						
HS6-5-2C	1.3343	250	1190 … 1230	Ö, L	540 … 560	Spiralbohrer, Reibahlen, Fräser, Gewinde-bohrer, Kreissägeblätter
HS6-5-2-5	1.3243	270	1210 … 1250	Ö, L	550 … 570	Höchstbeanspruchte Spiralbohrer, Fräser, Schruppwerkzeuge mit hoher Zähigkeit
HS10-4-3-10	1.3207	270	1210 … 1250	Ö, L	550 … 570	Drehmeißel für Automatenbearbeitung, hohe Abspanleistung
HS2-9-2	1.3348	250	1190 … 1230	Ö, L	540 … 580	Fräser, Spiral- und Gewindebohrer, hohe Schneidhärte, Warmfestigkeit, Zähigkeit

[1] Anlieferungszustand: geglüht   [2] A Abschreckmittel; W Wasser; Ö Öl; L Luft
Bezeichnung der Werkzeugstähle: Seiten 125, 126;   Wärmebehandlung der Werkzeugstähle: Seite 160

W

Nichtrostende Stähle

Korrosionsbeständige Stähle (Auswahl)

vgl. DIN EN 10088-2 und 10088-3 (2005-09)

Stahlsorte Kurzname	Werkstoff-nummer	L[1] B	L[1] S	A[2]	Dicke d mm	Zug-festigkeit R_m N/mm²	Dehn-grenze $R_{p0,2}$ N/mm²	Bruch-dehnung A %	Eigenschaften, Verwendung
Austenitische Stähle									
X10CrNi18-8	1.4310	•		C	≤ 8	600 … 950	250	40	Federn für Temperaturen bis 300 °C, Fahrzeugbau
			•	–	≤ 40	500 … 750	195	40	
X2CrNi18-9	1.4307	• •		C P	≤ 8 ≤ 75	520 … 700 500 … 650	220 200	45	Behälter für Haushalt, chemische und Lebens-mittelindustrie
			•	–	≤ 160	500 … 700	175	45	
X2CrNi19-11	1.4306	• •		C P	≤ 8 ≤ 75	520 … 700 500 … 700	220 200	45	Geräte und Teile, die organischen und Frucht-säuren ausgesetzt sind
			•	–	≤ 160	460 … 680	180	45	
X2CrNiN18-10	1.4311	• •		C P	≤ 8 ≤ 75	550 … 750 540 … 750	290 270	40	Geräte des Molkerei- und Brauereigewerbes, Druckgefäße
			•	–	≤ 160	550 … 760	270	40	
X5CrNi18-10	1.4301	• •		C P	≤ 8 ≤ 75	540 … 750	230 210	45	gut polierbar; Tiefziehteile in der Nahrungsmittelindustrie
			•	–	≤ 160	500 … 700	190	45	
X8CrNiS18-9	1.4305	•		P	≤ 75	500 … 700	190	35	Teile im Nahrungsmittel- und Molkereigewerbe
			•	–	≤ 160	500 … 750	190	35	
X6CrNiTi18-10	1.4541	• •		C P	≤ 8 ≤ 75	520 … 720 500 … 700	220 200	40	Gebrauchsgegenstände im Haushalt, Teile in der Fotoindustrie
			•	–	≤ 160	500 … 700	190	40	
X4CrNi18-12	1.4303	•		C	≤ 8	500 … 650	220	45	Chemische Industrie; Schrauben, Muttern
			•	–	≤ 160	500 … 700	190	45	
X5CrNiMo17-12-2	1.4401	• •		C P	≤ 8 ≤ 75	530 … 680 520 … 670	240 220	40 45	Teile in der Farben-, Öl- und Textilindustrie
			•	–	≤ 160	500 … 700	200	40	
X6CrNiMoTi17-12-2	1.4571	• •		C P	≤ 8 ≤ 75	540 … 690 520 … 670	240 220	40	Teile in der Textil-, Kunstharz- und Gummi-industrie
			•	–	≤ 160	500 … 700	200	40	
X2CrNiMo18-14-3	1.4435	• •		C P	≤ 8 ≤ 75	550 … 700 520 … 670	240 220	40 45	Teile mit erhöhter chemischer Beständigkeit in der Zellstoffindustrie
			•	–	≤ 160	500 … 700	200	40	
X2CrNiMoN17-13-3	1.4429	• •		C P	≤ 8 ≤ 75	580 … 780	300 280	35 40	erhöhte chemische Beständigkeit; Druckbehälter
			•	–	≤ 160	580 … 800	280	35	
X2CrNiMoN17-13-5	1.4439	• •		C P	≤ 8 ≤ 75	580 … 780	290 270	35 40	beständig gegen Chlor und höhere Temperatu-ren; chemische Industrie
			•	–	≤ 160	580 … 800	280	35	
X1NiCrMoCu25-20-5	1.4539	• •		C P	≤ 8 ≤ 75	530 … 730 520 … 720	240 220	35	beständig gegen Phosphor-, Schwefel- und Salzsäure; chemische Industrie
			•	–	≤ 160	700 … 800	200	40	

[1] L Lieferformen, Normzuordnung: B Bleche, Bänder → DIN EN 10088-2; S Stäbe, Profile → DIN EN 10088-3
[2] A Anlieferungszustand: C kaltgewalzte Bänder; P warmgewalzte Bleche

W

Nichtrostende Stähle

Korrosionsbeständige Stähle (Fortsetzung)   vgl. DIN EN 10088-2 und 10088-3 (2005-09)

Ferritische Stähle

Kurzname	Werkstoff-nummer	L[1] B	S	A[2]	Dicke d mm	Zug-festigkeit R_m N/mm²	Dehn-grenze $R_{p0,2}$ N/mm²	Bruch-dehnung A %	Eigenschaften, Verwendung
X2CrNi12	1.4003	•		C P	≤ 8 ≤ 25	450 … 650	280 250	20 18	Fahrzeug- und Container-bau, Fördertechnik
			•	–	≤ 100	450 … 600	260	20	
X6Cr13	1.4000	• •		C P	≤ 8 ≤ 25	400 … 600	240 220	19	beständig gegen Wasser und Dampf; Haushalts-geräte, Beschläge
			•	–	≤ 25	400 … 630	230	20	
X6Cr17	1.4016	• •		C P	≤ 8 ≤ 25	450 … 600	260 240	20	gut kalt umformbar, polierbar; Bestecke, Stoßstangen
			•	–	≤ 100	400 … 630	240	20	
X2CrTi12	1.4512	•		C	≤ 8	450 … 650	280	23	Katalysatoren
X6CrMo17-1	1.4113	•		C	≤ 8	450 … 630	260	18	Automobilbau; Zierleisten, Radkappen
			•	–	≤ 100	440 … 660	280	18	
X3CrTi17	1.4510	•		C	≤ 8	450 … 600	260	20	Schweißteile im Nahrungsmittelbereich
X2CrMoTi18-2	1.4521	• •		C P	≤ 8 ≤ 12	420 … 640 420 … 620	300 280	20	Schrauben, Muttern, Heizkörper

[1] L Lieferformen, Normzuordnung; B Bleche, Bänder → DIN EN 10088-2; S Stäbe, Profile → DIN EN 10088-3
[2] A Anlieferungszustand: C kaltgewalzte Bänder; P warmgewalzte Bleche

Martensitische Stähle

Kurzname	Werk-stoff-nr.	L[1] B	S	A[2]	Dicke d mm	W[3]	Zug-festigkeit R_m N/mm²	Dehn-grenze $R_{p0,2}$ N/mm²	Bruch-dehnung A %	Eigenschaften, Verwendung
X12Cr13	1.4006	• •		C P	≤ 8 ≤ 75	A QT650	≤ 600 650 … 850	– 450	20 12	beständig gegen Wasser und Dampf, Lebensmittel-industrie
			•	–	≤ 160	QT650	650 … 850	450	15	
X20Cr13	1.4021	• •		C P	≤ 8 ≤ 75	A QT750	≤ 700 750 … 950	– 550	15 10	Achsen, Wellen, Pumpenteile, Schiffsschrauben
			•	–	≤ 160	QT800	800 … 950	600	12	
X30Cr13	1.4028	• •		C P	≤ 8 ≤ 75	A QT800	≤ 740 800 … 1000	– 600	15 10	Schrauben, Muttern, Federn, Kolbenstangen
			•	–	≤ 160	QT850	850 … 1000	650	10	
X46Cr13	1.4034	•	•	C	≤ 8 ≤ 160	A QT800	≤ 780 850 … 1000	245 650	12 10	härtbar; Tafel- und Maschinenmesser
X39CrMo17-1	1.4122	•	•	C –	≤ 8 ≤ 60	A QT900	≤ 900 900 … 1100	280 800	12 11	Wellen, Spindeln, Armaturen bis 600 °C
X3CrNiMo13-4	1.4313		•	P	≤ 75	QT900	900 … 1100	800	11	hohe Zähigkeit; Pumpen, Turbinenlauf-räder, Reaktorbau
			•	–		A	≤ 1100	320	–	
			•		≤ 160	QT900	900 … 1100	800	12	

[1] L Lieferformen, Normzuordnung; B Bleche, Bänder → DIN EN 10088-2; S Stäbe, Profile → DIN EN 10088-3
[2] A Anlieferungszustand: C kaltgewalzte Bänder; P warmgewalzte Bleche
[3] W Wärmebehandlungszustand: A geglüht; QT750 → vergütet auf Mindestzugfestigkeit R_m = 750 N/mm²

W

Federstahl

Stahldraht für Federn, patentiert gezogen   vgl. DIN EN 10270-1 (2012-01)

Draht-sorte	Mindestzugfestigkeit R_m in N/mm² für die Nenndurchmesser d in mm															
	0,5	0,8	1,0	1,5	2,0	2,5	3,0	3,4	4,0	4,5	5,0	6,0	8,0	10,0	15,0	20,0
SL	–	–	1720	1600	1520	1460	1410	1370	1320	1290	1260	1210	1120	1060	–	–
SM	2200	2050	1980	1850	1760	1690	1630	1590	1530	1500	1460	1400	1310	1240	1110	1020
SH	2480	2310	2330	2090	1980	1900	1840	1790	1740	1690	1660	1590	1490	1410	1270	1160
DM	2200	2050	1980	1850	1760	1690	1630	1590	1530	1500	1460	1400	1310	1240	1110	1020
DH	2480	2310	2230	2090	1980	1900	1840	1790	1740	1690	1660	1590	1490	1410	1270	1160

Drahtdurchmesser d in mm (Auswahl)

alle Sorten	0,30 – 0,32 – 0,34 – 0,36 – 0,38 – 0,40 – 0,43 – 0,48 – 0,50 – 0,53 – 0,56 – 0,60 – 0,63 – 0,65 – 0,70 – 0,75 – 0,80 – 0,90 – 1,00 – 1,10 – 1,20 – 1,25 – 1,30 – 1,40 – 1,50 – 1,60 – 1,70 – 1,80 – 1,90 – 2,00 – 2,10 – 2,25 – 2,40 – 2,50 – 2,60 – 2,80 – 3,00 – 3,20 – 3,40 – 3,60 – 3,80 – 4,00 – 4,25 – 4,50 – 4,75 – 5,00 – 5,30 – 5,60 – 6,00 – 6,30 – 6,50 – 7,00 – 7,50 – 8,00 – 8,50 – 9,00 – 9,50 – 10,00

Einsatzbedingungen, Verwendung

Draht-sorte	Geeignet für Federn mit	Verwendung
SL	niedriger statischer Beanspruchung	Zugfedern, Druckfedern, Drehfedern im Geräte- und Maschinenbau, Drahtsorte DH ist auch für Formfedern geeignet.
SM	mittlerer statischer **oder** seltener dynamischer Beanspruchung	
SH	hoher statischer **oder** niedriger dynamischer Beanspruchung	
DM	mittlerer dynamischer Beanspruchung	
DH	hoher statischer **oder** mittlerer dynamischer Beanspruchung	

Drahtoberflächen, Lieferformen

Kurz-zeichen	Draht-oberfläche	Kurz-zeichen	Draht-oberfläche	Lieferformen
b	blank	ph	phosphatiert	• in Ringen oder auf Spulen • gerichtete Stäbe im Bündel
wh	weiß, nassblank	Z	mit Zinküberzug	
cu	verkupfert	ZA	mit Zink/Aluminium-Überzug	
⇒	**Federdraht EN 10270-1 DM 3,4 ph**: Drahtsorte DM, d = 3,4 mm, phosphatierte Oberfläche (ph)			

Federstahl, warm gewalzt, vergütbar   vgl. DIN EN 10089 (2003-04), Ersatz für DIN 17221

Stahlsorte		warm gewalzt	weich-geglüht +A	im vergüteten Zustand (+QT)[1]			Eigenschaften, Verwendung
Kurz-name	Werk-stoff-nummer	Härte HB	Härte HB	Zug-festigkeit R_m N/mm²	Dehn-grenze $R_{p\,0,2}$ N/mm²	Bruch-dehnung A %	
38Si7	1.5023	240	217	1300 … 1600	1150	8	federnde Schraubensicherungen
46Si7	1.5024	270	248	1400 … 1700	1250	7	Blattfedern, Schraubenfedern
55Cr3	1.7176	> 310	248	1400 … 1700	1250	3	größere Zug- und Druckfedern
54SiCr6	1.7102	310	248	1450 … 1750	1300	6	Federdraht
61SiCr7	1.7108	310	248	1550 … 1850	1400	5,5	Blattfedern, Tellerfedern
51CrV4	1.8159	> 310	248	1400 … 1700	1200	6	hoch beanspruchte Federn

Erläuterung	[1] Die Festigkeitswerte gelten für Proben mit d = 10 mm Durchmesser.
⇒	**Rundstab EN 10089 – 20 x 8000 – 51CrV4+A**: Stabdurchmesser d = 20 mm, Stablänge l = 8000 mm, Stahlsorte 51CrV4, Anlieferungszustand weichgeglüht (+A)

Drahtdurchmesser d in mm (Auswahl)	Lieferformen
5,0 – 5,5 – 6,0 – 6,5 – 7,0 – 7,5 – 8,0 – 8,5 – 9,0 – 9,5 – 10,0 – 10,5 – 11,0 – 11,5 – 12,0 … 19,0 – 19,5 – 20,0 – 21,0 – 22,0 – 23,0 … 27,0 – 28,0 – 29,0 – 30,0	• gerichtete Stäbe • Drahtringe

W

Stähle für Blankstahlerzeugnisse

Unlegierte Stähle, blank (Auswahl)   vgl. DIN EN 10277-2 (2008-06)

| Stahlsorte | | Dicken-bereich in mm | Mechanische Eigenschaften im Lieferzustand | | | | | Eigenschaften, Verwendung |
| | | | gewalzt u. geschält (+SH) | | kaltgezogen (+C) | | | |
Kurzname	Werk-stoff-nummer		Härte HB	Zugfestig-keit R_m N/mm²	Dehngr. $R_{p0,2}$ N/mm²	Zugfestig-keit R_m N/mm²	Bruch-dehnung A in %	
S235JRC	1.0122	> 16 ≤ 40 / > 40 ≤ 63	102…140	360…510	260 / 235	390…730 / 380…670	10 / 11	nicht härtbare Qualitätsstähle für allgemeine Verwendung, z.B. Hebel, Bolzen, Achsen mit geringer Beanspruchung
S355J2C	1.0579	> 16 ≤ 40 / > 40 ≤ 63	146…187	470…630	350 / 335	530…850 / 500…770	8 / 9	
E295GC	1.0533	> 16 ≤ 40 / > 40 ≤ 63	140…181	470…610	320 / 300	550…850 / 520…770	8 / 9	
E335GC	1.0543	> 16 ≤ 40 / > 40 ≤ 63	169…211	570…710	390 / 340	640…930 / 620…870	7 / 8	
C15	1.0401	> 16 ≤ 40 / > 40 ≤ 63	98…178	330…600	240 / 215	380…670 / 340…600	11 / 12	nicht für eine Wärmebehand-lung, z.B. härten, vorgesehene Qualitätsstähle für höher beanspruchte Teile
C35	1.0501	> 16 ≤ 40 / > 40 ≤ 63	154…207	520…700	320 / 300	580…880 / 520…800	9 / 9	
C45	1.0503	> 16 ≤ 40 / > 40 ≤ 63	172…242	580…820	410 / 360	650…1000 / 580…850	8 / 8	
C60	1.0601	> 16 ≤ 40 / > 40 ≤ 63	198…278	670…940	480 / –	730…1100 / –	6 / –	

Lieferformen, Oberflächen, Hinweise	Rundstäbe: gewalzt und geschält (+SH), kaltgezogen (+C), geschliffen (+SL) poliert (+PL), Flach- und Vierkantstäbe: gewalzt und kaltgezogen (+C) Abmessungen, Grenzabmaße Seite 148

Automatenstähle, blank (Auswahl)   vgl. DIN EN 10277-3 (2008-06)

| Stahlsorte | | Dicken-bereich in mm | Mechanische Eigenschaften im Lieferzustand | | | | | Eigenschaften, besondere Lieferformen |
| | | | gewalzt u. geschält (+SH) | | kaltgezogen (+C) | | | |
Kurzname	Werk-stoff-nummer		Härte HB	Zugfestig-keit R_m N/mm²	Dehngr. $R_{p0,2}$ N/mm²	Zugfestig-keit R_m N/mm²	Bruch-dehnung A in %	
11SMn30 / 11SMnPb30	1.0715 / 1.0718	> 16 ≤ 40 / > 40 ≤ 63	112…169	380…570 / 370…570	375 / 305	460…710 / 400…650	8 / 9	nicht für eine Wärmebehand-lung, z.B. härten, bestimmte Stähle
11SMn37 / 11SMnPb37	1.0736 / 1.0737	> 16 ≤ 40 / > 40 ≤ 63	112…169	380…570 / 370…570	375 / 305	460…710 / 400…650	8 / 9	
10S20 / 10SPb20	1.0721 / 1.0722	> 16 ≤ 40 / > 40 ≤ 63	107…156	360…530	360 / 295	460…720 / 410…660	9 / 10	zur Einsatzhär-tung geeignete Stähle
15SMn13	1.0725	> 16 ≤ 40 / > 40 ≤ 63	128…178 / 128…172	430…600 / 430…580	390 / 350	470…770 / 460…680	8 / 9	
35S20 / 35SPb20	1.0726 / 1.0756	> 16 ≤ 40 / > 40 ≤ 63	154…201 / 154…198	520…680 / 520…670	360 / 340	560…800 / 530…760	8 / 9	zum Vergüten geeignete Stähle; auch kaltgezogen und vergütet (+C+QT) bzw. vergütet und kaltgezogen (+QT+C) lieferbar.
36SMn14 / 36SMnPb14	1.0764 / 1.0765	> 16 ≤ 40 / > 40 ≤ 63	166…222 / 166…219	560…750 / 560…740	390 / 360	600…900 / 580…840	7 / 8	
44SMn28 / 44SMnPb28	1.0762 / 1.0763	> 16 ≤ 40 / > 40 ≤ 63	187…242 / 184…235	630…820 / 620…790	460 / 430	660…900 / 650…870	6 / 7	
46S20 / 46SMnPb20	1.0727 / 1.0757	> 16 ≤ 40 / > 40 ≤ 63	175…225 / 172…216	590…760 / 580…730	400 / 380	640…880 / 610…850	7 / 8	

Lieferformen, Oberflächen, Hinweise	Rundstäbe: gewalzt und geschält (+SH), kaltgezogen (+C), geschliffen (+SL) poliert (+PL), Flach- und Vierkantstäbe: gewalzt und kaltgezogen (+C) Abmessungen, Grenzabmaße Seite 148, Wärmebehandlung Seite 162

Stähle für Blankstahlerzeugnisse

Vergütungsstähle, blank (Auswahl) vgl. DIN EN 10277-5 (2008-06)

Stahlsorte			Mechanische Eigenschaften im Lieferzustand					Eigenschaften, Verwendung
Kurzname	Werkstoffnummer	Dickenbereich in mm	gewalzt und geschält (+SH)		vergütet und kaltgezogen (+QT+C)			
			Härte HB	Zugfestigkeit R_m N/mm²	Dehngr. $R_{p0,2}$ N/mm²	Zugfestigkeit R_m N/mm²	Bruchdehnung A in %	
C35E	1.1181	> 16 ≤ 40	154…207	520…700	455	650… 850	10	unlegierte Vergütungsstähle für Teile mit geringer Beanspruchung
C35R	1.1180	> 40 ≤ 63			400	570… 770	11	
C45E	1.1191	> 16 ≤ 40	172…242	580…820	525	750… 950	9	
C45R	1.1201	> 40 ≤ 63			455	650… 850	10	
C60E	1.1221	> 16 ≤ 40	198…278	670…940	580	830…1030	7	
C60R	1.1223	> 40 ≤ 63			545	780… 980	8	
34CrS4	1.7037	> 16 ≤ 40	223	–	580	800…1000	9	legierte Vergütungsstähle für Teile mit höherer Beanspruchung, verbesserte Zerspanbarkeit durch Schwefel (S)
		> 40 ≤ 63			510	700… 900	10	
41CrS4	1.7039	> 16 ≤ 40	241	–	670	900…1100	9	
		> 40 ≤ 63			570	800…1000	10	
25CrMoS4	1.7213	> 16 ≤ 40	212	–	600	800…1000	10	
		> 40 ≤ 63			520	700… 900	11	
42CrMoS4	1.7227	> 16 ≤ 40	241	–	720	1000…1200	10	
		> 40 ≤ 63			650	900…1100	10	
34CrNiMo6	1.6582	> 16 ≤ 40	248	–	720	1000…1200	9	
		> 40 ≤ 63			650	1000…1200	10	
Lieferformen, Oberflächen, Hinweise		Rundstäbe: z.B. gewalzt und geschält (+SH), kaltgezogen (+C), kaltgezogen und vergütet (+C+QT)						
		Flach- und Vierkantstäbe: z.B. kaltgezogen (+C), vergütet und kaltgezogen (+QT+C)						
		Abmessungen, Grenzabmaße Seite 148, Wärmebehandlung Seite 161						

W

Einsatzstähle, blank (Auswahl) vgl. DIN EN 10277-4 (2008-06)

Stahlsorte			Mechanische Eigenschaften im Lieferzustand					Eigenschaften, Verwendung
Kurzname	Werkstoffnummer	Dickenbereich in mm	gewalzt und geschält (+SH)		kaltgezogen (+C)			
			Härte HB	Zugfestigkeit R_m N/mm²	Dehngr. $R_{p0,2}$ N/mm²	Zugfestigkeit R_m N/mm²	Bruchdehnung A in %	
C10R	1.1207	> 16 ≤ 40	92…163	310…550	250	400…700	12	unlegierte Einsatzstähle für Kleinteile mit mittlerer Beanspruchung, z.B. Bolzen, Zapfen, Rollen
		> 40 ≤ 63			200	350…640		
C15R	1.1140	> 16 ≤ 40	98…178	330…600	280	430…730	9	
		> 40 ≤ 63			240	380…670	11	
C16R	1.1208	> 16 ≤ 40	105…184	350…620	300	450…750	11	
		> 40 ≤ 63			260	360…620	12	

legierte Stähle			Härtewerte HB im Lieferzustand			
			+A+SH	+A+C	+FP+SH	+FP+C
16MnCrS5	1.7139	> 16 ≤ 40	207	245	140…187	140…240	legierte Einsatzstähle, verbesserte Zerspanbarkeit durch Schwefel (S), für Teile mit höheren Beanspruchungen
		> 40 ≤ 63	240		140…235	
20MnCrS5	1.7149	> 16 ≤ 40	217	255	152…201	152…250
		> 40 ≤ 63		250		152…245
16NiCrS4	1.5715	> 16 ≤ 40	217	255	156…207	156…245
		> 40 ≤ 63		255		156…240
15NiCr13	1.5752	> 16 ≤ 40	255	–	166…217	–
		> 40 ≤ 63				

Lieferformen, Oberflächen, Hinweise	Rundstäbe: +A+SH weichgeglüht und geschält, +A+C weichgeglüht und kaltgezogen, +FP+SH behandelt auf Ferrit-Perlit-Gefüge und geschält, +FP+C behandelt auf Ferrit-Perlit-Gefüge und kaltgezogen
	Flach- und Vierkantstäbe: +A+C weichgeglüht und kaltgezogen, +FP+C behandelt auf Ferrit-Perlit-Gefüge und kaltgezogen
	Abmessungen, Grenzabmaße Seite 148, Wärmebehandlung Seite 160

Bleche und Bänder, Einteilung – Übersicht

Einteilung nach

Lieferformen

Bezeichnung	Abmessungen, Bemerkungen
Blechtafel	meist rechteckige Tafeln im Kleinformat: $b \times l = 1000 \times 2000$ mm, Mittelformat: $b \times l = 1250 \times 2500$ mm, Großformat: $b \times l = 1500 \times 3000$ mm. Blechdicken $s = 0,14 \dots 250$ mm
Bandrolle (Coil)	Streifendicke $s = 0,14 \dots$ ca. 10 mm Streifenbreite b bis 2000 mm Coildurchmesser bis 2400 mm Coilmasse bis 40 t • zur Beschickung von automatischen Fertigungsanlagen oder für Blechzuschnitte, z.B. bei der Weiterverarbeitung

Herstellverfahren

Verfahren	Bemerkungen
warm-gewalzt	Blechdicken bis ca. 250 mm, gewalzte Oberfläche mit Schuppen, Zundereinwalzungen, Blasen, Rissen, Sandstellen, die durch Ausschleifen und Schweißen auch ausgebessert sein können.
kalt-gewalzt	Blechdicken bis ca. 10 mm, verschiedene Oberflächenqualitäten, z.B. für Qualitätslackierungen und Oberflächenbehandlungen, z.B. phosphatiert, sind lieferbar.
kalt-gewalzt mit Oberflächen-veredelung	• höhere Korrosionsbeständigkeit, z.B. durch Verzinken oder organische Beschichtung • für dekorative Zwecke, z.B. durch Kunststoffbeschichtung oder Lackierung • bessere Umformbarkeit, z.B. durch Strukturierung der Oberfläche

Blechsorten – Übersicht (Auswahl)

W

Haupteigenschaften	Bezeichnung, Stahlsorten	Norm	Lieferformen[1]		
			Bl	Ba	Dickenbereich
Kaltgewalzte Bleche und Bänder					
• kalt umformbar (Tiefziehen) • schweißbar • Oberfläche lackierbar	Flacherzeugnisse aus weichen Stählen	DIN EN 10130	•	•	0,35…3 mm
	Kaltband aus weichen Stählen	DIN EN 10207	–	•	≤ 10 mm
	Flacherzeugnisse mit hoher Streckgrenze	DIN EN 10268	•	•	≤ 3 mm
	Flacherzeugnisse zum Emaillieren	DIN EN 10209	•	•	≤ 3 mm
Kaltgewalzte Bleche und Bänder mit Oberflächenveredelung					
• höhere Korrosionsbeständigkeit • ggf. bessere Umformbarkeit	Schmelztauchveredeltes Blech und Band	DIN EN 10346	•	•	≤ 3 mm
	Elektrolytisch verzinkte Flacherzeugnisse aus Stahl zum Kaltumformen	DIN EN 10152	•	•	0,35…3 mm
	Organisch beschichtete Flacherzeugnisse aus Stahl	DIN EN 10169	•	•	≤ 3 mm
Kaltgewalzte Bleche und Bänder für Verpackungen					
• korrosionsbeständig • kalt umformbar • schweißbar	Feinstblech zur Herstellung von Weißblech	DIN EN 10205	•	•	0,14…0,49 mm
	Verpackungsblech aus elektrolytisch verzinntem oder verchromtem Stahl	DIN EN 10202	•	•	0,14…0,49 mm
Warmgewalzte Bleche und Bänder					
Eigenschaften wie entsprechende Stahlgruppen (Seiten 128, 129)	Blech und Band aus unlegierten und legierten Stählen, z.B. aus Baustählen nach DIN EN 10025-2, Feinkornbaustählen nach DIN EN 10025-3, Einsatzstählen nach DIN EN 10084, Vergütungsstählen nach DIN EN 10083, nichtrostenden Stählen nach DIN EN 10088	DIN EN 10051	•	•	Bleche bis 25 mm Dicke, Bänder bis 10 mm Dicke
• hohe Streckgrenze	Blech aus Baustählen mit höherer Streckgrenze in vergütetem Zustand	DIN EN 10025-6	•	–	3…150 mm
• Kaltumformbarkeit	Flacherzeugnisse aus Stählen mit hoher Streckgrenze	DIN EN 10149-1	•	•	Bleche bis 20 mm Dicke

[1] Lieferformen: Bl Bleche; Ba Bänder

Kaltgewalzte Bleche und Bänder zur Kaltumformung

Kaltgewalztes Band und Blech aus weichen Stählen
vgl. DIN EN 10130 (2007-02)

Stahlsorte		Ober-flächen-art	Zug-festigkeit R_m N/mm²	Streck-grenze R_e N/mm²	Bruch-dehnung A %	Freiheit von Fließ-figuren[1]	Eigenschaften, Verwendung
Kurzname	Werkstoff-nummer						
DC01	1.0330	A B	270 … 410	140 280	28	– 3 Monate	kalt umformbar, z.B. durch Tiefziehen, schweißbar, Oberflächen lackierbar; umgeformte Blechteile im Fahrzeugbau, im allgemeinen Maschinen- und Gerätebau, in der Bauindustrie
DC03	1.0347	A B	270 … 370	140 240	34	6 Monate	
DC04	1.0338	A B	270 … 350	140 210	38	6 Monate	
DC05	1.0312	A B	270 … 330	140 180	40	6 Monate	
DC06	1.0873	A B	270 … 350	120 180	38	un-begrenzt	

Liefer-formen (Richtwerte)	Blechdicken: 0,25 – 0,35 – 0,4 – 0,5 – 0,6 – 0,7 – 0,8 – 0,9 – 1,0 – 1,2 – 1,5 – 2,0 – 2,5 – 3,0 mm Blechtafel-Abmessungen: 1000 x 2000 mm, 1250 x 2500 mm, 1500 x 3000 mm, 2000 x 6000 mm Bänder (Coils) bis ca. 2000 mm Breite
Erläuterung	[1] Bei der spanlosen Weiterverarbeitung, z.B. durch Tiefziehen, treten innerhalb der angegebenen Frist keine Fließfiguren auf. Die Frist gilt ab der vereinbarten Lieferung.

Oberflächenart			Oberflächenausführung		
Bezeichnung	Beschreibung der Oberfläche		Bezeichnung	Ausführung	Mittenrauwert Ra
A	Fehler, z.B. Poren, Riefen, dürfen die Umform-barkeit und die Haftung von Oberflächenüber-zügen nicht beeinträchtigen.		b g	besonders glatt glatt	$Ra \le 0,4$ µm $Ra \le 0,9$ µm
B	Eine Blechseite muss so weit fehlerfrei sein, dass das Aussehen einer Qualitätslackierung nicht beeinträchtigt wird.		m r	matt rau	$0,6$ µm $< Ra \le 1,9$ µm $Ra > 1,6$ µm
⇒	**Blech EN 10130 – DC06 – B – g:** Blech aus Werkstoff DC06, Oberflächenart B, glatte Oberfläche				

W

Kaltgewalztes Band und Blech aus Stählen mit hoher Streckgrenze (Auswahl)
vgl. DIN EN 10268 (2013-12)

Stahlsorte		Zug-festigkeit R_m N/mm²	Streck-grenze $R_{p0,2}$ N/mm²	Bruch-dehnung A %	Stahlgruppe, Eigenschaften, Verwendung
Kurz-name	Werk-stoff-nummer				
HC180Y	1.0922	340 … 400	180 … 230	35	**höherfeste IF-Stähle (Y)** bei hoher mechanischer Festigkeit sehr gut kalt umformbar; komplizierte Tiefziehteile
HC220Y	1.0925	350 … 420	220 … 270	33	
HC260Y	1.0928	380 … 440	260 … 320	31	
HC180B	1.0395	290 … 360	180 … 230	34	**bake-hardening-Stähle (B)** gut kalt umformbar, Streckgrenzenerhöhung durch Erwärmung nach der Umformung; Karosserieteile
HC220B	1.0396	320 … 400	220 … 270	32	
HC300B	1.0444	390 … 480	300 … 360	26	
HC220I	1.0346	300 … 380	220 … 270	34	**isotrope Stähle (I)** beste Eignung zum Streckziehen; Motorhauben und Türen für Kraftfahrzeuge
HC260I	1.0349	320 … 400	260 … 310	32	
HC300I	1.0447	340 … 440	300 … 350	30	
HC260LA	1.0480	350 … 430	260 … 330	26	**niedriglegierte/mikrolegierte Stähle (LA)** verbesserte Schweißbarkeit bei begrenzter Kaltumformbarkeit, gute Schlag- und Ermüdungs-festigkeit; Verstärkungsteile, z.B. in Karosserien
HC340LA	1.0548	410 … 510	340 … 420	21	
HC420LA	1.0556	470 … 600	420 … 520	17	
HC500LA	1.0573	550 … 710	500 … 620	12	

Ober-flächen	Walzbreiten ≥ 600 mm: Oberflächenart und -ausführung nach DIN EN 10130 (siehe Tabelle oben). Für LA-Sorten kommt nur die Oberflächenart A in Betracht. Walzbreiten < 600 mm: Oberflächenart und -ausführung nach DIN EN 10139.
⇒	**Blech EN 10268 – HC380LA – A – m:** Blech aus Werkstoff HC380LA, Oberflächenart A, Oberflächenausführung matt (m)

Bleche und Bänder, kalt- und warmgewalzt

Schmelztauchveredeltes Band und Blech aus weichen Stählen zum Kaltumformen (Auswahl)

vgl. DIN EN 10346 (2009-07)
Ersatz für DIN EN 10327

Stahlsorte		Garantie für Festigkeitswerte[1]	Zugfestigkeit R_m N/mm²	Streckgrenze R_e N/mm²	Bruchdehnung A %	Ausbildung von Fließfiguren	Güteklasse für Kaltumformung
Kurzname	Werkstoffnummer						
DX51D+Z DX51D+ZF	1.0226+Z 1.0226+ZF	1 Monat	270 … 500	–	22	Ausbildung von Fließfiguren ist möglich	Maschinenfalzgüte
DX52D+Z DX52D+ZF	1.0350+Z 1.0350+ZF	1 Monat	270 … 420	140 … 300	26		Ziehgüte
DX53D+Z DX53D+ZF	1.0355+Z 1.0355+ZF	1 Monat	270 … 380	140 … 260	30		Tiefziehgüte
DX54D+Z DX54D+ZF	1.0306+Z 1.0306+ZF	6 Monate	270 … 350	140 … 220	36 34	6 Monate frei von Fließfiguren[2]	Sondertiefziehgüte
DX56D+Z DX56D+ZF	1.0322+Z 1.0322+ZF	6 Monate	270 … 350	120 … 180	39 37		Spezialtiefziehgüte

Lieferformen (Richtwerte)	Blechdicken: 0,25 – 0,35 – 0,4 – 0,5 – 0,6 – 0,7 – 0,8 – 0,9 – 1,0 – 1,2 – 1,5 – 2,0 – 2,5 – 3,0 mm Blechtafel-Abmessungen: 1000 x 2000 mm, 1250 x 2500 mm, 1500 x 3000 mm, 2000 x 6000 mm Bänder (Coils) bis ca. 2000 mm Breite
Erläuterungen	[1] Die Kennwerte für die Zugfestigkeit R_m, die Streckgrenze R_e und die Bruchdehnung A werden nur innerhalb der angegebenen Frist garantiert. Die Frist gilt ab der vereinbarten Lieferung. [2] Bei der Kaltumformung von Blechen mit den Oberflächen B und C treten innerhalb von 6 Monaten keine Fließfiguren auf. Die Frist gilt ab der vereinbarten Lieferung.

Zusammensetzung und Eigenschaften der Überzüge (Auswahl)

Bezeichnung	Zusammensetzung, Eigenschaften	Bezeichnung	Zusammensetzung, Eigenschaften
+Z	Beschichtung aus Reinzink, glänzend-blumige Oberfläche, Schutz gegen atmosphärische Korrosion	+ZF	abriebfeste Beschichtung aus einer Zink-Eisen-Legierung, einheitlich mattgraue Oberfläche, Korrosionsschutz wie bei +Z

Oberflächenqualität und -behandlung

Bezeichnung	Bedeutung	Oberflächenbehandlung
A	Unregelmäßigkeiten wie Riefen, Kratzer, Poren, streifenförmige Markierungen sind zulässig	Die Oberflächenbehandlung wird durch Kurzzeichen gekennzeichnet: C → chemisch passiviert O → geölt P → phosphatiert S → versiegelt
B	verbesserte Oberfläche gegenüber A	
C	beste Oberfläche, eine Blechseite muss eine Qualitätslackierung ermöglichen	

⇒ **Blech EN 10143-0,5 x 1200 x 2500 – Stahl DIN EN 10346 – DX53D+ZF100-B-P:** Blech mit Grenzabmaßen nach EN 10143, Dicke t = 0,5 mm, Breite b = 1200 mm, Länge l = 2500 mm, Werkstoff DX53D, Beschichtung aus Eisen-Zink-Legierung mit 100 g/m², verbesserter Oberfläche (B), Blechoberflächen geölt (O)

Warmgewalzte Bleche und Bänder

vgl. DIN EN 10051 (2011-02)

	Stahlgruppe, Bezeichnung	Norm	Seite	Eigenschaften
Werkstoffe	Warmgewalzte Bleche und Bänder nach DIN EN 10051 werden aus Stählen verschiedener Werkstoffgruppen hergestellt, zum Beispiel:			Eigenschaften und Verwendung der einzelnen Stähle → siehe Seiten 131…134
	Baustähle, unlegiert Einsatzstähle, unlegiert und legiert Vergütungsstähle, unlegiert und legiert	DIN EN 10025-2 DIN EN 10084 DIN EN 10083-2 … 3	131 133 134	
	Schweißgeeignete Feinkornbaustähle Vergütbare Baustähle mit hoher Streckgrenze	DIN EN 10025-3 … 4 DIN EN 10137	132 132	
Lieferformen (Richtwerte)	Blechdicken: 0,5 – 1,0 – 1,5 – 2,0 – 2,5 – 3,0 – 3,5 – 4,0 – 4,5 – 5,0 – 6,0 – 8,0 – 10,0 – 12,0 – 15,0 – 18,0 – 20,0 – 25,0 mm. Lieferbar als Breitband von 600 … 2200 mm Breite oder als Blechtafeln, die aus Breitband geschnitten werden oder als Band mit Breiten < 600 mm, das aus längsgeteiltem Breitband hergestellt wird.			

⇒ **Blech EN 10051 – 2,0 x 1200 x 2500 – Stahl EN 10083-1 – 34Cr4:** Blechdicke 2,0 mm, Tafelabmessungen 1200 x 2500 mm, legierter Vergütungsstahl 34Cr4

Rohre für den Maschinenbau, Präzisionsstahlrohre

Nahtlose Rohre für den Maschinenbau (Auswahl)

vgl. DIN EN 10297-1 (2003-06)

d Außendurchmesser
s Wanddicke
S Querschnittsfläche
m' längenbezogene Masse
W_x axiales Widerstandsmoment
I_x axiales Flächenträgheitsmoment

$d \times s$	S cm²	m' kg/m	W_x cm³	I_x cm⁴	$d \times s$	S cm²	m' kg/m	W_x cm³	I_x cm⁴
26,9 x 2,3	1,78	1,40	1,01	1,36	54 x 5,0	7,70	6,04	8,64	23,34
26,9 x 2,6	1,98	1,55	1,10	1,48	54 x 8,0	11,56	9,07	11,67	31,50
26,9 x 3,2	2,38	1,87	1,27	1,70	54 x 10,0	13,82	10,85	13,03	35,18
35 x 2,6	2,65	2,08	2,00	3,50	60,3 x 8	13,14	10,31	15,25	45,99
35 x 4,0	3,90	3,06	2,72	4,76	60,3 x 10	15,80	12,40	17,23	51,95
35 x 6,3	5,68	4,46	3,50	6,13	60,3 x 12,5	18,77	14,73	19,00	57,28
40 x 4	4,52	3,55	3,71	7,42	70 x 8	15,58	12,23	21,75	76,12
40 x 5	5,50	4,32	4,30	8,59	70 x 12,5	22,58	17,73	27,92	97,73
40 x 8	8,04	6,31	5,47	10,94	70 x 16	27,14	21,30	30,75	107,6
44,5 x 4	5,09	4,00	4,74	10,54	82,5 x 8	18,72	14,70	31,85	131,4
44,5 x 5	6,20	4,87	5,53	12,29	82,5 x 12,5	28,19	21,58	42,12	173,7
44,5 x 8	9,17	7,20	7,20	16,01	82,5 x 20	39,27	30,83	51,24	211,4
51 x 5	7,23	5,68	7,58	19,34	88,9 x 10	24,79	19,46	44,09	196,0
51 x 8	10,81	8,49	10,13	25,84	88,9 x 16	36,64	28,76	57,40	255,2
51 x 10	12,88	10,11	11,25	28,68	88,9 x 20	43,29	33,98	62,66	278,6

	Stahlgruppe		Stahlsorte, Beispiele	Glühzustand[1]
Werkstoffe, Glühzustand	Maschinenbaustähle	unlegiert	E235, E275, E315	+AR oder +N
		legiert	E355K2, E420J2	+N
	Vergütungsstähle	unlegiert	C22E, C45E, C60E	+N oder +QT
		legiert	41Cr4, 42CrMo4	+QT
	Einsatzstähle, unlegiert, legiert		C10E, C15E, 16MnCr5	+A oder +N
	Eigenschaften und Verwendung der Stähle: Seiten 128…129			

Präzisionsstahlrohre, nahtlos gezogen (Auswahl)

vgl. DIN EN 10305-1 (2010-05)

d Außendurchmesser
s Wanddicke
S Querschnittsfläche
m' längenbezogene Masse
W_x axiales Widerstandsmoment
I_x axiales Flächenträgheitsmoment

$d \times s$	S cm²	m' kg/m	W_x cm³	I_x cm⁴	$d \times s$	S cm²	m' kg/m	W_x cm³	I_x cm⁴
10 x 1	0,28	0,22	0,06	0,03	35 x 3	3,02	2,37	2,23	3,89
10 x 1,5	0,40	0,31	0,07	0,04	35 x 5	4,71	3,70	3,11	5,45
10 x 2	0,50	0,39	0,09	0,04	35 x 8	5,53	4,34	2,53	3,79
12 x 1	0,35	0,27	0,09	0,05	40 x 4	4,52	3,55	3,71	7,42
12 x 1,5	0,49	0,38	0,12	0,07	40 x 5	5,50	4,32	4,30	8,59
12 x 2	0,63	0,49	0,14	0,08	40 x 8	8,04	6,31	5,47	10,94
15 x 2	0,82	0,64	0,24	0,18	50 x 5	7,07	5,55	7,25	18,11
15 x 2,5	0,98	0,77	0,27	0,20	50 x 8	10,56	8,29	9,65	24,12
15 x 3	1,13	0,89	0,29	0,22	50 x 10	12,57	9,87	10,68	26,70
20 x 2,5	1,37	1,08	0,54	0,54	60 x 5	8,64	6,78	10,98	32,94
20 x 4	2,01	1,58	0,68	0,68	60 x 8	13,07	10,26	15,07	45,22
20 x 5	2,36	1,85	0,74	0,74	60 x 10	15,71	12,33	17,02	51,05
25 x 2,5	1,77	1,39	0,91	1,13	70 x 5	10,21	8,01	15,50	54,24
25 x 5	3,14	2,46	1,34	1,67	70 x 10	18,85	14,80	24,91	87,18
25 x 6	3,58	2,81	1,42	1,78	70 x 12	21,87	17,17	27,39	95,88
30 x 3	2,54	1,99	1,56	2,35	80 x 8	18,10	14,21	29,68	118,7
30 x 5	3,93	3,08	2,13	3,19	80 x 10	21,99	17,26	34,36	137,4
30 x 6	4,52	3,55	2,31	3,46	80 x 16	32,17	25,25	43,75	175,0

Werkstoffe	Maschinenbaustähle: E215, E235, E255, E355, E410 Vergütungsstähle: 26Mn5, C35E, C45E, 26Mo2, 25CrMo4, 42CrMo4 Automatenstähle: 10S10, 15S10, 18S10, 37S10
Lieferzustände	+C zugblank, hart +LC zugblank, weich +A geglüht +SR zugblank, spannungsarmgeglüht +N normalgeglüht
Oberflächen	glatte äußere und innere Oberflächen mit Grenzwerten für die Rauheit Ra: Ra ≤ 4 µm für die äußere Oberfläche im Lieferzustand +SR, +A, +N Ra ≤ 4 µm für die äußere und die innere Oberfläche im Lieferzustand +C, +LC

W

Warmgewalzte Stahlprofile

W

Querschnitt	Bezeichnung, Abmessungen	Norm, Seite	Querschnitt	Bezeichnung, Abmessungen	Norm, Seite
	Rundstahl $d = 8 \ldots 200$	DIN EN 10060 Seite 147		**Z-Stahl** $h = 30 \ldots 200$	DIN 1027
	Vierkantstahl $a = 8 \ldots 120$	DIN EN 10059 Seite 147		**Gleichschenkliger Winkelstahl** $a = 20 \ldots 250$	DIN EN 10056-1 Seite 151
	Flachstahl $b \times s = 10 \times 5 \ldots 150 \times 60$	DIN EN 10058 Seite 147		**Ungleichschenkliger Winkelstahl** $a \times b =$ $30 \times 20 \ldots 200 \times 150$	DIN EN 10056-1 Seite 150
	Quadratisches Hohlprofil $a = 40 \ldots 400$	DIN EN 10210-2 Seite 154		**Schmaler I-Träger** I-Reihe $h = 80 \ldots 160$	DIN 1025-1
	Rechteckiges Hohlprofil $a \times b =$ $50 \times 25 \ldots 500 \times 300$	DIN EN 10210-2 Seite 154		**Mittelbreiter I-Träger** IPE-Reihe $h = 80 \ldots 600$	DIN 1025-5 Seite 152
	Rundes Hohlprofil $D \times s =$ $21{,}3 \times 2{,}3 \ldots 1219 \times 25$	DIN EN 10210-1		**Breiter I-Träger** IPB-Reihe[1] $h = 100 \ldots 1000$	DIN 1025-2 Seite 153
	Gleichschenkliger T-Stahl $b = h = 30 \ldots 140$	DIN EN 10055 Seite 149		**Breiter I-Träger** leichte Ausführung IPBl-Reihe[1] $h = 100 \ldots 1000$	DIN 1025-3 Seite 152
	U-Stahl $h = 30 \ldots 400$	DIN 1026-1 Seite 149		**Breiter I-Träger** verstärkte Ausführung IPBv-Reihe[1] $h = 100 \ldots 1000$	DIN 1025-4 Seite 153

[1] Nach EURONORM 53-62: IPB = HE … B, IPBl = HE … A, IPBv = HE … M

Stabstahl, warmgewalzt

Warmgewalzte Rundstäbe
vgl. DIN EN 10060 (2004-02)

Stahlgruppe (Auswahl)	Norm	Seite	Oberflächen
Unleg. Baustähle	DIN EN 10025-2	131	
Automatenstähle	DIN EN 10087	135	Die Oberfläche kann z. B. Schuppen, Zundereinschlüsse, Blasen, Risse und Sandstellen enthalten, die durch Schleifen auch ausgebessert sein können.
Einsatzstähle	DIN EN 10084	133	
Vergütungsstähle	DIN EN 10083	134	
Werkzeugstähle	DIN EN ISO 4957	136	
Nichtrostende Stähle	DIN EN 10088	137 138	

Nennmaße	Nenndurchmesser d in mm								
	10	18	26	36	50	70	95	130	160
	12	19	27	38	52	73	100	135	165
	13	20	28	40	55	75	105	140	170
	14	22	30	42	60	80	110	145	175
	15	24	32	45	63	85	115	150	180
	16	25	35	48	65	90	120	155	200

Längen l	Herstelllängen (M): l = 3000 mm bis l = 13 000 mm Festlängen (F): l = (3000 mm bis 13 000 mm) ± 100 mm Genaulängen (E): l < 6000 mm ± 25 mm
⇒	**Rundstab EN 10060 – 40 x 5000 E – Stahl EN 10025-2 – S235JR:** Warmgewalzter Rundstab d = 40 mm, Genaulänge l = 5000 mm ± 25 mm; unlegierter Baustahl S235JR

Warmgewalzte Flachstäbe
vgl. DIN EN 10058 (2004-02)

W

Stahlgruppen, Oberflächen	siehe warmgewalzte Rundstäbe (Tabelle oben)
Längen l	Herstelllängen (M): l = 3000 mm bis l = 13 000 mm Festlängen (F): l = (3000 mm bis 13 000 mm) ± 100 mm Genaulängen (E): l < 6000 mm ± 25 mm

Nennmaße: Breite b und Höhe h in mm											
b	h	b	h	b	h	b	h	b	h	b	h
10	5	16	5…10	30	5…20	45	5…30	70	5…40	100	5…60
12	5, 6	20	5…15	35	5…20	50	5…30	80	5…60	120	6…60
15	5…10	25	5…15	40	5…30	60	5…40	90	5…60	150	6…90

Nenndicken h: 5, 6, 8, 10, 12, 15, 20, 25, 30, 35, 40, 50, 60, 80 mm

⇒	**Flachstab EN 10058 – 40 x 15 x 3000 M – Stahl EN 10084 – 20MnCr5:** Warmgewalzter Flachstab b = 40 mm, h = 15 mm, Herstelllänge l = 3000 mm, Einsatzstahl 20MnCr5

Warmgewalzte Vierkantstäbe
vgl. DIN EN 10059 (2004-02)

Stahlgruppen, Oberflächen	siehe warmgewalzte Rundstäbe (Tabelle oben)
Längen l	Herstelllängen (M): l = 3000 mm bis l = 13 000 mm Festlängen (F): l = (3000 mm bis 13 000 mm) ± 100 mm Genaulängen (E): l < 6000 mm ± 25 mm

Nennmaße	Seitenlänge a in mm									
	8	13	16	22	26	32	45	60	75	100	130
	10	14	18	24	28	35	50	65	80	110	140
	12	15	20	25	30	40	55	70	90	120	150

⇒	**Vierkantstab EN 10059 – 60 x 5000 F – Stahl EN 10087 – 35S20:** Warmgewalzter Vierkantstab a = 60 mm, Festlänge l = 5000 mm ± 100 mm, Werkstoff Automatenstahl 35S20

Stabstahl, blank

Rundstäbe, blank

vgl. DIN EN 10278 (1999-12)

Stahlgruppe (Auswahl)	Norm			Seite	Lieferzustand, Oberflächenqualität					
Stähle für allg. Verwendung	DIN EN 10277-2			140	gezogen (+C): glatte, zunderfreie Oberfläche					
Automatenstähle	DIN EN 10277-3			140	geschält (+SH): bessere Oberflächenqualität als bei (+C), kaum Randentkohlung und Walzfehler					
Einsatzstähle	DIN EN 10277-4			141						
Vergütungsstähle	DIN EN 10277-5			141	geschliffen (+SL): beste Oberfläche, beste Maßhaltigkeit					
Grenzabmaße für Durchmesser d	gezogen (+C) h10			geschält (+SH) h10				geschliffen (+SL) h9		
Nenndurchmesser d in mm	2,5	6	9,5	16	23	30	42	60	90	150
	3	6,5	10	17	24	32	46	63	100	160
	3,5	7	11	18	25	34	48	65	110	180
	4	7,5	12	19	26	35	50	70	120	200
	4,5	8	13	20	27	36	52	75	125	
	5	8,5	14	21	28	38	55	80	130	
	5,5	9	15	22	29	40	58	85	140	
Längen l	Herstelllängen: l = 3000 mm bis l = 9000 mm Lagerlängen: l = 3000 mm oder l = 6000 mm									
⇒	**Rund EN 10278 – 25 x Lager 3000 – EN 10277-5 – C45+SH:** Rundstab d = 25 mm, gefertigt nach Toleranzklasse h10, Lagerlänge l = 3000 mm, Werkstoff Vergütungsstahl C45, geschält (+SH)									

Flachstäbe, blank

vgl. DIN EN 10278 (1999-12)

Stahlgruppen, Lieferzustand	siehe Rundstäbe, blank (Tabelle oben) gezogen (+C), Oberfläche glatt und zunderfrei										
Grenzabmaße — Breite b	≤ 100 mm ⇒ h11				100 mm < b ≤ 150 mm ⇒ ± 0,5 mm						
Grenzabmaße — Höhe h	≤ 80 mm ⇒ h11				80 mm < h ≤ 100 mm ⇒ h12						
Längen l	Herstelllängen: l = 3000 mm bis l = 9000 mm Lagerlängen: l = 3000 mm oder l = 6000 mm										
Nennmaße: Breite b und Höhe h in mm											
b	h	b	h	b	h	b	h	b	h	b	h
5	2…3	12	2…10	18	2…12	28	2…20	45	2…32	70	4…40
6	2…4	14	2…10	20	2…16	32	2…25	50	2…32	80	5…25
8	2…6	16	2…12	22	2…12	36	2…20	56	3…32	90	5…25
10	2…8	18	2…12	25	2…20	40	2…32	63	3…40	100	5…25
Nenndicken h: 2, 2,5, 3, 4, 5, 6, 8, 10, 12, 15, 16, 20, 25, 30, 32, 35, 40 mm											
⇒	**Flach EN 10278 – 40 x 16 x 5000 – EN 10277-4 – C16R+C:** Flachstab b = 40 mm, h = 16 mm, Breite und Höhe nach Toleranzklasse h11 gefertigt, Länge l = 5000 mm, Werkstoff Einsatzstahl C16R, gezogen (+C)										

Vierkantstäbe, blank

vgl. DIN EN 10278 (1999-12)

Stahlgruppen, Lieferzustand	siehe Rundstäbe, blank blank gezogen (+C), Oberfläche glatt und zunderfrei								
Grenzabmaße	a ≤ 80 mm ⇒ h11; a > 80 mm ⇒ h12								
Längen l	siehe Flachstäbe, blank (Tabelle oben)								
Seitenlängen a in mm	4	6	9	12	16	22	36	60	80
	4,5	7	10	13	18	25	40	63	100
	5	8	11	14	20	28	45	70	
⇒	**Vierkant EN 10278 – 45 x Lager 6000 – EN 10277-3 – 35SPb20+C:** Vierkantstab a = 45 mm, gefertigt nach Toleranzklasse h11, Lagerlänge l = 6000 mm, Werkstoff Automatenstahl 35SPb20, gezogen (+C)								

T-Stahl, U-Stahl

Gleichschenkliger T-Stahl, warmgewalzt
vgl. DIN EN 10055 (1995-12)

S Querschnittsfläche
I Flächenmoment 2. Grades
W axiales Widerstandsmoment
m' längenbezogene Masse

Werkstoff: Unlegierter Baustahl DIN EN 10025, z. B. S235JR

Lieferart: Längen auf Bestellung mit dem üblichen Grenzabmaß von ± 100 mm oder den eingeschränkten Grenzabmaßen ± 50 mm, ± 25 mm, ± 10 mm

$$r = s \qquad r_1 = \frac{s}{2}$$

Kurz-zeichen	Abmessungen in mm		S	m'	Abstand der x-Achse e_x	Für die Biegeachse x – x		y – y		Anreißmaße nach DIN 997		
T	b = h	s = t	cm²	kg/m	cm	I_x cm⁴	W_x cm³	I_y cm⁴	W_y cm³	w_1 mm	w_2 mm	d_1 mm
30	30	4	2,26	1,77	0,85	1,72	0,80	0,87	0,58	17	17	4,3
35	35	4,5	2,97	2,33	0,99	3,10	1,23	1,04	0,90	19	19	4,3
40	40	5	3,77	2,96	1,12	5,28	1,84	2,58	1,29	21	22	6,4
50	50	6	5,66	4,44	1,39	12,1	3,36	6,06	2,42	30	30	6,4
60	60	7	7,94	6,23	1,66	23,8	5,48	12,2	4,07	34	35	8,4
70	70	8	10,6	8,23	1,94	44,4	8,79	22,1	6,32	38	40	11
80	80	9	13,6	10,7	2,22	73,7	12,8	37,0	9,25	45	45	11
100	100	11	20,9	16,4	2,74	179	24,6	88,3	17,7	60	60	13
120	120	13	29,6	23,2	3,28	366	42,0	179	29,7	70	70	17
140	140	15	39,9	31,3	3,80	660	64,7	330	47,2	80	75	21

⇒ **T-Profil EN 10055 – T50 – S235JR:** T-Stahl, h = 50 mm, aus S235JR

U-Stahl, warmgewalzt
vgl. DIN 1026-1 (2009-04)

W

S Querschnittsfläche
I Flächenmoment 2. Grades
W axiales Widerstandsmoment
m' längenbezogene Masse

Werkstoff: Unlegierter Baustahl DIN EN 10025, z. B. S235J0

Lieferart: Herstelllängen 3 m bis 15 m; Festlängen bis 15 m ± 50 mm
Neigung bei h ≤ 300 mm: 8 %; h > 300 mm: 5 %

$$r_1 = t \qquad r_2 \approx \frac{t}{2}$$

Kurz-zeichen	Abmessungen in mm				S	m'	Abstand der y-Achse e_y	Für die Biegeachse x – x		y – y		Anreiß-maße DIN 997	
U	h	b	s	t	cm²	kg/m	cm	I_x cm⁴	W_x cm³	I_y cm⁴	W_y cm³	w_1 mm	d_1 mm
30 x 15	30	15	4	4,5	2,21	1,74	0,52	2,53	1,69	0,38	0,39	10	4,3
30	30	33	5	7	5,44	4,27	1,31	6,39	4,26	5,33	2,68	20	8,4
40 x 20	40	20	5	5,5	3,66	2,87	0,67	7,58	3,79	1,14	0,86	11	6,4
40	40	35	5	7	6,21	4,87	1,33	14,1	7,05	6,68	3,08	20	8,4
50 x 25	50	25	5	6	4,92	3,86	0,81	16,8	6,73	2,49	1,48	16	8,4
50	50	38	5	7	7,12	5,59	1,37	26,4	10,6	9,12	3,75	20	11
60	60	30	6	6	6,46	5,07	0,91	31,6	10,5	4,51	2,16	18	8,4
80	80	45	6	8	11,0	8,64	1,45	106	26,5	19,4	6,36	25	13
100	100	50	6	8,5	13,5	10,6	1,55	206	41,2	29,3	8,49	30	13
120	120	55	7	9	17,0	13,4	1,60	364	60,7	43,2	11,1	30	17
160	160	65	7,5	10,5	24,0	18,8	1,84	925	116	85,3	18,3	35	21
200	200	75	8,5	11,5	32,2	25,3	2,01	1910	191	148	27,0	40	23
260	260	90	10	14	48,3	37,9	2,36	4820	371	317	47,7	50	25
300	300	100	10	16	58,8	46,1	2,70	8030	535	495	67,8	55	28
350	350	100	14	16	77,3	60,6	2,40	12840	734	570	75,0	58	28
400	400	110	14	18	91,5	71,8	2,65	20350	1020	846	102	60	28

⇒ **U-Profil DIN 1026 – U100 – S235J0:** U-Stahl, h = 100 mm, aus S235J0

Winkelstahl

Ungleichschenkliger Winkelstahl, warmgewalzt (Auswahl) — vgl. DIN EN 10056-1 (1998-10)

S Querschnittsfläche
I Flächenmoment 2. Grades

W axiales Widerstandsmoment
m′ längenbezogene Masse

Werkstoff: Unlegierter Baustahl DIN EN 10025-2, z. B. S235J0

Lieferart: Von 30 x 20 x 3 bis 200 x 150 x 15, in Herstelllängen ≥ 6 m < 12 m,
Festlängen ≥ 6 m < 12 m ± 100 mm

$$r_1 \approx t$$

$$r_2 \approx \frac{t}{2}$$

Kurz-zeichen	Abmessungen in mm			S	m'	Abstände der Achsen		Für die Biegeachse $x-x$		$y-y$		Anreißmaße nach DIN 997			
L	a	b	t	cm²	kg/m	e_x cm	e_y cm	I_x cm⁴	W_x cm³	I_y cm⁴	W_y cm³	w_1 mm	w_2 mm	w_3 mm	d_1 mm
30 x 20 x 3	30	20	3	1,43	1,12	0,99	0,50	1,25	0,62	0,44	0,29	17	–	12	8,4
30 x 20 x 4	30	20	4	1,86	1,46	1,03	0,54	1,59	0,81	0,55	0,38	17	–	12	8,4
40 x 20 x 4	40	20	4	2,26	1,77	1,47	0,48	3,59	1,42	0,60	0,39	22	–	12	11
40 x 25 x 4	40	25	4	2,46	1,93	1,36	0,62	3,89	1,47	1,16	0,69	22	–	15	11
45 x 30 x 4	45	30	4	2,87	2,25	1,48	0,74	5,78	1,91	2,05	0,91	25	–	17	13
50 x 30 x 5	50	30	5	3,78	2,96	1,73	0,74	9,36	2,86	2,51	1,11	30	–	17	13
60 x 30 x 5	60	30	5	4,28	3,36	2,17	0,68	15,6	4,07	2,63	1,14	35	–	17	17
60 x 40 x 5	60	40	5	4,79	3,76	1,96	0,97	17,2	4,25	6,11	2,02	35	–	22	17
60 x 40 x 6	60	40	6	5,68	4,46	2,00	1,01	20,1	5,03	7,12	2,38	35	–	22	17
65 x 50 x 5	65	50	5	5,54	4,35	1,99	1,25	23,2	5,14	11,9	3,19	35	–	30	21
70 x 50 x 6	70	50	6	6,89	5,41	2,23	1,25	33,4	7,01	14,2	3,78	40	–	30	21
75 x 50 x 6	75	50	6	7,19	5,65	2,44	1,21	40,5	8,01	14,4	3,81	40	–	30	21
75 x 50 x 8	75	50	8	9,41	7,39	2,52	1,29	52,0	10,4	18,4	4,95	40	–	30	23
80 x 40 x 6	80	40	6	6,89	5,41	2,85	0,88	44,9	8,73	7,59	2,44	45	–	22	23
80 x 40 x 8	80	40	8	9,01	7,07	2,94	0,96	57,6	11,4	9,61	3,16	45	–	22	23
80 x 60 x 7	80	60	7	9,38	7,36	2,51	1,52	59,0	10,7	28,4	6,34	45	–	35	23
100 x 50 x 6	100	50	6	8,71	6,84	3,51	1,05	89,9	13,8	15,4	3,89	55	–	30	25
100 x 50 x 8	100	50	8	11,4	8,97	3,60	1,13	116	18,2	19,7	5,08	55	–	30	25
100 x 65 x 7	100	65	7	11,2	8,77	3,23	1,51	113	16,6	37,6	7,53	55	–	35	25
100 x 65 x 8	100	65	8	12,7	9,94	3,27	1,55	127	18,9	42,2	8,54	55	–	35	25
100 x 65 x 10	100	65	10	15,6	12,3	3,36	1,63	154	23,2	51,0	10,5	55	–	35	25
100 x 75 x 8	100	75	8	13,5	10,6	3,10	1,87	133	19,3	64,1	11,4	55	–	40	25
100 x 75 x 10	100	75	10	16,6	13,0	3,19	1,95	162	23,8	77,6	14,0	55	–	40	25
100 x 75 x 12	100	75	12	19,7	15,4	3,27	2,03	189	28,0	90,2	16,5	55	–	40	25
120 x 80 x 8	120	80	8	15,5	12,2	3,83	1,87	226	27,6	80,8	13,2	50	80	45	25
120 x 80 x 10	120	80	10	19,1	15,0	3,92	1,95	276	34,1	98,1	16,2	50	80	45	25
120 x 80 x 12	120	80	12	22,7	17,8	4,00	2,03	323	40,4	114	19,1	50	80	45	25
125 x 75 x 8	125	75	8	15,5	12,2	4,14	1,68	247	29,6	67,6	11,6	50	–	40	25
125 x 75 x 10	125	75	10	19,1	15,0	4,23	1,76	302	36,5	82,1	14,3	50	–	40	25
125 x 75 x 12	125	75	12	22,7	17,8	4,31	1,84	354	43,2	95,5	16,9	50	–	40	25
135 x 65 x 8	135	65	8	15,5	12,2	4,78	1,34	291	33,4	45,2	8,75	50	–	35	25
135 x 65 x 10	135	65	10	19,1	15,0	4,88	1,42	356	41,3	54,7	10,8	50	–	35	25
150 x 75 x 9	150	75	9	15,4	15,4	5,26	1,57	455	46,7	77,9	13,1	60	105	40	28
150 x 75 x 10	150	75	10	21,7	17,0	5,30	1,61	501	51,6	85,6	14,5	60	105	40	28
150 x 75 x 12	150	75	12	25,7	20,2	5,40	1,69	588	61,3	99,6	17,1	60	105	40	28
150 x 75 x 15	150	75	15	31,7	24,8	5,52	1,81	713	75,2	119	21,0	60	105	40	28
150 x 90 x 12	150	90	12	27,5	21,6	5,08	2,12	627	63,3	171	24,8	60	105	50	28
150 x 90 x 15	150	90	15	33,9	26,6	5,21	2,23	761	77,7	205	30,4	60	105	50	28
150 x 100 x 10	150	100	10	24,2	19,0	4,81	2,34	553	54,2	199	25,9	60	105	55	28
150 x 100 x 12	150	100	12	28,7	22,5	4,89	2,42	651	64,4	233	30,7	60	105	55	28
200 x 100 x 10	200	100	10	29,2	23,0	6,93	2,01	1220	93,2	210	26,3	65	150	55	28
200 x 100 x 15	200	100	15	43,0	33,8	7,16	2,22	1758	137	299	38,5	65	150	55	28

⇒ **L EN 10056-1 – 65 x 50 x 5 – S235J0:** Ungleichschenkliger Winkelstahl, a = 65 mm, b = 50 mm,
t = 5 mm, aus S235J0

W

Winkelstahl

Gleichschenkliger Winkelstahl, warmgewalzt (Auswahl)   vgl. DIN EN 10056-1 (1998-10)

S Querschnittsfläche	W axiales Widerstandsmoment
I Flächenmoment 2. Grades	m' längenbezogene Masse

Werkstoff: Unlegierter Baustahl DIN EN 10025-2, z.B. S235J0

Lieferart: Von 20 x 20 x 3 bis 200 x 250 x 35, in Herstelllängen ≥ 6 m < 12 m, Festlängen ≥ 6 m < 12 m ± 100 mm

$$r_1 \approx t \qquad r_2 \approx \frac{t}{2}$$

Kurz-zeichen	Abmessungen in mm		S	m'	Abstände der Achsen e	Für die Biegeachse $x-x$ und $y-y$		Anreißmaße nach DIN 997		
L	a	t	cm²	kg/m	cm	$I_x = I_y$ cm⁴	$W_x = W_y$ cm³	w_1 mm	w_2 mm	d_1 mm
20 x 20 x 3	20	3	1,12	0,882	0,598	0,39	0,28	12	–	4,3
25 x 25 x 3	25	3	1,42	1,12	0,723	0,80	0,45	15	–	6,4
25 x 25 x 4	25	4	1,85	1,45	0,762	1,02	0,59	15	–	6,5
30 x 30 x 3	30	3	1,74	1,36	0,835	1,40	0,65	17	–	8,4
30 x 30 x 4	30	4	2,27	1,78	0,878	1,80	0,85	17	–	8,4
35 x 35 x 4	35	4	2,67	2,09	1,00	2,95	1,18	18	–	11
40 x 40 x 4	40	4	3,08	2,42	1,12	4,47	1,55	22	–	11
40 x 40 x 5	40	5	3,79	2,97	1,16	5,43	1,91	22	–	11
45 x 45 x 4,5	45	4,5	3,90	3,06	1,25	7,14	2,20	25	–	13
50 x 50 x 4	50	4	3,89	3,06	1,36	8,97	2,46	30	–	13
50 x 50 x 5	50	5	4,80	3,77	1,40	11,0	3,05	30	–	13
50 x 50 x 6	50	6	5,69	4,47	1,45	12,8	3,61	30	–	13
60 x 60 x 5	60	5	5,82	4,57	1,64	19,4	4,45	35	–	17
60 x 60 x 6	60	6	6,91	5,42	1,69	22,8	5,29	35	–	17
60 x 60 x 8	60	8	9,03	7,09	1,77	29,2	6,89	35	–	17
65 x 65 x 7	65	7	8,70	6,83	1,85	33,4	7,18	35	–	21
70 x 70 x 6	70	6	8,13	6,38	1,93	36,9	7,27	40	–	21
70 x 70 x 7	70	7	9,40	7,38	1,97	42,3	8,41	40	–	21
75 x 75 x 6	75	6	8,73	6,85	2,05	45,8	8,41	40	–	23
75 x 75 x 8	75	8	11,4	8,99	2,14	59,1	11,0	40	–	23
80 x 80 x 8	80	8	12,3	9,63	2,26	72,2	12,6	45	–	23
80 x 80 x 10	80	10	15,1	11,9	2,34	87,5	15,4	45	–	23
90 x 90 x 7	90	7	12,2	9,61	2,45	92,6	14,1	50	–	25
90 x 90 x 8	90	8	13,9	10,9	2,50	104	16,1	50	–	25
90 x 90 x 9	90	9	15,5	12,2	2,54	116	17,9	50	–	25
90 x 90 x 10	90	10	17,1	13,4	2,58	127	19,8	50	–	25
100 x 100 x 8	100	8	15,5	12,2	2,74	145	19,9	55	–	25
100 x 100 x 10	100	10	19,2	15,0	2,82	177	24,6	55	–	25
100 x 100 x 12	100	12	22,7	17,8	2,90	207	29,1	55	–	25
120 x 120 x 10	120	10	23,2	18,2	3,31	313	36,0	50	80	25
120 x 120 x 12	120	12	27,5	21,6	3,40	368	42,7	50	80	25
130 x 130 x 12	130	12	30,0	23,6	3,64	472	50,4	50	90	25
150 x 150 x 10	150	10	29,3	23,0	4,03	624	56,9	60	105	28
150 x 150 x 12	150	12	34,8	27,3	4,12	737	67,7	60	105	28
150 x 150 x 15	150	15	43,0	33,8	4,25	898	83,5	60	105	28
160 x 160 x 15	160	15	46,1	36,2	4,49	1100	95,6	60	115	28
180 x 180 x 18	180	18	61,9	48,6	5,10	1870	145	65	135	28
200 x 200 x 16	200	16	61,8	48,5	5,52	2340	162	65	150	28
200 x 200 x 20	200	20	76,3	59,9	5,68	2850	199	65	150	28
200 x 200 x 24	200	24	90,6	71,1	5,84	3330	235	70	150	28
250 x 250 x 28	250	28	133	104	7,24	7700	433	75	150	28

⇒ **L EN 10056-1 – 70 x 70 x 7 – S235J0:** Gleichschenkliger Winkelstahl, a = 70 mm, t = 7 mm, aus S235J0

W

Mittelbreite und breite I-Träger

Mittelbreite I-Träger (IPE), warmgewalzt (Auswahl)   vgl. DIN 1025-5 (1994-03)

S Querschnittsfläche   W axiales Widerstandsmoment
I Flächenmoment 2. Grades   m′ längenbezogene Masse

Werkstoff: Unlegierter Baustahl DIN EN 10025-2, z. B. S235JR

Lieferart: Normallängen, 8 m bis 16 m ± 50 mm bei $h < 300$ mm,
8 m bis 18 m ± 50 mm bei $h ≥ 300$ mm

| Kurz-zeichen | Abmessungen in mm | | | | | S | m′ | Für die Biegeachse | | | | Anreißmaße nach DIN 997 | |
| | | | | | | | | x–x | | y–y | | | |
IPE	h	b	s	t	r	S cm²	$m′$ kg/m	I_x cm⁴	W_x cm³	I_y cm⁴	W_y cm³	w_1 mm	d_1 mm
100	100	55	4,1	5,7	7	10,3	8,1	171	34,2	15,9	5,8	30	8,4
120	120	64	4,4	6,3	7	13,2	10,4	318	53,0	27,7	8,7	36	8,4
140	140	73	4,7	6,9	7	16,4	12,9	541	77,3	44,9	12,3	40	11
160	160	82	5,0	7,4	9	20,1	15,8	869	109	68,3	16,7	44	13
180	180	91	5,3	8,0	9	23,9	18,8	1320	146	101	22,2	50	13
200	200	100	5,6	8,5	12	28,5	22,4	1940	194	142	28,5	56	13
240	240	120	6,2	9,8	15	39,1	30,7	3890	324	284	47,3	68	17
270	270	135	6,6	10,2	15	45,9	36,1	5790	429	420	62,2	72	21
300	300	150	7,1	10,7	15	53,8	42,2	8360	557	604	80,5	80	23
360	360	170	8,0	12,7	18	72,7	57,1	16270	904	1040	123	90	25
400	400	180	8,6	13,5	21	84,5	66,3	23130	1160	1320	146	96	28
500	500	200	10,2	16,0	21	116	90,7	48200	1930	2140	214	110	28
600	600	220	12,0	19,0	24	156	122	92080	3070	3390	308	120	28

⇒ **I-Profil DIN 1025 – S235JR – IPE 300:** Mittelbreiter I-Träger mit parallelen Flanschflächen, $h = 300$ mm, aus S235JR

Breite I-Träger leichte Ausführung (IPBl), warmgewalzt (Auswahl)   vgl. DIN 1025-3 (1994-03)

S Querschnittsfläche   W axiales Widerstandsmoment
I Flächenmoment 2. Grades   m′ längenbezogene Masse

Werkstoff: Unlegierter Baustahl DIN EN 10025-2, z. B. S235JR

Lieferart: Normallängen, 8 m bis 16 m ± 50 mm bei $h < 300$ mm

$$r_1 ≈ 3 \cdot s$$

| Kurz-zeichen | Abmessungen in mm | | | | S | m′ | Für die Biegeachse | | | | Anreißmaße nach DIN 997 in mm | | | |
| | | | | | | | x–x | | y–y | | | | | |
IPBl	h	b	s	t	S cm²	$m′$ kg/m	I_x cm⁴	W_x cm³	I_y cm⁴	W_y cm³	w_1	w_2	w_3	d_1
100	96	100	5	8	21,2	16,7	349	72,8	134	26,8	56	–	–	13
120	114	120	5	8	25,3	19,9	606	106	231	38,5	66	–	–	17
140	133	140	5,5	8,5	31,4	24,7	1030	155	389	55,6	76	–	–	21
160	152	160	6	9	38,8	30,4	1670	220	616	76,9	86	–	–	23
180	171	180	6	9,5	45,3	35,5	2510	294	925	103	100	–	–	25
200	190	200	6,5	10	53,8	42,3	3690	389	1340	134	110	–	–	25
240	230	240	7,5	12	76,8	60,3	7760	675	2770	231	–	94	35	25
280	270	280	8	13	97,3	76,4	13670	1010	4760	340	–	110	45	25
320	310	300	9	15,5	124,0	97,6	22930	1480	6990	466	–	120	45	28
400	390	300	11	19	159,0	125,0	45070	2310	8560	571	–	120	45	28
500	490	300	12	23	198,0	155,0	86970	3550	10370	691	–	120	45	28
600	590	300	13	25	226,0	178,0	141200	4790	11270	751	–	120	45	28
800	790	300	15	28	286,0	224,0	303400	7680	12640	843	–	130	40	28

⇒ **I-Profil DIN 1025 – S235JR – IPBl 320:** Breiter I-Träger leichte Ausführung, aus S235JR
Bezeichnung nach EURONORM 53-62: **HE 320 A**

W

Breite I-Träger

Breite I-Träger (IPB), warmgewalzt (Auswahl)   vgl. DIN 1025-2 (1995-11)

S Querschnittsfläche W axiales Widerstandsmoment
I Flächenmoment 2. Grades m' längenbezogene Masse

Werkstoff: Unlegierter Baustahl DIN EN 10025-2, z. B. S235JR

Lieferart: Normallängen, 8 m bis 16 m ± 50 mm bei $h < 300$ mm,
             8 m bis 18 m ± 50 mm bei $h \geq 300$ mm

$$r_1 \approx 2 \cdot s$$

Kurz-zeichen	Abmessungen in mm				S	m'	Für die Biegeachse				Anreißmaße nach DIN 997			
							$x - x$		$y - y$					
IPB	h	b	s	t	cm²	kg/m	I_x cm⁴	W_x cm³	I_y cm⁴	W_y cm³	w_1 mm	w_2 mm	w_3 mm	d_1 mm
100	100	100	6	10	26,0	20,4	450	89,9	167	33,5	56	–	–	13
120	120	120	6,5	11	34,0	26,7	864	144	318	52,9	66	–	–	17
140	140	140	7	12	43,0	33,7	1510	216	550	78,5	76	–	–	21
160	160	160	8	13	54,3	42,6	2490	311	889	111	86	–	–	23
180	180	180	8,5	14	65,3	51,2	3830	426	1360	151	100	–	–	25
200	200	200	9	15	78,1	61,3	5700	570	2000	200	110	–	–	25
240	240	240	10	17	106	83,2	11260	938	3920	327	–	96	35	25
280	280	280	10,5	18	131	103	19270	1380	6590	471	–	110	45	25
320	320	300	11,5	20,5	161	127	30820	1930	9240	616	–	120	45	28
400	400	300	13,5	24	198	155	57680	2880	10820	721	–	120	45	28
500	500	300	14,5	28	239	187	107200	4290	12620	842	–	120	45	28
600	600	300	15,5	30	270	212	171000	5700	13530	902	–	120	45	28
800	800	300	17,5	33	334	262	359100	8980	14900	994	–	130	40	28

⇒   **I-Profil DIN 1025 – S235JR – IPB 240:** Breiter I-Träger mit parallelen Flanschflächen, $h = 240$ mm, aus S235JR
Bezeichnung nach EURONORM 53-62: **HE 240 B**

Breite I-Träger verstärkte Ausführung (IPBv), warmgewalzt (Auswahl)   vgl. DIN 1025-4 (1994-03)

S Querschnittsfläche W axiales Widerstandsmoment
I Flächenmoment 2. Grades m' längenbezogene Masse

Werkstoff: Unlegierter Baustahl DIN EN 10025-2, z. B. S235JR

Lieferart: Normallängen, 8 m bis 16 m ± 50 mm bei $h < 300$ mm,
             8 m bis 16 m ± 50 mm bei $h \geq 300$ mm

$$r \approx s$$

Kurz-zeichen	Abmessungen in mm				S	m'	Für die Biegeachse				Anreißmaße nach DIN 997 in mm			
							$x - x$		$y - y$					
IPBv	h	b	s	t	cm²	kg/m	I_x cm⁴	W_x cm³	I_y cm⁴	W_y cm³	w_1	w_2	w_3	d_1
100	120	106	12	20	53,2	41,8	1140	190	399	75,3	60	–	–	13
120	140	126	12,5	21	66,4	52,1	2020	288	703	112	68	–	–	17
140	160	146	13	22	80,5	63,2	3290	411	1140	157	76	–	–	21
160	180	166	14	23	97,1	76,2	5100	568	1760	212	86	–	–	23
180	200	186	14,5	24	113	88,9	7480	748	2580	277	100	–	–	25
200	220	206	15	25	131	103	10640	967	3650	354	110	–	–	25
240	270	248	18	32	200	157	24290	1800	8150	657	–	100	35	25
280	310	288	18,5	33	240	189	39550	2550	13160	914	–	116	45	25
320	359	309	21	40	312	245	68130	3800	19710	1280	–	126	47	28
400	432	307	21	40	319	250	104100	4820	19340	1260	–	126	47	28
500	524	306	21	40	344	270	161900	6180	19150	1250	–	130	45	28
600	620	305	21	40	364	285	237400	7660	18280	1240	–	130	45	28
800	814	303	21	40	404	317	442600	10870	18630	1230	–	132	42	28

⇒   **I-Profil DIN 1025 – S235JR – IPBv 400:** Breiter I-Träger verstärkte Ausführung, aus S235JR
Bezeichnung nach EURONORM 53-62: **HE 400 M**

W

Hohlprofile

Werkstoff: Unlegierter Baustahl DIN EN 10025

Lieferart: DIN EN 10210-2
Herstelllängen 4 m bis 16 m,
Profilmaße a x a = 20 x 20 ... 400 x 400
DIN EN 10219-2
Herstelllängen 4 m bis 16 m,
Profilmaße a x a = 20 x 20 ... 400 x 400
DIN EN 10210 und DIN EN 10219 enthalten außer quadratischen und rechteckigen Profilen auch runde Hohlprofile.

W

Warm gefertigte quadratische und rechteckige Hohlprofile · vgl. DIN EN 10210-2 (2006-07)

Nennmaß a x a a x b mm	Wand- dicke s mm	Längen- bezogene Masse m' kg/m	Quer- schnitt S cm²	Flächen- und Widerstandsmomente für die Biegeachsen				für Torsion	
				x − x		y − y			
				I_x cm⁴	W_x cm³	I_y cm⁴	W_y cm³	I_p cm⁴	W_p cm³
40 x 40	2,6	3,00	3,82	8,8	4,4	8,8	4,4	14	6,41
	4,0	4,39	5,59	11,8	5,91	11,8	5,91	19,5	8,54
50 x 50	3,2	4,62	5,88	21,2	8,49	21,2	8,49	33,8	12,4
	4,0	5,64	7,19	25	9,99	25	9,99	40,4	14,5
60 x 60	2,6	4,63	5,9	32,2	10,7	32,2	10,7	50,2	15,7
	4,0	6,9	8,79	45,4	15,1	45,4	15,1	72,5	22,0
	5,0	8,42	10,7	53,3	17,8	53,3	17,8	86,4	25,7
50 x 30	2,6	3,00	3,82	12,2	4,87	5,38	3,58	12,1	5,9
	4,0	4,39	5,59	16,5	6,60	7,08	4,72	16,6	7,77
60 x 40	3,2	4,62	5,88	27,8	9,27	14,6	7,29	30,8	11,7
	4,0	5,64	7,19	32,8	10,9	17	8,52	36,7	13,7
80 x 40	4,0	6,9	8,79	68,2	17,1	22,2	11,1	55,2	18,9
	5,0	8,42	10,7	80,3	20,1	25,7	12,9	65,1	21,9
	6,3	10,3	13,1	93,3	23,3	29,2	14,6	75,6	24,8
100 x 50	4,0	8,78	11,2	140	27,9	46,2	18,5	113	31,4
	5,0	10,8	13,7	167	33,3	54,3	21,7	135	36,9

⇒ **Hohlprofil DIN EN 10210 – 60 x 60 x 5 – S355J0:** Quadratisches Hohlprofil, a = 60 mm, s = 5 mm, aus S355J0

Kalt gefertigte, geschweißte, quadratische und rechteckige Hohlprofile vgl. DIN EN 10219-2 (2006-07)

Nennmaß a x a a x b mm	Wand- dicke s mm	Längen- bezogene Masse m' kg/m	Quer- schnitt S cm²	Flächen- und Widerstandsmomente für die Biegeachsen				für Torsion	
				x − x		y − y			
				I_x cm⁴	W_x cm³	I_y cm⁴	W_y cm³	I_p cm⁴	W_p cm³
30 x 30	2,0	1,68	2,14	2,72	1,81	2,72	1,81	4,54	2,75
	2,5	2,03	2,59	3,16	2,10	3,16	2,10	5,40	3,20
	3,0	2,36	3,01	3,50	2,34	3,50	2,34	6,15	3,58
40 x 40	2,0	2,31	2,94	6,94	3,47	6,94	3,47	11,3	5,23
	2,5	2,82	3,59	8,22	4,11	8,22	4,11	13,6	6,21
	3,0	3,30	4,21	9,32	4,66	9,32	4,66	15,8	7,07
	4,0	4,20	5,35	11,1	5,54	11,1	5,54	19,4	8,48
80 x 80	3,0	7,07	9,01	87,8	22,0	87,8	22,0	140	33,0
	4,0	9,22	11,7	111	27,8	111	27,8	180	41,8
	5,0	11,3	14,4	131	32,9	131	32,9	218	49,7
40 x 20	2,0	1,68	2,14	4,05	2,02	1,34	1,34	3,45	2,36
	2,5	2,03	2,59	4,69	2,35	1,54	1,54	4,06	2,72
	3,0	2,36	3,01	5,21	2,60	1,68	1,68	4,57	3,00
60 x 40	3,0	4,25	5,41	25,4	8,46	13,4	6,72	29,3	11,2
	4,0	5,45	6,95	31,0	10,3	16,3	8,14	36,7	13,7
	5,0	6,56	8,36	35,3	11,8	18,4	9,21	42,8	15,6
80 x 40	3,0	5,19	6,61	52,3	13,1	17,6	8,78	43,9	15,3
	4,0	6,71	8,55	64,8	16,2	21,5	10,7	55,2	18,8
	5,0	8,13	10,4	75,1	18,8	24,6	12,3	65,0	21,7
100 x 40	3,0	6,13	7,81	92,3	18,5	21,7	10,8	59,0	19,4
	4,0	7,97	10,1	116	23,1	26,7	13,3	74,5	24,0
	5,0	9,70	12,4	136	27,1	30,8	15,4	87,9	27,9

⇒ **Hohlprofil DIN EN 10219 – 60 x 40 x 4 – S355J0:** Rechteckiges Hohlprofil, a = 60 mm, b = 40 mm, s = 4 mm, aus S355J0

Längen- und flächenbezogene Masse

Längenbezogene Masse[1] (Tabellenwerte für Stahl mit der Dichte ϱ = 7,85 kg/dm³)

d Durchmesser *m'* längenbezogene Masse *a* Seitenlänge SW Schlüsselweite

Stahldraht						Rundstahl					
d mm	*m'* kg/1000 m	*d* mm	*m'* kg/1000 m	*d* mm	*m'* kg/1000 m	*d* mm	*m'* kg/m	*d* mm	*m'* kg/m	*d* mm	*m'* kg/m
0,10	0,062	0,55	1,87	1,1	7,46	3	0,055	18	2,00	60	22,2
0,16	0,158	0,60	2,22	1,2	8,88	4	0,099	20	2,47	70	30,2
0,20	0,247	0,65	2,60	1,3	10,4	5	0,154	25	3,85	80	39,5
0,25	0,385	0,70	3,02	1,4	12,1	6	0,222	30	5,55	100	61,7
0,30	0,555	0,75	3,47	1,5	13,9	8	0,395	35	7,55	120	88,8
0,35	0,755	0,80	3,95	1,6	15,8	10	0,617	40	9,86	140	121
0,40	0,986	0,85	4,45	1,7	17,8	12	0,888	45	12,5	150	139
0,45	1,25	0,90	4,99	1,8	20,0	15	1,39	50	15,4	160	158
0,50	1,54	1,0	6,17	2,0	24,7	16	1,58	55	18,7	200	247

Vierkantstahl						Sechskantstahl					
a mm	*m'* kg/m	*a* mm	*m'* kg/m	*a* mm	*m'* kg/m	SW mm	*m'* kg/m	SW mm	*m'* kg/m	SW mm	*m'* kg/m
6	0,283	20	3,14	40	12,6	6	0,245	20	2,72	40	10,9
8	0,502	22	3,80	50	19,6	8	0,435	22	3,29	50	17,0
10	0,785	25	4,91	60	28,3	10	0,680	25	4,25	60	24,5
12	1,13	28	6,15	70	38,5	12	0,979	28	5,33	70	33,3
14	1,54	30	7,07	80	50,2	14	1,33	30	6,12	80	43,5
16	2,01	32	8,04	90	63,6	16	1,74	32	6,96	90	55,1
18	2,54	35	9,62	100	78,5	18	2,20	35	8,33	100	68,0

Längenbezogene Masse sonstiger Profile

Profil		Seite	Profil		Seite
T-Stahl	EN 10055	149	Hohlprofile	EN 10210-2	154
Winkelstahl, gleichschenklig	EN 10056-1	151	Hohlprofile	EN 10219-2	154
Winkelstahl, ungleichschenklig	EN 10056-1	150	Aluminium-Rundstangen	DIN 1798	174
U-Stahl	DIN 1026-1	149	Aluminium-Vierkantstangen	DIN 1796	174
I-Träger IPE	DIN 1025-5	152	Aluminium-Rechteckstangen	DIN 1769	175
I-Träger IPB	DIN 1025-2	153	Aluminium-Rundrohre	DIN 1795	176
I-Träger IPBv	DIN 1025-4	153	Aluminium-U-Profile	DIN 9713	176

Flächenbezogene Masse[1] (Tabellenwerte für Stahl mit der Dichte ϱ = 7,85 kg/dm³)

Bleche

s Dicke des Bleches *m''* flächenbezogene Masse

s mm	*m''* kg/m²	*s* mm	*m''* kg/m²	*s* mm	*m''* kg/m²	*s* mm	*m''* kg/m²	*s* mm	*m''* kg/m²	*s* mm	*m''* kg/m²
0,35	2,75	0,70	5,50	1,2	9,42	3,0	23,6	4,75	37,3	10,0	78,5
0,40	3,14	0,80	6,28	1,5	11,8	3,5	27,5	5,0	39,3	12,0	94,2
0,50	3,93	0,90	7,07	2,0	15,7	4,0	31,4	6,0	47,1	14,0	110
0,60	4,71	1,0	7,85	2,5	19,6	4,5	35,3	8,0	62,8	15,0	118

[1] Die Tabellenwerte können auf andere Werkstoffe im Verhältnis der Dichte des anderen Werkstoffes zur Dichte von Stahl (7,85 kg/dm³) umgerechnet werden.

Beispiel: Blech mit s = 4,0 mm aus AlMg3Mn (Dichte 2,66 kg/dm³). Aus Tabelle: m'' = 31,4 kg/m² für Stahl.
AlMg$_3$Mn: m'' = 31,4 kg/m² · 2,66 kg/dm³/7,85 kg/dm³ = **10,64 kg/m²**

Abkühlungskurve, Kristallgitter, Legierungen

Abkühlungskurve, Kristallisation reiner Metalle

Beispiel:
Abkühlungskurve von Blei

Feste Körper haben entweder einen amorphen (gestaltlosen) oder einen kristallinen Aufbau. Reine Metalle besitzen im Gegensatz zu den Legierungen einen exakten Schmelzpunkt. Sie erstarren in kristalliner Form.

- **Punkt 1: Beginn der Kristallbildung**
  Erstarrungspunkt ist erreicht, mehrere Metallatome stoßen aufeinander und geben Wärmeenergie (Kristallisationswärme) ab, die Temperatur bleibt daher konstant (sog. Haltepunkt), Metallbindekräfte werden wirksam,
  → **Eigenkeime** entstehen, d. h. Verbände mit größerer Masse und geringer Bewegungsenergie

- **Punkt 2: fortschreitende Kristallbildung**
  Metallatome kristallisieren aus der Restschmelze und geben dabei ständig Wärmeenergie ab, es entsteht ein Verband aus Körnern und Restschmelze; teigiger Zustand

- **Punkt 3: vollständige Erstarrung**
  Die Metallschmelze ist vollständig erstarrt. Das Metall besitzt ein Gefüge.

- **Korn:** Verband aus Metallatomen

- **Gefüge:** Summe aller Körner, Korngrenzen und Fehler

- **Korngrenze:** benachbarte Körner stoßen beim Wachsen zusammen, es entstehen Zwischenbereiche. Durch die Einlagerung von Fremdatomen, Eigenatomen und nichtmetallischen Einschlüssen ergibt sich eine gestörte Metallbindung. An den Korngrenzen befinden sich die schwächsten Stellen im Metall.

- **Steigende Abkühlgeschwindigkeit** ergibt erhöhte Keimbildung durch Unterkühlung. Gefüge wird feinkörniger, Festigkeit und Zähigkeit nehmen zu, Verformbarkeit nimmt ab.

W

Kristallgitterbauformen

Metallatome ordnen sich beim Abkühlen aus der Schmelze nach einem für jedes Metall typischen Kristallgitter (vgl. Bilder). Die Eigenschaften der Metalle (z. B. Verformbarkeit) werden durch die Gitterstruktur stark beeinflusst.

Kristallgitter (Beispiele)	kubisch raumzentriert (krz)	kubisch flächenzentriert (kfz)	hexagonal (hex)
atomare Bauform			
Beispiele	Alpha-Eisen (Ferrit), Vanadium, Molybdän, Wolfram, Chrom	Gamma-Eisen (Austenit), Aluminium, Kupfer, Gold, Silber, Platin	Magnesium, Zink, Titan
Verformbarkeit	gut	sehr gut	schlecht

Legierungen

Erstarrung als Mischkristall		Erstarrung als Kristallgemisch	
Korngrenzen	• **Austauschmischkristall:** Atomradien und Gittertyp gleich, → im festen Zustand vollkommen löslich • **Beispiele:** Cu-Ni, Cu-Zn • **Einlagerungs-Mischkristall:** Atomradius des Legierungsmetalls kleiner → begrenzte Löslichkeit • **Beispiele:** Fe-C, Ti-C	Korngrenze	• Legierungsmetalle im festen Zustand nicht löslich • getrennte Körner mit unterschiedlichen Kristallgittern • **Beispiele:** Cd-Bi; Pb-Sn; Pb-Sb
A, B Legierungsatome		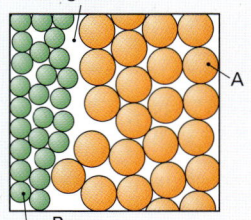 A, B Legierungsatome	

Zustandsdiagramme von Legierungen

Zustandsdiagramme geben Aufschluss über das Legierungssystem (Mischkristall oder Kristallgemisch) sowie über die Aggregatzustände (flüssig → **Liquiduslinie**[1] und fest → **Soliduslinie**[2]) und über die Gefüge bei verschiedenen Temperaturen. Sie werden durch Abkühlungskurven verschiedener Legierungen entwickelt.

System Mischkristalle (Beispiel: Kupfer-Nickel-Legierungen)

Abkühlung und Erstarrung am Beispiel der Legierung 40 % Nickel (Ni) und 60 % Kupfer (Cu)

- **Abkühlungskurve** verläuft zwischen den Knickpunkten P1 und P2 flacher. Grund: bei Kristallbildung entsteht Kristallisationswärme.
- **Punkt 1: Kristallisationsbeginn** Ausbildung von Nickel-Eigenkeimen
- **Punkt 2: Kristalle und Schmelze** (teigig) Zusammensetzung der Kristalle und der Schmelze ändert sich ständig
- **Punkt 3: Mischkristalle** (fester Zustand)
- **Verwendung:** Knetlegierungen
- **Eigenschaften:** schlecht zerspanbar, schlecht gießbar, gut spanlos umformbar

System Kristallgemische (Beispiel: Cadmium-Bismut-Legierungen)

- **Abkühlungskurven:**
  P1 → Punkte der Liquiduslinie
  P2–P3 → Punkte der Soliduslinie
  P2–P3 → Eutektikum[3]
- **Kristallisationswärme** verursacht Knickund Haltepunkte
- **Punkt 1: Kristallisationsbeginn Cd (L1)** Cd-Kristalle + Restschmelze
- **Punkt 2: Eutektische Legierung (L2)** Cd und Bi kristallisieren gleichzeitig, im Haltepunkt P2–P3 hat Legierung L2 niedrigste Schmelztemperatur und besonders feines Gefüge → hohe Festigkeit
- **Punkt 3: Kristallisationsbeginn Bi (L3)** Bi-Kristalle + Restschmelze
- **Verwendung:** Gusswerkstoffe und Lote
- **Eigenschaften:** schlecht knetbar, gut spanbar und sehr gut gießbar

W

Eisen-Kohlenstoff-Zustandsdiagramm: Kombination der Systeme Mischkristall und Kristallgemisch

---

[1] von liquidus (lat.) = flüssig;   [2] von solidus (lat.) = fest;   [3] von eutektos (griech.) = wohlgeformt

Temperaturbereiche und Gefüge bei der Wärmebehandlung

„Stahlecke" (Auszug aus dem Eisen-Kohlenstoff-Zustandsdiagramm)

Eigenschaften der Stahlgefüge

Ferrit (Alpha-Eisen)	kubisch raumzentriertes Gitter, gut umformbar, weich, schwierig zerspanbar (schmiert), magnetisierbar
Austenit (Gamma-Eisen)	kubisch flächenzentriertes Gitter, weich, zäh, gute Warmumformung (z. B. Schmieden), nicht magnetisierbar
Zementit, Eisenkarbid, Fe₃C	spröde, sehr hart, verschleißfest, schwer verformbar, magnetisierbar
Perlit	Kristallgemisch aus Ferrit und Zementit, streifenförmige Anordnung, kaum umformbar, schlecht zerspanbar, hohe Festigkeit
Martensit	entsteht beim Abschrecken aus Austenit-Bereich (Härten); verzerrtes Gefüge, große Härte und Verschleißfestigkeit

Gefügebilder unlegierter Stähle

A	Bruchdehnung
HBW	Brinellhärte
Rₘ	Zugfestigkeit
S	Schweißbarkeit
Z	Brucheinschnürung
Zₛ	Zerspanbarkeit

a = Einsatzstähle, b = Vergütungsstähle, c = Werkzeugstähle

Einfluss des C-Gehaltes auf die Eigenschaften von unlegiertem Stahl

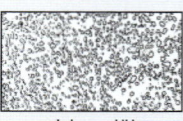

S275, Schweißnaht   →   S275, normalgeglüht

C80U, Streifenperlit   →   weichgeglüht, körniger Perlit

C45E, Martensit   →   vergütet auf 600°C

Temperaturbereiche bei der Wärmebehandlung und beim Härten (genaue Temperaturwerte S. 159)

Wärmebehandlung der Stähle – Übersicht

Bild	Kurzbeschreibung	Anwendung, Hinweise[1]
Normalglühen		
	• **Erwärmen** und Halten auf Glühtemperatur → Gefügeumwandlung (Austenit) • gesteuerte **Abkühlung** auf Raumtemperatur → feinkörniges Normalgefüge	normalisieren von Grobkorngefügen in Walz-, Guss-, Schweiß- und Schmiedeerzeugnissen
Weichglühen		
	• **Erwärmen** auf Glühtemperatur, Halten der Temperatur oder Pendelglühung → kugelige Einformung des Zementits • **Abkühlung** auf Raumtemperatur	verbessern der Kaltumformbarkeit, der Zerspanbarkeit und der Härtbarkeit; anwendbar auf alle Stähle
Spannungsarmglühen		
	• **Erwärmen** und Halten auf Glühtemperatur (unterhalb der Gefügeumwandlung) → Spannungsabbau durch plastische Verformung der Werkstücke • **Abkühlung** auf Raumtemperatur	vermindern von Eigenspannungen in Schweiß-, Guss- und Schmiedeteilen; anwendbar auf alle Stähle
Härten		
	• **Erwärmen** und Halten auf Härtetemperatur → Gefügeumwandlung (Austenit) • **Abschrecken** in Öl, Wasser, Luft → sprödhartes, feines Gefüge (Martensit) • **Anlassen** bei 100 °C bis 300 °C → Umwandlung von Martensit, höhere Zähigkeit, Gebrauchshärte	verschleißbeanspruchte Teile, z.B. Werkzeuge, Federn, Führungsbahnen, Pressformen; zur Wärmebehandlung geeignete Stähle mit C > 0,3 %, z.B. C70U, 102Cr6, C45E, HS6-5-2C, X38CrMoV5-3
Vergüten		
	• **Erwärmen** und Halten auf Härtetemperatur → Gefügeumwandlung (Austenit) • **Abschrecken** in Öl, Wasser, Luft → sprödhartes, feines Gefüge (Martensit) bei größeren Abmessungen feines Kerngefüge (Zwischenstufengefüge) • **Anlassen** bei 400 °C bis 650 °C → Martensitabbau, feines Gefüge, hohe Festigkeit bei guter Zähigkeit	meist dynamisch beanspruchte Werkstücke mit hoher Festigkeit und guter Zähigkeit, z.B. Wellen, Zahnräder, Schrauben; Vergütungsstähle: Seite 134, Nitrierstähle: Seite 135, Stähle für Flamm- und Induktionshärtung: Seite 135, Stähle für vergütbare Federn: Seite 139
Einsatzhärten		
	• **Aufkohlung** bearbeiteter Werkstücke in der Randschicht • **Abkühlung** auf Raumtemperatur → Normalgefüge (Ferrit, Perlit, Karbide) • **Härten** (Ablauf siehe Härten) → Randhärtung: Erwärmung auf Randhärtetemperatur → Kernhärtung: Erwärmung auf Härtetemperatur des Kernbereiches	Werkstücke mit verschleißfester Oberfläche, hoher Dauer- und guter Kernfestigkeit, z.B. Zahnräder, Wellen, Bolzen; **Randhärtung:** hohe Verschleißfestigkeit, geringere Kernfestigkeit, **Kernhärtung:** hohe Kernfestigkeit, sprödharte Oberfläche; Einsatzstähle: Seite 133, Automatenstähle: Seite 135
Nitrieren		
	• **Glühen** meist fertig bearbeiteter Werkstücke in Stickstoff abgebender Atmosphäre → Bildung harter, verschleißfester und temperaturbeständiger Nitride • **Abkühlung** an ruhender Luft oder im Stickstoffstrom	Werkstücke mit verschleißfester Oberfläche, hoher Dauerfestigkeit und guter Temperaturbeständigkeit, z.B. Ventile, Kolbenstangen, Spindeln; Nitrierstähle: Seite 135

W

[1] Glüh- und Anlasstemperaturen, Abschreckmedien und erreichbare Härtewerte: Seiten 160 bis 162

Werkzeugstähle, Einsatzstähle

Wärmebehandlung von unlegierten Kaltarbeitsstählen — vgl. DIN EN ISO 4957 (2001-02)

Stahlsorte		Warmform- gebungs- temperatur °C	Weichglühen		Härten				Oberflächenhärte in HRC ≈			
Kurzname	Werk- stoff- Nr.		Tempe- ratur °C	Härte HB max.	Tempe- ratur °C	Ab- kühl- mittel	Ein- härte- tiefe[1] mm	Durch- härtung bis ∅ mm	nach dem Här- ten	nach dem Anlassen[2] bei 100 °C	200 °C	300 °C
C45U	1.1730	1000 ... 800	680 ... 710	207	800 ... 820	Wasser	3,5	15	58	58	54	48
C70U	1.1520			183	790 ... 810		3,0	10	64	63	60	53
C80U	1.1525	1050 ... 800		192	780 ... 800				64	64	60	54
C90U	1.1535	1050 ... 800	680 ... 710	207	770 ... 790	Wasser	3,0	10	64	64	61	54
C105U	1.1545	1000 ... 800		212	770 ... 790				65	64	62	56

[1] Für Durchmesser von 30 mm.

[2] Die Höhe der Anlasstemperatur richtet sich nach dem Verwendungszweck und der gewünschten Gebrauchshärte. Die Stähle werden in der Regel weichgeglüht angeliefert.

Wärmebehandlung von legierten Kaltarbeitsstählen, Warmarbeitsstählen und Schnellarbeitsstählen — vgl. DIN EN ISO 4957 (2001-02)

Stahlsorte		Warmform- gebungs- temperatur °C	Weichglühen		Härten		Oberflächenhärte in HRC ≈					
Kurzname	Werk- stoff- Nr.		Tempe- ratur °C	Härte HB max.	Tempe- ratur[1] °C	Ab- kühl- mittel	nach dem Härten	nach dem Anlassen[2] bei 200 °C	300 °C	400 °C	500 °C	550 °C
105V	1.2834	1050 ...850	710 ... 750	212	780 ... 800	Wasser	68	64	56	48	40	36
X153CrMoV12	1.2379		800 ... 850	255	1010 ... 1030	Luft	63	61	59	58	58	56
X210CrW12	1.2436		800 ... 840	255	960 ... 980		64	62	60	58	56	52
90MnCrV8	1.2842	1050 ... 850	680 ... 720	229	780 ... 800	Öl	65	62	56	50	42	40
102Cr6	1.2067		710 ... 750	223	830 ... 850		65	62	57	50	43	40
60WCrV8	1.2550	1050 ... 850	710 ... 750	229	900 ... 920	Öl	62	60	58	53	48	46
X37CrMoV5-1	1.2343	1100 ... 900	750 ... 800	229	1010 ... 1030		53	52	52	53	54	52
HS6-5-2C	1.3343			269	1200 ... 1220	Öl,	64	62	62	62	65	65
HS10-4-3-10	1.3207	1100 ... 900	770 ... 840	302	1220 ... 1240	Warm-	66	61	61	62	66	67
HS2-9-1-8	1.3247			277	1180 ... 1200	bad, Luft	66	62	62	61	68	69

[1] Die Austenitisierungsdauer ist die Dauer des Haltens auf Härtetemperatur und beträgt bei Kaltarbeitsstählen ca. 25 min, bei Schnellarbeitsstählen ca. 3 min. Das Erwärmen erfolgt in Stufen.

[2] Schnellarbeitsstähle werden mindestens zweimal bei 540 ... 570 °C angelassen. Diese Temperatur wird mindestens 60 min gehalten.

Wärmebehandlung von Einsatzstählen — vgl. DIN EN 10084 (2008-06)

Stahlsorte[1]		Auf- kohlungs- temperatur °C	Härten von		Anlassen °C	Abkühl- mittel	Stirnabschreckversuch				
Kurzname	Werk- stoff- Nr.		Kernhärte- temperatur °C	Randhärte- temperatur °C			Temp. °C	Härte HRC im Abstand			
								max.[2]	3 mm	5 mm	7 mm
C10E	1.1121		880 ... 920			Wasser	–	–	–	–	–
C15E	1.1141						–	–	–	–	–
17Cr3	1.7016		860 ...900				880	47	44	40	33
16MnCr5	1.7131						870	47	46	44	41
20MnCr5	1.7147	880 ... 980			780 ... 820	150 ... 200	Öl	870	49	49	48	46
20MoCr4	1.7321						910	49	47	44	41
17CrNi6-6	1.5918		830 ... 870				870	47	47	46	45
15NiCr13	1.5752		840 ... 880				880	48	48	48	47
20NiCrMo2-2	1.6523		860 ... 900				920	49	48	45	42
18CrNiMo7-6	1.6587		830 ... 870				860	48	48	48	48

[1] Für Stähle mit geregeltem Schwefelgehalt, z.B. C10R, 20MnCrS5, gelten dieselben Werte.

[2] Für Stähle mit normaler Härtbarkeit (+H) in 1,5 mm Abstand von der Stirnfläche.

W

Vergütungsstähle

Wärmebehandlung von unlegierten Vergütungsstählen · vgl. DIN EN 10083-2 (2006-10)[1]

Stahlsorten[2]		Normal-glühen °C	Stirnabschreckversuch				Vergüten		
Kurzname	Werk-stoff-Nr.		°C	Härte HRC bei Einhärtetiefe in mm[3]			Härten[4] °C	Abschreckmittel	Anlassen[5] °C
				1	3	5			
C22E	1.1151	880 … 940	–	–	–	–	860 … 900	Wasser	550 … 660
C35E[1]	1.1181	860 … 920	870	48 … 58	33 … 55	22 … 49	840 … 880	Wasser oder Öl	550 … 660
C40E	1.1186	850 … 910	870	51 … 60	35 … 59	25 … 53	830 … 870		
C45E[1]	1.1191	840 … 900	850	55 … 62	37 … 61	28 … 57	820 … 860		
C50E[1]	1.1206	830 … 890	850	56 … 63	44 … 61	31 … 58	810 … 850	Öl oder Wasser	550 … 660
C55E[1]	1.1203	825 … 885	830	58 … 65	47 … 63	33 … 60	810 … 850		
C60E	1.1221	820 … 880	830	60 … 67	50 … 65	35 … 62	810 … 850		
28Mn6	1.1170	850 … 890	850	45 … 54	42 … 53	37 … 51	840 … 880	Wasser oder Öl	540 … 680

Wärmebehandlung von legierten Vergütungsstählen (Auswahl) · vgl. DIN EN 10083-3 (2007-01)[1]

Stahlsorten		Ober-flächen-härte[6] HRC	Stirnabschreckversuch				Vergüten		
Kurzname	Werk-stoff-Nr.		°C	Härte HRC bei Einhärtetiefe in mm[3]			Härten[4] °C	Abschreckmittel	Anlassen[5] °C
				1,5	5	15			
38Cr2	1.7003	–	850	51 … 59	37 … 54	… 35	830 … 870	Öl oder Wasser	540 … 680
46Cr2[1]	1.7006	54		54 … 63	40 … 59	22 … 39	820 … 860	Öl oder Wasser	
34Cr4	1.7033	–		49 … 57	45 … 56	27 … 44	830 … 870	Wasser oder Öl	540 … 680
37Cr4[1]	1.7034	51	850	51 … 59	48 … 58	31 … 48	825 … 865	Öl oder Wasser	
41Cr4[1]	1.7035	53		53 … 61	50 … 60	32 … 52	820 … 860	Öl oder Wasser	
25CrMo4	1.7218	–		44 … 52	40 … 51	27 … 41	840 … 900	Wasser oder Öl	540 … 680
34CrMo4	1.7220	–	850	49 … 57	48 … 57	34 … 52	830 … 890	Öl oder Wasser	
42CrMo4[1]	1.7225	53		53 … 61	52 … 61	37 … 58	820 … 880	Öl oder Wasser	
50CrMo4[1]	1.7228	58		58 … 65	57 … 64	48 … 62	820 … 870	Öl	540 … 680
51CrV4	1.8159	–	850	57 … 65	56 … 64	48 … 62	820 … 870	Öl	
39NiCrMo3	1.6510	–		52 … 60	50 … 59	43 … 56	820 … 850	Öl oder Wasser	
34CrNiMo6	1.6582	–		50 … 58	50 … 58	48 … 57	830 … 860	Öl oder Wasser	540 … 660
30CrNiMo8	1.6580	–	850	48 … 56	48 … 56	46 … 55	830 … 860	Öl oder Wasser	540 … 660
36NiCrMo16	1.6773	–		50 … 57	48 … 56	47 … 55	865 … 885	Luft oder Öl	550 … 650
38MnB5	1.5532	–	850	52 … 60	50 … 59	31 … 47	840 … 880	Wasser/Öl	400 … 600
33MnCrB5-2	1.7185	–	880	48 … 57	47 … 57	41 … 54	860 … 900	Öl	400 … 600

W

[1] DIN 17212 „Stähle für Flamm- und Induktionshärtung" wurde ersatzlos zurückgezogen. Stähle für Flamm- und Induktionshärtung unter Vergütungsstähle Seite 134 f.

[2] Für die Qualitätsstähle C35 bis C60 und die Stähle mit geregeltem Schwefelgehalt, z. B. C35R, gelten die gleichen Werte.

[3] Härtbarkeitsanforderungen: +H: normale Härtbarkeit

[4] Der untere Temperaturbereich gilt für das Abschrecken in Wasser, der obere für das Abschrecken in Öl.

[5] Anlassdauer mindestens 60 min.

[6] Mindestoberflächenhärte bei Stählen nach dem Flamm- oder Induktionshärten.

Härtbarkeit und Einhärtungstiefe der Vergütungsstähle (Streubänder)

Nitrierstähle, Automatenstähle, Aluminiumlegierungen

Wärmebehandlung von Nitrierstählen
vgl. DIN EN 10085 (2001-07)

Stahlsorte		Wärmebehandlung vor dem Nitrieren				Nitrierbehandlung[1]		
		Weich-glühen	Vergüten					
			Härten		Anlass-	Gas-nitrieren	Nitrocar-burieren	Härte[5]
Kurzname	Werk-stoff-nummer	Temperatur °C	Tempe-ratur[2] °C	Abkühl-mittel	tempe-ratur[3)4] °C	°C	°C	HV1
24CrMo13-6	1.8516	650 … 700	870 … 970					–
31CrMo12	1.8515	650 … 700	870 … 930					800
32CrAlMo7-10	1.8505	650 … 750	870 … 930					–
31CrMoV9	1.8519	680 … 720	870 … 930					800
33CrMoV12-9	1.8522	680 … 720	870 … 970	Öl oder Wasser	580 … 700	500 … 600	570 … 650	–
34CrAlNi7-10	1.8550	650 … 700	870 … 930					950
41CrAlMo7-10	1.8509	650 … 750	870 … 930					950
40CrMoV13-9	1.8523	680 … 720	870 … 970					–
34CrAlMo5-10	1.8507	650 … 750	870 … 930					950

[1] Die Nitrierdauer hängt von der gewünschten Nitrierhärtetiefe ab.
[2] Austenitisierungsdauer mindestens 0,5 Stunden.
[3] Anlassdauer mindestens 1 Stunde.
[4] Die Anlasstemperatur sollte nicht weniger als 50 °C über der Nitriertemperatur liegen.
[5] Härte der nitrierten Oberfläche.

Wärmebehandlung von Automatenstählen
vgl. DIN EN 10087 (1999-01)

Automateneinsatzstähle

Stahlsorte		Aufkohlungs-temperatur °C	Kernhärte-temperatur °C	Randhärte-temperatur °C	Abkühlmittel[1]	Anlass-temperatur[2] °C
Kurzname	Werk-stoff-nummer					
10S20	1.0721					
10SPb20	1.0722	880 … 980	880 … 920	780 … 820	Wasser, Öl, Emulsion	150 … 200
15SMn13	1.0725					

Automatenvergütungsstähle

Stahlsorte		Härte-temperatur °C	Abkühlmittel[1]	Vergütungs-temperatur °C	vergütet[3]		
Kurzname	Werk-stoff-nummer				R_e N/mm²	R_m N/mm²	A %
35S20	1.0726	860 … 890	Wasser oder Öl	540 … 680	430	630 … 780	15
35SPb20	1.0756						
36SMn14	1.0764	850 … 880			460		14
36SMnPb14	1.0765						
38SMn28	1.0760	850 … 880	Öl oder Wasser		460	700 … 850	15
38SMnPb28	1.0761						
44SMn28	1.0762	840 … 870			480		16
44SMnPb28	1.0763						
46S20	1.0757				490		12

[1] Die Wahl des Abkühlmittels hängt von der Gestalt der Werkstücke ab.   [2] Anlassdauer mindestens 1 Stunde.
[3] Die Werte beziehen sich auf einen Durchmesser $10 < d \le 16$.

Aushärten von Aluminiumlegierungen

Legierung EN AW-		Auslage-rungsart[2]	Lösungs-glüh-temperatur °C	Warmauslagerung		Kaltaus-lagerzeit Tage	ausgelagert	
Kurzname	Werkstoff-nummer			Temperatur °C	Haltezeit h		R_m N/mm²	A %
Al Cu4MgSi	2017	T4	500	100 … 300	8 … 24	5 … 8	390	12
Al Cu4SiMg	2014	T6				–	420	8
Al MgSi	6060	T4	525			5 … 8	130	15
Al MgSi1MgMn	6082	T6				–	280	6
Al Zn4,5Mg1	7020	T6	470			–	210	12
Al Zn5,5MgCu	7075	T6				–	545	8
Al Si7Mg[1]	42000[1]	T6	525			4	250	1

[1] Aluminiumgusslegierung EN AC-AlSi7Mg bzw. EN AC 42000.
[2] T4 lösungsgeglüht und kalt ausgelagert; T6 lösungsgeglüht und warm ausgelagert.

W

Bezeichnungssystem der Gusseisenwerkstoffe

Kurznamen und Werkstoffnummern

vgl. DIN EN 1560 (2011-05)

Gusseisenwerkstoffe werden entweder mit einem Kurznamen oder mit einer Werkstoffnummer angegeben.

Beispiel:

Kurzname	Werkstoffnummer
EN-GJL-300	5.1302

Gusseisen mit Lamellengrafit, Zugfestigkeit R_m = 300 N/mm²

Werkstoffkurznamen

Werkstoffkurznamen haben bis zu sechs Bezeichnungspositionen ohne Zwischenraum, beginnend mit **EN** (europäische Norm) und **GJ** (G Guss; I Eisen [engl. Iron])

Bezeichnungsbeispiele:

EN	-	GJ	L		-	350		Gusseisen mit Lamellengrafit
EN	-	GJ	L		-	HB155		Gusseisen mit Lamellengrafit
EN	-	GJ	S		-	350-22C		Gusseisen mit Kugelgrafit
EN	-	GJ	M	B	-	450-6		Temperguss – schwarz
EN	-	GJ	M	W	-	360-12	W	Temperguss – weiß
EN	-	GJ	M		-	HV600(XCr14)		Verschleißfestes Gusseisen
EN	-	GJ	L	A	-	XNiCuCr15-6-2		Austenitisches Gusseisen

Grafitstruktur
(Buchstabe)

L Lamellen-
   grafit
S Kugelgrafit
M Temperkohle
V Vermikular-
   grafit
N grafitfrei
Y Sonder-
   struktur

Mikro- oder Makrostruktur
(Buchstabe)

A Austenit
R Ausferrit[1]
F Ferrit
P Perlit
M Martensit
L Ledeburit
Q abgeschreckt
T vergütet
B nicht
   entkohlend
   geglüht
W entkohlend
   geglüht

Mechanische Eigenschaften oder chemische Zusammensetzung
(Zahlen/Buchstaben)

Mechanische Eigenschaften

350   Mindestzugfestigkeit R_m in N/mm²
350-22   zusätzlich Bruchdehnung A in %
C   **Probe** dem Gussstück entnommen
HB155   max. Härte

Chemische Zusammensetzung
XNiCuCr15-6-2 (hochlegiert)
Zusammensetzung: 15% Ni, 6% Cu, 2% Cr

Angaben entsprechen den Stahlbezeichnungen Seite 125.

Zusätzliche Anforderungen

D Rohguss-
   stück
H wärme-
   behandeltes
   Gussstück
W schweiß-
   geeignet
Z zusätzliche
   Anforderun-
   gen

W

Werkstoffnummern

Werkstoffnummern haben sechs Bezeichnungspositionen (fünf Ziffern und ein Punkt) ohne Zwischenraum. Sie beruhen auf dem System der DIN EN 10027-2 (Seite 122).

Bezeichnungsbeispiele:

5.	1	3	0 4	Gusseisen mit Lamellengrafit und Härte als Merkmal; EN-GJL-HB19
5.	3	1	0 8	Kugelgrafitguss mit Merkmalen R_m und A; EN-GJS-450-18C
5.	4	2	0 0	Weißer Temperguss mit Merkmalen R_m und A; EN-GJMW-350-4

Werkstoffgruppe	Grafitstruktur	Matrixstruktur	Werkstoffkennziffer
5. Gusseisen	1 lamellar 2 vermikular 3 kugelig 4 Temperkohle (auch entkohlend geglüht) 5 grafitfrei	1 Ferrit 2 Ferrit/Perlit 3 Perlit 4 Ausferrit[1] 5 Austenit 6 Ledeburit	**00–99** Jedem Gusseisen wird eine zweistellige Kennziffer zugeordnet. Eine höhere Kennziffer weist auf eine höhere Festigkeit hin.

[1] Mischgefüge aus Ferrit und Austenit

Einteilung der Gusseisenwerkstoffe

Art	Norm	Beispiele/ Werkstoff- nummer	Zug- festigkeit R_m N/mm²	Eigenschaften	Anwendungsbeispiele
Gusseisen					
mit Lamellen- grafit	DIN EN 1561	EN-GJL-150 (GG-15)[1] 5.1200	100 bis 450	sehr gute Gießbarkeit, gute Druckfestigkeit, Dämpfungsfähigkeit und Notlauffähigkeit sowie gute Korrosionsbeständig- keit	für konturenreiche, komplizierte Werkstücke; sehr vielseitig einsetzbar. Maschinengestelle, Getriebegehäuse
mit Kugelgrafit	DIN EN 1563	EN-GJS-400 (GGG-40)[1] 5.3105	350 bis 900	sehr gute Gießbarkeit, hohe Festigkeit auch bei dynamischer Belastung, oberflächenhärtbar	verschleißbeanspruchte Werkstücke; Kupplungsteile, Fittings, Motorenbau
mit Vermikular- grafit	ISO 16112	ISO 16112/JV/300	300 bis 500	sehr gute Gießbarkeit, hohe Festigkeit ohne teure Legierungszusätze	Fahrzeugteile, Motorenbau, Getriebegehäuse
Bainitisches Gusseisen	DIN EN 1564	EN-GJS-800-10 5.3400	800 bis 1400	durch Wärmebehandlung und gesteuerte Abkühlung entstehen Bainit und Austenit mit hoher Festig- keit bei guter Zähigkeit	hoch beanspruchte Bauteile, z. B. Radnaben, Zahnkränze, ADI-Guss[2]
verschleiß- beständiger Guss, Hartguss	DIN EN 12513	EN-GJN-HB340 5.5600	> 1000	Verschleißfestigkeit durch Martensit und Karbide, auch mit Cr und Ni legiert.	verschleißfestes Gusseisen, z. B. Abrichtrollen, Baggerschaufeln, Laufräder für Pumpen
Temperguss					
entkohlend geglüht (weiß)	DIN EN 1562	EN-GJMW-350-4 (GTW-35)[1] 5.4200	270 bis 570	Entkohlung der Randschicht durch Tempern. Hohe Fes- tigkeit und Zähigkeit, plas- tisch verformbar.	formgenaue, dünnwandige, stoßbeanspruchte Teile; Hebel, Bremstrommeln
nicht entkohlend geglüht (schwarz)	DIN EN 1562	EN-GJMB-450-6 (GTS-45)[1] 5.4205	300 bis 800	Flockiger Grafit im ganzen Querschnitt durch Tempern. Hohe Festigkeit und Zähigkeit bei größeren Wandstärken.	formgenaue, dickwandige, stoßbeanspruchte Teile; Hebel, Kardangabeln
Stahlguss					
für allgemeine Verwendung	DIN EN 10293[3]	GE240 1.0446	380 bis 600	unlegierter und niedrig- legierter Stahlguss für allgemeine Verwendung	mechanische Mindestwerte von −10 °C bis 300 °C
mit verbesserter Schweiß- eignung	DIN EN 10293[4]	G20Mn5 1.6220	430 bis 650	geringer Kohlenstoffgehalt mit Mangan und Mikro- legierung	Schweißverbundkonstruk- tionen, Feinkornbaustähle mit großer Wanddicke
Vergütungs- stahlguss	DIN EN 10293[5]	G30CrMoV6-4 1.7725	500 bis 1250	feines Vergütungsgefüge mit hoher Zähigkeit	Ketten, Panzerungen
für Druck- behälter	DIN EN 10213	GP280GH 1.0625	420 bis 960	Sorten mit hoher Festigkeit und Zähigkeit bei tiefen und bei hohen Temperaturen	Druckbehälter für heiße bzw. kalte Medien, warmfest und kaltzäh; nichtrostend
nichtrostend	DIN EN 10283	GX6CrNi26-7 1.4347	450 bis 1100	Beständigkeit gegenüber chemischer Beanspruchung und Korrosion	Pumpenlaufräder in Säuren, Duplex-Stahl
hitzebeständig	DIN EN 10295	GX25CrNiSi18-9 1.4825	400 bis 550	Beständigkeit gegenüber verzundernden Gasen	Turbinenteile, Ofenroste

[1] bisherige Bezeichnung
[2] ADI → Austempered Ductile Iron („angelassenes zähes Eisen")
[3] Ersatz für DIN 1681
[4] Ersatz für DIN 17182
[5] Ersatz für DIN 17205

Gusseisen mit Lamellengrafit, Gusseisen mit Kugelgrafit

Gusseisen mit Lamellengrafit · vgl. DIN EN 1561 (2012-01)

Zugfestigkeit R_m als kennzeichnende Eigenschaft				Härte HB als kennzeichnende Eigenschaft			
Sorte		Wanddicke	Zugfestigkeit R_m	Sorte		Wanddicke	Brinellhärte
Kurzname	Werkstoff-nummer	mm	N/mm²	Kurzname	Werkstoff-nummer	mm	HB30
EN-GJL-100	5.1100	5 … 40	100	EN-GJL-HB155	5.1101	2,5 … 50	max. 155
EN-GJL-150	5.1200	2,5 … 200	110 … 150	EN-GJL-HB175	5.1201	2,5 … 100	115 … 175
EN-GJL-200	5.1300	2,5 … 200	160 … 200	EN-GJL-HB195	5.1304	5 … 100	125 … 195
EN-GJL-250	5.1301	5 … 200	200 … 250	EN-GJL-HB215	5.1305	5 … 100	145 … 215
EN-GJL-300	5.1302	10 … 200	240 … 300	EN-GJL-HB235	5.1306	10 … 100	160 … 235
EN-GJL-350	5.1303	10 … 200	280 … 350	EN-GJL-HB255	5.1307	20 … 100	180 … 255

⇒ **EN-GJL-100:** Gusseisen mit Lamellengrafit, Mindestzugfestigkeit R_m = 100 N/mm²

⇒ **EN-GJL-HB215:** Gusseisen mit Lamellengrafit, maximale Brinellhärte = 215 HB

Eigenschaften
Gut gießbar und zerspanbar, schwingungsdämpfend, korrosionsbeständig, hohe Druckfestigkeit (ca. das Dreifache der Zugfestigkeit), gute Gleiteigenschaften.

Anwendungsbeispiele
Maschinengestelle, Lagergehäuse, Gleitlager, druckfeste Teile, Turbinengehäuse.
Die Härte als kennzeichnende Eigenschaft gibt Hinweise auf die Zerspanbarkeit.

Gusseisen mit Kugelgrafit · vgl. DIN EN 1563 (2012-03)

Ferritisches bis perlitisches Gusseisen[3]

Sorte		Zugfestigkeit R_m	Dehngrenze $R_{p0,2}$	Dehnung A	Brinell-härte	Eigenschaften, Anwendungsbeispiele
Kurzname	Werkstoff-nummer	N/mm²	N/mm²	%	HB	
EN-GJS-350-22-LT[1]	5.3100	350	220	22	–	
EN-GJS-350-22-RT[2]	5.3101	350	220	22	–	
EN-GJS-350-22	5.3102	350	220	22	< 160	gut bearbeitbar, geringe Verschleißfestigkeit; Gehäuse
EN-GJS-400-18-LT[1]	5.3103	400	240	18	–	
EN-GJS-400-18-RT[2]	5.3104	400	250	18	–	
EN-GJS-400-18	5.3105	400	250	18	130…175	
EN-GJS-400-15	5.3106	400	250	15	–	
EN-GJS-450-10	5.3107	450	310	10	160…210	gut bearbeitbar, mittlere Verschleißfestigkeit; Fittings, Pressenkörper
EN-GJS-500-7	5.3200	500	320	7	170…230	
EN-GJS-600-3	5.3201	600	370	3	190…270	
EN-GJS-700-2	5.3300	700	420	2	225…305	gute Oberflächenhärte; Zahnräder, Lenk- und Kupplungsteile, Ketten
EN-GJS-800-2	5.3301	800	480	2	245…335	
EN-GJS-900-2	5.3302	900	600	2	270…360	

Mischkristallverfestigtes ferritisches Gusseisen[4]

Sorte		Zugfestigkeit R_m	Dehngrenze $R_{p0,2}$	Dehnung A	Brinell-härte	Eigenschaften, Anwendungsbeispiele
Kurzname	Werkstoff-nummer	N/mm²	N/mm²	%	HB	
EN-GJS-450-18	5.3108	450	350	18	170…200	gut bearbeitbar, höhere Dehnung; Windkraftanlagen
EN-GJS-500-14	5.3109	500	400	14	185…215	
EN-GJS-600-10	5.3110	600	470	10	200…230	

⇒ **EN-GJS-400-18:** Gusseisen mit Kugelgrafit, Mindestzugfestigkeit R_m = 400 N/mm²; Bruchdehnung A = 18%

[1] LT für tiefe Temperaturen

[2] RT für Raumtemperatur

[3] Ferritische Sorten weisen höchste Werte für die Kerbschlagarbeit auf. Perlitische Sorten sind geeigneter für verschleißbeanspruchte Anwendungen. Die maßgebende Wanddicke für die Angaben beträgt < 30 mm.

[4] Mischkristallverfestigte ferritische Sorten haben bei gleicher Zugfestigkeit eine höhere Dehngrenze und eine höhere Dehnung. Außerdem sind die Schwankungen in der Härte geringer. Die Tabellenwerte sind gültig für Wanddicken unter 30 mm.

W

Temperguss, Stahlguss

Temperguss[1]

vgl. DIN EN 1562 (2012-05)

Sorte Kurzname	Werkstoff-nummer	Zugfestig-keit R_m N/mm²	Dehn-grenze $R_{p\,0,2}$ N/mm²	Bruch-dehnung A %	Brinell-härte HB	Eigenschaften, Anwendungsbeispiele
Entkohlend geglühter Temperguss (weißer Temperguss)						
EN-GJMW-350-4	5.4200	350	–	4	230	Alle Sorten sind gut gießbar und gut spanend bearbeitbar. Werkstücke mit kleiner Wanddicke, z. B. Hebel, Kettenglieder
EN-GJMW-400-5	5.4202	400	220	5	220	
EN-GJMW-450-7	5.4203	450	260	7	220	
EN-GJMW-550-4	5.4204	550	340	4	250	
EN-GJMW-360-12	5.4201	360	190	12	200	Zum Schweißen besonders geeignet.

⇒ **EN-GJMW-350-4**: Entkohlend geglühter Temperguss, R_m = 350 N/mm², A = 4 %

Sorte Kurzname	Werkstoff-nummer	Zugfestig-keit R_m N/mm²	Dehn-grenze $R_{p\,0,2}$ N/mm²	Bruch-dehnung A %	Brinell-härte HB	Eigenschaften, Anwendungsbeispiele
Nicht entkohlend geglühter Temperguss (schwarzer Temperguss)						
EN-GJMB-300-6	5.4100	300	–	6	… 150	
EN-GJMB-350-10	5.4101	350	200	10	… 150	Alle Sorten sind gut gießbar und gut spanend bearbeitbar. Werkstücke mit größerer Wanddicke, z. B. Gehäuse, Kardangabeln, Kolben
EN-GJMB-450-6	5.4205	450	270	6	150 … 200	
EN-GJMB-500-5	5.4206	500	300	5	165 … 215	
EN-GJMB-550-4	5.4207	550	340	4	180 … 230	
EN-GJMB-600-3	5.4208	600	390	3	195 … 245	
EN-GJMB-650-2	5.4300	650	430	2	210 … 260	
EN-GJMB-700-2	5.4301	700	530	2	240 … 290	
EN-GJMB-800-1	5.4302	800	600	1	270 … 320	

⇒ **EN-GJMB-350-10**: Nicht entkohlend geglühter Temperguss, R_m = 350 N/mm², A = 10 %

[1] Bisherige Bezeichnungen: Seite 164

Stahlguss für allgemeine Anwendungen (Auswahl)

vgl. DIN EN 10293 (2005-06)[1]

Sorte Kurzname	Werkstoff-nummer	Zug-festigkeit R_m N/mm²	Dehn-grenze $R_{p\,0,2}$ N/mm²	Dehnung A %	Kerb-schlag-arbeit K_v J	Eigenschaften, Anwendungsbeispiele
GE200[2]	1.0420	380 … 530	200	25	27	für Werkstücke mit mittlerer dynamischer Beanspruchung; Radsterne, Hebel
GE240[2]	1.0445	450 … 600	240	22	31	
GE300[2]	1,0558	600 … 750	300	15	27	
G17Mn5[3]	1.1131	450 … 600	240	24	70	verbesserte Schweißeignung; Schweißverbundkonstruktionen
G20Mn5[2]	1.6220	480 … 620	300	20	60	
GX4CrNiMo16-5-1[3]	1.4405	760 … 960	540	15	60	
G28Mn6[2]	1.1165	520 … 670	260	18	27	für Werkstücke mit hoher dynamischer Beanspruchung; Wellen
G10MnMoV6-3[3]	1.5410	600 … 750	500	18	60	
G34CrMo4[3]	1.7230	620 … 770	480	10	35	
G32NiCrMo8-5-4[3]	1.6570	850 … 1000	700	16	50	Korrosionsgeschützte Werkstücke mit hoher dynamischer Beanspruchung.
GX23CrMoV12-1[3]	1.4931	740 … 880	540	15	27	

[1] DIN 17182 „Stahlgusssorten mit verbesserter Schweißeignung und Zähigkeit" wurde ersatzlos zurückgezogen.
[2] normalgeglüht   [3] vergütet

Stahlguss für Druckbehälter (Auswahl)

vgl. DIN EN 10213 (2008-01)

Sorte Kurzname	Werkstoff-nummer	Zugfestig-keit[1] R_m N/mm²	Dehn-grenze[1] $R_{p\,0,2}$ N/mm²	Bruch-dehnung A %	Kerb-schlag-arbeit K_v J	Eigenschaften, Anwendungsbeispiele
GP240GH	1.0619	420	240	22	27	für hohe und tiefe Temperaturen; Dampfturbinen, Heißdampfarmaturen, auch korrosionsbeständig
G17CrMo5-5	1.7357	490	315	20	27	
GX8CrNi12	1.4107	540	355	18	45	
GX4CrNiMo16-5-1	1.4405	760	540	15	60	

[1] Werte bei einer Wanddicke bis 40 mm

W

Modelle, Modelleinrichtungen und Kernkästen vgl. DIN EN 12890 (2000-06)

Werkstoffe und Güteklassen

Merkmale	Werkstoffe		
	Holz	Kunststoff	Metall
Werkstoffart	Sperrholz-, Span- oder Verbundplatten, Hart- und Weichholz	Epoxidharze oder Polyurethane mit Füllstoffen	Cu-, Sn-, Zn-Legierung Al-Legierung Gusseisen oder Stahl
Verwendung	Wiederkehrende Einzelstücke und kleinere Serien, geringere Anforderung an die Genauigkeit; meist Handformerei	Einzel- und Serienfertigung mit höherer Anforderung an die Genauigkeit; Hand- und Maschinenformerei	mittlere bis große Serien mit hohen Anforderungen an die Genauigkeit; Maschinenformerei
Max. Stückzahl beim Formen	ca. 750	ca. 10 000	ca. 150 000
Güteklassen[1]	H1[2], H2, H3	K1[2], K2	M1[2], M2
Oberflächengüte	Schleifpapier Korngröße 60 … 80	Ra = 12,5 µm	Ra = 3,2 … 6,3 µm

[1] Klassifizierungssystem für die Herstellung und Verwendung von Modellen, Modelleinrichtungen und Kernkästen, über deren Zweckeignung, Qualität und Haltbarkeitsdauer: H Holz; K Kunststoff; M Metall

[2] beste Güteklasse

Formschrägen

Höhe H	Formschräge T in mm					
	kleine Aushebeflächen			hohe Aushebeflächen		
	Handformerei		Maschinen-formerei	Handformerei		Maschinen-formerei
mm	Formsand tongebunden	Formsand chem. geb.		Formsand tongebunden	Formsand chem. geb.	
… 30	1,0	1,0	1,0	1,5	1,0	1,0
> 30 … 80	2,0	2,0	2,0	2,5	2,0	2,0
> 80 … 180	3,0	2,5	2,5	3,0	3,0	3,0
> 180 … 250	3,5	3,0	3,0	4,0	4,0	4,0
> 250 … 1000	+ 1,0 mm je 250 mm					
> 1000 … 4000	+ 2,0 mm je 1000 mm					

Anstrich und Farbkennzeichnung der Modelle

Fläche oder Flächenteil	Stahlguss	Gusseisen mit Kugelgrafit	Gusseisen mit Lamellengrafit	Temperguss	Schwermetallguss	Leichtmetallguss
Grundfarbe für Flächen, die am Gussteil unbearbeitet bleiben	blau	violett	rot	grau	gelb	grün
Am Gussteil zu bearbeitende Flächen	gelbe Streifen	gelbe Streifen	gelbe Streifen	gelbe Streifen	rote Streifen	gelbe Streifen
Sitzstellen für Losteile und deren Befestigungen			schwarz umrandet			
Stellen für Abschreckplatten	rot	rot	blau	rot	blau	blau
Kernmarken	schwarz					
Speiser	gelbe Streifen					

W

Schwindmaße, Maßtoleranzen, Form- und Gießverfahren

Schwindmaße

vgl. DIN EN 12890 (2000-06)

Gusseisen	Schwind-maß in %	Sonstige Gusswerkstoffe	Schwind-maß in %
mit Lamellengrafit	1,0	Stahlguss	2,0
mit Kugelgrafit, geglüht	0,5	Manganhartstahlguss	2,3
mit Kugelgrafit, ungeglüht	1,2	Al-, Mg-, CuZn-Legierungen	1,2
austenitisch	2,5	CuSnZn-, Zn-Legierungen	1,3
Temperguss, entkohlend geglüht	1,6	CuSn-Legierungen	1,5
Temperguss, nicht entkohlend geglüht	0,5	Cu	1,9

Maßtoleranzen und Bearbeitungszugaben, RMA

vgl. DIN EN ISO 8062 (2008-01)

Beispiele für die Toleranzangabe in einer Zeichnung:

1. **Allgemeintoleranzen**
   ISO 8062-3 – DCTG 12 – RMA 6 (RMAG H)
   Toleranzgrad 12, Bearbeitungszugabe 6 mm (Grad H)
2. Individuelle Toleranzen und Bearbeitungszugaben werden direkt nach einem Maß angegeben.

R	Rohgussstück – Nennmaß
F	Maß nach der Endbearbeitung
$DCTG$	Gusstoleranzgrad
T	gesamte Gusstoleranz
RMA	Bearbeitungszugabe

$$R = F + 2 \cdot RMA + T/2$$

Gusstoleranzen

Nennmaß in mm	Längenmaßtoleranz T in mm bei Gusstoleranzgrad $DCTG$															
	1	2	3	4	5	6	7	8	9	10	11	12	13	14	15	16
… 10	0,09	0,13	0,18	0,26	0,36	0,52	0,74	1,0	1,5	2,0	2,8	4,2	–	–	–	–
> 10 … 16	0,10	0,14	0,20	0,28	0,38	0,54	0,78	1,1	1,6	2,2	3,0	4,4	–	–	–	–
> 16 … 25	0,11	0,15	0,22	0,30	0,42	0,58	0,82	1,2	1,7	2,4	3,2	4,6	6	8	10	12
> 25 … 40	0,12	0,17	0,24	0,32	0,46	0,64	0,9	1,3	1,8	2,6	3,6	5	7	9	11	14
> 40 … 63	0,13	0,18	0,26	0,36	0,50	0,70	1,0	1,4	2,0	2,8	4,0	5,6	8	10	12	16
> 63 … 100	0,14	0,20	0,28	0,40	0,56	0,78	1,1	1,6	2,2	3,2	4,4	6	9	11	14	18
> 100 … 160	0,15	0,22	0,30	0,44	0,62	0,88	1,2	1,8	2,5	3,6	5	7	10	12	16	20
> 160 … 250	–	0,24	0,34	0,50	0,70	1,0	1,4	2,0	2,8	4,0	5,6	8	11	14	18	22
> 250 … 400	–	–	0,40	0,56	0,78	1,1	1,6	2,2	3,2	4,4	6,2	9	12	16	20	25
> 400 … 630	–	–	–	0,64	0,90	1,2	1,8	2,6	3,6	5	7	10	14	18	22	28
> 630 … 1000	–	–	–	–	1,0	1,4	2,0	2,8	4	6	8	11	16	20	25	32

Form- und Gießverfahren

Verfahren	Anwendung	Vor- und Nachteile	Gusswerkstoffe	Relative Maßgenauigkeit[1] in mm/mm	Erreichbare Rauheit Ra in µm
Handformen	große Gussstücke, Kleinserien	alle Größen, teuer, geringe Maßgenauigkeit	GJL, GJS, GS, GJM, Al- und Cu-Leg.	0,00 … 0,10	40 … 320
Maschinen-formen	kleine bis mittel-große Teile, Serien	maßgenau, gute Oberfläche	GJL, GJS, GS, GJM, Al-Leg.	0,00 … 0,06	20 … 160
Vakuum-formen	mittlere bis große Teile, Serien	maßgenaue, gute Oberfläche, hohe Investition	GJL, GJS, GS, GJM, Al- und Cu-Leg.	0,00 … 0,08	40 … 160
Masken-formen	kleine Teile, große Serien	maßgenau, hohe Formkosten	GJL, GS, Al- und Cu-Leg.	0,00 … 0,06	20 … 160
Feingießen	kleine Teile, große Serien	komplizierte Teile, hohe Formkosten	GS, Al-Leg.	0,00 … 0,04	10 … 80
Druckgießen	kleine bis mittel-große Teile, große Serien	maßgenau auch bei geringen Wanddicken, feinkörniges Gefüge, hohe Investition	Warmkammer: Zn, Pb, Sn, Mg Kaltkammer: Cu, Al	0,00 … 0,04	10 … 40

[1] Als relative Maßgenauigkeit bezeichnet man das Verhältnis von größtem Abmaß zum Nennmaß.

Aluminium, Aluminiumlegierungen – Übersicht

Legierungsgruppe	Werkstoffnummer	Haupteigenschaften	Hauptanwendungsbereiche	Erzeugnisformen[1]		
				B	S	R
Reinaluminium					Seite 171	
Al (Al-Gehalt > 99,00 %)	AW-1000 bis AW-1990 (Serie 1000)	• sehr gut kalt umformbar • schweiß- und hartlötbar • schwer spanend bearbeitbar • korrosionsbeständig • für dekorative Zwecke anodisch oxidierbar	Behälter, Rohrleitungen und Einrichtungen in der Nahrungsmittel- und chemischen Industrie, elektrische Leiter, Reflektoren, Zierleisten, Kennzeichen im Fahrzeugbau	•	•	•
Aluminium, Aluminium-Knetlegierungen, nicht aushärtbar (Auswahl)					Seite 171	
AlMn	AW-3000 bis AW-3990 (Serie 3000)	• kalt umformbar • schweiß- und lötbar • im kalt verfestigten Zustand gut spanend bearbeitbar Im Vergleich mit Serie 1000: • höhere Festigkeit • verbesserte Laugenbeständigkeit	Dachdeckungen, Fassadenverkleidungen und tragende Konstruktionen in der Bautechnik, Teile für Kühler und Klimaanlagen in der Fahrzeugtechnik, Getränke- und Konservendosen in der Verpackungsindustrie	•	•	•
AlMg	AW-5000 bis AW-5990 (Serie 5000)	• gut kalt umformbar mit hoher Kaltverfestigung • bedingt schweißbar • im kalt verfestigten Zustand und bei höheren Legierungsanteilen gut spanend bearbeitbar • witterungs- und seewasserbeständig	Leichtbauwerkstoff für Aufbauten von Nutzfahrzeugen, Tank- und Silofahrzeuge, Metallschilder, Verkehrszeichen, Rollläden und Rolltore, Fenster, Türen, Beschläge in der Bautechnik, Maschinengestelle, Teile im Vorrichtungs- und Formenbau	•	•	•
AlMgMn		• gut kalt umformbar mit hoher Kaltverfestigung • gut schweißbar • gut spanend bearbeitbar • seewasserbeständig		•	•	•
Aluminium, Aluminium-Knetlegierungen, aushärtbar (Auswahl)					Seite 172	
AlMgSi	AW-6000 bis AW-6990 (Serie 6000)	• gut kalt und warm umformbar • korrosionsbeständig • gut schweißbar • im ausgehärteten Zustand gut spanend bearbeitbar	tragende Konstruktionen in der Bautechnik, Fenster, Türen, Maschinentische, Hydraulik- und Pneumatikteile; mit Pb-, Sn- oder Bi-Anteilen: sehr gut spanend bearbeitbare Automatenlegierungen	•[2]	•[2]	•[2]
AlCuMg	AW-2000 bis AW-2990 (Serie 2000)	• hohe Festigkeitswerte • gute Warmfestigkeit • bedingt korrosionsbeständig • bedingt schweißbar • im ausgehärteten Zustand gut spanend bearbeitbar	Leichtbauwerkstoff im Fahrzeug- und Flugzeugbau; mit Pb-, Sn- oder Bi-Anteilen: sehr gut spanend bearbeitbare Automatenlegierungen	•[2]	•[2]	•[2]
AlZnMgCu	AW-7000 bis AW-7990 (Serie 7000)	• höchste Festigkeit aller Al-Legierungen • beste Korrosionsbeständigkeit im Zustand warm ausgehärtet • bedingt schweißbar • im ausgehärteten Zustand gut spanend bearbeitbar	hochfester Leichtbauwerkstoff im Flugzeug- und Maschinenbau, Werkzeuge und Formen zur Kunststoffformung, Schrauben, Fließpressteile	•	•	•

[1] Erzeugnisformen: B Bleche; S Stangen; R Rohre
[2] Automatenlegierungen werden nur als Stangen oder als Rohre geliefert.

W

Aluminium, Aluminium-Knetlegierungen: Kurznamen und Werkstoffnummern

Kurznamen für Aluminium und Aluminium-Knetlegierungen　vgl. DIN EN 573-2 (1994-12)

Die Kurznamen gelten für Halbzeuge, z.B. Bleche, Stangen, Rohre, Drähte und für Schmiedeteile.

Bezeichnungsbeispiele:

EN AW - Al 99,98
EN AW - Al Mg1SiCu - H111

| EN | Europäische Norm |
| AW | Aluminium-Halbzeug |

Chemische Zusammensetzung, Reinheitsgrad

| Al 99,98 | → | Reinaluminium, Reinheitsgrad 99,98% Al |
| Al Mg1SiCu | → | 1% Mg, geringe Anteile Si und Cu |

Werkstoffzustand (Auszug)　vgl. DIN EN 515 (1993-12)

Zustand	Kurz-zeichen	Bedeutung der Kurzzeichen	Bedeutung der Werkstoffzustände
Herstell-zustand	F	Die Halbzeuge werden ohne Festlegung mechanischer Grenzwerte hergestellt, z.B. Zugfestigkeit, Streckgrenze, Bruchdehnung.	Halbzeuge ohne Nachbehandlung
weich geglüht	O O1 O2	Weichglühen kann durch Warmumformung ersetzt werden. lösungsgeglüht, langsame Abkühlung auf Raumtemperatur, thermomechanisch umgeformt, höchste Umformbarkeit	Wiederherstellung der Umformbarkeit nach einer Kaltumformung
kalt verfestigt	H12 bis H18	kalt verfestigt mit folgenden Härtegraden: 　H12　　　　H14　　　　H16　　　　H18 　$1/_4$-hart　　$1/_2$-hart　　$3/_4$-hart　　$4/_4$-hart	Einhaltung garantier-ter mechanischer Kennwerte, z.B. Zugfestigkeit, Streckgrenze
	H111 H112	geglüht mit nachfolgender geringer Kaltverfestigung geringe Kaltverfestigung	
wärme-behandelt	T1 T2 T3	lösungsgeglüht, entspannt und kalt ausgelagert, nicht nachgerichtet abgeschreckt wie T1, kalt umgeformt und kalt ausgelagert lösungsgekühlt, kalt umgeformt und kalt ausgelagert	Erhöhung der Zug-festigkeit, der Streck-grenze und der Härte, Verringerung der Kalt-umformbarkeit
	T3510 T3511	lösungsgeglüht, entspannt und kalt ausgelagert wie T3510, nachgerichtet zur Einhaltung der Grenzabmaße	
	T4 T4510	lösungsgeglüht, kalt ausgelagert lösungsgeglüht, entspannt und kalt ausgelagert, nicht nachgerichtet	
	T6 T6510	lösungsgeglüht, warm ausgelagert lösungsgeglüht, entspannt und warm ausgelagert, nicht nachgerichtet	
	T8 T9	lösungsgeglüht, kalt umgeformt, warm ausgelagert lösungsgeglüht, warm ausgelagert, kalt umgeformt	

Werkstoffnummern für Aluminium und Aluminium-Knetlegierungen　vgl. DIN EN 573-1 (2005-02)

Die Werkstoffnummern gelten für Halbzeuge, z.B. Bleche, Stangen, Rohre, Drähte und für Schmiedeteile.

Bezeichnungsbeispiele:

EN AW - 1050A
EN AW - 5154

| EN | Europäische Norm |
| AW | Aluminium-Halbzeug |

Nationale Legierungsvariante
Die Originallegierung wurde durch ein anderes Land registriert. Die nationale Variante weicht in der Zusammensetzung geringfügig von der Ori-ginallegierung ab.

Legierungsgruppen

Ziffer	Gruppe	Ziffer	Gruppe
1	Rein-Al	5	AlMg
2	AlCu	6	AlMgSi
3	AlMn	7	AlZn
4	AlSi	8	sonstige

Legierungsabweichungen

Ziffer	Legierung
0	Originallegierung
1 … 9	Legierungen, die von der Originallegierung abweichen

Sorten-Nummer

Innerhalb einer Legierungs-gruppe, z.B. AlCu, AlMgSi, AlMn oder AlMg, wird jeder Sorte eine eigene Nummer zugewiesen.

W

Aluminium, Aluminium-Knetlegierungen

Aluminium und Aluminium-Knetlegierungen, nicht aushärtbar (Auswahl)								vgl. DIN EN 485-2 (2013-12), DIN EN 754-2, 755-2 (2013-12)

Kurzname (Werkstoff-nummer)[1]	Liefer-formen[2] S	Liefer-formen[2] B	A[3]	Werkstoff-zustand[4]	Dicke/ Durch-messer mm	Zugfestig-keit R_m N/mm²	Dehn-grenze $R_{p\,0,2}$ N/mm²	Bruch-dehnung A %	Verwendung, Beispiele
Al 99,5 (1050A)	•	–	p	F, H112	≤ 200	≥ 60	≥ 20	25	Apparatebau, Druckbehälter, Schilder, Verpackungen, Zierleisten
			z	O, H111	≤ 80	60 … 95	–	25	
			z	H14	≤ 40	100 … 135	≥ 70	6	
	–	•	w	O, H111	0,5 … 1,4	65 … 95	≥ 20	22	
					1,5 … 2,9	65 … 95	≥ 20	26	
					3,0 … 5,9	65 … 95	≥ 20	29	
Al Mn1 (3103)	•	–	p	F, H112	≤ 200	≥ 95	≥ 35	25	Apparatebau, Fließpressteile, Fahrzeugaufbauten, Wärmetauscher
			z	O, H111	≤ 80	95 … 130	≥ 35	25	
			z	H14	≤ 40	130 … 165	≥ 110	6	
	–	•	w	O, H111	0,5 … 1,4	90 … 130	≥ 35	19	
					1,5 … 2,9	90 … 130	≥ 35	21	
					3,0 … 5,9	90 … 130	≥ 35	24	
Al Mn1Cu (3003)	•	–	p	F, H112	≤ 200	≥ 95	≥ 35	25	Dachdeckungen, Fassaden, tragende Konstruktionen im Metallbau
			z	O, H111	≤ 80	95 … 130	≥ 35	25	
			z	H14	≤ 40	130 … 165	≥ 110	6	
	–	•	w	O, H111	0,5 … 1,4	95 … 135	≥ 35	17	
					1,5 … 2,9	95 … 135	≥ 35	20	
					3,0 … 5,9	95 … 135	≥ 35	23	
Al Mg1 (B) (5005)	•	–	p	F, H112	≤ 200	≥ 100	≥ 40	18	Dachdeckungen, Fassaden, Fenster, Türen, Beschläge
			z	O, H111	≤ 80	100 … 145	≥ 40	18	
			z	H14	≤ 40	≥ 140	≥ 110	6	
	–	•	w	O, H111	0,5 … 1,49	100 … 145	≥ 35	19	
					1,5 … 2,9	100 … 145	≥ 35	20	
					3,0 … 5,9	100 … 145	≥ 35	22	
Al Mg2Mn0,3 (5251)	•	–	p	F, H112	≤ 200	≥ 160	≥ 60	16	Einrichtungen und Geräte der Nahrungsmittel-industrie
			z	O, H111	≤ 80	150 … 200	≥ 60	17	
			z	H14	≤ 30	200 … 240	≥ 160	5	
	–	•	w	O, H111	0,5 … 1,4	160 … 200	≥ 60	14	
					1,5 … 2,9	160 … 200	≥ 60	16	
					3,0 … 5,9	160 … 200	≥ 60	18	
Al Mg3 (5754)	•	–	p	F, H112	≤ 150	≥ 180	≥ 80	14	Apparatebau, Flugzeugbau, Karosserieteile, Formenbau
			z	O, H111	≤ 80	180 … 250	≥ 80	16	
			z	H14	≤ 25	240 … 290	≥ 180	4	
	–	•	w	O, H111	0,5 … 1,4	190 … 240	≥ 80	14	
					1,5 … 2,9	190 … 240	≥ 80	16	
					3,0 … 5,9	190 … 240	≥ 80	18	
Al Mg5 (5019)	•	–	p	F, H112	≤ 200	≥ 250	≥ 110	14	optische Geräte, Verpackungen
			z	O, H111	≤ 80	250 … 320	≥ 110	16	
			z	H14	≤ 40	270 … 350	≥ 180	8	
Al Mg3Mn (5454)	–	•	w	O, H111	0,5 … 1,4	215 … 275	≥ 85	13	Behälterbau, auch Druckbehälter, Rohrleitungen, Tank- und Silofahrzeuge
					1,5 … 2,9	215 … 275	≥ 85	15	
					3,0 … 5,9	215 … 275	≥ 85	17	
	–	•	w	H12	0,5 … 1,4	250 … 305	≥ 190	4	
					1,5 … 2,9	250 … 305	≥ 190	5	
Al Mg4,5Mn0,7 (5083)	•	–	p	F, H111	≤ 200	≥ 270	≥ 110	12	Formen- und Vorrichtungsbau, Maschinengestelle
			z	O, H111	≤ 80	270 … 350	≥ 110	16	
			z	H12	≤ 80	≥ 280	≥ 200	6	

[1] Zur Vereinfachung sind alle Kurznamen und Werkstoffnummern ohne den Zusatz „EN AW-" geschrieben.
[2] Lieferformen: S Rundstäbe; B Bleche, Bänder
[3] A Anlieferungszustand: p stranggepresst; z gezogen; w gewalzt
[4] Werkstoffzustand: Seite 170

W

Aluminium-Knetlegierungen

| **Aluminium-Knetlegierungen, aushärtbar (Auswahl)** | | | | | | | | vgl. DIN EN 485-2 (2013-12), DIN EN 754-2, 755-2 (2013-12) |

Kurzname (Werkstoff-nummer)[1]	Liefer-formen[2] S	Liefer-formen[2] B	A[3]	Werkstoff-zustand[4]	Dicke/ Durch-messer mm	Zugfestig-keit R_m N/mm²	Dehn-grenze $R_{p\,0,2}$ N/mm²	Bruch-dehnung A %	Verwendung, Beispiele
Al Cu4PbMgMn (2007)	•	–	p	T4, T4510	≤ 80	≥ 370	≥ 250	8	Automatenlegierungen, auch bei hohen Spanleistungen gut zerspanbar, z. B. für Drehteile, Frästeile
			z	T3	≤ 30	≥ 370	≥ 240	7	
			z	T3	30 … 80	≥ 340	≥ 220	6	
Al Cu4PbMg (2030)	•	–	p	T4, T4510	≤ 80	≥ 370	≥ 250	8	
			z	T3	≤ 30	≥ 370	≥ 240	7	
			z	T3	30 … 80	≥ 340	≥ 220	6	
Al MgSiPb (6012)	•	–	p	T5, T6510	≤ 150	≥ 310	≥ 260	8	
			z	T3	≤ 80	≥ 200	≥ 100	10	
			z	T6	≤ 80	≥ 310	≥ 260	8	
Al Cu4SiMg (2014)	•	–	p	O, H111	≤ 200	≤ 250	≤ 135	12	Teile in der Hydraulik, der Pneumatik, im Fahrzeug- und Flug-zeugbau, tragende Konstruktionen im Metall-bau
			z	T3	≤ 80	≥ 380	≥ 290	8	
			z	T4	≤ 80	≥ 380	≥ 220	12	
	–	•	w	O	0,5 … 1,4	≤ 220	≤ 140	12	
					1,5 … 2,9	≤ 220	≤ 140	13	
					3,0 … 5,9	≤ 220	≤ 140	16	
Al Cu4Mg1 (2024)	•	–	p	O, H111	≤ 200	≤ 250	≤ 150	12	Teile im Fahrzeug- und Flugzeugbau, tragende Konstruktionen im Metall-bau
			z	T3	10 … 80	≥ 425	≥ 290	9	
			z	T6	≤ 80	≥ 425	≥ 315	5	
	–	•	w	O	0,5 … 1,4	≤ 220	≤ 140	12	
					1,5 … 2,9	≤ 220	≤ 140	13	
					3,0 … 5,9	≤ 220	≤ 140	13	
Al MgSi (6060)	•	–	p	T4	≤ 150	≤ 120	≤ 60	16	Fenster, Türen, Fahrzeug-aufbauten, Maschinen-tische, optische Geräte
			z	T4	≤ 80	≥ 130	≥ 65	15	
			z	T6	≤ 80	≥ 215	≥ 160	12	
Al Si1MgMn (6082)	•	–	p	O, H111	≤ 200	≤ 160	≤ 110	14	Beschläge, Teile im Formen- und Vorrichtungs-bau, Maschinentische, Geräte in der Nahrungs-mittelindustrie
			z	T4	≤ 80	≥ 205	≥ 110	14	
			z	T6	≤ 80	≥ 310	≥ 255	10	
	–	•	w	O	0,5 … 1,4	≤ 150	≤ 85	14	
					1,5 … 2,9	≤ 150	≤ 85	16	
					3,0 … 5,9	≤ 150	≤ 85	18	
Al Zn4,5Mg1 (7020)	•	–	p	T6	≤ 50	≥ 350	≥ 290	10	Teile im Fahrzeug- und Flugzeugbau, Maschinentische, Aufbauten von Schienen-fahrzeugen
			z	T6	≤ 80	≥ 350	≥ 280	10	
	–	•	w	O	0,5 … 1,4	≤ 220	≤ 140	12	
					1,5 … 2,9	≤ 220	≤ 140	13	
					3,0 … 5,9	≤ 220	≤ 140	15	
Al Zn5Mg3Cu (7022)	•	–	p	T6, T6510	≤ 80	≥ 490	≥ 420	7	Teile in der Hydraulik, Pneumatik und im Flugzeugbau, Schrauben
			z	T6	≤ 80	≥ 460	≥ 380	8	
	–	•	w	T6	3,0 … 12	≥ 450	≥ 370	8	
					12,5 … 24	≥ 450	≥ 370	8	
					25 … 50	≥ 450	≥ 370	7	
Al Zn5,5MgCu (7075)	•	–	p	O, H111	≤ 200	≤ 275	≤ 165	10	Teile im Fahrzeug-, Flugzeug-, Formen- und Vorrichtungsbau, Schrauben
			z	T6	≤ 80	≥ 540	≥ 485	7	
			z	T73	≤ 80	≥ 455	≥ 385	10	
	–	•	w	O	0,4 … 0,75	≥ 275	≥ 145	10	
					0,8 … 1,45	≥ 275	≥ 145	10	
					1,5 … 2,9	≥ 275	≥ 145	10	

[1] Zur Vereinfachung sind alle Kurznamen und Werkstoffnummern ohne den Zusatz „EN AW-" geschrieben.

[2] Lieferformen: S Rundstäbe; B Bleche, Bänder

[3] A Anlieferungszustand: p stranggepresst; z gezogen; w gewalzt

[4] Werkstoffzustand: Seite 170

Aluminium-Gusslegierungen

Bezeichnung von Aluminium-Gussstücken   vgl. DIN EN 1780-1...3 (2003-01), DIN EN 1706 (2010-07)

Aluminium-Gussstücke werden durch Kurznamen oder durch Werkstoffnummern bezeichnet.

Bezeichnungs-beispiele:

	Kurzname	Werkstoffnummer
	EN AC - Al Mg5KF	EN AC - 51300KF

EN	Europäische Norm
AC	Aluminium-Gussstück

K → Gießverfahren
F → Werkstoffzustand
(Tabelle unten)

K → Gießverfahren
F → Werkstoffzustand
(Tabelle unten)

Chemische Zusammensetzung

Beispiel	Legierungsanteile
AlMg5	5% Mg
AlSi6Cu	6% Si, Anteile Cu
AlCu4MgTi	4% Cu, Anteile Mg und Ti

Legierungsgruppen

Ziffern	Gruppe	Ziffern	Gruppe
21	AlCu	46	AlSi9Cu
41	AlSiMgTi	47	AlSi(Cu)
42	AlSi7Mg	51	AlMg
44	AlSi	71	AlZnMg

Sorten-Nummer

Innerhalb einer Legierungsgruppe erhält jede Sorte eine eigene Nummer.

Gießverfahren		Werkstoffzustand	
Buch-stabe	Gießverfahren	Buch-stabe	Bedeutung
		F	Gusszustand, ohne Nachbehandlung
		O	weich geglüht
S	Sandguss	T1	kontrolliertes Abkühlen nach dem Gießen, kalt ausgelagert
K	Kokillenguss	T4	lösungsgeglüht und kalt ausgelagert
D	Druckguss	T5	kontrolliertes Abkühlen nach dem Gießen, warm ausgelagert
L	Feinguss	T6	lösungsgeglüht und warm ausgelagert

W

Aluminium-Gusslegierungen (Auswahl)   vgl. DIN EN 1706 (2013-12)

Kurzname (Werkstoff-nummer)[1]	V[2]	W[3]	Härte HB	Festigkeitswerte im Gusszustand (F)			Eigenschaften[4]			
				Zugfestig-keit R_m N/mm²	Dehn-grenze $R_{p\,0,2}$ N/mm²	Bruch-dehnung A %	G	D	Z	Verwendung
AC-AlMg3	S	F	50	140	70	3	–	–	●	korrosionsbeständig, polierbar, für dekorative Zwecke anodisch oxidierbar; Beschlagteile, Haushalts-geräte, Schiffbau, chemische Industrie
(AC-51100)	K	F	50	150	70	5				
AC-AlMg5	S	F	55	160	90	3	–	–	●	
(AC-51300)	K	F	60	180	100	4				
AC-AlMg5(Si)	S	F	60	160	100	3	–	–	●	
(AC-51400)	K	F	65	180	110	3				
AC-AlSi12(B)	S	F	50	150	70	4	●	●	○	beständig gegen Witte-rungseinflüsse, für kompli-zierte, dünnwandige und druckdichte Teile; Pumpen- und Motoren-gehäuse, Zylinderköpfe, Teile im Flugzeugbau
(AC-44100)	K	F	55	170	80	5				
	L	F	50	150	80	4				
AC-AlSi7Mg	S	T6	75	220	180	1	○	●	○	
(AC-42000)	K	T6	90	260	220	1				
	L	T6	75	240	190	1				
AC-AlSi12(Cu)	S	F	50	150	80	1	●	●	–	
(AC-47000)	K	F	55	170	90	2				
AC-AlCu4Ti	S	T6	95	300	200	3	–	–	●	höchste Festigkeitswerte, schwingungs- und warm-fest; einfache Gussstücke
(AC-21100)	K	T6	95	330	220	7				

[1] Zur Vereinfachung sind alle Kurznamen und Werkstoffnummern ohne den Zusatz „EN" geschrieben, z.B. AC-AlMg3 statt EN AC-AlMg3 oder AC-51000 statt EN AC-51000.
[2] V Gießverfahren (Tabelle oben)   [3] W Werkstoffzustand (Tabelle oben)
[4] G Gießbarkeit, D Druckdichtheit, Z Zerspanbarkeit; ● sehr gut, ○ gut, – bedingt gut

Aluminium-Profile – Übersicht, Rundstangen, Vierkantstangen

Aluminium-Profile, Übersicht

Bild	Herstellung, Abmessungen	Norm	Bild	Herstellung, Abmessungen	Norm
Rundstangen			**Rundrohre**		
	stranggepresst d = 3 ... 100 mm	DIN EN 755-3		nahtlos gepresst d = 20 ... 250 mm	DIN EN 755-7
	gezogen d = 8 ... 320 mm	DIN EN 754-3		nahtlos gezogen d = 3 ... 270 mm	DIN EN 754-7
Vierkantstangen			**Quadratrohre**		
	stranggepresst s = 10 ... 220 mm	DIN EN 755-4		stranggepresst a = 15 ... 100 mm	DIN EN 754-4
	gezogen s = 3 ... 100 mm	DIN EN 754-4			
Rechteckstangen			**Rechteckrohre**		
	stranggepresst b = 10 ... 600 mm s = 2 ... 240 mm	DIN EN 755-4		nahtlos gepresst a = 15 ... 250 mm b = 10 ... 100 mm	DIN EN 755-7
	gezogen b = 5 ... 200 mm s = 2 ... 60 mm	DIN EN 754-4		nahtlos gezogen a = 15 ... 250 mm b = 10 ... 100 mm	DIN EN 754-7
Bleche und Bänder			**L-Profile**		
	gewalzt s = 0,4 ... 15 mm	DIN EN 485		scharfkantig oder rundkantig h = 10 ... 200 mm	DIN 1771[1]
U-Profile			**T-Profile**		
	scharfkantig oder rundkantig h = 10 ... 160 mm	DIN 9713[1]		scharfkantig oder rundkantig h = 15 ... 100 mm	DIN 9714[1]

[1] Die Normen wurden ersatzlos zurückgezogen.

Rundstangen, Vierkantstangen, gezogen   vgl. DIN EN 754-3, 754-4 (2008-06), DIN 1798[1], DIN 1796[1]

d, a mm	S cm² ⬤	S cm² ◼	m' kg/m ⬤	m' kg/m ◼	$W_x = W_y$ cm³ ⬤	$W_x = W_y$ cm³ ◼	$I_x = I_y$ cm⁴ ⬤	$I_x = I_y$ cm⁴ ◼
10	0,79	1,00	0,21	0,27	0,10	0,17	0,05	0,08
12	1,13	1,44	0,31	0,39	0,17	0,29	0,10	0,17
16	2,01	2,56	0,54	0,69	0,40	0,68	0,32	0,55
20	3,14	4,00	0,85	1,08	0,79	1,33	0,79	1,33
25	4,91	6,25	1,33	1,69	1,53	2,60	1,77	3,26
30	7,07	9,00	1,91	2,43	2,65	4,50	3,98	6,75
35	9,62	12,25	2,60	3,31	4,21	7,15	7,37	12,51
40	12,57	16,00	3,40	4,32	6,28	10,68	12,57	21,33
45	15,90	20,25	4,30	5,47	8,95	15,19	20,13	34,17
50	19,64	25,00	5,30	6,75	12,28	20,83	30,69	52,08
55	23,76	30,25	6,42	8,17	16,33	27,73	44,98	76,26
60	28,27	36,00	7,63	9,72	21,21	36,00	63,62	108,00

S Querschnittsfläche
m' längenbezogene Masse
W axiales Widerstandsmoment
I axiales Flächenträgheitsmoment

Werkstoffe	Aluminium-Knetlegierungen: Seiten 171 und 172

[1] DIN 1796 und DIN 1798 wurden durch DIN EN 754-3 bzw. DIN EN 754-4 ersetzt. Die DIN EN-Normen enthalten keine Abmessungen. Der Fachhandel bietet jedoch Rund- und Vierkantstangen weiterhin nach DIN 1798 und DIN 1796 an.
⬤ Rundstangen;   ◼ Vierkantstangen

W

Rechteckstangen aus Aluminium-Legierungen

Rechteckstangen, gezogen (Auswahl)   vgl. DIN EN 754-5 (2008-06), Ersatz für DIN 1769[1]

S	Querschnittsfläche
m'	längenbezogene Masse
e	Randabstände
W	axiales Widerstandsmoment
I	axiales Flächenträgheitsmoment

$b \times h$ mm	S cm²	m' kg/m	e_x cm	e_y cm	W_x cm³	I_x cm⁴	W_y cm³	I_y cm⁴
10 × 3	0,30	0,08	0,15	0,5	0,015	0,002	0,05	0,025
10 × 6	0,60	0,16	0,3	0,5	0,060	0,018	0,100	0,050
10 × 8	0,80	0,22	0,4	0,5	0,106	0,042	0,133	0,066
15 × 3	0,45	0,12	0,15	0,75	0,022	0,003	0,112	0,084
15 × 5	0,75	0,24	0,25	0,75	0,063	0,016	0,188	0,141
15 × 8	1,20	0,32	0,4	0,75	0,160	0,064	0,300	0,225
20 × 5	1,00	0,27	0,25	1,0	0,083	0,020	0,333	0,333
20 × 8	1,60	0,43	0,4	1,0	0,213	0,085	0,533	0,533
20 × 10	2,00	0,54	0,5	1,0	0,333	0,166	0,666	0,666
20 × 15	3,00	0,81	0,75	1,0	0,750	0,562	1,000	1,000
25 × 5	1,25	0,34	0,25	1,25	0,104	0,026	0,520	0,651
25 × 8	2,00	0,54	0,4	1,25	0,266	0,106	0,833	1,041
25 × 10	2,50	0,67	0,5	1,25	0,416	0,208	1,041	1,302
25 × 15	3,75	1,01	0,75	1,25	0,937	0,703	1,562	1,953
25 × 20	5,00	1,35	1,0	1,25	1,666	1,666	2,083	2,604
30 × 10	3,00	0,81	0,5	1,5	0,500	0,250	1,500	2,250
30 × 15	4,50	1,22	0,75	1,5	1,125	0,843	2,250	3,375
30 × 20	6,00	1,62	1,0	1,5	2,000	2,000	3,000	4,500
40 × 10	4,00	1,08	0,5	2,0	0,666	0,333	2,666	5,333
40 × 15	6,00	1,62	0,75	2,0	1,500	1,125	4,000	8,000
40 × 20	8,00	2,16	1,0	2,0	2,666	2,666	5,333	10,666
40 × 25	10,00	2,70	1,25	2,0	4,166	5,208	6,666	13,333
40 × 30	12,00	3,24	1,5	2,0	6,000	9,000	8,000	16,000
40 × 35	14,00	3,78	1,75	2,0	8,166	14,291	9,333	18,666
50 × 10	5,00	1,35	0,5	2,5	0,833	0,416	4,166	10,416
50 × 15	7,50	2,03	0,75	2,5	1,875	1,406	6,250	15,625
50 × 20	10,00	2,70	1,0	2,5	3,333	3,333	8,333	20,833
50 × 25	12,50	3,37	1,25	2,5	5,208	6,510	10,416	26,041
50 × 30	15,00	4,05	1,5	2,5	7,500	11,250	12,500	31,250
50 × 35	17,50	4,73	1,75	2,5	10,208	17,864	14,583	36,458
50 × 40	20,00	5,40	2,0	2,5	13,333	26,666	16,666	41,668
60 × 10	6,00	1,62	0,5	3,0	1,000	0,500	6,000	18,000
60 × 15	9,00	2,43	0,75	3,0	2,250	1,687	9,000	27,000
60 × 20	12,00	3,24	1,0	3,0	4,000	4,000	12,000	36,000
60 × 25	15,00	4,05	1,25	3,0	6,250	7,812	15,000	45,000
60 × 30	18,00	4,86	1,5	3,0	9,000	13,500	18,000	54,000
60 × 35	21,00	5,67	1,75	3,0	12,250	21,437	21,000	63,000
60 × 40	24,00	6,48	2,0	3,0	16,000	32,000	24,000	72,000
80 × 10	8,00	2,16	0,5	4,0	1,333	0,666	10,666	42,666
80 × 15	12,00	3,24	0,75	4,0	3,000	2,250	16,000	64,000
80 × 20	16,00	4,52	1,0	4,0	5,333	5,333	21,333	85,333
80 × 25	20,00	5,40	1,25	4,0	8,333	10,416	26,666	106,66
80 × 30	24,00	6,48	1,5	4,0	12,000	18,000	32,000	128,00
80 × 35	28,00	7,56	1,75	4,0	16,333	28,583	37,333	149,33
80 × 40	32,00	8,64	2,0	4,0	21,333	42,666	42,666	170,66
100 × 20	20,00	5,40	1,0	5,0	6,666	6,667	33,333	166,66
100 × 30	30,00	8,10	1,5	5,0	15,000	22,500	50,000	250,00
100 × 40	40,00	10,8	2,0	5,0	26,666	53,333	66,666	333,33

Werkst.   Aluminium-Knetlegierungen: Seiten 171 und 172

Kantenradien r

h mm	r_{max} mm
≤ 10	0,6
> 10 … 30	1,0
> 30 … 60	2,0

[1] DIN EN 754-5 enthält keine Abmessungen. Der Fachhandel bietet aber Rechteckstangen weiterhin in Abmessungen nach DIN 1769 an.

W

Rundrohre, U-Profile aus Aluminium-Legierungen

Rundrohre, nahtlos gezogen (Auswahl)

vgl. DIN EN 754-7 (2008-06), Ersatz für DIN 1795[1]

d Außendurchmesser
s Wanddicke
S Querschnittsfläche
m' längenbezogene Masse
W axiales Widerstandsmoment
I axiales Flächenträgheitsmoment

$d \times s$ mm	S cm²	m' kg/m	W_x cm³	I_x cm⁴	$d \times s$ mm	S cm²	m' kg/m	W_x cm³	I_x cm⁴
10 × 1	0,281	0,076	0,058	0,029	35 × 3	3,016	0,814	2,225	3,894
10 × 1,5	0,401	0,108	0,075	0,037	35 × 5	4,712	1,272	3,114	5,449
10 × 2	0,503	0,136	0,085	0,043	35 × 10	7,854	2,121	4,067	7,118
12 × 1	0,346	0,093	0,088	0,053	40 × 3	3,487	0,942	3,003	6,007
12 × 1,5	0,495	0,134	0,116	0,070	40 × 5	5,498	1,484	4,295	8,590
12 × 2	0,628	0,170	0,136	0,082	40 × 10	9,425	2,545	5,890	11,781
16 × 1	0,471	0,127	0,133	0,133	50 × 3	4,430	1,196	4,912	12,281
16 × 2	0,880	0,238	0,220	0,220	50 × 5	7,069	1,909	7,245	18,113
16 × 3	1,225	0,331	0,273	0,273	50 × 10	12,566	3,393	10,681	26,704
20 × 1,5	0,872	0,235	0,375	0,375	55 × 3	4,901	1,323	6,044	16,201
20 × 3	1,602	0,433	0,597	0,597	55 × 5	7,854	2,110	9,014	24,789
20 × 5	2,356	0,636	0,736	0,736	55 × 10	14,137	3,817	13,655	37,552
25 × 2	1,445	0,390	0,770	0,963	60 × 5	8,639	2,333	10,979	32,938
25 × 3	2,073	0,560	1,022	1,278	60 × 10	15,708	4,241	17,017	51,051
25 × 5	3,142	0,848	1,335	1,669	60 × 16	22,117	4,890	20,200	60,600
30 × 2	1,759	0,475	1,155	1,733	70 × 5	10,210	2,757	15,498	54,242
30 × 4	3,267	0,882	1,884	2,826	70 × 10	18,850	5,089	24,908	87,179
30 × 6	4,524	1,220	2,307	3,461	70 × 16	27,143	7,331	30,750	107,62

Werkstoffe	z. B. Aluminium-Legierungen, nicht aushärtbar: Seite 171 Aluminium-Legierungen, aushärtbar: Seite 172

[1] DIN EN 754-7 enthält keine Abmessungen. Der Fachhandel bietet aber Rundrohre weiterhin in Abmessungen nach DIN 1795 an.

U-Profile, gepresst (Auswahl)

vgl. DIN 9713 (1981-09)[1]

b Breite
h Höhe
S Querschnittsfläche
m' längenbezogene Masse
W axiales Widerstandsmoment
I axiales Flächenträgheitsmoment

$h \times b \times s \times t$ mm	S cm²	m' kg/m	e_x cm	e_y cm	W_x cm³	I_x cm⁴	W_y cm³	I_y cm⁴
20 × 20 × 3 × 3	1,62	0,437	1,00	0,780	0,945	0,945	0,805	0,628
30 × 30 × 3 × 3	2,52	0,687	1,50	1,10	2,43	3,64	2,06	2,29
35 × 35 × 3 × 3	2,97	0,802	1,75	1,28	3,44	6,02	2,91	3,73
40 × 15 × 3 × 3	1,92	0,518	2,0	0,431	2,04	4,07	0,810	0,349
40 × 20 × 3 × 3	2,25	0,608	2,0	0,610	2,59	5,17	1,30	0,795
40 × 30 × 3 × 3	2,85	0,770	2,0	3,62	7,24	2,49	2,49	2,52
40 × 30 × 4 × 4	3,71	1,00	2,0	1,05	4,49	8,97	3,03	3,17
40 × 40 × 4 × 4	4,51	1,22	2,0	1,49	5,80	11,6	4,80	7,12
40 × 40 × 5 × 5	5,57	1,50	2,0	1,52	6,80	13,6	5,64	8,59
50 × 30 × 3 × 3	3,15	0,851	2,5	0,929	4,88	12,2	2,91	2,70
50 × 30 × 4 × 4	4,91	1,33	2,5	1,38	7,83	19,6	5,65	7,80
50 × 40 × 5 × 5	6,07	1,64	2,5	1,42	9,32	23,3	6,54	9,26
60 × 30 × 4 × 4	4,51	1,22	3,0	0,896	7,90	23,7	4,12	3,69
60 × 40 × 4 × 4	5,31	1,43	3,0	1,29	10,1	30,3	6,35	8,20
60 × 40 × 5 × 5	6,57	1,77	3,0	1,33	12,0	36,0	7,47	9,94
80 × 40 × 6 × 6	8,95	2,42	4,0	1,22	20,6	82,4	10,6	20,6
80 × 45 × 6 × 8	11,2	3,02	4,0	1,57	27,1	108	13,9	21,8
100 × 40 × 6 × 6	10,1	2,74	5,0	1,11	28,3	142	12,5	13,8
100 × 50 × 6 × 9	14,1	3,80	5,0	1,72	43,4	217	19,9	34,3
120 × 55 × 7 × 9	17,2	4,64	6,0	1,74	61,9	295	28,2	49,1
140 × 60 × 4 × 6	12,35	3,35	7,0	1,83	56,4	350	24,7	45,2

Werkstoffe	AlMgSi0,5; AlMgSi1; AlZn4,5Mg1

Rundungen r_1 und r_2

t mm	r_1 mm	r_2 mm
3 u. 4	2,5	0,4
5 u. 6	4	0,6
8 u. 9	6	0,6

[1] DIN 9713 wurde ersatzlos zurückgezogen. Der Fachhandel bietet aber U-Profile weiterhin nach dieser Norm an.

W

Magnesiumlegierungen, Titan, Titanlegierungen

Magnesium-Knetlegierungen (Auswahl) vgl. DIN 9715 (1982-08)

Kurzname	Werk-stoff-nummer	Lieferfor-men[1]			W[2]	Stangen-durch-messer mm	Zug-festigkeit R_m N/mm²	Streck-grenze $R_{p\,0,2}$ N/mm²	Bruch-dehnung A %	Eigenschaften, Verwendung
		S	R	G						
MgMn2	3.3520	•	•	•	F20	≤ 80	200	145	15	korrosionsbeständig, schweißbar, kalt umformbar; Verkleidungen, Behälter
MgAl3Zn	3.5312				F24	≤ 80	240	155	10	
MgAl6Zn	3.5612	•	•	•	F27	≤ 80	270	195	10	höhere Festigkeit, bedingt schweißbar; Leichtbauwerk-stoff im Fahrzeug-, Maschi-nen- und Flugzeugbau
MgAl8Zn	3.5812	•	•	•	F29	≤ 80	290	205	10	
					F31	≤ 80	310	215	6	

[1] Lieferformen: S Stangen, z.B. Rundstangen; R Rohre; G Gesenkschmiedestücke
[2] W Werkstoffzustand F20 → R_m = 10 · 20 = 200 N/mm²

Magnesium-Gusslegierungen (Auswahl) vgl. DIN EN 1753 (1997-08)

Kurzname[1]	Werk-stoff-nummer[1]	V[2]	Werk-stoff-zu-stand[3]	Härte HB	Zugfestigkeit R_m N/mm²	Streck-grenze $R_{p\,0,2}$ N/mm²	Bruch-dehnung A %	Eigenschaften, Verwendung
MCMgAl8Zn1	MC21110	S	F	50 … 65	160	90	2	sehr gut gießbar, dynamisch belastbar, schweißbar; Getriebe- und Motoren-gehäuse
		S	T6	50 … 65	240	90	8	
		K	F	50 … 65	160	90	2	
		K	T4	50 … 65	160	90	8	
		D	F	60 … 85	200 … 250	140 … 160	≤ 7	
MCMgAl9Zn1	MC21120	S	F	55 … 70	160	90	6	hohe Festigkeiten, gute Gleiteigenschaften, schweißbar; Fahr- und Flugzeugbau, Armaturen
		S	T6	60 … 90	240	150	2	
		K	F	55 … 70	160	110	2	
		K	T6	60 … 90	240	150	2	
		D	F	65 … 85	200 … 260	140 … 170	1 … 6	
MCMgAl6Mn	MC21230	D	F	55 … 70	190 … 250	120 … 150	4 … 14	dauerfest, dynamisch belastbar, warmfest; Getriebe- und Motoren-gehäuse
MCMgAl7Mn	MC21240	D	F	60 … 75	200 … 260	130 … 160	3 … 10	
MCMgAl4Si	MC21320	D	F	55 … 80	200 … 250	120 … 150	3 … 12	

[1] Zur Vereinfachung sind die Kurznamen und die Werkstoffnummern ohne den Zusatz „EN-" geschrieben, z.B. MCMgAlBZn1 anstatt EN-MCMgAl8Zn1.
[2] V Gießverfahren: S Sandguss; K Kokillenguss; D Druckguss
[3] Werkstoffzustand siehe Bezeichnung von Aluminium-Gusslegierungen: Seite 173

Titan, Titanlegierungen (Auswahl) vgl. DIN 17860 (2010-01)

Kurzname	Werk-stoff-nummer	Lieferfor-men[1]			Blech-dicke s mm	Härte HB	Zugfestigkeit R_m N/mm²	Streck-grenze $R_{p\,0,2}$ N/mm²	Bruch-dehnung A %	Eigenschaften, Verwendung
		B	S	R						
Ti1	3.7025	•	•	•	0,4 … 35	120	290 … 410	180	30	schweiß-, löt-, klebbar, spanend bearbeitbar, kalt und warm umform-bar, dauerfest, korrosionsbeständig; Masse sparende Kon-struktionen im Maschi-nenbau, der Elektrotech-nik, der Feinmechanik, der Optik und der Medizintechnik, chemische Industrie, Lebensmittelindustrie, Flugzeugbau
Ti2	3.7035					150	390 … 540	250	22	
Ti3	3.7055					170	460 … 590	320	18	
Ti1Pd	3.7225	•	•	•	0,4 … 35	120	290 … 410	180	30	
Ti2Pd	3.7235					150	390 … 540	250	22	
TiAl6V6Sn2	3.7175	•	•	•	< 6	320	≥ 1070	1000	10	
					6 … 50	320	≥ 1000	950	8	
TiAl6V4	3.7165	•	•	•	< 6	310	≥ 920	870	8	
					6 … 100	310	≥ 900	830	8	
TiAl4Mo4Sn2	3.7185	•	•	•	6 … 65	350	≥ 1050	1050	9	

[1] Lieferformen: B Bleche und Bänder; S Stangen, z.B. Rundstangen; R Rohre

W

Übersicht über die Schwermetalle

Schwermetalle sind Nichteisenmetalle mit einer Dichte ϱ **> 5 kg/dm³.** Als Grenze zu den Leichtmetallen wird in der Fachliteratur aber auch $\varrho \geq 4{,}5$ kg/dm³ verwendet.

- Konstruktionswerkstoffe im Maschinen- und Anlagenbau: Kupfer, Zinn, Zink, Nickel, Blei und ihre Legierungen
- Legierungsmetalle: Chrom, Vanadium, Cobalt (Einfluss der Legierungsmetalle: Seite 130)
- Edelmetalle: Gold, Silber, Platin

Reinmetalle: Homogenes Gefüge; geringe Festigkeiten; untergeordnete Bedeutung als Konstruktionswerkstoffe; Anwendung meist aufgrund werkstofftypischer Eigenschaften, wie z. B. guter elektrischer Leitfähigkeit.

Schwermetall-Legierungen: Verbesserte Eigenschaften gegenüber ihren Grundmetallen, wie z. B. höhere Festigkeit, höhere Härte, bessere Zerspanbarkeit und Korrosionsbeständigkeit; Konstruktionswerkstoffe für unterschiedlichste Einsatzbereiche. Nach der Herstellung werden sie in **Knetlegierungen und Gusslegierungen** eingeteilt.

Übersicht über gängige Schwermetalle und Schwermetall-Legierungen

Metall, Legierungsgruppe	Haupteigenschaften	Anwendungsbeispiele
Kupfer (Cu)	hohe elektrische Leitfähigkeit und Wärmeleitfähigkeit, hemmt Bakterien, Viren und Pilze, korrosionsbeständig, optisch ansprechend, gut recycelbar	Rohre in Heizungs- und Sanitärtechnik, Kühl- und Heizschlangen, elektrische Leitungen, elektrotechnische Bauteile, Kochgeschirr, Fassadenverkleidungen
CuZn (Messing)	verschleißfest, korrosionsbeständig, gut warm und kalt umformbar, gut zerspanbar, polierbar, goldglänzend, mittlere Festigkeiten	• Knetlegierungen: Tiefziehteile, Schrauben, Federn, Rohre, Instrumententeile • Gusslegierungen: Armaturengehäuse, Gleitlager, Feinmechanikteile
CuZnPb	sehr gut zerspanbar, bedingt kalt umformbar, sehr gut warm umformbar	Automatendrehteile, Feinmechanikteile, Fittings, Warmpressteile
CuZn-Mehrstoff	gut warm umformbar, hohe Festigkeiten, verschleißbeständig, witterungsbeständig	Armaturengehäuse, Gleitlager, Flansche, Ventilteile, Wassergehäuse
CuSn (Bronze)	sehr korrosionsbeständig, gute Gleiteigenschaften, gute Verschleißfestigkeit, Festigkeit durch Kaltumformen stark veränderbar	• Knetlegierungen: Beschläge, Schrauben, Federn, Metallschläuche • Gusslegierungen: Spindelmuttern, Schneckenräder, Massivgleitlager
CuAl	hohe Festigkeit und Zähigkeit, sehr korrosionsbeständig, meerwasserbeständig, warmfest, hohe Kavitationsbeständigkeit	• Knetlegierungen: hoch belastete Druckmuttern, Schalträder • Gusslegierungen: Armaturen in chemischer Industrie, Pumpenkörper, Propeller
CuNi(Zn)	äußerst korrosionsbeständig, silberartiges Aussehen, gut zerspanbar, polierbar, kalt umformbar	Münzen, elektrische Widerstände, Wärmetauscher, Pumpen, Ventile in Meerwasserkühlsystemen, Schiffsbau
Zink (Zn)	beständig gegen atmosphärische Korrosion	Korrosionsschutz von Stahlteilen
ZnTi	gut umformbar, durch Weichlöten fügbar	Dachverkleidungen, Regenrinnen, Fallrohre
ZnAlCu	sehr gut gießbar	dünnwandige, feingliedrige Druckgussteile
Zinn (Sn)	gute chemische Beständigkeit, ungiftig	Beschichtung von Stahlblechen
SnPb	dünnflüssig	Weichlote
SnSb	gute Notlaufeigenschaften	kleine, maßgenaue Druckgussteile, Gleitlager mit mittlerer Belastung
Nickel (Ni)	korrosionsbeständig, warmfest	Korrosionsschutzschicht auf Stahlteilen
NiCu	äußerst korrosionsbeständig und warmfest	Apparate, Kondensatoren, Wärmetauscher
NiCr	äußerst korrosionsbeständig, sehr warmfest und zunderbeständig, z. T. aushärtbar	chemische Anlagen, Heizrohre, Kesseleinbauten in Kraftwerken, Gasturbinen
Blei (Pb)	schirmt gegen Röntgen- und Gammastrahlen ab, korrosionsbeständig, giftig	Abschirmungen, Kabelummantelungen, Rohre für chemischen Apparatebau
PbSn	dünnflüssig, weich, gute Notlaufeigenschaften	Weichlote, Gleitschichten
PbSbSn	dünnflüssig, korrosionsbeständig, gute Lauf- und Gleiteigenschaften	Gleitlager, kleine, maßgenaue Druckgussteile wie Pendel, Teile für Messgeräte, Zähler

Bezeichnung von Schwermetallen

Systematische Bezeichnung (Auszug) — vgl. DIN 1700 (1954-07)[1]

Beispiel:

$$\text{NiCu30Fe F45}$$
$$\underline{\text{GD}} \text{ - Sn80Sb}$$

Herstellung, Verwendung

E	Elektrowerkstoff
G	Sandguss
GC	Strangguss
GD	Druckguss
GK	Kokillenguss
GZ	Schleuderguss
L	Lot
S	Schweißzusatzlegierung

Chemische Zusammensetzung

Beispiel	Bemerkung
NiCu30Fe	Ni-Cu-Legierung, 30 % Cu, Anteile Eisen
Sn80Sb	Sn-Sb-Legierung, 80 % Sn, ca. 20 % Sb

Besondere Eigenschaften

F45	Mindestzugfestigkeit $R_m = 10 \cdot 45$ N/mm² = 450 N/mm²
a	ausgehärtet
g	geglüht
h	hart
ka	kalt ausgehärtet
ku	kalt umgeformt
ta	teilausgehärtet
wa	warm ausgehärtet
wu	warm umgeformt
zh	ziehhart

[1] Die Norm wurde zurückgezogen. In Einzelnormen werden die Werkstoff-Kurzzeichen jedoch noch verwendet.

Systematische Bezeichnung von Kupferlegierungen — vgl. DIN EN 1982 (2008-08) und 1173 (2008-08)

Beispiele:
CuZn31Si - R620
CuZn38Pb2
CuSn11Pb2 - C - GS

Gießverfahren

GS	Sandguss	GM	Kokillenguss
GZ	Schleuderguss	GC	Strangguss
GP	Druckguss		

Chemische Zusammensetzung

Beispiel	Bedeutung
CuZn31Si	Cu-Legierung, 31 % Zn, Anteile Si
CuZn38Pb2	Cu-Legierung, 38 % Zn, 2 % Pb
CuSn11Pb2	Cu-Legierung, 11 % Sn, 2 % Pb

Erzeugnisformen

C	Werkstoff in Form von Gussstücken
B	Werkstoff in Blockmetallform
	Knetlegierung (ohne Kennbuchstabe)

Werkstoffzustand (Auswahl)

Beispiel	Bedeutung	Beispiel	Bedeutung
A007	Bruchdehnung $A = 7$ %	Y450	Dehngrenze $R_p = 450$ N/mm²
D	gezogen, ohne Festlegung mechanischer Eigenschaften	M	Herstellzustand, ohne Festlegung mechanischer Eigenschaften
H160	Vickershärte $HV_{min} = 160$	R620	Mindestzugfestigkeit $R_m = 620$ N/mm²

W

Werkstoffnummern für Kupfer und Kupferlegierungen — vgl. DIN EN 1412 (1995-12)

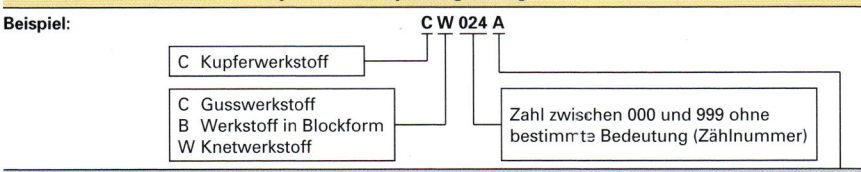

Beispiel:

C W 024 A

C Kupferwerkstoff

C Gusswerkstoff
B Werkstoff in Blockform
W Knetwerkstoff

Zahl zwischen 000 und 999 ohne bestimmte Bedeutung (Zählnummer)

Kennbuchstabe für Werkstoffgruppen

Buchstabe	Werkstoffgruppe	Buchstabe	Werkstoffgruppe
A oder B	Kupfer	H	Kupfer-Nickel-Legierungen
C oder D	Kupferlegierungen, Anteil der Legierungselemente < 5 %	J	Kupfer-Zink-Legierungen
		K	Kupfer-Zinn-Legierungen
E oder F	Kupferlegierungen, Anteil der Legierungselemente ≥ 5 %	L oder M	Kupfer-Zink-Zweistoff-Legierungen
		N oder P	Kupfer-Zink-Blei-Legierungen
G	Kupfer-Aluminium-Legierungen	R oder S	Kupfer-Zink-Mehrstoff-Legierungen

Werkstoffnummern für Gussstücke aus Zinklegierungen — vgl. DIN EN 12844 (1999-01)

Beispiel:

Z P 0 4 1 0

Z Zinklegierung

P Gussstück

Al-Gehalt
04 ≙ 4% Aluminium

Cu-Gehalt
1 ≙ 1% Kupfer

Gehalt des nächsthöheren Legierungselementes
0 = nächsthöheres Legierungselement < 1%

Kupferlegierungen

Kupfer-Knetlegierungen (Auswahl)

Bezeichnung, Kurzname (Werkstoffnummer[1])	Z[2]	Stangen D[3] mm	Härte HB	Zugfestigkeit R_m N/mm²	Dehngrenze $R_{p0,2}$ N/mm²	Bruchdehnung A %	Eigenschaften, Anwendungsbeispiele
Kupfer-Zink-Legierungen							vgl. DIN EN 12163 (2011-08)
CuZn30 (CW505L)	R280	4 ... 80	–	280	≤ 250	45	sehr gut kalt umformbar, warm umformbar, zerspanbar, sehr gut lötbar, sehr gut polierbar; Tiefziehteile, Instrumententeile, Hülsen
	R460	4 ... 10[4]	–	460	310	9	
	H070	4 ... 80	70 ... 115	–	–	–	
	H135	4 ... 10[4]	≥ 135	–	–	–	
CuZn37 (CW508L)	R290	4 ... 80	–	290	≤ 230	45	sehr gut kalt umformbar, gut warm umformbar, zerspanbar, sehr gut polierbar; Tiefziehteile, Schrauben, Federn, Druckwalzen
	R460	4 ... 8[4]	–	460	330	8	
	H070	4 ... 80	70 ... 100	–	–	–	
	H140	4 ... 8[4]	≥ 140	–	–	–	
CuZn40 (CW509L)	R360	6 ... 80[4]	–	360	≤ 300	20	sehr gut warm umformbar, zerspanbar; Niete, Schrauben, Beschläge
	H070	6 ... 80[4]	70 ... 100	–	–	–	
Kupfer-Zink-Legierungen (Mehrstofflegierungen) vgl. DIN EN 12163 (2011-08), DIN EN 12164 (2011-08)							
CuZn21Si3P (CW724R)	R500	35 ... 80	–	500	≤ 450	15	sehr gut zerspanbar, bleifrei, hoch belastbar, sehr korrosionsbeständig; Drehteile, Gesenkschmiedeteile, Trinkwasseranwendungen
	R670	2 ... 15	–	670	400	10	
	H110	35 ... 80	110 ... 170	–	–	–	
	H160	2 ... 15	160 ... 220	–	–	–	
CuZn31Si1 (CW708R)	R460	5 ... 40	–	460	240	22	gut kalt umformbar, warm umformbar, zerspanbar, gute Gleiteigenschaften; Gleitelemente, Lagerbuchsen, Führungen
	R530	5 ... 14	–	530	350	12	
	H120	5 ... 40	120 ... 160	–	–	–	
	H140	5 ... 14	≥ 140	–	–	–	
CuZn40Mn1Pb1 (CW720R)	R440	40 ... 80[4]	–	440	180	20	gut warm umformbar, gut zerspanbar, mittlere Festigkeit; Automatenteile, Ventile, Wälzlagerkäfige
	R500	5 ... 40	–	500	270	12	
	H100	40 ... 80[4]	100 ... 140	–	–	–	
	H130	5 ... 40	≥ 130	–	–	–	
Kupfer-Zink-Blei-Legierungen							vgl. DIN EN 12164 (2011-08)
CuZn36Pb3 (CW603N)	R340	10 ... 80	–	340	≤ 280	20	sehr gut zerspanbar, begrenzt kalt umformbar; Automatendrehteile
	R480	2 ... 14[4]	–	480	350	8	
CuZn38Pb2 (CW608N)	R360	6 ... 80[4]	–	360	≤ 300	28	sehr gut zerspanbar, gut kalt und warm umformbar; Automatenteile
	R500	2 ... 14[4]	–	500	350	8	
CuZn40Pb2 (CW617N)	R360	6 ... 80[4]	–	360	≤ 320	20	sehr gut zerspanbar, gut warm umformbar; Platinen, Zahnräder
	R500	2 ... 14[4]	–	500	350	5	
Kupfer-Zinn-Legierungen							vgl. DIN EN 12163 (2011-08), DIN EN 12164 (2011-08)
CuSn5Pb1 (CW458K)	R450	2 ... 12[4]	–	450	350	10	hohe Festigkeit und Härte; gut kalt umformbar, korrosionsbeständig; Bauteile in Einspritzsystemen, Schrauben, Zahnräder, Spindeln
	R720	2 ... 4[4]	–	720	620	–	
	H115	2 ... 12[4]	115 ... 150	–	–	–	
	H180	2 ... 4[4]	180 ... 210	–	–	–	
CuSn6 (CW452K)	R340	2 ... 60	–	340	≤ 270	45	gute Festigkeit, kalt umformbar, sehr korrosionsbeständig, gut lötbar; Federn, Metallschläuche, gewellte Rohre, Pumpenteile
	R420	2 ... 40	–	420	220	30	
	H080	2 ... 60	80 ... 110	–	–	–	
	H120	2 ... 40	120 ... 155	–	–	–	
CuSn8P (CW459K)	R390	2 ... 60	–	390	≤ 280	45	sehr korrosionsbeständig, sehr gute Gleiteigenschaften, hohe Festigkeit, verschleißfest, dauerschwingfest; hoch belastete Gleitlager
	R550	2 ... 12	–	550	400	15	
	H085	2 ... 60	85 ... 125	–	–	–	
	H160	2 ... 12	160 ... 190	–	–	–	

[1] Werkstoffnummern nach DIN EN 1412: Seite 179.

[2] Z Werkstoffzustand nach DIN EN 1173: Seite 179. Im Herstellzustand M sind alle Legierungen bis zum Durchmesser D = 80 mm lieferbar.

[3] D Durchmesser bei Rundstangen, Schlüsselweite bei Vier-, Sechs- und Achtkantstangen.

[4] D nur Durchmesser; Bereich der genormten Schlüsselweiten weicht vom genormten Durchmesserbereich ab.

W

Kupferknet-, Kupferguss- und Feinzink-Legierungen

Bezeichnung, Kurzname (Werkstoff-nummer[1])	Z[2]	Stangen D[3] mm	Härte HB	Zug-festigkeit R_m N/mm²	Dehn-grenze $R_{p0,2}$ N/mm²	Bruch-dehnung A %	Eigenschaften, Anwendungsbeispiele
Kupfer-Aluminium-Legierungen							vgl. DIN EN 12163 (2011-08)
CuAl10Ni5Fe4 (CW307G)	R680	10 … 120	–	680	320	10	korrosionsbeständig, verschleißfest, zunderbeständig, dauer-, warmfest; Kondensatorböden, Steuerteile für Hydraulik
	R740	10 … 80	–	740	400	8	
	H170	10 … 120	170 … 210	–	–	–	
	H200	10 … 80	≥ 200	–	–	–	
CuAl11Fe6Ni6 (CW308G)	R740	10 … 120	–	740	420	5	korrosionsbeständig, verschleißfest, hohe Festigkeit, dauer-, warmfest, gute Gleiteigenschaften; Schrauben, Schneckenräder, Gleitsteine
	R830	10 … 80	–	830	550	–	
	H220	10 … 120	220 … 260	–	–	–	
	H240	10 … 80	≥ 140	–	–	–	
Kupfer-Nickel-Zink-Legierungen							vgl. DIN EN 12163 (2011-08)
CuNi12Zn24 (CW403J)	R380	2 … 50	–	380	≤ 290	38	sehr gut umformbar, zerspanbar, gut polierbar; Tiefziehteile, Bestecke, Kunstgewerbe, Kontaktfedern
	R640	2 … 4	–	640	500	–	
	H085	2 … 50	85 … 125	–	–	–	
	H190	2 … 4	≥ 190	–	–	–	
CuNi18Zn20 (CW409J)	R400	2 … 50	–	400	290	35	gut kalt umformbar, zerspanbar, anlaufbeständig, gut polierbar; Membranen, Kontaktfedern, Steckverbinder, Abschirmbleche
	R660	2 … 4	–	660	550	–	
	H095	2 … 50	95 … 130	–	–	–	
	H200	2 … 4	≥ 200	–	–	–	

[1] Werkstoffnummern nach DIN EN 1412: Seite 179.   [2] Z Werkstoffzustand nach DIN EN 1173: Seite 179.
Im Herstellerzustand M sind alle Legierungen bis zum Durchmesser D = 80 mm lieferbar.
[3] D Durchmesser bei Rundstangen, Schlüsselweite bei Vier-, Sechs- und Achtkantstangen.

Kupfer-Gusslegierungen   vgl. DIN EN 1982 (2008-08)

W

Bezeichnung, Kurzname (Werkstoffnummer[1])	Zugfestigkeit R_m N/mm²	Dehngrenze $R_{p0,2}$ N/mm²	Bruch-dehnung A %	Härte HBW	Eigenschaften, Verwendung
CuZn15As-C (CC760S)	160	70	20	45	sehr gut weich- und hartlötbar, meerwasserbeständig; Flansche
CuZn33Pb2-C (CC750S)	180	70	12	45	gut zerspanbar, beständig gegen Brauchwasser bis 90 °C; Armaturen
CuZn25Al5Mn4Fe-C (CC762S)	750	450	8	180	sehr hohe Festigkeit und Härte, gut zerspanbar; Gleitlager
CuSn12-C (CC483K)	260	140	7	80	hohe Verschleißfestigkeit; Spindelmuttern, Schneckenräder
CuSn11Pb2-C (CC482K)	240	130	5	80	verschleißfest, gute Notlaufeigen-schaften; Gleitlager
CuSn5Zn5Pb5-C (CC491K)	200	90	13	60	meerwasserbeständig, weich- und hartlötbar; Armaturen, Gehäuse
CuAl10Fe2-C (CC331G)	500	180	18	100	mechanisch beanspruchte Teile; Hebel, Gehäuse, Kegelräder
CuAl10Fe5Ni5-C (CC333G)	600	250	13	140	auf Festigkeit und Korrosion beanspruchte Teile; Pumpen

[1] Werkstoffnummern nach DIN EN 1412: Seite 179. Weitere Cu-Gusslegierungen für Gleitlager: Seite 260.
Die Festigkeitswerte gelten für getrennt gegossene Sandgussprobestäbe.

Feinzink-Gusslegierungen   vgl. DIN EN 12844 (1999-01)

Bezeichnung	R_m	$R_{p0,2}$	A	Härte	Eigenschaften
ZP3 (ZP0400)	280	200	10	83	sehr gut gießbar; Vorzugslegierungen für Druckgussstücke
ZP5 (ZP0410)	330	250	5	92	
ZP2 (ZP0430)	335	270	5	102	gut gießbar; sehr gut zerspanbar, universell einsetzbar;
ZP8 (ZP0810)	370	220	8	100	
ZP12 (ZP1110)	400	300	5	100	Spritzgieß-, Blas- und Tiefziehformen für Kunststoffe, Blechformwerkzeuge
ZP27 (ZP2720)	425	300	2,5	120	

Verbundwerkstoffe, keramische Werkstoffe

Verbundwerkstoffe

Verbund-werkstoff	Grund-werk-stoff[1]	Faser-anteil %	Dichte ϱ g/cm³	Zug-festig-keit σ_B N/mm²	Reiß-dehnung ϵ_R %	Elastizi-täts-modul E N/mm²	Ge-brauchs-tempe-ratur bis °C	Anwendungsbeispiele
GFK (glasfaser-verstärkter Kunststoff)	EP	60	–	365	3,5	–	–	Wellen, Gelenke, Pleuel, Bootskörper, Rotorblätter
	UP	35	1,5	130	3,5	10 800	50	Behälter, Tanks, Rohre, Lichtkuppeln, Karosserieteile
	PA 66	35	1,4	160[2]	5[3]	5 000	190	großflächige, steife Gehäuseteile, Kraftstromstecker
	PC	30	1,42	90[2]	3,5[3]	6 000	145	Gehäuse für Drucker, Rechner, Fernsehgeräte
	PPS	30	1,56	140	3,5	11 200	260	Lampenfassungen und Spulen in der Elektrotechnik
	PAI	30	1,56	205	7	11 700	280	Lager, Ventilsitzringe, Dichtungen, Kolbenringe
	PEEK	30	1,44	155	2,2	10 300	315	Leichtbauwerkstoff in der Luft- und Raumfahrt, Metallersatz
CFK (kohlen-stofffaser-verstärkter Kunststoff)	PPS	30	1,45	190	2,5	17 150	260	wie GFK-PPS
	PAI	30	1,42	205	6	11 700	180	wie GFK-PAI
	PEEK	30	1,44	210	1,3	13 000	315	wie GFK-PEEK

[1] EP Epoxid   UP ungesättigter Polyester   PA 66 Polyamid 66, teilkristallin   PC Polycarbonat
   PPS Polyphenylensulfid   PAI Polyamidimid   PEEK Polyetheretherketon

[2] σ_y Streckspannung   [3] ε_S Dehnung bei Streckspannung

Keramische Werkstoffe

Werkstoff Bezeich-nung	Kurz-name	Dichte ϱ g/cm³	Biege-festig-keit σ_b N/mm²	Elastizi-täts-modul E N/mm²	Längenaus-dehnungs-koeffizient α 1/K	Eigenschaften, Anwendungsbeispiele
Alu-minium-silikat	C130	2,5	160	100 000	0,000 005	hart, verschleißfest, chemisch und thermisch beständig, hoher Isolationswiderstand; Isolatoren, Katalysatoren, feuerfeste Gehäuse
Alu-minium-oxid	C799	3,7	300	300 000	0,000 007	hart, verschleißfest, chemisch und thermisch beständig; Schneidkeramik, Ziehsteine, Biomedizin
Zirkonium-dioxid	ZrO_2	5,5	800	210 000	0,000 010	bruchunempfindlich, hochfest, thermisch und chemisch beständig, verschleißfest; Ziehringe, Strangpressmatrizen
Silicium-karbid	SiC	3,1	600	440 000	0,000 005	hart, verschleißfest, temperaturwechselbeständig, korrosionsbeständig auch bei hohen Temperaturen; Schleifmittel, Ventile, Lager, Brennkammern
Silicium-nitrid	Si_3N_4	3,2	900	330 000	0,000 004	bruchunempfindlich, temperaturwechselbeständig, hochfest; Schneidkeramik, Leit- und Laufschaufeln für Gasturbinen
Alu-minium-nitrid	AlN	3,0	200	300 000	0,000 005	hohe Wärmeleitfähigkeit, hohes elektrisches Isolationsvermögen; Halbleiter, Gehäuse, Kühlkörper, Isolierteile

Sintermetalle

Bezeichnungssystem der Sintermetalle
vgl. DIN 30910-1 (1990-10)

Bezeichnungsbeispiel:

Sint - A 1 0 sinterglatt

Sintermetall

2. Kennziffer für weitere Unterscheidung
ohne Systematik

Kennbuchstabe für Werkstoffklasse			1. Kennziffer für chemische Zusammensetzung	
Kenn-buchstabe	Raumfüllung R_x in %	Einsatzgebiet	Kenn-ziffer	Chemische Zusammensetzung Massenanteil in %
AF	< 73	Filter	0	**Sintereisen, Sinterstahl,** Cu < 1% mit oder ohne C
A	75 ± 2,5	Gleitlager	1	**Sinterstahl,** 1% bis 5% Cu, mit oder ohne C
			2	**Sinterstahl,** Cu > 5%, mit oder ohne C
B	80 ± 2,5	Gleitlager Formteile mit Gleiteigenschaften	3	**Sinterstahl,** mit oder ohne Cu bzw. C, andere Legierungselemente < 6%, z.B. Ni
C	85 ± 2,5	Gleitlager, Formteile	4	**Sinterstahl,** mit oder ohne Cu bzw. C, andere Legierungselemente > 6%, z.B. Ni, Cr
D	90 ± 2,5	Formteile	5	**Sinterlegierungen,** Cu > 60%, z.B. Sinter-CuSn
E	94 ± 1,5	Formteile	6	**Sinterbuntmetalle,** außerhalb Kennziffer 5
F	> 95,5	sintergeschmiedete Formteile	7	**Sinterleichtmetalle,** z.B. Sinteraluminium
			8 u. 9	**Reserveziffern**

Behandlungszustand		
Behandlungszustand des Werkstoffes		Behandlungszustand der Oberfläche
• gesintert • dampfbehandelt		• sinterglatt • mechanisch bearbeitet
• kalibriert • sintergeschmiedet		• kalibrierglatt • oberflächenbehandelt
• wärmebehandelt • isostatisch gepresst		• sinterschmiedeglatt

Sintermetalle (Auswahl)
vgl. DIN 30910-2, -6 (1990-10), DIN 30910-3 (2004-11), DIN 30910-4 (2010-03)

Kurzname	Härte HB_{min}	Zugfestigkeit R_m N/mm²	chemische Zusammensetzung	Eigenschaften, Anwendungsbeispiele
Sint-AF 40	–	80 … 200	Sinterstahl, Cr 16 …19%, Ni 10 ..14%	Filterteile für Gas- und Flüssigkeitsfilter
Sint-AF 50	–	40 …160	Sinterbronze, Sn 9 …11%, Rest Cu	
Sint-A 00	> 25	> 60	Sintereisen, C < 0,3%, Cu < 1%	Lagerwerkstoffe mit besonders großem Poren-raum für beste Notlauf-eigenschaften; Lager-schalen, Lagerbuchsen
Sint-A 20	> 30	> 80	Sinterstahl, C < 0,3%, Cu > 15 … 25%	
Sint-A 50	> 25	> 70	Sinterbronze, C < 0,2%, Sn 9 …1%, Rest Cu	
Sint-A 51	> 20	> 60	Sinterbronze, C 0,2 … 2%, Sn 9 …11%, Rest Cu	
Sint-B 00	> 30	> 80	Sintereisen, C < 0,3%, Cu < 1%	Gleitlager mit sehr guten Notlaufeigenschaften; nied-rig beanspruchte Formteile
Sint-B 10	> 40	> 150	Sinterstahl, C < 0,3%, Cu 1… 5%	
Sint-B 50	> 30	> 90	Sinterbronze, C < 0,2%, Sn 9 …11%, Rest Cu	
Sint-C 00	> 40	> 120	Sintereisen, C < 0,3%, Cu < 1%	Gleitlager, Formteile mitt-lerer Beanspruchung mit guten Gleiteigenschaften; Kfz-Teile, Hebel, Kupplungs-teile
Sint-C 10	> 55	> 200	Sinterstahl, C < 0,3%, Cu > 1…1,5%	
Sint-C 40	> 100	> 300	Sinterstahl, Cr 16 …19%, Ni 10 …14%, Mo 2%	
Sint-C 50	> 35	> 140	Sinterbronze, C < 0,2%, Sn 9 …11%, Rest Cu	
Sint-D 00	> 50	> 170	Sintereisen, C < 0,3%, Cu < 1%	Formteile für höhere Beanspruchung; verschleiß-feste Pumpenteile, Zahn-räder, z.T. korrosions-beständig
Sint-D 10	> 60	> 250	Sinterstahl, C < 0,3%, Cu 1 … 5%	
Sint-D 30	> 80	> 460	Sinterstahl, C < 0,3 %, Cu 1 … 5%, Ni 1… 5%	
Sint-D 40	> 130	> 400	Sinterstahl, Cr 16 …19%, Ni 10 …14%, Mo 2%	
Sint-E 00	> 60	> 240	Sintereisen, C < 0,3%, Cu < 1%	Formteile der Fein-mechanik, für Haushalts-geräte, für Elektroindustrie
Sint-E 10	> 100	> 340	Sinterstahl, C < 0,3%, Cu 1… 5%	
Sint-E 73	> 55	> 200	Sinteraluminium, Cu 4 … 6%	
Sint-F 00	> 140	> 600	Sinterschmiedestahl, C- und Mn-haltig	Dichtringe, Flansche für Schalldämpfersysteme
Sint-F 31	> 180	> 770	Sinterschmiedestahl, C-, Ni-, Mn-, Mo-haltig	

W

Übersicht über die Kunststoffe

Allgemeine Eigenschaften	**Vorteile:** • geringe Dichte • elektrisch isolierend • wärme- und schalldämmend • dekorative Oberfläche • kostengünstige Formgebung • witterungs- und chemikalienbeständig	**Nachteile:** • im Vergleich zu Metallen geringere Festigkeit und Wärmebeständigkeit • zum Teil brennbar • zum Teil unbeständig gegen Lösungsmittel • nur begrenzt wieder verwertbar

Einteilung	Thermoplaste	Duroplaste	Elastomere
Bearbeitung	warm umformbar schweißbar im Allgemeinen klebbar zerspanbar	nicht umformbar nicht schweißbar klebbar zerspanbar	nicht umformbar nicht schweißbar klebbar zerspanbar bei tiefen Temperaturen
Verarbeitung	Spritzgießen Spritzblasen Extrudieren	Pressen Spritzpressen Spritzgießen, Gießen	Pressen Spritzgießen Extrudieren
Recycling	gut recycelbar	nicht recycelbar, evtl. als Füllstoff verwertbar	nicht recycelbar

Struktur	Temperaturverhalten

amorphe Thermoplaste

Makromoleküle ohne Vernetzung

a Schweißbereich; b Warmumformen;
c Spritzgießen, Extrudieren

teilkristalline Thermoplaste

Lamellen (kristallin)

amorphe Zwischenschichten

kristalline Bereiche haben größere Bindungskräfte

a Schweißbereich; b Warmumformen;
c Spritzgießen, Extrudieren

Duroplaste

Makromoleküle mit vielen Vernetzungsstellen

fadenförmige Elastomere

Makromoleküle in ungeordnetem Zustand mit wenig Vernetzungsstellen

W

Basis-Polymere, Füll- und Verstärkungsstoffe

Kurzzeichen für Basis-Polymere (Auszug) vgl. DIN EN ISO 1043-1 (2012-03)

Kurz-zeichen	Bedeutung	Art[1]	Kurz-zeichen	Bedeutung	Art[1]	Kurz-zeichen	Bedeutung	Art[1]
ABS	Acrylnitril-Butadien-Styrol	T	PAK	Polyacrylat	T	PTFE	Polytetrafluorethylen	T
			PAN	Polyacrylnitril	T	PUR	Polyurethan	D
AMMA	Acrylnitril-Methyl-methacrylat	T	PB	Polybuten	T	PVAC	Polyvinylacetat	T
			PBT	Polybutylenephthalat	T	PVB	Polyvinylbutyrat	T
ASA	Acrylnitril-Styrol-Acrylat	T	PC	Polycarbonat	T	PVC	Polyvinylchlorid	T
CA	Celluloseacetat	T	PE	Polyethylen	T	PVDC	Polyvinylidenchlorid	T
CAB	Celluloseacetatbutyrat	T	PEEK	Polyetheretherketon	T	PVF	Polyvinylfluorid	T
CF	Cresol-Formaldehyd	D	PET	Polyethylenterephthalat	T	PVFM	Polyvinylformal	T
CMC	Carboxymethylcellulose	AN	PF	Phenol-Formaldehyd	D	PVK	Poly-N-vinylcarbazol	T
CN	Cellulosenitrat	AN	PI	Polyimid	T	SAN	Styrol-Acrylnitril	T
CP	Cellulosepropionat	T	PMMA	Polymethylmethacrylat	T	SB	Styrol-Butadien	T
EC	Ethylcellulose	AN	POM	Polyoxymethylen; Polyformaldehyd	T	SI	Silikon	D
EP	Epoxid	D				SMS	Styrol-α-Methylstyrol	T
EVAC	Ethylen-Vinylacetat	E	PP	Polypropylen	T	UF	Urea-Formaldehyd	D
MF	Melamin-Formaldehyd	D	PPS	Polyphenylensulfid	T	UP	Ungesättigter Polyester	D
PA	Polyamid	T	PS	Polystyrol	T	VCE	Vinylchlorid-Ethylen	T

[1] AN abgewandelte Naturstoffe; E Elastomere; D Duroplaste; T Thermoplaste

Kennbuchstaben zur Kennzeichnung besonderer Eigenschaften vgl. DIN EN ISO 1043-1 (2012-03)

K[1]	Bedeutung	K[1]	Bedeutung	K[1]	Bedeutung	K[1]	Bedeutung
B	Block, bromiert	F	flexibel; flüssig	N	normal; Novolak	T	Temperatur
C	chloriert; kristallin	H	hoch	O	orientiert	U	ultra; weichmacherfrei
D	Dichte	I	schlagzäh	P	weichmacherhaltig	V	sehr
E	verschäumt; epoxidiert	L	linear, niedrig	R	erhöht; Resol; hart	W	Gewicht
		M	mittel, molekular	S	gesättigt; sulfoniert	X	vernetzt, vernetzbar

⇒ **PVC-P:** Polyvinylchlorid, weichmacherhaltig; **PE-LLD:** Lineares Polyethylen niedriger Dichte

[1] Kennbuchstabe

Kennbuchstaben und Kurzzeichen für Füll- und Verstärkungsstoffe vgl. DIN EN ISO 1043-2 (2012-03)

Kurzzeichen für Material[1]

Kurz-zeichen	Material	Kurz-zeichen	Material	Kurz-zeichen	Material	Kurz-zeichen	Material
A	Aramid	G	Glas	N	organ. Naturstoffe	T	Talk
B	Bor	K	Calciumcarbonat	P	Glimmer	W	Holz
C	Kohlenstoff	L	Cellulose	Q	Silikat	X	nicht festgelegt
D	Aluminiumtrihydrat	M	Mineral	S	Synthetische Stoffe	Z	andere
E	Ton	ME	Metall[2]				

Kurzzeichen für Form und Struktur

Kurz-zeichen	Form, Struktur	Kurz-zeichen	Form, Struktur	Kurz-zeichen	Form, Struktur	Kurz-zeichen	Form, Struktur
B	Perlen, Kugeln, Bällchen	H	Whisker	NF	Nanofaser	W	Gewebe
C	Chips, Schnitzel	K	Wirkwaren	P	Papier	X	nicht festgelegt
D	Pulver	L	Lagen	R	Roving	Y	Garn
F	Fasern	LF	Langfaser	S	Flocken	Z	andere
G	Mahlgut	M	Matte, dick	T	gedrehtes Garn		
		N	Faservlies (dünn)	V	Furnier		

⇒ **GF:** Glasfaser; **CH:** Kohlenstoff-Whisker; **MD:** mineralisches Pulver

[1] Die Materialien können zusätzlich gekennzeichnet werden, z.B. durch ihr chemisches Symbol oder ein anderes Symbol aus entsprechenden internationalen Normen.

[2] Bei Metallen (ME) muss die Art des Metalls durch das chemische Symbol angegeben werden.

W

Erkennung, Unterscheidungsmerkmale

Verfahren zur Erkennung von Kunststoffen

Schwebeprobe		Löslichkeit in Lösungsmitteln	Optisches Untersuchen Aussehen der Probe ist		Verhalten beim Erwärmen
Lösungen mit Dichte in g/cm³	Kunststoffe schweben		transparent	trüb	
0,9 bis 1,0	PB, PE, PIB, PP	Duroplaste und PTFE sind nicht löslich. Sonstige Thermoplaste sind in bestimmten Lösungsmitteln löslich; z. B. PS ist in Benzol oder Aceton löslich.	CA, CAB, CP, EP, PC, PS, PMMA, PVC, SAN	ABS, ASA, PA, PE, POM, PP, PTFE	• Thermoplaste erweichen und schmelzen. • Duroplaste und Elastomere zersetzen sich direkt.
1,0 bis 1,2	ABS, ASA, CAB, CP, PA, PC, PMMA, PS, SAN, SB				
1,2 bis 1,5	CA, PBT, PET, POM, PSU, PUR		**Betasten**		**Brennprobe**
1,5 bis 1,8	organisch gefüllte Pressmassen		Wachsartiger Griff bei: PE, PTFE, POM, PP		• Flammenfärbung • Brandverhalten • Rußbildung • Geruch der Rauchschwaden
1,8 bis 2,2	PTFE				

Unterscheidungsmerkmale der Kunststoffe

Kurz-zeichen[1]	Dichte g/cm³	Brennverhalten	Sonstige Merkmale
ABS	≈ 1,05	gelbe Flamme, rußt stark, riecht nach Leuchtgas	zähelastisch, wird von Tetrachlorkohlenstoff nicht angelöst, klingt dumpf
CA	1,31	gelbe, sprühende Flamme, tropft, riecht nach Essigsäure und verbranntem Papier	angenehmer Griff, klingt dumpf
CAB	1,19	gelbe, sprühende Flamme, tropft brennend, riecht nach ranziger Butter	klingt dumpf
MF	1,50	schwer entflammbar, verkohlt mit weißen Kanten, riecht nach Ammoniak	schwer zerbrechlich, klingt scheppernd (vgl. UF)
PA	≈ 1,10	blaue Flamme mit gelblichem Rand, tropft fadenziehend, riecht nach verbranntem Horn	zähelastisch, unzerbrechlich, klingt dumpf
PC	1,20	gelbe Flamme, erlischt nach Wegnahme der Flamme, rußt, riecht nach Phenol	zähhart, unzerbrechlich, klingt scheppernd
PE	0,92	helle Flamme mit blauem Kern, tropft brennend ab, Geruch paraffinartig, Dämpfe kaum sichtbar (vgl. PP)	wachsartige Oberfläche, mit dem Fingernagel ritzbar, unzerbrechlich, Verarbeitungstemperatur > 230 °C
PF	1,40	schwer entflammbar, gelbe Flamme, verkohlt, riecht nach Phenol und verbranntem Holz	schwer zerbrechlich, klingt scheppernd
PMMA	1,18	leuchtende Flamme, fruchtiger Geruch, knistert, tropft	uneingefärbt glasklar, klingt dumpf
POM	1,42	bläuliche Flamme, tropft, riecht nach Formaldehyd	unzerbrechlich, klingt scheppernd
PP	0,91	helle Flamme mit blauem Kern, tropft brennend ab, Geruch paraffinartig, Dämpfe kaum sichtbar (vgl. PE)	nicht mit dem Fingernagel markierbar, unzerbrechlich
PS	1,05	gelbe Flamme, rußt stark, riecht süßlich nach Leuchtgas, tropft brennend ab	spröde, klingt metallisch blechern, wird u. a. von Tetrachlorkohlenstoff angelöst
PTFE	2,20	unbrennbar, bei Rotglut stechender Geruch	wachsartige Oberfläche
PUR	1,26	gelbe Flamme, stark stechender Geruch	Polyurethan, gummielastisch
	≈ 0,05		Polyurethan-Schaum
PVC-U	1,38	schwer entflammbar, erlischt nach Wegnahme der Flamme, riecht nach Salzsäure, verkohlt	klingt scheppernd (U = hart)
PVC-P	1,20…1,35	je nach Weichmacher besser brennbar als PVC-U, riecht nach Salzsäure, verkohlt	gummiartig flexibel, klanglos (P = weich)
SAN	1,08	gelbe Flamme, rußt stark, riecht nach Leuchtgas, tropft brennend ab	zähelastisch, wird von Tetrachlorkohlenstoff nicht angelöst
SB	1,05	gelbe Flamme, rußt stark, riecht nach Leuchtgas und Gummi, tropft brennend ab	nicht so spröde wie PS, wird u. a. von Tetrachlorkohlenstoff angelöst
UF	1,50	schwer entflammbar, verkohlt mit weißen Kanten, riecht nach Ammoniak	schwer zerbrechlich, klingt scheppernd (vgl. MF)
UP	2,00	leuchtende Flamme, verkohlt, rußt, riecht nach Styrol, Glasfaserrückstand	schwer zerbrechlich, klingt scheppernd

[1] vgl. Seite 185

W

Duroplaste

Kurzzeichen, chemische Bezeichnung	Handelsnamen (Auswahl)	Aussehen, Dichte[2) g/cm³	Bruch-spannung[1) N/mm²	Schlag-zähigkeit kJ/mm²	Gebrauchs-temperatur[1) °C
PF Phenol-Formaldehyd	Bakelite, Kerit, Supraplast, Vyncolit, Ridurid	gelbbraun 1,25	40…90	4,5…5,0	140…150
MF Melamin-Formaldehyd-harz	Bakelite, Resopal, Hornit	farblos 1,45	30	6,5…7,0	100…130
UF Urea-Formaldehydharz	Bakelite UF, Resamin, Urecoll	farblos 1,5	35…55	4,5…7,5	80
UP Ungesättigtes Polyesterharz	Palatal, Rütapal, Polylite, Bakelite, Ampal, Resipol	gelblich, glasklar 1,12…1,27	50…80	5,0…10,0	50
EP Epoxidharz	Epoxy, Rütapox, Araldit, Grilonit, Supraplast, Bakelite	gelb, trüb 1,15…1,25	55…80	10,0…22,0	80…100

Kurzzeichen, chemische Bezeichnung	mechanische Eigenschaften	elektrische Eigenschaften	Kontakt mit Lebensmitteln; Wasseraufnahme[1)
PF Phenol-Formaldehyd	hart, spröde, Festigkeit vom Füllstoff abhängig	Isoliereigenschaften befriedigend	nicht zugelassen 50…300 mg
MF Melamin-Formaldehyd-harz	hart, spröde, weniger kerbempfindlich als UF, kratzfest, hohe Nachschwin-dung	Isoliereigenschaften befriedigend, kriechstrom-fest	teilweise zugelassen 180…250 mg
UF Urea-Formaldehydharz	hart, spröde, kerbempfindlich	Isoliereigenschaften befriedigend	nicht zugelassen 300 mg
UP Ungesättigtes Polyesterharz	spröde bis zäh, hohe Festigkeit und Steifigkeit, witterungsbeständig	Isoliereigenschaften gut; Kriechstromfestigkeit sehr gut	teilweise zugelassen 30…200 mg
EP Epoxidharz	spröde bis zäh, hohe Festigkeit und Steifigkeit, witterungsbeständig	Isoliereigenschaften sehr gut; kriechstromfest	weitgehend unbedenklich 10…30 mg

Kurzzeichen, chemische Bezeichnung	beständig gegen	nicht beständig gegen	Verarbeitung[3) k	z	Verwendung
PF Phenol-Formaldehyd	Öl, Fett, Alkohol, Benzol, Benzin, Wasser	starke Säuren und Laugen	−+	+	Gehäuse, Lager, Griffe, Pum-pen, Zündanlagen, Zahnräder, Lager; Topf- und Pfannengriffe
MF Melamin-Formaldehyd-harz	Öl, Fett, Alkohol, schwache Säuren und Laugen	starke Säuren und Laugen	+	+	hellfarbige Elektroartikel: Schalter, Stecker, Klemmen; Geschirr
UF Urea-Formaldehyd-harz	Lösungsmittel, Öl, Fett	starke Säuren und Laugen, kochendes Wasser	+	+	hellfarbige Verschraubungen; Sanitärartikel; elektrotechni-sches Installationsmaterial
UP Ungesättigtes Polyesterharz	Benzin, UV-Licht, Witterung, mine-ralische Schmier-stoffe	Mineralsäuren, Aceton, organi-sche Säuren, starke Laugen	+	++	Silos, Heizöl- und Geträn-ketanks, Karosserien, Spoiler, Sportboote, Relais, Tennis-schläger
EP Epoxidharz	verdünnte Säuren und Laugen, Alkohol, Benzin, Öl, Fett	starke Säuren und Laugen; Aceton	++	+	Gießharze: Lehren, Modelle; Laminate: Fahrzeugindustrie; Formmassen: Präzisionsteile mit Metalleinlagen

[1) je nach Art von Verstärkungsfasern und der Verarbeitung (Form- bzw. Spritzpressen)
[2) unverstärkt
[3) k kleben, z zerspanen, + gut, ++ sehr gut

W

Thermoplaste

Kurzzeichen, chemische Bezeichnung	Handelsnamen (Auswahl)	Dichte g/cm³, Gefüge	beständig gegen	nicht beständig gegen	Gebrauchs- temperatur °C
Transparente Kunststoffe[1]					
PC Polycarbonat	Makrolon, Lexan, Tecanat, Calibre	1,20…1,24 amorph	Benzin, Fett, Öl, Wasser (< 60 °C)	Laugen, Aceton, Benzol, Wasser (> 60 °C)	−100…+115
PET Polyetylenterephthalat	Arnite, Rynite, Valox, Hostadur	1,33…1,38 teilkristallin	Öl, Fett, Treibstoffe	heißes Wasser, Aceton, konzentrierte Säuren u. Laugen	−20…+115
PMMA Polymethylmethacrylat	Acrylite, Plexiglas, Plexidur, Perspex	1,19 amorph	wässrige Säuren und Laugen, Fett, Licht	benzolhaltiges Benzin, Spiritus, Nitrolack, konz. Säuren	−40…+80
PS Polystyrol	Vestyron, Luran, Empera, Styron	1,05 amorph	Laugen, Alkohol, Wasser, alterungsbeständig	Benzin, Aceton, UV-empfindlich	−20…+70
SAN Styrol-Acrylnitril	Luran, Lustran, Kibisan, Tyril	1,08 amorph	Benzin, Öl, schwache Säuren und Laugen	Aceton, UV-empfindlich	+90
Technische Kunststoffe[1]					
ABS Acrylnitril-Butadien-Styrol	Lustran, Magnum, Terluran, Tarodur	1,02…1,07 amorph	Benzin, Mineralöl, Fett, Wasser	konzentrierte Mineralsäuren, Benzol	−30…+80
CA Celluloseacetat	Tenite, Acetat, Vuscacelle, Cellolux, Dexel	1,26…1,29 amorph	Fett, Öl, Benzin, Wasser, Benzol	starke Säuren, Laugen, Alkohol	0…+70
PA 6 Polyamid 6	Durethan B, Ultramid, Vydyne, Ertalon, Taromid	1,12…1,15 teilkristallin	Benzin, Öl, Fett, schwache Laugen	starke Laugen, Phenole, Mineralsäuren	−40…+85
PA 66 Polyamid 66	Acromid, Durethan A, Acromit A, Ultramid A	1,12…1,14 teilkristallin	Benzin, Öl, Fett, schwache Laugen	starke Laugen, Phenole, Mineralsäuren	−30…+95
PE HD Polyethylen, hohe Dichte	Hostalen, Lupolen, Vestolen	0,94…0,96 teilkristallin	Wasser, Alkohol, Öl, Benzin	starke Oxidationsmittel	−50…+80
POM Polyoxymethylen, Polyformaldehyd	Tenac, Delrin, Hostaform, Ultraform	1,41…1,43 kristallin	Benzin, Mineralöl, Waschlauge, Alkohol	starke Säuren, UV-Strahlung, Wasser bei > 65 °C	−50…+110
PP Polypropylen	Hostalen, Vestolen, Inspire	0,90…0,92 teilkristallin	Waschlaugen, schwache Säuren, Alkohol	Benzin, Benzol	0…+110
PVC-P Polyvinylchlorid, weich	Vestolit, Coroplast	1,20…1,35 amorph	Alkohol, Öl, Benzin	Benzol, organische Lösungsmittel	−20…+60
PVC-U Polyvinylchlorid, hart	Hostalit, Vestolit, Vinidur	1,37…1,44 amorph	Benzin, Öl, Säuren, Laugen, Alkohol	Benzol, Salpetersäure	−5…+60
Hochleistungskunststoffe[1]					
PEEK Polyetheretherketon	Hostalec, Ketron, Victrex	1,27 amorph 1,32 teilkrist.	die meisten Chemikalien	UV-Strahlung, konz. Salpetersäure	−80…+250
PI Polyimid	Kinel, Meldin, Vespel	1,43 amorph	Alkohol, Kerosin, verdünnte Säuren	heißes Wasser, Witterungseinflüsse, Säuren, Laugen	−250…+240
PPS Polyphenylensulfid	Techtron, Ryton, Tedur	1,43 teilkristallin	konzentrierte Salz-, Schwefelsäuren	konz. Salpetersäure, UV-Strahlung	−50…+220
PSU Polysulfon	Mindel, Tecason, Ultrason, Udel	1,24 amorph	Fett, Öl, Benzin, Alkohol, heißes Wasser	Benzol, UV-Strahlung	−50…+150
PTFE Polytetrafluorethylen	Teflon, Hostalon, Polyflon	2,14…2,20 teilkristallin	fast alle aggressiven Stoffe, UV-Strahlung	Alkalimetalle	−200…+260

[1] Einteilung im Handel gebräuchlich

W

Thermoplaste

Kurz-zeichen	Streck-spannung N/mm²	Streck-dehnung %	Verarbeitung[3]			allgemeine Eigenschaften	Anwendungsbeispiele
			k	s	z		
Transparente Kunststoffe							
PC	65	80	+	+	++	hart, abriebfest, schlagzäh, z.T. für Lebensmittel zugelassen	Linsen, Brillengläser, Schaugläser, Geschirr, Gehäuse, Schutzbrillen, Kfz-Leuchten, CDs, Helme
PET	90	15	+	+	+	hohe Härte, hohe Verschleiß- und Druckfestigkeit	Verpackungen, Kurvenscheiben, Zahnräder, Gleitlager, Gehäuse, Sanitärtechnik, Magnetband
PMMA	60…80	5,5	+	+	++	gute optische Eigenschaften, hart, spröde, kratzfest	Brillengläser, Skalen, Rückleuchten, Becher, Gehäuse, Bedienknöpfe
PS	50	3	++	+	++	hart, spröde, kerbempfindlich	Leuchten, Kämme, Zahnbürsten, Spulenkörper, Relais, durchsichtige Verpackungen
SAN	60…70	2…3	++	+	+	steif, schlagzäh, kratzfest, oberflächenhart	transp. Gehäuseteile u. Verpackungen, Skalenscheiben, Geschirr, Warndreieck
Technische Kunststoffe							
ABS	37	4	+	+	++	sehr schlagzäh (auch bei −40 °C), hart, kratzfest	Gehäuse u. Bedienteile für Audio- u. Videogeräte, Kühlerblenden, Spoiler, Spielzeug
CA	37	–	+	+	+	gute Festigkeit, zäh, schlagzäh, kratzfest	Griffe, Kugelschreiber, Kämme, Spielzeug, Schaltknöpfe
PA 6	45	> 200	+	+	++	gute Festigkeit, abriebfest, sehr gute Gleiteigenschaften	Zahnräder, Gleitlager, Kupplungselemente, Nockenscheiben, Motorradhelme
PA 66	55	> 100	+	+	++	härter als PA 6, belastbarer, geringere Wasseraufnahme	Wälzlagerkäfige, Lagerbuchsen, Schrauben, Ölfilter, Ansaugrohre, Motorradhelme
PE HD	20…30	9	–	+	–	bruchsicher auch bei Frost, nicht kratzfest, guter elektr. Isolator	Handgriffe, Dichtungen, Kraftstoffbehälter, Gleitelemente, Wasserrohre
POM	65…70	35	–	++	++	sehr gute Festigkeit und Formbeständigkeit, zäh, abriebfest	dünnwandige Präzisionsteile, Zahnräder, Gleitelemente, Pumpenteile, Gehäuse
PP	30	8	–	+	+	wie PE HD, jedoch bei Frost nicht beständig	Lüfterflügel, Pumpengehäuse, Spoiler, Lkw-Kotflügel, Trafogehäuse, Kofferschalen, Spielzeug
PVC-P (weich)	17…29	240…350	+	+	–	weich, flexibel, abriebfest, geringer Temperaturbereich	Schläuche, Rohre, Dichtungen, Kabelisolierungen, Spielzeug, Koffer
PVC-U (hart)	50…60	10…50	++	++	+	hohe Festigkeit und Härte, kerbempfindlich	Armaturen, Rohre, Behälter, Öl- und Getränkeflaschen, Dachrinnen, Kabelkanäle
Hochleistungskunststoffe							
PEEK	110	20…25	+	+	+	hohe Zug- und Biegefestigkeit, schlagzäh, kerbempfindlich	Trägermaterial für gedruckte Schaltungen, Ersatz für Metalle, Implantate, Ventile
PI	74	8[2]	+	+	+	hohe Härte und Festigkeit, geringe Zähigkeit, verschleißfest	Zahnräder, Bauteile für Strahltriebwerke, Turbinenschaufeln, Kolbenringe, Gleitlager
PPS	78[1]	5[2]	+	+	++	große Festigkeit bei hohen Temperaturen, geringe Zähigkeit	oft mit Fasern verstärkt, Ventile, Pumpen-, Vergaserteile, Brennstoffzellen, Sensoren
PSU	80[1]	10[2]	+	+	+	hohe Festigkeit, gute Zähigkeit und Wärmebeständigkeit	mechanisch, thermisch hochbeanspruchte Konstruktionsteile, Tageslichtprojektoren
PTFE	20…40[1]	250…400	–	–	+	hohe chem. Beständigkeit, guter elektrischer Isolator	wartungsfreie Lager, Kolbenringe, Dichtungen, Isolatoren, Ventile, Pumpen

[1] Zugfestigkeit; [2] Reißdehnung; [3] k klebbar, s schweißbar, z zerspanbar; ++ sehr gut, + gut, – nicht oder nur bedingt

W

Kunststoff-Halbzeuge aus Thermoplasten

Rundstäbe　　　　　　　　　　　　　　vgl. DIN EN 15860 (2012-01)

Werkstoff	PMMA	PA 6	PP	PA 66 GF 30
Farbe	glasklar	naturfarben[1], schwarz	naturfarben, grau	schwarz
d in mm	15…100	3…300	3…500	10…200
l in mm	1000	1000; 3000	2000	1000; 3000
Werkstoff	PVC	PET	PC	PE-HD
Farbe	schwarz, weiß, rot, grau	hellgrau, naturfarben, schwarz	naturfarben	naturfarben, schwarz
d in mm	3…300	3…200	3…200	3…500
l in mm	1000; 2000; 3000	1000; 2000; 3000	1000; 3000	2000; 1000

Rohre und Hohlstäbe [2]　　　　　　　　vgl. DIN EN 15860 (2012-01)

Werkstoff	PMMA	PA 6 [2]	PA 66 [2]	PVC
Farbe	transparent, weiß	naturfarben, schwarz	naturfarben	grau
$D \times d$ in mm	5 x 3 … 400 x 390	20 x 10 … 280 x 200	20 x 10 … 350 x 310	6 x 4 … 200 x 196
l in mm	2000	1000; 2000; 3000	1000; 2000; 3000	5000
Werkstoff	PC	PET [2]	POM [2]	POM GF 25 [2]
Farbe	farblos	naturfarben	naturfarben, schwarz	naturfarben, schwarz
$D \times d$ in mm	10 x 1… 250 x 5	20 x 12 … 200 x 150	50 x 30 … 200 x 150	50 x 30 … 200 x 150
l in mm	2000	1000; 2000; 3000	1000; 2000	1000; 2000

Flachstäbe　　　　　　　　　　　　　　vgl. DIN EN 15860 (2012-01)

Werkstoff	PA 6	PA 6 GF 30	PA 66 PE	PA 12
Farbe	naturfarben, schwarz	naturfarben, schwarz	naturfarben	naturfarben, schwarz
l in mm	1000; 2000; 3000	1000; 2000; 3000	1000; 2000; 3000	1000; 2000; 3000
b in mm	300; 500	300; 500	300; 500	300; 500
h in mm	5…100	10…50	5…100	5…100
Werkstoff	PET	POM	POM GF 23	POM PTFE
Farbe	naturfarben, schwarz	naturfarben	naturfarben, schwarz	naturfarben, schwarz
l in mm	1000; 2000; 3000	1000; 2000; 3000	1000; 2000; 3000	1000; 2000; 3000
b in mm	300; 500	300; 500	300; 500	300; 500
h in mm	5…100	5…100	10…50	10…50

Tafeln, Platten　　　　　　　　　　　　vgl. DIN EN 15860 (2012-01)

Werkstoff	PMMA	PA 6	PET	POM
Farbe	transparent	naturfarben, schwarz	naturfarben, schwarz	naturfarben, schwarz
l in mm	2000; 3050	1000; 2000; 3000	1000; 2000; 3000	1000; 2000; 3000
b in mm	1220; 2030	620; 1000	620; 1000	620; 1000
h in mm	0,5…100	3…100	3…100	0,5…100

Verschiedene PVC-Profile

Profil	U-Profil	T-Profil	Winkelprofil	Vierkantrohr
Farbe	grau	grau	grau	grau
l in mm	3000	3000	3000	3000
b in mm	13…90	30…50	15…90	20…120
h in mm	15…20	30…50	15…90	20…120
s in mm	1,5…2,5	4; 5	2…7	1,5…2,5

⇒ **Flachstab DIN EN 15860 – PC – 20 x 500 x 3000 – natur**: Werkstoff PC, h = 20 mm, b = 500 mm, l = 3000 mm, naturfarben

[1] Naturfarben bedeutet, dass dem Formstoff keine Stoffe zum Zweck einer Farbänderung zugesetzt sind.

[2] Hohlstäbe haben im Allgemeinen eine größere Wanddicke als Rohre.

W

Elastomere, Schaumstoffe

Elastomere (Kautschuke)

Kurz-zei-chen[1)	Bezeichnung	Dichte g/cm³	Zug-festigkeit[2) N/mm²	Bruch-dehnung %	Anwen-dungs-temperatur °C	Eigenschaften, Verwendungsbeispiele
BR	Butadien-Kautschuk	0,94	2 (18)	450	− 60 … + 90	hohe Abriebfestigkeit; Reifen, Gurte, Keilriemen
CO	Epichlorhydrin-Kautschuk	1,27 …1,36	5 (15)	250	− 30 …+120 − 10 …+120	schwingungsdämpfend, öl- und benzin-beständig; Dichtungen, wärmebe-ständige Dämpfungselemente
CR	Chloropren-Kautschuk	1,25	11 (25)	400	− 30 … +110	öl- und säurebeständig, schwer entflamm-bar; Dichtungen, Schläuche, Keilriemen
CSM	Chlorsulfoniertes Polyethylen	1,25	18 (20)	300	− 30 … +120	alterungs- und wetterbeständig, ölbestän-dig; Isolierwerkstoff, Formartikel, Folien
EPDM	Ethylen-Propylen-Kautschuk	0,86	4 (25)	500	− 50 … +120	guter elektrischer Isolator, gegen Öl und Benzin unbeständig; Dichtungen, Profile, Stoßfänger, Kühlwasserschläuche
FKM	Fluor-Kautschuk	1,85	2 (15)	450	− 10 … +190	abriebfest, beste thermische Beständig-keit; Luft- und Raumfahrt, Kfz-Industrie; Radialwellendichtung, O-Ringe
IIR	Isobuten-Isopren-Kautschuk	0,93	5 (21)	600	− 30 … +120	wetter- und ozonbeständig; Kabelisolierungen, Autoschläuche
IR	Isopren-Kautschuk	0,93	1 (24)	500	− 60 … + 60	wenig ölbeständig, hohe Festigkeit; Lkw-Reifen, Federelemente
NBR	Acrylnitril-Butadien-Kautschuk	1,00	6 (25)	450	− 20 … +110	abriebfest, öl- und benzinbeständig, elektr. Leiter; O-Ringe, Hydraulikschläuche, Radialwellendichtringe, Axialdichtungen
NR	Naturkautschuk Isopren-Kautschuk	0,93	22 (27)	600	− 60 … +70	wenig ölbeständig, hohe Festigkeit; Lkw-Reifen, Federelemente
PUR	Polyurethan-Kautschuk	1,25	20 (30)	450	− 30 … +100	elastisch, verschleißfest; Zahnriemen, Dichtungen, Kupplungen
SIR	Styrol-Isopren-Kautschuk	1,25	1 (8)	250	− 80 … +180	guter elektr. Isolator, wasserabweisend; O-Ringe, Zündkerzenkappen, Zylinder-kopf- und Fugendichtungen
SBR	Styrol-Butadien-Kautschuk	0,94	5 (25)	500	− 30 … +80	wenig öl- und benzinbeständig; Pkw-Reifen, Schläuche, Kabelummantelungen

[1) vgl. DIN ISO 1629 (1992-03)   [2) Klammerwert = mit Zusatz- oder Füllstoffen verstärktes Elastomer

Schaumstoffe

vgl. DIN 7726 (1982-05)

Schaumstoffe bestehen aus offenen, geschlossenen oder einer Mischung aus geschlossenen und offenen Zellen. Ihre Rohdichte ist niedriger als diejenige der Gerüstsubstanz. Man unterscheidet harten, halbharten, weichen, elastischen, weich-elastischen und Integral-Schaumstoff.

Steifig-keit, Härte	Rohstoff-Basis des Schaumstoffes	Zellstruktur	Dichte kg/m³	Temperatur-Anwendungs-bereich °C[1)	Wärmeleit-fähigkeit W/(K · m)	Wasseraufnah-me in 7 Tagen Vol.-%
hart	Polystyrol	überwiegend geschlossen-zellig	15 … 30	75 (100)	0,035	2 … 3
	Polyvinylchlorid		50 …130	60 (80)	0,038	< 1
	Polyethersulfon		45 … 55	180 (210)	0,05	15
	Polyurethan		20 …100	80 (150)	0,021	1 … 4
	Phenolharz	offenzellig	40 …100	130 (250)	0,025	7 … 10
	Harnstoffharz		5 … 15	90 (100)	0,03	20
halb-hart bis weich-elas-tisch	Polyethylen	überwiegend geschlossen-zellig	25 … 40	bis 100	0,036	1 … 2
	Polyvinylchlorid		50 … 70	− 60 … + 50	0,036	1 … 4
	Melaminharz		10,5… 11,5	bis 150	0,033	ca. 1
	Polyurethan Polyester-Typ	offenzellig	20 … 45	− 40 … +100	0,045	−
	Polyurethan Polyether-Typ					

[1) Gebrauchstemperatur langzeitig, in Klammern kurzzeitig

Kunststoffverarbeitung

Spritzgießen und Extrudieren

Kurz-zeichen	Spritzgießen Temperatur in °C		Spritzdruck in bar	Extrudieren Verarbeitungs-temperatur in °C	Schwindung in %	Toleranzgruppe[1] für		
	Masse	Werkzeug				Allgemein-toleranzen	Maße mit direkt eingetragenen Abmaßen	
							Reihe 1[2]	Reihe 2[2]
PE	160 … 300	20… 70	500	190 … 230	1,5 … 3,5	150	140	130
PP	170 … 300	20 … 100	1200	235 … 270	0,8 … 2[3]	150	140	130
PVC, hart	170 … 210[4]	30 … 60	1000 … 1800	170 … 190	0,2 … 0,5	130	120	110
PVC, weich	170 … 200[4]	20 … 60	300	150 … 200	1 … 2,5	–	–	–
PS	180 … 250	30 … 60	–	180 … 220	0,3 … 0,7	130	120	110
SB	180 … 250	20 … 70	–	180 … 220	0,4 … 0,7	130	120	110
SAN	200 … 260	40 … 80	–	180 … 200	0,5 … 0,6	130	120	110
ABS	200 … 240	40 … 85	800 … 1800	180 … 220	0,4 … 0,7	130	120	110
PMMA	200 … 250	50 … 90	400 … 1200	180 … 250	0,3 … 0,8	130	120	110
PA	210 … 290	80 … 120	700 … 1200	230 … 275	1 … 2	130	120	110
POM	180 … 230[4]	50 … 120	800 … 1700	180 … 220	1 … 3,5	140	130	120
PC	280 … 320[4]	80 … 120	> 800	240 … 290	0,7 … 0,8	130	120	110
PF [5]	90 … 110[4]	170 … 190	800 … 2500	–	0,5 … 1,5[3]	140	130	120
MF [6]	95 … 110[4]	160 … 180	1500 … 2500	–	0,6 … 1,7[3]	130	120	110
UF [5]	95 … 110	150 … 160	1500 … 2500	–	0,4 … 0,6	140	130	120

W

[1] vgl. Tabelle unten   [2] Reihe 1: ohne besonderen Aufwand einzuhalten, Reihe 2: erfordert höheren Fertigungsaufwand   [3] Quer- und Längsschwindung können unterschiedlich sein   [4] mit Schnecken-Spritzgießmaschine [5] mit organischen Füllstoffen   [6] mit anorganischen Füllstoffen

Toleranzen für Kunststoff-Formteile
vgl. DIN 16901 (1982-11); Norm zurückgezogen

Toleranz-gruppe aus obiger Tabelle	Kenn-buch-stabe[1]	Nennmaßbereich über … bis in mm												
		0…1	1…3	3…6	6…10	10…15	15…22	22…30	30…40	40…53	53…70	70…90	90…120	120…160
						Allgemeintoleranzen								
150	A	±0,23	±0,25	±0,27	±0,30	±0,34	±0,38	±0,43	±0,49	±0,57	±0,68	±0,81	±0,97	±1,20
	B	±0,13	±0,15	±0,17	±0,20	±0,24	±0,28	±0,33	±0,39	±0,47	±0,58	±0,71	±0,87	±1,10
140	A	±0,20	±0,21	±0,22	±0,24	±0,27	±0,30	±0,34	±0,38	±0,43	±0,50	±0,60	±0,70	±0,85
	B	±0,10	±0,11	±0,12	±0,14	±0,17	±0,20	±0,24	±0,28	±0,33	±0,40	±0,50	±0,60	±0,75
130	A	±0,18	±0,19	±0,20	±0,21	±0,23	±0,25	±0,27	±0,30	±0,34	±0,38	±0,44	±0,51	±0,60
	B	±0,08	±0,09	±0,10	±0,11	±0,13	±0,15	±0,17	±0,20	±0,24	±0,28	±0,34	±0,41	±0,50
						Toleranzen für Maße mit direkt eingetragenen Abmaßen								
140	A	0,40	0,42	0,44	0,48	0,54	0,60	0,68	0,76	0,86	1,00	1,20	1,40	1,70
	B	0,20	0,22	0,24	0,28	0,34	0,40	0,48	0,56	0,66	0,80	1,00	1,20	1,50
130	A	0,36	0,38	0,40	0,42	0,46	0,50	0,54	0,60	0,68	0,76	0,88	1,02	1,20
	B	0,16	0,18	0,20	0,22	0,26	0,30	0,34	0,40	0,48	0,56	0,68	0,82	1,00
120	A	0,32	0,34	0,36	0,38	0,40	0,42	0,46	0,50	0,54	0,60	0,68	0,78	0,90
	B	0,12	0,14	0,16	0,18	0,20	0,22	0,26	0,30	0,34	0,40	0,48	0,58	0,70
110	A	0,18	0,20	0,22	0,24	0,26	0,28	0,30	0,32	0,36	0,40	0,44	0,50	0,58
	B	0,08	0,10	0,12	0,14	0,16	0,18	0,20	0,22	0,26	0,30	0,34	0,40	0,48

[1] A für nicht werkzeuggebundene Maße; B für werkzeuggebundene Maße

Polyblends, Verstärkungsfasern, Schichtpressstoffe

Polyblends

Polyblends (kurz Blends) sind Mischungen verschiedener Thermoplaste. Die besonderen Eigenschaften dieser Mischpolymerisate ergeben sich aus vielfältig möglichen Kombinationen der Eigenschaften der Ausgangsstoffe.

Kurz-zeichen	Bezeichnung	Bestandteile	Besondere Eigenschaften	Anwendungsbeispiele
S/B	Styrol/Butadien	90% Polystyrol, 10% Butadien-Kautschuk	spröd-hart, bei tiefen Temperaturen nicht schlagzäh	Stapelkästen, Lüftergehäuse, Radiogehäuse
ABS	Acrylnitril/Butadien/Styrol	90% Styrol-Acrylnitril, 10% Nitrilgummi	spröd-hart, schlagzäh auch bei tiefen Temperaturen	Telefone, Armaturenbretter, Radkappen
PPE + PS	Polyphenylenether + Polystyrol	unterschiedliche Zusammensetzung; kann ggf. mit 30% Glasfaser verstärkt werden	hohe Härte, hohe Kaltschlagzähigkeit bis – 40°C, physiologisch unbedenklich	Kühlergrill, Computerteile, medizinische Geräte, Sonnenkollektoren, Zierleisten
PC + ABS	Polycarbonat + Acrylnitril/Butadien/Styrol	unterschiedliche Zusammensetzung	hohe Festigkeit, Härte, Zähigkeit, Wärmeformbeständigkeit, schlagzäh, stoßfest	Armaturenbretter, Kotflügel, Büromaschinengehäuse, Lampengehäuse im Kfz
PC + PET	Polycarbonat + Polyethylenterephthalat	unterschiedliche Zusammensetzung	besonders schlagzäh und stoßfest	Schutzhelme für Motorradfahrer, Kraftfahrzeugteile

Verstärkungsfasern

Bezeichnung	Dichte kg/dm³	Zugfestigkeit N/mm²	Bruchdehnung %	Besondere Eigenschaften	Anwendungsbeispiele
Glasfaser GF	2,52	3400	4,5	isotrop[1], gute Festigkeit, hohe Warmfestigkeit, billig	Karosserieteile, Flugzeugbau, Segelboote
Aramidfaser AF[3]	1,45	3400 … 3800	2,0 … 4,0	leichteste Verstärkungsfaser, zäh, bruchzäh, stark anisotrop[1], radardurchlässig	hoch beanspruchte Leichtbauteile, Sturzhelme, durchschusssichere Westen
Kohlenstofffaser CF	1,6 … 2,0	1750 … 5000[2]	0,35 … 2,1[2]	stark anisotrop[1], hochfest, leicht, korrosionsbeständig, guter Stromleiter	Automobilteile im Rennsport, Segel für Rennyachten, Luft- und Raumfahrt

Als Einbettungsmaterial (sog. **Matrix**) kommen vor allem Duroplaste (z.B. UP- und EP-Harze) sowie Thermoplaste mit hohen Gebrauchstemperaturen (z.B. PSU, PPS, PEEK, PI) zur Anwendung.

[1] isotrop = in allen Richtungen gleiche Werkstoffkennwerte; anisotrop = Werkstoffeigenschaften in Faserrichtung unterscheiden sich von denen quer zur Faser
[2] hängt wesentlich von den sich während der Herstellung ausbildenden Fehlstellen in der Faser ab
[3] Handelsname „Kevlar"

Schichtpressstoffe[1]

vgl. DIN EN 60893 (2013-03)

Harztypen		Typen des Verstärkungsmaterials	
Harztyp	Bezeichnung	Kurzname	Bezeichnung
EP	Epoxidharz	CC	Baumwollgewebe
MF	Melamin-(Formaldehyd)-Harz	CP	Zellulosepapier
PF	Phenol-(Formaldehyd)-Harz	CR	Kombiniertes Verstärkungsmaterial
UP	Ungesättigtes Polyesterharz	GC	Glasgewebe
SI	Siliconharz	GM	Glasmatte
PI	Polimidharz	WV	Holzfurnier
Nenndicken t in mm	0,4; 0,5; 0,6; 0,8; 1,0; 1,2; 1,5; 2; 2,5; 3; 4; 5; 6; 8; 10; 12; 14; 16; 20;25; 30; 35; 40; 45; 50; 60; 70; 80; 90; 100		
⇒	**Tafel IEC 60893 – 3 – 4 – PF CP 201, 10 x 500 x 1000:** Tafel aus Phenol-(Formaldehyd)-Harz/Zellulosepapier (PF CP 201) der IEC-Norm[2] 60893-3-4 mit t = 10 mm, b = 500 mm, l = 1000 mm		

[1] Verwendung in der Elektrotechnik, z.B. als Isolator, im Maschinenbau als Lagerschalen, Rollen, Zahnräder
[2] IEC = International Electronical Commission (internationale Norm)

W

Kunststoffprüfung: Zugeigenschaften, Härteprüfung

Bestimmung der Zugeigenschaften an Kunststoffen   vgl. DIN EN ISO 527-1 (2012-06)

typische Spannungs-Dehnungs-Kurven

F_m	Höchstkraft	L_0	Messlänge
F_y	Streckspannungskraft	S_0	Anfangsquerschnitt
ΔL_{Fm}	Längenänderung bei Höchstkraft	σ_m	Zugfestigkeit
		σ_y	Streckspannung
ΔL_{Fy}	Längenänderung bei Streckspannungskraft	ε_m	Höchstdehnung
		ε_y	Streckdehnung

Proben

Für jede Eigenschaft, z. B. Zugfestigkeit, Streckspannung, Streckdehnung, müssen mindestens fünf Probenkörper geprüft werden.

Anwendung

– thermoplastische Spritzguss- und Extrusionsmassen
– thermoplastische Platten und Folien
– duroplastische Formmassen
– duroplastische Platten
– faserverstärkte Verbundwerkstoffe, thermoplastisch und duroplastisch

Zugfestigkeit

$$\sigma_m = \frac{F_m}{S_0}$$

Streckspannung

$$\sigma_y = \frac{F_y}{S_0}$$

Höchstdehnung

$$\varepsilon_m = \frac{\Delta L_{Fm}}{L_0} \cdot 100\,\%$$

Streckdehnung

$$\varepsilon_y = \frac{\Delta L_{Fy}}{L_0} \cdot 100\,\%$$

Probenkörper

Prüfgeschwindigkeiten					Probenkörper nach						
					DIN EN ISO 527-2 für Formmassen				DIN EN ISO 527-3 für Folien		
Prüfgeschwindigkeit in mm/min				Tole-ranz	Typ	1A	1B	5A	5B	2	4	5
					L_0 mm	75 ± 0,5	50 ± 0,5	20 ± 0,5	10 ± 0,2	50 ± 0,5	50 ± 0,5	25 ± 0,25
1	2	5	10	±20 %	h mm	4 ± 0,2	4 ± 0,2	≥ 2	≥ 1	≤ 1	≤ 1	≤ 1
20	50	100	200	±0 %	b mm	10 ± 0,2	10 ± 0,2	4 ± 0,1	2 ± 0,1	10 … 25	25,4 ± 0,1	6 ± 0,4

⇒ **Zugversuch ISO 527-2/1A/50:** Zugversuch nach ISO 527-2; Probentyp 1A; Prüfgeschwindigkeit 50 mm/min

Härteprüfung an Kunststoffen   vgl. DIN EN ISO 2039-1 (2003-06)

Kugeleindruckversuch

F_0	Vorlast 9,8 N	h	Eindringtiefe	s	Probendicke
F_m	Prüfkraft	a	Randabstand		

Proben

Randabstand $a ≥ 10$ mm, Mindestprobendicke $s ≥ 4$ mm

Prüfkraft F_m in N	Kugeldruckhärte H in N/mm² bei Eindrucktiefe h in mm									
	0,16	0,18	0,20	0,22	0,24	0,26	0,28	0,30	0,32	0,34
49	22	19	16	15	13	12	11	10	9	9
132	59	51	44	39	35	32	30	27	25	24
358	160	137	120	106	96	87	80	74	68	64
961	430	370	320	290	260	234	214	198	184	171

⇒ **Kugeldruckhärte ISO 2039-1 H 132:** $H = 31$ N/mm² bei $F_m = 132$ N

Härteprüfung nach Shore an Kunststoffen   vgl. DIN EN ISO 868 (2003-10)

F_A	Anpresskraft in N	h	Eindringtiefe	s	Probendicke
F	Prüfkraft	a	Randabstand		

Proben

Randabstand $a ≥ 9$ mm, Mindestprobendicke $s ≥ 4$ mm

Eindringkörper für

Shore A   Shore D

Prüfbedingungen für die Verfahren Shore A und Shore D			
Prüf-verfahren	F_{max} in N	F_A in N	Verwendung
A	7,30	10	wenn Shorehärte mit Typ D < 20 ist
D	40,05	50	wenn Shorehärte mit Typ A > 90 ist

⇒ **85 Shore A:** Härtewert 85; Prüfverfahren Shore A

W

Werkstoffprüfverfahren – Übersicht

Bild	Verfahren	Anwendung, Hinweise

Zugversuch · Seite 197

Genormte Zugproben werden bis zum Bruch gedehnt.

Die Änderungen der Zugkraft und der Verlängerung werden gemessen und in einem Diagramm aufgezeichnet. Durch Umrechnung entsteht daraus das Spannungs-Dehnungs-Diagramm.

Ermittlung von Werkstoffkennwerten, zum Beispiel

– zur Festigkeitsrechnung bei statischer Beanspruchung,
– zur Beurteilung des Umformverhaltens,
– zur Ermittlung von Daten für die spanende Fertigung

Härteprüfung nach Brinell HB · Seite 199

- Belastung der Prüfkugel mit genormter Prüfkraft F
  - Prüfkraft hängt ab vom Kugeldurchmesser D und von der Werkstoffgruppe
    → Beanspruchungsgrad: Seite 199
- Messung des Eindruckdruchmessers d
- Ermittlung der Härte aus Prüfkraft und Eindruckoberfläche

Härteprüfung, z.B. an Stählen, Gusseisenwerkstoffen, Nichteisenmetallen, die

– nicht gehärtet sind,
– eine metallisch blanke Prüffläche besitzen,
– weicher sind als 650 HB

Härteprüfung nach Rockwell · Seite 200

- Belastung des Prüfkörpers (Diamantkegel, Hartmetallkugel) mit der Prüfvorkraft → Messbasis
- Beaufschlagung mit Prüfzusatzkraft
  → bleibende Verformung der Probe
- Wegnahme der Zusatzkraft
- Direkte Anzeige der Härte am Prüfgerät. Eindringtiefe h ist Basis der Härteermittlung.

Härteprüfung nach verschiedenen Verfahren, z.B. an Stählen und NE-Metallen,

– im weichen oder gehärteten Zustand,
– mit geringen Dicken,

Verfahren HRA, HRC:
gehärtete und hochfeste Metalle
Verfahren HRB, HRF:
weicher Stahl, Nichteisenmetalle

W

Härteprüfung nach Vickers · Seite 200

- Belastung der Diamantpyramide mit variablen Kräften
  - Prüfkraft richtet sich z.B. nach der Probendicke und der Korngröße im Gefüge
- Messung der Eindruckdiagonalen
- Ermittlung der Härte aus Prüfkraft und Eindruckoberfläche

Universalverfahren zur Prüfung

– weicher und gehärteter Werkstoffe,
– dünner Schichten,
– einzelner Gefügebestandteile bei Metallen

Härteprüfung durch Eindringprüfung (Martenshärte) · Seite 201

- Belastung der Diamantpyramide mit variablen Kräften
  - Prüfkraft richtet sich z.B. nach der Probendicke oder der Korngröße
- kontinuierliche Aufzeichnung der Kraft in Abhängigkeit der Eindringtiefe
- Ermittlung der Martenshärte **während** der Belastung

Verfahren zur Prüfung aller Werkstoffe, z.B.

– weiche und gehärtete Metalle,
– dünne Schichten, auch Hartmetallbeschichtungen und Farbschichten,
– einzelne Gefügebestandteile,
– Keramik, Hartstoffe …

Härteprüfung durch Kugeleindruckversuch · Seite 194

- Belastung der Prüfkugel mit Vorlast
  → Messbasis
- Beaufschlagung mit festgelegter Prüfkraft
  - Prüfkraft muss eine Eindringtiefe von 0,15…0,35 mm ergeben
- Messung der Eindringtiefe nach 30 s Belastungszeit
- Ermittlung der Kugeldruckhärte

Prüfung von Kunststoffen und Hartgummi. Kugeldruckhärte liefert Vergleichswerte für Forschung, Entwicklung und Qualitätskontrolle.

Werkstoffprüfverfahren – Übersicht

Bild	Verfahren	Anwendung, Hinweise
Härteprüfung nach Shore		Seite 194
	• Das Prüfgerät (Durometer) wird mit der Anpresskraft F auf die Probe gedrückt. • Der federbelastete Eindringkörper dringt in die Probe ein. • Einwirkdauer 15 s • Direkte Anzeige der Shorehärte am Gerät.	Kontrolle von Kunststoffen (Elastomeren). Aus der ermittelten Shorehärte lassen sich kaum Beziehungen zu anderen Werkstoffeigenschaften ableiten.
Scherversuch (DIN 50141 ersatzlos zurückgezogen)		
	• Zylindrische Proben werden in genormten Vorrichtungen bis zum Bruch auf Abscherung belastet. • Ermittlung der Bruchfestigkeit aus maximaler Scherkraft und Probenquerschnitt.	Ermittlung der Scherfestigkeit τ_{aB}, z. B. – zur Festigkeitsberechnung scherbeanspruchter Teile, z. B. Stifte, – zur Ermittlung von Schneidkräften in der Umformtechnik
Kerbschlagbiegeversuch		Seite 198
	• Gekerbte Proben werden mit dem Pendelschlaghammer auf Biegung beansprucht und getrennt. • Kerbschlagarbeit = Arbeit zur Umformung und Trennung der Probe	– Prüfung metallischer Werkstoffe auf Verhalten gegenüber stoßartiger Biegebeanspruchung – Kontrolle von Wärmebehandlungsergebnissen, z. B. beim Vergüten – Prüfung des Temperaturverhaltens von Stählen
Tiefungsversuch nach Erichsen		
	• Allseitig eingespannte Bleche werden durch eine Kugel bis zur Rissbildung verformt. • Die Verformungstiefe bis zum Rissbeginn ist ein Maß für die Tiefziehfähigkeit.	– Prüfung von Blechen und Bändern auf ihre Tiefziehfähigkeit – Beurteilung der Blechoberfläche auf Veränderungen beim Kaltumformen
Dauerschwingversuch		Seite 198
	• Zylindrische Proben mit polierter Oberfläche werden bei konstanter Mittelspannung σ_m und variablem Spannungsausschlag σ_A wechselbelastet, in der Regel bis zum Bruch. Die grafische Darstellung der Versuchsreihe ergibt die Wöhlerlinie.	Ermittlung von Werkstoffkennwerten bei dynamischer Beanspruchung, z. B. – Dauerfestigkeit, Wechsel- und Schwellfestigkeit – Zeitfestigkeit
Ultraschallprüfung		
	• Ein Schallkopf sendet Ultraschallwellen durch das Werkstück. Die Wellen werden an der Vorderwand, der Rückwand und an Fehlern bestimmter Größe reflektiert. • Der Bildschirm des Prüfgerätes zeigt die Echos an. • Die Prüffrequenz bestimmt die erkennbare Fehlergröße. Sie wird durch die Korngröße der Proben begrenzt.	– zerstörungsfreie Prüfung von Teilen, z. B. auf Risse, Lunker, Gasblasen, Einschlüsse, Bindefehler, Gefügeunterschiede – Erkennung der Fehlerform, der Größe und der Lage der Fehler – Messung von Wand- und Schichtdicken
Metallographie		
	Durch Ätzen metallografischer Proben (Schliffen) wird das Gefüge entwickelt und unter dem Metallmikroskop sichtbar. Probenpräparation: Entnahme → Gefügeveränderung vermeiden Einbetten → randscharfe Schliffe Schleifen → Abbau von Verformungsschichten Polieren → hohe Oberflächenqualität Ätzen → Gefügeentwicklung	– Kontrolle der Gefügeausbildung – Überwachung von Wärmebehandlungen, Umform- und Fügevorgängen – Ermittlung der Kornverteilung und der Korngröße – Schadensprüfung

W

Zugversuch, Zugproben

Zugversuch vgl. DIN EN ISO 6892-1 (2009-12), Ersatz für DIN EN 10002-1

Spannungs-Dehnungs-Diagramm mit ausgeprägter Streckgrenze, z.B. bei weichem Stahl

Symbol	Bedeutung
F	Zugkraft
F_m	Höchstkraft
F_e	Kraft an der Streckgrenze
$F_{p0,2}$	Kraft an der Dehngrenze
L_0	Anfangsmesslänge
L_u	Messlänge nach dem Bruch
d_0	Anfangsdurchmesser der Probe
S_0	Anfangsquerschnitt der Probe
S_u	kleinster Probenquerschnitt nach dem Bruch
$e^{1)}$	Dehnung
A	Bruchdehnung
Z	Brucheinschnürung
$R^{2)}$	Zugspannung
R_m	Zugfestigkeit
R_e	Streckgrenze
$R_{p0,2}$	Dehngrenze
V_s	Streckgrenzenverhältnis

Zugspannung

$$R = \frac{F}{S_0}$$

Zugfestigkeit

$$R_m = \frac{F_m}{S_0}$$

Streckgrenze

$$R_e = \frac{F_e}{S_0}$$

Dehngrenze

$$R_{p0,2} = \frac{F_{p0,2}}{S_0}$$

Dehnung

$$e = \frac{L - L_0}{L_0} \cdot 100\%$$

Bruchdehnung

$$A = \frac{L_u - L_0}{L_0} \cdot 100\%$$

Brucheinschnürung

$$Z = \frac{S_0 - S_u}{S_0} \cdot 100\%$$

Zugproben

In der Regel werden runde Proportionalstäbe mit der Anfangsmesslänge $L_0 = 5 \cdot d_0$ verwendet.
Unbearbeitete Proben sind zulässig bei
– gleich bleibenden Querschnitten, z.B. bei Proben aus Blechen, Profilen, Drähten
– gegossenen Probestücken, z.B. aus Gusseisen.

Bruchdehnung A

Bei Zugproben, die während der Prüfung einschnüren, werden die Bruchdehnungswerte A durch die Anfangsmesslänge L_0 beeinflusst.
Kleinere Anfangsmesslänge $L_0 \rightarrow$ größere Bruchdehnung A

Streckgrenzenverhältnis: $V_s = R_e\ (R_{p0,2})/R_m$
Es gibt Aufschluss über den Wärmebehandlungszustand der Stähle:
normalgeglüht $V_s \approx 0{,}5 \ldots 0{,}7$
vergütet $V_s \approx 0{,}7 \ldots 0{,}95$

1) bisheriges Formelzeichen ε
2) bisheriges Formelzeichen σ_z

Spannungs-Dehnungs-Diagramm ohne ausgeprägte Streckgrenze, z.B. bei vergütetem Stahl

W

Zugproben vgl. DIN 50125 (2009-07)

Form B

Form E

Runde Zugproben, Form A und Form B

	d_0	4	5	6	8	10	12	14	Formen, Verwendung
	L_0	20	25	30	40	50	60	70	**Form A:** bearbeitete Proben zum Spannen in Spannkeilen
	$L_c^{1)}$	24	30	36	48	60	72	84	
	$R^{1)}$	3	4	5	6	8	9	11	
Form A	d_1	5	6	8	10	12	15	17	**Form B:** bearbeitete Proben mit Gewindeköpfen zur genaueren Messung der Verlängerung
	$L_t^{1)}$	60	74	92	115	138	162	186	
Form B	d_1	M6	M8	M10	M12	M16	M18	M20	
	$L_t^{1)}$	41	51	60	77	97	118	134	

Zugproben, weitere Formen

	a_0	3	4	5	6	7	8	10	Formen, Verwendung
	b_0	8	10	10	20	22	25	25	Flachproben zum Spannen in Spannkeilen,
	L_0	30	35	40	60	70	80	90	
Form E	L_c	38	45	51	77	89	102	114	Zugproben aus Bändern, Blechen, Flachstäben und Profilen
	$R^{1)}$	12	12	12	15	20	20	20	
	$L_t^{1)}$	104	120	126	197	222	246	258	

Form C Form F	bearbeitete Rundproben mit Schulterköpfen unbearbeitete Abschnitte von Rundstangen
Erläuterung	1) Mindestmaße
⇒	**Zugprobe DIN 50125 – A10x50:** Form A, $d_0 = 10$ mm, $L_0 = 50$ mm

Kerbschlagbiegeversuch, Umlaufbiegeversuch

Kerbschlagbiegeversuch nach Charpy   vgl. DIN EN ISO 148-1 (2011-01), Ersatz für DIN EN 10045

Pendelhammer, Skale, Schleppzeiger, Probe, h_1, h_2, F

Beim Kerbschlagbiegeversuch wird eine gekerbte Probe mit dem Pendelhammer in einem Schlag durchgetrennt und die verbrauchte Schlagenergie gemessen.

KU_2 verbrauchte Schlagenergie in J für eine Probe mit U-Kerb und einer Hammerfinne mit $R = 2$ mm

KV_8 verbrauchte Schlagenergie in J für eine Probe mit V-Kerb und einer Hammerfinne mit $R = 8$ mm

Proben

Die Proben müssen außer an den Endflächen eine Oberflächenrauheit $R_a < 5$ µm haben. Bei der Herstellung sind Veränderungen, z.B. durch Warm- oder Kaltumformung, möglichst klein zu halten.

Probenquerschnitt — l, h_k, h, b

Kerbformen — U, V, α

Kerbschlagproben – Normalform

Kerbform	Probenmaße und Abmaße in mm oder Grad (°)					
	l	h	b	h_k	r	α in °
U-Kerb	$55 \pm 0,11$	$10 \pm 0,11$	$10 \pm 0,11$	$5 \pm 0,09$	$1 \pm 0,07$	–
V-Kerb	$55 \pm 0,6$	$10 \pm 0,075$	$10 \pm 0,11$	$8 \pm 0,075$	$0,25 \pm 0,025$	45 ± 2

Bezeichnungsbeispiele:

$KU_8 = 174$ J: Probe mit U-Kerb, Hammerfinne mit $R = 8$ mm, verbrauchte Schlagenergie 174 J, Pendelschlag mit 300 J Arbeitsvermögen.

$KV_2 150 = 71$ J: Probe mit V-Kerb, Hammerfinne mit $R = 2$ mm, Pendelschlagwerk mit 150 J Arbeitsvermögen, verbrauchte Schlagenergie 71 J.

Umlaufbiegeversuch (Biege-Dauerfestigkeit)   vgl. DIN 50113 (1982-03)

Umlauf–Biegeprobe, l, l, d, n, F, F

Biegemomentenverlauf

konstantes Biegemoment M im Prüfbereich der Probe

n	Drehzahl in 1/min
N	Zahl der Lastwechsel
d	Probendurchmesser in mm
l	Lagerabstand in mm
F	Biegekraft in N
M	Biegemoment in N · mm
W	Widerstandsmoment in mm³
σ_a	Spannungsausschlag in N/mm²
σ_D	Dauerfestigkeit in N/mm²
σ_{bW}	Biegewechselfestigkeit in N/mm²
	($\sigma_{bW} = \sigma_D$)

Widerstandsmoment

$$W = \frac{\pi \cdot d^3}{32}$$

Biegekraft

$$F = \frac{\sigma_a \cdot W}{l}$$

Proben

Zylindrische Proben mit geschliffener oder polierter Oberfläche (Kaltverfestigungen vermeiden). Probendurchmesser $d \leq 16$ mm

Versuch

Die mit $n = 3000$/min…12 000/min umlaufenden Proben werden durch die Biegekraft F belastet und so mit dem vorgewählten Spannungsausschlag σ_a auf Wechselbiegung beansprucht. Im Bereich der Zeitfestigkeit brechen Stahlproben nach $N < 7 \cdot 10^6$ Lastwechseln. Beanspruchungen im Bereich der Dauerfestigkeit σ_D führen zu keinem Bruch der Probe.

Versuchsergebnisse

Dauerfestigkeit σ_D = Biegewechselfestigkeit σ_{bW}, Zeitfestigkeit σ_N

Beispiel:

Wöhlerschaubild eines Stahles

N/mm²

σ_a Spannungsausschlag — 400, 300, 200, 150, 100

$+\sigma_a$ / $-\sigma_a$ / N

Bruch der Probe

$\sigma_{bW} = \sigma_D$

Zahl der Lastwechsel N — 0, 1, 2, 3, 4, 4,5, 5, 6, 7, 8·10⁶

Zeitfestigkeit   Dauerfestigkeit

Probendurchmesser $d = 10$ mm, Lagerabstand $l = 100$ mm, gewählter Spannungsausschlag $\sigma_a = 150$ N/mm²

Gesucht: Widerstandsmoment W, einzustellende Biegekraft F

Lösung: $W = \dfrac{\pi \cdot d^3}{32} = \dfrac{\pi \cdot (10 \text{ mm})^3}{32} = 98{,}17$ mm³

$F = \dfrac{\sigma_a \cdot W}{l} = \dfrac{150 \text{ N/mm}^2 \cdot 98{,}17 \text{ mm}^3}{100 \text{ mm}} = \mathbf{147{,}3 \text{ N}}$

Bruch der Probe bei N = $4{,}5 \cdot 10^6$ Lastwechseln (siehe Wöhlerschaubild)

W

Härteprüfung nach Brinell

Härteprüfung nach Brinell

vgl. DIN EN ISO 6506-1 (2006-03)

F	Prüfkraft in N
D	Kugeldurchmesser in mm
d	Eindruckdurchmesser in mm
d_1, d_2	Einzelmesswerte der Eindruckdurchmesser in mm
h	Eindrucktiefe in mm
s	Mindestdicke der Probe in mm
a	Randabstand in mm

Eindruckdurchmesser

$$d = \frac{d_1 + d_2}{2}$$

Prüfbedingungen

Eindruckdurchmesser
$0,24 \cdot D \le d \le 0,6 \cdot D$

Mindestprobendicke $s \ge 8 \cdot h$

Randabstand $a \ge 3 \cdot d$

Probenoberfläche: metallisch blank

Brinellhärte

$$HBW = \frac{0,204 \cdot F}{\pi \cdot D \cdot (D - \sqrt{D^2 - d^2})}$$

Bezeichnungsbeispiele:

180 HBW 2,5 / 62,5
600 HBW   1 / 30   / 25

Härtewert	Prüfkörper	Kugeldurch-messer	Prüfkraft F	Einwirkdauer
Brinellhärte 180 Brinellhärte 600	W Hartmetallkugel	2,5 mm 1 mm	$62,5 \cdot 9,80665$ N $= 612,9$ N $30 \cdot 9,80665$ N $= 294,2$ N	ohne Angabe: 10 bis 15 s Wertangabe: 25 s

W

Beanspruchungsgrad, Kugeldurchmesser, Prüfkräfte und Prüfbereiche

Beanspru-chungsgrad $0,102 \cdot F/D^2$	Prüfkraft F in N bei Kugeldurchmesser $D^{[1]}$ in mm				Prüfbereich	Brinellhärte HBW
	1	2,5	5	10	Werkstoffe	
30	294,2	1839	7355	29 420	Stahl, Nickel- und Titanlegierungen Gusseisen Kupfer, Kupferlegierungen	≤ 650 ≥ 140 > 200
15	–	–	–	14 710	Leichtmetalle, Leichtmetalllegierungen	> 35
10	98,07	612,9	2452	9807	Gusseisen Leichtmetalle, Leichtmetalllegierungen Kupfer, Kupferlegierungen	< 140 > 35 35 … 200
5	49,03	306,5	1226	4903	Kupfer, Kupferlegierungen Leichtmetalle, Leichtmetalllegierungen	< 35 35 … 80
2,5	24,52	153,2	612,9	2452	Leichtmetalle, Leichtmetalllegierungen	< 35
1	9,807	61,29	245,2	980,7	Blei, Zinn	–

[1] Kleine Kugeldurchmesser bei feinkörnigen Werkstoffen, dünnen Proben oder bei Härteprüfungen in der Randschicht. Für die Härteprüfung an Gusseisen muss der Kugeldurchmesser D ≥ 2,5 mm sein. Härtewerte sind nur vergleichbar, wenn die Prüfungen mit gleichem Beanspruchungsgrad durchgeführt wurden.

Mindestdicke s der Proben

Kugeldurch-messer D in mm	Mindestdicke s in mm für Eindruckdurchmesser $d^{[1]}$ in mm																		
	0,25	0,35	0,5	0,6	0,8	1,0	1,2	1,3	1,5	2,0	2,4	3,0	3,5	4,0	4,5	5,0	5,5	6,0
1	0,13	0,25	0,54	0,8														
2			0,23	0,37	0,67	1,07	1,6											
2,5			0,29	0,53	0,83	1,23	1,46	2,0										
5					0,58	0,69	0,92	1,67	2,45	4,0								
10							1,17	1,84	2,53	3,34	4,28	5,36	6,59	8,0				

Beispiel: D = 2,5 mm, d = 1,2 mm
→ Mindestprobendicke
s = 1,23 mm

[1] Tabellenfelder ohne Dickenangabe liegen außerhalb des Prüfbereiches $0,24 \cdot D \le d \le 0,6 \cdot D$

Härteprüfung nach Rockwell, Härteprüfung nach Vickers

Härteprüfung nach Rockwell

vgl. DIN EN ISO 6508-1 (2006-03)

Härteprüfung
1. Schritt   2. Schritt   3. Schritt

Bezugsebene für Messung

Rockwellhärte →
Mindestprobendicke →

F_0 Prüfvorkraft in N
F_1 Prüfkraft in N
h bleibende Eindringtiefe in mm
s Probendicke
a Randabstand

Prüfbedingungen

Probenoberfläche geschliffen mit $Ra = 0{,}8 \ldots 1{,}6$ µm. Die Bearbeitung der Probe darf keine Gefügeveränderungen zur Folge haben.

Randabstand $a \geq 1$ mm

Bezeichnungsbeispiele:

65 HRC
70 HRBW

Rockwellhärte HRA, HRC

$$HRA, HRC = 100 - \frac{h}{0{,}002\ \text{mm}}$$

Rockwellhärte HRB, HRF

$$HRB, HRF = 130 - \frac{h}{0{,}002\ \text{mm}}$$

Härtewert	Prüfverfahren	
65 70	HRC Rockwellhärte – C, Prüfung mit Diamantkegel	HRBW Rockwellhärte – B, Prüfung mit Hartmetallkugel

Prüfverfahren, Anwendungen (Auswahl)

Verfahren	Eindringkörper	F_0 in N	F_1 in N	Messbereich von … bis	Anwendung
HRA	Diamantkegel, Kegelwinkel 120°	98	490,3	20 … 88 HRA	gehärteter Stahl, hochfeste Metalle
HRC		98	1373	20 … 70 HRC	
HRB	Hartmetallkugel (W) 1,5785 mm	98	882,6	20 … 100 HRB	weicher Stahl, NE-Metalle
HRF		98	490,3	60 … 100 HRF	

Härteprüfung nach Vickers

vgl. DIN EN ISO 6507-1 (2006-03)

Härte HV →
Mindestprobendicke in mm →

F Prüfkraft in N
d Diagonale des Eindrucks in mm
s Probendicke
a Randabstand

Prüfbedingungen

Probenoberfläche geschliffen mit $Ra = 0{,}4 \ldots 0{,}8$ µm. Die Bearbeitung der Probe darf keine Gefügeveränderungen zur Folge haben.
Randabstand $a \geq 2{,}5 \cdot d$

Bezeichnungsbeispiele:

540 HV 1 / 20
650 HV 5

Diagonale des Eindrucks

$$d = \frac{d_1 + d_2}{2}$$

Vickershärte

$$HV = 0{,}1891 \cdot \frac{F}{d^2}$$

Härtewert	Prüfkraft F	Einwirkdauer
Vickershärte 540	$1 \cdot 9{,}80665$ N = 9,807 N	Wertangabe: 20 s
Vickershärte 650	$5 \cdot 9{,}80665$ N = 49,03 N	ohne Angabe: 10 bis 15 s

Prüfbedingungen und Prüfkräfte für die Härteprüfung nach Vickers

Prüfbedingung	HV100	HV50	HV30	HV20	HV10	HV5
Prüfkraft in N	980,7	490,3	294,2	196,1	98,07	49,03
Prüfbedingung	HV3	HV2	HV1	HV0,5	HV0,3	HV0,2
Prüfkraft in N	29,42	19,61	9,807	4,903	2,942	1,961

W

Martenshärte, Umrechnung von Härtewerten

Martenshärte durch Eindringprüfung
vgl. DIN EN ISO 14577 (2003-05)

F Prüfkraft in N
h Eindringtiefe in mm
s Probendicke in mm

Probenoberflächen			
Werkstoff	Mittenrauwert Ra bei F		
	0,1 N	2 N	100 N
Aluminium	0,13	0,55	4,00
Stahl	0,08	0,30	2,20
Hartmetall	0,03	0,10	0,30

Martenshärte

$$HM = \frac{F}{26,43 \cdot h^2}$$

Bezeichnung: **HM 0,5 / 20 / 20 = 5700 N/mm²**

Prüfverfahren	Prüfkraft F	Prüfdauer	Kraftaufbringung	Martens-Härtewert
Martenshärte	0,5 N	20 s	innerhalb von 20 s	5700 N/mm²

Prüfbereich	Bedingungen	Anwendungen
Makrobereich	2 N ≤ F ≤ 30 kN	Universal-Härteprüfung, z.B. für alle Metalle, Kunststoffe, Hartmetalle, keramischen Werkstoffe; Mikro- und Nanobereich: Dünnschichtmessung, Gefügebestandteile
Mikrobereich	F < 2 N oder H > 0,2 μm	
Nanobereich	h ≤ 0,2 μm	

Umwertungstabellen für Härtewerte und Zugfestigkeit (Auswahl) vgl. DIN EN ISO 18265 (2014-02)

W

Umwertung von Zugfestigkeit[1] in Härte[1] oder Härte[1] in Härte[1]

R_m	HV	HB	HR	R_m	HV	HB	HR	R_m	HV	HB	HR	R_m	HV	HB	HR
Unlegierte und niedriglegierte Stähle															
255	80	76,0	–	705	220	209	–	1420	440	418	44,5	–	700	–	60,1
285	90	85,5	–	740	230	219	–	1485	460	437	46,1	–	720	–	61,0
305	95	90,2	–	770	240	228	20,3	1555	480	456	47,7	–	740	–	61,8
320	100	95,0	–	800	250	238	22,2	1630	500	475	49,1	–	760	–	62,5
350	110	105	–	835	260	247	24,0	1700	520	494	50,5	–	780	–	63,3
385	120	114	–	865	270	257	25,6	1775	540	513	51,7	–	800	–	64,0
415	130	124	–	900	280	266	27,1	1845	560	532	53,0	–	820	–	64,7
450	140	133	–	930	290	276	28,5	1920	580	551	54,1	–	840	–	65,3
480	150	143	–	965	300	285	29,8	1995	600	570	55,2	–	860	–	65,9
510	160	152	–	1030	320	304	32,2	2070	620	589	56,3	–	880	–	66,4
545	170	162	–	1095	340	323	34,4	2145	640	606	57,3	–	900	–	67,0
575	180	171	–	1155	360	342	36,6	2180	650	618	57,8	–	920	–	67,5
610	190	181	–	1220	380	361	38,8	–	660	–	58,3	–	940	–	68,0
640	200	190	–	1290	400	380	40,8	–	670	–	58,8	–	–	–	–
675	210	199	–	1350	420	399	42,7	–	680	–	59,2	–	–	–	–
Vergütungsstähle im vergüteten Zustand															
651	210	205	–	940	300	296	30,5	1220	390	385	40,6	–	490	482	48,6
683	220	215	–	972	310	306	31,8	1250	400	395	41,5	–	510	501	49,9
716	230	225	–	1003	320	316	33,1	1281	410	405	42,4	–	530	520	51,2
748	240	235	21,2	1035	330	326	34,3	1311	420	414	43,2	–	550	539	52,4
781	250	245	22,9	1070	340	336	35,4	1341	430	424	44,1	–	570	558	53,5
813	260	255	24,6	1097	350	345	36,5	1371	440	434	44,9	–	590	577	54,6
845	270	266	26,2	1128	360	355	37,6	1401	450	444	45,7	–	610	596	55,6
877	280	276	27,7	1159	370	365	38,6	1430	460	453	46,4	–	630	614	56,6
909	290	286	29,1	1189	380	375	39,6	1460	470	463	47,2	–	650	632	57,5

[1] R_m Zugfestigkeit in N/mm², HV Vickershärte HV10, HB Brinellhärte HBW, HR Rockwellhärte HRC

Korrosion

Elektrochemische Spannungsreihe der Metalle

Bei der elektrochemischen Korrosion laufen die gleichen Vorgänge ab wie in galvanischen Elementen. Dabei wird das unedlere Metall zerstört. Die zwischen den beiden unterschiedlichen Metallen unter Einwirkung einer leitenden Flüssigkeit (Elektrolyt) auftretende Spannung kann den Normalpotenzialen der elektrochemischen Spannungsreihe entnommen werden. Als Normalpotenzial bezeichnet man die Spannung zwischen dem Elektrodenwerkstoff und einer mit Wasserstoff umspülten Platinelektrode.

Durch Passivierung (Bildung von Schutzschichten) ändert sich die Spannung zwischen den Elementen.

Beispiel: Die Normalpotenziale von Cu = + 0,34 V und Al = −1,67 V ergeben eine Spannung zwischen Cu und Al von
U = + 0,34 V − (−1,67 V) = 2,01 V

Korrosionsverhalten der metallischen Werkstoffe

Werkstoffe	Korrosionsverhalten	Beständigkeit in folgender Umgebung				
		trockene Raumluft	Land-luft	Industrie-luft	Meer-luft	Meer-wasser
Unlegierte und legierte Stähle	nur in trockenen Räumen beständig	●	◐	◐	○	○
Nichtrostende Stähle	beständig, aber nicht gegen aggressive Chemikalien	●	●	◑	◑	◑
Aluminium und Al-Legierungen	beständig, außer den Cu-haltigen Al-Legierungen	●	◑	◑	◑	●...◐
Kupfer und Cu-Legierungen	beständig, vor allem Ni-haltige Cu-Legierungen	●	●	◑	◑	●...◐

● beständig   ◑ ziemlich beständig   ◐ unbeständig   ○ unbrauchbar

Korrosionsschutz

Vorbereitung von Metalloberflächen vor der Beschichtung

Arbeitsschritt	Zweck	Verfahren
Mechanisches Reinigen und Erzeugen einer guten Haftgrundlage	Beseitigen von Walzzunder, Rost und Verschmutzungen	Schleifen, Bürsten, Strahlen mit Wasserstrahl, dem Quarzsand beigemischt ist
Chemisches Reinigen und Erzeugen einer günstigen Oberflächenbeschaffenheit	Beseitigen von Walzzunder, Rost und Fettrückständen Aufrauen oder Glätten der Oberfläche	Beizen mit Säure oder Lauge; Entfetten mit Lösungsmitteln; chemisches oder elektrochemisches Polieren

Korrosionsschutz-Maßnahmen

Maßnahmen	Beispiele
Wahl geeigneter Werkstoffe	Nichtrostender Stahl für Teile zur Aufbereitung bei der Papierherstellung
Korrosionsschutzgerechte Konstruktion	gleiche Werkstoffe an Kontaktstellen, Isolierschichten zwischen den Bauteilen, Vermeidung von Spalten
Schutzschichten: • Schutzöl oder Schutzfett • Chemische Oberflächenbehandlung • Schutzanstriche	Einölen von Gleitbahnen und Messzeugen Phophatieren, Brünieren Lackschicht, eventuell nach vorherigem Phosphatieren
Metallische Überzüge	Feuerverzinken galvanische Metallüberzüge, z.B. verchromen
Katodischer Korrosionsschutz	Zu schützendes Bauteil, z.B. eine Schiffsschraube, wird mit einer Opferanode verbunden.
Anodische Oxidation von Al-Werkstoffen	Auf dem Bauteil, z.B. einer Felge, wird eine korrosionsbeständige, feste Oxidschicht erzeugt.

W

5 Maschinenelemente

M

Gewindearten, Übersicht

vgl. DIN 202 (1999-11)

Rechtsgewinde, eingängig

Befestigungsgewinde

Gewinde-bezeichnung	Gewindeprofil	Buch-stabe	Norm, Beispiel	Nenngröße d Steigung P	Eigenschaft, Anwendung
Metrisches ISO-Gewinde	60°	M	DIN 14-1 **M 08**	d = 0,3 bis 0,9 mm	< 1 mm Nenndurchmesser; für Uhren, Feinwerktechnik
			DIN 13-1 **M 30**	d = 1…68 mm P = 0,25…6 mm	Regelgewinde im Maschinenbau, Toleranzklassen fein, mittel, grob; für Befestigungsschrauben und -muttern
Metrisches ISO-Feingewinde			DIN 13-2 bis DIN 13-10 **M 24 x 1,5**	d = 1…1000 mm P = 0,2…8 mm	kleinere Steigung und kleinere Gewindetiefe als Regelgewinde, selbsthemmend, große Spannkraft; für größere Abmessungen, dünnwandige Teile, Einstellschrauben
Metrisches kegeliges Außengewinde	60° 1:16		DIN 158-1 **M 30 x 2 keg**	d = 5…60 mm P = 0,8…2 mm	Innengewinde ist zylindrisch; für Verschlussschrauben und Schmiernippel
Zylindrisches Rohrgewinde für **nicht** im Gewinde dichtende Verbindungen	55°	G	ISO 228-1 **G 1^1/$_2$ A**	d = ^{1}/$_{16}$…6 inch P = 0,907… 2,309 mm	für Außengewinde: Rohre, Rohrverbindungen, Armaturen Toleranz A und B
			ISO 228-1 **G 1^1/$_2$**		für Innengewinde: Rohre, Rohrverbindungen, Armaturen
Zylindrisches Rohrgewinde für im Gewinde dichtende Verbindungen		Rp	DIN 2999-1 **Rp ^{1}/$_2$**	d = ^{1}/$_{16}$…6 inch	für Innengewinde: Gewinderohre und Fittings
			DIN 3858 **Rp ^{1}/$_2$**	d = ^{1}/$_8$…1^1/$_2$ inch	für Innengewinde: Rohrverschraubungen
Kegeliges Rohrgewinde für im Gewinde dichtende Verbindungen	55° 1:16	R	DIN 2999-1 **R ^{1}/$_2$**	d = ^{1}/$_{16}$…6 inch	für Außengewinde: Gewinderohre und Fittings
			DIN 3858 **R 1^1/$_2$**	d = ^{1}/$_8$…1^1/$_2$ inch	für Außengewinde: Rohrverschraubungen
Blechschraubengewinde	60°	ST	ISO 1478 **ST 3,5**	d = 1,5…9,5 mm	Blechschraube schneidet Gewinde in Kernlöcher der zu verbindenden Bleche; z. B. für Karosserieteile

Bewegungsgewinde

Metrisches ISO-Trapezgewinde	30°	Tr	DIN 103 **TR 40 x 7**	d = 8…300 mm P = 1,5…44 mm	für Leitspindeln an Drehmaschinen, Gewindespindeln an Schraubstöcken
Metrisches Sägengewinde	33°	S	DIN 513 bis DIN 513-5 **S 48 x 8**	d = 10…640 mm P = 2…44 mm	höhere Tragfähigkeit; für einseitige Belastung, Spindeln von Pressen, Spannzangen bei Drehmaschinen
Zylindrisches Rundgewinde	30°	Rd	DIN 405-1 bis DIN 405-2 **Rd 40 x ^{1}/$_6$**	d = 8…200 mm P = ^{1}/$_{10}$…^{1}/$_4$ inch	geringe Kerbwirkung, großes Spiel; für rauen Betrieb (z. B. Kupplungsspindeln von Eisenbahnwagen)

M (margin)

Linksgewinde, mehrgängige metrische Gewinde

vgl. DIN ISO 965-1 (1999-11)

Gewindeart	Erläuterung	Bezeichnung (Beispiele)
Linksgewinde[1]	Kurzzeichen LH (= Left Hand) hinter dem Gewindedurchmesser	M 30 LH Tr 40 x 7 LH
Mehrgängige Gewinde[2]	Hinter dem Gewindedurchmesser folgt die Steigung Ph und die Teilung P (bzw. LH bei Linksgewinde)	M 16 x Ph 3 P 1,5; (zweigängig) M 14 x Ph 6 P 2 LH; (dreigängig)

[1] Haben Werkstücke Rechts- und Linksgewinde, so ist hinter die Bezeichnung des Rechtsgewindes das Kurzzeichen RH (= Right Hand) bzw. beim Linksgewinde LH (= Left Hand) zu setzen (Seite 78).

[2] Bei mehrgängigen Gewinden gilt **Gangzahl = Steigung Ph : Teilung P**

Gewinde nach ausländischen Normen (Auswahl)[1]

Gewindebenennung	Gewindeprofil	Kurz-zeichen	Gewindebezeichnung		Land[2]
			Beispiel	Bedeutung	
Einheitsgewinde, grob (**U**nified **N**ational **C**oarse Thread)		UNC	$1/4$ – 20 UNC – 2A	ISO-UNC-Gewinde mit $1/4$ inch Nenn-durchmesser, 20 Gewinde-gänge/inch, Passungsklasse 2A	ARG, AUS, GBR, IND, JPN, NOR, PAK, SWE u. a.
Einheits-Feingewinde (**U**nified **N**ational **F**ine Thread)	Innengewinde	UNF	$1/4$ – 28 UNF – 3A	ISO-UNF-Gewinde mit $1/4$ inch Nenn-durchmesser, 28 Gewinde-gänge/inch, Passungsklasse 3A	ARG, AUS, GBR, IND, JPN, NOR, PAK, SWE, u. a.
Einheitsgewinde, extra fein (**U**nified **N**ational **E**xtrafine Thread)	Außengewinde P	UNEF	$1/4$ – 32 UNEF – 3A	ISO-UNEF-Gewinde mit $1/4$ inch Nenn-durchmesser, 32 Gewinde-gänge/inch, Passungsklasse 3A	AUS, GBR, IND, NOR, PAK, SWE u. a.
Einheits-Sonderge-winde, besondere Durchmesser/Stei-gungskombinationen (**U**nified **N**ational **S**pecial Thread)		UNS	$1/4$ – 27 UNS	UNS-Gewinde mit $1/4$ inch Nenn-durchmesser, 27 Gewinde-gänge/inch	AUS, GBR, NZL, USA
Zylindrisches Rohr-gewinde für mecha-nische Verbindungen (**N**ational **S**tandard **S**traight **P**ipe Threads for **M**echanical joints)	zylindrisches Innengewinde P 60° zylindrisches Außengewinde	NPSM	$1/2$ – 14 NPSM	NPSM-Gewinde mit $1/2$ inch Nenn-durchmesser, 14 Gewinde-gänge/inch	USA
Amerikanisches Standard-Rohr-gewinde, kegelig (**A**merican **N**ational **S**tandard **T**aper-**P**ipe Thread) nicht dichtend	kegeliges Innengewinde 1:16	NPT	$3/8$ – 18 NPT	NPT-Gewinde mit $3/8$ inch Nenn-durchmesser, 18 Gewinde-gänge/inch	BRA, FRA, USA u. a.
Amerikanisches kegeliges Fein-Rohrgewinde (**A**merican **N**ational **T**aper Pipe Thread, **F**ine)	60° P kegeliges Außengewinde	NPTF	$1/2$ – 14 NPTF (dryseal)	NPTF-Gewinde mit $1/2$ inch Nenn-durchmesser, 14 Gewinde-gänge/inch (trocken dichtend)	BRA, USA
Amerikanisches Trapezgewinde $h = 0,5 \cdot P$ (American trapezoidal threads)	Innengewinde P 29°	Acme	$1 3/4$ – 4 Acme – 2G	Acme-Gewinde mit $1 3/4$ inch Nenn-durchmesser, 4 Gewinde-gänge/inch, Passungsklasse 2G	AUS, GBR, NZL, USA
Amerikanisches abgeflachtes Trapezgewinde $h = 0,3 \cdot P$ (American truncated trapezoidal threads)	Außengewinde	Stub-Acme	$1/2$ – 20 Stub-Acme	Stub-Acme-Ge-winde mit $1/2$ inch Nenndurchmesser, 20 Gewinde-gänge/inch	USA

[1] vgl. Kaufmann, Manfred: „Wegweiser zu den Gewindenormen verschiedener Länder", DIN, Beuth-Verlag (2000-09)

[2] Drei-Buchstaben-Codes für Länder, vgl. DIN EN ISO 3166-1 (2008-06)

M

Metrische Gewinde und Feingewinde

Metrisches ISO-Gewinde für allgemeine Anwendung, Nennprofile vgl. DIN 13-19 (1999-11)

Gewinde-Nenndurchmesser	$d = D$
Steigung	P
Gewindetiefe des Außengewindes	$h_3 = 0,6134 \cdot P$
Gewindetiefe des Innengewindes	$H_1 = 0,5413 \cdot P$
Rundung	$R = 0,1443 \cdot P$
Flanken-$\varnothing$	$d_2 = D_2 = d - 0,6495 \cdot P$
Kern-$\varnothing$ des Außengewindes	$d_3 = d - 1,2269 \cdot P$
Kern-$\varnothing$ des Innengewindes	$D_1 = d - 1,0825 \cdot P$
Kernlochbohrer-$\varnothing$	$= d - P$
Flankenwinkel	$60°$
Spannungsquerschnitt	$S = \dfrac{\pi}{4} \cdot \left(\dfrac{d_2 + d_3}{2} \right)^2$

Nennmaße für Regelgewinde Reihe 1[1] (Maße in mm) vgl. DIN 13-1 (1999-11)

Gewinde-bezeich-nung $d = D$	Stei-gung P	Flan-ken-$\varnothing$ $d_2 = D_2$	Kern-$\varnothing$ Außen-gewinde d_3	Kern-$\varnothing$ Innen-gewinde D_1	Gewindetiefe Außen-gewinde h_3	Gewindetiefe Innen-gewinde H_1	Run-dung R	Span-nungs-quer-schnitt S mm²	Bohrer-$\varnothing$ für Gewinde-kern-loch[2]	Sechs-kant-schlüs-sel-weite[3]
M 1	0,25	0,84	0,69	0,73	0,15	0,14	0,04	0,46	0,75	–
M 1,2	0,25	1,04	0,89	0,93	0,15	0,14	0,04	0,73	0,95	–
M 1,6	0,35	1,38	1,17	1,22	0,22	0,19	0,05	1,27	1,25	3,2
M 2	0,4	1,74	1,51	1,57	0,25	0,22	0,06	2,07	1,6	4
M 2,5	0,45	2,21	1,95	2,01	0,28	0,24	0,07	3,39	2,05	5
M 3	0,5	2,68	2,39	2,46	0,31	0,27	0,07	5,03	2,5	5,5
M 3,5[4]	0,6	3,11	2,76	2,85	0,37	0,33	0,09	6,77	2,9	–
M 4	0,7	3,55	3,14	3,24	0,43	0,38	0,10	8,78	3,3	7
M 5	0,8	4,48	4,02	4,13	0,49	0,43	0,12	14,2	4,2	8
M 6	1	5,35	4,77	4,92	0,61	0,54	0,14	20,1	5,0	10
M 7[4]	1	6,35	5,77	5,92	0,61	0,54	0,14	28,84	6,0	11
M 8	1,25	7,19	6,47	6,65	0,77	0,68	0,18	36,6	6,8	13
M 10	1,5	9,03	8,16	8,38	0,92	0,81	0,22	58,0	8,5	16
M 12	1,75	10,86	9,85	10,11	1,07	0,95	0,25	84,3	10,2	18
M 14[4]	2	12,70	11,55	11,84	1,23	1,08	0,29	115,47	12	21
M 16	2	14,70	13,55	13,84	1,23	1,08	0,29	157	14	24
M 20	2,5	18,38	16,93	17,29	1,53	1,35	0,36	245	17,5	30
M 24	3	22,05	20,32	20,75	1,84	1,62	0,43	353	21	36
M 30	3,5	27,73	25,71	26,21	2,15	1,89	0,51	561	26,5	46
M 36	4	33,40	31,09	31,67	2,45	2,17	0,58	817	32	55
M 42	4,5	39,08	36,48	37,13	2,76	2,44	0,65	1121	37,5	65

Nennmaße für Feingewinde (Maße in mm) vgl. DIN 13-2 … DIN 13-10 (1999-11)

Gewinde-bezeichnung $d \times P$	Flan-ken-$\varnothing$ $d_2 = D_2$	Kern-$\varnothing$ Außeng. d_3	Kern-$\varnothing$ Inneng. D_1	Gewinde-bezeichnung $d \times P$	Flan-ken-$\varnothing$ $d_2 = D_2$	Kern-$\varnothing$ Außeng. d_3	Kern-$\varnothing$ Inneng. D_1	Gewinde-bezeichnung $d \times P$	Flan-ken-$\varnothing$ $d_2 = D_2$	Kern-$\varnothing$ Außeng. d_3	Kern-$\varnothing$ Inneng. D_1
M 2 × 0,25	1,84	1,69	1,73	M 10 × 0,25	9,84	9,69	9,73	M 24 × 2	22,70	21,55	21,84
M 3 × 0,25	2,84	2,69	2,73	M 10 × 0,5	9,68	9,39	9,46	M 30 × 1,5	29,03	28,16	28,38
M 4 × 0,2	3,87	3,76	3,78	M 10 × 1	9,35	8,77	8,92	M 30 × 2	28,70	27,55	27,84
M 4 × 0,35	3,77	3,57	3,62	M 12 × 0,35	11,77	11,57	11,62	M 36 × 1,5	35,03	34,16	34,38
M 5 × 0,35	4,84	4,69	4,73	M 12 × 0,5	11,68	11,39	11,46	M 36 × 2	34,70	33,55	33,84
M 5 × 0,5	4,68	4,39	4,46	M 12 × 1	11,35	10,77	10,92	M 42 × 1,5	41,03	40,16	40,38
M 6 × 0,25	5,84	5,69	5,73	M 16 × 0,5	15,68	15,39	15,46	M 42 × 2	40,70	39,55	39,84
M 6 × 0,5	5,68	5,39	5,46	M 16 × 1	15,35	14,77	14,92	M 48 × 1,5	47,03	46,16	46,38
M 6 × 0,75	5,51	5,08	5,19	M 16 × 1,5	15,03	14,16	14,38	M 48 × 2	46,70	45,55	45,84
M 8 × 0,25	7,84	7,69	7,73	M 20 × 1	19,35	18,77	18,92	M 56 × 1,5	55,03	54,16	54,38
M 8 × 0,5	7,68	7,39	7,46	M 20 × 1,5	19,03	18,16	18,38	M 56 × 2	54,70	53,55	53,84
M 8 × 1	7,35	6,77	6,92	M 24 × 1,5	23,03	22,16	22,38	M 64 × 2	62,70	61,55	61,84

[1] Reihe 2 und Reihe 3 enthalten auch Zwischengrößen (z. B. M9, M11, M27). [2] vgl. DIN 336 (2003-07)
[3] vgl. DIN ISO 272 (1979-10) [4] Gewindedurchmesser der Reihe 2, möglichst vermeiden

Kegeliges Außengewinde, Trapezgewinde

Metrisches kegeliges Außengewinde mit zugehörigem zylindrischem Innengewinde[1]

vgl. DIN 158-1 (1997-06)

Gewindemaße des kegeligen Außengewindes

Außen-$\varnothing$	d
Steigung	P
Höhe	$H = 0{,}866 \cdot P$
Gewindetiefe	$h = 0{,}613 \cdot P$
Flanken-$\varnothing$	$d_2 = d - 0{,}650 \cdot P$
Kern-$\varnothing$	$d_3 = d - 1{,}23 \cdot P$
Radius	$R = 0{,}144 \cdot P$

Gewinde-bezeichnung $d \times P$	Gew. länge l_1	Gew. tiefe h	Flanken-durchmesser d_2	Gewinde-bezeichnung $d \times P$	Gew. länge l_1	Gew. tiefe h	Flanken-durchmesser d_2
M 5 x 0,8 keg	5	0,52	4,48	M 24 x 1,5 keg	8,5	0,98	23,03
M 6 x 1 keg			5,35	M 30 x 1,5 keg			29,03
M 8 x 1 keg			7,35	M 36 x 1,5 keg			35,03
M 10 x 1 keg	5,5	0,66	9,35	M 42 x 1,5 keg	10,5	1,01	41,03
M 12 x 1 keg			11,35	M 48 x 1,5 keg			47,03
M 16 x 1,5 keg			15,03	M 56 x 2 keg			54,70
M 20 x 1,5 keg	8,5	0,98	19,03	M 60 x 2 keg	13	1,34	58,70

[1] Für selbstdichtende Verbindungen (z. B. Verschlussschrauben, Schmiernippel). Bei größeren Nenndurchmessern wird ein im Gewinde wirkendes Dichtmittel empfohlen.

Metrisches ISO-Trapezgewinde

vgl. DIN 103-1 (1977-04)

Nenndurchmesser	d
Steigung eingäng. Gewinde u. Teilung mehrgäng. Gewinde	P
Steigung mehrgäng. Gewinde	P_h
Gangzahl	$n = P_h : P$
Kern-$\varnothing$ Außengewinde	$d_3 = d - (P + 2 \cdot a_c)$
Außen-$\varnothing$ Innengewinde	$D_4 = d + 2 \cdot a_c$
Kern-$\varnothing$ Innengewinde	$D_1 = d - P$
Flanken-$\varnothing$	$d_2 = D_2 = d - 0{,}5 \cdot P$
Gewindetiefe	$h_3 = H_4 = 0{,}5 \cdot P + a_c$
Flankenüberdeckung	$H_1 = 0{,}5 \cdot P$
Spitzenspiel	a_c
Radius	R_1 und R_2
Breite	$b = 0{,}366 \cdot P - 0{,}54 \cdot a_c$
Flankenwinkel	$30°$

M

Maß	für Steigungen P in mm			
	1,5	2 … 5	6 …12	14 … 44
a_c	0,15	0,25	0,5	1
R_1	0,075	0,125	0,25	0,5
R_2	0,15	0,25	0,5	1

Gewinde-bezeichnung	Gewindemaße in mm						Gewinde-bezeichnung	Gewindemaße in mm					
	Flan-ken-$\varnothing$	Kern-$\varnothing$		Außen-$\varnothing$	Ge-winde-tiefe	Breite		Flan-ken-$\varnothing$	Kern-$\varnothing$		Außen-$\varnothing$	Ge-winde-tiefe	Breite
		Außeng.	Inneng.						Außeng.	Inneng.			
$d \times P$	$d_2 = D_2$	d_3	D_1	D_4	$h_3 = H_4$	b	$d \times P$	$d_2 = D_2$	d_3	D_1	D_4	$h_3 = H_4$	b
Tr 10 × 2	9	7,5	8	10,5	1,25	0,60	Tr 40 × 7	36,5	32	33	41	4	2,29
Tr 12 × 3	10,5	8,5	9	12,5	1,75	0,96	Tr 44 × 7	40,5	36	37	45	4	2,29
Tr 16 × 4	14	11,5	12	16,5	2,25	1,33	Tr 48 × 8	44	39	40	49	4,5	2,66
Tr 20 × 4	18	15,5	16	20,5	2,25	1,33	Tr 52 × 8	48	43	44	53	4,5	2,66
Tr 24 × 5	21,5	18,5	19	24,5	2,75	1,70	Tr 60 × 9	55,5	50	51	61	5	3,02
Tr 28 × 5	25,5	22,5	23	28,5	2,75	1,70	Tr 70 × 10	65	59	60	71	5,5	3,39
Tr 32 × 6	29	25	26	33	3,5	1,93	Tr 80 × 10	75	69	70	81	5,5	3,39
Tr 36 × 6	33	29	30	37	3,5	1,93	Tr 100 × 12	94	87	88	101	6,5	4,12

Whitworth-Gewinde, Rohrgewinde, Kugelgewindetrieb

Whitworth-Gewinde

(nicht genormt)

Gewinde-bezeichnung d	Maße in mm für Außen- und Innengewinde					
	Außen-$\varnothing$ $d = D$	Kern-$\varnothing$ $d_1 = D_1$	Flan-ken-$\varnothing$ $d_2 = D_2$	Gang-zahl je inch Z	Gewinde-detiefe $h_1 = H_1$	Kern-quer-schnitt mm²
$^1/_4$"	6,35	4,72	5,54	20	0,81	17,5
$^3/_8$"	9,53	7,49	8,51	16	1,02	44,1
$^1/_2$"	12,70	9,99	11,35	12	1,36	78,4
$^3/_4$"	19,05	15,80	17,42	10	1,53	196
1"	25,40	21,34	23,37	8	2,03	358
$1^1/_4$"	31,75	27,10	29,43	7	2,32	577
$1^1/_2$"	38,10	32,68	35,39	6	2,71	839
2"	50,80	43,57	47,19	4,5	3,61	1491

Rohrgewinde

vgl. DIN ISO 228-1 (2003-05), DIN EN 10226-1 (2004-10)

Rohrgewinde DIN ISO 228-1
für nicht im Gewinde dichtende Verbindungen;
Innen- und Außengewinde zylindrisch

Rohrgewinde DIN EN 10226-1
im Gewinde dichtend;
Innengewinde zylindrisch, Außengewinde kegelig

vgl. amerikanisches kegeliges Standard-Rohrgewinde NPT: Seite 205

M

Gewindebezeichnung			Außen-durch-messer $d = D$	Flanken-durch-messer $d_2 = D_2$	Kern-durch-messer $d_1 = D_1$	Stei-gung P	Anzahl der Teilungen auf 25,4 mm Z	Profil-höhe $h = h_1 = H_1$	Nutzbare Länge des Außen-gewindes $\geq$
DIN ISO 228-1	DIN EN 10226-1								
Außen- und Innengewinde	Außen-gewinde	Innen-gewinde							
G$^1/_8$	R$^1/_8$	Rp$^1/_8$	9,728	9,147	8,566	0,907	28	0,581	6,5
G$^1/_4$	R$^1/_4$	Rp$^1/_4$	13,157	12,301	11,445	1,337	19	0,856	9,7
G$^3/_8$	R$^3/_8$	Rp$^3/_8$	16,662	15,806	14,950	1,337	19	0,856	10,1
G$^1/_2$	R$^1/_2$	Rp$^1/_2$	20,955	19,793	18,631	1,814	14	1,162	13,2
G$^3/_4$	R$^3/_4$	Rp$^3/_4$	26,442	25,279	24,117	1,814	14	1,162	14,5
G1	R1	Rp1	33,249	31,770	30,291	2,309	11	1,479	16,8

Kugelgewindetrieb

vgl. DIN ISO 3408-1 (2011-04), DIN 69051-2 (2010-10)

Positionier-Kugelgewindetrieb Typ P:
vorgespannt, ohne Spiel, Verwendung für Präzisions-Positionierung.

Transport-Kugelgewindetrieb Typ T:
nicht vorgespannt, mit Spiel, größere Toleranzen.

→ **Kugelgewindetrieb ISO 3408 32x5x800 P 3 R 4:**
$d_0 = 32$ mm, $P_{h0} = 5$ mm, Gewinde-länge $l_1 = 800$ mm, Positionier-Kugel-gewindetrieb, Toleranzklasse 3, Gewindesteigung rechts, aktive Gewindegänge = 4

Nenn-steigung P_{h0}	Nenn-$\varnothing$ d_0
2,5	6…16
5	10…63
10	12…125
20	20…200
40	20…200

Genormte Nenn-durchmesser:
6; 8; 10; 12; 16; 20; 25; 32; 40; 50; 63; 80; 100; 125; 160; 200 mm

Gewindetoleranzen

Toleranzklassen für Metrische ISO-Gewinde
vgl. DIN ISO 965-1 (1999-11)

Gewindetoleranzen sollen die Funktion und Austauschbarkeit von Innen- und Außengewinden gewährleisten. Sie hängen von den in dieser Norm festgelegten Durchmessertoleranzen sowie von der Genauigkeit der Steigung und des Flankenwinkels ab.

Die Toleranzklasse (fein, mittel und grob) ist auch vom **Oberflächenzustand** der Gewinde abhängig. Dicke galvanische Schutzschichten erfordern mehr Spiel (z.B. Toleranzklasse 6G) als blanke oder phosphatierte Oberflächen (Toleranzklasse 5H).

Gewindetoleranz	Innengewinde	Außengewinde
Gültig für	Flanken- und Kerndurchmesser	Flanken- und Außendurchmesser
Kennzeichnung durch	Großbuchstaben	Kleinbuchstaben
Toleranzklasse (Beispiel)	**5H**	**6g**
Toleranzgrad (Größe der Toleranz)	5	6
Toleranzfeld (Lage der Nulllinie)	H	g

Bezeichnungsbeispiele	Erläuterungen
M12 x 1 – 5g 6g	Außen-Feingewinde, Nenn-∅ 12 mm, Steigung 1 mm; 5g → Toleranzklasse für Flanken-∅; 6g → Toleranzklasse für Außen-∅
M12 – 6g	Außen-Regelgewinde, Nenn-∅ 12 mm; 6g → Toleranzklasse für Flanken- und Außen-∅
M24 – 6G/6e	Gewindepassung für Regelgewinde, Nenn-∅ 24 mm, 6G → Toleranzklasse des Innengewindes, 6e → Toleranzklasse des Außengewindes
M16	Gewinde ohne Toleranzangabe, es gilt die Toleranzklasse mittel 6H/6g

In DIN ISO 965-1 werden für die Toleranzklasse „mittel" (allgemeine Anwendung) und die Einschraublänge „normal" des Gewindes die Toleranzklassen 6H/6g angegeben, vgl. Tabelle unten.

Innengewinde, Toleranzfeldlage H

Außengewinde, Toleranzfeldlage g

Grenzmaße für Außen- und Innengewinde (Auswahl)
vgl. DIN ISO 965-2 (1999-11)

M

Gewinde	Innengewinde – Toleranzklasse 6H					Außengewinde – Toleranzklasse 6g					
	Außen-∅ D min.	Flanken-∅ D_2		Kern-∅ D_1		Außen-∅ d		Flanken-∅ d_2		Kern-∅[1] d_3	
		min.	max.	min.	max.	max.	min.	max.	min.	max.	min.
M3	3,0	2,675	2,775	2,459	2,599	2,980	2,874	2,655	2,580	2,367	2,273
M4	4,0	3,545	3,663	3,242	3,422	3,978	3,838	3,523	3,433	3,119	3,002
M5	5,0	4,480	4,605	4,134	4,334	4,976	4,826	4,456	4,361	3,995	3,869
M6	6,0	5,350	5,500	4,917	5,135	5,974	5,794	5,324	5,212	4,747	4,596
M8	8,0	7,188	7,348	6,647	6,912	7,972	7,760	7,160	7,042	6,438	6,272
M8 × 1	8,0	7,350	7,500	6,917	7,153	7,974	7,794	7,324	7,212	6,747	6,596
M10	10,0	9,026	9,206	8,376	8,676	9,968	9,732	8,994	8,862	8,128	7,938
M10 ×1	10,0	9,350	9,500	8,917	9,153	9,974	9,794	9,324	9,212	8,747	8,596
M12	12,0	10,863	11,063	10,106	10,441	11,966	11,701	10,829	10,679	9,819	9,602
M12 × 1,5	12,0	11,026	11,216	10,376	10,676	11,968	11,732	10,994	10,854	10,128	9,930
M16	16,0	14,701	14,913	13,385	14,210	15,962	15,682	14,663	14,503	13,508	13,271
M16 × 1,5	16,0	15,026	15,216	14,376	14,676	15,968	15,732	14,994	14,854	14,128	13,930
M20	20,0	18,376	18,600	17,294	17,744	19,958	19,623	18,334	18,164	16,891	16,625
M20 × 1,5	20,0	19,026	19,216	18,376	18,676	19,968	19,732	18,994	18,854	18,128	18,930
M24	24,0	22,051	22,316	20,752	21,252	23,952	23,577	22,003	21,803	20,271	19,955
M24 × 2	24,0	22,701	22,925	21,835	22,210	23,962	23,682	22,663	22,493	21,508	21,261
M30	30,0	27,727	28,007	26,211	26,771	29,947	29,522	27,674	27,462	25,653	25,306
M30 × 2	30,0	28,701	28,925	27,835	28,210	29,962	29,682	28,663	28,493	27,508	27,261
M36	36,0	33,402	33,702	31,670	32,270	35,940	35,465	33,342	33,118	31,033	30,655
M36 × 3	36,0	34,051	34,316	32,752	33,252	35,952	35,577	34,003	33,803	32,271	31,955

[1] vgl. DIN 13-20 (2000-08) und DIN 13-21 (2005-08)

Schrauben – Übersicht

Bild	Ausführung	Normbereich von … bis	Norm	Verwendung, Eigenschaften
Sechskantschrauben				Seite 213…215
	mit Schaft und Regelgewinde	M1,6 … M64	DIN EN ISO 4014	am häufigsten verwendete Schrauben im Maschinen-, Geräte- und Fahrzeugbau;
	mit Regelgewinde bis zum Kopf	M1,6 … M64	DIN EN ISO 4017	**bei Gewinde bis zum Kopf:** höhere Dauerfestigkeit
	mit Schaft und Feingewinde	M8x1 … M64x4	DIN EN ISO 8765	**im Vergleich zu Regelgewinde:** kleinere Gewindetiefe, kleinere Steigung, höher belastbar, größere Mindesteinschraubtiefen l_e
	mit Feingewinde bis zum Kopf	M8x1 … M64x4	DIN EN ISO 8676	
	mit Dünnschaft	M3 … M20	DIN EN ISO 24015	Dehnschrauben; für dynamische Belastungen, bei fachgerechter Montage keine Sicherung erforderlich
	Passschraube	M8 … M48	DIN 609	Lagefixierung von Bauteilen gegen Verschiebung, Passschaft überträgt Querkräfte
Sechskantschrauben für den Metallbau				Seite 215
	mit großer Schlüsselweite	M12 … M36	DIN EN 14399-4	hochfeste planmäßig vorgespannte Verbindungen (HV), mit Muttern nach DIN EN 14399-4 (Seite 232)
	Passschraube mit großer Schlüsselweite	M12 … M30	DIN 7999	gleitfeste Verbindungen (GVP), Scher-/Lochleibungs-Verbindungen (SLP)
Zylinderschrauben				Seite 216, 217
	mit Innensechskant, Regelgewinde	M1,6 … M36	DIN EN ISO 4762	Maschinen-, Geräte- und Fahrzeugbau; kleiner Raumbedarf, Kopf versenkbar
	mit Innensechskant und niedrigem Kopf	M6 … M16	DIN 7984	**bei niedrigem Kopf:** kleinere Bauhöhe, geringere Belastbarkeit
	mit Innenvielzahn, Regel-, Feingewinde	M6 … M16	DIN 34821	**Innenvielzahn:** gute Drehmomentübertragung, kleiner Montageraum
	mit Schlitz, Regelgewinde	M1,6 … M10	DIN EN ISO 1207	**Schrauben mit Schlitz:** Kleinschrauben, geringe Belastbarkeit
Senkschrauben				Seite 217, 218
	mit Schlitz	M1,6 … M10	DIN EN ISO 2009	vielseitige Anwendung im Maschinen-, Geräte- und Fahrzeugbau;
	mit Innensechskant	M3 … M20	DIN EN ISO 10642	**bei Schrauben mit Innensechskant:** höhere Belastbarkeit
	mit Linsensenkkopf und Schlitz	M1,6 … M10	DIN EN ISO 2010	**bei Schrauben mit Kreuzschlitz:** sichereres Anziehen und Lösen gegenüber Schrauben mit Schlitz
	mit Linsensenkkopf und Kreuzschlitz	M1,6 … M10	DIN EN ISO 7047	
Blechschrauben mit Blechschraubengewinde				Seite 218, 219
	Linsenkopfschraube	ST2,2 … ST9,5	DIN EN ISO 7049	Karosserie- und Blechbau. Die zu verbindenden Bleche weisen Kernlöcher auf. Das Gewinde wird durch die Schraube geformt. Nur bei dünnen Blechen ist eine Sicherung notwendig.
	Senkschraube	ST2,2 … ST9,5	DIN EN ISO 7050	
	Linsensenkschraube	ST2,2 … ST9,9	DIN EN ISO 7051	

M

Schrauben – Übersicht, Bezeichnung von Schrauben

Bild	Ausführung	Normbereich von … bis	Norm	Verwendung, Eigenschaften
Bohrschrauben mit Blechschraubengewinde				
	Flachkopf mit Kreuzschlitz	ST2,2 … ST6,3	DIN EN ISO 15481	Karosserie- und Blechbau; Bohrschrauben bohren beim Ein- schrauben das Kernloch und formen das Gewinde aus.
	Linsensenkkopf mit Kreuzschlitz	ST2,2 … ST6,3	DIN EN ISO 15483	
Stiftschrauben				Seite 220
	$l_e \approx 2 \cdot d$	M4 … M24	DIN 835	für Aluminiumlegierungen
	$l_e \approx 1,25 \cdot d$	M4 … M48	DIN 939	für Gusseisenwerkstoffe
	$l_e \approx 1 \cdot d$	M3 … M48	DIN 938	für Stahl
Gewindestifte				Seite 221
	mit Zapfen und Schlitz	M1,6 … M12	DIN EN 27435	auf Druck beanspruchbare Schrauben zur Lagesicherung von Bauteilen, z.B. Hebeln, Lager- buchsen, Naben; Gewindestifte sind zur Leistungs- übertragung von Torsionsmomenten, z.B. als Verbindung von Welle und Nabe, nicht geeignet.
	mit Zapfen und Innensechskant	M1,6 … M24	DIN EN ISO 4028	
	mit Spitze und Schlitz	M1,6 … M12	DIN EN 27434	
	mit Spitze und Innensechskant	M1,6 … M24	DIN EN ISO 4027	
	mit Kegelstumpf und Schlitz	M1,6 … M12	DIN EN ISO 4766	
	mit Kegelstumpf und Innensechskant	M1,6 … M24	DIN EN ISO 4026	
Verschlussschrauben				Seite 220
	mit Bund und Innen- oder Außensechskant	M10x1 … M52x1,5	DIN 908 DIN 910	Getriebebau; Füll-, Überlauf- und Ent- leerschrauben für Getriebeöl; spanen- de Bearbeitung des Dichtflansches am Gehäuse erforderlich, Verwen- dung mit Dichtringen DIN 7603
Gewindefurchende Schrauben				Seite 219
	verschiedene Kopf- formen, z.B. Sechs- kant, Zylinderkopf	M2 … M10	DIN 7500-1	bei geringer Beanspruchung in spanlos formbaren Werkstoffen, z.B. S235, DC01… DC04, NE-Metal- len; Verwendung ohne Schrauben- sicherung
Ringschrauben				Seite 220
	mit Regelgewinde	M8 … M100x6	DIN 580	Transportösen an Maschinen und Geräten; Belastung hängt vom Last- zugwinkel ab, spanende Bearbeitung der Auflagefläche des Flansches erforderlich

M

Bezeichnung von Schrauben

vgl. DIN 962 (2013-04)

Beispiele:
Sechskantschraube ISO 4017 – M12 x 80 – A2-70
Verschlussschraube DIN 910 – M24 x 1,5 – St
Zylinderschraube ISO 4762 – M10 x 55 – 8.8

Bezeichnung	Bezugsnorm, z.B. ISO, DIN, EN; Nummer des Normblattes[1]	Nenndaten, z.B. M → metrisches Gewinde 12 → Nenndurchmesser d 80 → Schaftlänge l	Festigkeitsklasse, z.B. 8.8, 10.9, A2-70, A4-70 Werkstoff, z.B. St Stahl, CuZn Kupfer-Zink-Legierung

[1] Schrauben, die nach DIN EN genormt sind, erhalten in der Bezeichnung das Kurzzeichen **ISO** (Seite 213) mit der ISO-Nummer (= DIN EN-Nummer – 20000) **oder** das Kurzzeichen **EN** (Seite 215) mit der EN-Nummer.

Festigkeitsklassen, Produktklassen, Durchgangslöcher, Mindesteinschraubtiefen

Festigkeitsklassen von Schrauben   vgl. DIN EN ISO 898-1 (2013-05), DIN EN ISO 3506-1 (2010-03)

Beispiele: unlegierte und legierte Stähle DIN EN ISO 898-1

9 · 8

Zugfestigkeit R_m	Streckgrenze R_e
$R_m = \mathbf{9} \cdot 100$ N/mm² = 900 N/mm²	$R_e = \mathbf{9 \cdot 8} \cdot 10$ N/mm² = 720 N/mm²

nichtrostende Stähle DIN EN ISO 3506-1

A 2 – 70

Zugfestigkeit R_m
$R_m = \mathbf{70} \cdot 10$ N/mm²   = 700 N/mm²

Stahlsorte	Hinweis
A → austenitischer Stahl A2 → rostbeständige Schrauben A4 → rost- und säurebeständige Schrauben	entsprechende Merkblätter beachten

Festigkeitsklassen und Werkstoffkennwerte

Werkstoffkennwerte	Festigkeitsklassen für Schrauben aus								
	unlegierten und legierten Stählen						nichtrostenden Stählen[1]		
	5.8	6.8	8.8	9.8	10.9	12.9	A2-50	A4-50	A2-70
Zugfestigkeit R_m in N/mm²	500	600	800	900	1000	1200	500	500	700
Streckgrenze R_e in N/mm²	400	480	640	720	900	1080	210	210	450
Bruchdehnung A in %	–	–	12	10	9	8	20	20	13

[1] Die Werkstoffkennwerte gelten für Gewinde ≤ M20.

Produktklassen für Schrauben und Muttern   vgl. DIN EN ISO 4759-1 (2001-04)

Produkt-klasse	Tole-ranzen	Erläuterung, Verwendung
A	fein	Die Maß-, Form- und Lagetoleranzen für Schrauben und Muttern mit ISO-Gewinden sind in den Toleranzklassen A, B, C festgelegt.
B	mittel	
C	groß	

Durchgangslöcher für Schrauben   vgl. DIN EN 20273 (1992-02)

Ge-winde d	Durchgangsloch d_h[1] Reihe			Ge-winde d	Durchgangsloch d_h[1] Reihe			Ge-winde d	Durchgangsloch d_h[1] Reihe		
	fein	mittel	grob		fein	mittel	grob		fein	mittel	grob
M1	1,1	1,2	1,3	M5	5,3	5,5	5,8	M24	25	26	28
M1,2	1,3	1,4	1,5	M6	6,4	6,6	7	M30	31	33	35
M1,6	1,7	1,8	2	M8	8,4	9	10	M36	37	39	42
M2	2,2	2,4	2,6	M10	10,5	11	12	M42	43	45	48
M2,5	2,7	2,9	3,1	M12	13	13,5	14,5	M48	50	52	56
M3	3,2	3,4	3,6	M16	17	17,5	18,5	M56	58	62	66
M4	4,3	4,5	4,8	M20	21	22	24	M64	66	70	74

[1] Toleranzklassen für d_h; Reihe fein: H12, Reihe mittel: H13, Reihe grob: H14

Mindesteinschraubtiefen in Grundlochgewinde

Anwendungsbereich		Mindesteinschraubtiefen l_e[1] für Regelgewinde und Festigkeitsklasse			
		3.6, 4.6	4.8 … 6.8	8.8	10.9
Bau-stahl	$R_m \leq 400$ N/mm²	$0,8 \cdot d$	$1,2 \cdot d$	–	–
	$R_m = 400 \ldots 600$ N/mm²	$0,8 \cdot d$	$1,2 \cdot d$	$1,2 \cdot d$	–
	$R_m > 600 \ldots 800$ N/mm²	$0,8 \cdot d$	$1,2 \cdot d$	$1,2 \cdot d$	$1,2 \cdot d$
	$R_m > 800$ N/mm²	$0,8 \cdot d$	$1,2 \cdot d$	$1,0 \cdot d$	$1,0 \cdot d$
Gusseisenwerkstoffe		$1,3 \cdot d$	$1,5 \cdot d$	$1,5 \cdot d$	–
Kupferlegierungen		$1,3 \cdot d$	$1,3 \cdot d$	–	–
Aluminium-Gusslegierungen		$1,6 \cdot d$	$2,2 \cdot d$	–	–
Al-Legierungen, ausgehärtet		$0,8 \cdot d$	$1,2 \cdot d$	$1,6 \cdot d$	–
Al-Legierungen, nicht ausgehärtet		$1,2 \cdot d$	$1,6 \cdot d$	–	–
Kunststoffe		$2,5 \cdot d$	–	–	–

$x \approx 3 \cdot P$ (Gewindesteigung)
 e_1 nach DIN 76: Seite 88

[1] Einschraubtiefe für Feingewinde $l_e = 1,25 \cdot$ Einschraubtiefe für Regelgewinde

M

Sechskantschrauben

Sechskantschrauben mit Schaft und Regelgewinde   vgl. DIN EN ISO 4014 (2011-06)

Gültige Norm DIN EN ISO	Ersatz für DIN EN	DIN
4014	24014	931

Gewinde d		M1,6	M2	M2,5	M3	M4	M5	M6	M8	M10
SW		3,2	4	5	5,5	7	8	10	13	16
k		1,1	1,4	1,7	2	2,8	3,5	4	5,3	6,4
d_w		2,3	3,1	4,1	4,6	5,9	6,9	8,9	11,6	14,6
e		3,4	4,3	5,5	6	7,7	8,8	11,1	14,4	17,8
b		9	10	11	12	14	16	18	22	26
l	von	12	16	16	20	25	25	30	40	45
	bis	16	20	25	30	40	50	60	80	100
Festigkeits-klassen		5.6, 8.8, 9.8, 10.9, A2-70, A4-70								

Gewinde d		M12	M16	M20	M24	M30	M36	M42	M48	M56
SW		18	24	30	36	46	55	65	75	85
k		7,5	10	12,5	15	18,7	22,5	26	30	35
d_w		16,6	22	27,7	33,3	42,8	51,1	60	69,5	78,7
e		20	26,2	33	39,6	50,9	60,8	71,3	82,6	93,6
b [1]		30	38	46	54	66	–	–	–	–
b [2]		–	44	52	60	72	84	96	108	–
b [3]		–	–	–	73	85	97	109	121	137
l	von	50	65	80	90	110	140	160	180	220
	bis	120	160	200	240	300	360	440	500	500

[1] für l < 125 mm
[2] für l = 125 … 200 mm
[3] für l > 200 mm

Produktklassen (Seite 212)		
Gewinde d	l in mm	Klasse
≤ M12	alle	A
M16 … M24	l ≤ 150	A
	l ≥ 160	B
≥ M30	alle	B

Festigkeits-klassen	5.6, 8.8, 9.8, 10.9		nach Vereinbarung
	A2-70, A4-70	A2-50, A4-50	

Nenn-längen l	12, 16, 20, 25, 30, 35 … 60, 65, 70, 90 …140, 150, 160, 180, 200 … 460, 480, 500 mm

⇒   **Sechskantschraube ISO 4014 – M10 x 60 – 8.8:**
d = M10, l = 60 mm, Festigkeitsklasse 8.8

Sechskantschrauben mit Regelgewinde bis zum Kopf   vgl. DIN EN ISO 4017 (2011-06)

Gültige Norm DIN EN ISO	Ersatz für DIN EN	DIN
4017	24017	933

Gewinde d		M1,6	M2	M2,5	M3	M4	M5	M6	M8	M10
SW		3,2	4	5	5,5	7	8	10	13	16
k		1,1	1,4	1,7	2	2,8	3,5	4	5,3	6,4
d_w		2,3	3,1	4,1	4,6	5,9	6,9	8,9	11,6	14,6
e		3,4	4,3	5,5	6	7,7	8,8	11,1	14,4	17,8
l	von	2	4	5	6	8	10	12	16	20
	bis	16	20	25	30	40	50	60	80	100
Festigkeits-klassen		5.6, 8.8, 9.8, 10.9, A2-70, A4-70								

Gewinde d		M12	M16	M20	M24	M30	M36	M42	M48	M56
SW		18	24	30	36	46	55	65	75	85
k		7,5	10	12,5	15	18,7	22,5	26	30	35
d_w		16,6	22	27,7	33,3	42,8	51,1	60	69,5	78,7
e		20	26,2	33,5	40	50,9	60,8	71,3	82,6	93,6
l	von	25	30	40	50	60	70	80	100	110
	bis	120	200	200	200	200	200	200	200	200

Produktklassen (Seite 212)		
Gewinde d	l in mm	Klasse
≤ M12	alle	A
M16 … M24	l ≤ 150	A
	l ≥ 160	B
≥ M30	alle	B

Festigkeits-klassen	5.6, 8.8, 9.8, 10.9		nach Vereinbarung
	A2-70, A4-70	A2-50, A4-50	

Nenn-längen l	2, 3, 4, 5, 6, 8, 10, 12, 16, 20, 25, 30, 35 … 60, 65, 70, 80, 90 …140, 150, 160, 180, 200 mm

⇒   **Sechskantschraube ISO 4017 – M8 x 40 – A4-50:**
d = M8, l = 40 mm, Festigkeitsklasse A4-50

M

Sechskantschrauben

Sechskantschrauben mit Schaft und Feingewinde — vgl. DIN EN ISO 8765 (2011-06)

Gültige Norm DIN EN ISO	Ersatz für DIN EN	DIN	Gewinde d	M8 x1	M10 x1	M12 x1,5	M16 x1,5	M20 x1,5	M24 x2	M30 x2	M36 x3	M42 x3	M48 x3	M56 x4
8765	28765	960	SW	13	16	18	24	30	36	46	55	65	75	85
			k	5,3	6,4	7,5	10	12,5	15	18,7	22,5	26	30	35
			d_w	11,6	14,6	16,6	22,5	28,2	33,6	42,8	51,1	60	69,5	78,7
			e	14,4	17,8	20	26,8	33,5	39,6	50,9	60,8	71,3	82,6	93,6
			$b^{1)}$	22	26	30	38	46	54	66	–	–	–	–
			$b^{2)}$	–	–	–	44	52	60	72	84	96	108	–
			$b^{3)}$	–	–	–	–	–	73	85	97	109	121	137
			l von	40	45	50	65	80	100	120	140	160	200	220
			l bis	80	100	120	160	200	240	300	360	440	480	500

Produktklassen (Seite 212)			Nennlängen l	40, 45, 50, 55, 60, 65, 70, 80, 90 … 140, 150, 160, 180, 200, 220 … 460, 480, 500 mm										
Gewinde d	l in mm	Klasse	Festigkeits-klassen	d ≤ M24x2: 5.6, 8.8, 10.9, A2-70, A4-70					d ≥ M42x3: nach Vereinbarung					
≤ M12x1,5	alle	A		d = M30x2 … M36x3: 5.6, 8.8, 10.9, A2-50, A4-50										
M16x1,5 …	≤ 150	A	Erläuterungen	1) für l < 125 mm 2) für l = 125 … 200 mm 3) für l > 200 mm										
M24x2	> 150	B	⇒	**Sechskantschraube ISO 8765 – M20 x 1,5 x 120 – 5.6:**										
≥ M30x2	alle	B		d = M20 x 1,5, l = 120 mm, Festigkeitsklasse 5.6										

Sechskantschrauben mit Feingewinde bis zum Kopf — vgl. DIN EN ISO 8676 (2011-06)

Gültige Norm DIN EN ISO	Ersatz für DIN EN	DIN	Gewinde d	M8 x1	M10 x1	M12 x1,5	M16 x1,5	M20 x1,5	M24 x2	M30 x2	M36 x3	M42 x3	M48 x3	M56 x4
8676	28676	961	SW	13	16	18	24	30	36	46	55	65	75	85
			k	5,3	6,4	7,5	10	12,5	15	18,7	22,5	26	30	35
			d_w	11,6	14,6	16,6	22,5	28,2	33,6	42,8	51,1	60	69,5	78,7
			e	14,4	17,8	20	26,8	33,5	39,6	50,9	60,8	71,3	82,6	93,6
			l von	16	20	25	35	40	40	40	40	90	100	120
			l bis	80	100	120	160	200	200	200	200	420	480	500

			Nennlängen l	16, 20, 25, 30, 35 … 60, 65, 70, 80, 90 …140, 150, 160, 180, 200, 220 … 460, 480, 500 mm										
			Festigkeits-klassen	d ≤ M24x2: 5.6, 8.8, 10.9, A2-70, A4-70					d ≥ M42x3: nach Vereinbarung					
				d = M30x2 … M36x3: 5.6, 8.8, 10.9, A2-50, A4-50										
Produktklassen nach DIN EN ISO 8765		⇒		**Sechskantschraube ISO 8676 – M8 x 1 x 55 – 8.8:**										
				d = M8 x 1, l = 55 mm, Festigkeitsklasse 8.8										

Sechskantschrauben mit Dünnschaft — vgl. DIN EN 24015 (1991-12)

Gewinde d	M3	M4	M5	M6	M8	M10	M12	M16	M20
SW	5,5	7	8	10	13	16	18	24	30
k	2	2,8	3,5	4	5,3	6,4	7,5	10	12,5
d_w	4,4	5,7	6,7	8,7	11,4	14,4	16,4	22	27,7
d_s	2,6	3,5	4,4	5,3	7,1	8,9	10,7	14,5	18,2
e	6	7,5	8,7	10,9	14,2	17,6	19,9	26,2	33
$b^{1)}$	12	14	16	18	22	26	30	38	46
$b^{2)}$	–	–	–	–	28	32	36	44	52
l von	20	20	25	25	30	40	45	55	65
l bis	30	40	50	60	80	100	120	150	150

Nennlängen l	20, 25, 30 … 65, 70, 75, 80, 90, 100 …130, 140, 150 mm							
Festigkeitskl.	5.8, 6.8, 8.8, A2-70							

Produktklassen (Seite 212)			Erläuterungen	1) für l ≤ 120 mm 2) für l > 125 mm
Gewinde d	l in mm	Klasse	⇒	**Sechskantschraube ISO 4015 – M8 x 45 – 8.8:**
≤ M20	alle	B		d = M8, l = 45 mm, Festigkeitsklasse 8.8

M

Sechskantschrauben

Sechskant-Passschrauben mit langem Gewindezapfen · vgl. DIN 609 (1995-02)

Gewinde d	M8 M8 x1	M10 M10 x1	M12 M12 x1,5	M16 M16 x1,5	M20 M20 x1,5	M24 M24 x2	M30 M30 x2	M36 M36 x3	M42 M42 x3	M48 M48 x3
SW k	13 5,3	16 6,4	18 7,5	24 10	30 12,5	36 15	46 19	55 22	65 26	75 30
d_s k6 e	9 14,4	11 17,8	13 19,9	17 26,2	21 33	25 39,6	32 50,9	38 60,8	44 71,3	50 82,6
$b^{1)}$ $b^{2)}$ $b^{3)}$	14,5 16,5 –	17,5 19,5 –	20,5 22,5 –	25 27 32	28,5 30,5 35,5	– 36,5 41,5	– 43 48	– 49 54	– 56 61	– 63 68
l von bis	25 80	30 100	32 120	38 150	45 150	55 150	65 200	70 200	80 200	85 200

Nennlängen l	25, 28, 30, 32, 35, 38, 40, 42, 45, 48, 50, 55, 60…150, 160…200 mm

Festigkeits- klassen	8.8		nach Ver- einbarung
	A2-70	A2-50	

Produktklassen (Seite 212)

d in mm	l in mm	Klasse
≤ 10	alle	A
≥ 12	alle	B

Erläuterungen	$^{1)}$ für l ≤ 50 mm	$^{2)}$ für l = 50 …150 mm	$^{3)}$ für l > 150 mm

⇒ **Passschraube DIN 609 – M16 x 1,5 x 125 – A2-70:**
d = M16 x 1,5, l = 125 mm, Festigkeitsklasse A2-70

Sechskantschrauben mit großen Schlüsselweiten für hochfeste planmäßig vorgespannte Verbindungen (HV) · vgl. DIN EN 14399-4 (2006-06), Ersatz für DIN 6914

Gewinde d	M12	M16	M20	M22	M24	M27	M30	M36
SW k d_w	22 8 20,1	27 10 24,9	32 13 29,5	36 14 33,3	41 15 38	46 17 42,8	50 19 46,6	60 23 55,9
e b_{min}	23,9 23	29,6 28	35 33	39,6 34	45,2 39	50,9 41	55,4 44	66,4 52
l von bis	35 95	40 130	45 155	50 165	60 195	70 200	75 200	85 200

Nennlängen l	35, 40, 45, 50, 55, 60, 65, 70 …175, 180, 185, 190, 195, 200 mm

Festigkeitskl., Oberfläche	10.9
	normal → mit leichtem Ölfilm, feuerverzinkt → Kurzzeichen: tZn

Produktklasse C (Seite 212)

⇒ **Sechskantschraube EN 14399-4 – M12 x 65 – 10.9 – HV – tZn:**
d = M12, l = 65 mm, Festigkeitsklasse 10.9, für hochfeste Verbindung, mit feuerverzinkter Oberfläche

M

Sechskant-Passschrauben mit großen Schlüsselweiten für hochfeste planmäßig vorgespannte Verbindungen (HV) · vgl. DIN EN 14399-8 (2008-03), Ersatz für DIN 7999

Gewinde d	M12	M16	M20	M22	M24	M27	M30	M36
SW k d_w	22 8 20	27 10 25	32 13 29,5	36 14 33,3	41 15 38	46 17 42,8	50 19 46,6	60 23 56
d_s b11 e b	13 23,9 23	17 29,6 28	21 35 33	23 39,6 34	25 45,2 39	28 50,9 41	31 55,4 44	37 66,4 52
l von bis	50 95	65 125	75 155	80 155	90 185	95 200	105 200	125 200

Festigkeitskl.	10.9

Produktklasse C (Seite 212)

⇒ **Sechskant-Passschraube EN 14399-8 – M24 x 120 – 10.9 – HVP:**
d = M24, l = 120 mm, Festigkeitsklasse 10.9, HV-Passschraube

Zylinderschrauben mit Innensechskant

Zylinderschrauben mit Innensechskant und Regelgewinde vgl. DIN EN ISO 4762 (2004-06)

Gültige Norm DIN EN ISO	Ersatz für DIN	Gewinde d	M1,6	M2	M2,5	M3	M4	M5	M6	M8	M10
4762	912	SW	1,5	1,5	2	2,5	3	4	5	6	8
		k	1,6	2	2,5	3	4	5	6	8	10
		d_k	3	3,8	4,5	5,5	7	8,5	10	13	16
		b für l	– –	16 20	17 25	18 ≥ 25	20 ≥ 30	22 ≥ 30	24 ≥ 35	28 ≥ 40	32 ≥ 45
		l_1 für l	1,1 ≤ 16	1,2 ≤ 16	1,4 ≤ 20	1,5 ≤ 20	2,1 ≤ 25	2,4 ≤ 25	3 ≤ 30	3,8 ≤ 35	4,5 ≤ 40
		l von bis	2,5 16	3 20	4 25	5 30	6 40	8 50	10 60	12 80	16 100

Festigkeitsklassen	nach Vereinbarung		8.8, 10.9, 12.9					
		nichtrostende Stähle A2-70, A4-70						

Gewinde d	M12	M16	M20	M24	M30	M36	M42	M48	M56
SW	10	14	17	19	22	27	32	36	41
k	12	16	20	24	30	36	42	48	56
d_k	18	24	30	36	45	54	63	72	84
b für l	36 ≥ 55	44 ≥ 65	52 ≥ 80	60 ≥ 90	72 ≥ 110	84 ≥ 120	96 ≥ 140	108 ≥ 160	124 ≥ 180
l_1 für l	5,3 ≤ 50	6 ≤ 60	7,5 ≤ 70	9 ≤ 80	10,5 ≤ 100	12 ≤ 110	13,5 ≤ 130	15 ≤ 150	16,5 ≤ 160
l von bis	20 120	25 160	30 200	40 200	45 200	45 200	60 300	70 300	80 300

Festigkeitsklassen	8.8, 10.9, 12.9					nach Vereinbarung
	A2-70, A4-70			A2-50, A4-50		

Produktklassen (Seite 212)		Nennlängen l	2,5; 3, 4, 5, 6, 8, 10, 12, 16, 20, 25, 30 … 65, 70, 80 …150, 160, 180, 200, 220, 240, 260, 280, 300 mm
Gewinde d	Klasse	⇒	**Zylinderschraube ISO 4762 – M10 x 55 – 10.9:**
M1,6 … M56	A		d = M10, l = 55 mm, Festigkeitsklasse 10.9

Zylinderschrauben mit Innensechskant, niedriger Kopf vgl. DIN 7984 (2009-06)
Zylinderschrauben mit Innensechskant, niedriger Kopf u. Schlüsselführung vgl. DIN 6912 (2009-06)

M

	Gewinde d	M3	M4	M5	M6	M8	M10	M12	M16	M20	M24
	SW	2	2,5	3	4	5	7	8	12	14	17
	k	2	2,8	3,5	4	5	6	7	9	11	13
	d_k	5,5	7	8,5	10	13	16	18	24	30	36
DIN 7984	b für l	12 ≥ 20	14 ≥ 25	16 ≥ 30	18 ≥ 30	22 ≥ 35	26 ≥ 40	30 ≥ 50	38 ≥ 60	46 ≥ 70	54 ≥ 90
	l_1 für l	1,5 ≤ 16	2,1 ≤ 20	2,4 ≤ 25	3 ≤ 25	3,8 ≤ 30	4,5 ≤ 35	5,3 ≤ 45	6 ≤ 50	7,5 ≤ 60	9 ≤ 80
	l von bis	5 20	6 25	8 30	10 40	12 80	16 100	20 80	30 80	30 100	40 100
DIN 6912	$b^{1)}$ $b^{2)}$	– –	14 –	16 –	18 –	22 –	26 –	30 –	38 40	46 52	50 60
	l von bis	– –	10 50	10 60	10 70	12 80	16 90	16 100	20 140	30 180	60 200

Festigkeitsklassen	08.8 → ca. 25% geringere Belastbarkeit als bei Festigkeitskl. 8.8 A2 → ca. 25% geringere Belastbarkeit als bei Festigkeitskl. A2-70
Nennlängen l	5, 6, 8, 10, 12, 16, 20, 25, 30, 35, 40, 45, 50, 60, 70, 80, 90, 100, 120, 140, 160, 180, 200 mm

Produktklassen (Seite 212)		Erläuterung	1) b für l ≤ 125 mm, 2) b für 125 < l ≤ 200 mm
Gewinde d	Klasse	⇒	**Zylinderschraube DIN 7984 – M12 x 50 – 08.8:** d = M12, l = 50 mm,
M3 … M24	A		Festigkeitsklasse 08.8 (08 → geringere Belastbarkeit)

DIN 6912 – Schlüsselführung

Zylinderschrauben, Senkschrauben

Zylinderschrauben mit Innenvielzahn — vgl. DIN 34821 (2005-11)

Innenvielzahn

Produktklasse A (Seite 212)

Gewinde d	M6 –	M8 –	M10 –	M12 M12x1,25	M14 M14x1,5	M16 M16x1,5
NG-IVZ[1]	N8	N10	N12	N14	N16	N18
k	6	8	10	12	14	16
d_k	10	13	16	18	21	24
a_{max} für l	2,0 ≤ 16	2,5 ≤ 20	3,0 ≤ 25	3,5 ≤ 25	4,0 ≤ 30	4,0 ≤ 30
a_{max} für l	3,0 > 16	3,8 > 20	4,5 > 25	5,3 > 25	6,0 > 30	6,0 > 30
l von bis	12 70	16 80	20 90	20 90	20 100	20 100
Festigkeits-klasse	8.8, 10.9, A2-70					
Nenn-längen l	12, 16, 20, 25, 30, 35, 40, 45, 50, 55, 60, 65, 70, 80, 90, 100 mm					
Erläuterung	[1] NG-IVZ Nenngröße für Innenvielzahn (Werkzeug-Nenngröße)					
⇒	**Zylinderschraube DIN 34821 – M10 x 35 – 8.8:** d = M10, l = 35 mm, Festigkeitsklasse 8.8					

Zylinderschrauben mit Schlitz — vgl. DIN EN ISO 1207 (2011-10)

Produktklasse A (Seite 212)

Gewinde d	M1,6	M2	M2,5	M3	M4	M5	M6	M8	M10
d_k	3	3,8	4,5	5,5	7	8,5	10	13	16
k	1,1	1,4	1,8	2	2,6	3,3	3,9	5	6
n	0,4	0,5	0,6	0,8	1,2	1,2	1,6	2	2,5
t	0,5	0,6	0,7	0,9	1,1	1,3	1,6	2	2,4
l von bis	2 16	3 20	3 25	4 30	5 40	6 50	8 60	10 80	12 80
b	für l < 45 mm → Gewinde annähernd bis zum Kopf für l ≥ 45 mm → b = 38 mm								
Nennlängen l	2, 3, 4, 5, 6, 8, 10, 12, 16, 20, 25 … 45, 50, 60, 70, 80 mm								
Festigkeitskl.	4.8, 5.8, A2-50, A2-70								
⇒	**Zylinderschraube ISO 1207 – M6 x 25 – 5.8:** d = M6, l = 25 mm, Festigkeitsklasse 5.8								

M

Senkschrauben mit Innensechskant — vgl. DIN EN ISO 10642 (2013-04), Ersatz für DIN 7991

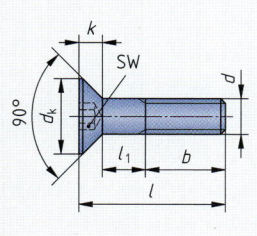

Produktklasse A (Seite 212)

Gewinde d	M3	M4	M5	M6	M8	M10	M12	M16	M20
SW	2	2,5	3	4	5	6	8	10	12
d_k	5,5	7,5	9,4	11,3	15,2	19,2	23,1	29	36
k	1,9	2,5	3,1	3,7	5	6,2	7,4	8,8	10,2
b für l	18 ≥ 30	20 ≥ 30	22 ≥ 35	24 ≥ 40	28 ≥ 50	32 ≥ 55	36 ≥ 65	44 ≥ 80	52 100
l_1 für l	1,5 ≤ 25	2,1 ≤ 25	2,4 ≤ 30	3 ≤ 35	3,8 ≤ 45	4,5 ≤ 50	5,3 ≤ 60	6 ≤ 70	7,5 ≤ 90
l von bis	8 30	8 40	8 50	8 60	10 80	12 100	20 100	30 100	35 100
Festigkeitskl.	8.8, 10.9, 12.9								
Nennlängen l	8, 10, 12, 16, 20, 25, 30, 35, 40, 45, 50, 55, 60, 65, 70, 80, 90, 100 mm								
⇒	**Senkschraube ISO 10642 – M5 x 30 – 8.8:** d = M5, l = 30 mm, Festigkeitsklasse 8.8								

Senkschrauben, Linsensenkschrauben, Blechschrauben

Senkschrauben mit Schlitz
Linsensenkschrauben mit Schlitz

vgl. DIN EN ISO 2009 (2011-11)
vgl. DIN EN ISO 2010 (2011-11)

DIN EN ISO 2009

DIN EN ISO 2010

Produktklasse A (Seite 212)

d		M1,6	M2	M2,5	M3	M4	M5	M6	M8	M10
d_k k n		3,0 1,0 0,4	3,8 1,2 0,5	4,7 1,5 0,6	5,5 1,7 0,8	8,4 2,7 1,2	9,3 2,7 1,2	11,3 3,3 1,6	15,8 4,7 2,0	18,3 5,0 2,5
t f t_1		0,5 0,4 0,8	0,6 0,5 1,0	0,8 0,6 1,2	0,9 0,7 1,5	1,3 1,0 1,9	1,4 1,2 2,4	1,6 1,4 2,8	2,3 2,0 3,7	2,6 2,3 4,4
l	von bis	2,5 16	3 20	4 25	5 30	6 40	8 50	8 60	10 80	12 80
b		für l < 45 mm → Gewinde annähernd bis zum Kopf, für l ≥ 45 mm → b = 38 mm								
Festigkeitskl.					4.8, 5.8, A2-50, A2-70					
Nennlängen l		2.5, 3, 4, 6, 8, 10, 12, 16, 20, 25, 30, 35, 40, 45, 50, 60, 70, 80 mm								

⇒ **Senkschraube ISO 2009 – M5 x 30 – 5.8:**
d = M5, l = 30 mm, Festigkeitsklasse 5.8

Senkschrauben mit Kreuzschlitz
Linsensenkschrauben mit Kreuzschlitz

vgl. DIN EN ISO 7046-1 (2011-11)
vgl. DIN EN ISO 7047 (2011-11)

DIN EN ISO 7046-1

DIN EN ISO 7047

Produktklasse A (Seite 212)

d		M1,6	M2	M2,5	M3	M4	M5	M6	M8	M10
d_k k f		3,0 1,0 0,4	3,8 1,2 0,5	4,7 1,5 0,6	5,5 1,7 0,7	8,4 2,7 1,0	9,3 2,7 1,2	11,3 3,3 1,4	15,8 4,7 2,0	18,3 5,0 2,3
$K^{1)}$		0	0	1	1	2	2	3	4	4
l	von bis	3 16	3 20	3 25	4 30	5 40	6 50	8 60	10 60	12 60
b		für l < 40 mm → Gewinde bis Kopf, für l ≥ 45 mm → b = 38 mm								
Festigkeitskl.					4.8, A2-50, A2-70					
Nennlängen l		3, 4, 5, 6, 8, 10, 12, 16, 20, 25, 30, 35, 40, 45, 50, 60 mm								
Erläuterung		1) K Kreuzschlitzgröße, Formen H und Z (siehe Seite 219)								

⇒ **Linsensenkschraube ISO 7047 – M6 x 40 – A2-50 – Z:**
d = M6, l = 40 mm, Festigkeitsklasse A2-50 (nichtrostender Stahl),
Kreuzschlitz Form Z

Senk-Blechschrauben mit Kreuzschlitz
Linsensenk-Blechschrauben mit Kreuzschlitz

vgl. DIN EN ISO 7050 (2011-11)
vgl. DIN EN ISO 7051 (2011-11)

DIN EN ISO 7050
Form F

DIN EN ISO 7051
Form C

Produktklasse A (Seite 212)

d		ST2,2	ST2,9	ST3,5	ST4,2	ST4,8	ST5,5	ST6,3	ST8	ST9,5
d_k k f		3,8 1,1 0,5	5,5 1,7 0,7	7,3 2,4 0,8	8,4 2,6 1,0	9,3 2,8 1,2	10,3 3,0 1,3	11,3 3,2 1,4	15,8 4,7 2,0	18,3 5,3 2,3
$K^{1)}$		0	1	2	2	2	3	3	4	4
l	von bis	4,5 16	6,5 19	9,5 25	9,5 32	9,5 32	13 38	13 38	16 50	16 50
Nennlängen		4 – 5 – 6,5 – 9,5 – 13 – 16 – 19 – 22 – 25 – 32 – 38 – 45 – 50 mm								
Festigkeitskl.		St Stahl, A2-20H, A4-20H, A5-20H								
Formen		Form C mit Spitze, Form F mit Zapfen, Form R mit gerundeter Spitze								
Erläuterung		1) K Kreuzschlitzgröße, Formen H und Z (siehe Seite 219)								

⇒ **Blechschraube ISO 7051 – ST4,2 x 22 – A4-20H – R – H:**
ISO 7051 Linsensenk-Blechschraube, d = ST4,2, l = 22 mm,
Festigkeitsklasse A4-20H (nichtrostender Stahl), Form R mit
gerundeter Spitze, Kreuzschlitz Form H

M

Blechschrauben, Gewindefurchende Schrauben

Linsenkopf-Blechschrauben mit Kreuzschlitz

vgl. DIN EN ISO 7049 (2011-11)

Form C

Form R

Form F

Kreuzschlitz-formen

H **Z**

Produktklasse A (Seite 212)

d	ST2,2	ST2,9	ST3,5	ST4,2	ST4,8	ST5,5	ST6,3	ST8	ST9,5
d_k	4,0	5,6	7,0	8,0	9,5	11	12	16	20
k	1,6	2,4	2,6	3,1	3,7	4,0	4,6	6,0	7,5
$K^{1)}$	0	1	2	2	2	3	3	4	4
l von	4,5	6,5	9,5	9,5	9,5	13	13	16	16
l bis	16	19	25	32	38	38	38	50	50
Nennlängen	4,5 – 6,5 – 9,5 – 13 – 16 – 19 – 22 – 25 – 32 – 38 – 45 – 50 mm								
Festigkeitskl.	St Stahl, A2-20H, A4-20H, A5-20H								
Formen	Form C mit Spitze, Form F mit Zapfen, Form R mit gerundeter Spitze								
Erläuterung	1) K Kreuzschlitzgröße, Formen H und Z								
⇒	**Blechschraube ISO 7049 – ST4,8 x 25 – St – F – Z:** Linsenkopf-Blechschraube, d = ST4,8, l = 25 mm, Festigkeitsklasse St Stahl, Form F mit Zapfen, Kreuzschlitz Form Z								

Kernlochdurchmesser für Blechschrauben (Auszug)

vgl. DIN 7975 (1989-08)

1) Die Durchmesser gelten für gebohrte Löcher in Blechen aus unlegiertem Stahl, Al- und Cu-Legierungen

Blechdicke s in mm	Kernlochdurchmesser $d^{1)}$ in mm für Blechschraubengewinde und Zugfestigkeit R_m des Blechwerkstoffes 250 und 400 N/mm²																
	ST2,9		ST3,5		ST3,9		ST4,2		ST4,8		ST5,5		ST6,3	
	250	400	250	400	250	400	250	400	250	400	250	400	250	400
1,1	2,2	2,2	–	–	–	–	–	–	–	–	–	–	–	–
1,3	2,2	2,2	2,6	2,7	2,9	3,0	–	–	–	–	–	–	–	–
1,5	2,2	2,3	2,7	2,8	3,0	3,1	3,2	3,3	–	–	–	–	–	–
1,6	2,3	2,4	2,7	2,8	3,0	3,1	3,2	3,3	3,6	3,8	–	–	–	–
1,8	2,3	2,4	2,7	2,9	3,0	3,2	3,2	3,4	3,6	3,9	4,2	4,5	4,9	5,3
2,0	2,3	2,5	2,8	2,9	3,0	3,3	3,3	3,5	3,7	4,0	4,3	4,6	5,1	5,4
2,2	2,4	2,5	2,8	2,9	3,2	3,3	3,3	3,5	3,9	4,0	4,4	4,7	5,2	5,5
2,5	–	–	2,9	3,0	2,5	3,4	3,4	3,6	4,0	4,1	4,6	4,8	5,4	5,6
2,8	–	–	3,0	3,1	3,3	3,4	3,5	3,6	4,0	4,2	4,7	4,8	5,5	5,6
3,0	–	–	–	–	3,3	3,4	3,5	3,6	4,1	4,2	4,7	4,8	5,5	5,7
3,5	–	–	–	–	–	–	3,6	3,7	4,2	4,2	4,8	4,9	5,6	5,7
4,0	–	–	–	–	–	–	–	–	4,2	4,3	4,9	4,9	5,7	5,8
4,5	–	–	–	–	–	–	–	–	–	–	4,9	5,0	5,7	5,8
5,0	–	–	–	–	–	–	–	–	–	–	–	–	5,8	5,8

M

Gewindefurchende Schrauben (Auswahl)

vgl. DIN 7500-1 (2009-06)

Form DE: Sechskantkopf

Form EE: Zylinderkopf mit Innensechskant

Produktklasse A (Seite 212)

Form	d	M2	M2,5	M3	M4	M5	M6	M8	M10
DE	SW	4	5	5,5	7	8	10	13	16
	k	1,4	1,7	2	2,8	3,5	4	5,3	6,4
	d_k	3,1	4,1	4,6	6	6,9	8,9	11,6	14,6
	e	4,3	5,5	6	7,7	8,8	11,1	14,4	17,8
	l von	3	4	4	6	8	8	10	12
	l bis	16	20	25	30	40	50	60	80
EE	SW	1,5	2	2,5	3	4	5	6	8
	k	2	2,5	3	4	5	6	8	10
	d_k	3,8	4,5	5,5	7	8,5	8,5	13	16
	l von	3	4	4	6	8	8	10	12
	l bis	16	20	25	30	40	50	60	80
Werkstoff	Kaltfließpressstähle, einsatzgehärtet								
Nennlängen	3, 4, 5, 6, 8, 10, 12, 16, 20, 25, 30…50, 55, 60, 70, 80 mm								
Formen	Form CE: Flachkopfschrauben mit Kreuzschlitz Form NE: Linsensenkschraube mit Kreuzschlitz Form OE: Zylinderschraube mit Innensechsrund								
⇒	**Schraube DIN 7500 – DE – M8 x 25:** DE Sechskantkopf, d = M8, l = 25 mm (Werkstoff: Kaltfließpressstahl, einsatzgehärtet)								

Stiftschrauben, Ringschrauben, Verschlussschrauben

Stiftschrauben

vgl. DIN 835 (2010-07), DIN 938 (2012-12), 939 (1995-02)

Produktklasse A (Seite 212)

Gewinde d		M3	M4	M5	M6	M8 M8 x1	M10 M10 x1,25	M12 M12 x1,25	M16 M16 x1,5	M20 M20 x1,5	M24 M24 x2
b für $l < 125$		12	14	16	18	22	26	30	38	46	54
$l > 125$		18	20	22	24	28	32	36	44	52	60
e	DIN 835	–	8	10	12	16	20	24	32	40	48
	DIN 938	3	4	5	6	8	10	12	16	20	24
	DIN 939	–	5	6,5	7,5	10	12	15	20	25	30
l	von	20	20	25	25	30	35	40	50	60	70
	bis	30	40	50	60	80	100	120	160	200	200

Festigkeitskl.	5.6, 8.8, 10.9
Nennlängen l	20, 25, 30 … 75, 80, 90 …180, 190, 200 mm
⇒	**Stiftschraube DIN 939 – M10 x 65 – 8.8:** d = M10, l = 65 mm, Festigkeitsklasse 8.8

Verwendung	
DIN	zum Einschrauben in
835	Aluminiumlegierungen
938	Stahl
939	Gusseisen

Ringschrauben

vgl. DIN 580 (2010-09)

Belastungs-richtungen

senkrecht (einsträngig) **unter 45° (zweisträngig)**

Gewinde d	M8	M10	M12	M16	M20	M24	M30	M36	M42	M48	M56
h	18	22,5	26	30,5	35	45	55	65	75	85	95
d_1	36	45	54	63	72	90	108	126	144	166	184
d_2	20	25	30	35	40	50	60	70	80	90	100
d_3	20	25	30	35	40	50	65	75	85	100	110
l	13	17	20,5	27	30	36	45	54	63	68	78

Werkstoffe	Einsatzstahl C15E, A2, A3, A4, A5

	Tragfähigkeit in t bei Belastungsrichtung										
senkrecht	0,14	0,23	0,34	0,70	1,20	1,80	3,20	4,60	6,30	8,60	11,5
unter 45°	0,10	0,17	0,24	0,50	0,86	1,29	2,30	3,30	4,50	6,10	8,20
⇒	**Ringschraube DIN 580 – M20 – C15E:** d = M20, Werkstoff C15E										

Verschlussschrauben mit Bund und Außensechskant

vgl. DIN 910 (2012-04)

Gewinde d	M10 x1	M12 x1,5	M16 x1,5	M20 x1,5	M24 x1,5	M30 x1,5	M36 x1,5	M42 x1,5	M48 x1,5	M52 x1,5
d_1	14	17	21	25	29	36	42	49	55	60
l	17	21	21	26	27	30	32	33	33	33
i	8	12	12	14	14	16	16	16	16	16
c	3	3	3	4	4	4	4	5	5	5
SW	10	13	16	18	21	24	27	30	30	30
e	10,9	14,2	17,6	19,9	22,8	26,1	29,6	33	33	33

Werkstoffe	St Stahl, A1 bis A5, Al1 bis Al6, Cu1 bis Cu7
⇒	**Verschlussschraube DIN 910 – M24 x 1,5 – St:** d = M24 x 1,5, Werkstoff Stahl

Verschlussschrauben mit Bund und Innensechskant

vgl. DIN 908 (2012-04)

Gewinde d	M10 x1	M12 x1,5	M16 x1,5	M20 x1,5	M24 x1,5	M30 x1,5	M36 x1,5	M42 x1,5	M48 x1,5	M52 x1,5
d_1	14	17	21	25	29	36	42	49	55	60
l	11	15	15	18	18	20	21	21	21	21
c	3	3	3	4	4	4	5	5	5	5
SW	5	6	8	10	12	17	19	22	24	24
t	5	7	7,5	7,5	7,5	9	10,5	10,5	10,5	10,5
e	5,7	6,9	9,2	11,4	13,7	19,4	21,7	25,2	27,4	27,4

Werkstoffe	St Stahl, A1 bis A5, Al1 bis Al6, Cu1 bis Cu7
⇒	**Verschlussschraube DIN 908 – M20 x 1,5 – Cu1:** d = M20 x 1,5, Werkstoff Kupfer-Legierung

M

Gewindestifte

Gewindestifte mit Schlitz vgl. DIN EN 27434, 27435 (alle 1992-10), DIN EN ISO 4766 (2011-11)

mit Spitze		Gewinde d	M1,2	M1,6	M2	M2,5	M3	M4	M5	M6	M8	M10	M12
	DIN EN 27434	d_1	0,1	0,2	0,2	0,3	0,3	0,4	0,5	1,5	2	2,5	3,6
		n	0,2	0,3	0,3	0,4	0,4	0,6	0,8	1	1,2	1,6	2
		t	0,5	0,7	0,8	1	1,1	1,4	1,6	2	2,5	3	3
		l von bis	2 6	2 8	3 10	3 12	4 16	6 25	8 30	5 35	10 40	12 55	16 60
mit Zapfen	DIN EN 27435	d_1	–	0,8	1	1,5	2	2,5	3,5	4,3	5,5	7	8,5
		z	–	1,1	1,3	1,5	1,8	2,3	2,8	3,3	4,3	5,3	6,3
		n	–	0,3	0,3	0,4	0,4	0,6	0,8	1	1,2	1,6	2
		t	–	0,7	0,8	1	1,1	1,4	1,6	2	2,5	3	3
		l von bis	–	2,5 8	3 10	4 12	5 16	6 20	8 25	8 30	10 40	12 50	16 60
mit Kegelstumpf	DIN EN ISO 4766	d_1	0,6	0,8	1	1,5	2	2,5	3,5	4	5,5	7	8,5
		n	0,2	0,3	0,3	0,4	0,4	0,6	0,8	1	1,2	1,6	2
		t	0,5	0,7	0,8	1	1,1	1,4	1,6	2	2,5	3	3,6
		l von bis	2 6	2 8	2 10	2,5 12	3 16	4 20	5 25	6 30	8 40	10 50	12 60

Produktklasse A (Seite 212)		Festigkeitskl.	14H, 22H, A1-50 (A1-12H bei DIN EN ISO 4766)
Gültige Norm	**Ersatz für**	Nennlängen l	2, 2,5, 3, 4, 5, 6, 8, 10, 12, 16, 20, 25, 30 … 50, 55, 60 mm
DIN EN 27434	DIN 553	⇒	**Gewindestift ISO 7434 – M6 x 25 – 14H:**
DIN EN 27435	DIN 417		d = M6, l = 25 mm, Festigkeitsklasse 14H
DIN EN ISO 4766	DIN 551		

Gewindestifte mit Innensechskant vgl. DIN EN ISO 4026, 4027, 4028 (2004-05)

mit Spitze		Gewinde d	M2	M2,5	M3	M4	M5	M6	M8	M10	M12	M16	M20
	DIN EN ISO 4027	d_1	0,5	0,7	0,8	1	1,3	1,5	2	2,5	3	4	5
		SW	0,9	1,3	1,5	2	2,5	3	4	5	6	8	10
		e	1	1,5	1,7	2,3	2,9	3,4	4,6	5,7	6,9	9,1	11,4
		t	0,8	1,2	1,2	1,5	2	2	3	4	4,8	6,4	8
		l von bis	2 10	2,5 12	3 16	4 20	5 25	6 30	8 40	10 50	12 60	16 60	20 60
mit Zapfen	DIN EN ISO 4028	d_1	1	1,5	2	2,5	3,5	4	5,5	7	8,5	12	15
		z	1,3	1,5	1,8	2,3	2,8	3,3	4,3	5,3	6,3	8,4	10,4
		SW	0,9	1,3	1,5	2	2,5	3	4	5	6	8	10
		e	1	1,5	1,7	2,3	2,9	3,4	4,6	5,7	6,9	9,1	11,4
		t	0,8	1,2	1,2	1,5	2	2	3	4	4,8	6,4	8
		l von bis	2,5 10	3 12	4 16	5 20	6 25	8 30	8 40	20 50	12 60	16 60	20 60
mit Kegelstumpf	DIN EN ISO 4026	d_1	1	1,5	2	2,5	3,5	4	5,5	7	8,5	12	15
		SW	0,9	1,3	1,5	2	2,5	3	4	5	6	8	10
		e	1	1,5	1,7	2,3	2,9	3,4	4,6	5,7	6,9	9,2	11,4
		t	0,8	1,2	1,2	1,5	2	2	3	4	4,8	6,4	8
		l von bis	2 10	2,5 12	3 16	4 20	5 25	6 30	8 40	10 50	12 60	16 60	20 60

Produktklasse A (Seite 212)		Festigkeitskl.	45H, A1-12H, A2-21H, A3-21H, A4-21H, A5-21H
Gültige Norm	**Ersatz für**	Nennlängen l	2, 2,5, 3, 4, 5, 6, 8, 10, 12, 16, 20, 25, 30 … 55, 60 mm
DIN EN ISO 4026	DIN 913	⇒	**Gewindestift ISO 4026 – M6 x 25 – A5 – 45H:**
DIN EN ISO 4027	DIN 914		d = M6, l = 25 mm, A5 nichtrostender Stahl, Festigkeitsklasse 45H
DIN EN ISO 4028	DIN 915		

M

Vereinfachte Berechnung von Schrauben

Die meisten Schrauben (einfache Verbindungen) werden ohne Kontrolle des Anziehdrehmoments montiert. Bei Beachtung einiger Erfahrungswerte ist trotzdem eine zuverlässige Schraubenverbindung gewährleistet.

Bei Schraubenverbindungen, die ohne Drehmomentkontrolle montiert werden, sind die Vorspannkraft F_v, die Vorspannung σ_v und die Flächenpressung p_v nicht ermittelbar. Für das Anziehen von Hand liegen jedoch Erfahrungswerte für die Vorspannung σ_v vor (vgl. Tabelle).

Es wird empfohlen, bei kleineren Durchmessern vorzugsweise Schrauben der Festigkeitsklasse 8.8 zu verwenden (vgl. Beispiel). Für die Mindeststreckgrenze ist ein Sicherheitsfaktor von 1,5 vorzusehen.

Die Berechnung der Schrauben erfolgt allein über die axiale Betriebskraft F_B. Ein hoher Sicherheitsfaktor (z. B. $\nu = 2,5$) berücksichtigt die ungenaue Berechnung der Schraubengesamtkraft.

Betriebskraft in Achsrichtung

F_B	Betriebskraft in N
F_v	Vorspannkraft in N
R_e	Streckgrenze in N/mm²
σ_v	Vorspannung in N/mm²
σ_z	Zugspannung in N/mm²
σ_{zul}	Zulässige Spannung in N/mm²
S	Spannungsquerschnitt in mm²
d	Gewinde, z. B. M10
F_R	Reibungskraft in N
F_{verf}	erforderliche Vorspannkraft in kN
μ	Reibungszahl
φ	Rutschsicherheit
ν	Sicherheitsfaktor
M_K	Kupplungsmoment

Betriebskraft quer zur Achsrichtung

Erfahrungswerte der Vorspannkraft F_v und Vorspannung σ_v

Gewinde d	Vorspannkraft F_v N	Vorspannung σ_v N/mm²
M4	3000	350
M6	7000	
M8	10 000	280
M10	16 000	
M12	23 000	
M16	28 000	180
M20	44 000	

Beispiel für Betriebskraft in Achsrichtung:

F_B = 1875 N je Schraube, ν = 2,5, Sechskantschraube ISO 4014 – 8.8; Gewindedurchmesser = ?

R_e = 640 N/mm² für 8.8

$$\sigma_{zul} = \frac{R_e}{\nu} = \frac{640 \text{ N/mm}^2}{2,5} = 256 \ \frac{\text{N}}{\text{mm}^2}$$

$$S = \frac{F_B}{\sigma_{zul}} = \frac{1875 \text{ N}}{256 \text{ N/mm}^2} = 7,32 \text{ mm}^2$$

gewählt M4 (vgl. Seite 206)
mit σ_v = 350 N/mm² (vgl. Tabelle oben)
$R_{e erf} \geq 1,5 \cdot \sigma_v = 1,5 \cdot 350$ N/mm²
= **525 N/mm² < R_e**

$$R_e = 640 \ \frac{\text{N}}{\text{mm}^2} > R_{e erf}$$

Beispiel: Scheibenkupplung

Beispiel für Betriebskraft quer zur Achsrichtung (Scheibenkupplung):

Scheibenkupplung aus S235JR mit vier Zylinderschrauben ISO 4762 – 8.8,
M_K = 256 N · m, μ = 0,2, φ = 2; Gewindedurchmesser = ?

$$F_B = \frac{M_K}{n \cdot \frac{d}{2}} = \frac{256 \text{ N} \cdot \text{m}}{4 \cdot \frac{0,08 \text{ m}}{2}} = 1600 \text{ N}$$

$$F_{verf} = \frac{\varphi \cdot F_B}{\mu} = \frac{2 \cdot 1600 \text{ N}}{0,2} = 16\,000 \text{ N}$$

gewählt M10 (vgl. Tabelle oben)

Mindest-Streckgrenze

$$R_{e erf} \geq 1,5 \cdot \sigma_v$$

Spannungsquerschnitt

$$S = \frac{F_B}{\sigma_{zul}}$$

Zulässige Spannung

$$\sigma_{zul} = \frac{R_e}{\nu}$$

Erforderliche Vorspannkraft

$$F_{verf} = \frac{\varphi \cdot F_B}{\mu}$$

M

Montage hochbeanspruchter Schraubenverbindungen

Die meisten hochbeanspruchten Schrauben werden drehmomentgesteuert montiert, z.B. mit Drehmomentschlüsseln oder motorischen Drehschraubern

Schaftschraube

M_A

M_A	Anziehdrehmoment	F_v	Vorspannkraft
d_h	Durchgangsbohrung	μ	Reibungszahl
A_s	Spannungsquerschnitt	A_T	Taillenquerschnitt

Dehnschraube

M_A

Nachfolgende Tabellenwerte gelten für:

- Sechskantschrauben, z.B. DIN EN ISO 4014, DIN EN ISO 4017, DIN EN ISO 8765, DIN EN ISO 8876, DIN EN 24015 (Seiten 213, 214)
- Zylinderschrauben, z.B. DIN EN ISO 4762 (Seite 216)
- Durchgangsbohrungen d_h „mittel" nach DIN EN 20273 (Seite 212)
- Richtwerte der Reibungszahlen μ:
  $\mu = 0,08 \rightarrow$ Schraube phosphatiert, MoS$_2$-geschmiert
  $\mu = 0,12 \rightarrow$ Schraube phosphatiert, leicht geölt
  $\mu = 0,16 \rightarrow$ Schraube phosphatiert, mit Klebstoff gesichert

Maximale Vorspannkräfte und Anziehdrehmomente[1]

vgl. VDI 2230 (2003-02)

Gewinde	Festigkeits-klasse	A_s in mm²	Schaftschrauben						A_T in mm²	Dehnschrauben					
			Vorspannkraft F_v in kN			Anziehdrehmoment M_A in N·m				Vorspannkraft F_v in kN			Anziehdrehmoment M_A in N·m		
			Reibungszahl μ							Reibungszahl μ					
			0,08	0,12	0,16	0,08	0,12	0,16		0,08	0,12	0,16	0,08	0,12	0,16
M8	8.8	36,6	19,5	18,6	17,6	18,5	24,6	29,8	25,6	13,8	13	12,1	13,1	17,1	20,5
	10.9		28,7	27,3	25,8	27,2	36,1	43,8		20,3	19,1	17,8	19,2	25,2	30,1
	12.9		33,6	32	30,2	31,8	42,2	51,2		23,8	22,3	20,8	22,5	29,5	35,3
M8x1	8.8	39,2	21,2	20,2	19,2	19,3	26,1	32	29,2	15,5	14,6	13,6	14,1	18,8	22,8
	10.9		31,1	29,7	28,1	28,4	38,3	47		22,7	21,4	20	20,7	27,7	33,5
	12.9		36,4	34,7	32,9	33,2	44,9	55		26,6	25,1	23,4	24,3	32,4	39,2
M10	8.8	58,0	31	29,6	27,9	36	48	59	42,4	22,1	20,8	19,4	26	34	41
	10.9		45,6	43,4	41	53	71	87		32,5	30,5	28,4	38	50	60
	12.9		53,3	50,8	48	62	83	101		38	35,7	33,3	45	59	70
M10x1,25	8.8	61,2	33,1	31,6	29,9	38	51	62	45,6	24,2	22,8	21,3	28	37	44
	10.9		48,6	46,4	44	55	75	92		35,5	33,5	31,3	40	54	65
	12.9		56,8	54,3	51,4	65	87	107		41,5	39,2	36,6	47	63	76
M12	8.8	84,3	45,2	43	40,7	63	84	102	61,8	32,3	30,4	28,3	45	59	71
	10.9		66,3	63,2	59,9	92	123	149		47,5	44,6	41,6	66	87	104
	12.9		77,6	74	70	108	144	175		55,6	52,2	48,7	77	101	122
M12x1,5	8.8	88,1	47,6	45,5	43,1	64	87	107	65,7	34,8	32,8	30,7	47	63	76
	10.9		70	66,8	63,3	95	128	157		51,1	48,2	45,1	69	92	111
	12.9		81,9	78,2	74,1	111	150	183		59,8	56,4	52,8	81	108	130
M16	8.8	157	84,7	80,9	76,6	153	206	252	117	61,8	58,3	54,6	111	148	179
	10.9		124,4	118,8	112,6	224	302	370		90,8	85,7	80,1	164	218	264
	12.9		145,5	139	131,7	262	354	433		106,3	100,3	93,8	191	255	308
M16x1,5	8.8	167	91,4	87,6	83,2	159	218	269	128	68,6	65,1	61,1	119	162	198
	10.9		134,2	128,7	122,3	233	320	396		100,8	95,6	89,8	175	238	290
	12.9		157	150,6	143,1	273	374	463		118	111,8	105	205	278	340
M20	8.8	245	136	130	123	308	415	509	182	100	94	88	225	300	362
	10.9		194	186	176	438	592	725		142	134	125	320	427	516
	12.9		227	217	206	513	692	848		166	157	147	375	499	604
M20x1,5	8.8	272	154	148	141	327	454	565	210	117	112	105	249	342	422
	10.9		219	211	200	466	646	804		167	159	150	355	488	601
	12.9		257	246	234	545	756	941		196	186	175	416	571	703
M24	8.8	353	196	188	178	529	714	875	263	143	135	127	387	515	623
	10.9		280	267	253	754	1017	1246		204	193	180	551	734	887
	12.9		327	313	296	882	1190	1458		239	226	211	644	859	1038
M24x2	8.8	384	217	209	198	557	769	955	295	165	156	147	422	578	708
	10.9		310	297	282	793	1095	1360		235	223	209	601	821	1008
	12.9		362	348	331	928	1282	1591		274	261	245	703	961	1179

M

[1] Beim Montieren mit dem Anziehdrehmoment M_A wird die Dehngrenze $R_{p0,2}$ des Schraubenwerkstoffes zu ca. 90 % ausgenutzt. Die Berechnung der Schraubenverbindung, z.B. nach VDI 2230, wird durch die Nutzung der Tabellenwerte nicht ersetzt.

Schraubensicherungen

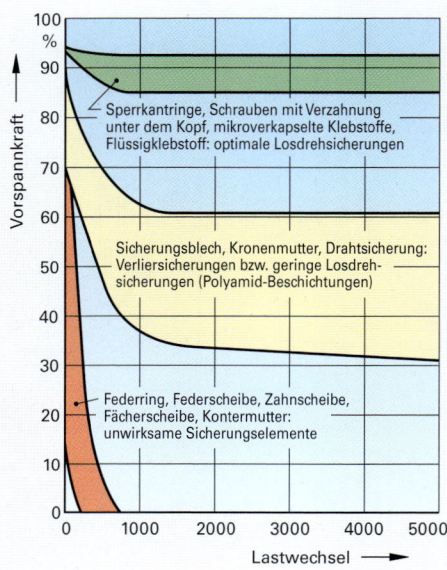

Vibrationsprüfung DIN 65151 verschiedener Sicherungselemente

Geprüft wurde das Sicherungsverhalten von Schraubenverbindungen unter Querbelastung an Schrauben ISO 4014-M10.

Bei ausreichend dimensionierten und zuverlässig montierten Schraubenverbindungen ist im Allgemeinen keine Schraubensicherung notwendig. Die Klemmkräfte verhindern ein Verschieben der verschraubten Teile bzw. ein Lockern der Schrauben und Muttern. In der Praxis kann es trotzdem aus folgenden Ursachen zum Verlust der Klemmkraft kommen:

- **Lockern der Schraubenverbindung** infolge von hohen Flächenpressungen, die plastische Verformungen auslösen (sog. Setzungen) und die Vorspannkraft der Schraubenverbindung vermindern.

  Abhilfe: möglichst wenig Trennfugen, geringe Oberflächenrauheit, Einsatz hochfester Schrauben (große Vorspannkraft).

- **Losdrehen der Schraubenverbindung:** Bei dynamisch senkrecht zur Schraubenachse belasteten Verbindungen kann ein vollständiges selbsttätiges Losdrehen erfolgen.

  Abhilfe erfolgt durch Sicherungselemente. Sie können je nach ihrer Wirkung in drei Gruppen unterschieden werden:

  Unwirksame Sicherungselemente (z. B. Federringe und Zahnscheiben).

  Verliersicherungen, die ein teilweises Losdrehen zulassen, jedoch verhindern, dass die Schraubverbindung auseinander fällt.

  Losdrehsicherungen (z. B. Kleber oder Sperrzahnschrauben). Die Vorspannkraft bleibt dabei annähernd erhalten. Die Mutter bzw. Schraube kann sich nicht lösen (beste Sicherungsmöglichkeit).

M

Übersicht über Schraubensicherungen

Verbindung	Sicherungselement	Norm	Art, Eigenschaft
mitverspannt, federnd	Federring Federscheibe Zahnscheibe Fächerscheibe	zurückgezogen zurückgezogen zurückgezogen zurückgezogen	unwirksam unwirksam unwirksam unwirksam
formschlüssig	Sicherungsblech Kronenmutter mit Splint Drahtsicherung	zurückgezogen DIN 935-1 (2000-10) –	Verliersicherung Verliersicherung Verliersicherung
kraftschlüssig (klemmend)	Kontermutter	–	unwirksam, Losdrehen möglich
	Schrauben und Muttern mit klemmender Polyamid-Beschichtung	DIN 267-28 (2009-09) ISO 2320 (2009-03)	Verliersicherung bzw. geringe Losdrehsicherung
sperrend (kraft- und formschlüssig)	Schrauben mit Verzahnung unter dem Kopf	–	Losdrehsicherung, nicht für gehärtete Bauteile geeignet
	Sperrkantringe, Sperrkantscheiben, selbsthemmendes Scheibenpaar	– –	Losdrehsicherung, nicht für gehärtete Bauteile geeignet Losdrehsicherung
stoffschlüssig	mikroverkapselte Klebstoffe im Gewinde	DIN 267-27 (2009-09)	Losdrehsicherung, dichtende Verbindung; Temperaturbereich – 50 °C bis 150 °C
	Flüssigklebstoff	–	Losdrehsicherung

Antriebsarten von Schrauben

Bild Bezeichnung	Nenngrößen Werkzeuggröße/Gewinde d		Eigenschaften, Anwendungsbeispiele
Sechskant	SW5/M2,5 SW5,5/M3 SW7/M4	SW16/M10 SW18/M12 SW24/M16	Hohe übertragbare Drehmomente, keine Axialkraft erforderlich, Werkzeug für Schraube und Mutter identisch,
	SW8/M5 SW10/M6 SW13/M8	SW30/M20 SW36/M24 SW46/M30	allgemeiner Maschinenbau, Automobil- und Fahrzeugbau
Innensechskant	SW2/2,5 SW2,5/M3 SW3/M4	SW8/M10 SW10/M12 SW14/M16	Übertragbares Drehmoment etwas kleiner als Sechskant, für sehr beengte Platzverhältnisse,
	SW4/M5 SW5/M6 SW6/M8	SW17/M20 SW19/M24 SW22/M30	allgemeiner Maschinenbau, mit Stift nur mit Spezialwerkzeug zu lösen, dann besondere Eignung für Schutz gegen Zerstörungen und Diebstahl
Innensechskant mit niedrigem Kopf und Schlüsselführung	SW3/M4 SW4/M5 SW5/M6	SW10/M12 SW12/M14 SW14/M16	Wie Innensechskant, jedoch übertragbares Drehmoment etwas kleiner, für kleine Bauteildicken,
	SW6/M8 SW8/M10	SW17/M20 SW19/M24	allgemeiner Maschinenbau
Längsschlitz	S0,5/M2 S0,6/M2,5	S1,2/M5 S1,6/M6	Schlecht zentrierbarer Antrieb, niedriges übertragbares Drehmoment, große Flächenpressung an den Kraftangriffsflächen,
	S0,8/M3 S1,2/M4	S2/M8 S2,5/M10	Elektromaschinenbau
Typ H Typ Z **Kreuzschlitz**	PH0/M2 PH1/M2,5...3 PH2/M3,5...5	PZ0/M2 PZ1/M2,5...3 PZ2/M3,5...5	Höheres Drehmoment und bessere Zentrierbarkeit des Werkzeugs als bei Längsschlitz, geringere Flächenpressung,
	PH3/M5,5...8 PH4/M8...10	PZ3/M5,5...8 PZ4/M8...10	Elektromaschinenbau, Apparatebau
Außensechsrund	E5/M4 E6/M5 E8/M6	E14/M12 E18/M14 E20/M16	Vorteilhafte Kraftübertragung, leichte Positionierung und gutes Einkoppeln des Schraubwerkzeugs,
	E10/M8 E12/M10	E24/M18 E32/M20	Maschinenbau, Automobil- und Fahrzeugbau
Innensechsrund	T6/M2 T8/M2,5 T10/M3	T30/M6 T40/M8 T45/M8	Gute Drehmomentübertragung, geringer Platzbedarf für Werkzeug; mit Stift nur mit Spezialwerkzeug zu lösen, dann besondere Eignung für Schutz gegen Zerstörungen und Diebstahl,
	T15/M3,5 T20/M4 T25/M5	T50/M10 T55/M12 T60/M16	allgemeiner Maschinenbau, Apparatebau, Elektromaschinenbau
Innenvielzahn	N4/M4 N5/M5 N6/M6	N12/M10...12 N14/M12...14 N16/M14...16	Sicherheitsprofil mit zwölf kleinen Zähnchen, günstige Kraftverteilung durch breiten Kraftangriff, Übertragung mittelgroßer Drehmomente,
	N8/M6...8 N10/M8...10	N18/M16	Automobil- und Fahrzeugbau

M

Senkungen für Senkschrauben

Senkungen für Senkschrauben mit Kopfform nach ISO 7721 — vgl. DIN EN ISO 15065 (2005-05)

Nenngröße	1,6	2	2,5	3	3,5	4
Metr. Schrauben	M1,6	M2	M2,5	M3	M3,5	M4
Blechschrauben	–	ST2,2	–	ST2,9	ST3,5	ST4,2
d_1 H13[1]	1,8	2,4	2,9	3,4	3,9	4,5
d_2 min.	3,6	4,4	5,5	6,3	8,2	9,4
d_2 max.	3,7	4,5	5,6	6,5	8,4	9,6
$t_1 \approx$	1,0	1,1	1,4	1,6	2,3	2,6
Nenngröße	**5**	**5,5**	**6**	**8**	**10**	**–**
Metr. Schrauben	M5	–	M6	M8	M10	–
Blechschrauben	ST4,8	ST5,5	ST6,3	ST8	ST9,5	–
d_1 H13	5,5	6	6,6	9	11	–
d_2 min.	10,4	11,5	12,6	17,3	20	–
d_2 max.	10,7	11,8	12,9	17,6	20,3	–
$t_1 \approx$	2,6	2,9	3,1	4,3	4,7	–

90°±1°
d_2
t
d_1 H13

⇒	Senkung ISO 15065 – 8: Nenngröße 8 (metr. Gewinde M8 bzw. Blechschraubengewinde ST8)
Anwendung für:	Senkschrauben mit Schlitz — DIN EN ISO 2009
	Senkschrauben mit Kreuzschlitz — DIN EN ISO 7046-1
	Linsensenkschrauben mit Schlitz — DIN EN ISO 2010
	Linsensenkschrauben mit Kreuzschlitz — DIN EN ISO 7047
	Senk-Blechschrauben mit Schlitz — DIN ISO 1482
	Senk-Blechschrauben mit Kreuzschlitz — DIN ISO 7050
	Linsensenk-Blechschrauben mit Schlitz — DIN ISO 1483
	Linsensenk-Blechschrauben mit Kreuzschlitz — DIN ISO 7051
	Senk-Bohrschrauben mit Kreuzschlitz — ISO 15482
	Linsensenk-Bohrschrauben mit Kreuzschlitz — ISO 15483

Zeichnerische Darstellung: Seite 82

Senkungen für Senkschrauben — vgl. DIN 74 (2003-04)

M

90°±1°
d_2 H13
t_1
d_1 H13

Form A und Form F

	Gewinde-Ø	1,6	2	2,5	3	4	4,5	5	6	7	8
Form A	d_1 H13[1]	1,8	2,4	2,9	3,4	4,5	5	5,5	6,6	7,6	9
	d_2 H13	3,7	4,6	5,7	6,5	8,6	9,5	10,4	12,4	14,4	16,4
	$t_1 \approx$	0,9	1,1	1,4	1,6	2,1	2,3	2,5	2,9	3,3	3,7

⇒	Senkung DIN 74 – A4: Form A, Gewindedurchmesser 4 mm
Anwendung der Form A für:	Senk-Holzschrauben — DIN 97 und DIN 7997
	Linsensenk-Holzschrauben — DIN 95 und DIN 7995

	Gewinde-Ø	10	12	16	20	22	24
Form E	d_1 H13[1]	10,5	13	17	21	23	25
	d_2 H13	19	24	31	34	37	40
	$t_1 \approx$	5,5	7	9	11,5	12	13
	α	75° ± 1°			60° ± 1°		

α
d_2 H13
t_1
d_1 H13

Form E

⇒	Senkung DIN 74 – E12: Form E, Gewindedurchmesser 12 mm
Anwendung der Form E für:	Senkschrauben für Stahlkonstruktionen — DIN 7969

	Gewinde-Ø	3	4	5	6	8	10	12	14	16	20
Form F	d_1 H13[1]	3,4	4,5	5,5	6,6	9	11	13,5	15,5	17,5	22
	d_2 H13	6,9	9,2	11,5	13,7	18,3	22,7	27,2	31,2	34,0	40,7
	$t_1 \approx$	1,8	2,3	3,0	3,6	4,6	5,9	6,9	7,8	8,2	9,4

⇒	Senkung DIN 74 – F12: Form F, Gewindedurchmesser 12 mm
Anwendung der Form F für:	Senkschrauben mit Innensechskant — DIN EN ISO 10642 (Ersatz für DIN 7991)

Zeichnerische Darstellung: Seite 82

Formen B, C und D nicht mehr genormt

[1] Durchgangsloch mittel nach DIN EN 20273, Seite 212

Senkungen für Zylinder- und Sechskantschrauben

Senkungen für Schrauben mit Zylinderkopf vgl. DIN 974-1 (2008-02)

	d	3	4	5	6	8	10	12	16	20	24	27	30	36
	d_h H13[1]	3,4	4,5	5,5	6,6	9	11	13,5	17,5	22	26	30	33	39
d_1 H13	Reihe 1	6,5	8	10	11	15	18	20	26	33	40	46	50	58
	Reihe 2	7	9	11	13	18	24	–	–	–	–	–	–	–
	Reihe 3	6,5	8	10	11	15	18	20	26	33	40	46	50	58
	Reihe 4	7	9	11	13	16	20	24	30	36	43	46	54	63
	Reihe 5	9	10	13	15	18	24	26	33	40	48	54	61	69
	Reihe 6	8	10	13	15	20	24	33	43	48	58	63	73	–
t[2]	ISO 1207	2,4	3,0	3,7	4,3	5,6	6,6	–	–	–	–	–	–	–
	ISO 4762	3,4	4,4	5,4	6,4	8,6	10,6	12,6	16,6	20,6	24,8	–	31,0	37,0
	DIN 7984	2,4	3,2	3,9	4,4	5,6	6,6	7,6	9,6	11,6	13,8	–	–	–

⇒ DIN 974 sieht keine Kurzbezeichnung für Senkungen vor.

Reihe	Schrauben mit Zylinderkopf ohne Unterlegteile	
1	Schrauben ISO 1207, ISO 4762, DIN 6912, DIN 7984, DIN 34821, ISO 4579, ISO 4580	
2	Schrauben ISO 1580, DIN EN ISO 7045, DIN EN ISO 14583	
	Schrauben mit Zylinderkopf und folgenden Unterlegteilen:	
3	Schrauben ISO 1207, ISO 4762, DIN 7984 mit Federringen DIN 7980[3]	
4	Scheiben DIN EN ISO 7092 Federscheiben DIN 137 Form A[3] Federringe DIN 128 + DIN 6905[3]	Zahnscheiben DIN 6797[3] Fächerscheiben DIN 6798[3] Fächerscheiben DIN 6907[3]
5	Scheiben DIN EN ISO 7089 + 7090 Scheiben DIN 6902 Form A[3]	Federscheiben DIN 137 Form B[3] Federscheiben DIN 6904[3]
6	Spannscheiben DIN 6796, DIN 6908	

Zeichnerische Darstellung: Seite 82

[1] Durchgangsloch nach DIN EN 20273, Reihe mittel, Seite 212
[2] Für Schrauben ohne Unterlegteile   [3] Normen zurückgezogen

Senkungen für Sechskantschrauben und Sechskantmuttern vgl. DIN 974-2 (1991-05)

	d	4	5	6	8	10	12	14	16	20	24	27	30	33	36	42
	s	7	8	10	13	16	18	21	24	30	36	41	46	50	55	65
	d_h H13	4,5	5,5	6,6	9	11	13,5	15,5	17,5	22	26	30	33	36	39	45
d_1 H13	Reihe 1	13	15	18	24	28	33	36	40	46	58	61	73	76	82	98
	Reihe 2	15	18	20	26	33	36	43	46	54	73	76	82	89	93	107
	Reihe 3	10	11	13	18	22	26	30	33	40	48	54	61	69	73	82
t[1]	Sechsk.schr.	3,2	3,9	4,4	5,7	6,8	8,2	–	10,6	13,1	15,8	–	19,7	23,5	–	–

⇒ DIN 974 sieht keine Kurzbezeichnung für Senkungen vor.

Reihe 1: für Steckschlüssel DIN 659, DIN 896, DIN 3112 oder Steckschlüsseleinsätze DIN 3124
Reihe 2: für Ringschlüssel DIN 838, DIN 897 oder Steckschlüsseleinsätze DIN 3129
Reihe 3: für Ansenkungen bei beengten Raumverhältnissen (für Spannscheiben nicht geeignet)
[1] Für Sechskantschrauben ISO 4014, ISO 4017, ISO 8765, ISO 8676 ohne Unterlegteile

oder
Zeichnerische Darstellung: Seite 82

M

Berechnung der Senktiefe für bündigen Abschluss (für DIN 974-1 und DIN 974-2)

Ermittlung der Zugabe Z					
Gewinde-Nenn-∅ d	über 1 bis 1,4	über 1,4 bis 6	über 6 bis 20	über 20 bis 27	über 27 bis 100
Zugabe Z	0,2	0,4	0,6	0,8	1,0

t Senktiefe
k_{max} maximale Kopfhöhe der Schraube
h_{max} maximale Höhe des Unterlegteiles
Z Zugabe entspr. dem Gewinde-Nenndurchmesser (vgl. Tabelle)

Senktiefe[1]

$$t = k_{max} + h_{max} + Z$$

[1] Falls die Werte k_{max} und h_{max} nicht zur Verfügung stehen, können näherungsweise die Werte k und h verwendet werden.

Muttern – Übersicht

Bild	Ausführung	Normbereich von … bis	Norm	Verwendung, Eigenschaften
Sechskantmuttern, Typ 1				Seite 230, 231
	mit Regelgewinde	M1,6 … M64	DIN EN ISO 4032	am häufigsten verwendete Muttern, Verwendung für Schrauben bis zur gleichen Festigkeitsklasse;
	mit Feingewinde	M8x1 … M64x4	DIN EN ISO 8673	**Feingewinde:** höhere Kraftübertragung als bei Regelgewinden
Sechskantmuttern, Typ 2				Seite 231
	mit Regelgewinde	M5 … M36	DIN EN ISO 4033	Mutterhöhe m ist ca. 10% höher als bei Muttern des Typs 1, Verwendung für Schrauben bis zur gleichen Festigkeitsklasse;
	mit Feingewinde	M8x1 … M36x3	DIN EN ISO 8674	**Feingewinde:** höhere Kraftübertragung als bei Regelgewinden
Niedrige Sechskantmuttern				Seite 231, 232
	mit Regelgewinde	M1,6 … M64	DIN EN ISO 4035	Verwendung bei niedrigen Einbauhöhen und geringen Belastungen;
	mit Feingewinde	M8x1 … M64x4	DIN EN ISO 8675	**Feingewinde:** höhere Kraftübertragung als bei Regelgewinden
Sechskantmuttern mit Klemmteil				Seite 232
	mit Regelgewinde	M3 … M36	DIN EN ISO 7040	selbstsichernde Muttern mit voller Belastbarkeit und nichtmetallischem Einsatz, bis zu Betriebstemperaturen von 120°C;
	mit Feingewinde	M8x1 … M36x3	DIN EN ISO 10512	**Feingewinde:** höhere Kraftübertragung als bei Regelgewinden
	mit Regelgewinde	M5 … M36	DIN EN ISO 7719	selbstsichernde Ganzmetallmuttern mit voller Belastbarkeit;
	mit Feingewinde	M8x1 … M36x3	DIN EN ISO 10513	**Feingewinde:** höhere Kraftübertragung als bei Regelgewinden
Sechskantmuttern, andere Formen				Seite 232, 234
	mit großen Schlüsselweiten, Regelgewinde	M12 … M36	DIN EN 14399-4	Metallbau; hochfeste planmäßig vorgespannte Verbindungen (HV), mit Sechskantschrauben DIN EN 14999-4 (Seite 215)
	mit Flansch, Regelgewinde	M5 … M20	DIN EN 1661	Verwendung z.B. bei großen Durchgangsbohrungen oder zur Verringerung der Flächenpressung
	Schweißmuttern, Regelgewinde	M3 … M16 M8x1… M16x1,5	DIN 929	Verwendung in Blechkonstruktionen; Muttern werden mit den Blechen meist durch Buckelschweißen verbunden
Kronenmuttern, Splinte				Seite 234
	hohe Form, Regel- oder Feingewinde	M4 … M100 M8x1 … M100x4	DIN 935	Verwendung z.B. zur axialen Fixierung von Lagern, Naben, in Sicherheitsverschraubungen (Lenkungsbereich von Fahrzeugen)
	niedrige Form, Regel- oder Feingewinde	M6 … M48 M8x1… M48x3	DIN 979	Sicherung mit Splint und Querbohrung in der Schraube, bei voller Belastung der Schrauben werden die Splinte ab Festigkeitsklasse 8.8 abgeschert
	Splinte	0,6x12… 20x280	DIN EN ISO 1234	

M

Muttern – Übersicht, Bezeichnung von Muttern

Bild	Ausführung	Normbereich von … bis	Norm	Verwendung, Eigenschaften
Hutmuttern				Seite 233
	hohe Form, Regel- oder Feingewinde	M4 … M36 M8x1 … M24x2	DIN 1587	dekorativer und dichter Abschluss von Verschraubungen nach außen, Schutz für das Gewinde, Schutz vor Verletzungen
	niedrige Form, Regel- oder Feingewinde	M4 … M48 M8x1 … M48x3	DIN 917	
Ringmuttern, Ringschrauben				Seite 233
	Ringmuttern, Regel- oder Feingewinde	M8 … M100x6 M20x2 … M100x4	DIN 582	Transportösen an Maschinen und Geräten; Belastung hängt vom Lastzugwinkel ab, spanende Bearbeitung der Auflagefläche des Flansches erforderlich
Nutmuttern, Sicherungsbleche				Seite 233
	Nutmuttern mit Feingewinde	M10x1 … M200x1,5	DIN 70852	zur axialen Fixierung, z. B. von Naben, bei kleinen Einbauhöhen und geringen Belastungen, Sicherung mit Sicherungsblech
	Sicherungsbleche	10 … 200	DIN 70952	
	Nutmuttern mit Feingewinde	M10x0,75 … M115x2 (KM0 … KM23)	DIN 981	zur axialen Fixierung von Wälzlagern, zur Einstellung des Lagerspieles, z. B. bei Kegelrollenlagern, Sicherung mit Sicherungsblech
	Sicherungsbleche	10 … 115 (MB0 … MB23)	DIN 5406	
Rändelmuttern				Seite 234
	hohe Form, Regelgewinde	M1 … M10	DIN 466	Verwendung bei Verschraubungen, die häufig geöffnet werden, z. B. im Vorrichtungsbau, in Schaltschränken
	niedrige Form, Regelgewinde	M1 … M10	DIN 467	
Sechskant-Spannschlossmuttern				
	Regelgewinde	M6 … M30	DIN 1479	zur Verbindung und Einstellung, z. B. von Gewinde- und Schubstangen, mit Links- und Rechtsgewinde; Sicherung mit Gegenmuttern

M

Bezeichnung von Muttern   vgl. DIN 962 (2013-04)

Beispiele: Sechskantmutter ISO 4032 – M12   – 8
                Kronenmutter   DIN 929 – M8 x 1 – St
                Sechskantmutter EN 1661 – M12   – 10

Bezeichnung	Bezugsnorm, z. B. ISO, DIN, EN; Nummer des Normblattes[1]	Nenndaten, z. B. M → metrisches Gewinde 8 → Nenndurchmesser d 1 → Gewindesteigung P bei Feingewinden	Festigkeitsklasse, z. B. 05, 8, 10 Werkstoff, z. B.: St Stahl GT Temperguss

[1] Muttern, die nach ISO oder DIN EN ISO genormt sind, erhalten in der Bezeichnung das Kurzzeichen **ISO**.
Muttern, die nach DIN genormt sind, erhalten in der Bezeichnung das Kurzzeichen **DIN**.
Muttern, die nach DIN EN genormt sind, erhalten in der Bezeichnung das Kurzzeichen **EN**.

Festigkeitsklassen, Sechskantmuttern mit Regelgewinde

Festigkeitsklassen von Muttern
vgl. DIN EN ISO 898-2 (2012-08), DIN EN ISO 3506-2 (2010-04)

Beispiele:

	unlegierte und legierte Stähle DIN EN ISO 898-2	nichtrostende Stähle DIN EN ISO 3506-2
Mutterhöhe $m \geq 0{,}8 \cdot d$:	**8**	**A 2 – 70**
Mutterhöhe $m < 0{,}8 \cdot d$:	**04**	**A 4 – 035**

Kennzahl	Stahlsorte	Kennzahl

8   Festigkeitsklasse
04 niedrige Mutter, Prüf-
    spannung = 4 · 100 N/mm²
	A → austenitischer Stahl
	A2 → rostbeständige Muttern
	A4 → rost- und säurebest. Muttern
		70 Prüfspannung = 70 · 10 N/mm²
		035 niedrige Mutter,
		     Prüfspannung = 35 · 10 N/mm²

Zulässige Kombinationen von Muttern und Schrauben
vgl. DIN EN ISO 898-2 (2012-08)

Mutter

Schraube

Festigkeits-klasse der Mutter	verwendbare Schrauben bis zur Festigkeitsklasse										
	unlegierte und legierte Stähle							nichtrostende Stähle			
	4.8	5.8	6.8	8.8	9.8	10.9	12.9	A2-50	A2-70	A4-50	A4-70
5											
6											
8											
9											
10											
12											
A2-50											
A2-70											
A4-50											
A4-70											

□ zulässige Kombinationen von Festigkeitsklassen bei Muttern und Schrauben

04, 05, A2-025, A4-025	Festigkeitsklassen für niedrige Muttern. Die Muttern sind für kleine Belastungen ausgelegt. Schrauben und Muttern der gleichen Werkstoffgruppe, z. B. nichtrostender Stahl, sind miteinander kombinierbar.

Sechskantmuttern mit Regelgewinde, Typ 1[1)]
vgl. DIN EN ISO 4032 (2013-04)

Gültige Norm DIN EN ISO	Ersatz für DIN EN / DIN	Gewinde d	M1,6	M2	M2,5	M3	M4	M5	M6	M8	M10
4032	24032 / 934	SW d_w	3,2 2,4	4 3,1	5 4,1	5,5 4,6	7 5,9	8 6,9	10 8,9	13 11,6	16 14,6
		e m	3,4 1,3	4,3 1,6	5,5 2	6 2,4	7,7 3,2	8,8 4,7	11,1 5,2	14,4 6,8	17,8 8,4
		Festigkeits-klassen	nach Vereinbarung				6, 8, 10				
			A2-70, A4-70								

Gewinde d	M12	M16	M20	M24	M30	M36	M42	M48	M56
SW d_w	18 16,6	24 22,5	30 27,7	36 33,3	46 42,8	55 51,1	65 60	75 69,5	85 78,7
e m	20 10,8	26,8 14,8	33 18	39,6 21,5	50,9 25,6	60,8 31	71,3 34	82,6 38	93,6 45
Festigkeits-klassen	6, 8, 10						nach Vereinbarung		
	A2-70, A4-70			A2-50, A4-50			–		

Produktklassen (Seite 212)

Gewinde d	Klasse
M1,6 … M16	A
M20 … M64	B

Erläuterung	[1)] Typ1: Mutterhöhe $m \geq 0{,}8 \cdot d$
⇒	**Sechskantmutter ISO 4032 – M10 – 10:** d = M10, Festigkeitsklasse 10

M

Sechskantmuttern

Sechskantmuttern mit Regelgewinde, Typ 2[1]   vgl. DIN EN ISO 4033 (2013-04)

Gewinde d	M5	M6	M8	M10	M12	M16	M20	M24	M30	M36
SW	8	10	13	16	18	24	30	36	46	55
d_w	6,9	8,9	11,6	14,8	14,6	22,5	27,7	33,2	42,7	51,1
e	8,8	11,1	14,4	17,8	20	26,8	33	39,6	50,9	60,8
m	5,1	5,7	7,5	9,3	12	16,4	20,3	23,9	28,6	34,7

Produktklassen (Seite 212)	Festigkeitskl.	8, 9, 10, 12
Gewinde d	Klasse	Erläuterung
M1,6 … M16	A	[1] Sechskantmuttern des Typs 2 sind ca. 10 % höher als Muttern des Typs 1.
M20 … M64	B	⇒ **Sechskantmutter ISO 4033 – M24 – 9:** d = M24, Festigkeitsklasse 9

Sechskantmuttern mit Feingewinde, Typ 1 und Typ 2[1]   vgl. DIN EN ISO 8673 und 8674 (2013-04)

Gültige Norm DIN EN ISO	Ersatz für DIN EN	DIN
8673	28673	934
8674	28674	971

Gewinde d	M8 x1	M10 x1	M12 x1,5	M16 x1,5	M20 x1,5	M24 x2	M30 x2	M36 x3	M42 x3	M48 x3	M56 x4
SW	13	16	18	24	30	36	46	55	65	75	85
d_w	11,6	14,6	16,6	22,5	27,7	33,3	42,8	51,1	60	69,5	78,6
e	14,4	17,8	20	26,8	33	39,6	50,9	60,8	71,3	82,6	93,6
m_1 [1]	6,8	8,4	10,8	14,8	18	21,5	25,6	31	34	38	45
m_2 [1]	7,5	9,3	12	16,4	20,3	23,9	28,6	34,7	–	–	–

Festigkeitsklassen	Typ 1	6, 8, 10 (für d < M16x1,5)							nach Vereinbarung		
		A2-70, A4-70					A2-50, A4-50				
	Typ 2	8, 12					10			–	

Produktklassen (Seite 212)	Erläuterung
Gewinde d | Klasse	[1] Sechskantmutter Typ 1: DIN EN ISO 8673, Mutterhöhe $m_1 \geq 0,8 \cdot d$
M8x1 … M16x1,5 | A	Sechskantmutter Typ 2: DIN EN ISO 8674, Mutterhöhe m_2 ist ca. 10 % größer als bei Muttern des Typs 1.
M20x1,5 … M64x3 | B	⇒ **Sechskantmutter ISO 8673 – M8x1 – 6:** d = M8x1, Festigkeitsklasse 6

Niedrige Sechskantmuttern mit Regelgewinde[1]   vgl. DIN EN ISO 4035 (2013-04)

Gültige Norm DIN EN ISO	Ersatz für DIN EN
4035	24035

Gewinde d	M1,6	M2	M2,5	M3	M4	M5	M6	M8	M10
SW	3,2	4	5	5,5	7	8	10	13	16
d_w	2,4	3,1	4,1	4,6	5,9	6,9	8,9	11,6	14,6
e	3,4	4,3	5,5	6	7,7	8,8	11,1	14,4	17,8
m	1	1,2	1,6	1,8	2,2	2,7	3,2	4	5

Festigkeitsklassen	nach Vereinbarung							04, 05	
	A2-035, A4-035								

Gewinde d	M12	M16	M20	M24	M30	M36	M42	M48	M56
SW	18	24	30	36	46	55	65	75	85
d_w	16,6	22,5	27,7	33,2	42,8	51,1	60	69,5	78,7
e	20	26,8	33	39,6	50,9	60,8	71,3	82,6	93,6
m	6	8	10	12	15	18	21	24	28

Festigkeitsklassen	04, 05						nach Vereinbarung		
	A2-035, A4-035			A2-025, A4-025			–		

Produktklassen (Seite 212)	Erläuterung
Gewinde d | Klasse	[1] Niedrige Sechskantmuttern (Mutterhöhe m < 0,8 · d) sind geringer belastbar als Muttern des Typs 1.
M1,6 … M16 | A	⇒ **Sechskantmutter ISO 4035 – M16 – A2-035:**
M20 … M36 | B	d = M16, Festigkeitsklasse A2-035

M

Sechskantmuttern

Niedrige Sechskantmuttern mit Feingewinde[1]
vgl. DIN EN ISO 8675 (2013-04)

Gültige Norm DIN EN ISO	Ersatz für DIN EN	Gewinde d	M8 x1	M10 x1	M12 x1,5	M16 x1,5	M20 x1,5	M24 x2	M30 x2	M36 x3	M42 x3	M48 x4	M56 x4
8675	28675	SW d_w	13 11,6	16 14,6	18 16,6	24 22,5	30 27,7	36 33,3	46 42,8	55 51,1	65 60	75 69,5	85 76,7
		e m	14,4 4	17,8 5	20 6	26,8 8	33 10	39,6 12	50,9 15	60,8 18	71,3 21	82,6 24	93,6 28

Festigkeits- klassen	04, 05	nach Vereinbarung
	A2-035, A4-035	[2]

Erläuterungen	[1] Niedrige Sechskantmuttern (Mutterhöhe $m < 0,8 \cdot d$) sind geringer belastbar als Muttern des Typs 1 (Seite 231). [2] Festigkeitsklassen für nichtrostende Stähle: A2-025, A4-025

Produktklassen (Seite 212)	
Gewinde d	Klasse
M8x1 ... M16x1,5	A
M20x1,5 ... M64x3	B

⇒ **Sechskantmutter ISO 8675 – M20 x 1,5 – A2-035:** d = M20x1,5, Festigkeitsklasse A2-035

Sechskantmuttern mit Klemmteil, Typ 1[1]
vgl. DIN EN ISO 7040 (2013-04) und 10512 (1998-02)

Gültige Norm DIN EN ISO	Ersatz für DIN EN / DIN	Gewinde d	M4 –	M5 –	M6 –	M8 M8 x1	M10 M10 x1	M12 M12 x1,5	M16 M16 x1,5	M20 M20 x1,5	M24 M24 x2	M30 M30 x2	M36 M36 x3
7040 / 10512	27040 / 982	SW d_w e	7 5,9 7,7	8 6,9 8,8	10 8,9 11,1	13 11,6 14,4	16 14,6 17,8	18 16,6 20	24 22,5 26,8	30 27,7 33	36 33,3 39,6	46 42,8 50,9	55 51,1 60,8
		h m	6 2,9	6,8 4,4	8 4,9	9,5 6,4	11,9 8	14,9 10,4	19,1 14,1	22,8 16,9	27,1 20,2	32,6 24,3	38,9 29,4

Festigkeitskl.	bei DIN EN ISO 7040 und d > M5: 5, 8, 10; bei DIN EN ISO 10512: 6, 8, 10
Erläuterung	[1] Sechskantmuttern Typ 1 (Mutterhöhe $m \geq 0,8 \cdot d$) DIN EN ISO 7040: Muttern mit Regelgewinde DIN EN ISO 10512: Muttern mit Feingewinde

Produktklassen siehe DIN EN ISO 4032

⇒ **Sechskantmutter ISO 7040 – M16 – 10:** d = M6, Festigkeitsklasse 10

Sechskantmuttern mit großen Schlüsselweiten[1]
vgl. DIN EN 14399-4 (2006-06)

Gewinde d	M12	M16	M20	M22	M24	M27	M30	M36
SW d_w	22 20,1	27 24,9	32 29,5	36 33,3	41 38	46 42,8	50 46,6	60 55,9
e m	23,9 10	29,6 13	35 16	39,6 18	45,2 20	50,9 22	55,4 24	66,4 29

Festigkeitskl., Oberfläche	10 normal → leicht geölt, feuerverzinkt → Kurzzeichen: tZn
Erläuterung	[1] für hochfeste planmäßig vorgespannte Verbindungen (HV) im Metallbau. Verwendung mit Sechskantschrauben DIN EN 14399-4 (Seite 215).

Produktklasse B

⇒ **Sechskantmutter EN 14399-4 – M16 – 10 – HV:** d = M24, Festigkeitsklasse 10, hochfest vorgespannt

Sechskantmuttern mit Flansch
vgl. DIN EN 1661 (1998-02)

Gewinde d	M5	M6	M8	M10	M12	M16	M20
SW d_w d_c	8 9,8 11,8	10 12,2 14,2	13 15,8 17,9	16 19,6 21,8	18 23,8 26	24 31,9 34,5	30 39,9 42,8
e m	8,8 5	11,1 6	14,4 8	17,8 10	20 12	26,8 16	33 20

Festigkeitskl.	8, 10, A2-70

Produktklassen siehe DIN EN ISO 4032

⇒ **Sechskantmutter EN 1661 – M16 – 8:** d = M16, Festigkeitsklasse 8

M

Sechskant-Hutmuttern, Nutmuttern, Ringmuttern

Sechskant-Hutmuttern, hohe Form

vgl. DIN 1587 (2000-10)

Gewinde d	M4 –	M5 –	M6 –	M8 M8 x1	M10 M12 x1	M12 M12 x1,5	M16 M16 x1,5	M20 M20 x2	M24 M24 x2
SW	7	8	10	13	16	18	24	30	36
d_1	6,5	7,5	9,5	12,5	15	17	23	28	34
m	3,2	4	5	6,5	8	10	13	16	19
e	7,7	8,8	11,1	14,4	17,8	20	26,8	33,5	40
h	8	10	12	15	18	22	28	34	42
t	5,3	7,2	7,8	10,7	13,3	16,3	20,6	25,6	30,5
g_2	$g \approx 2 \cdot P$ (P Gewindesteigung)					Gewindefreistich DIN 76-D			
Festigkeitskl.	6, A1-50								

Produktklasse A oder B nach Wahl des Herstellers

⇒ **Hutmutter DIN 1587 – M20 – 6**: d = M20, Festigkeitsklasse 6

Nutmuttern

vgl. DIN 70852 (1989-06)

Gewinde d	M12 x1,5	M16 x1,5	M20 x1,5	M24 x1,5	M30 x1,5	M35 x1,5	M40 x1,5	M48 x1,5	M55 x1,5	M60 x1,5	M65 x1,5
d_1	22	28	32	38	44	50	56	65	75	80	85
d_2	18	23	27	32	38	43	49	57	67	71	76
m	6	6	6	7	7	8	8	8	8	9	9
b	4,5	5,5	5,5	6,5	6,5	7	7	8	8	11	11
t	1,8	2,3	2,3	2,8	2,8	3,3	3,3	3,8	3,8	4,3	4,3
Werkstoff	St (Stahl)										

⇒ **Nutmutter DIN 70852 – M16x1,5 – St**: d = M16x1,5, Werkstoff Stahl

Sicherungsbleche

vgl. DIN 70952 (1976-05)

Wellen-nut

d	12	16	20	24	30	35	40	48	55	60	65
d_1	24	29	35	40	48	53	59	67	79	83	88
t	0,75	1	1	1	1,2	1,2	1,2	1,2	1,2	1,5	1,5
a	3	3	4	4	5	5	5	5	6	6	6
b	4	5	5	6	7	7	8	8	10	10	10
b_1 C11	4	5	5	6	7	7	8	8	10	10	10
t_1	1,2	1,2	1,2	1,2	1,5	1,5	1,5	1,5	1,5	2	2
Werkstoff	St (Stahlblech)										

⇒ **Sicherungsblech DIN 70952-16 – St**: d = 16 mm, Werkstoff Stahl

Ringmuttern

vgl. DIN 582 (2010-09)

Belas-tungs-richtungen

senkrecht (einsträngig) **unter 45°** (zweisträngig)

Gewinde d	M8	M10	M12	M16	M20	M24	M30	M36	M42	M48	M56
h	18	22,5	26	30,5	35	45	55	65	75	85	95
d_1	36	45	54	63	72	90	108	126	144	166	184
d_2	20	25	30	35	40	50	60	70	80	90	100
d_3	20	25	30	35	40	50	65	75	85	100	110
Tragfähigkeit[1] in t bei Belastungsrichtung											
senkrecht	0,14	0,23	0,34	0,70	1,20	1,80	3,20	4,60	6,30	8,60	11,5
unter 45°	0,10	0,17	0,24	0,50	0,86	1,29	2,30	3,30	4,50	6,10	8,20
Werkstoffe	Einsatzstahl C15, A2, A3, A4, A5										
Erläuterung	[1] Die Werte enthalten eine Sicherheit ν = 6, bezogen auf die Bruchkraft.										

⇒ **Ringmutter DIN 582 – M36 – C15E**: d = M36, Werkstoff C15E

M

Kronenmuttern, Splinte, Schweißmuttern, Rändelmuttern

Kronenmuttern, hohe Form
vgl. DIN 935-1 (2000-10)

Gewinde d	M4 –	M5 –	M6 –	M8 M8 x1	M10 M10 x1	M12 M12 x1,5	M16 M16 x1,5	M20 M20 x2	M24 M24 x2	M30 M30 x2
s	7	8	10	13	16	18	24	30	36	46
e	7,7	8,8	11,1	14,4	17,8	20	26,8	33	39,6	50,9
m	5	6	7,5	9,5	12	15	19	22	27	33
d_1	kein zylindrischer Ansatz					15,6	21,5	27,7	33,2	42,7
n	1,2	1,4	2	2,5	2,8	3,5	4,5	4,5	5,5	7
w	3,2	4	5	6,5	8	10	13	16	19	24

Produktklassen (Seite 212)

Gewinde d	Klasse
M1,6 … M16	A
M20 … M100	B

Festigkeits-klassen	6, 8, 10
	A2-70 · A2-50

$\Rightarrow$ **Kronenmutter DIN 935 – M20 – 8:** d = M20, Festigkeitsklasse 8

Splinte
vgl. DIN EN ISO 1234 (1998-02)

$d^{1)}$	1	1,2	1,6	2	2,5	3,2	4	5	6,3	8
b	3	3	3,2	4	5	6,4	8	10	12,6	16
c	1,6	2	2,8	3,6	4,6	5,8	7,4	9,2	11,8	15
a	1,6	2,5	2,5	2,5	2,5	3,2	4	4	4	4
l von	6	8	8	10	12	14	18	22	28	36
l bis	20	25	32	40	50	63	80	100	125	160
$d_1^{2)}$ über	3,5	4,5	5,5	7	9	11	14	20	27	39
$d_1^{2)}$ bis	4,5	5,5	7	9	11	14	20	27	39	56

Nenn-längen	6, 8, 10, 12, 14, 16, 18, 20, 22, 25, 28, 32, 36, 40, 45, 50, 56, 63, 71, 80, 90, 100, 112, 125, 140, 160 mm
Erläuterungen	1) d Nenngröße = Splintlochdurchmesser 2) d_1 zugehöriger Schraubendurchmesser

$\Rightarrow$ **Splint ISO 1234 – 2,5x32 – St:**
d = 2,5 mm, l = 32 mm, Werkstoff Stahl

Sechskant-Schweißmuttern
vgl. DIN 929 (2000-01)

Gewinde d	M3	M4	M5	M6	M8	M10	M12	M16
s	7,5	9	10	11	14	17	19	24
d_1	4,5	6	7	8	10,5	12,5	14,8	18,8
e	8,2	9,8	11	12	15,4	18,7	20,9	26,5
m	3	3,5	4	5	6,5	8	10	13
h	0,3	0,3	0,3	0,4	0,4	0,5	0,6	0,8

Werkstoff	St – Stahl mit einem maximalen Kohlenstoffgehalt von 0,25 %

Produktklasse A $\Rightarrow$ **Schweißmutter DIN 929 – M16 – St:** d = M16, Werkstoff Stahl

Rändelmuttern
vgl. DIN 466 und 467 (2006-08)

Gewinde d	M1,2	M1,6	M2	M2,5	M3	M4	M5	M6	M8	M10
d_k	6	7,5	9	11	12	16	20	24	30	36
d_s	3	3,8	4,5	5	6	8	10	12	16	20
k	1,5	2	2	2,5	2,5	3,5	4	5	6	8
$h^{1)}$	4	5	5,3	6,5	7,5	9,5	11,5	15	18	23
$h^{2)}$	2	2,5	2,5	3	3	4	5	6	8	10

Festigkeitskl.	St (Stahl), A1-50
Erläuterungen	1) Mutterhöhe für DIN 466 hohe Form 2) Mutterhöhe für DIN 467 niedrige Form

$\Rightarrow$ **Rändelmutter DIN 467 – M6 – A1-50:** d = M6, Festigkeitsklasse A1-50

M

Flache Scheiben, Übersicht

Bezeichnungsbeispiel: Scheibe ISO 7090 – 8 – 300 HV – A2[1]

| Benennung | Norm | Nenngröße (Gewinde-Nenn-∅) | Härteklasse | Werkstoff |

[1] Nichtrostender Stahl, Stahlgruppe A2

Übersicht

Bild	Ausführung Normbereich von … bis	W[1]	Norm	Bild	Ausführung Normbereich von … bis	W[1]	Norm
	Flache Scheiben mit Fase Produktklasse A[2] M5 … M64 — Tabelle unten	Stahl, nichtrostender Stahl	DIN EN ISO 7090		Flache Scheiben mit Fase für HV-Schrauben M12 … M36 — Seite 237	Stahl	DIN EN 14399-6
	Flache Scheiben kleine Reihe Produktklasse A[2] M1,6 … M36 — Seite 236	Stahl, nichtrostender Stahl	DIN EN ISO 7092		Scheiben, vierkant, für U- und I-Träger M8 … M27 — Seite 237	Stahl	DIN 434 DIN 435
	Flache Scheiben normale Reihe Produktklasse C[2] M1,6 … M64 — Seite 236	Stahl	DIN EN ISO 7091		Scheiben für Bolzen Produktklasse A[2] d = 3 … 100 mm — Seite 237	Stahl	DIN EN 28738
	Scheiben für Stahlkonstruktionen, Produktklasse A[2], C[2] M10 … M30 — Seite 236	Stahl	DIN 7989-1		Spannscheiben für Schraubenverbindungen d = 2 … 30 mm — Seite 237	Federstahl	DIN 6796

[1] Werkstoff Stahl mit entsprechender Härteklasse (z. B. 200 HV; 300 HV); andere Werkstoffe nach Vereinbarung.
[2] Produktklassen unterscheiden sich in der Toleranz und im Fertigungsverfahren.

M

Flache Scheiben mit Fase, normale Reihe   vgl. DIN EN ISO 7090 (2000-11)

30° bis 45°

für Gewinde	M5	M6	M8	M10	M12	M16	M20
Nenngröße	5	6	8	10	12	16	20
d_1 min.[1]	5,3	6,4	8,4	10,5	13,0	17,0	21,0
d_2 max.[1]	10,0	12,0	16,0	20,0	24,0	30,0	37,0
h[1]	1	1,6	1,6	2	2,5	3	3
für Gewinde	M24	M30	M36	M42	M48	M56	M64
Nenngröße	24	30	36	42	48	56	64
d_1 min.[1]	25,0	31,0	37,0	45,0	52,0	62,0	70,0
d_2 max.[1]	44,0	56,0	66,0	78,0	92,0	105,0	115,0
h[1]	4	4	5	8	8	10	10

Werkstoffe[2]	Stahl		Nichtrostender Stahl
Sorte	–	–	A2, A4, F1, C1, C4 (ISO 3506)[3]
Härteklasse	200 HV	300 HV (vergütet)	200 HV
⇒	Scheibe ISO 7090-20-200 HV: Nenngröße (= Gewinde-Nenn-∅) = 20 mm, Härteklasse 200 HV, aus Stahl

Härteklasse 200 HV geeignet für:
- Sechskantschrauben und -muttern mit Festigkeitsklassen ≤ 8.8 bzw. ≤ 8 (Mutter)
- Sechskantschrauben und -muttern aus nichtrostendem Stahl

Härteklasse 300 HV geeignet für:
- Sechskantschrauben und -muttern mit Festigkeitsklassen ≤ 10.9 bzw. ≤ 10 (Mutter)

[1] jeweils Nennmaße
[2] Nichteisenmetalle und andere Werkstoffe nach Vereinbarung
[3] vgl. Seite 212

Flache Scheiben, Scheiben für Stahlkonstruktionen

Flache Scheiben, kleine Reihe
vgl. DIN EN ISO 7092 (2000-11)

für Gewinde	M1,6	M2	M2,5	M3	M4	M5	M6	M8
Nenngröße	1,6	2	2,5	3	4	5	6	8
d_1 min.[1]	1,7	2,2	2,7	3,2	4,3	5,3	6,4	8,4
d_2 max.[1]	3,5	4,5	5	6	8	9	11	15
h_{max}	0,35	0,35	0,55	0,55	0,55	1,1	1,8	1,8
für Gewinde	M10	M12	M14[2]	M16	M20	M24	M30	M36
Nenngröße	10	12	14	16	20	24	30	36
d_1 min.[1]	10,5	13,0	15,0	17,0	21,0	25,0	31,0	37,0
d_2 max.[1]	18,0	20,0	24,0	28,0	34,0	39,0	50,0	60,0
h_{max}	1,8	2,2	2,7	2,7	3,3	4,3	4,3	5,6

Härteklasse 200 HV geeignet für:
- Zylinderschrauben mit Festigkeitsklassen ≤ 8.8 oder aus nichtrostendem Stahl
- Zylinderschrauben mit Innensechskant mit Festigkeitsklassen ≤ 8.8 oder aus nichtrostendem Stahl

Härteklasse 300 HV geeignet für:
- Zylinderschrauben mit Innensechskant mit Festigkeitsklassen ≤ 10.9

Werkstoffe[3]	Stahl		Nichtrostender Stahl	
Sorte	–	–	A2, A4, F1, C1, C4 (ISO 3506)[4]	
Härteklasse	200 HV	300 HV (vergütet)	200 HV	
⇒	**Scheibe ISO 7092-8-200 HV-A2:** Nenngröße (= Gewinde-Nenn-∅) = 8 mm, kleine Reihe, Härteklasse 200 HV, aus nichtrostendem Stahl A2			

[1] jeweils Nennmaße
[2] diese Größe möglichst vermeiden
[3] Nichteisenmetalle und andere Werkstoffe nach Vereinbarung
[4] vgl. Seite 212

Flache Scheiben, normale Reihe
vgl. DIN EN ISO 7091 (2000-11)

für Gewinde	M2	M3	M4	M5	M6	M8	M10	M12
Nenngröße	2	3	4	5	6	8	10	12
d_1 min.[1]	2,4	3,4	4,5	5,5	6,6	9,0	11,0	13,5
d_2 max.[1]	5,0	7,0	9,0	10,0	12,0	16,0	20,0	24,0
h[1]	0,3	0,5	0,8	1,0	1,6	1,6	2	2,5
für Gewinde	M16	M20	M24	M30	M36	M42	M48	M64
Nenngröße	16	20	24	30	36	42	48	64
d_1 min.[1]	17,5	22,0	26,0	33,0	39,0	45,0	52,0	70,0
d_2 max.[1]	30,0	37,0	44,0	56,0	66,0	78,0	92,0	115,0
h[1]	3	3	4	4	5	8	8	10

Härteklasse 100 HV geeignet für:
- Sechskantschrauben, Produktklasse C, mit Festigkeitsklassen ≤ 6.8
- Sechskantmuttern, Produktklasse C, mit Festigkeitsklassen ≤ 6

⇒	**Scheibe ISO 7091-12-100 HV:** Nenngröße (= Gewinde-Nenn-∅), d = 12 mm, Härteklasse 100 HV

[1] jeweils Nennmaße

Scheiben für Stahlkonstruktionen
vgl. DIN 7989-1 und DIN 7989-2 (2001-04)

für Gewinde[1]	M10	M12	M16	M20	M24	M27	M30
d_1 min.	11,0	13,5	17,5	22,0	26,0	30,0	33,0
d_2 max.	20,0	24,0	30,0	37,0	44,0	50,0	56,0
⇒	**Scheibe DIN 7989-16-C-100 HV:** Gewinde-Nenn-∅ d = 16 mm, Produktklasse C, Härteklasse 100 HV						

Für Schrauben nach DIN 7968, DIN 7969, DIN 7990 in Verbindung mit Muttern nach ISO 4032 und ISO 4034 geeignet.

Ausführungen: Produktklasse C (gestanzte Ausführung) Dicke h = (8 ± 1,2) mm
Produktklasse A (gedrehte Ausführung) Dicke h = (8 ± 1) mm

[1] Nennmaße

M

Scheiben für HV-Schrauben, U- und I-Träger, Bolzen, Spannscheiben

Flache Scheiben mit Fase für HV-Schraubenverbindungen
vgl. DIN EN 14399-6 (2006-06)

Kennzeichen H

Zeichen des Herstellers

für Gewinde	M12	M16	M20	M22	M24	M27	M30	M36
d_1 min.	13	17	21	23	25	28	31	37
d_2 max.	24	30	37	39	44	50	56	66
h	3	4	4	4	4	4	5	5	6

⇒ **Scheibe EN 14399-6 – 20:** Nenngröße d = 20 mm
(die Nenngröße entspricht dem Gewindedurchmesser)

Werkstoff: Stahl, vergütet auf 300 HV bis 370 HV

Scheiben, vierkant, keilförmig, für U- und I-Träger
vgl. DIN 434 (2000-04), DIN 435 (2000-01)

U-Scheibe DIN 434

I-Scheibe DIN 435

8% ±0,5%   14% ±0,5%

für Gewinde	M8	M10	M12	M16	M20	M22	M24
d_1 min.[1]	9	11	13,5	17,5	22	24	26
a	22	22	26	32	40	44	56
b	22	22	30	36	44	50	56
h DIN 434	3,8	3,8	4,9	5,8	7	8	8,5
h DIN 435	4,6	4,6	6,2	7,5	9,2	10	10,8

⇒ **I-Scheibe DIN 435-13,5:** Nenngröße d_1 = 13,5 mm

Werkstoff: Stahl, Härte 100 HV 10 bis 250 HV 10

[1] Nenndurchmesser

Scheiben für Bolzen, Produktklasse A[1]
vgl. DIN EN 28738 (1992-10)

Ra 3,2

d_1 min.[2]	3	4	5	6	8	10	12
d_2 max.	6	8	10	12	15	18	20
h		0,8		1	1,6	2	2,5	3
d_1 min.[2]	14	16	18	20	22	24	27
d_2 max.	22	24	28	30	34	37	39
h		3			4			5
d_1 min.[2]	30	36	40	50	60	80	100
d_2 max.	44	50	56	66	78	98	120
h	5		6		8	10	12

⇒ **Scheibe ISO 8738-14-160 HV:** d_1 min. = 14 mm,
Härteklasse 160 HV

Werkstoff: Stahl, Härte 160 bis 250 HV
Verwendung: Für Bolzen nach ISO 2340 und ISO 2341 (Seite 240), nur auf der Splintseite.
[1] Produktklassen unterscheiden sich in der Toleranz und im Fertigungsverfahren. [2] jeweils Nennmaße

M

Spannscheiben für Schraubenverbindungen
vgl. DIN 6796 (2009-08)

für Gewinde	M2	M3	M4	M5	M6	M8	M10
d_1 H14	2,2	3,2	4,3	5,3	6,4	8,4	10,5
d_2 h14	5	7	9	11	14	18	23
h max.	0,6	0,85	1,3	1,55	2	2,6	3,2
s	0,4	0,6	1	1,2	1,5	2	2,5
für Gewinde	M12	M16	M20	M22	M24	M27	M30
d_1 H14	13	17	21	23	25	28	31
d_2 h14	29	39	45	49	56	60	70
h max.	3,95	5,25	6,4	7,05	7,75	8,35	9,2
s	3	4	5	5,5	6	6,5	7

⇒ **Spannscheibe DIN 6796-10-FSt:** für Gewinde M10, aus Federstahl

Werkstoff: Federstahl (FSt) nach DIN 267-26 oder nichtrostender Stahl
Verwendung: Spannscheiben sollen einem Lockern der Schraubenverbindungen entgegenwirken. Dies gilt nicht für wechselnde Querbelastung. Die Anwendung beschränkt sich deshalb auf überwiegend axial belastete, kurze Schrauben der Festigkeitsklasse 8.8 bis 10.9.

Stifte und Bolzen, Übersicht

Bezeichnungsbeispiel:

Kegelstift ISO 2339 – A – 10x40 – St

Benennung	Norm	Form bzw. Typ[1]	Nenn-$\varnothing$ x Nennlänge	Werkstoff

z. B. St = Stahl
Nichtrostende Stähle:
A1 = austenitisch
C1 = martensitisch

Stifte mit DIN-EN-Hauptnummern werden mit ISO-Nummern bezeichnet.
ISO-Nummer = DIN-EN-Nummer – 20000; Beispiel: DIN EN 22338 = ISO 2338
[1] falls vorhanden

Bild	Bezeichnung, Normbereich von … bis	Norm	Bild	Bezeichnung, Normbereich von … bis	Norm
Stifte					Seite 239
[1] Toleranzklassen m6 oder h8	Zylinderstift, ungehärtet d = 1 … 50 mm	DIN EN ISO 2338		Kegelstift, d_1 = 0,6 … 50 mm	DIN EN 22339
	Zylinderstift, gehärtet d = 0,8 … 20 mm	DIN EN ISO 8734		Spannstift (Spannhülsen), geschlitzt d_1 = 1 … 50 mm	DIN EN ISO 8752 DIN EN ISO 13337
Kerbstifte, Kerbnägel					Seite 240
	Zylinderkerbstift mit Fase d_1 = 1,5 … 25 mm	DIN EN ISO 8740		Kegelkerbstift d_1 = 1,5 … 25 mm	DIN EN ISO 8744
	Steckkerbstift d_1 = 1,5 … 25 mm	DIN EN ISO 8741		Passkerbstift d_1 = 1,2 … 25 mm	DIN EN ISO 8745
	Knebelkerbstift, $1/3$ der Länge gekerbt d_1 = 1,2 … 25 mm	DIN EN ISO 8742		Halbrundkerbnagel d_1 = 1,4 … 20 mm	DIN EN ISO 8746
	Knebelkerbstift mit langen Kerben d_1 = 1,2 … 25 mm	DIN EN ISO 8743		Senkkerbnagel d_1 = 1,4 … 20 mm	DIN EN ISO 8747
Bolzen					Seite 240
Form A	Bolzen ohne Kopf, Form A ohne, Form B mit Splintloch d = 3 … 100 mm	DIN EN 22340	Form A	Bolzen mit Kopf, Form A ohne, Form B mit Splintloch d = 3 … 100 mm	DIN EN 22341

M

Zylinder-, Kegel-, Spannstifte

Zylinderstifte aus ungehärtetem Stahl und austenitischem nichtrostendem Stahl
vgl. DIN EN ISO 2338 (1998-02)

d m6/h8[2]	0,6	0,8	1	1,2	1,5	2	2,5	3	4	5
l von bis	2 / 6	2 / 8	4 / 10	4 / 12	4 / 16	6 / 20	6 / 24	6 / 30	8 / 40	10 / 50
d m6/h8[2]	6	8	10	12	16	20	25	30	40	50
l von bis	12 / 60	14 / 80	18 / 95	22 / 140	26 / 180	35 / 200	50 / 200	60 / 200	80 / 200	95 / 200

Nennlängen l	2, 3, 4, 5, 6, 8, 10, 12, 14, 16, 18, 20, 22, 24, 26, 28, 30, 32, 35, 40 … 95, 100, 120, 140, 160, 180, 200 mm.
⇒	**Zylinderstift ISO 2338 – 6 m6 x 30 – St:** d = 6 mm, Toleranzklasse m6, l = 30 mm, aus Stahl

[1] Radius und Einsenkung am Stiftende zulässig

[2] lieferbar in den Toleranzklassen m6 und h8

Zylinderstifte, gehärtet
vgl. DIN EN ISO 8734 (1998-03)

d m6	1	1,5	2	2,5	3	4	5	6	8	10	12	16	20
l von bis	3 / 10	4 / 16	5 / 20	6 / 24	8 / 30	10 / 40	12 / 50	14 / 60	18 / 80	22 /	26 / 100	40 /	50 /

Nennlängen l	3, 4, 5, 6, 8, 10, 12, 14, 16, 18, 20, 22, 24, 26, 28, 30, 32, 35, 40, 45, 50, 55, 60, 65, 70, 75, 80, 85, 90, 95, 100 mm
Werkstoffe	• Stahl: Typ A Stift durchgehärtet, Typ B einsatzgehärtet • Nichtrostender Stahl Sorte C1
⇒	**Zylinderstift ISO 8734 – 6 x 30 – C1:** d = 6 mm, l = 30 mm, aus nichtrostendem Stahl der Sorte C1

[1] Radius und Einsenkung am Stiftende zulässig

Kegelstifte, ungehärtet
vgl. DIN EN 22339 (1992-10)

d h10	1	2	3	4	5	6	8	10	12	16	20	25	30
l von bis	6 / 10	10 / 35	12 / 45	14 / 55	18 / 60	22 / 90	22 / 120	26 / 160	32 / 180	40 /	45 / 200	50 /	55 /

Nennlängen l	2, 3, 4, 5, 6, 8, 10, 12, 14, 16, 18, 20, 22, 24, 26, 28, 30, 32, 35, 40, 45 … 95, 100, 120 …180, 200 mm
⇒	**Kegelstift ISO 2339 – A – 10 x 40 – St:** Typ A, d = 10 mm, l = 40 mm, aus Stahl

Typ A geschliffen, Ra = 0,8 µm; Typ B gedreht, Ra = 3,2 µm

Spannstifte (Spannhülsen), geschlitzt, schwere Ausführung
vgl. DIN EN ISO 8752 (2009-10)
Spannstifte (Spannhülsen), geschlitzt, leichte Ausführung
vgl. DIN EN ISO 13337 (2009-10)

M

Nenn-Ø d_1	2	2,5	3	4	5	6	8	10	12
d_1 max.	2,4	2,9	3,5	4,6	5,6	6,7	8,8	10,8	12,8
s ISO 8752	0,4	0,5	0,6	0,8	1	1,2	1,5	2	2,5
s ISO 13337	0,2	0,25	0,3	0,5	0,5	0,75	0,75	1	1
l von bis	4 / 20	4 / 30	4 / 40	4 / 50	5 / 80	10 / 100	10 / 120	10 / 160	10 / 180
Nenn-Ø d_1	14	16	20	25	30	35	40	45	50
d_1 max.	14,8	16,8	20,9	25,9	30,9	35,9	40,9	45,9	50,9
s ISO 8752	3	3	4	5	6	7	7,5	8,5	9,5
s ISO 13337	1,5	1,5	2	2	2,5	3,5	4	4	5
l von bis	10 / 200			14 / 200			20 / 200		

Nennlängen l	4, 5, 6, 8, 10, 12, 14, 16, 18, 20, 22, 24, 26, 28, 30, 32, 35, 40, 45 … 95, 100, 120, 140, 160, 180, 200 mm
Werkstoffe	• Stahl: gehärtet und angelassen auf 420 HV … 520 HV • Nichtrostender Stahl: Sorte A oder Sorte C
Anwendung	Der Durchmesser der Aufnahmebohrung (Toleranzklasse H12) muss gleich dem Nenndurchmesser d_1 des dazugehörigen Stiftes sein. Nach Einbau des Stiftes in die kleinste Aufnahmebohrung darf der Schlitz nicht ganz geschlossen sein.
⇒	**Spannstift ISO 8752 – 6 x 30 – St:** d_1 = 6 mm, l = 30 mm, aus Stahl

[1] Für Spannstifte mit einem Nenndurchmesser $d_1 \geq$ 10 mm ist auch nur eine Fase zulässig.

Kerbstifte, Kerbnägel, Bolzen

Kerbstifte, Kerbnägel   vgl. DIN EN ISO 8740 … 8747 (1998-03)

	d_1	1,5	2	2,5	3	4	5	6	8	10	12	16	20	25
Zylinderkerbstifte mit Fase ISO 8740	l von bis	8 20	8 30	10 30	10 40	10 60	14 60	14 80	14 100	14 100	18 100	22 100	26 100	26 100
Steckkerbstifte ISO 8741	l von bis	8 20	8 30	8 30	8 40	10 60	10 60	12 80	14 100	18 160	26 200	26 200	26 200	26 200
Knebelkerbstifte ISO 8742+8743	l von bis	8 20	12 30	12 30	12 40	18 60	18 60	22 80	26 100	32 160	40 200	45 200	45 200	45 200
Kegelkerbstifte ISO 8744	l von bis	8 20	8 30	8 30	8 40	8 60	8 60	10 80	12 100	14 120	14 120	24 120	26 120	26 120
Passkerbstifte ISO 8745	l von bis	8 20	8 30	8 30	8 40	10 60	10 60	10 80	14 100	14 200	18 200	26 200	26 200	26 200

	d_1	1,4	1,6	2	2,5	3	4	5	6	8	10	12	16	20
Halbrundkerbnägel ISO 8746	l von bis	3 6	3 8	3 10	3 12	4 16	5 20	6 25	8 30	10 40	12 40	16 40	20 40	25 40
Senkkerbnägel ISO 8747	l von bis	3 6	3 8	4 10	4 12	5 16	6 20	8 25	8 30	10 40	12 40	16 40	20 40	25 40

Nennlängen l	Stifte: 8, 10 … 30, 32, 35, 40 …100, 120, 140 …180, 200 mm Nägel: 3, 4, 5, 6, 8, 10, 12, 16, 20, 25, 30, 35, 40 mm
⇒	**Kerbstift ISO 8740 – 6 x 50 – St**: d_1 = 6 mm, l = 50 mm, aus Stahl

Bolzen ohne Kopf und mit Kopf   vgl. DIN EN 22340, 22341 (1992-10)

Bolzen ohne Kopf ISO 2340

Bolzen mit Kopf ISO 2341

d h11	3	4	5	6	8	10	12	14	16	18	20	22	24
d_1 H13	0,8	1	1,2	1,6	2	3,2	3,2	4	4	5	5	5	6,3
d_k h14	5	6	8	10	14	18	20	22	25	28	30	33	36
k js14	1	1	1,6	2	3	4	4	4	4,5	5	5	5,5	6
l_e	1,6	2,2	2,9	3,2	3,5	4,5	5,5	6	6	7	8	8	9
l von bis	6 30	8 40	10 50	12 60	16 80	20 100	24 120	28 140	30 160	35 180	40 200	45 200	50 200

Nennlängen l	6, 8, 10 … 30, 32, 35, 40 … 95, 100, 120, 140 …180, 200 mm

Form A ohne Splintloch,
Form B mit Splintloch

⇒	**Bolzen ISO 2340 – B – 20 x 100 – St**: Form B, d = 20 mm, l = 100 mm, aus Automatenstahl (St)

Bolzen mit Kopf und Gewindezapfen   vgl. DIN 1445 (2011-02)

d_1 h11	8	10	12	14	16	18	20	24	30	40	50
b min	11	14	17	20	20	20	25	29	36	42	49
d_2	M6	M8	M10	M12	M12	M12	M16	M20	M24	M30	M36
d_3 h14	14	18	20	22	25	28	30	36	44	55	66
k js14	3	4	4	4	4,5	5	5	6	8	8	9
s	11	13	17	19	22	24	27	32	36	50	60
Nennlängen l_2	16, 20, 25, 30, 35 …125, 130, 140, 150 …190, 200 mm										

1) Klemmlänge	⇒	**Bolzen DIN 1445 – 12h11 x 30 x 50 – St**: d_1 = 12 mm, Toleranzklasse h11, l_1 = 30 mm, l_2 = 50 mm, aus 9SMnPb28 (St)

M

Welle-Nabe-Verbindungen – Übersicht (Auswahl)

Ausführung	Eigenschaften, Anwendung	Ausführung	Eigenschaften, Anwendung

Formschlüssige Verbindungen

Passfeder DIN 6885-1 Seite 243		Scheibenfeder DIN 6888 Seite 243	
	– Nabe axial verschiebbar – Selbstzentrierung – vorwiegend für einseitige Drehmomentübertragung – hohe Kerbwirkung • Zahnräder, Riemengetriebe		– einfache Fertigung und Montage – Kerbwirkung auf die Welle und Nabe – Welle durch die notwendige tiefere Nut stark geschwächt • Zahnriemenantrieb, Kegelverbindungen, Einspritzpumpe

Keilverbindung DIN 6886, DIN 6887 Seite 242		Keilwelle DIN ISO 14 Seite 242	
	– Übertragung mittlerer einseitiger und wechselnder Drehmomente – einfache Montage – sicherer und fester Sitz – hohe Unwucht – hohe Kerbwirkung • schwere Scheiben, Räder, Kupplungen bei Großmaschinen		– Übertragung großer wechselnder Drehmomente – Nabe axial verschiebbar – Selbstzentrierung – hohe Kerbwirkung • Antriebswellen, Verschieberädergetriebe

Zahnwelle DIN 5481 (Kerbzahnprofil)		Polygonprofil DIN 32711, DIN 32712	
	– Übertragung großer wechselnder Drehmomente – Selbstzentrierung – bei Evolventenzahnprofil geringere Kerbwirkung – für feste Verbindungen • Achsschenkel und Drehstabfedern im Kfz-Bereich		– Übertragung einseitiger und wechselnder Drehmomente – Selbstzentrierung – geringe Unwucht – kerbwirkungsfrei • Antriebswellen

Kraftschlüssige Verbindungen

Querpressverband DIN 7157 Seite 111		Kegelpressverband DIN 2080 (Steilkegel) Seite 244	
	– Übertragung großer einseitiger und wechselnder Drehmomente – Aufnahme hoher Axialkräfte – Selbstzentrierung – geringe Unwucht – einfache Fertigung – für nicht zu lösende Verbindungen • Schwungräder, Riemenscheiben, Zahnräder, Wälzlager		– Übertragung großer einseitiger und wechselnder Drehmomente – Aufnahme hoher Axialkräfte – Selbstzentrierung – geringe Unwucht – Verbindung nachstellbar – Nabe in Drehrichtung einstellbar – einfache Montage • Naben auf Wellenenden, Werkzeuge in Arbeitsspindeln

Kegelspannring (Ringfeder)		Sternscheibe	
	– Verbindung ist nachstellbar – Nabe in Drehrichtung einstellbar – einfache Montage • Kettenräder, Riemenscheiben		– Verbindung ist nachstellbar – Nabe in Drehrichtung einstellbar – einfache Montage – axial kurze Bauweise • Spannen und Lösen einer Skalenscheibe an einem Vorschubantrieb, Riemenscheiben

Druckhülse		Hydraulische Spannbuchse	
	– Nabe in Drehrichtung einstellbar – einfache Fertigung – einfache Montage – Selbstzentrierung • Zahnräder, Riemenscheiben, Kupplungen		– Nabe in Drehrichtung einstellbar – einfache Fertigung – einfache Montage – Selbstzentrierung • Zahnräder, Riemenscheiben, Kupplungen

M

Keile, Nasenkeile, Keilwellenverbindungen

Keile, Nasenkeile   vgl. DIN 6886 (1967-12) bzw. DIN 6887 (1968-04)

Form A (Einlegekeil)   **Form B (Treibkeil)** b D10   **Nasenkeil**

Für Wellen-durchmesser d	über bis	10 12	12 17	17 22	22 30	30 38	38 44	44 50	50 58	58 65	65 75	75 85	85 95	95 110
Keile	b D10 h	4 4	5 5	6 6	8 7	10 8	12 8	14 9	16 10	18 11	20 12	22 14	25 14	28 16
Nasenkeile	h_1 h_2	4,1 7	5,1 8	6,1 10	7,2 11	8,2 12	8,2 12	9,2 14	10,2 16	11,2 18	12,2 20	14,2 22	14,2 22	16,2 25
Wellennuttiefe Nabennuttiefe	t_1 t_2	2,5 1,2	3 1,7	3,5 2,2	4 2,4	5 2,4	5 2,4	5,5 2,9	6 3,4	7 3,4	7,5 3,9	9 4,4	9 4,4	10 5,4
Zul. Abweichung	t_1, t_2	+0,1			+0,2									
Keillänge l	von bis	10[1] 45	12[1] 56	16 70	20 90	25 110	32 140	40 160	45 180	50 200	56 220	63 250	70 280	80 320
Nennlängen l		6, 8 … 20, 22, 25, 28, 32, 40, 45, 50, 56, 63, 70, 80 … 100, 110, 125, 140, 160 … 200, 220, 250, 280, 320, 360, 400 mm												
Längentoleranzen	Keillänge l, von … bis	6 … 28				32 … 80				90 … 400				
Toleranzen für	Keillänge	− 0,2				− 0,3				− 0,5				
	Nutlänge (Einlegekeil)	+ 0,2				+ 0,3				+ 0,5				

⇒ **Keil A 20 x 12 x 125 DIN 6886**: Form A, b = 20 mm, h = 12 mm, l = 125 mm

[1] Nasenkeillängen ab 14 mm

Keilwellenverbindungen mit geraden Flanken und Innenzentrierung   vgl. DIN ISO 14 (1986-12)

M

Nabe B

Welle B

Innen-zentrierung

	Leichte Reihe			Mittlere Reihe				Leichte Reihe			Mittlere Reihe		
d	N[1]	D	B	N[1]	D	B	d	N[1]	D	B	N[1]	D	B
11	–	–	–	6	14	3	42	8	46	8	8	48	8
13	–	–	–	6	16	3,5	46	8	50	9	8	54	9
16	–	–	–	6	20	4	52	8	58	10	8	60	10
18	–	–	–	6	22	5	56	8	62	10	8	65	10
21	–	–	–	6	25	5	62	8	68	12	8	72	12
23	6	26	6	6	28	6	72	10	78	12	10	82	12
26	6	30	6	6	32	6	82	10	88	12	10	92	12
28	6	32	7	6	34	7	92	10	98	14	10	102	14
32	8	36	6	8	38	6	102	10	108	16	10	112	16
36	8	40	7	8	42	7	112	10	120	18	10	125	18

Toleranzklassen für die Nabe						Toleranzklassen für die Welle			
nicht wärme-behandelt Maße			wärme-behandelt Maße				Einbauart		
						Maße	Spiel-passung	Über-gangspass.	Übermaß-passung
B	D	d	B	D	d	B	d10	f9	h10
H9	H10	H7	H11	H10	H7	D	a11	a11	a11
						d	f7	g7	h7

⇒ **Welle (oder Nabe) ISO 14 − 6 x 23 x 26**: N = 6, d = 23 mm, D = 26 mm

[1] N Anzahl der Keile

Passfedern, Scheibenfedern

Passfedern (hohe Form) — vgl. DIN 6885-1 (1968-08)

Form A Form B Form C Form D Form E Form F

Toleranzen für Passfedernuten

Wellennutenbreite b	fester Sitz	P 9
	leichter Sitz	N 9
Nabennutenbreite b	fester Sitz	P 9
	leichter Sitz	JS 9

zul. Abweichung bei d_1	≤ 22	≤ 130	> 130
Wellennutentiefe t_1	+ 0,1	+ 0,2	+ 0,3
Nabennutentiefe t_2	+ 0,1	+ 0,2	+ 0,3

zul. Abweichung bei Länge l	6 ... 28	32 ... 80	90 ... 400
Längen-toleranzen für Feder	− 0,2	− 0,3	− 0,5
Nut	+ 0,2	+ 0,3	+ 0,5

d_1 über	6	8	10	12	17	22	30	38	44	50	58	65	75	85	95	110
bis	8	10	12	17	22	30	38	44	50	58	65	75	85	95	110	130
b	2	3	4	5	6	8	10	12	14	16	18	20	22	25	28	32
h	2	3	4	5	6	7	8	8	9	10	11	12	14	14	16	18
t_1	1,2	1,8	2,5	3	3,5	4	5	5	5,5	6	7	7,5	9	9	10	11
t_2	1	1,4	1,8	2,3	2,8	3,3	3,3	3,3	3,8	4,3	4,4	4,9	5,4	5,4	6,4	7,4
l von	6	6	8	10	14	18	20	28	36	45	50	56	63	70	80	90
bis	20	36	45	56	70	90	110	140	160	180	200	220	250	280	320	360

Nenn-längen l	6, 8, 10, 12, 14, 16, 18, 20, 22, 25, 28, 32, 36, 40, 45, 50, 56, 63, 70, 80, 90, 100, 110, 125, 140, 160, 180, 200, 220, 250, 280, 320 mm

⇒ **Passfeder DIN 6885 – A – 12 x 8 x 56**: Form A, b = 12 mm, h = 8 mm, l = 56 mm

Scheibenfedern — vgl. DIN 6888 (1956-08)

M

Toleranzen für Scheibenfedernuten

Wellennutenbreite b	fester Sitz	P 9 (P 8)[1]
	leichter Sitz	N 9 (N 8)[1]
Nabennutenbreite b	fester Sitz	P 9 (P 8)[1]
	leichter Sitz	J 9 (J 8)[1]

zul. Abweich. bei b und h	≤ 5 $\leq 7,5$	5 $> 7,5$	6 ≤ 9	6 > 9	8 –	10 –
Wellennutentiefe t_1	+0,1	+0,2	+0,1	+0,2	+0,2	+0,2
Nabennutentiefe t_2	+0,1	+0,1	+0,1	+0,1	+0,1	+0,2

d_1 über	8		10		12		17		22		30	
bis	10		12		17		22		30		38	
b h9	2,5		3		4		5		6		8		10
h h12	3,7	3,7	5	6,5	5	6,5	7,5	6,5	7,5	9	7,5	9	11	9	11	13	11	13	16
d_2	10	10	13	16	13	16	19	16	19	22	19	22	28	22	28	32	28	32	45
t_1	2,9	2,5	3,8	5,3	3,5	5	6	4,5	5,5	7	5,1	6,6	8,6	6,2	8,2	10,2	7,8	9,8	12,8
t_2	1		1,4		1,7		2,2		2,6		3		3,4
$l \approx$	9,7	9,7	12,7	15,7	12,7	15,7	18,6	15,7	18,6	21,6	18,6	21,6	27,4	21,6	27,4	31,4	27,4	31,4	43,1

⇒ **Scheibenfeder DIN 6888 – 6 x 9**: b = 6 mm, h = 9 mm

[1] Toleranzklasse bei geräumten Nuten

Metrische Kegel, Morse-, Steilkegel

Morsekegel und Metrische Kegel   vgl. DIN 228-1 (1987-05); DIN 228-2 (1987-03)

Form A: Kegelschaft mit Anzuggewinde   **Form B:** Kegelschaft mit Austreiblappen

Form C: Kegelhülse für Kegelschäfte mit Anzuggewinde   **Form D:** Kegelhülse für Kegelschäfte mit Austreiblappen

Die **Formen AK, BK, CK** und **DK** haben jeweils eine Zuführung für Kühlschmierstoffe.

Kegel-art	Größe	Kegelschaft								Kegelschaft				Kegel	
		d_1	d_2	d_3	d_4	d_5	l_1	a	l_2	d_6 H11	l_3	l_4	z[1]	Ver-jüngung	$\frac{\alpha}{2}$
Metr. Kegel (ME)	4	4	4,1	2,9	–	–	23	2	–	3	25	20	0,5	1 : 20	1,432°
	6	6	6,2	4,4	–	–	32	3	–	4,6	34	28	0,5		
Morse-Kegel (MK)	0	9,045	9,2	6,4	–	6,1	50	3	56,5	6,7	52	45	1	1 : 19,212	1,491°
	1	12,065	12,2	9,4	M6	9	53,5	3,5	62	9,7	56	47	1	1 : 20,047	1,429°
	2	17,780	18,0	14,6	M10	14	64	5	75	14,9	67	58	1	1 : 20,020	1,431°
	3	23,825	24,1	19,8	M12	19,1	81	5	94	20,2	84	72	1	1 : 19,922	1,438°
	4	31,267	31,6	25,9	M16	25,2	102,5	6,5	117,5	26,5	107	92	1	1 : 19,254	1,488°
	5	44,399	44,7	37,6	M20	36,5	129,5	6,5	149,5	38,2	135	118	1	1 : 19,002	1,507°
	6	63,348	63,8	53,9	M24	52,4	182	8	210	54,8	188	164	1	1 : 19,180	1,493°
Metr. Kegel (ME)	80	80	80,4	70,2	M30	69	196	8	220	71,5	202	170	1,5	1 : 20	1,432°
	100	100	100,5	88,4	M36	87	232	10	260	90	240	200	1,5		
	120	120	120,6	106,6	M36	105	268	12	300	108,5	276	230	1,5		
	160	160	160,8	143	M48	141	340	16	380	145,5	350	290	2		
	200	200	201,0	179,4	M48	177	412	20	460	182,5	424	350	2		

⇒   **Kegelschaft DIN 228 – ME – B 80 AT6:** Metr. Kegelschaft, Form B, Größe 80, Kegelwinkel-Toleranzqualität AT6

[1] Das Prüfmaß d_1 kann bis maximal im Abstand z vor der Kegelhülse liegen.

Steilkegelschäfte für Werkzeuge und Spannzeuge Form A   vgl. DIN 2080-1 (2011-11)

Nr.	d_1	d_2 a10	d_3	d_4 – 0,4	l_1	$a \pm 0,2$	b H12
30	31,75	17,4	M12	50	68,4	1,6	16,1
40	44,45	25,3	M16	63	93,4	1,6	16,1
50	69,85	39,6	M24	97,5	126,8	3,2	25,7
60	107,95	60,2	M30	156	206,8	3,2	25,7
70	165,1	92	M36	230	296	4	32,4
80	254	140	M48	350	469	6	40,5

⇒   **Steilkegelschaft DIN 2080 – A 40 AT4:** Form A, Nr. 40, Kegelwinkel-Toleranzqualität AT4

M

Zylindrische Schrauben-Zugfedern

deutsche Öse DIN 2097

d Drahtdurchmesser in mm
D_a äußerer Windungsdurchmesser in mm
D_h kleinster Hülsendurchmesser in mm
L_0 Länge der unbelasteten Feder in mm
L_k Länge des unbelasteten Federkörpers in mm
L_n größte Federlänge
F_0 innere Vorspannkraft in N
F_n größte zulässige Federkraft in N
R Federrate in N/mm
s_n größter zulässiger Federweg bei F_n in mm

d	D_a	D_h	L_0	L_k	F_0	F_n	R	s_n
Zugfedern aus patentiert-gezogenem, unlegiertem Federstahldraht[1]						vgl. DIN EN 10270-1 (2012-01)		
0,20	3,00	3,50	8,6	4,35	0,06	1,26	0,036	33,37
0,25	5,00	5,70	10,0	2,63	0,03	1,46	0,039	36,51
0,32	5,50	6,30	10,0	2,08	0,08	2,71	0,140	18,85
0,36	6,00	6,90	11,0	2,34	0,16	3,50	0,173	19,23
0,40	7,00	8,00	12,7	2,60	0,16	4,06	0,165	23,67
0,45	7,50	8,60	13,7	3,04	0,25	5,31	0,207	24,41
0,50	10,00	11,10	20,0	5,25	0,02	5,40	0,078	68,79
0,55	6,00	7,10	13,9	5,78	0,38	11,66	0,606	17,78
0,63	8,60	9,90	19,9	7,88	0,79	12,13	0,276	41,15
0,70	10,00	11,40	23,6	9,63	0,33	14,13	0,239	55,78
0,80	10,80	12,30	25,1	10,20	1,22	19,10	0,355	50,36
0,90	10,00	11,70	23,0	9,45	1,99	28,59	0,934	28,49
1,00	13,50	15,40	31,4	12,50	1,77	28,63	0,454	59,22
1,10	12,00	14,00	27,8	11,83	2,99	41,95	1,181	32,98
1,25	17,20	19,50	39,8	15,63	2,77	42,35	0,533	74,25
1,30	11,30	13,50	134,0	118,95	5,771	70,59	0,322	201,60
1,40	15,00	17,50	34,9	15,05	5,44	66,08	1,596	38,00
1,50	20,00	22,70	48,9	21,75	3,99	60,54	0,603	93,72
1,60	21,60	24,50	50,2	20,00	3,99	67,40	0,726	87,38
1,80	20,00	23,20	46,0	19,35	6,38	100,90	1,819	51,70
2,00	27,00	30,50	62,8	25,00	6,38	101,20	0,907	104,00
2,20	24,00	27,80	55,6	23,10	9,81	148,00	2,425	57,02
2,50	34,50	38,90	79,7	31,25	9,88	148,50	1,056	131,33
2,80	30,00	34,70	69,8	29,40	17,77	233,40	3,257	65,85
3,00	40,00	45,10	140,0	86,25	11,50	214,20	0,587	345,31
3,20	43,20	46,60	100,0	40,00	11,88	238,40	1,451	156,13
3,60	40,00	46,00	92,1	37,80	19,60	357,10	3,735	90,38
4,00	44,00	50,60	117,0	58,00	24,50	436,30	3,019	136,43
4,50	50,00	57,60	194,0	128,25	28,00	532,30	1,613	312,74
5,00	50,00	58,30	207,0	142,50	47,00	707,90	2,541	260,12
5,50	60,00	69,30	236,0	156,75	38,00	774,50	2,094	351,72
6,30	70,00	80,00	272,0	179,55	45,00	968,50	2,258	429,00
7,00	80,00	92,00	306,0	199,50	70,00	1132,00	2,286	464,83
8,00	80,00	94,00	330,0	228,00	120,00	1627,00	4,065	370,91
Zugfedern aus nichtrostendem Federstahldraht[1]							vgl. DIN EN 10270-3 (2012-01)	
0,20	3,00	3,50	8,60	4,35	0,05	0,99	0,031	30,54
0,40	7,00	8,00	12,70	2,60	0,121	3,251	0,142	22,11
0,63	8,60	9,90	19,90	7,88	0,631	9,861	0,237	38,97
0,80	10,80	12,30	25,1	10,20	0,971	15,67	0,305	48,19
1,00	13,50	15,40	31,4	12,50	1,411	23,77	0,390	57,40
1,25	17,20	19,50	39,8	15,63	2,211	35,50	0,458	72,73
1,40	15,00	17,50	34,9	15,05	4,351	55,72	1,371	37,48
1,60	21,60	24,50	50,2	20,00	3,211	56,93	0,623	86,19
2,00	27,00	30,50	62,8	25,00	5,501	84,86	0,779	101,86
4,00	44,00	50,60	117,0	58,00	19,600	366,50	2,593	133,83

[1] Außer der aufgeführten Federauswahl gibt es im Handel zu jedem Drahtdurchmesser verschiedene Außendurchmesser und Längen.

M

Zylindrische Schrauben-Druckfedern

vgl. DIN 2098-1 (1968-10), -2 (1970-08)

d	Drahtdurchmesser
D_m	mittlerer Windungsdurchmesser
D_d	Dorndurchmesser
D_h	Hülsendurchmesser
L_0	Länge der unbelasteten Feder
L_1, L_2	Länge der belasteten Feder bei F_1, F_2
L_n	kleinste zulässige Prüflänge der Feder
F_1, F_2	Federkräfte bei L_1, L_2
F_n	größte zulässige Federkraft bei s_n
s_1, s_2	Federwege bei F_1, F_2
s_n	größter zulässiger Federweg bei F_n
i_f	Anzahl der federnden Windungen
i_g	Gesamtwindungszahl (Enden geschliffen)
R	Federrate in N/mm

Gesamt-windungszahl

$$i_g = i_f + 2$$

⇒ **Druckfeder DIN 2098 – 2 x 25 x 94:**
$d = 2$ mm, $D_m = 25$ mm und $L_0 = 94$ mm

M

d	D_m	D_d max.	D_h min.	F_n in N	$i_f = 3{,}5$			$i_f = 5{,}5$			$i_f = 8{,}5$			$i_f = 12{,}5$		
					L_0	s_n	R	L_0	s_n	R	L_0	s_n	R	L_0	s_n	R
0,2	2,5	2,0	3,1	1,00	5,4	3,8	0,26	8,2	6,0	0,17	12,4	9,3	0,11	17,9	13,7	0,07
	2	1,5	2,6	1,24	4,0	2,4	0,51	5,9	3,8	0,33	8,7	5,9	0,21	12,6	8,6	0,15
	1,6	1,1	2,1	1,50	3,0	1,5	1,0	4,4	2,4	0,65	6,4	3,6	0,42	9,2	5,4	0,28
0,5	6,3	5,3	7,5	6,6	13,5	9,2	0,73	20,0	14,0	0,46	30,0	21,3	0,30	44,0	31,8	0,21
	4	3,1	5,0	9,3	7,0	3,3	2,84	10,0	4,9	1,81	15,0	7,9	1,17	21,5	11,7	0,79
	2,5	1,7	3,4	10,4	4,4	0,9	11,6	6,1	1,4	7,43	8,7	2,2	4,80	12,0	3,0	3,27
1	12,5	10,8	14,4	22	24,0	14,6	1,49	36,5	23,1	0,95	55,5	36,1	0,61	80,5	53,1	0,41
	8	6,5	9,6	33,2	13,0	5,7	5,68	19,0	8,9	3,61	28,5	14,2	2,33	40,5	20,6	1,59
	5	3,6	6,5	43,8	8,5	1,9	23,2	12,0	3,0	14,8	17,0	4,4	9,57	24,0	6,6	6,51
1,6	20	17,5	22,6	84,9	48,0	35,6	2,38	73,5	55,9	1,52	110	84,5	0,99	165	129	0,67
	12,5	10,3	14,7	135	24,0	14,0	9,76	36,0	21,9	6,23	53,5	33,4	4,0	78,0	50,0	2,73
	8	5,9	10,1	212	14,5	5,5	37,3	21,5	8,9	23,7	31,5	13,6	15,4	45,0	20,2	10,4
2	25	22,0	28,0	128	58,0	43,0	2,98	88,5	67,1	1,90	135	104	1,23	195	151	0,83
	16	13,4	18,6	198	30,0	17,5	11,3	45,0	27,3	7,24	68,0	42,5	4,69	98	62,1	3,19
	10	7,5	12,5	318	18,0	6,8	46,6	26,5	10,9	29,7	38,5	16,5	19,2	55	24,4	13,0
2,5	32	28,3	36,0	182	71,5	52,2	3,48	110	82,1	2,22	170	129	1,43	245	187	0,97
	25	21,6	28,4	233	49,0	32,2	7,29	74,5	50,5	4,64	115	80,2	3,0	165	116	2,04
	20	16,8	23,2	292	36,0	20,5	14,2	54,0	32,1	9,05	81,5	50,0	5,86	120	75,7	3,98
	16	12,9	19,1	365	27,5	12,9	27,8	41,0	20,5	17,7	61,0	31,7	11,5	88,0	49,9	7,78
3,2	40	35,6	44,6	288	82,0	60,8	4,76	125	95,3	3,03	190	148	1,96	275	216	1,33
	32	27,6	36,5	361	58,5	38,7	9,3	88,5	61,1	5,92	135	96,2	3,82	190	136	2,61
	25	21,1	28,9	461	42,5	23,4	19,4	63,5	37,2	12,4	94,5	57,4	8,0	135	83,4	5,45
	20	16,1	23,9	577	33,5	15,0	38,2	49,5	23,6	24,2	74,0	36,9	15,7	105	53,4	10,7
4	50	44,0	56,0	427	99,0	71,6	5,95	150	111	3,79	230	175	2,45	335	257	1,65
	40	34,8	45,2	533	71,0	45,8	11,7	105	69,9	7,41	160	110	4,79	235	165	3,26
	32	27,0	37,0	666	53,5	29,5	22,8	79,5	46,2	14,4	120	72,8	9,35	170	104	6,36
	25	20,3	29,7	852	41,0	18,1	47,7	60,5	28,3	30,3	89,5	43,5	19,6	130	65,5	13,3
5	63	56,0	70,0	623	120	87,7	7,27	180	135	4,63	275	210	2,99	395	304	2,03
	50	43,0	57,0	785	85,0	54,1	14,5	130	86,8	9,25	195	133	5,98	280	194	4,07
	40	34,0	46,0	981	64,0	34,4	28,4	95,5	54,5	18,1	140	81,6	11,7	205	124	7,95
	32	26,0	38,0	1226	51,0	22,3	55,4	75,0	34,8	35,3	110	52,5	22,9	160	79,5	15,5
6,3	80	71,0	89,0	932	145	103	8,96	220	160	5,70	335	250	3,69	490	370	2,51
	63	55,0	71,5	1177	105	65,0	18,3	155	99,0	11,7	235	155	7,55	340	277	5,13
	50	42,0	58,0	1481	80,0	42,0	36,7	115	62,0	23,3	175	100	15,1	250	145	10,3
	40	32,6	47,5	1854	60,0	24,0	71,7	90,0	39,7	45,6	135	63,2	29,5	195	95,0	20,1
8	100	89,0	111	1413	170	118	11,9	260	187	7,58	390	286	4,9	570	423	3,34
	80	69,0	91,0	1766	125	76,0	23,2	180	111	14,8	285	186	9,58	410	271	6,51
	63	53,0	73,0	2237	95,0	48,0	47,0	140	74,0	30,3	205	112	19,6	300	169	13,3
	50	40,5	60,0	2825	75,0	30,0	95,4	110	46,8	60,8	160	70,0	39,2	230	103	26,7

Tellerfedern

vgl. DIN 2093 (2013-12)

Einzelfeder

$$h_0 \approx l_0 - t$$

ohne Auflagefläche:
Gruppen 1+2

Federkraftverlauf bei unterschiedlichen Tellerfederkombinationen: a) Einzelfeder; **b)** Federpaket aus 3 Einzelfedern: 3fache Kraft; **c)** Federsäule aus 4 Einzelfedern: 4facher Weg; **d)** Federsäule aus 3 Paketen mit je 2 Einzelfedern: 3facher Weg, 2fache Kraft

D_e Außendurchmesser
D_i Innendurchmesser
t Dicke der Einzeltellerfeder
h_0 Federhöhe (theoretischer Federweg bis zur Planlage)
l_0 Bauhöhe der unbelasteten Einzeltellerfeder
s Federweg der Einzeltellerfeder
s_S Federweg von geschichteten Tellerfedern
F Federkraft der Einzeltellerfeder
F_S Federkraft von geschichteten Tellerfedern
L_0 Länge von unbelasteten geschichteten Tellerfedern
n Anzahl der Tellerfedern im Federpaket
i Anzahl der Tellerfedern in der Federsäule

Federsäule

Federkraft	Federweg
$F_S = F$	$s_S = i \cdot s$

Federlänge

$$L_0 = i \cdot l_0$$

Federpaket

Federkraft	Federweg
$F_S = n \cdot F$	$s_S = s$

Federlänge

$$L_0 = l_0 + (n - 1) \cdot t$$

Grup-pe[3]	D_e h12	D_i H12	Reihe A: harte Federn $D_e/t \approx 18$; $h_0/t \approx 0,4$				Reihe B: mittelharte Federn $D_e/t \approx 28$; $h_0/t \approx 0,75$				Reihe C: weiche Federn $D_e/t \approx 40$; $h_0/t \approx 1,3$			
			t	l_0	F in kN[1]	s[2]	t	l_0	F in kN[1]	s[2]	t	l_0	F in kN[1]	s[2]
Gr. 1: $t < 1,25$ mm, ohne Auflagefläche	8	4,2	0,4	0,6	0,21	0,15	0,3	0,55	0,12	0,19	0,2	0,45	0,04	0,19
	10	5,2	0,5	0,75	0,33	0,19	0,4	0,7	0,21	0,23	0,25	0,55	0,06	0,23
	14	7,2	0,8	1,1	0,81	0,23	0,5	0,9	0,28	0,30	0,35	0,8	0,12	0,34
	16	8,2	0,9	1,25	1,00	0,26	0,6	1,05	0,41	0,34	0,4	0,9	0,15	0,38
	20	10,2	1,1	1,55	1,53	0,34	0,8	1,35	0,75	0,41	0,5	1,15	0,25	0,49
	25	12,2	–	–	–	–	0,9	1,6	0,87	0,53	0,7	1,6	0,60	0,68
	28	14,2	–	–	–	–	1,0	1,8	1,11	0,60	0,8	1,8	0,80	0,75
	40	20,4	–	–	–	–	–	–	–	–	1	2,3	1,02	0,98
Gruppe 2: $t = 1,25 \ldots 6$ mm, ohne Auflagefläche	25	12,2	1,5	2,05	2,93	0,41	–	–	–	–	–	–	–	–
	28	14,2	1,5	2,15	2,84	0,49	–	–	–	–	–	–	–	–
	40	20,4	2,2	3,15	6,50	0,68	1,5	2,6	2,62	0,86	–	–	–	–
	45	22,4	2,5	3,5	7,72	0,75	1,7	3,0	3,66	0,98	1,25	2,85	1,89	1,20
	50	25,4	3	4,1	12,0	0,83	2	3,4	4,76	1,05	1,25	2,85	1,55	1,20
	56	28,5	3	4,3	11,4	0,98	2	3,6	4,44	1,20	1,5	3,45	2,62	1,46
	63	31	3,5	4,9	15,0	1,05	2,5	4,2	7,19	1,31	1,8	4,15	4,24	1,76
	71	36	4	5,6	20,5	1,20	2,5	4,5	6,73	1,50	2	4,6	5,14	1,95
	80	41	5	6,7	33,6	1,28	3	5,3	10,5	1,73	2,25	5,2	6,61	2,21
	90	46	5	7,0	31,4	1,50	3,5	6	14,2	1,88	2,5	5,7	7,68	2,40
	100	51	6	8,2	48,0	1,65	3,5	6,3	13,1	2,10	2,7	6,2	8,61	2,63
	125	64	–	–	–	–	5	8,5	29,9	2,63	3,5	8	15,4	3,38
	140	72	–	–	–	–	5	9	27,9	3,00	3,8	8,7	17,2	3,68
	160	82	–	–	–	–	6	10,5	41,0	3,38	4,3	9,9	21,8	4,20
	180	92	–	–	–	–	6	11,1	37,5	3,83	4,8	11	26,4	4,65

⇒ **Tellerfeder DIN 2093 – A 16:** Reihe A, Außendurchmesser $D_e = 16$ mm

[1] Federkraft F des Einzeltellers bei Federweg $s \approx 0,75 \cdot h_0$
[2] $s \approx 0,75 \cdot h_0$
[3] Gruppe 3: $t > 6 \ldots 14$ mm, mit Auflagefläche, $D_e = 125, 140, 160, 180, 200, 225, 250$ mm

M

Gewindestifte, Druckstücke, Kugelknöpfe

Gewindestifte mit Druckzapfen   vgl. DIN 6332 (2003-04)

Form S (M6 bis M20)

d_1	M6		M8		M10		M12			M16		
d_2	4,8		6		8		8			12		
d_3	4		5,4		7,2		7,2			11		
r	3		5		6		6			9		
l_2	6		7,5		9		10			12		
l_3	2,5		3		4,5		4,5			5		
d_4	32		40		50		63			80		
d_5	24		30		36		–			–		
e	33		39		51		65			73		
l_1	30	50	40	60	60	80	60	80	100	80	100	125
l_4	20	40	27	47	44	64	40	60	80	–	–	–
l_5	22	42	30	50	48	68	–	–	–	–	–	–

⇒ **Gewindestift DIN 6332 – S M 12 x 60:** Form S mit Gewinde d_1 = M12, l_1 = 60 mm

Anwendungsbeispiele als Spannschrauben

mit Kreuzgriff[1] DIN 6335 M6 bis M20	mit Rändelmutter DIN 6303 M6 bis M10	mit Flügelmutter DIN 315 M6 bis M10

[1] oder Sterngriff DIN 6336 M6 bis M16

Druckstücke   vgl. DIN 6311 (2002-06)

Form S mit Sprengring

d_1	d_2 H12	d_3	h_1	t_1	Sprengring DIN 7993	Gewindestift DIN 6332
12	4,6	10	7	4	–	M6
16	6,1	12	9	5	–	M8
20	8,1	15	11	6	8	M10
25	8,1	18	13	7	8	M12
32	12,1	22	15	7,5	12	M16
40	15,6	28	16	8	16	M20

⇒ **Druckstück DIN 6311 – S 40:** Form S, d_1 = 40 mm, mit eingesetztem Sprengring

Druckstellen

EHT (450 HV 1) 0,3 + 0,2 mm,
Oberflächenhärte 550 + 100 HV 10

M

Kugelknöpfe   vgl. DIN 319 (2002-04)

Form C mit Gewinde

Form L mit Klemmhülse

Form M mit kegeliger Bohrung

Form E mit Gewindebuchse

d_1	16		20		25			32			40			50		
d_2	M4		M5		M6			M8			M10			M12		
t_1	7		9		11			14,5			18			21		
t_3	6		7,5		9			12			15			18		
d_5	4		5		6	8	10	8	10	12	10	12	16	12	16	20
t_5	11		13		16	15	15	15	20	20	20	23	23	20	23	28
d_6	4		5		6	8	–	8	10	–	10	12	–	12	16	–
t_6	9		12		15	15	–	15	15	–	20	20	–	22	22	–
h	15		18		22,5			29			37			46		

⇒ **Kugelknopf DIN 319 – E 25 PF:** Form E, d_1 = 25 mm, aus Phenol-Formmasse PF (Duroplast)

Werkstoff: Kugelknopf aus Phenol-Formmasse PF (Duroplast); Gewindebuchse aus Stahl (St) nach Wahl des Herstellers; andere Werkstoffe nach Vereinbarung.

Farbe: schwarz

Weitere Formen nicht mehr genormt.

Griffe, Aufnahme- und Auflagebolzen

Kreuzgriffe
vgl. DIN 6335 (2008-05)

Form A Form B

d_1	d_2	d_3	d_4	d_5	h_1	h_2	h_3	t_1
32	12	18	6	M6	21	20	10	12
40	14	21	8	M8	26	25	14	15
50	18	25	10	M10	34	32	20	18
63	20	32	12	M12	42	40	25	22
80	25	40	16	M16	52	50	30	28
100[1]	32	48	20	M20	65	60	38	36

Form E

Form	Beschreibung
A bis E	Metallgriffe
A	Rohteil aus Metall
B	mit durchgehender Bohrung d_4
C	mit nicht durchgehender Bohrung d_4
D	mit durchgehender Gewindebohrung d_5
E	mit nicht durchgehender Gewindebohrung d_5
K[2]	aus Formstoff (Kunststoff) mit Gewindebuchse d_5 (aus Metall)
L[2]	aus Formstoff (Kunststoff) mit Gewindebolzen d_5 (aus Metall)

⇒ **Kreuzgriff DIN 6335 – A 50 AL:** Form A, d_1 = 50 mm, aus Aluminium

Form C Form K

[1] Diese Größe gibt es nicht aus Formstoff.
[2] Teilweise geringfügig andere Abmessungen; Werkstoff wie bei Sterngriffen DIN 6336

Sterngriffe
vgl. DIN 6336 (2008-05)

Form A Form E

d_1	d_2	d_4	h_1	h_2	h_3	t_1		l
32	12	M6	21	20	10	12	20	30
40	14	M8	26	25	13	15	20	30
50	18	M10	34	32	17	18	25	30
63	20	M12	42	40	21	22	30	40
80	25	M16	52	50	25	28	30	40

Form L

⇒ **Sterngriff DIN 6336 – L 40 x 30:** Form L (Formstoff) d_1 = 40 mm, l = 30 mm

Formen A bis E (Metallgriffe) sowie K und L (Griffe aus Formstoffen) entsprechend wie bei Kreuzgriffen DIN 6335

Werkstoffe: Gusseisen, Aluminium, Phenol-Formmasse (PF) oder Polyamid (PA)

M

Aufnahme- und Auflagebolzen
vgl. DIN 6321 (2002-10)

Form A
Auflagebolzen

Form B
Aufnahmebolzen zylindrisch

Form C
Aufnahmebolzen abgeflacht

d_1 g6	l_1 Form A h9	l_1 Form B und C kurz	l_1 Form B und C lang	b	d_2[1] n6	l_2	l_3	l_4	t
6	5	7	12	1	4	6	1,2	4	
8	–		16	1,6					
10	6	10	18	2,5	6	9	1,6	6	0,02
12	–								
16	8	13	22	3,5	8	12	2	8	
20	–	15	25	5	12	18	2,5	9	0,04
25	10								

⇒ **Bolzen DIN 6321 – C 20 x 25:** Form C, d_1 = 20 mm, l_1 = 25 mm

gehärtet 53 + 6 HRC

[1] zugehörige Bohrungstoleranzklasse: H7

T-Nuten und Zubehör, Kugelscheiben, Kegelpfannen

T-Nuten und Muttern für T-Nuten — vgl. DIN 650 (1989-10) und 508 (2002-06)

Breite a	8	10	12	14	18	22	28	36	42
Abmaße von a	−0,3/−0,5			−0,3/−0,6				−0,4/−0,7	
b	14,5	16	19	23	30	37	46	56	68
Abmaße von b	1,5/0		+2/0			+3/0		+4/0	
c	7	7	8	9	12	16	20	25	32
Abmaße von c	+1/0				+2/0			+3/0	
h max.	18	21	25	28	36	45	56	71	85
h min.	15	17	20	23	30	38	48	61	74
Gewinde d	M6	M8	M10	M12	M16	M20	M24	M30	M36
e	13	15	18	22	28	35	44	54	65
h_1	10	12	14	16	20	28	36	44	52
k	6	6	7	8	10	14	18	22	26
Abmaße von k	0/−0,5					0/−1			

[1] Toleranzklasse H8 für Richt- und Spann-Nuten; H12 für Spann-Nuten

$\Rightarrow$ **Mutter DIN 508 – M10 x 12:** d = M10, a = 12 mm

Schrauben für T-Nuten — vgl. DIN 787 (2005-02)

$e_2 \geq e_1$

bis M12 x 12:
$a \leq d_1$

ab M12 x 14:
$a > d_1$

d_1	M8	M10	M12		M16	M20	M24	M30
a	8	10	12	14	18	22	28	36
b von	22	30	35		45	55	70	80
b bis	50	60	120		150	190	240	300
e_1	13	15	18	22	28	35	44	54
h_1	12	14	16	20	24	32	41	50
k	6	6	7	8	10	14	18	22
Nenn-längen l	25, 32, 40, 50, 63, 80, 100, 125, 160, 200, 250, 315, 400, 500 mm							

$\Rightarrow$ **Schraube DIN 787 – M10 x 10 x 100 – 8.8:** d_1 = M10, a = 10 mm, l = 100 mm, Festigkeitsklasse 8.8

Lose Nutensteine — vgl. DIN 6323 (2003-08)

Form A $b_1 > b_2$ **Form B** $b_1 = b_2$ **Form C** $b_1 < b_2$

Übrige Maße und Angaben wie **Form A**

gehärtet, Härte 650 + 100 HV10

b_1 h6	b_2 h6	Form	b_3	h_1	h_2	h_3	h_4	l
12	6	A	–	12	3,6	–	–	20
12	8	A	–	12	3,6	–	–	20
12	10	A	–	12	3,6	–	–	20
12	12	B	5	28,6	–	5,5	9	20
20	12	A	–	14	5,5	–	–	32
20	14	A	–	14	5,5	–	–	32
20	18	A	–	14	5,5	–	–	32
20	22	C		9	50,5	–	7	18	40
20	28	C		12	61,5	–	7	24	40
20	36	C		16	76,5	–	7	30	50
20	42	C		19	90,5	–	7	36	50

$\Rightarrow$ **Nutenstein DIN 6323 – C 20 x 28:** Form C, b_1 = 20 mm, b_2 = 28 mm

Kugelscheiben und Kegelpfannen — vgl. DIN 6319 (2001-10)

Kugelscheibe   **Kegelpfanne** 120°

90°   **Form C**   **Form D** $d_4 = d_3$ **Form G** $d_4 > d_3$

d_1 H13	d_2 H13	d_3	d_4 Form D	d_4 Form G	d_5	h_2	h_3 Form D	h_3 Form G	R Kugel
6,4	7,1	12	12	17	11	2,3	2,8	4	9
8,4	9,6	17	17	24	14,5	3,2	3,5	5	12
10,5	12	21	21	30	18,5	4	4,2	5	15
13	14,2	24	24	36	20	4,6	5	6	17
17	19	30	30	44	26	5,3	6,2	7	22
21	23,2	36	36	50	31	6,3	7,5	8	27

$\Rightarrow$ **Kugelscheibe DIN 6319 – C 17:** Form C, d_1 = 17 mm

M

Schnellspann-Bohrvorrichtung
vgl. DIN 6348 (1971-01)

Schnellspann-Bohrvorrichtung

Mit dieser in 9 Größen genormten Vorrichtung können Werkstücke für eine Bohrbearbeitung auch bei Kleinserien schnell und genau gespannt werden. Die Bohrplatte (5) und die Auflageplatte (4) müssen dem Werkstück angepasst werden. Die Bohrplatte ist an den beiden Führungssäulen (7) befestigt und nimmt die Bohrbuchsen (6) auf. Die genaue Lage des Werkstücks wird meist durch Aufnahmebolzen (3) fixiert. Bohr- und Auflageplatte können rasch ausgewechselt werden, sodass die Vorrichtung wieder für ein anderes Werkstück zur Verfügung steht. Gespannt wird durch Niederdrücken des verstellbaren Spannhebels, entspannt durch Anheben desselben. Die schräg verzahnte Ritzelwelle (10) hat an beiden Enden entgegengesetzte Kegel. Die axiale Kraft des Schraubenradgetriebes zieht beim Spannen den Kegel der Ritzelwelle in den Innenkegel des Gehäuses. Dadurch ergibt sich auch bei Vibrationen eine sichere Spannung. Der entgegengesetzte Kegel bewirkt beim Lösen eine feste Position der Bohrplatte. Die Spannbewegung kann auch pneumatisch oder hydraulisch erfolgen.

5 6 Werkstück (Arbeitsraum) 8 7 4 3 1 2 10 Kegel 9

M

Teileliste (Auszug)

Pos.	Benennung	Norm/Werkstoff	Pos.	Benennung	Norm/Werkstoff
1	Grundkörper	EN-GJL 250	6	Bundbohrbuchse	DIN 172 – A
2	Handgriff	AlMg3	7	Führungssäule, verzahnt	16MnCr5
3	Aufnahmebolzen	DIN 6321 – A	8	Kunststoffkugelknopf	DIN 319 – C
4	Auflageplatte	DIN 6348 – A	9	Spannhebel	E295
5	Bohrplatte	DIN 6348 – B	10	Ritzelwelle, verzahnt	C45

Normteile für Vorrichtungen

Bild	Abmessungen von … bis in mm	Werkstoff, Norm	Funktion, Eigenschaft
Bohrbuchsen			
Form A 	$d_1 = 0,4 … 48,0$ mm Stufung 0,1 mm $d_1 > 15$ mm Stufung auch 0,5 mm l_1 gibt es, abgestimmt auf d_1, in 3 Längen: kurz, mittel, lang	Werkzeugstahl Härte: 740 + 80 HV 10 DIN 179 (zurückgezogen)	• **Bohrbuchsen** zur Führung von Spiralbohrern, Senkern, Stufenbohrern • **Bundbohrbuchsen** Verwendung auch als Werkzeuganschlag • **Steckbohrbuchsen** für Werkstücke, die nach dem Bohren noch aufgebohrt oder gesenkt werden
Bohrplatten			
	Baugrößen a / b / s 60 / 32 / 8 80 / 50 / 11 100 / 60 / 14 100 / 125 / 16 200 / 160 / 16 300 / 190 / 20 400 / 215 / 27	Baustahl, brüniert DIN 6348	Die Bohrplatte ist an den Führungssäulen befestigt und dient zur Aufnahme der Bohrbuchsen. Sie wird durch eine Hebelmechanik gesenkt und spannt dabei das Werkstück.
Auflageplatten			
	Baugrößen a / b / s 60 / 32 / 6 80 / 50 / 10 100 / 60 / 10 100 / 125 / 10 200 / 160 / 15 300 / 190 / 15 400 / 215 / 18	Baustahl, brüniert DIN 6348	Zur Auflage und Fixierung des Werkstücks, was durch Anschläge, Aufnahmebolzen oder Aufnahmestifte erreicht wird.
Pendelauflagen mit Außengewinde			
	Gewinde: M8…M20 $d_1 = 13…50$ mm $l_1 = 13…35$ mm $l_2 = 8…20$ mm	**Körper:** Vergütungsstahl **Kugel:** Kugellagerstahl (gehärtet)	• Anschläge • Auflagen • Druckstücke vorteilhaft bei schrägen oder unbearbeiteten Werkstückflächen
Federnde Druckstücke			
	Gewinde: M3…M24 $l = 9…48$ mm $d = 1,5…15$ mm	**Hülse:** Stahl Festigkeitsklasse 5.8 **Kugel:** Federstahl, gehärtet **Feder:** Federstahl	• indexieren • arretieren • positionieren • An- und Abdrückstifte
Füße			
	Gewinde: M6…M12 $l_1 = 10…50$ mm $l_2 = 11…20$ mm SW = 10…19 mm	Vergütungsstahl DIN 6320	Füße finden vorwiegend bei Vorrichtungen Verwendung. Sie werden vorteilhaft eingesetzt, wenn höhere Abstände (bis 50 mm) erforderlich sind.

M

Keilriemen, Synchronriemen

Bauformen

Bezeichnung	Abmessungsbereich		Geschwin-digkeits-bereich	Leistungs-bereich	Eigenschaften; Anwendungsbeispiele
	$h^{1)}$ in mm	$L^{2)}$ in mm			
Norm für die Riemen	Norm für die Scheiben		v_{max} in m/s	P'_{max} in kW$^{3)}$	
Normalkeilriemen DIN 2215, ISO 4184	4 … 25	185 … 19000	30	65	für höhere Reißlasten, sicheres Durchzugsvermögen; Baumaschinen, Bergbauver-stellgetriebe, Landmaschinen, Fördertechnik, allgemeiner Maschinenbau
	DIN 2217, ISO 4183				
Schmalkeilriemen DIN 7753, ISO 4184	8 … 18	630 … 12500	40	70	gute Leistungsübertragung, bei gleicher Breite doppelte Leis-tung wie Normalkeilriemen; Getriebebau, Holzbearbeitungs-maschinen, Werkzeugmaschi-nen, Klimatechnik
	DIN 2211, ISO 4183				
flankenoffene Keilriemen DIN 2215, DIN 7753	4 … 25	800 … 3150	50	70	geringe Dehnung, kleinere Scheibendurchmesser, höhere Temperaturbeständigkeit von – 30 °C bis + 80 °C; Pkw-Generatorantrieb, Getriebebau, Pumpen, Klimatechnik
	DIN 2211, DIN 2217				
Verbundkeilriemen (Kraftband) DIN 2211, DIN 2217	10 … 26	1250 … 15000	30	65	schwingungs- und stoßunemp-findlich, kein Verdrehen von Einzelriemen in den Scheiben, absolut gleichmäßige Kraftver-teilung, hohe Reißlasten, für große Achsabstände; Papiermaschinen
Keilrippenriemen (Rippenband) DIN 7867	3 … 17	600 … 15000	60	20	große Übersetzungen möglich, vibrationsarmer Lauf; Pkw-Generatorantrieb, Kompressorantrieb in der Klimatechnik, Kleinmaschinen
	DIN 7867				
Breitkeilriemen DIN 7719	6 … 18	468 … 2500	30	85	ausgezeichnete Querfestigkeit, optimale Profilanpassung, sehr hohe Reißlast, flexibel; Drehzahlverstellgetriebe, Werkzeugmaschinen, Textil-maschinen, Druckereimaschi-nen, Landmaschinen
	DIN 7719				
Doppelkeilriemen (Hexagonalriemen) DIN 7722, ISO 5289	10 … 25	2000 … 6900	30	20	gute Leistungsübertragung für Antriebe mit mehreren Schei-ben und wechselnder Drehrich-tung, 10 % geringerer Wirkungs-grad als Normalkeilriemen; Landmaschinen, Textilmaschi-nen, allgemeiner Maschinenbau
	DIN 2217				
Synchronriemen DIN 7721, DIN ISO 5296	0,7 … 5,0	100 … 3620	40 … 80	0,5 … 900	Wirkungsgrad $\eta_{max} \geq 0,98$, synchroner Lauf, geringe Vor-spannkräfte, daher geringe Lagerbelastung; Feinwerkantriebe, Büromaschi-nenantriebe, Kfz-Technik, CNC-Spindelantriebe
	DIN ISO 5294				

$^{1)}$ Riemenhöhe (Seiten 254, 255) $^{2)}$ Riemenlänge $^{3)}$ übertragbare Leistung pro Riemen

M

Schmalkeilriemen

Schmalkeilriemen DIN 7753-1 (1988-01)	Schmalkeilriemen-scheibe DIN 2211-1 (1984-03)	Bezeichnungen		Schmalkeilriemen, Keilriemenscheiben			
		Riemenprofil (ISO-Kurzzeichen)		SPZ	SPA	SPB	SPC
		b_o	obere Riemenbreite	9,7	12,7	16,3	22
		b_w	Wirkbreite	8,5	11	14	19
		h	Riemenhöhe	8	10	13	18
		h_w	Abstand	2	2,8	3,5	4,8
		d_w	kleinster zulässiger Wirk-∅	63	90	140	224
		b_1	obere Rillenbreite	9,7	12,7	16,3	22
		c	Abstand Wirk-∅ bis Außen-∅	2	2,8	3,5	4,8
		t	kleinstzulässige Rillentiefe	11	13,8	17,5	23,8
		e	Rillenabstand bei mehrrilligen Scheiben	12	15	19	25,5
		f	Rillenabstand vom Rande	8	10	12,5	17
		α	34° für Wirk-∅ bis	80	118	190	315
			38° für Wirk-∅ über	80	118	190	315

Wirkdurchmesser $\quad d_w = d_a - 2 \cdot c$

⇒ **Schmalkeilriemen DIN 7753 – XPZ 710:**
Schmalkeilriemen, Profil flankenoffen gezahnt, Richtlänge 710 mm

	Winkelfaktor c_1	1	1,02	1,05	1,08	1,12	1,16	1,22	1,28	1,37	1,47
	Umschlingungswinkel β	180°	170°	160°	150°	140°	130°	120°	110°	100°	90°

Betriebsfaktor c_2

tägliche Betriebsdauer in Stunden			angetriebene Arbeitsmaschinen (Beispiele)
bis 10	über 10 bis 16	über 16	
1,0	1,1	1,2	Kreiselpumpen, Ventilatoren, Bandförderer für leichtes Gut
1,1	1,2	1,3	Werkzeugmaschinen, Pressen, Blechscheren, Druckereimaschinen
1,2	1,3	1,4	Mahlwerke, Kolbenpumpen, Stoßförderer, Textil- u. Papiermaschinen
1,3	1,4	1,5	Steinbrecher, Mischer, Winden, Krane, Bagger

Leistungswerte für Schmalkeilriemen   vgl. DIN 7753-2 (1976-04)

Riemenprofil	SPZ			SPA			SPB			SPC		
d_{wk} der kleineren Scheibe	63	100	180	90	160	250	140	250	400	224	400	630
n_k der kleineren Scheibe	Nennleistung P_N in kW je Riemen											
400	0,35	0,79	1,71	0,75	2,04	3,62	1,92	4,86	8,64	5,19	12,56	21,42
700	0,54	1,28	2,81	1,17	3,80	5,88	3,02	7,84	13,82	8,13	19,79	32,37
950	0,68	1,66	3,65	1,48	4,27	7,60	3,83	10,04	17,39	10,19	24,52	37,37
1450	0,93	2,36	5,19	2,02	6,01	10,53	5,19	13,66	22,02	13,22	29,46	31,74
2000	1,17	3,05	6,63	2,49	7,60	12,85	6,31	16,19	22,07	14,58	25,81	–
2800	1,45	3,90	8,20	3,00	9,24	14,13	7,15	16,44	9,37	11,89	–	–

Bestimmung des Profils für Schmalkeilriemen

Drehzahl n_k in 1/min

Berechnungsleistung $P \cdot c_2$ in kW ⟶

P zu übertragende Leistung
P_N Nennleistung je Riemen
z Anzahl der Riemen
c_1 Winkelfaktor
c_2 Betriebsfaktor

Anzahl der Riemen

$$z = \frac{P \cdot c_1 \cdot c_2}{P_N}$$

Beispiel:

Zu übertragen sind P = 12 kW bei c_1 = 1,12; c_2 = 1,4; d_{wk} = 160 mm, n_k = 950 1/min; β_k = ?, z = ?

1. $P \cdot c_2$ = 12 kW · 1,4 = 16,8 kW
2. nach Diagramm aus n_k = 950 1/min und $P \cdot c_2$ = 16,8 kW → Profil **SPA**
3. P_N = 4,27 kW nach Tabelle
4. $z = \dfrac{P \cdot c_1 \cdot c_2}{P_N} = \dfrac{12 \text{ kW} \cdot 1,12 \cdot 1,4}{4,27 \text{ kW}} = 4,4$
5. gewählt: z = **5 Riemen**

M

Synchronriemen

Synchronriemen (Zahnriemen)

vgl. DIN 7721-1 (1989-06)

Einfachverzahnung

Doppelverzahnung

Nicht genormte Zahnformen

Profil HT   Profil LAHN

Kurz-zeichen	Zahnteilung p	Maße der Zähne s	h_t	r	Nenn-dicke h_s	Synchronriemenbreite b			
T2,5	2,5	1,5	0,7	0,2	1,3	–	4	6	10
T5	5	2,7	1,2	0,4	2,2	6	10	16	25
T10	10	5,3	2,5	0,6	4,5	16	25	32	50

Wirk-länge[1]	Zähnezahl für T2,5	T5	Wirk-länge[1]	Zähnezahl für T5	T10	Wirk-länge[1]	Zähnezahl für T10
120	48	–	530	–	53	1010	101
150	–	30	560	112	56	1080	108
160	64	–	610	122	61	1150	115
200	80	40	630	126	63	1210	121
245	98	49	660	–	66	1250	125
270	–	54	700	–	70	1320	132
285	114	–	720	144	72	1390	139
305	–	61	780	156	78	1460	146
330	132	66	840	168	84	1560	156
390	–	78	880	–	88	1610	161
420	168	84	900	180	–	1780	178
455	–	91	920	184	92	1880	188
480	192	96	960	–	96	1960	196
500	200	100	990	198	–	2250	225

⇒ **Riemen DIN 7721 – 6 T2,5 x 480:** b = 6 mm, Teilung p = 2,5 mm, Wirklänge = 480 mm, Einfachverzahnung

Bei Synchronriemen mit Doppel-Verzahnung wird der Kennbuchstabe D angehängt.

[1] Wirklängen von 100…3620 mm, in Sonderanfertigung bis 25000 mm

Synchronriemenscheiben

vgl. DIN 7721-2 (1989-06)

Zahnlückenmaße

Wirkdurchmesser

$$d = d_0 + 2 \cdot a$$

[1] Form SE für ≤ 20 Zahnlücken
[2] Form N für > 20 Zahnlücken

Scheibenmaße

mit Bordscheiben

ohne Bordscheiben

Zahn-lücken	Scheibenaußen-Ø d_0 für T2,5	T5	T10	Zahn-lücken	Scheibenaußen-Ø d_0 für T2,5	T5	T10	Zahn-lücken	Scheibenaußen-Ø d_0 für T2,5	T5	T10
10	7,4	15,0	–	17	13,0	26,2	52,2	32	24,9	50,1	100,0
11	8,2	16,6	–	18	13,8	27,8	55,4	36	28,1	56,4	112,7
12	9,0	18,2	36,3	19	14,6	29,4	58,6	40	31,3	62,8	125,4
13	9,8	19,8	39,5	20	15,4	31,0	61,8	48	37,7	75,5	150,9
14	10,6	21,4	42,7	22	17,0	34,1	68,2	60	47,2	94,6	189,1
15	11,4	23,0	45,9	25	19,3	38,9	77,7	72	56,8	113,7	227,3
16	12,2	24,6	49,1	28	21,7	43,7	87,2	84	66,3	132,9	265,5

Kurzzeichen	Zahnlückenmaße				
	Lückenbreite b_r		Lückenhöhe h_g		$2a$
	Form SE[1]	Form N[2]	Form SE[1]	Form N[2]	
T2,5	1,75	1,83	0,75	1	0,6
T5	2,96	3,32	1,25	1,95	1
T10	6,02	6,57	2,6	3,4	2

Kurzzeichen	Riemenbreite b	Scheibenbreite	
		mit Bord b_f	ohne Bord b'_f
T2,5	4	5,5	8
	6	7,5	10
	10	11,5	14
T5	6	7,5	10
	10	11,5	14
	16	17,5	20
	25	26,5	29
T10	16	18	21
	25	27	30
	32	34	37
	50	52	55

M

Geradverzahnte Stirnräder

Nicht korrigierte Stirnräder mit Geradverzahnung

m	Modul	z, z₁, z₂	Zähnezahlen
p	Teilung	d, d₁, d₂	Teilkreisdurchmesser
c	Kopfspiel		
h	Zahnhöhe	dₐ, dₐ₁, dₐ₂	Kopfkreisdurchmesser
hₐ	Zahnkopfhöhe	dₜ, dₜ₁, dₜ₂	Fußkreisdurchmesser
hf	Zahnfußhöhe		
a	Achsabstand		

M

Beispiel:

Außenverzahntes Stirnrad,
$m = 2$ mm; $z = 32$; $c = 0{,}167 \cdot m$; $d = ?$; $d_a = ?$; $h = ?$
$d = m \cdot z = 2$ mm $\cdot 32 =$ **64 mm**
$d_a = d + 2 \cdot m = 64$ mm $+ 2 \cdot 2$ mm $=$ **68 mm**
$h = 2 \cdot m + c = 2 \cdot 2$ mm $+ 0{,}167 \cdot 2$ mm $=$ **4,33 mm**

Außenverzahnung

Zähnezahl
$$z = \frac{d}{m} = \frac{d_a - 2 \cdot m}{m}$$

Kopfkreisdurchmesser
$$d_a = d + 2 \cdot m = m \cdot (z + 2)$$

Fußkreisdurchmesser
$$d_f = d - 2 \cdot (m + c)$$

Achsabstand
$$a = \frac{d_1 + d_2}{2} = \frac{m \cdot (z_1 + z_2)}{2}$$

Außen- und Innenverzahnung

Modul
$$m = \frac{p}{\pi} = \frac{d}{z}$$

Teilung
$$p = \pi \cdot m$$

Teilkreisdurchmesser
$$d = m \cdot z$$

Kopfspiel
$$c = 0{,}1 \cdot m \text{ bis } 0{,}3 \cdot m$$
$$\text{häufig } c = 0{,}167 \cdot m$$

Zahnkopfhöhe
$$h_a = m$$

Zahnfußhöhe
$$h_f = m + c$$

Zahnhöhe
$$h = 2 \cdot m + c$$

Innenverzahnung

Zähnezahl
$$z = \frac{d}{m} = \frac{d_a + 2 \cdot m}{m}$$

Kopfkreisdurchmesser
$$d_a = d - 2 \cdot m = m \cdot (z - 2)$$

Fußkreisdurchmesser
$$d_f = d + 2 \cdot (m + c)$$

Achsabstand
$$a = \frac{d_2 - d_1}{2} = \frac{m \cdot (z_2 - z_1)}{2}$$

Beispiel:

Innenverzahntes Stirnrad, $m = 1{,}5$ mm; $z = 80$;
$c = 0{,}167 \cdot m$; $d = ?$; $d_a = ?$; $h = ?$
$d \quad = m \cdot z = 1{,}5$ mm $\cdot 80 =$ **120 mm**
$d_a \quad = d - 2 \cdot m = 120$ mm $- 2 \cdot 1{,}5$ mm $=$ **117 mm**
$h \quad = 2 \cdot m + c = 2 \cdot 1{,}5$ mm $+ 0{,}167 \cdot 1{,}5$ mm $=$ **3,25 mm**

Schrägverzahnte Stirnräder, Modulreihe für Stirnräder

Nicht korrigierte Stirnräder mit Schrägverzahnung

m_t	Stirnmodul
m_n	Normalmodul
p_t	Stirnteilung
p_n	Normalteilung
β	Schrägungswinkel (meist $\beta = 8°$ bis $25°$)
z, z_1, z_2	Zähnezahlen
d, d_1, d_2	Teilkreisdurchmesser
d_a	Kopfkreisdurchmesser
a	Achsabstand

Stirnmodul
$$m_t = \frac{m_n}{\cos\beta} = \frac{p_t}{\pi}$$

Stirnteilung
$$p_t = \frac{p_n}{\cos\beta} = \frac{\pi \cdot m_n}{\cos\beta}$$

Teilkreisdurchmesser
$$d = m_t \cdot z = \frac{z \cdot m_n}{\cos\beta}$$

Zähnezahl
$$z = \frac{d}{m_t} = \frac{\pi \cdot d}{p_t}$$

Bei Stirnrädern mit Schrägverzahnung verlaufen die Zähne schraubenförmig auf dem zylindrischen Radkörper. Die Werkzeuge zur Herstellung von Stirnrädern und Schraubenrädern richten sich nach dem Normalmodul.

Bei parallelen Achsen haben beide Räder gleiche Schrägungswinkel, aber ein entgegengesetzte Schrägungsrichtungen, d.h., ein Rad ist rechts-, das andere linkssteigend ($\beta_1 = -\beta_2$).

Normalmodul
$$m_n = \frac{p_n}{\pi} = m_t \cdot \cos\beta$$

Normalteilung
$$p_n = \pi \cdot m_n = p_t \cdot \cos\beta$$

Kopfkreisdurchmesser
$$d_a = d + 2 \cdot m_n$$

Achsabstand
$$a = \frac{d_1 + d_2}{2}$$

M

Beispiel:

Schrägverzahnung, $z = 32$; $m_n = 1{,}5$ mm; $\beta = 19{,}5°$; $c = 0{,}167 \cdot m$; $m_t = ?$; $d_a = ?$; $d = ?$; $h = ?$

$m_t = \dfrac{m_n}{\cos\beta} = \dfrac{1{,}5 \text{ mm}}{\cos 19{,}5°} = \mathbf{1{,}591\,mm}$

$d_a = d + 2 \cdot m_n = 50{,}9 \text{ mm} + 2 \cdot 1{,}5 \text{ mm} = \mathbf{53{,}9\,mm}$

$d = m_t \cdot z = 1{,}591 \text{ mm} \cdot 32 = \mathbf{50{,}9\,mm}$

$h = 2 \cdot m_n + c = 2 \cdot 1{,}5 \text{ mm} + 0{,}167 \cdot 1{,}5 \text{ mm} = \mathbf{3{,}25\,mm}$

Zahnhöhe, Zahnkopfhöhe, Zahnfußhöhe, Kopfspiel und Fußkreisdurchmesser werden wie bei Stirnrädern mit Geradverzahnung (Seite 256) berechnet. In den Formeln wird der Modul m durch den Normalmodul m_n ersetzt.

Modulreihe für Stirnräder (Reihe I)

vgl. DIN 780-1 (1977-05)

Modul	0,2	0,25	0,3	0,4	0,5	0,6	0,7	0,8	0,9	1,0	1,25
Teilung	0,628	0,785	0,943	1,257	1,571	1,885	2,199	2,513	2,827	3,142	3,927
Modul	1,5	2,0	2,5	3,0	4,0	5,0	6,0	8,0	10,0	12,0	16,0
Teilung	4,712	6,283	7,854	9,425	12,566	15,708	18,850	25,132	31,416	37,699	50,265

Einteilung des Satzes von 8 Modul-Scheibenfräsern (bis zu $m = 9$ mm)[1]

Fräser-Nr.	1	2	3	4	5	6	7	8
Zähnezahl	12 …13	14 …16	17… 20	21 … 25	26 … 34	35 … 54	55 …134	135 … Zahnstange

[1] Die Herstellung der Zahnräder mit Scheibenfräsern entspricht keinem Abwälzvorgang. Es entsteht nur angenähert die Evolventenform der Zahnflanken. Dieses Herstellungsverfahren ist daher nur für untergeordnete Verzahnungen geeignet. Für Zahnräder mit $m > 9$ mm wird ein Satz mit 15 Modul-Scheibenfräsern verwendet.

Kegelräder, Schneckentrieb

Nicht korrigierte Kegelräder mit Geradverzahnung

Neben den eingetragenen Maßen an den Außenkanten sind für die Fertigung auch die Maße in den Zahnmitten und Innenkanten wichtig.

Beispiel:

Kegelrädergetriebe, $m = 2$ mm; $z_1 = 30$; $z_2 = 120$; $\Sigma = 90°$. Die Maße zum Drehen des treibenden Kegelrades sind zu berechnen.

$$\tan\delta_1 = \frac{z_1}{z_2} = \frac{30}{120} = 0,2500; \quad \delta_1 = \mathbf{14,04°}$$

$$d_1 = m \cdot z_1 = 2 \text{ mm} \cdot 30 = \mathbf{60 \text{ mm}}$$

$$\begin{aligned}d_{a1} &= d_1 + 2 \cdot m \cdot \cos\delta_1 \\ &= 60 \text{ mm} + 2 \cdot 2 \text{ mm} \cdot \cos 14,04° = \mathbf{63,88 \text{ mm}}\end{aligned}$$

$$\tan\gamma_1 = \frac{z_1 + 2 \cdot \cos\delta_1}{z_2 - 2 \cdot \sin\delta_1} = \frac{30 + 2 \cdot \cos 14,04°}{120 - 2 \cdot \sin 14,04°} = 0,267$$

$$\gamma_1 = \mathbf{14,95°}$$

m	Modul	z, z_1, z_2 Zähnezahlen
d, d_1, d_2	Teilkreisdurchmesser	$\delta, \delta_1, \delta_2$ Teilkegelwinkel
d_a, d_{a1}, d_{a2}	Kopfkreisdurchmesser	
γ_1, γ_2	Kopfkegelwinkel	
Σ	Achsenwinkel (meist 90°)	

Teilung und Zahnhöhe verjüngen sich zur Kegelspitze hin, sodass ein Kegelrad an jeder Stelle der Zahnbreite einen anderen Modul, Teilkreisdurchmesser usw. besitzt. Der äußere Modul entspricht dem Normmodul.

Teilkreisdurchmesser
$$d = m \cdot z$$

Kopfkreisdurchmesser
$$d_a = d + 2 \cdot m \cdot \cos\delta$$

Kopfkegelwinkel Rad 1
$$\tan\gamma_1 = \frac{z_1 + 2 \cdot \cos\delta_1}{z_2 - 2 \cdot \sin\delta_1}$$

Kopfkegelwinkel Rad 2
$$\tan\gamma_2 = \frac{z_2 + 2 \cdot \cos\delta_2}{z_1 - 2 \cdot \sin\delta_2}$$

Teilkegelwinkel Rad 1
$$\tan\delta_1 = \frac{d_1}{d_2} = \frac{z_1}{z_2} = \frac{1}{i}$$

Teilkegelwinkel Rad 2
$$\tan\delta_2 = \frac{d_2}{d_1} = \frac{z_2}{z_1} = i$$

Achsenwinkel
$$\Sigma = \delta_1 + \delta_2$$

Zahnhöhe, Zahnkopfhöhe, Kopfspiel usw. werden wie bei Stirnrädern mit Geradverzahnung (Seite 256) berechnet.

Schneckentrieb

z_1 (Gangzahl)

Beispiel:

Schneckentrieb, $m = 2,5$ mm; $z_1 = 2$; $d_1 = 40$ mm; $z_2 = 40$; $d_{a1} = ?$; $d_2 = ?$; $d_A = ?$; $r_k = ?$; $a = ?$

$$d_{a1} = d_1 + 2 \cdot m = 40 \text{ mm} + 2 \cdot 2,5 \text{ mm} = \mathbf{45 \text{ mm}}$$

$$d_2 = m \cdot z_2 = 2,5 \text{ mm} \cdot 40 = \mathbf{100 \text{ mm}}$$

$$d_{a2} = d_2 + 2 \cdot m = 100 \text{ mm} + 2 \cdot 2,5 \text{ mm} = \mathbf{105 \text{ mm}}$$

$$d_A \approx d_{a2} + m = 105 \text{ mm} + 2,5 \text{ mm} = \mathbf{107,5 \text{ mm}}$$

$$r_k = \frac{d_1}{2} - m = \frac{40 \text{ mm}}{2} - 2,5 \text{ mm} = \mathbf{17,5 \text{ mm}}$$

$$a = \frac{d_1 + d_2}{2} = \frac{40 \text{ mm} + 100 \text{ mm}}{2} = \mathbf{70 \text{ mm}}$$

m	Modul	z_1, z_2 Zähnezahlen
d, d_1, d_2	Teilkreisdurchmesser	p_z Steigungshöhe
d_a, d_{a1}, d_{a2}	Kopfkreisdurchmesser	p_X, p (Axial-)Teilung
r_k	Kopfkehlhalbmesser	d_A Außen-$\varnothing$

Schnecke

Teilkreisdurchmesser
$$d_1 = \text{Nennmaß}$$

Axialteilung Schnecke
$$p_x = \pi \cdot m$$

Kopfkreisdurchmesser
$$d_{a1} = d_1 + 2 \cdot m$$

Steigungshöhe
$$p_z = p_x \cdot z_1 = \pi \cdot m \cdot z_1$$

Schneckenrad

Teilkreisdurchmesser
$$d_2 = m \cdot z_2$$

Teilung
$$p = \pi \cdot m$$

Kopfkreisdurchmesser
$$d_{a2} = d_2 + 2 \cdot m$$

Außendurchmesser
$$d_A \approx d_{a2} + m$$

Kopfkehlhalbmesser
$$r_k = \frac{d_1}{2} - m$$

Kopfspiel, Zahnhöhe, Zahnkopfhöhe, Zahnfußhöhe und Achsabstand wie bei Stirnrädern (Seite 256).

M

Übersetzungen

Zahnradtrieb

einfache Übersetzung

treibend getrieben

$z_1, z_3, z_5 \ldots$ Zähnezahlen $\Big\}$ treibende
$n_1, n_3, n_5 \ldots$ Drehzahlen $\Big\}$ Räder
$z_2, z_4, z_6 \ldots$ Zähnezahlen $\Big\}$ getriebene
$n_2, n_4, n_6 \ldots$ Drehzahlen $\Big\}$ Räder
n_a Anfangsdrehzahl
n_e Enddrehzahl
i Gesamtübersetzungsverhältnis
$i_1, i_2, i_3 \ldots$ Einzelübersetzungsverhältnisse

Antriebsformel

$$n_1 \cdot z_1 = n_2 \cdot z_2$$

Übersetzungsverhältnis

$$i = \frac{z_2}{z_1} = \frac{n_1}{n_2} = \frac{n_a}{n_e}$$

mehrfache Übersetzung

Beispiel:

$i = 0{,}4;\ n_1 = 180/\text{min};\ z_2 = 24;\ n_2 = ?;\ z_1 = ?$

$n_2 = \dfrac{n_1}{i} = \dfrac{180/\text{min}}{0{,}4} = \mathbf{450/min}$

$z_1 = \dfrac{n_2 \cdot z_2}{n_1} = \dfrac{450/\text{min} \cdot 24}{180/\text{min}} = \mathbf{60}$

Drehmomente bei Zahnrädern Seite 34

Gesamtübersetzungs-verhältnis

$$i = \frac{z_2 \cdot z_4 \cdot z_6 \ldots}{z_1 \cdot z_3 \cdot z_5 \ldots}$$

$$i = i_1 \cdot i_2 \cdot i_3 \ldots$$

Riementrieb

einfache Übersetzung

treibend i getrieben

$d_1, d_3, d_5 \ldots$ Durchmesser[1] $\Big\}$ treibende
$n_1, n_3, n_5 \ldots$ Drehzahlen $\Big\}$ Scheiben
$d_2, d_4, d_6 \ldots$ Durchmesser[1] $\Big\}$ getriebene
$n_2, n_4, n_6 \ldots$ Drehzahlen $\Big\}$ Scheiben
n_a Anfangsdrehzahl
n_e Enddrehzahl
i Gesamtübersetzungsverhältnis
$i_1, i_2, i_3 \ldots$ Einzelübersetzungsverhältnisse
v, v_1, v_2 Umfangsgeschwindigkeiten

Geschwindigkeit

$$v = v_1 = v_2$$

Antriebsformel

$$n_1 \cdot d_1 = n_2 \cdot d_2$$

Übersetzungsverhältnis

$$i = \frac{d_2}{d_1} = \frac{n_1}{n_2} = \frac{n_a}{n_e}$$

mehrfache Übersetzung

getrieben

treibend

Beispiel:

$n_1 = 600/\text{min};\ n_2 = 400/\text{min};$
$d_1 = 240\ \text{mm};\ i = ?;\ d_2 = ?$

$i = \dfrac{n_1}{n_2} = \dfrac{600/\text{min}}{400/\text{min}} = \dfrac{1{,}5}{1} = \mathbf{1{,}5}$

$d_2 = \dfrac{n_1 \cdot d_1}{n_2} = \dfrac{600/\text{min} \cdot 240\ \text{mm}}{400/\text{min}} = \mathbf{360\ mm}$

[1] Bei Keilriemen (Seite 254) ist mit den Wirkdurchmessern d_w zu rechnen, bei Synchronriemen (Seite 255) ist mit den Zähnezahlen der Riemenscheiben zu rechnen.

Gesamtübersetzungs-verhältnis

$$i = \frac{d_2 \cdot d_4 \cdot d_6 \ldots}{d_1 \cdot d_3 \cdot d_5 \ldots}$$

$$i = i_1 \cdot i_2 \cdot i_3 \ldots$$

M

Schneckentrieb

getrieben

treibend

z_1 Zähnezahl (Gangzahl) der Schnecke
n_1 Drehzahl der Schnecke
z_2 Zähnezahl des Schneckenrades
n_2 Drehzahl des Schneckenrades
i Übersetzungsverhältnis

Beispiel:

$i = 25;\ n_1 = 1500/\text{min};\ z_1 = 3;\ n_2 = ?$

$n_2 = \dfrac{n_1}{i} = \dfrac{1500/\text{min}}{25} = \mathbf{60/min}$

Antriebsformel

$$n_1 \cdot z_1 = n_2 \cdot z_2$$

Übersetzungsverhältnis

$$i = \frac{n_1}{n_2} = \frac{z_2}{z_1}$$

Gleitlager, Übersicht

Gleitlager[1] (Auswahl nach Art der Schmierung)

Hydrodynamische Gleitlager	Hydrostatische Gleitlager	Trockenlauf-Gleitlager

geeignet für	geeignet für	geeignet für
– verschleißarmen Dauerbetrieb – hohe Drehzahlen – hohe stoßartige Belastungen	– verschleißfreien Dauerbetrieb – geringe Reibungsverluste – niedrige Drehzahlen möglich	– wartungsfreien oder wartungs- 　armen Betrieb – mit oder ohne Schmierstoff
Einsatzbereiche	**Einsatzbereiche**	**Einsatzbereiche**
– Haupt- und Pleuellager – Getriebe – Elektromotoren – Turbinen, Verdichter – Hebezeuge, Landmaschinen	– Präzisionslagerungen – Weltraumteleskope und 　-antennen – Werkzeugmaschinen – Axiallager bei großen Kräften	– Baumaschinen – Armaturen und Geräte – Verpackungsmaschinen – Strahltriebwerke – Haushaltsgeräte

[1] Weitere Gleitlager: luft- bzw. gas- und wassergeschmierte Gleitlager, Magnetlager

Eigenschaften von Gleitlagerwerkstoffen

Kurzzeichen, Werkstoffnummer	Dehngrenze $R_{p\,0,2}$ N/mm²	spezifische Lagerbelastung p_L [1] N/mm²	Mindesthärte der Welle	Gleiteigenschaft	Gleitgeschwindigkeit	Notlaufverhalten	Eigenschaften, Verwendung
Blei- und Zinn-Gusslegierungen							vgl. DIN ISO 4381 (2001-02)
G-PbSb15Sn10[2] 2.3391	43	7	160 HB	◑	◑	◕	mittlere Belastung; allgemeine Gleitlager
G-SnSb12Cu6Pb 2.3790	61	10	160 HB	●	◕	◕	gute Schlagbeanspruchung; Turbinen, Verdichter, E-Maschinen
Kupfer-Gusslegierungen und Kupfer-Knetlegierungen							vgl. DIN ISO 4382-1 und -2 (1992-11)
CuSn8Pb2-C 2.1810	130	21	280 HB	◕	◕	◐	geringe bis mäßige Belastung, ausreichende Schmierung
CuZn31Si1 2.1831	250	58	55 HRC				hohe Belastung, hohe Schlag- und Stoßbelastung
CuPb10Sn10-C[2] 2.1816	80	18	250 HB	◕	◕	◐	hohe Flächendrücke; Fahrzeuglager, Lager in Warmwalzwerken
CuPb20Sn5-C 2.1818	60	11	150 HB	●	◕	●	geeignet für Wasserschmierung, beständig gegen Schwefelsäure
Thermoplastische Kunststoffe							vgl. DIN ISO 6691 (2001-05)
PA 6 (Polyamid)	–	12	50 HRC	●	○	●	stoß- und verschleißfest; Lager in Landmaschinen
POM (Polyoxymethylen)	–	18	50 HRC				härter und druckbelastbarer als PA; Lager in der Feinwerktechnik, geeignet für Trockenlauf

[1] Lagerkraft, bezogen auf die projizierte Lagerfläche
[2] Verbundwerkstoff nach DIN ISO 4383 für dünnwandige Gleitlager

● sehr gut　　◕ gut　　◐ normal
◑ eingeschränkt　　○ schlecht

M

Gleitlagerbuchsen

Buchsen aus Kupferlegierungen

vgl. DIN ISO 4379 (1995-10)

Form C · Form F — $d_2 \leq s6$, $d_1 E6^{[1]}$, $b_1 js13$, $b_2 s13$, $d_3 d11$; alle Fasen 45°

[1] Ergibt nach dem Einpressen Toleranzklasse H8

d1	Form C d_2	Form F Reihe 1 d_2	d_3	b_2	Form F Reihe 2 d_2	d_3	b_2	Längen b_1		
10	12	12	14	1	16	20	3	–	10	–
12	14	14	16	1	18	22	3	10	15	20
15	17	17	19	1	21	27	3	10	15	20
18	20	20	22	1	24	30	3	12	20	30
20	23	23	26	1,5	26	32	3	15	20	30
22	25	25	28	1,5	28	34	3	15	20	30
25	28	28	31	1,5	32	38	4	20	30	40
30	34	34	38	2	38	44	4	20	30	40
35	39	39	43	2	45	50	5	30	40	50
40	44	44	48	2	50	58	5	30	40	60

Empfohlene Toleranzklassen für Einbaumaße		Durchmesserbereich d_1: 6 … 200
Aufnahmebohrung	H7	
Welle	e7 oder g7 (abhängig vom Anwendungsfall)	⇒ Buchse ISO 4379 – F22 x 25 x 30 – CuSn8P: Form F, d_1 = 22 mm, d_2 = 25 mm, b_1 = 30 mm, aus CuSn8P

Buchsen aus Sintermetall

vgl. DIN 1850-3 (1998-07)

Form J · Form V — $d_2 r6$, $d_1 G7$, $d_3 js13$, $b_1 js13$, $b_2 js13$, R; alle Fasen 45°

d1	Form J d_2	Form V d_2	d_3	b_2	R_{max}	Längen b_1		
10	16	16	22	2	0,6	8	10	16
12	18	18	24	3	0,6	8	12	20
15	21	21	27	3	0,6	10	15	25
18	24	24	30	3	0,6	12	18	30
20	26	26	32	3	0,6	15	20	25
22	28	28	34	3	0,6	15	20	25
25	32	32	39	3,5	0,8	20	25	30
30	38	38	46	4	0,8	20	25	30
35	45	45	55	5	0,8	25	35	40
40	50	50	60	5	0,8	30	40	50

Empfohlene Toleranzklassen für Einbaumaße		Durchmesserbereich d_1: 1 … 60
Aufnahmebohrung	H7	
Welle	–	⇒ Buchse DIN 1850 – V18 x 24 x 18 – Sint-B50: d_1 = 18 mm, d_2 = 24 mm, b_1 = 18 mm, aus Sinterbronze Sint-B50

Buchsen aus Duroplasten und Thermoplasten

vgl. DIN 1850-5 und -6 (1998-07)

Duroplaste

Form P · Form R — d_2, d_1, $b_1 js13$, $b_2 js13$, $d_3 d13$, R; alle Fasen 45°

d1	d_2	d_3	b_2	R_{max}	Längen b_1		
10	16	20	3	0,3	6	10	–
12	18	22	3	0,5	10	15	20
15	21	27	3	0,5	10	15	20
18	24	30	3	0,5	12	20	30
20	26	32	3	0,5	15	20	30
22	28	34	3	0,5	15	20	30
25	32	38	4	0,5	20	30	40
30	38	44	4	0,5	20	30	40
35	45	50	5	0,8	30	40	50

Durchmesserbereich d_1 für Duroplaste: 3 … 250, für Thermoplaste: 6 … 200

Thermoplaste

Form S · Form T — 30°, d_2, d_1, $d_3 d13$, $b_2 h13$, $b_1 h13$, R

Grenzabmaße von d_2 und d_1 der Toleranzgruppen A und B für Buchsen aus Thermoplasten

	d_2						Herstellverfahren	sich ergebende Toleranzklasse nach dem Einpressen d_1
von / bis	10 / 14	15 / 18	20 / 25	28 / 32	35 / 40	42 / 55		
A	+0,21 / +0,07	+0,2 / 0	+0,4 / +0,1	+0,6 / +0,2	+0,69 / +0,23	+0,90 / +0,30	gespritzt	D12
B	Toleranzklasse zb11						spanend	C11

Zusatzzeichen für Buchsen aus Duroplasten

W	Wendelnuten am Außendurchmesser d_2	Y	Einpressfase 15° (statt 45°)
		Z	Freistich anstelle des Radius R

Empfohlene Toleranzklassen für Einbaumaße	Duroplaste	Thermoplaste
Aufnahmebohrung	H7	H7
Welle	h7	h9

⇒ Buchse DIN 1850 – S20 A20 – PA 6: Form S; d_1 = 20 mm, Toleranzgruppe A, b_1 = 20 mm, aus Polyamid 6

Weitere genormte Bauarten: Einspannbuchsen DIN 1498, Aufspannbuchsen DIN 1499

M

Wälzlager, Übersicht

Wälzlager (Auswahl)

Eigenschaften von Wälzlagern

Lagerbauart[1]	Innen-⌀ d	Radial-belas-tung	Axial-belas-tung	hohe Dreh-zahl	hohe Belast-barkeit	geräusch-armer Lauf	Anwendung
Kugellager							
Rillenkugellager	1,5 … 600	◕	◑	●	◑	●	Universallager im Maschinen- und Fahrzeugbau
Pendelkugellager	5 … 120	◕	◔	●	◔	◔	Ausgleich bei Fluchtungsfehlern
Schrägkugellager einreihig	10 … 170	◕	◕	●[2]	◕[3]	◕	werden nur paarweise verwendet, große Kräfte, Fahrzeugbau
Schrägkugellager zweireihig	10 … 110	◕	◕	◑	◕	◔	große Kräfte, Fahrzeugbau, bei geringem Platzbedarf
Axial-Rillenkugellager	8 … 360	○	◕	◑	◑	◔	Aufnahme sehr hoher Axialkräfte, Bohrspindeln, Reitstockspitzen
Vierpunktlager	20 … 240	◔	◕	◔	◑	◔	bei geringstem Platzbedarf, Spindel-lagerungen, Räder- und Rollenlagerung
Rollenlager							
Zylinderrollen-lager (Form N)	17 … 240	●	○	◕	◕	◑	Aufnahme sehr großer radialer Kräfte, Walzenlagerungen, Getriebe
Zylinderrollen-lager (Form NUP)	15 … 240	●	◑	◕	◕	◔	wie Form N, zusätzlich durch Bord-scheibe Aufnahme von Axialkräften
Nadellager	90 … 360	●	○	◔	●	◑	hohe Tragfähigkeit bei geringem Einbauraum
Kegelrollenlager	15 … 360	●	●	◑[2]	●[3]	◔	in der Regel paarweiser Einbau, Radlager bei Kfz, Spindellager
Axial-Zylinder-rollenlager	15 … 600	○	●	◔	◕	○	steife Lagerung bei geringem axialen Platzbedarf, hohe Reibung
Axial-Pendel-rollenlager	60 … 1060	◔	●	◔	◕	○	winkelbewegliches Drucklager, Spurlager bei Kränen

[1] Bei allen Radiallagern wird der Vorsatz „Radial-" weggelassen.
[2] verminderte Eignung bei paarweisem Einbau
[3] bei paarweisem Einbau

Eignungsstufen:
● sehr gut   ◕ gut   ◑ normal
◔ eingeschränkt   ○ nicht geeignet

M

Wälzlager, Bezeichnung

Bezeichnung von Wälzlagern
vgl. DIN 623-1 (1993-05)

Beispiel: **Kegelrollenlager DIN 720 – S 30208 P2**

| Benennung | Norm | Vorsetzzeichen | Basiszeichen | Nachsetzzeichen |

Vorsetzzeichen

K	Käfig mit Wälzkörpern
L	Freier Ring
R	Ring mit Wälzkörpersatz
S	Nichtrostender Stahl

Nachsetzzeichen (Auswahl)

K	Lager mit kegeliger Bohrung
Z	Lager mit Deckscheibe auf einer Seite
2Z	Lager mit Deckscheibe auf zwei Seiten
E	Verstärkte Ausführung
RS	Lager mit Dichtscheibe auf einer Seite
2RS	Lager mit Dichtscheibe auf beiden Seiten
P2	Höchste Maß-, Form- und Laufgenauigkeit

Beispiel für das Basiszeichen: **3 0 2 08**

- Lagerreihe 302
  - Breitenreihe 0
  - Durchmesserreihe 2
- Lagerart 3
- Maßreihe 02
- Bohrungskennzahl 08

Lagerart	Ausführung
0	Schrägkugellager, zweireihig
1	Pendelkugellager
2	Tonnen- und Pendelrollenlager
3	Kegelrollenlager
4	Rillenkugellager, zweireihig
5	Axial-Rillenkugellager
6	Rillenkugellager, einreihig
7	Schrägkugellager, einreihig
8	Axial-Zylinderrollenlager
NA	Nadellager
QJ	Vierpunktlager
N, NJ, NJP, NN, NNU, NU, NUP	Zylinder-Rollenlager

Bohrungs-kennzahl	Bohrungs-$\varnothing$ d	Bohrungs-kennzahl	Bohrungs-$\varnothing$ d
00	10	12	60
01	12	13	65
02	15	14	70
03	17	15	75
04	20	16	80
05	25	17	85
06	30	18	90
07	35	19	95
08	40	20	100
09	45	21	105
10	50	22	110
11	55	23	115

M

Maßreihen (Auswahl)
vgl. DIN 616 (2000-06)

Erläuterung

Die Maßpläne in DIN 616 enthalten Durchmesserreihen, in denen jedem Nenndurchmesser einer Lagerbohrung d (= Wellendurchmesser) mehrere

- Außendurchmesser und
- Breitenreihen (bei Radiallagern) bzw.
- Höhenreihen (bei Axiallagern)

zugeordnet sind.

Aufbau der Maßreihen

Breitenreihe — 0 — 1 — Maßreihe

3 2 0 — 03 02 00 — 13 12 10 — B

Durchmesser reihe — d

Beispiel: Kegelrollenlager[1]

Maßreihe 02

Bohrungs-kennzahl	Boh-rungs-$\varnothing$ d	D	B
07	35	72	17
08	40	80	18
09	45	85	19
10	50	90	20

[1] weitere Abmessungen: S. 267

Rillenkugellager, Berechnung

Dynamische Tragfähigkeit und Lebensdauer

Je nach Funktion haben Wälzlager Kräfte in radialer Richtung F_r, oder in axialer Richtung F_a oder gleichzeitig in beiden Richtungen zu übertragen. Diese kombinierte Belastung ersetzt man für die Berechnung durch eine gleichwertige (äquivalente) Belastung P, welche die gleiche Werkstoffbeanspruchung hervorrufen würde, wie die tatsächlich auftretende kombinierte Belastung.

Die Lebensdauer von 10^6 Umdrehungen entspricht einer Laufzeit von 500 Betriebsstunden bei einer konstanten Drehzahl von 33,3 1/min.

C, C_0	dynamische bzw. statische Tragzahl
P	äquivalente Belastung
X	Radiallastfaktor
Y	Axiallastfaktor
F_r	radial wirkende Kraft
F_a	axial wirkende Kraft
L_{10}	nominelle Lebensdauer in 10^6 Umdrehungen[1]
L_{10h}	nominelle Lebensdauer in Betriebsstunden
n	Drehzahl in 1/min

äquivalente Belastung

$$P = X \cdot F_r + Y \cdot F_a$$

nominelle Lebensdauer in Umdrehungen

$$L_{10} = \left(\frac{C}{P}\right)^3 \cdot 10^6$$

nominelle Lebensdauer in Betriebsstunden

$$L_{10h} = \frac{L_{10}}{60 \cdot n}$$

Beispiel:

Rillenkugellager 6214 für eine Bohrspindel; $n = 1200$ 1/min; $F_r = 1,5$ kN; $F_a = 3,4$ kN; $d = 70$ mm (Seite 265); $L_{10} = ?$; $L_{10h} = ?$

$\dfrac{F_a}{C_0} = \dfrac{3,4 \text{ kN}}{44 \text{ kN}} = 0,077 \rightarrow e \approx 0,28$ (s. Tabelle unten); $\dfrac{F_a}{F_r} = \dfrac{3,4 \text{ kN}}{1,5 \text{ kN}} \approx 2,27 > e = 0,28$

$Y = 1,55$; $X = 0,56$; $P = 0,56 \cdot 1,5 \text{ kN} + 1,55 \cdot 3,4 \text{ kN} = 6,14 \text{ kN}$

$L_{10} = \left(\dfrac{C}{P}\right)^3 \cdot 10^6 = \left(\dfrac{62 \text{ kN}}{6,14 \text{ kN}}\right)^3 = 1030 \cdot 10^6$; $\quad L_{10h} = \dfrac{L_{10}}{60 \cdot n} = \dfrac{\left(\dfrac{62 \text{ kN}}{6,14 \text{ kN}}\right)^3 \cdot 10^6}{60 \cdot 1200 \text{ 1/min}} = 14\,306 \text{ h}$

Die zu erwartende Lebensdauer des Lagers liegt im zulässigen Bereich für Bohrspindeln.

[1] L_{10}, L_{10h} 10% der formulierten Qualitätskriterien oder der Lager können vor Erreichen der berechneten Lebensdauer ausfallen. Die Erlebenswahrscheinlichkeit beträgt 90%.

Richtwerte für Tragzahlen von Rillenkugellagern (Auswahl)

d	Rillenkugellager Lagerreihe 60			Rillenkugellager Lagerreihe 62			Rillenkugellager Lagerreihe 63		
	Tragzahl in kN		Basis-zeichen	Tragzahl in kN		Basis-zeichen	Tragzahl in kN		Basis-zeichen
	dynamisch C	statisch C_0		dynamisch C	statisch C_0		dynamisch C	statisch C_0	
20	9,3	5	6004	12,7	6,55	6204	17,3	8,5	6304
30	12,7	8	6006	19,3	11,2	6206	29	16,3	6306
40	17	11,8	6008	29	18	6208	42,5	25	6308
50	20,8	15,6	6010	36,5	24	6210	62	38	6310
60	29	23,2	6012	52	36	6212	81,5	52	6312
70	39	31,5	6014	62	44	6214	104	68	6314
80	47,5	40	6016	72	53	6216	122	86,5	6316
100	60	54	6020	122	93	6220	163	134	6320

Radiallastfaktor X, Axiallastfaktor Y

Für F_a/C_0	0,014	0,028	0,056	0,084	0,11	0,17	0,28	0,42	0,56
ist e	0,19	0,22	0,26	0,28	0,30	0,34	0,38	0,41	0,44
bei $F_a/F_r > e$ ist $Y =$	2,3	1,99	1,71	1,55	1,45	1,31	1,15	1,04	1,00
bei $F_a/F_r > e$ ist $X =$	0,56								
bei $F_a/F_r \leq e$ ist	$X = 1$, $Y = 0$								

Richtwerte für die erforderliche nominelle Lebensdauer von Rillenkugellagern

Betriebsfall (Maschinen)	Lebensdauer L_{10h} in h[2]	Betriebsfall (Fahrzeuge)	Lebensdauer L_{10h} in h[2]
Elektrische Haushaltsgeräte	1500…3000	Verbrennungsmotoren	900…4000
Universalgetriebe (mittel)	4000…14000	Motorräder	400…2000
E-Motoren, mittel (5…100 kW)	21000…30000	Pkw-Radlager	1400…5300
Dreh-, Frässpindeln	14000…46000	Mittelschwere Lkw	2900…5300
Bohrspindeln	14000…32000	Schwere Lkw	4000…8800
Elektro- und Druckluftwerkzeuge	4000…14000	Omnibusse	2900…11000
Hebezeuge, Fördermaschinen	10000…15000	Schienenfahrzeuggetriebe	14000…46000

[2] Der kleinere Wert gilt für höhere Drehzahlen, der größere Wert für niedrige Drehzahlen.

M

Kugellager

Rillenkugellager (Auswahl)

vgl. DIN 625-1 (2011-04)

d von 3 ... 1500 mm

Einbaumaße nach DIN 5418:

d	Lagerreihe 60					Lagerreihe 62					Lagerreihe 63				
	D	B	r max	h min	Basis-zeichen	D	B	r max	h min	Basis-zeichen	D	B	r max	h min	Basis-zeichen
10	26	8	0,3	1	6000	30	9	0,3	2,1	6200	35	11	0,6	2,1	6300
12	28	8	0,3	1	6001	32	10	0,3	2,1	6201	37	12	1	2,1	6301
15	32	9	0,3	1	6002	35	11	0,3	2,1	6202	42	13	1	2,8	6302
17	35	10	0,3	1	6003	40	12	0,3	2,1	6203	47	14	1	2,8	6303
20	42	12	0,6	1,6	6004	47	14	1	2,8	6204	52	15	1	3,5	6304
25	47	12	0,6	1,6	6005	52	15	1	2,8	6205	62	17	1	3,5	6305
30	55	13	1	2,3	6006	62	16	1	2,8	6206	72	19	1	3,5	6306
35	62	14	1	2,3	6007	72	17	1	2,8	6207	80	21	1,5	4,5	6307
40	68	15	1	2,3	6008	80	18	1	3,5	6208	90	23	1,5	4,5	6308
45	75	16	1	2,3	6009	85	19	1	3,5	6209	100	25	1,5	4,5	6309
50	80	16	1	2,3	6010	90	20	1	3,5	6210	110	27	2	5,5	6310
55	90	18	1	3	6011	100	21	1,5	4,5	6211	120	29	2	5,5	6311
60	95	18	1	3	6012	110	22	1,5	4,5	6212	130	31	2,1	6	6312
65	100	18	1	3	6013	120	23	1,5	4,5	6213	140	33	2,1	6	6313
70	110	20	1	3	6014	125	24	1,5	4,5	6214	150	35	2,1	6	6314
75	115	20	1	3	6015	130	25	2	5,5	6215	160	37	2,1	6	6315
80	125	22	1	3	6016	140	26	2	5,5	6216	170	39	2,5	7	6316
85	130	22	1,5	3,5	6017	150	28	2,1	6	6217	180	41	2,5	7	6317
90	140	24	1,5	3,5	6018	160	30	2,1	6	6218	190	43	2,5	7	6318
95	145	24	1,5	3,5	6019	170	32	2,1	6	6219	200	45	2,5	7	6319
100	150	24	1,5	3,5	6020	180	34	2,1	6	6220	215	47	2,5	7	6320

⇒ **Rillenkugellager DIN 625 – 6208 – 2Z – P2:** Rillenkugellager (Lagerart 6), Breitenreihe 0[1], Durchmesserreihe 2, Bohrungskennzahl 08 ($d = 8 \cdot 5$ mm = 40 mm), Ausführung mit 2 Deckscheiben, Lager mit höchster Maß-, Form- und Laufgenauigkeit (ISO-Toleranzklasse 2)

Schrägkugellager (Auswahl)

vgl. DIN 628-1 (2008-01)

d von 10 ...170 mm

Einbaumaße nach DIN 5418:

M

d	Lagerreihe 72					Lagerreihe 73					Lagerreihe 33 (zweireihig)				
	D	B	r max	h min	Basis-zeichen[2]	D	B	r max	h min	Basis-zeichen[2]	D	B	r max	h min	Basis-zeichen[3]
15	35	11	0,6	2,1	7202B	42	13	1	2,8	7302B	42	19	1	2,8	3302
17	40	12	0,6	2,1	7203B	47	14	1	2,8	7303B	47	22,2	1	2,8	3303
20	47	14	1	2,8	7204B	52	15	1	3,5	7304B	52	22,2	1	3,5	3304
25	52	15	1	2,8	7205B	62	17	1	3,5	7305B	62	25,4	1	3,5	3305
30	62	16	1	2,8	7206B	72	19	1	3,5	7306B	72	30,2	1	3,5	3306
35	72	17	1	3,5	7207B	80	21	1,5	4,5	7307B	80	34,9	1,5	4,5	3307
40	80	18	1	3,5	7208B	90	23	1,5	4,5	7308B	90	36,5	1,5	4,5	3308
45	85	19	1	3,5	7209B	100	25	1,5	4,5	7309B	100	39,7	1,5	4,5	3309
50	90	20	1	3,5	7210B	110	27	2	5,5	7310B	110	44,4	2	5,5	3310
55	100	21	1,5	4,5	7211B	120	29	2	5,5	7311B	120	49,2	2	5,5	3311
60	110	22	1,5	4,5	7212B	130	31	2,1	6	7312B	130	54	2,1	6	3312
65	120	23	1,5	4,5	7213B	140	33	2,1	6	7313B	140	58,7	2,1	6	3313
70	125	24	1,5	4,5	7214B	150	35	2,1	6	7314B	150	63,5	2,1	6	3314
75	130	25	1,5	4,5	7215B	160	37	2,1	6	7315B	160	68,3	2,1	6	3315
80	140	26	2	5,5	7216B	170	39	2,1	6	7316B	170	68,3	2,1	6	3316
85	150	28	2	5,5	7217B	180	41	2,5	7	7317B	180	73	2,5	7	3317
90	160	30	2	5,5	7218B	190	43	2,5	7	7318B	190	73	2,5	7	3318
95	170	32	2,1	6	7219B	200	45	2,5	7	7319B	200	77,8	2,5	7	3319
100	180	34	2,1	6	7220B	215	47	2,5	7	7320B	215	82,6	2,5	7	3320

⇒ **Schrägkugellager DIN 628 – 7309B:** Schrägkugellager (Lagerart 7), Breitenreihe 0[1], Durchmesserreihe 3, Bohrungskennzahl 09 (Bohrungsdurchmesser $d = 9 \cdot 5$ mm = 45 mm), Berührungswinkel $\alpha = 40°$ (B)

[1] Bei der Bezeichnung von Rillen- und Schrägkugellagern wird nach DIN 623-1 die 0 für die Breitenreihe teilweise weggelassen.
[2] Berührungswinkel $\alpha = 40°$ [3] Berührungswinkel nicht genormt

Kugellager, Rollenlager

Axial-Rillenkugellager (Auswahl)　　vgl. DIN 711 (2010-05)

d von 8 ... 360 mm

Einbaumaße nach DIN 5418:

d	D_1	Lagerreihe 512					Lagerreihe 513				
		D	T	r max	h min	Basis-zeichen	D	T	r max	h min	Basis-zeichen
25	27	47	15	0,6	6	51205	52	18	1	7	51305
30	32	52	16	0,6	6	51206	60	21	1	8	51306
35	37	62	18	1	7	51207	68	24	1	9	51307
40	42	68	19	1	7	51208	78	26	1	10	51308
45	47	73	20	1	7	51209	85	28	1	10	51309
50	52	78	22	1	7	51210	95	31	1	12	51310
55	57	90	25	1	9	51211	105	35	1	13	51311
60	62	95	26	1	9	51212	110	35	1	13	51312
65	67	100	27	1	9	51213	115	36	1	13	51313
70	72	105	27	1	9	51214	125	40	1	14	51314
75	77	110	27	1	9	51215	135	44	1,5	15	51315
80	82	115	28	1	9	51216	140	44	1,5	15	51316

⇒ **Axial-Rillenkugellager DIN 711 – 51210:** Axial-Rillenkugellager der Lagerreihe 512 mit Lagerart 5, Breitenreihe 1, Durchmesserreihe 2 und Bohrungskennzahl 10

Zylinderrollenlager (Auswahl)　　vgl. DIN 5412-1 (2005-08)

Form N　　**Form NU**

Form NJ

Form NUP

d von 15 ... 500 mm

Einbaumaße nach DIN 5418:

Form N　　**Form NU**

ohne Bord　　mit festem Bord

d	Lagerreihen N2, NU2, NJ2, NUP2						Lagerreihen N3, NU3, NJ3, NUP3						Boh-rungs-kenn-zahl
	D	B	r_1 max	h_1 min	r_2 max	h_2 min	D	B	r_1 max	h_1 min	r_2 max	h_2 min	
17	40	12	0,6	2,1	0,3	1,2	47	14	1	2,8	1	2,8	03
20	47	14	1	2,8	0,6	2,1	52	15	1,1	3,5	1	2,8	04
25	52	15	1	2,8	0,6	2,1	62	17	1,1	3,5	1	2,8	05
30	62	16	1	2,8	0,6	2,1	72	19	1,1	3,5	1	2,8	06
35	72	17	1	3,5	0,6	2,1	80	21	1,5	4,5	1	2,8	07
40	80	18	1	3,5	1	3,5	90	23	1,5	4,5	2	5,5	08
45	85	19	1	3,5	1	3,5	100	25	1,5	4,5	2	5,5	09
50	90	20	1	3,5	1	3,5	110	27	2	5,5	2	5,5	10
55	100	21	1,5	4,5	1	3,5	120	29	2	5,5	2	5,5	11
60	110	22	1,5	4,5	1,5	4,5	130	31	2,1	6	2	5,5	12
65	120	23	1,5	4,5	1,5	4,5	140	33	2,1	6	2	5,5	13
70	125	24	1,5	4,5	1,5	4,5	150	35	2,1	6	2	5,5	14
75	130	25	1,5	4,5	1,5	4,5	160	37	2,1	6	2	5,5	15
80	140	26	2	5,5	2	5,5	170	39	2,1	6	2	5,5	16
85	150	28	2	5,5	2	5,5	180	41	3	7	3	7	17
90	160	30	2	5,5	2	5,5	190	43	3	7	3	7	18
95	170	32	2,1	6	2,1	6	200	45	3	7	3	7	19
100	180	34	2,1	6	2,1	6	215	47	3	7	3	7	20
105	–	–	–	–	–	–	225	49	3	7	3	7	21
110	200	38	2,1	6	2,1	6	240	50	3	7	3	7	22
120	215	40	2,1	6	2,1	6	260	55	3	7	3	7	24

⇒ **Zylinderrollenlager DIN 5412 – NUP 312 E:** Zylinderrollenlager der Lagerreihe NUP3 mit Lagerart NUP, Breitenreihe 0, Durchmesserreihe 3 und Bohrungskennzahl 12, verstärkte Ausführung

Die Normalausführung der Maßreihen 02, 22, 03 und 23 wurde ersatzlos aus der Norm gestrichen und durch die verstärkte Ausführung (Nachsetzzeichen E) ersetzt.

M

Rollenlager

Kegelrollenlager (Auswahl)

vg . DIN 720 (2008-08) und DIN 5418 (1993-02)

Lagerreihe 302

| | Abmessungen | | | | | | Einbaumaße | | | | | | | | |
d	D	B	C	T	d_1	d_a max	d_b min	D_a min	D_a max	D_b min	c_a min	c_b min	r_{as} max	r_{bs} max	Basis-zeichen
20	47	14	12	15,25	33,2	27	26	40	41	43	2	3	1	1	30204
25	52	15	13	16,25	37,4	31	31	44	46	48	2	2	1	1	30205
30	62	16	14	17,25	44,6	37	36	53	56	57	2	3	1	1	30206
35	72	17	15	18,15	51,8	44	42	62	65	67	3	3	1,5	1,5	30207
40	80	18	16	19,75	57,5	49	47	69	73	74	3	3,5	1,5	1,5	30208
45	85	19	16	20,75	63	54	52	74	78	80	3	4,5	1,5	1,5	30209
50	90	20	17	21,75	67,9	58	57	79	83	85	3	4,5	1,5	1,5	30210
55	100	21	18	22,75	74,6	64	64	88	91	94	4	4,5	2	1,5	30211
60	110	22	19	23,75	81,5	70	69	96	101	103	4	4,5	2	1,5	30212
65	120	23	20	24,75	89	77	74	106	111	113	4	4,5	2	1,5	30213
70	125	24	21	26,25	93,9	81	79	110	116	118	4	5	2	1,5	30214
75	130	25	22	27,25	99,2	86	84	115	121	124	4	5	2	1,5	30215
80	140	26	22	28,25	105	91	90	124	130	132	4	6	2,5	2	30216
85	150	28	24	30,5	112	97	95	132	140	141	5	6,5	2,5	2	30217
90	160	30	26	32,5	118	103	100	140	150	150	5	6,5	2,5	2	30218
95	170	32	27	34,5	126	110	107	149	158	159	5	7,5	3	2,5	30219
100	180	34	29	37	133	116	112	157	168	168	5	8	3	2,5	30220
105	190	36	30	39	141	122	117	165	178	177	6	9	3	2,5	30221
110	200	38	32	41	148	129	122	174	188	187	6	9	3	2,5	30222
120	215	40	34	43,5	161	140	132	187	203	201	6	9,5	3	2,5	30224

Lagerreihe 303

| | Abmessungen | | | | | | Einbaumaße | | | | | | | | |
d	D	B	C	T	d_1	d_a max	d_b min	D_a min	D_a max	D_b min	c_a min	c_b min	r_{as} max	r_{bs} max	Basis-zeichen
20	52	15	13	16,25	34,3	28	27	44	45	47	2	3	1,5	1,5	30304
25	62	17	15	18,25	41,5	34	32	54	55	57	2	3	1,5	1,5	30305
30	72	19	16	20,75	44,8	40	37	62	65	66	3	4,5	1,5	1,5	30306
35	80	21	18	22,75	54,5	45	44	70	71	74	3	4,5	2	1,5	30307
40	90	23	20	25,25	62,5	52	49	77	81	82	3	5	2	1,5	30308
45	100	25	22	27,25	70,1	59	54	86	91	92	3	5	2	1,5	30309
50	110	27	23	29,25	77,2	65	60	95	100	102	4	6	2,5	2	30310
55	120	29	25	31,5	84	71	65	104	110	111	4	6,5	2,5	2	30311
60	130	31	26	33,5	91,9	77	72	112	118	120	5	7,5	3	2,5	30312
65	140	33	28	36	98,6	83	77	122	128	130	5	8	3	2,5	30313
70	150	35	30	38	105	89	82	120	138	140	5	8	3	2,5	30314
75	160	37	31	40	112	95	87	139	148	149	5	9	3	2,5	30315
80	170	39	33	42,5	120	102	92	148	158	159	5	9,5	4	2,5	30316
85	180	41	34	44,5	126	107	99	156	166	167	6	10,5	4	3	30317
90	190	43	36	46,5	132	113	104	165	176	176	6	10,5	4	3	30318
95	200	45	38	49,5	139	118	109	172	186	184	6	11,5	4	3	30319
100	215	47	39	51,5	148	127	114	184	201	197	6	12,5	4	3	30320
105	225	49	41	53,5	155	132	119	193	211	206	7	12,5	4	3	30321
110	240	50	42	54,5	165	141	124	206	226	220	8	12,5	4	3	30322
120	260	55	46	59,5	178	152	134	221	246	237	8	13,5	4	3	30324

Einbaumaße nach DIN 5418:

Käfig

Bei Kegelrollenlagern steht der Käfig über die Seitenfläche des Außenrings vor.

Damit der Käfig nicht an anderen Bauteilen streift, müssen die Einbaumaße nach DIN 5418 eingehalten werden.

⇒ **Kegelrollenlager DIN 720 – 30212**: Kegelrollenlager der Lagerreihe 302 mit Lagerart 3, Breitenreihe 0, Durchmesserreihe 2, Bohrungskennzahl 12

M

Nadellager, Nutmuttern, Sicherungsbleche

Nadellager (Auswahl)

vgl. DIN 617 (2008-10)

d	D	F	r max	h min	Lagerreihe NA49		Lagerreihe NA69	
					B	Basis-zeichen	B	Basis-zeichen
20	37	25	0,3	1	17	NA4904	30	NA6904
25	42	28	0,3	1	17	NA4905	30	NA6905
30	47	30	0,3	1	17	NA4906	30	NA6906
35	55	42	0,6	1,6	20	NA4907	36	NA6907
40	62	48	0,6	1,6	22	NA4908	40	NA6908
45	68	52	0,6	1,6	22	NA4909	40	NA6909
50	72	58	0,6	1,6	22	NA4910	40	NA6910
55	80	63	1	2,3	25	NA4911	45	NA6911
60	85	68	1	2,3	25	NA4912	45	NA6912
65	90	72	1	2,3	25	NA4913	45	NA6913
70	100	80	1	2,3	30	NA4914	54	NA6914
75	105	85	1	2,3	30	NA4915	54	NA6915

Einbaumaße nach DIN 5418:

⇒ **Nadellager DIN 617 – NA4909:** Nadellager der Lagerreihe NA49 mit Lagerart NA, Breitenreihe 4, Durchmesserreihe 9, Bohrungskennzahl 09

ab NA6907 doppelreihig

Nutmuttern für Wälzlager (Auswahl)

vgl. DIN 981 (2009-06)

d_1	d_2	h	Kurz-zeichen	d_1	d_2	h	Kurz-zeichen
M10 × 0,75	18	4	KM0	M60 × 2	80	11	KM12
M12 × 1	22	4	KM1	M65 × 2	85	12	KM13
M15 × 1	25	5	KM2	M70 × 2	92	12	KM14
M17 × 1	28	5	KM3	M75 × 2	98	13	KM15
M20 × 1	32	6	KM4	M80 × 2	105	15	KM16
M25 × 1,5	38	7	KM5	M85 × 2	110	16	KM17
M30 × 1,5	45	7	KM6	M90 × 2	120	16	KM18
M35 × 1,5	52	8	KM7	M95 × 2	125	17	KM19
M40 × 1,5	58	9	KM8	M100 × 2	130	18	KM20
M45 × 1,5	65	10	KM9	M105 × 2	140	18	KM21
M50 × 1,5	70	11	KM10	M110 × 2	145	19	KM22
M55 × 2	75	11	KM11	M115 × 2	150	19	KM23

Einbaubeispiel:

d_1 von M10 … M200

⇒ **Nutmutter DIN 981 – KM6:** Nutmutter mit d_1 = M30 x 1,5

Sicherungsblech (Auswahl)

vgl. DIN 5406 (2011-04)

Einbaumaße

d_1	d_2	s	b_1	b_2	b_3	t	Kurz-zeichen	d_1	d_2	s	b_1	b_2	b_3	t	Kurz-zeichen
10	21	1	3	3	4	2	MB0	60	86	1,5	7	8	9	4	MB12
12	25	1	3	3	4	2	MB1	65	92	1,5	7	8	9	4	MB13
15	28	1	4	4	5	2	MB2	70	98	1,5	8	8	9	5	MB14
17	32	1	4	4	5	2	MB3	75	104	1,5	8	8	9	5	MB15
20	36	1	4	4	5	2	MB4	80	112	1,7	8	10	11	5	MB16
25	42	1,2	5	5	6	3	MB5	85	119	1,7	8	10	11	5	MB17
30	49	1,2	5	5	6	4	MB6	90	126	1,7	10	10	11	5	MB18
35	57	1,2	5	6	7	4	MB7	95	133	1,7	10	10	11	5	MB19
40	62	1,2	6	6	7	4	MB8	100	142	1,7	10	12	14	5	MB20
45	69	1,2	6	6	7	4	MB9	110	154	1,7	12	12	14	6	MB22
50	74	1,2	6	6	7	4	MB10	120	164	2	12	14	16	7	MB24
55	81	1,5	7	8	9	4	MB11	130	175	2	12	14	16	7	MB26

d_1 von 10 … 280 mm

⇒ **Sicherungsblech DIN 5406 – MB6:** Sicherungsblech mit d_1 = 30 mm

M

Sicherungsringe, Sicherungsscheiben

Sicherungsringe in Regelausführung[1] (Auswahl)

für Wellen	vgl. DIN 471 (2011-04)	für Bohrungen	vgl. DIN 472 (2011-10)

Nenn-maß d_1 mm	Ring				Nut			Nenn-maß d_1 mm	Ring				Nut		
	s	d_3	d_4	b $\approx$	d_2	m H13	n min		s	d_3	d_4	b $\approx$	d_2	m H13	n min
10	1	9,3	17	1,8	9,6	1,1	0,6	10	1	10,8	3,3	1,4	10,4	1,1	0,6
12	1	11	19	1,8	11,5	1,1	0,8	12	1	13	4,9	1,7	12,5	1,1	0,8
15	1	13,8	22,6	2,2	14,3	1,1	1,1	15	1	16,2	7,2	2	15,7	1,1	1,1
17	1,0	15,7	25	2,3	16,2	1,1	1,2	17	1,0	18,3	8,8	2,1	17,8	1,1	1,2
20	1,2	18,5	28,4	2,6	19	1,3	1,5	20	1	21,5	11,2	2,3	21	1,1	1,5
22	1,2	20,5	30,8	2,8	21	1,3	1,5	22	1	23,5	13,2	2,5	23	1,1	1,5
25	1,2	23,2	34,2	3	23,9	1,3	1,7	25	1,2	26,9	15,5	2,7	26,2	1,3	1,8
28	1,5	25,9	37,9	3,2	26,6	1,6	2,1	28	1,2	30,1	17,9	2,9	29,4	1,3	2,1
30	1,5	27,9	40,5	3,5	28,6	1,6	2,1	30	1,2	32,1	19,9	3	31,4	1,3	2,1
32	1,5	29,6	43	3,6	30,3	1,6	2,6	32	1,2	34,4	20,6	3,2	33,7	1,3	2,6
35	1,5	32,2	46,8	3,9	33	1,6	3	35	1,5	37,8	23,6	3,4	37	1,6	3
38	1,75	35,2	50,2	4,2	36	1,85	3	38	1,5	40,8	26,4	3,7	40	1,6	3
40	1,75	36,5	52,6	4,4	37,5	1,85	3,8	40	1,75	43,5	27,8	3,9	42,5	1,85	3,8
42	1,75	38,5	55,7	4,5	39,5	1,85	3,8	42	1,75	45,5	29,6	4,1	44,5	1,85	3,8
45	1,75	41,5	59,1	4,7	42,5	1,85	3,8	45	1,75	48,5	32	4,3	47,5	1,85	3,8
48	1,75	44,5	62,5	5	45,5	1,85	3,8	48	1,75	51,5	34,5	4,5	50,5	1,85	3,8
50	2,0	45,8	64,5	5,1	47,0	2,15	4,5	50	2,0	54,2	36,3	4,6	53,0	2,15	4,5
60	2,0	55,8	75,6	5,8	57,0	2,15	4,5	60	2,0	64,2	44,7	5,4	63,0	2,15	4,5
65	2,5	60,8	81,4	6,3	62,0	2,65	4,5	65	2,5	69,2	49,0	5,8	68,0	2,65	4,5
70	2,5	65,5	87	6,6	67,0	2,65	4,5	72	2,5	76,5	55,6	6,4	75,0	2,65	4,5
75	2,5	70,5	92,7	7,0	72,0	2,65	4,5	75	2,5	79,5	58,6	6,6	78,0	2,65	4,5
80	2,5	74,5	98,1	7,4	76,5	2,65	5,3	80	2,5	85,5	62,1	7,0	83,5	2,65	5,3
90	3,0	84,5	108,5	8,2	86,5	3,15	5,3	90	3,0	95,5	71,9	7,6	93,5	3,15	5,3
100	3,0	94,5	120,2	9	96,5	3,15	5,3	100	3,0	105,5	80,6	8,4	103,5	3,15	5,3

⇒ **Sicherungsring DIN 471 – 40 x 1,75:**
$d_1 = 40$ mm, $s = 1,75$ mm

⇒ **Sicherungsring DIN 472 – 80 x 2,5:**
$d_1 = 80$ mm, $s = 2,5$ mm

Toleranzklassen für d_2

d_1 in mm	3 … 10	12 … 22	24 … 100
d_2	h10	h11	h12

Toleranzklassen für d_2

d_1 in mm	8 … 22	24 … 100	100 … 300
d_2	H11	H12	H13

[1] für Wellen: Regelausführung d_1 von 3…300 mm schwere Ausführung d_1 von 15…100 mm

[2] für Bohrungen: Regelausführung d_1 von 8…300 mm schwere Ausführung d_1 von 20…100 mm

Sicherungsscheiben (Auswahl) vgl. DIN 6799 (2011-04)

		Sicherungsscheibe			Welle		
d_2 h11	d_3 gespannt	a	s	d_1 von … bis		m	n min
6	12,3	5,26	0,7	7 … 9	0,74	+ 0,05	1,2
7	14,3	5,84	0,9	8 … 11	0,94	0	1,5
8	16,3	6,52	1	9 … 12	1,05		1,8
9	18,8	7,63	1,1	10 … 14	1,15		2
10	20,4	8,32	1,2	11 … 15	1,25	+ 0,08	2
12	23,4	10,45	1,3	13 … 18	1,35	0	2,5
15	29,4	12,61	1,5	16 … 24	1,55		3
19	37,6	15,92	1,75	20 … 31	1,80		3,5
24	44,6	21,88	2	25 … 38	2,05		4

ungespannt gespannt

Einbau-maße:

d_2 von 0,8…30 mm

⇒ **Sicherungsscheibe DIN 6799 – 15:** $d_2 = 15$ mm

M

Dichtelemente

Radial-Wellendichtringe (Auswahl)   vgl. DIN 3760 (1996-09)

Form A   b   Form AS

Einbaumaße:

drallfrei

$\sqrt{} = \sqrt{}$

mit Ra0,2 bis Ra0,8 oder Rz1 bis Rz5

10° bis 20°   15° bis 30°   a)

$b + 0{,}3_{min}$
$0{,}85 \cdot b_{min}$
$R\,0{,}5_{max}$

a) = Kanten gerundet

d_1 von 6…500 mm

Block 1:

d_1	d_2	b	d_3
10	22 26	7	8,5
	25 –		
12	22 30	7	10
	25 –		
14	24 30	7	12
15	26 35	7	13
	30 –		
16	30 35	7	14
17	30 35	7	16
20	30 40	7	18
	35 –		
22	35 47	7	19,5
	40 –		
25	35 47	7	22,5
	40 52		

Block 2:

d_1	d_2	b	d_3
28	40 52	7	25,5
	47 –		
30	40 47	8	27,5
	42 52		
32	45 52	8	29
	47 –		
35	47 52	8	32
	50 55		
38	55 62	8	35
40	52 62	8	37
	55 –		
42	55 62	8	38,5
45	60 65	8	41,5
	62 –		
48	62 –	8	44,5

Block 3:

d_1	d_2	b	d_3
50	65 72	8	46,5
	68 –		
55	70 80	8	51
	72 –		
60	75 85	8	56
	80 –		
65	85 90	10	61
70	90 95	10	66
75	95 100	10	70,5
80	100 110	10	75,5
85	110 120	12	80,5
90	110 120	12	85,5
95	120 125	12	90,5
100	120 130	12	94,5
	125 –		

⇒ **RWDR DIN 3760 – A25 x 40 x 7 – NBR:** Radial-Wellendichtring (RWDR) der Form A mit d_1 = 25 mm, d_2 = 40 mm und b = 7 mm, Elastomerteil aus Nitril-Butadien-Kautschuk (NBR)

O-Ringe (Auswahl)   vgl. DIN ISO 3601-1 (2013-11) und -2 (2010-08), Ersatz für DIN 3771

axialdichtend

$h + 0{,}1$ $b + 0{,}2$ $-0{,}05$ / $-0{,}1$

radial außendichtend

f 0° bis 5° $h + 0{,}1$ $b + 0{,}25$

radial innendichtend

0° bis 5° $h + 0{,}1$ $b + 0{,}25$ f

M

d_1	d_2	d_1	d_2	d_1	d_2
2,5		37,8		113,7	
2,9		41,0		116,8	
3,7	1,78	44,2	3,53 5,33	120,0	5,33 6,99
4,5		47,2		123,2	
5,3		50,3		126,4	
6,1		53,4		129,5	
7,7		56,5		132,7	
9,3		59,7		135,9	
10,8	1,78 2,62	62,9	5,33	139,1	6,99
12,4		66,0		142,2	
14,0		69,2		145,4	
15,6		72,4		148,6	
17,2		75,6		151,8	
18,8		78,7		164,5	
20,4	2,62 3,53	81,9	5,33	170,8	6,99
22,0		85,1		177,2	
23,5		88,3		183,5	
25,1		91,4		189,9	
26,7		94,6		196,2	
28,3		97,8		215,3	
29,9	3,53	101,0	5,33	240,7	6,99
31,5		104,1		266,1	
33,1		107,3		304,2	
34,7		110,5		329,6	

Einbaumaße bei ruhender Belastung

d_2	r_1	f	radial dichtend h	radial dichtend b	axial dichtend b Flüssigkeiten	axial dichtend b Gase
1,78	0,2…0,4	+0,4	1,3	2,8	3,2	2,9
2,62		+0,2	2,0	3,8	4,0	3,6
3,53	0,4…0,8	+0,8	2,7	5,0	5,3	4,8
5,33		+0,4	4,2	7,2	7,6	7,0
6,99	0,8…1,2	+1,2 / +0,8	5,7	9,5	9,0	8,5

Schmierstoffe
vgl. DIN 51502 (1990-08)

Bezeichnung von Schmierölen

Bezeichnung durch Kennbuchstaben	Bezeichnung durch Sinnbilder

PGLP 220

Kennbuchstabe für Schmieröle	Zusatz-kennbuchstaben	ISO-Viskositäts-klassifikation

CL 100	PGLP 220
Schmieröl auf Mineralölbasis	Schmieröl auf Syntheseölbasis

⇒ **Schmieröl DIN 51517 – CL 100:** Umlaufschmieröl auf Mineralölbasis (C), erhöhte Korrosions- und Alterungsbeständigkeit (L), ISO-Viskositätsklasse VG 100 (100)

⇒ **Schmieröl DIN 51517 – PGLP 220:** Polyglykolöl (PG), erhöhte Korrosions- und Alterungsbeständigkeit (L), erhöhter Verschleißschutz (P), ISO-Viskositätsklasse VG 220 (220)

Schmierölarten
vgl. DIN 51502 (1990-08)

Kenn-buchstabe	Schmierstoffart und Eigenschaften	Norm	Anwendung
Mineralöle			
AN	Normalschmieröle ohne Zusätze	DIN 51501	Durch- und Umlaufschmierung bei Öltemperaturen bis 50°
B	Bitumenhaltige Schmieröle mit hoher Haftfähigkeit	DIN 51513	Hand-, Durchlauf- und Tauchschmierungen, vorwiegend für offene Schmierstellen
C	Umlaufschmieröle, ohne Zusätze	DIN 51517	Gleitlager, Wälzlager, Getriebe
CG	Gleitbahnöle mit Wirkstoffen zur Verschleißminderung	DIN 8659 T2	Im Mischreibungsbetrieb für Gleit- und Führungsbahnen sowie Schneckengetriebe
Syntheseflüssigkeiten			
E	Esteröle mit besonders geringer Viskositätsänderung	–	Lagerstellen mit stark wechselnden Temperaturen
PG	Polyglykolöle mit hoher Alterungs-beständigkeit	–	Lagerstellen mit häufigen Mischreibungs-zuständen
SI	Silikonöle mit hoher Alterungs-beständigkeit	–	Lagerstellen mit besonders hohen und tiefen Temperaturen, stark wasserabstoßend

Zusatzkennbuchstaben
vgl. DIN 51502 (1990-08)

Zusatzkenn-buchstabe	Anwendung und Erläuterung
E	für Schmierstoffe, die mit Wasser gemischt werden, z. B. Kühlschmierstoff SE
F	für Schmierstoffe mit Festschmierstoffzusatz, z. B. Grafit, Molybdändisulfid
L	für Schmierstoffe mit Wirkstoffen zum Erhöhen des Korrosionsschutzes und/oder der Alterungsbeständigkeit
P	für Schmierstoffe mit Wirkstoffen zum Herabsetzen der Reibung und des Verschleißes im Mischreibungsgebiet und/oder zur Erhöhung der Belastbarkeit

Flüssige Industrie-Schmierstoffe – ISO-Viskositätsklassifikation
vgl. DIN ISO 3448 (2010-02)

Die Schmierstoffklassifizierung bei DIN ISO 3448 ist auf eine kinematische Viskosität bei 40 °C ausgelegt.

ISO-Viskositäts-klasse	Bereich für die kinematische Viskosität mm^2/s bei 40 °C	ISO-Viskositäts-klasse	Bereich für die kinematische Viskosität mm^2/s bei 40 °C	ISO-Viskositäts-klasse	Bereich für die kinematische Viskosität mm^2/s bei 40 °C
ISO VG 2	1,98 bis 2,42	ISO VG 22	19,8 bis 24,2	ISO VG 220	198 bis 242
ISO VG 3	2,88 bis 3,52	ISO VG 32	28,8 bis 35,2	ISO VG 320	288 bis 352
ISO VG 5	4,14 bis 5,06	ISO VG 46	41,4 bis 50,6	ISO VG 460	414 bis 506
ISO VG 7	6,12 bis 7,48	ISO VG 68	61,2 bis 74,8	ISO VG 680	612 bis 748
ISO VG 10	9,00 bis 11,0	ISO VG 100	90,0 bis 110	ISO VG 1000	900 bis 1100
ISO VG 15	13,5 bis 16,5	ISO VG 150	135 bis 165	ISO VG 1500	1350 bis 1650

M

Schmierstoffe

vgl. DIN 51502 (1990-08)

Bezeichnung von Schmierfetten und Festschmierstoffen

Bezeichnung durch Kennbuchstaben	Bezeichnung durch Sinnbild

K SI 3 R –10

Kennbuch-stabe für Schmierfette	Zusatz-kennbuch-staben	Kennzahl für Viskosität oder Konsistenz	Zusatz-buch-stabe	Zusatz-kennzahl

Schmierfett auf Mineralölbasis   Schmierfett auf Syntheseölbasis

⇒ **Schmierfett DIN 51825 – K3N – 20:** Schmierfett für Wälz- und Gleitlager (K) auf Mineralölbasis (NLGI-Klasse 3) (3), obere Gebrauchstemperatur +140 °C (N), untere Gebrauchstemperatur –20 °C (–20)

⇒ **Schmierfett DIN 51825 – KSI3R –10:** Schmierfett für Wälz- und Gleitlager (K) auf Silikonölbasis (SI), NLGI-Klasse 3 (3), obere Gebrauchstemperatur +180 °C (R), untere Gebrauchstemperatur –10 °C (–10)

Schmierfette

Kenn-buchstabe	Anwendung/Zusätze	Kenn-buchstabe	Anwendung
K	Allgemein: Wälzlager, Gleitlager, Gleitflächen	G	Geschlossene Getriebe
KP	Wie K, jedoch mit Zusätzen für Herabsetzung der Reibung	OG	Offene Getriebe (Haftschmierstoff ohne Bitumen)
KF	Wie K, jedoch mit Festschmierstoff-Zusätzen	M	Für Gleitlagerungen und Dichtungen (geringe Anforderungen)

Konsistenz[1]-Einteilung für Schmierfette

NLGI-Klasse[3]	Walkpenetration[2]	NLGI-Klasse[3]	Walkpenetration[2]	NLGI-Klasse[3]	Walkpenetration[2]
000	445 … 475 (sehr weich)	1	310 … 340	4	175 … 205
00	400 … 430	2	265 … 295	5	130 … 160
0	355 … 385	3	220 … 250	6	85 … 115 (sehr fest)

[1] Kennzeichen für das Fließverhalten
[2] Maß der Eindringtiefe eines genormten Prüfkegels in durchgeknetetes (gewalktes) Fett
[3] National Lubrication Grease Institute (NLGI), Nationales Schmierfett Institut, USA

M

Zusatzbuchstaben für Schmierfette

Zusatz-buch-stabe[1]	obere Gebrauchs-temperatur °C	Bewer-tungs-stufe[2]	Zusatz-buch-stabe[1]	obere Gebrauchs-temperatur °C	Bewer-tungs-stufe[2]	Zusatz-buch-stabe[1]	obere Gebrauchs-temperatur °C	Bewer-tungs-stufe[2]
C	+ 60	0 oder 1	G	+ 100	0 oder 1	N	+ 140	
D	+ 60	2 oder 3	H	+ 100	2 oder 3	P	+ 160	
						R	+ 180	nach Verein-barung
E	+ 80	0 oder 1	K	+ 120	0 oder 1	S	+ 200	
F	+ 80	2 oder 3	M	+ 120	2 oder 3	T	+ 220	
						U	+ 220	

[1] An den Zusatzkennbuchstaben kann der Zahlenwert für die untere Gebrauchstemperatur angehängt werden; z. B. – 20 für – 20 °C
[2] Bewertungsstufen für das Verhalten gegenüber Wasser, vgl. DIN 51807-1:
0: keine Veränderung; 1: geringe Veränderung; 2: mäßige Veränderung; 3: starke Veränderung

Festschmierstoffe

Schmier-stoff	Kurz-zeichen	Gebrauchs-temperatur	Anwendung
Grafit	C	– 18 … + 450°	Als Pulver oder Paste sowie Beimengungen zu Schmierölen und Schmierfetten, nicht in Sauerstoff, Stickstoff und Vakuum
Molybdän-disulfid	MoS₂	– 180 … + 400°	Als mineralölfreie Paste, Gleitlack oder Beimengung zu Schmierölen und Schmierfetten, geeignet für sehr hohe Flächenpressung
Polytetra-fluorethylen	PTFE	– 250 … + 260°	Als Pulver in Gleitlacken und synthetischen Schmierfetten sowie als Lagerwerkstoff, sehr niedrige Gleitreibungszahl μ = 0,04 bis 0,09

6 Fertigungstechnik

Häufigkeitskurve   Wendepunkt

x_{min} $-s$ $\bar{x}$ $+s$ x_{max}

F

Prüfmittel, Einflüsse auf das Messergebnis

Prüfmittel

Begriffe	Erklärung
Skalenteilungs-wert *Skw*	Differenz zwischen den Messwerten, die zwei aufeinander folgenden Teilstrichen entsprechen. Der Skalenteilungswert *Skw* wird in der auf der Skale stehenden Einheit angegeben, z.B. *Skw* = 0,01 mm bei einer Bügelmessschraube.
Ziffernschritt-wert *Zw*	Der Ziffernschrittwert ist die Änderung der Anzeige um einen Ziffernwert. Der Ziffernschrittwert, der dem Skalenteilungswert entspricht, wird in der Einheit der Messgröße angegeben.
Messbereich *Meb*	Der Messbereich eines anzeigenden Messgerätes ist der Bereich von Messwerten, in dem vorgegebene oder vereinbarte Fehlergrenzen nicht überschritten werden.
Fehlergrenze *G*	Fehlergrenzen sind Höchstwerte für untere und obere Grenzabweichungen eines Messgerätes. In der praktischen Messtechnik sind symmetrische Fehlergrenzen der Normalfall. Für diese wird nur ein einziger Wert ohne Vorzeichen angegeben. Fehlergrenzen entsprechen den Grenzwerten für Messabweichungen für ein messtechnisches Merkmal MPE (engl. Maximum permissible errors). Z.B. Digitaler Messschieber *Skw* = 0,01 mm und *G* = 20 µm = 0,02 mm. Ist die wahre Messgröße 10 mm, so darf der Messschieber 10,02 mm anzeigen. In einer nachfolgenden Messung dürfte für dieselbe Messgröße aber nicht 9,99 mm gemessen werden. In diesem Fall wäre die Fehlergrenze *G* = 0,02 mm überschritten.

Prüfmittel (Auswahl)

Prüfmittel Norm	Art der Anzeige	*Skw* bzw. *Zw* in mm	Fehler-grenze *G* in µm	Messbe-reich *Meb* in mm	Anwendung und Sonderausführungen
Mess-schieber DIN 862	Analog	0,1 0,05 0,02	50 20 20	0…2000	Absolutmessung z.B. Außen-, Innen-, Stufen- und Tiefenmessungen Sonderausführungen:
	Digital	0,01	20	0…1000	Tiefen- und Innen-Nut-Messschieber
Bügelmess-schraube DIN 863	Analog	0,01 0,002 0,001	4 2 2	0…1000	Absolutmessung z.B. Wellendurchmesser, Außenmaße an Werkstücken, mittels Drahtschuhpaaren für Gewindemessung
	Digital	0,001	4	0…300	Sonderausführungen: Tiefen-, Innen-, Gewinde- und Einbaumessschrauben
Messuhr DIN 878	Analog	0,1 0,01	55 17	0…10 0…10	Unterschiedsmessung z.B. Vergleichs-, Ebenheits- oder Rundlaufmessungen
	Digital	0,01 0,001	20 4	0…12,5 0…5	
Feinzeiger DIN 879	Analog	0,001	0,8	0…0,1	Unterschiedsmessung z.B. Vergleichsmessungen an Serienteilen
Fühlhebel-messgerät DIN 2270	Analog	0,02 0,01 0,002	31 13 3,5	0…2 0…0,8 0…0,2	Unterschiedsmessung z.B. Form-, Positions- und Lageabweichungen, Rund- und Planlauf sowie Ausrichtarbeiten an Maschinen
	Digital	0,01 0,001	13 13	0…0,8 0…0,8	

Einflüsse auf das Messergebnis

F

Die Genauigkeit eines Messergebnisses wird durch die Auswirkung von zufälligen und systematischen Einflüssen auf das Messergebnis beeinträchtigt.

Messergebnis, Geometrische Produktspezifikation, Prüfmittelfähigkeit

Vollständiges Messergebnis

vgl. DIN 1319-1 (1995-01)

Der wahre Wert eines Messergebnisses y liegt zwischen einem oberen und einem unteren Wert, der jeweils durch die Messunsicherheit U bestimmt wird. Das vollständige Messergebnis Y legt alle möglichen Werte eines Messergebnisses fest.

Y Vollständiges Messergebnis
y Messergebnis
U Messunsicherheit

Vollständiges Messergebnis

$$Y = y \pm U$$

Beispiel:

Messergebnis $y = 0,95$ mm; $U = 0,02$ mm;
Vollständiges Messergebnis $Y = ?$
$Y = 0,95$ mm $\pm 0,02$ mm

Geometrische Produktspezifikation

vgl. DIN EN ISO 14253-1 (1999-03)

Die Geometrische Produktspezifikation legt Regeln fest, um über die Übereinstimmung oder Nichtübereinstimmung eines Werkstücks mit einer vorgegebenen Toleranz unter Berücksichtigung der Messunsicherheit zu entscheiden. Liegt ein Messergebnis y z.B. im Übereinstimmungsbereich, so kann ein Hersteller sicher sein, dass die Toleranz T nicht überschritten wird.

UGW unterer Grenzwert
OGW oberer Grenzwert
U Messunsicherheit

T_{ab} Toleranz bei Abnahmeprüfung (Hersteller)
T_{an} Toleranz bei Annahmeprüfung (Abnehmer)
T Toleranz

Übereinstimmungsnachweis

$$UGW + U < y < OGW - U$$

Toleranz bei Abnahmeprüfung

$$T_{ab} = T - 2 \cdot U$$

Nichtübereinstimmungs-nachweis

$$y < UGW - U \text{ oder}$$
$$OGW + U < y$$

Toleranz bei Annahmeprüfung

$$T_{an} = T + 2 \cdot U$$

Unsicherheitsbereich

$$UGW - U < y < UGW + U$$
$$\text{oder}$$
$$OGW - U < y < OGW + U$$

Beispiel:

Fertigungsmaß: $10 \pm 0,2$; $U = 0,02$ mm;
Toleranzbereich für die Abnahmeprüfung beim Hersteller $T_{ab} = ?$

$T_{ab} = T - 2 \cdot U = 0,4$ mm $- 2 \cdot 0,02$ mm $= $ **0,36 mm bzw. $\pm 0,18$ mm**

Toleranzbereich (Hersteller): 10 mm $\pm 0,18$ mm bzw. 9,82 mm bis 10,18 mm

Prüfmittelfähigkeit: C_g/C_{gk}-Verfahren

Bei der Beurteilung der Qualitätsfähigkeit eines Messgerätes durch Fähigkeitskennzahlen (Fähigkeitsindizes) wird unter Verwendung eines Prüfnormals entschieden, ob ein Prüfmittel für den vorgesehenen Einsatz unter Betriebsbedingungen geeignet ist. Dazu sind mindestens 20 Wiederholmessungen in kurzen Zeitabständen nach gleichen Wiederholbedingungen an einem Prüfnormal durch denselben Prüfer durchzuführen.

Bi Systematische Messabweichung
x_g Arithmetischer Mittelwert, an Prüfnormal erfasst
x_m Referenzwert, Istmaß des Prüfnormals
C_g, C_{gk} Prüfmittelfähigkeitsindex
s_g Standardabweichung, erfasst am Prüfnormal

Systematische Messabweichung

$$Bi = \overline{x}_g - x_m$$

Prüfmittelfähigkeitsindex

$$C_g = \frac{0,2 \cdot T}{6 \cdot s_g}$$

$$C_{gk} = \frac{0,1 \cdot T - Bi^{[1]}}{3 \cdot s_g}$$

Forderung[2]
z.B. **$C_g \geq 1,33$ und**
$C_{gk} \geq 1,33$

[1] als positiver Wert
[2] Kunden- bzw. auftragsabhängige Forderungen

Beispiel:

Prüfmittelfähigkeitsanalyse für ein Prüfmaß $20 \pm 0,01$; $Bi = 0,0001$ mm;
$s_g = 0,0004$ mm

$$C_g = \frac{0,2 \cdot T}{6 \cdot s_g} = \frac{0,2 \cdot 0,02 \text{ mm}}{6 \cdot 0,0004 \text{ mm}} = \textbf{1,67} \geq \textbf{1,33}$$

$$C_{gk} = \frac{0,1 \cdot T - Bi}{3 \cdot s_g} = \frac{0,1 \cdot 0,02 \text{ mm} - 0,0001 \text{ mm}}{3 \cdot 0,0004 \text{ mm}} = \textbf{1,58} \geq \textbf{1,33}$$

Die Prüfmittelfähigkeit ist damit nachgewiesen.

F

Normen ISO 9000, 9001, 9004

Die Normen der ISO-9000-Familie sollen Organisationen jeder Art und Größe beim Verwirklichen von Qualitätsmanagementsystemen und beim Arbeiten mit bereits bestehenden Qualitätsmanagementsystemen helfen sowie das gegenseitige Verständnis im nationalen und internationalen Handel erleichtern.

Normen zum Qualitätsmanagement	vgl. DIN EN ISO 9000 (2005-12), 9001 (2008-12), 9004 (2009-12)
Norm	**Erläuterung, Inhalte**
DIN EN ISO 9000	**Grundlagen für Qualitätsmanagementsysteme**
	Grundsätze des Qualitätsmanagements • Kundenorientierung • Systemorientierter Ansatz • Führung • Ständige Verbesserung • Einbeziehung der Personen • Sachbezogener Ansatz zur Entscheidungsfindung • Prozessorientierter Ansatz • Lieferantenbeziehungen zum gegenseitigen Nutzen
	Grundlagen für Qualitätsmanagementsysteme (QM-Systeme) • Begründung für QM-Systeme • Beurteilen von QM-Systemen • Anforderungen an QM-Systeme und Produkte • Ständige Verbesserung • Rolle statistischer Methoden • Schrittweiser Ansatz für QM-Systeme • QM-Systeme als Teil des Gesamtmanagementsystems • Prozessorientierte Betrachtung • Qualitätspolitik und Qualitätsziele • Anforderungen an QM-Systeme und die vergleichende Beurteilung von Organisationen anhand von Kriterien aus Exzellenzmodellen • Rolle der obersten Leitung im QM-System • Dokumentation; Nutzen und Arten
	Terminologie für Qualitätsmanagementsysteme
	Begriffsdefinitionen und Begriffserläuterungen (Auswahl): Seite 277.
DIN EN ISO 9001[1]	**Anforderungen an ein Qualitätsmanagementsystem**
	Diese internationale Norm gilt für Organisationen in jedem beliebigen Industrie- oder Wirtschaftssektor unabhängig von der angebotenen Produktkategorie. Sie legt, aufbauend auf den in ISO 9000 beschriebenen Grundlagen, Anforderungen an ein QM-System fest, wenn eine Organisation • ihre Fähigkeit darlegen muss, Produkte bereitzustellen, die die Anforderungen der Kunden und die gesetzlichen und behördlichen Anforderungen erfüllen werden, • anstrebt, die Kundenzufriedenheit zu erhöhen, einschließlich der Prozesse zur ständigen Verbesserung des Systems. Die festgelegten Anforderungen können verwendet werden für: • interne Anwendungen durch Organisationen • Zertifizierungszwecke • Vertragszwecke Die Norm basiert auf **einer prozessorientierten Betrachtungsweise**, d. h. jede Tätigkeit oder jede Aneinanderreihung von Tätigkeiten, die Personal, Finanzen, Sachmittel, Informationen (Ressourcen) verwendet, um Eingaben in Ergebnisse umzuwandeln, wird als Prozess angesehen. **Anforderungen** Die Organisation muss • alle für das QM-System erforderlichen Prozesse und ihre Anwendung in der Organisation festlegen, • die Abfolge und Wechselwirkungen dieser Prozesse festlegen, • Kriterien und Methoden festlegen, um Durchführung und Lenkung dieser Prozesse sicherzustellen, • die Verfügbarkeit von Ressourcen und Informationen für diese Prozesse sicherstellen, • diese Prozesse überwachen, soweit zutreffend messen und analysieren, • erforderliche Maßnahmen zur ständigen Verbesserung dieser Prozesse treffen, • Anforderungen an die Dokumentation des QM-Systems erfüllen und • Festlegungen für die Lenkung von Dokumenten einhalten.
	[1] Diese Norm ersetzt auch die früheren Normen 9002 und 9003.
DIN EN ISO 9004	**Leiten und Lenken für den nachhaltigen Erfolg einer Organisation – Ein Qualitätsmanagementansatz**
	Die Norm beinhaltet Leitlinien für Organisationen, wie sie ihre Ziele in einem anspruchsvollen, veränderlichen und ungewissen Umfeld erreichen und langfristig aufrechterhalten können. Sie ist nicht für Zertifizierungszwecke vorgesehen.

F

Begriffe

Begriffe (Auswahl)	Definitionen/Erläuterungen — vgl. DIN EN ISO 9000 (2005-12)
Qualitätsbezogene Begriffe	
Qualität	Grad, in dem die Merkmale eines Produkts die Anforderungen an dieses Produkt erfüllen.
Anforderung	Vorausgesetztes oder verpflichtendes Erfordernis an die Merkmale einer Einheit, z. B. Nennwerte, Toleranzen, Funktionsfähigkeit, Zuverlässigkeit oder Sicherheit.
Kundenzufriedenheit	Wahrnehmung des Kunden zu dem Grad, in dem seine Anforderungen erfüllt worden sind.
Fähigkeit	Eignung einer Organisation, eines Systems oder eines Prozesses zum Realisieren eines Produktes, das die Qualitätsanforderungen an dieses Produkt erfüllen wird.
Merkmals- und konformitätsbezogene Begriffe	

Qualitätsmerkmal	Kennzeichnende Eigenschaft eines Produktes oder Prozesses, die infolge der gestellten Qualitätsanforderungen zur Beurteilung der Qualität herangezogen wird.
	• Quantitative (variable) Merkmale:
	    diskrete Merkmale (Zählwerte), z. B. Bohrungsanzahl, Stückzahl
	    kontinuierliche Merkmale (Messwerte), z. B. Länge, Lage, Masse
	• Qualitative Merkmale:
	    Ordinalmerkmale (mit Ordnungsbeziehung), z. B. hellblau – blau – dunkelblau
	    Nominalmerkmale (keine Ordnungsbeziehung), z. B. gut – schlecht, blau – gelb
	Kennzeichnende Eigenschaft eines Produkts, eines Prozesses oder eines Systems, die sich auf eine Anforderung bezieht.

Konformität	Erfüllung einer festgelegten Anforderung, z. B. einer Maßtoleranz
Fehler	Nichterfüllung einer festgelegten Forderung, z. B. Nichteinhalten einer geforderten Maßtoleranz oder Oberflächengüte.
Nacharbeit	Maßnahme an einem fehlerhaften Produkt, damit es die Anforderungen erfüllt.
Prozess- und produktbezogene Begriffe	
Prozess	In Wechselbeziehung stehende Mittel und Tätigkeiten, die Eingaben in Ergebnisse umzusetzen. Als Mittel gelten z. B. Personal, Finanzen, Anlagen und Fertigungsmethoden.
Verfahren	Festgelegte Art und Weise, wie eine Tätigkeit oder ein Prozess ausgeführt wird. In schriftlicher Form auch als Verfahrensanweisung bezeichnet.
Produkt	Ergebnis eines Prozesses, z. B. Bauteil, Montageergebnis, Dienstleistung, verfahrenstechnisches Erzeugnis, Wissen, Entwurf, Schriftstück, Vertrag, Schadstoff.
Organisationsbezogene Begriffe	
Organisation	Gruppe von Personen und Einrichtungen mit einem Gefüge von Verantwortungen, Befugnissen und Beziehungen.
Kunde	Organisation oder Person, die ein Produkt vom Lieferanten empfängt.
Lieferant	Organisation oder Person, die einem Kunden ein Produkt bereitstellt.
Managementbezogene Begriffe	
Qualitäts-managementsystem	Erforderliche Organisation und Organisationsstrukturen, Verfahren und Prozesse eines Betriebes, um ein Qualitätsmanagement verwirklichen zu können.
Qualitäts-management	Alle aufeinander abgestimmten Tätigkeiten zum Leiten und Lenken einer Organisation bezüglich Qualität durch: • Festlegen der Qualitätspolitik • Qualitätslenkung • Festlegen der Qualitätsziele • Qualitätssicherung • Qualitätsplanung • Qualitätsverbesserung
Qualitätsplanung	Tätigkeiten, die auf das Festlegen der Qualitätsziele und der notwendigen Ausführungsprozesse sowie der zugehörigen Ressourcen zum Erreichen der Qualitätsziele gerichtet sind.
Qualitätslenkung	Arbeitstätigkeiten und Techniken, um trotz unvermeidbarer Qualitätsschwankungen die Anforderungen dauerhaft zu erfüllen. Beinhaltet im Wesentlichen die Prozessüberwachung und die Beseitigung von Schwachstellen.
Qualitätssicherung	Durchführung und geforderte Dokumentation aller Tätigkeiten im Bereich des QM-Systems mit dem Ziel, firmenintern und beim Kunden Vertrauen zu schaffen, dass die Qualitätsanforderungen erfüllt werden.
Qualitäts-verbesserung	In der gesamten Organisation ergriffene Maßnahmen zur Erhöhung der Produktqualität.
QM-Handbuch	Dokument, in dem die Qualitätspolitik und die Qualitätsziele sowie das Qualitätsmanagementsystem einer Organisation beschrieben werden.

F

Qualitätsplanung, Qualitätslenkung, Qualitätsprüfung

Qualitätsplanung

Verzehnfachungsregel

Die erforderlichen Kosten zur Fehlerbeseitigung bzw. die Folgekosten eines Fehlers steigen im Produktlebenslauf von Phase zu Phase etwa um den Faktor 10.

Beispiel: Ein Toleranzfehler an einem Einzelteil kann beim Konstruieren ohne nennenswerte Mehrkosten korrigiert werden. Wird der Fehler erst während der Produktion der Teile bemerkt, entstehen viel größere Fehlerkosten. Führt der Fehler zu Montageproblemen oder Funktionsbeeinträchtigung am Fertigprodukt oder gar zu einer Rückrufaktion, werden riesige Kosten verursacht.

Qualitätslenkung

Qualitätsregelkreis

Einflüsse auf die Streuung der Qualität

Einfluss	Beispiele
Mensch	Qualifikation, Motivation, Belastungsgrad
Maschine	Maschinensteifigkeit, Positioniergenauigkeit, Verschleißzustand
Material	Abmaße, Werkstoffeigenschaften, Werkstoffunterschiede
Methode	Arbeitsfolge, Fertigungsverfahren, Prüfbedingungen
Milieu (Umwelt)	Temperatur, Erschütterungen, Licht, Lärm, Staub
Management	falsche Qualitätsziele oder -politik
Messbarkeit	Messunsicherheit

Qualitätsprüfung　　　vgl. DIN 55350-17 (1988-08), DIN 55350-14 und -31 (1985-12)

Begriffe	Erläuterungen
Qualitätsprüfung	feststellen, inwieweit eine Einheit die gestellten Qualitätsforderungen erfüllt
Prüfplan, Prüfanweisung	Festlegung und Beschreibung von Art und Umfang der Prüfungen, z.B. Prüfmittel, Prüfhäufigkeit, Prüfperson, Prüfort
Vollständige Prüfung	Prüfung einer Einheit hinsichtlich aller festgelegten Qualitätsmerkmale, z.B. vollständige Überprüfung eines Einzelwerkstückes hinsichtlich aller Forderungen
100%-Prüfung	Prüfung aller Einheiten eines Prüfloses, z.B. Sichtprüfung aller gelieferten Teile
Statistische Prüfung (Stichprobenprüfung)	Qualitätsprüfung mit Hilfe statistischer Methoden, z.B. Beurteilung einer großen Anzahl von Werkstücken durch Auswertung von daraus entnommenen Stichproben
Prüflos (Stichprobenprüfung)	Gesamtheit der in Betracht gezogenen Einheiten, z.B. eine Produktion von 5000 gleichen Werkstücken
Stichprobe	eine oder mehrere Einheiten, die aus der Grundgesamtheit oder einer Teilgesamtheit entnommen werden, z.B. 50 Teile aus der Tagesproduktion von 400 Teilen

Wahrscheinlichkeit (Fehlerwahrscheinlichkeit)

Wahrscheinlichkeit eines fehlerhaften Bauteils innerhalb einer bestimmten Gesamtanzahl von Bauteilen.

P　Wahrscheinlichkeit in %　　　　　　　m　Gesamtanzahl der Bauteile
g　Anzahl fehlerhafter Bauteile

Beispiel:

In einer Kiste befinden sich $m = 400$ Werkstücke, wobei $g = 10$ Werkstücke einen Maßfehler aufweisen. Wie groß ist die Wahrscheinlichkeit P, beim Herausgreifen eines Werkstückes ein fehlerhaftes Teil zu entnehmen?

Wahrscheinlichkeit $P = \dfrac{g}{m} \cdot 100\,\% = \dfrac{10}{400} \cdot 100\,\% = \textbf{2,5\,\%}$

Wahrscheinlichkeit

$$P = \frac{g}{m} \cdot 100\,\%$$

F

Statistische Auswertung

Statistische Auswertung von kontinuierlichen Merkmalen vgl. DIN 53804-1 (2002-04)

Darstellung der Prüfdaten	Beispiel

Urliste

Die Urliste ist die Dokumentation aller Beobachtungswerte aus dem Prüflos oder einer Stichprobe in der Reihenfolge, in der sie anfallen.

Stichprobenumfang: 40 Teile
Prüfmerkmal: Bauteildurchmesser $d = 8 \pm 0,05$ mm

Gemessener Bauteildurchmesser d in mm

Teile										
Teile 1...10	7,98	7,96	7,99	8,01	8,02	7,96	8,03	7,99	7,99	8,01
Teile 11...20	7,96	7,99	8,00	8,02	8,02	7,99	8,02	8,00	8,01	8,01
Teile 21...30	7,99	8,05	8,03	8,00	8,03	7,99	7,98	7,99	8,01	8,02
Teile 31...40	8,02	8,01	8,05	7,94	7,98	8,00	8,01	8,01	8,02	8,00

Strichliste

Die Strichliste ermöglicht eine übersichtlichere Darstellung der Beobachtungswerte und eine Einteilung in Klassen (Bereiche) mit bestimmter Klassenweite.

n Anzahl der Einzelwerte
k Anzahl der Klassen
w Klassenweite
R Spannweite (Seite 280)
n_j absolute Häufigkeit
h_j relative Häufigkeit in %
F_j Summe der relativen Häufigkeiten in %

Klasse Nr.	Messwert ≥	Messwert <	Strichliste	n_j	h_j in %	F_j in %
1	7,94	7,96	I	1	2,5	2,5
2	7,96	7,98	III	3	7,5	10
3	7,98	8,00	ЖЖ ЖЖ I	11	27,5	37,5
4	8,00	8,02	ЖЖ ЖЖ III	13	32,5	70
5	8,02	8,04	ЖЖ ЖЖ	10	25	95
6	8,04	8,06	II	2	5	100
			Σ =	40	100	

$k = \sqrt{n} = \sqrt{40} = 6,3 \approx 6$

$w = \dfrac{R}{k} = \dfrac{0,11 \text{ mm}}{6} = 0,018 \text{ mm} \approx 0,02 \text{ mm}$

Anzahl der Klassen

$$k \approx \sqrt{n}$$

Klassenweite

$$w \approx \frac{R}{k}$$

Relative Häufigkeit

$$h_j = \frac{n_j}{n} \cdot 100\%$$

Histogramm

Das Histogramm ist ein Balkendiagramm zur Erkennung und Darstellung der Verteilung von erfassten Einzelwerten.

Summenlinie im Wahrscheinlichkeitsnetz

Die Summenlinie im Wahrscheinlichkeitsnetz ist eine einfache und anschauliche grafische Methode, um das Vorliegen einer Normalverteilung (Seite 280) zu prüfen.

Ergeben die Summen der relativen Häufigkeiten F_j im Wahrscheinlichkeitsnetz angenähert eine Gerade, so kann auf eine Normalverteilung der Einzelwerte geschlossen werden, d.h., es darf eine weitere Auswertung nach DIN 53804-1 (Seite 280) erfolgen.

Zusätzlich lassen sich in diesem Fall Kennwerte der Stichproben entnehmen.

Ablesebeispiel:

Arithmetischer Mittelwert $\overline{x}$ (bei $F_j = 50\%$) und Standardabweichung s (als Differenz 68,26 % : 2 zwischen $F_j = 50\%$ und 84,13 %):

$\overline{x} \approx 8,003$ mm; $s \approx 0,02$ mm

Das Wahrscheinlichkeitsnetz des Beispiels zeigt, dass im Gesamtlos ungefähr 0,6 % zu dünne und 3 % zu dicke Teile zu erwarten sind.

UGW unterer Grenzwert; OGW oberer Grenzwert

F

Normalverteilung

Gauß'sche Normalverteilung

Kontinuierliche Merkmalswerte weisen in ihrer Verteilung häufig eine Charakteristik auf, die sich mit dem Modell der **Gauß'schen**[1] **Normalverteilung** näherungsweise mathematisch beschreiben lässt. Für unendlich viele Einzelwerte ergibt die Wahrscheinlichkeitsdichtefunktion $g(x)$ einer Normalverteilung die typische **Glockenkurve**. Diese symmetrische und stetige Verteilungskurve wird durch folgende Parameter eindeutig beschrieben:

Der **Mittelwert μ** liegt beim Kurvenmaximum und kennzeichnet die Lage der Verteilung.

Die **Standardabweichung σ** kennzeichnet die Streuung, d.h. das Abweichverhalten vom Mittelwert.

[1] Carl Friedrich Gauß (1777–1855), deutscher Mathematiker

Anteil Merkmalswerte im Bereich der Normalverteilung

Bereich	$\pm 0,5\,\sigma$	$\pm 1\,\sigma$	$\pm 1,5\,\sigma$	$\pm 2\,\sigma$	$\pm 2,5\,\sigma$	$\pm 3\,\sigma$	$\pm 3,5\,\sigma$	$\pm 4\,\sigma$	$\pm 5\,\sigma$
Anteil in %	38,29	68,27	86,64	95,45	98,76	99,73	99,95	99,9937	99,999943

Normalverteilung in Stichproben　　　　vgl. DIN 53804-1 (2002-04) bzw. DGQ 16-31 (1990)

n	Anzahl der Einzelwerte (Stichprobenumfang)
x_i	Wert des messbaren Merkmals, z.B. Einzelwert
x_{max}	größter Messwert
x_{min}	kleinster Messwert
$\overline{x}$	arithmetischer Mittelwert
$\widetilde{x}$	Medianwert (Zentralwert)[1], mittlerer Wert der nach Größe geordneten Messwerte
s	Standardabweichung
R	Spannweite
D	Modalwert (am häufigsten auftretender Messwert einer Messreihe)
$g(x)$	Wahrscheinlichkeitsdichtefunktion

Arithmetischer Mittelwert[2]

$$\overline{x} = \frac{x_1 + x_2 + \ldots + x_n}{n}$$

Standardabweichung[2]

$$s = \sqrt{\frac{\sum(x_i - \overline{x})^2}{n-1}}$$

Spannweite

$$R = x_{max} - x_{min}$$

Bei Auswertung mehrerer Stichproben:

m	Anzahl der Stichproben
$\overline{\overline{x}}$	Mittelwert mehrerer Stichprobenmittelwerte
$\overline{R}$	Mittelwert mehrerer Stichprobenspannweiten
$\overline{s}$	Mittelwert der Standardabweichungen

Mittelwert mehrerer Stichprobenspannweiten

$$\overline{R} = \frac{R_1 + R_2 + \ldots + R_m}{m}$$

Mittelwert mehrerer Stichprobenmittelwerte

$$\overline{\overline{x}} = \frac{\overline{x}_1 + \overline{x}_2 + \ldots + \overline{x}_m}{m}$$

Beispiel: Auswertung der Stichprobenwerte von Seite 279:

> $\overline{x} = 8{,}00225$ mm　　$R = 0{,}11$ mm　　$\widetilde{x} = 8{,}005$ mm　　$s = 0{,}02348$ mm　　$D = 7{,}99$ mm

Mittelwert der Standardabweichungen

$$\overline{s} = \frac{s_1 + s_2 + \ldots + s_m}{m}$$

[1] Medianwert bei
ungerader Anzahl der Einzelwerte:
z.B. $x_1; x_2; x_3; x_4; x_5$:
$\widetilde{x} = x_3$

gerader Anzahl der Einzelwerte:
z.B. $x_1; x_2; x_3; x_4; x_5; x_6$:
$\widetilde{x} = (x_3 + x_4)/2$

[2] Die meisten gängigen Taschenrechnermodelle sind mit Sonderfunktionen für die Berechnung von Mittelwert und Standardabweichung ausgestattet. Mehrmaliges Auftreten gleicher Messwerte kann durch einen entsprechenden Faktor berücksichtigt werden.

Normalverteilung im Prüflos; Kennwerte und Kurzbezeichnungen in der Qualitätsprüfung

Die Parameter der Grundgesamtheit (Prüflos) werden beim Stichprobenverfahren anhand der Kennwerte aus der Stichprobe geschätzt. Um Stichprobenkennwerte, geschätzte Prozessparameter (^ „Dach") und rechnerisch ermittelbare Prozesswerte der 100 %-Prüfung zu unterscheiden, werden auch andere Kurzzeichen verwendet.

Stichprobenprüfung (beurteilende Statistik)		100 %-Prüfung (beschreibende Statistik)
Stichprobe	**Grundgesamtheit**	
Anzahl der Messwerte n	Anzahl der Messwerte $m \cdot n$	Anzahl der Messwerte N
Arithmetischer Mittelwert $\overline{x}$	geschätzter Prozessmittelwert $\hat{\mu}$	Prozessmittelwert μ
Standardabweichung s	geschätzte Prozessstandardabweichung $\hat{\sigma}$ (Taschenrechner σ_{n-1})	Prozessstandardabweichung σ (Taschenrechner σ_n)

F

Qualitätsfähigkeit

Phasen der Fähigkeitsuntersuchung

Neue Maschinen und Einrichtungen werden beim Kauf, bei der Inbetriebnahme, vor und nach dem Serienanlauf durch Fähigkeitskennzahlen (Fähigkeitsindizes) auf ihre Qualitätsfähigkeit beurteilt.

Beurteilung vor Serienanlauf		Beurteilung nach Serienanlauf

Zeit →

Maschine Betriebsmittel Fertigungseinrichtung	Prozess	
	7 M (Mensch, Maschine, … Seite 278)	**Ständige Verbesserung** →

Kurzzeitfähigkeitsuntersuchung: Stichprobenhäufigkeit $m = 1$ Mindestumfang der Strichprobe $n = 50$ Teile	**Vorläufige Prozessfähigkeitsuntersuchung:** Stichprobenhäufigkeit mindestens $m = 20$ Einzelstichproben Umfang der Stichproben $n = 3, 4, 5, …$ Teile Mindestumfang 100 Teile bzw. prozessgerechter Umfang	**Langzeit-Prozessfähigkeitsuntersuchung:** Angemessen langer Zeitraum unter normalen Serienbedingungen mit allen Einflussfaktoren. Richtwert: 20 Produktionstage Weitere Überwachung mit Qualitätsregelkarten
Kurzzeitfähigkeit = Maschinenfähigkeit (Index: C_m; C_{mk})	**Vorläufige Prozessfähigkeit = Prozessleistung** (Index: P_p; P_{pk})	**Langzeit-Prozessfähigkeit = Prozessfähigkeit** (Index: C_p; C_{pk})

Maschinenfähigkeit, Prozessfähigkeit

vgl. DIN ISO 21747 (2007-03)

Die **Maschinenfähigkeit** ist eine Bewertung der Maschine, ob diese im Rahmen ihrer normalen Schwankungen mit genügender Wahrscheinlichkeit innerhalb der vorgegebenen Grenzwerte fertigen kann.
Wenn $C_m \geq 1{,}67$ und $C_{mk} \geq 1{,}67$ betragen, bedeutet dies, dass 99,99994 % (Bereich $\pm 5\ s$) der Merkmalswerte innerhalb der Grenzwerte liegen und der Mittelwert $\bar{x}$ mindestens um die Größe 5 s von den Toleranzgrenzen entfernt liegt.

C_m, C_{mk}	Maschinenfähigkeitsindex
T	Toleranz
UGW	unterer Grenzwert
OGW	oberer Grenzwert
Δkrit	kleinster Abstand zwischen Mittelwert und Toleranzgrenze
$\bar{x}$	aritmetischer Mittelwert
s	Standardabweichung

Prozessfähigkeit und **Prozessleistung** sind Bewertungen des Fertigungsprozesses, ob dieser im Rahmen seiner normalen Schwankungen mit genügender Wahrscheinlichkeit die festgelegten Forderungen erfüllen kann.

P_p, P_{pk}	Prozessleistungsindex
C_p, C_{pk}	Prozessfähigkeitsindex
$\hat{\sigma}$	geschätzte Prozessstandardabweichung
$\hat{\mu}$	geschätzter Prozessmittelwert
$\bar{x}$	Mittelwert der Stichprobenmittelwerte
$\bar{R}$	Mittelwert der Stichprobenspannweiten
$\bar{s}$	Mittelwert der Standardabweichungen
a_n, d_n	Faktoren zur Schätzung der Standardabweichung (Tabelle Seite 283)
m	Anzahl der Stichproben

Maschinenfähigkeitsindex

$$C_m = \frac{T}{6 \cdot s}$$

$$C_{mk} = \frac{\Delta\text{krit}}{3 \cdot s}$$

Forderung[1] z. B.
$C_m \geq 1{,}67$ und $C_{mk} \geq 1{,}67$

Prozessleistungsindex, Prozessfähigkeitsindex

$$P_p = C_p = \frac{T}{6 \cdot \hat{\sigma}}$$

$$P_{pk} = C_{pk} = \frac{\Delta\text{krit}}{3 \cdot \hat{\sigma}}$$

Forderung[1] z. B.
$P_p, C_p \geq 1{,}33$ und
$P_{pk}, C_{pk} \geq 1{,}33$

Prozessparameter: geschätzter Prozessmittelwert

$$\hat{\mu} = \bar{x}$$

geschätzte Prozessstandardabweichung

$$\hat{\sigma} = \sqrt{\frac{s_1^2 + s_2^2 + … + s_m^2}{m}}$$

$$\hat{\sigma} = \frac{\bar{s}}{a_n} = \frac{\bar{R}}{d_n}$$

F

Beispiel:

Maschinenfähigkeitsuntersuchung für Fertigungsmaß 80 ± 0,05; Werte aus Vorlauf: $s = 0{,}009$ mm; $\bar{x} = 79{,}997$ mm; gefordert: $C_m \geq 1{,}67$; $C_{mk} \geq 1{,}67$.

$$C_m = \frac{T}{6 \cdot s} = \frac{0{,}1\ \text{mm}}{6 \cdot 0{,}009\ \text{mm}} = \mathbf{1{,}852}; \quad C_{mk} = \frac{\Delta\text{krit}}{3 \cdot s} = \frac{79{,}997\ \text{mm} - 79{,}950\ \text{mm}}{3 \cdot 0{,}009\ \text{mm}} = \mathbf{1{,}74}$$

Die Maschinenfähigkeit ist für diese Fertigung nachgewiesen.

[1] Kunden- bzw. auftragsabhängige Forderungen; in Großserienfertigung, z. B. Automobilindustrie, Tendenz zu höheren Forderungen, z. B. $C_m \geq 2{,}0$.

Statistische Prozesslenkung

Qualitätsregelkarten (QRK)

Prozessregelkarten	Annahmequalitätsregelkarten
Prozessregelkarten dienen zur Überwachung eines Prozesses bezüglich Veränderungen gegenüber einem Sollwert oder eines bisherigen Prozesswertes. Die Eingriffs- und Warngrenzen werden über die Prozessschätzwerte einer Grundgesamtheit oder eines Vorlaufes bestimmt.	Annahmequalitätsregelkarten dienen der Überwachung eines Prozesses im Hinblick auf vorgegebene Grenzwerte (Grenzmaße). Die Eingriffsgrenzen werden für die Lage des Prozessmittelwertes über die Toleranzgrenzen und für die Prozessstreuung anhand der Toleranzbreite berechnet.

Prozessregelkarten für quantitative Merkmale (Shewhart-Regelkarten)[1]

Urwertkarte	Regelgrenzen	Beispiel: 5 Einzelwerte je Stichprobe
Die Urwertkarte ist eine Dokumentation aller Messwerte durch Eintragung der Werte ohne weitere Berechnungen. Sie setzt einen angenähert normalverteilten Prozess voraus und ist aufgrund der vielen Eintragungen relativ unübersichtlich.	M Mittenmaß (Mittelwert des Merkmals, Q-Niveau Vorlauf) OWG obere Warngrenze UWG untere Warngrenze OEG obere Eingriffsgrenze UEG untere Eingriffsgrenze OGW oberer Grenzwert UGW unterer Grenzwert Regelgrenzen nach DGQ: Seite 283	

Medianwert-Spannweiten-Karte ($\tilde{x}$-R-Karte)	Mittelwert-Standardabweichungs-Karte ($\bar{x}$-s-Karte)
Bei diesen Karten lässt sich ohne großen Rechenaufwand die Fertigungsstreuung verdeutlichen. Sie sind für eine manuelle Regelkartenführung geeignet.	Diese Karten verdeutlichen die Tendenz der Mittelwertentwicklung und weisen eine größere Empfindlichkeit als $\bar{x}$-R-Karten auf. Sie erfordern eine rechnergestützte Regelkartenführung.

Beispiel:

Beispiel:

---

[1] Walter Andrew Shewhart (1891–1967), amerikanischer Wissenschaftler

Statistische Prozesslenkung, Prozessverlauf

Regelgrenzen bei Prozessregelkarten für quantitative Merkmale nach DGQ

Regelkarte, Regelspur	Eingriffsgrenzen (99 %)		Warngrenzen (95 %)		Mittenmaß, Mittellinie M =	Faktoren C_E, C_W, A_E, A_W, D_{OEG}, D_{UEG}, D_{OWG}, D_{UWG}, B_{OEG}, B_{UEG}, B_{OWG}, B_{UWG}, a_n mit Einheit [1], siehe nachfolgende Tabelle
	OEG =	UEG =	OWG =	UWG =		
$\tilde{x}$	$\hat{\mu} + C_E \cdot \hat{\sigma}$	$\hat{\mu} - C_E \cdot \hat{\sigma}$	$\hat{\mu} + C_W \cdot \hat{\sigma}$	$\hat{\mu} - C_W \cdot \hat{\sigma}$	$\hat{\mu}$	
$\overline{x}$	$\hat{\mu} + A_E \cdot \hat{\sigma}$	$\hat{\mu} - A_E \cdot \hat{\sigma}$	$\hat{\mu} + A_W \cdot \hat{\sigma}$	$\hat{\mu} - A_W \cdot \hat{\sigma}$	$\hat{\mu}$	
R	$D_{OEG} \cdot \hat{\sigma}$	$D_{UEG} \cdot \hat{\sigma}$	$D_{OWG} \cdot \hat{\sigma}$	$D_{JWG} \cdot \hat{\sigma}$	$d_n \cdot \hat{\sigma}$	
s	$B_{OEG} \cdot \hat{\sigma}$	$B_{UEG} \cdot \hat{\sigma}$	$B_{OWG} \cdot \hat{\sigma}$	$B_{UWG} \cdot \hat{\sigma}$	$a_n \cdot \hat{\sigma}$	

Faktoren zur Berechnung der Regelgrenzen und Schätzung der Prozessstandardabweichung in Abhängigkeit vom Stichprobenumfang n (Auszug)

n	C_E	C_W	A_E	A_W	D_{OEG}	D_{UEG}	D_{OWG}	D_{UWG}	d_n	B_{OEG}	B_{UEG}	B_{OWG}	B_{UWG}	a_n
2	1,821	1,386	1,821	1,386	3,970	0,009	3,170	0,044	1,128	2,807	0,006	2,241	0,031	0,798
3	1,725	1,313	1,487	1,132	4,424	0,135	3,682	0,303	1,693	2,302	0,071	1,921	0,159	0,886
4	1,406	1,070	1,288	0,980	4,694	0,343	3,984	0,595	2,059	2,069	0,155	1,765	0,268	0,921
5	1,379	1,049	1,152	0,877	4,886	0,555	4,197	0,850	2,326	1,927	0,227	1,669	0,348	0,940
6	1,194	0,908	1,052	0,800	5,033	0,749	4,361	1,066	2,534	1,830	0,287	1,602	0,408	0,952
7	1,182	0,899	0,974	0,741	5,154	0,922	4,494	1,251	2,704	1,758	0,336	1,552	0,454	0,959
8	1,056	0,804	0,911	0,693	5,255	1,075	4,605	1,410	2,847	1,702	0,376	1,512	0,491	0,965
9	1,050	0,799	0,859	0,653	5,341	1,212	4,700	1,550	2,970	1,657	0,410	1,480	0,522	0,969
10	0,958	0,729	0,815	0,620	5,418	1,335	4,784	1,674	3,078	1,619	0,439	1,454	0,548	0,973

$\tilde{x}$, $\overline{x}$, R, s, $\hat{\mu}$, $\hat{\sigma}$: Erläuterungen, Begriffe und Ermittlung: Seiten 280 bis 281.

Beispiel: s-Karte, $\hat{\sigma}$ = 0,0016 mm aus 20 Stichproben mit n = 5 Messwerten; M = ?; OEG = ?; UEG = ?

M = $a_n \cdot \hat{\sigma}$ = 0,940 · 0,0016 mm = **0,0015 mm**; **OEG** = $B_{OEG} \cdot \hat{\sigma}$ = 1,927 · 0,0016 mm = **0,003 mm**
UEG = $B_{UEG} \cdot \hat{\sigma}$ = 0,227 · 0,0016 mm = **0,00036 mm**

Prozessverläufe

Prozessverlauf (z. B. aus einer $\overline{x}$-Spur)	Bezeichnung/Beobachtung	Mögliche Ursachen, zu ergreifende Maßnahmen
OEG / M / UEG	**Natürlicher Verlauf** 2/3 aller Werte liegen im Bereich ± Standardabweichung s und alle Werte liegen innerhalb der Eingriffsgrenzen.	Der Prozess ist unter Kontrolle und kann ohne Eingriff weitergeführt werden.
OEG / M / UEG	**Überschreiten der Eingriffsgrenzen** Die Werte über- bzw. unterschreiten die Eingriffsgrenzen.	Überjustierte Maschine, verschiedene Materialchargen, beschädigte Maschine; → In Prozess eingreifen und Teile seit letzter Stichprobe 100 %-prüfen
OEG / M / UEG	**RUN (in Folge)** 7 oder mehr aufeinander folgende Werte liegen auf einer Seite der Mittellinie.	Werkzeugverschleiß, andere Materialcharge, neues Werkzeug, neues Personal; → Prozess unterbrechen, um Verschiebung des Prozessmittelwertes zu ergründen bzw. Prozess nachstellen
OEG / M / UEG	**Trend** 7 oder mehr aufeinander folgende Werte zeigen eine steigende oder fallende Tendenz.	Verschleiß an Werkzeug, Vorrichtungen oder Messgeräten, Personalermüdung; → Prozess unterbrechen, um Verschiebung zu ergründen
OEG / M / UEG	**Middle Third** Mindestens 15 Werte liegen aufeinander folgend innerhalb ± Standardabweichung s.	Verbesserte Fertigung, bessere Beaufsichtigung, beschönigte Prüfergebnisse; → Feststellen, wodurch Prozess verbessert wurde bzw. Prüfergebnisse überprüfen
OEG / M / UEG	**Perioden** Die Werte wechseln periodisch um die Mittellinie.	Unterschiedliche Messgeräte, systematische Aufteilung der Daten; → Fertigungsprozess nach Einflüssen untersuchen

F

Qualitätsregelkarten, Annahmestichprobenprüfung und -plan

Qualitätsregelkarten für qualitative Merkmale   vgl. DGQ 16-33 (1990); DGQ 11-19 (1994)

Fehlersammelkarte

Fehlersammelkarten erfassen die fehlerhaften Einheiten, die Fehlerarten und ihre Häufigkeit in Stichproben.

n Stichprobenumfang
m Anzahl der Stichproben

Ablesebeispiel für F3:

$m \cdot n = 9 \cdot 50 = 450$

$$\text{Fehler in \%} = \frac{\Sigma i_j}{n \cdot m} \cdot 100\,\%$$

$$= \frac{3}{450} \cdot 100\,\% = \mathbf{0{,}66\,\%}$$

Beispiel:

Teil: **Deckel**		Stichprobenumfang $n = 50$										Prüfintervall: 60 min		
Fehlerart				Fehlerhäufigkeit				i_j			Σi_j	%	Fehleranteil
Lackschaden	F1		1					1			2	0,44	
Druckstellen	F2	1	2		2	1	2	2	2	2	14	3,11	
Korrosion	F3		1			1			1		3	0,66	
Grat	F4	1									1	0,22	
Rissbildungen	F5		1								1	0,22	
Winkelfehler	F6	2		3	1		3	1		2	12	2,66	
Verbogen	F7				1						1	0,22	
Gewinde fehlt	F8		1								1	0,22	
fehlerhafte Teile		4	6	3	3	3	5	4	3	4	35	7,78	
Stichproben-Nr.		1	2	3	4	5	6	7	8	9			

Pareto[1]-Diagramm

Das Pareto-Diagramm klassifiziert Kriterien (z.B. Fehler) nach Art und Häufigkeit und ist damit ein wichtiges Hilfsmittel, um Kriterien zu analysieren und Prioritäten zu ermitteln.

Beispiel für F2:

Anteil an gesamten Fehlern
$$= \frac{14}{35} \cdot 100\,\% = \mathbf{40\,\%}$$

[1] Vilfredo Pareto (1848–1923), italienischer Soziologe

Beispiel:

Ablesebeispiel: Die Druckstellen (F2) und die Winkelfehler (F6) machen zusammen ca. 74 % der gesamten Fehler aus.

Annahmestichprobenprüfung (Attributprüfung)   vgl. DIN ISO 2859-1 (2004-01)

Bei einer Attributprüfung handelt es sich um eine Annahmestichprobenprüfung, bei der anhand der fehlerhaften Einheiten oder der Fehler in den einzelnen Stichproben die Annehmbarkeit des Prüfloses festgestellt wird.

Der **Anteil fehlerhafter Einheiten oder die Anzahl der Fehler je hundert Einheiten im Los** wird durch die **Qualitätslage** ausgedrückt. Die annehmbare Qualitätsgrenzlage ist die festgelegte Qualitätslage in kontinuierlich vorgestellten Losen, bei der diese in den meisten Fällen vom Kunden angenommen werden. Die entsprechenden Stichprobenanweisungen sind in Leittabellen zusammengefasst.

Annahmestichprobenplan für Einfach-Stichprobenprüfung als normale Prüfung (Auszug aus Leittabelle)

Losgröße	Annehmbare Qualitätsgrenzlage, AQL (Vorzugswerte)																		
	0,04		0,065		0,10		0,15		0,25		0,40		0,65		1,0		1,5		2,5	
2... 8	↓		↓		↓		↓		↓		↓		↓		↓		↓		↓	
9... 15	↓		↓		↓		↓		↓		↓		↓		↓		8	0	5	0
16... 25	↓		↓		↓		↓		↓		↓		↓		13	0	8	0	5	0
26... 50	↓		↓		↓		↓		↓		↓		20	0	13	0	8	0	5	0
51... 90	↓		↓		↓		↓		50	0	32	0	20	0	13	0	8	0	20	1
91... 150	↓		↓		↓		80	0	50	0	32	0	20	0	13	0	32	1	20	1
151... 280	↓		↓		125	0	80	0	50	0	32	0	20	0	50	1	32	1	32	2
281... 500	↓		200	0	125	0	80	0	50	0	32	0	80	1	50	1	50	2	50	3
501...1200	315	0	200	0	125	0	80	0	50	0	125	1	80	1	80	2	80	3	80	5

Erläuterung: ↓ Anwenden der ersten Stichprobenanweisung dieser Spalte. Soweit Stichprobenumfang größer oder gleich Losumfang: 100 %-Prüfung durchführen.

50   2
- Zweite Zahl: Annahmezahl = Anzahl der geduldeten fehlerhaften mitgelieferten Einheiten
- Erste Zahl: Stichprobenumfang = Anzahl der zu prüfenden Einheiten

F

Maschinenrichtlinie (MRL)

Aufbau und Inhalt   MRL 2006/42/EG (2009-12)

Die Maschinenrichtlinie hat das Ziel, die Zahl der Unfälle mit Maschinen zu reduzieren. Dies soll erreicht werden durch die Beachtung von Sicherheitsaspekten in der Konstruktion und beim Bau von Maschinen sowie der sachgerechten Installation und Wartung.

Nur wenn die Anforderungen der Maschinenrichtlinie erfüllt werden, dürfen Maschinen im europäischen Wirtschaftsraum frei gehandelt werden.

Übersicht

Artikel	Inhalt	Anhänge	Inhalt
Artikel 1, 2 und 3 Anwendungsbereich Begriffsbestimmungen	Aufzählung und Definition der Erzeugnisse, für die die Richtlinie gilt bzw. nicht gilt	**Anhang I** Sicherheits- und Gesundheitsschutzanforderungen	Grundsätze der Sicherheit für Steuerungen, Schutzmaßnahmen und Schutzeinrichtungen, Risiken und sonstige Gefährdungen, Instandhaltung, Informationen, Warnhinweise und Betriebsanleitung
Artikel 4 bis 11 Marktaufsicht Inverkehrbringen und Inbetriebnahme	Beschreibung der Maßnahmen vor Verkauf und Inbetriebnahme im freien Warenverkehr		
Artikel 12 bis 15 Konformitätsbewertungsverfahren	Hinweise zu Art, Umfang und Durchführung von Bewertungsverfahren	**Anhang II bis V** EG-Konformitätserklärung CE-Kennzeichnung Liste von Maschinen und Sicherheitsbauteilen	Mindestangaben zur Konformitätserklärung, Darstellung der CE-Kennzeichnung, besonders gefährliche Maschinen
Artikel 16 und 17 CE-Kennzeichnung	Definitionen der CE-Kennzeichnung	**Anhang VI und VII** Technische Unterlagen für Maschinen	Inhalt und Umfang der technischen Unterlagen für vollständige und unvollständige Maschinen
Artikel 18 bis 29 Geheimhaltung Sanktionen Umsetzung	Allgemeine Hinweise zur Umsetzung, den Sanktionen und dem Inkrafttreten der Richtlinie	**Anhang VIII bis XI** EG-Baumusterprüfung Umfassende Qualitätssicherung	Beschreibung der Baumusterprüfung, Grundsätze zur Bewertung des Qualitätssicherungssystems

Erzeugnisse, für die die Maschinenrichtlinie gilt bzw. nicht gilt

Nach Artikel 1 (1) und Artikel 2 gilt die MRL für folgende Erzeugnisse:

a) Maschinen
b) Sicherheitsbauteile
c) Lastaufnahmemittel
d) Ketten, Seile und Gurte
e) abnehmbare Gelenkwellen
f) unvollständige Maschinen, die zum Einbau in eine Maschine im Sinne der MRL vorgesehen sind

Die MRL **gilt nicht** für folgende Erzeugnisse (Auszug):

a) Sicherheitsbauteile als Ersatzteile
b) Einrichtungen für Jahrmärkte und Vergnügungsparks
c) Maschinen für nukleare Verwendung
d) Waffen
e) Beförderungsmittel und Seeschiffe
f) Maschinen für Forschungszwecke
g) Elektrische und elektronische Erzeugnisse, z.B. Haushaltsgeräte, IT-Geräte, Büromaschinen, Niederspannungssteuergeräte, Elektromotoren

F

Vorgehensweise zur Erfüllung der Maschinenrichtlinie

1. Geltende Normen und Richtlinien prüfen, im Besonderen die Sicherheits- und Gesundheitsanforderungen von Anhang I (vgl. Seite 286).
2. Bewerten der Maschine auf Erfüllung der MRL – Konformitätsbewertung
   - im Betrieb „First Party",
   - oder durch Kunden „Second Party",
   - oder durch Zertifizierungsstellen „Third Party"
3. Erstellung der Konformitätserklärung
4. Anbringung des CE-Kennzeichens
5. Erstellung einer Betriebsanleitung
6. Erstellung weiterer technischer Unterlagen, z.B. Montageanleitung und Einbauerklärung bei „unvollständigen Maschinen".

CE-Kennzeichnung

Konformitätserklärung

Der Hersteller muss nachweisen, dass er die in den geforderten EG-Richtlinien enthaltenen Vorschriften eingehalten hat (Übereinstimmungserklärung).

	Konformitätsbewertung	
Maschinenrichtlinie und deren Sicherheits- und Gesundheitsvorschriften nach Anhang I	Konformitätserklärung CE-Kennzeichnung	Vorschriften anderer Richtlinien, z. B. Niederspannungsrichtlinie 2006/95/EG

CE-Kennzeichnung

CE-Zeichen   Typenschild

Hersteller:
Max Muster Maschinen GmbH
XXXXX Musterstadt

Typ: W100
Seriennummer: 3814
Baujahr: 2006

Made in Germany

„CE" = Communauté Europeenne [1]

Mit der CE-Kennzeichnung bestätigt der Hersteller dem Kunden die Übereinstimmung des Produktes mit den EG-Richtlinien und den darin enthaltenen Anforderungen.

Auf dem Typenschild müssen folgende Angaben stehen:
- Name und Anschrift des Herstellers
- CE-Kennzeichnung
- Typ und ggf. Seriennummer der Maschine
- Baujahr

[1] Europäische Gemeinschaft

Sicherheits- und Gesundheitsvorschriften

Die Vorschriften beziehen sich auf die Gefährdung als potenzielle Quelle von Verletzungen und Gesundheitsschäden und die Beeinträchtigung durch Lärm und Vibration sowie den ergonomischen (menschengerechten) Grundsätzen.

Maßnahmen zur Gefahrenabwendung	Sicherheitsstandards (Auszug aus Anhang I)
Risiken ermitteln und bewerten ⬇ **Gefahren beseitigen oder minimieren** ⬇ **Schutzmaßnahmen ergreifen** ⬇ **Anwender über Gefahren unterrichten**	• Betrieb, Rüsten und Warten muss ohne Gefährdung von Personen erfolgen • Eingesetzte Materialien dürfen nicht zu einer Gefährdung führen • Bestandteile müssen ausreichend standsicher sein und ihre Verbindungen untereinander müssen den auftretenden Belastungen standhalten • Berücksichtigung ergonomischer Prinzipien • Ingangsetzen einer Maschine nur durch absichtliche Betätigung • NOT-AUS-Einrichtungen müssen vorhanden sein • Jedes Risiko durch Erreichen beweglicher Teile muss durch Schutzvorkehrungen ausgeschlossen werden • Gefahren durch Lärmemissionen müssen auf das erreichbare niederste Niveau gesenkt werden • Gefahren durch Gase und Stäube müssen vermieden werden • Maschinen müssen sicher transportiert werden können, dazu müssen Greifvorrichtungen oder Lastaufnahmemittel vorhanden sein • Die Beleuchtung darf keinen störenden Schattenbereich und keine Blendung verursachen • Eine Änderung der Energieversorgung (Stromausfall) darf nicht zu gefährlichen Situationen führen

Technische Unterlagen für Maschinen (Auszug aus Anhang VII)

- Allgemeine Beschreibung
- Übersichtszeichnung, Schaltpläne
- Detailzeichnungen und Berechnungen
- Risikobeurteilung

- Liste der angewandten Normen
- Betriebsanleitung der Maschine
- ggf. Montageanleitung und Einbauerklärung
- EG-Konformitätserklärung

F

Produktionsorganisation – Übersicht

Produktionsablauf (Supply Chain Management)	Produktlebenszyklus (Life Cycle management)

Systeme des Produktmanagements

ERP	**Enterprise Recource Planning**	Informationssystem zur Planung und Organisation von Personal- und Fertigungskapazitäten, sowie der Lieferfähigkeiten
PLM	**Product Lifecycle Management**	Strategisches Konzept zum Management eines Produktes über seinen gesamten Lebenszyklus, d.h. von der Entstehung bis zum Recycling
PDM	**Produktdatenmanagement**	System zur einheitlichen Speicherung und Verwaltung aller Daten, die bei der Entwicklung, Produktion, Lagerhaltung und dem Vertrieb eines Produktes abfallen
SCM	**Supply Chain Management**	Planung und Organisation aller Aufgaben bei der Beschaffung, Produktion und aller Aufgaben der Logistik

Gliederung der Fertigungsplanung

Die Produktdaten enthalten alle auftragsneutralen Fertigungsdaten. Je nach Auftrag werden diese durch auftragsbezogene Daten ergänzt.

F

Erzeugnisgliederung, Stücklisten

Erzeugnisse bestehen meist aus mehreren Teilen, die wiederum in Gruppen zusammengefasst werden können. Zur besseren Übersicht werden Gliederungspläne nach Funktion, Fertigung, Montage oder Beschaffung erzeugt. Die Erzeugnisgliederung ist auch Grundlage für die Stücklistenerstellung.

Erzeugnisgliederung nach Funktionsebenen

Ebene 0 Erzeugnis	Ebene 1 Teilerzeugnis Baugruppe	Ebene 2 Baugruppe Unterbaugruppe	Ebene 3 Einzelteile Kaufteile	Ebene 4 Rohstoffe Halbzeuge
E	BG1	BG2	T1	R1
			T2	
			T1	R1
			T4	
		BG2	T1	R1
			T2	
			T3	R3
			T4	

E = Erzeugnis; TE = Teilerzeugnis;
BG = Baugruppe/Unterbaugruppe;
T = Einzelteil/Kaufteil;
R = Rohteil/Halbzeug

Jede Baugruppe, Unterbaugruppe, jedes Einzelteil oder jeder Rohstoff befindet sich in derselben Betrachtungs- bzw. Funktionsebene. Hierbei wird deutlich, wie sich das Erzeugnis im Ganzen zusammensetzt. Diese Gliederung wird überwiegend in der Konstruktion verwendet.

Erzeugnisgliederung nach Fertigungsstufen

Fertigungs- stufe 0	Fertigungs- stufe 1	Fertigungs- stufe 2	Fertigungs- stufe 3	Fertigungs- stufe 4
E	BG1	BG2	T1	R1
			T2	
		T1	R1	
		T4		
	BG2	T1	R1	
		T2		
	T3	R3		
	T4			

Bei der Gliederung erfolgt die Zuordnung durch den Fertigungsablauf. Die betreffende Komponente befindet sich in der Ebene, wo sie innerhalb der Herstellung oder der Montage benötigt wird.

Sie ist Grundlage der Fertigungsplanung. Aus ihr entstehen die Strukturstückliste und der Montageplan.

Stücklisten (auftragsneutral)

Die Stückliste ist die Grundlage für die Ermittlung des Teile- und Rohstoffbedarfs und wird für die Erstellung des Arbeitsplanes benutzt. Der Aufbau richtet sich nach der Verwendung und ist nicht genormt.
Arten: Konstruktions-, Fertigungs-, Baukasten-, Struktur- und Mengenstückliste

Konstruktions- und Fertigungsstückliste

Die Fertigungsstückliste enthält die Angaben der Konstruktionsstückliste mit zusätzlichen Angaben zur Fertigung. Sie ersetzt oft einen Arbeitsplan.

Art. Nr. 12.000	Stückliste Benennung E-Erzeugnis		Blatt 1 von 1 Datum 26.02.2014	
POS	Menge	Benennung	Werkstoff	Halbzeug/DIN
10	3	Einzelteil-T1	S235JR	Rd 30×18
20	2	Kaufteil-T2		DIN EN
30	1	Einzelteil-T3	S235JR	Rd 125×65
40	2	Kaufteil-T4		DIN EN

Baukastenstückliste (vereinfacht)

Baukastenstücklisten enthalten nur Positionen gleicher Fertigungsstrukturebenen. Für ein Erzeugnis sind immer mehrere Stücklisten erforderlich.

Baukastenstückliste E-Erzeugnis	Blatt 1 von 3
Benennung	Menge
BG1	1
BG2	1
T3	1
T4	1

Baukastenstückliste BG1–Baugruppe 1	Blatt 2 von 3
Benennung	Menge
BG2	1
T1	1
T4	1

Baukastenstückliste BG2–Baugruppe 2	Blatt 3 von 3
Benennung	Menge
T1	1
T2	1

Strukturstückliste (vereinfacht)

Jede Baugruppe wird bis in die niedrigste Erzeugnisstufe aufgegliedert (besteht aus …).

Strukturstückliste E-Erzeugnis

Stufe				Benennung
1	2	3	4	
1				BG1
	2			BG2
		3		T1
			4	R1
		3		T2
	2			T1
		3		R1
	2			T4
1				BG2
	2			T1
		3		R1
	2			T2
1				T3
	2			R3
1				T4

F

Arbeitsplan, Auftragsterminplan, Fertigungssteuerung

Arbeits- bzw. Montageplan (auftragsneutral)

Der Arbeitsplan wird zur Information und Anweisung in der Fertigung verwendet. Er beschreibt die Vorgangsfolge zur Fertigung eines Teiles, einer Gruppe oder eines Erzeugnisses. Dabei werden mindestens angegeben das verwendete Material, für jeden Vorgang der Arbeitsplatz, die Betriebsmittel sowie die Vorgabezeiten. Der Aufbau des Arbeitsplanes ist nicht genormt.

Auftragsbezogene Arbeitspläne werden durch Auftragsnummer, Losgröße und Termine ergänzt.

| | Arbeitsplan | | Ersteller: | Go |
| | | | Datum: | 04.12.2013 |

1 Artikel-Nr. 12.001 — Artikel T1 – Einzelteil 1 — Zeichnung 12.001-1

2 Hz-Nr. — Ausgangsteil Rd EN 10060-30 x 18 – S235JR

AG Nr.	Kostenstelle	Arbeitsgangbeschreibung/ Unterweisung	Hilfsmittel/NC- Programm	Rüstzeit [min]	Zeit je Einheit [min]
10	Drehen	Dreharbeiten fertig stellen	NC_12_001	15	5,25
20	Bohren	Querbohrung herstellen	Prisma	3	4
	4	5	6	7	

1. Ausgangsdaten erfassen
2. Ausgangsteil mit Abmessungen bestimmen; Stückliste der Montageteile angeben
3. Arbeitsgangfolge bzw. Montagefolge festlegen
4. Arbeits- oder Montagesysteme festlegen
5. Arbeitsgangbeschreibung bzw. Montageunterweisungen erstellen
6. Fertigungs- bzw. Montagehilfsmittel festlegen
7. Vorgabezeit ermitteln

Auftragsterminplan

Aus der Erzeugnisstruktur nach Fertigungs- und Montagestufen ergibt sich eine horizontale Zeitachse vom Start- bis zum Lieferzeitpunkt. Dieses Auftragsnetz dient der Auftragsterminplanung und vereinfacht die Auftragsabwicklung. Durchlaufzeiten können berechnet werden.

AG: Arbeitsgang
Bst: Bereitstellung

E : Erzeugnis
BG: Baugruppe
T : Einzelteil

F

Fertigungssteuerung zentral	Fertigungssteuerung dezentral
Schiebeprinzip (push): Aufträge werden von der Fertigungssteuerung ausgelöst bzw. angeschoben.	**Zieh- oder Holprinzip (pull):** Das Kanban-Konzept fertigt erst auf Anforderung (Kanbankarte) der nachfolgenden Stufe. (Kanban, japanisch = Karte, Beleg)

Durchlaufzeit [1)]

Gliederung der Zeitarten in einem Arbeitssystem (S)

Z_{zuS} = Prozentsatz der planmäßigen Durchlaufzeit
f_{zuS} = 1 + Z_{zuS}/100% = Faktor der planmäßigen Durchlaufzeit

Zeichen	Bezeichnung	Erläuterung mit Beispielen
T_D	Durchlaufzeit	Soll-Zeit (Vorgabezeit) für die Erfüllung einer Aufgabe in einem oder mehreren Arbeitssystemen
t_{pS}	Planmäßige Durchlaufzeit	Summe der Soll-Zeiten für den planmäßigen Durchlauf einer Losgröße in einem Arbeitssystem S
t_{dS}	Durchführungs-zeit	Vorgabezeit für die Durchführung einer Losgröße in einem Arbeitssystem S • Auftragszeit T bezogen auf die Arbeitsperson (vgl. Seite 291) • Belegungszeit T_{bB} bezogen auf ein Betriebsmittel (vgl. Seite 292)
t_{hS}	Hauptdurch-führungszeit	Zeit, in der die Aufgabe in einem Arbeitssystem S planmäßig ausgeführt wird; sie entspricht oft der • Tätigkeitszeit $t_t = t_{tu} + t_{tb}$ (vgl. Seite 291) • Hauptnutzungszeit $t_h = L \cdot i / n \cdot f$ (vgl. Seite 292)
t_{nS}	Nebendurch-führungszeit	Zeit, in der die Hauptdurchführung in einem Arbeitssystem S • vorbereitet, gerüstet, beschickt und entleert wird • Mitarbeiter sich erholen oder ihre Arbeit überprüfen
t_{zwS}	Zwischenzeit	Soll-Zeit, während derer die Durchführung der Aufgabe planmäßig unterbrochen ist • Liegezeit (t_{lie}) nach der Bearbeitung von Arbeitssystem S1 • Transport (t_{tr}) von S1 nach S2 • Liegezeit (t_{lie}) vor der Bearbeitung von Arbeitssystem S2
t_{zuS}	Zusatzzeit	Außerplanmäßige Zeiten werden durch Erfahrungswerte in einem Sicherheits-zuschlag zur planmäßigen Durchlaufzeit addiert oder als Faktor multipliziert. Zusatzzeiten entstehen im Wesentlichen durch • zusätzliche Durchführungen t_{SS} • störungsbedingtes Unterbrechen t_{SZ}

F

Ermittlungsarten der Durchlaufzeit

Beispiel:
Eine CNC-Maschine ist 6,5 h belegt. Liege- und Transportzeiten betragen jeweils 3 h. Berechnen Sie die Durchlaufzeit mit 20% Sicherheitszu-schlag.

Durchführungszeit	$t_d = t_{bB}$	= 6,5 h
Zwischenzeit	$t_{zw} = 2 \cdot t_{lie} + t_{tr}$	= 9,0 h
Planmäßige Durchlaufzeit	$t_p = t_d + t_{zw}$	= 15,5 h
Zusatzzeit	$t_{zu} = Z_{zu} \cdot t_p/100\%$	= 3,1 h
Durchlaufzeit	$T_D = t_p \cdot t_{zu}$	= **18,6 h**

Die Durchlaufzeit in Tagen beträgt:
18,6 h/6 h pro Arbeitstag = **3,1 Tage**

[1)] nach REFA Verband für Arbeitsgestaltung, Betriebsorganisation und Unternehmensentwicklung e.V.

Auftragszeit [1)]

Gliederung der Zeitarten für den Menschen

z = Prozentsätze der jeweiligen Grundzeit

Zeichen	Bezeichnung	Erläuterung mit Beispielen
T	Auftragszeit	Vorgabezeit zur Herstellung einer Losgröße
t_r	Rüstzeit	Vorbereiten für die Erfüllung eines gesamten Auftrages • Rüstgrundzeit t_{rg} → Maschine einstellen • Rüsterholzeit t_{rer} → Erholungszeit nach anstrengender Umrüstung • Rüstverteilzeit t_{rv} → kurze Maschinenstörung beseitigen
t_a	Ausführungszeit	Vorgabezeit für das Ausführen einer Losgröße (ohne Rüsten)
t_{er}	Erholungszeit	Erholen des Menschen, um Arbeitsermüdung abzubauen
t_v	Verteilzeit	• sachliche Verteilzeit t_s → unvorhergesehenes Werkzeugschleifen • persönliche Verteilzeit t_p → Arbeitszeiten prüfen, Bedürfnis erledigen
t_t	Tätigkeitszeit	Zeiten, in denen der eigentliche Auftrag bearbeitet wird • beeinflussbare Zeiten t_{tb} → Montage- oder Entgratarbeiten • unbeeinflussbare Zeiten t_{tu} → Ablauf eines CNC-Programms
t_w	Wartezeit	Warten auf das nächste Werkstück in der Fließfertigung
m	Auftragsmenge	Anzahl der zu fertigenden Einheiten eines Auftrages (Losgröße)

F

Beispiel: Drehen von drei Wellen auf einer Drehmaschine

Rüstzeiten:		min
Auftrag rüsten	=	4,50
Maschine rüsten	=	10,00
Werkzeug rüsten	=	12,50
Rüstgrundzeit t_{rg}	=	27,00
Rüsterholungszeit t_{rer} = 4 % von t_{rg}	=	1,08
Rüstverteilzeit t_{rv} = 14 % von t_{rg}	=	3,78
Rüstzeit $t_r = t_{rg} + t_{rer} + t_{rv}$	=	**31,86**

Ausführungszeiten:		min
Tätigkeitszeit t_t	=	14,70
Wartezeit t_w	=	3,75
Grundzeit $t_g = t_t + t_w$	=	18,45
Erholungszeit t_{er} durch t_w abgegolten		–
Verteilzeit t_v = 8 % von t_g	=	1,48
Zeit je Einheit $t_e = t_g + t_{er} + t_v$	=	19,93
Ausführungszeit $t_a = m \cdot t_e$	=	**59,79**

Auftragszeit $T = t_r + t_a \approx 32 \text{ min} + 60 \text{ min} = $ **92 min** (= 1,53 h)

[1)] nach REFA Verband für Arbeitsgestaltung, Betriebsorganisation und Unternehmensentwicklung e.V.

Belegungszeit[1]

Gliederung der Zeitarten für das Betriebsmittel (BM)

z = Prozentsätze der jeweiligen Grundzeit

Zeichen	Bezeichnung	Erläuterung mit Beispielen
T_{bB}	Belegungszeit	Vorgabezeit für die Belegung eines Betriebsmittels zur Herstellung einer Losgröße
t_{rB}	Betriebsmittel-Rüstzeit	Vorbereiten des Betriebsmittels für die Erfüllung eines gesamten Auftrages • BM-Rüstgrundzeit t_{rgB} → Vorrichtung auf Maschine spannen • Rüstverteilzeit t_{rvB} → Optimierung eines CNC-Programmes
t_{aB}	Betriebsmittel-Ausführungszeit	Vorgabezeit für die Ausführungsarbeiten einer Losgröße (ohne Rüsten)
t_{vB}	Betriebsmittel-Verteilzeit	Zeiten, in denen das Betriebsmittel nicht genutzt ist oder zusätzlich genutzt wird; Stromausfall, nicht geplante Reparaturarbeiten …
t_h	Haupt-nutzungszeit	Zeiten, in denen der Arbeitsgegenstand planmäßig bearbeitet wird • beeinflussbare Zeiten t_{hb} → manuelles Bohren • unbeeinflussbare Zeiten t_{hu} → Ablauf eines CNC-Programms
t_n	Neben-nutzungszeit	Betriebsmittel wird für die Hauptnutzung vorbereitet, beschickt oder entleert • beeinflussbare Zeiten t_{nb} → manuelles Spannen • unbeeinflussbare Zeiten t_{nu} → automatischer Werkstückwechsel
t_b	Brachzeit	Ablauf- oder erholungsbedingte Unterbrechung; Füllen eines Magazins
m	Auftragsmenge	Anzahl der zu fertigenden Einheiten eines Auftrages (Losgröße)

Beispiel: Fräsen der Auflagefläche von 20 Grundplatten auf einer Senkrechtfräsmaschine

Rüstzeiten:	min	Ausführungszeiten:	min
Auftrag und Zeichnung lesen	= 4,54	Fräsen ≙ Hauptnutzungszeit t_h	= 3,52
Bereitstellen und Weglegen des Planfräsers	= 3,65	Werkstück spannen ≙ Nebennutzungszeit t_n	= 4,00
Fräser ein- und ausspannen	= 3,10	Werkstück transportieren ≙ Brachzeit t_b	= 1,20
Maschine einstellen	= 2,84	Betriebsmittel-Grundzeit $t_{gB} = t_h + t_n + t_b$	= 8,72
Betriebsmittel-Rüstgrundzeit t_{rgB}	= 14,13	Betriebsmittel-Verteilzeit t_{vB} = 10% von t_{gB}	= 0,87
Betriebsmittel-Rüstverteilzeit t_{rvB} = 10% von t_{rgB}	= 1,41	Betriebsmittelzeit je Einheit $t_{eB} = t_{gB} + t_{vB}$	= 9,59
Betriebsmittel-Rüstzeit $t_{rB} = t_{rgB} + t_{rvB}$	**= 15,54**	**Betriebsmittel-Ausführungszeit $t_{aB} = m \cdot t_{eB}$**	**= 191,80**

Belegungszeit $T_{bB} = t_{rB} + t_{aB}$ ≈ 16 min + 192 min = 208 min (= 3,47 h)

[1] nach REFA Verband für Arbeitsgestaltung, Betriebsorganisation und Unternehmensentwicklung e.V.

Kalkulation

Einfache Kalkulation (Zahlenbeispiel)

	Einzelkosten (EK)[1] jeweils einem Produkt *direkt* zurechenbar		Gemeinkosten (GK)[1]	
			einem Produkt *nicht direkt* zurechenbar	Zuschlagsatz in Prozent der Lohnkosten
Kostenarten[1]	Werkstoffkosten 80.000,00 € Lohnkosten 120.000,00 €		Abschreibungen 50.000,00 € Gehälter (inkl. 80.000,00 € Unternehmerlohn) Zinsen 40.000,00 € Sonstige Kosten 50.000,00 €	$\dfrac{220.000,00\ € \cdot 100\,\%}{120.000,00\ €} = 183,33\,\%$
			Σ Gemeinkosten 220.000,00 €	Jede Lohnstunde erhält einen Zuschlag von aufgerundet 185 %, damit die Gemeinkosten gedeckt sind.
Kostenrechnung	Lohnstunden = 10 000 h	Lohnkosten/h = 12,00 €/h		Werkstoffkosten eines Auftrages 124,75 €
	Stundenverrechnungssatz = 12,00 €/h + 185 % (GK) = 34,20 €/h (Verwendung in Handwerkerrechnung; Unternehmerlohn = Gewinn)			Arbeitszeit 5 h x 34,20 €/h 171,00 €
				Preis ohne MwSt 295,75 €

[1] Die Kosten müssen für jeden Betrieb periodisch ermittelt werden.

Erweiterte Kalkulation (Schema)

Werkstoffkosten
+
Fertigungseinzelkosten
Fertigungslöhne, die einem Erzeugnis zurechenbar sind
+
Fertigungsgemeinkosten[1]
Maschinenkosten
Abschreibung, Verzinsung, Raum-, Energie- und Instandhaltungskosten
Restgemeinkosten
In Prozent der Fertigungslöhne, z. B. Sozialkosten, Räume, Betriebsstoffe u. a.
+
Fertigungskosten
+
Sondereinzelkosten der Fertigung
+
Herstellkosten
+
Verwaltungs- und Vertriebsgemeinkosten
In Prozent der Herstellkosten
+
Selbstkosten
+
Gewinn
In Prozent der Selbstkosten
+
Rohpreis
+
Provisionen, Skonti, Rabatte
In Prozent vom Verkaufspreis
+
Verkaufspreis ohne MwSt

Werkstoffeinzelkosten
Beschaffungskosten
+
Werkstoffgemeinkosten
In Prozent der Werkstoffeinzelkosten, z. B. Einkaufskosten, Lagerkosten u. a.
Werkstoffkosten

[1] *Werden **keine** Maschinenstundensätze berechnet, sind diese in der Fertigungsgemeinkosten enthalten und erhöhen den Zuschlagssatz. Die Gemeinkostenzuschlagssätze werden dem Betriebsabrechnungsbogen (BAB) entnommen.*

Konstruktionskosten
Gehälter u. a.
+
Vorrichtungskosten
Bohrvorrichtung, Gussform …
+
Sonderwerkzeuge
Spezialbohrer …
+
Auswärtige Bearbeitung
Warmbehandlung …
Sondereinzelkosten der Fertigung

Beispiel:

Werkstoffeinzelkosten	1.225,00 €
Werkstoffgemeinkosten 5 %	61,25 €
Fertigungslöhne 10 h x 15,– €/h	150,00 €
Maschinenkosten 8 h x 30,– €/h	240,00 €
Restgemeinkosten 200 % der Fertigungslöhne	300,00 €
Sonderwerkzeug	125,00 €
Herstellkosten	**2.101,25 €**
Verw.- und Vertr.-Gemeinkosten 12 % der Herstellkosten	252,15 €
Selbstkosten	**2.353,40 €**
Gewinnzuschlag 10 % der Selbstkosten	235,34 €
Rohpreis	**2.588,74 €**
Provisionen 5 % vom Verkaufspreis	136,25 €
Verkaufspreis ohne MwSt	**2.724,99 €**

F

Maschinenstundensatzrechnung

Maschinenstundensatzrechnung

Ein durchschnittlicher Fertigungsgemeinkostensatz berücksichtigt nicht die unterschiedlich hohen Maschinenkosten, die einem Produkt zuzurechnen sind. Die Kalkulation wird verfälscht.
Zieht man aus den Fertigungsgemeinkosten die Maschinenkosten heraus und rechnet diese auf die Stunde um, die die Maschine belegt war, so erhält man den **Maschinenstundensatz**.

Zusammensetzung der Maschinenkosten

Maschinenkosten sind:

- **Kalkulatorische Abschreibung**
  linearer Wertverlust über die Lebensdauer der Maschine bezogen auf die Wiederbeschaffung
- **Kalkulatorische Verzinsung**
  Durchschnittsverzinsung des für die Maschine investierten Kapitals
- **Raumkosten**
  Kosten der durch die Maschine belegten Stell- und Verkehrsfläche

- **Energiekosten**
  Kosten, die durch Strom-, Gas-, Dampf- oder Benzinverbrauch entstehen
- **Instandhaltungskosten**
  Kosten für Reparaturen und regelmäßige Wartung
- **Weitere Kostenarten**
  Kosten für Werkzeugverbrauch, Versicherungsprämien, Kühl- und Schmiermittelentsorgung usw.

Maschinenlaufzeit, Maschinenstundensatz   nach VDI-Richtlinie 3258

T_L Maschinenlaufzeit in Stunden/Periode
T_G gesamte theoretische Maschinenzeit in Stunden/Periode
T_{ST} Stillstandzeiten, z.B. arbeitsfreie Tage, Arbeitsunterbrechungen usw., meist in % von T_G
T_{IH} Zeiten für Wartung und Instandhaltung, meist in % von T_G

K_M Summe der Maschinenkosten pro Periode (meist pro Jahr)
K_{Mh} Kosten einer Maschine pro Stunde; Maschinenstundensatz
K_f fixe Kosten einer Maschine pro Jahr; z.B. Abschreibung
K_v/h variable Kosten einer Maschine pro Stunde; z.B. Stromverbrauch

Maschinenlaufzeit
$$T_L = T_G - T_{ST} - T_{IH}$$

Maschinenstundensatz
$$K_{Mh} = \frac{K_f}{T_L} + K_v/h$$

Berechnung des Maschinenstundensatzes (Beispiel)

Werkzeugmaschine:

Beschaffungswert 160.000,– €   Nutzungsdauer 10 Jahre   kalkulatorische Zinsen 8 %
Leistungsaufnahme 8 kW   Kosten pro kWh 0,15 €   Grundgebühr 20,– €/Monat
Raumkosten 10,– €/m² · Monat   Raumbedarf 15 m²   Instandhaltung 8.000,– €/Jahr
zusätzliche Instandhaltung 5 €/h   Normalauslastung   tatsächliche Auslastung 80 %
                                     T_L = 1200 h/Jahr (100 %)

Maschinenstundensatz bei Normalauslastung und bei einer Auslastung von 80 %?

Kostenart	Berechnung	Fixe Kosten €/Jahr	Variable Kosten €/h
kalkulatorische Abschreibung	$\dfrac{\text{Beschaffungswert}}{\text{Nutzungsdauer in Jahren}} = \dfrac{160.000,-\,€}{10\ \text{Jahre}}$	16.000,00 €	
kalkulatorische Zinsen	$\dfrac{\frac{1}{2}\,\text{Beschaffungswert in € x Zins}}{100\,\%} = \dfrac{80.000,-\,€ \times 8\,\%}{100\,\%}$	6.400,00 €	
Instandhaltungskosten	Instandhaltungsfaktor x Abschreibung – z.B. 0,5 x 16.000,– € Die Instandhaltung ist von der Auslastung abhängig.	8.000,00 €	5,00 €
Energiekosten	Grundgebühr für Strombereitstellung = 20,– €/Monat x 12 Mon. Leistungsaufnahme x Energiekosten = 8 kW x 0,15 €/kWh	240,00 €	1,20 €
anteilige Raumkosten	Raumkostensatz x Flächenbedarf = 10,– €/m² · Monat x 15 m² x 12 Monate	1.800,00 €	
	Summe der Maschinenkosten (K_M)	32.440,00 €	6,20 €

Maschinenstundensatz (K_{Mh}) bei 100 % Auslastung $= \dfrac{K_f}{T_L} + K_v/h = \dfrac{32\,440,00\,€}{1200\ h} + 6,20\ €/h = \mathbf{33,23\ €/h}$

Maschinenstundensatz (K_{Mh}) bei 80 % Auslastung $= \dfrac{K_f}{0,8 \cdot T_L} + K_v/h = \dfrac{32\,440,00\,€}{0,8 \cdot 1200\ h} + 6,20\ €/h = \mathbf{40,00\ €/h}$

Der Maschinenstundensatz umfasst nicht die Kosten der Bedienperson.

Teilkostenrechnung [1]

Deckungsbeitragsrechnung (mit Zahlenbeispiel)

Die Deckungsbeitragsrechnung nimmt den Marktpreis eines Produktes in die Betrachtung mit auf. Der Marktpreis muss mindestens die variablen Kosten (Preisuntergrenze) decken. Der Rest ist Deckungsbeitrag. Die Deckungsbeiträge aller Produkte tragen die Kosten der Betriebsbereitschaft.

E/Stück	Marktpreis; Erlös pro Stück
E	Erlös (Umsatz) eines Produktes
DB	Deckungsbeitrag eines Produktes
DB/Stück	Deckungsbeitrag pro Stück

K_f	Fixe Kosten
K_v	variable Kosten
G	Gewinn bzw. Erfolg
Gs	Gewinnschwelle

Deckungsbeitrag

$$\frac{DB}{Stück} = \frac{E}{Stück} - \frac{K_v}{Stück}$$

$$DB = \frac{DB}{Stück} \cdot Menge$$

Gewinn

$$G = DB - K_f$$

	Variable Kosten (K_v) [2] von der Produktionsmenge abhängig		Fixe Kosten (K_f) von der Produktionsmenge unabhängig		Deckungsbeitrag (DB) $DB = E/Stück - K_v/Stück$
Kostenarten	Werkstoffkosten	30,00 €/Stück	Abschreibungen	50.000,00 €	Der Erlös von 110,– €/Stück muss zuerst alle variablen Kosten decken. Der Rest trägt zur Deckung der gesamten fixen Kosten bei und erbringt den Gewinn.
	Lohnkosten	20,00 €/Stück	Gehälter	80.000,00 €	
	Energiekosten	10,00 €/Stück	Zinsen	40.000,00 €	
			Sonstige K_f	30.000,00 €	
	Σ Variable Kosten	60,00 €/Stück	Σ Fixe Kosten	200.000,00 €	

Kostenrechnung		

Produzierte Stückzahl 5000 Stück, Deckungsbeitrag 110,00 € – 60,00 € = 50,00 €/Stück

Gesamtdeckungsbeitrag 5000 Stück · 50,00 €/Stück = 250.000,00 €
Σ Fixkosten = 200.000,00 €
Gewinn = 50.000,00 €

Gewinnschwelle $Gs = \dfrac{K_f}{DB/Stück} = \dfrac{200.000,00\ €}{50,00\ €/Stück} = 4000$ Stück

Gewinnschwelle

$$Gs = \frac{K_f}{DB/Stück}$$

Kostenvergleichsrechnung

Bei der Kostenvergleichsrechnung ist die Maschine oder Anlage zu wählen, die für eine bestimmte Produktionsmenge die geringsten Kosten verursacht.

Beispiel für 5000 Stück

Maschine 1: $K_{f1} = 100.000,– €/Jahr$; $K_{v1} = 75,– €/Stück$
100.000,– €/J + 75,– €/Stück · 5000 Stück = 475.000,– €

Maschine 2: $K_{f2} = 200.000,– €/Jahr$; $K_{v2} = 50,– €/Stück$
200.000,– €/J + 50,– €/Stück · 5000 Stück = 450.000,– €

Kosten Maschine 1 > Kosten Maschine 2

Grenzstückzahl $M_{Gr} = \dfrac{K_{f2} - K_{f1}}{K_{v1}/Stück - K_{v2}/Stück}$

$M_{Gr} = \dfrac{200.000,00\ € - 100.000,00\ €}{75,00\ €/Stück - 50,00\ €/Stück} = 4000$ Stück

Über 4000 Stück ist Maschine 2 günstiger.

F

---

[1] Die Teilkostenrechnung trennt die Kosten in fixe Kosten (Kosten für Betriebsbereitschaft) und variable Kosten (direkte Kosten).

[2] Die variablen Kosten werden für jeden Auftrag ermittelt und mit dem Erlös verglichen.

Wartung, Inspektion, Instandsetzung, Verbesserung

Instandhaltung und Abnutzung
vgl. DIN 31051 (2012-09)

Die Instandhaltung umfasst nach DIN 31051 „alle Maßnahmen während des Lebenszyklus einer Einheit, die dem Erhalt oder der Wiederherstellung ihres funktionsfähigen Zustands dient, sodass sie die geforderte Funktion erfüllen kann".

Instandhaltungsmaßnahmen sind: **Wartung – Inspektion – Instandsetzung – Verbesserung**

Die **Abnutzungsgrenze** wird so festgelegt, dass das Arbeitsergebnis nicht wesentlich beeinträchtigt ist und die Qualitätskriterien erfüllt werden.

Der **Abnutzungsvorrat** wird durch die festgelegte Abnutzungsgrenze bestimmt. Daraus folgt die Verfügbarkeit einer Maschine oder die Standzeit eines Werkzeuges.

Instandhaltungsmaßnahmen

Arten	Maßnahmen
Wartung Abbauverzögerung des Abnutzungsvorrates	• Reinigen • Schmieren und Ölen • Auffüllen • Einstellen
Inspektion Feststellung und Beurteilung des Ist-Zustandes. Suche nach Ursachen der Abnutzung.	• Prüfen und Messen • Diagnostizieren und Beurteilen • Planen von Instandhaltungsmaßnahmen
Instandsetzung Wiederherstellung des Soll-Zustandes	• Reparieren durch Ausbessern und Korrigieren • Austauschen durch Ersatzteile oder neue Werkzeuge
Verbesserung Steigerung der Zuverlässigkeit, Instandhaltbarkeit oder Sicherheit	• Auswerten von Fehlern • Analysieren von Schwachstellen • Auswählen besserer Werkstoffe und Werkzeuge

Optimierung der Instandhaltung

Verbesserung = Optimierung

von

Anlagenverfügbarkeit
Funktionsfähigkeit
Qualität
Kosten

Durch häufige Wartung, Inspektion, Instandsetzung und Verbesserung steigen die Instandhaltungskosten, während die Schadenskosten (Kosten durch Ausfall usw.) sinken. Das Kostenoptimum wird dort erreicht, wo die Summe der Instandhaltungs- und Schadenskosten ein Minimum ergibt.

Die Optimierung der Instandhaltung muss

• wirtschaftliche (ökonomische),
• umweltbezogene (ökologische) und
• den Menschen helfende (humane)

Ziele verfolgen.

F

Instandhaltungskonzepte

Intervallabhängige Instandhaltung

Die vorbeugenden Instandhaltungsarbeiten werden in Wartungs- und Inspektionsperioden von 8, 40, 160 und 2000 Betriebsstunden durchgeführt. Die Maßnahmen erfolgen regelmäßig am Ende einer Schicht oder eines Arbeitstages durch den Maschinenführer.

Instandhaltungsintervalle

Periode	Wartungsarbeiten, Beispiele	Periode	Wartungsarbeiten, Beispiele
Tag 6–8 Betriebsstunden	• Reinigung des Arbeitsraumes, d.h. Entfernung von Spänen und Kühlschmierstoffresten • Überprüfung der Ölstände • Prüfung auf Laufruhe der Maschine	**Monat** 140–160 Betriebsstunden	• Maßnahmen der täglichen und wöchentlichen Wartung • Schmierung der Führungen • Erneuerung der Kühlschmierstoffe • Prüfung der Schlauchanschlüsse
Woche 35–40 Betriebsstunden	• Maßnahmen der täglichen Wartung • Gründliche Reinigung der Maschine • Prüfung und ggf. Reinigung der Kühlschmierstoffanlage • Austausch der Filter, z.B. Gebläse	**Jahr** 1400–2000 Betriebsstunden	• Maßnahmen der täglichen, wöchentlichen und monatlichen Wartung • Verschleißprüfung und Nachstellen von Führungen • Ölwechsel (Zentralschmierung, Hydraulik)

Zustandsabhängige Instandhaltung

Prozessverlauf Trend 	Geht der Abnutzungsvorrat von mechanisch bewegten Teilen, z.B. bei Gleit- und Wälzlagern sowie Führungen, zu Ende, lässt die Arbeitsqualität der Maschine nach. Bei der Beobachtung des Arbeitsprozesses muss auf Hinweise geachtet werden. Bei Maschinen: • Laufruhe verändert sich, ratternde oder pfeifende Geräusche treten auf • Der Prozessverlauf zeigt einen steigenden oder fallenden Trend Bei Werkzeugen: • Verschleißmarken werden deutlich größer • Schlechtere Oberfläche des Werkstückes

Standzeit 	Als Standzeitkriterien werden die Verschleißmarkenbreite (VB), die Kolbreite (K_B) und die Kolktiefe (K_T) verwendet. Bei Erreichen des vorgegebenen Grenzwertes hat das Werkzeug seinen Abnutzungsvorrat verbraucht. VB Verschleißmarkenbreite in mm $\quad T$ Standzeit in Minuten K_B Kolbreite in mm $\quad v_c$ Schnittgeschwindigkeit in m/min K_T Kolktiefe in mm **Beispiel:** $T_{v200\,VB0,2} = 15$ min Standzeitvorgabe von 15 Minuten bei einer Schnittgeschwindigkeit $v_c = 200$ m/min und einer Verschleißmarkenbreite von $VB = 0,2$ mm	**Standzeit** $$T_{v200\,VB0,2} = 15 \text{ min}$$
Standmenge ...	Mögliche zu fertigende Stückzahl bei einer vorgegebenen Standzeit. N Standmenge in Stück $\quad t_h$ Hauptnutzungszeit in Minuten **Beispiel:** Hauptnutzungszeit $t_h = 1,3$ Minuten, Standzeit $T = 15$ Minuten $N = T/t_h = 15$ min/1,3 min = 11,5; $N = $ **11 Stück**	**Standmenge** $$N = T/t_h$$
Standweg 	Möglicher Vorschubweg, den ein Werkzeug während der Standzeit im Einsatz zurücklegt. L_f Standweg in m $\quad f_z$ Vorschub je Zahn v_f Vorschubgeschwindigkeit in mm/min $\quad z$ Zähnezahl $\quad n$ Drehzahl 1/min	**Standweg** $$L_f = T \cdot v_f$$ $$L_f = T \cdot n \cdot f_z \cdot z$$

Zeitbegriffe

Begriff	Erklärung	Anwendung
Lebensdauer	Zeit, in der eine Anlage, eine Maschine, ein Werkzeug ununterbrochen genutzt werden kann.	Angabe in Betriebsstunden für Maschinen und Anlagen Angabe in Kilometern für Fahrzeuge
MTTF Mean Time To Failure	Mittlere Betriebsdauer bis zum Ausfall als statistischer Mittelwert	Kennwert zur Bewertung der Maschinen- oder Bauteilsicherheit (Wälzlager) bei Konformitätsuntersuchungen nach EN ISO 13849-1

F

Arbeitssicherheit und Gesundheitsschutz, Dokumentation

Störungsbedingte Instandhaltung

Reparatur nach Ausfall	Ausfall entsteht trotz Inspektion und Wartung, z. B. durch
	• Fehlbedienung • Überlast • nicht erkannte Abnutzung
	Ausfall wird ohne Inspektion und Wartung in Kauf genommen und dann behoben
	• bei unkritischen Teilen, z. B. defekte Beleuchtung • um Ausfallzeit durch Reparatur zu vermeiden • wenn Wartung und Inspektion unmöglich oder unwirtschaftlich sind

Risikobasierte Instandhaltung

RBM Risc Based Maintenance	Die risikobasierte Instandhaltung versucht den Instandhaltungsaufwand zu reduzieren unter Einhaltung des vorgegebenen Sicherheitsstandards zur **Verhinderung eines Anlagenausfalls.** • Bewertung von Ausfallrisiken • Ermittlung von Ausfallhäufigkeiten • Festlegung von wirkungsvollen Wartungsmaßnahmen • Festlegung von Prioritäten für Ausfallrisiken und deren Wartung

Zuverlässigkeitsorientierte Instandhaltung

RCM Reliability Centered Maintenance	Die zuverlässigkeitsorientierte Instandhaltung nutzt den optimalen Einsatz von verschiedenen Instandhaltungsstrategien je nach Situation und Anlagentyp zur **Verhinderung von Funktionsstörungen.** • Beschreibung der Maschine oder Anlage und deren Zusammenspiel mit gekoppelten Anlagenteilen • Schwachstellenanalyse jeder Maschine • Festlegung einer Instandhaltungsstrategie

Arbeitssicherheit und Gesundheitsschutz

UVV Unfall-Verhütungs-Vorschriften	**Unterweisung**
	Wer neu an einem Arbeitsplatz ist, trägt ein erhöhtes Unfallrisiko. Dies gilt auch, wenn Maschinen und Anlagen gewartet und instand gesetzt wurden. Die Mitarbeiter müssen mit dem Arbeitsplatz und den Arbeitsabläufen vertraut gemacht werden. Dazu gehört auch, wie man sich sicherheitsgerecht verhält und seine Gesundheit schützt.
	Die Unterweisung muss schriftlich bestätigt und dokumentiert werden.
	Besonders zu beachten sind: • persönliche Schutzausrüstung, z. B. Sicherheitsschuhe, Schutzhandschuhe oder Gehörschutz immer verwenden • Ordnung am Arbeitsplatz • Sicherheitsgerechtes Verhalten, z. B. nie in laufende Maschinen greifen und Schutzeinrichtungen nicht außer Kraft setzen • fachgerechter Umgang mit Gefahrstoffen nach Betriebsanweisung • Lasten richtig bewegen, ggf. Handhubwagen oder Hebezeuge nutzen

Technische Dokumentation   Dokumentationssystematik DIN 6789 (1990-09)

F

Dokumentation von Maschinen, Produkt und Produktion

Maschine oder Anlage		Produkt und Produktion
• Allgemeine Beschreibung der Maschine • Zeichnungen • Montageplan	• Einbauerklärung • Betriebsanleitung • EG-Konformitätserklärung	• Zeichnungen und Produktentstehung • Stücklisten • Arbeitspläne • Fristenpläne

Dokumentation der Instandhaltung

Alle Störungen, Wartungsarbeiten, Inspektionen und Instandsetzungen müssen zur Beweissicherung für Gewährleistungen und das Qualitätsmanagement dokumentiert werden. Angaben im Instandhaltungsdokument:

Allgemeines	Istzustand	Wartungsarbeiten	Inbetriebnahme	Bestätigung
Angaben zur Maschine Wartungspersonal	Sichtprüfung Geräusche …	Reinigen Teile austauschen …	Funktionsprüfung Abnahmeprotokoll …	Datum Unterschrift

Dokumentationssystem

Dokumentationssystem mit EDV-Unterstützung (vereinfacht)

Die Technische Dokumentation wird durch die EDV unterstützt. In einer Datenbank werden alle Maschinen mit ihren Instandhaltungsvorgaben und der jeweiligen Durchführung gespeichert. Die Daten können für Qualitätsnachweise oder für andere Auswertungen verwendet werden.

Maschinenliste

Dokument	Bezeichnung
MW	**Werkzeugmaschinen**

Nr.	Maschine	Baujahr	Hersteller	Kosten-stelle	Standort
MW01	Säulenbohrmaschine	2010	Flott	WB	WB-105
MW02	CNC-Bearbeitungszentrum	2009	Chiron	WB	WB-105

Maschinenkarte

Dokument	Bezeichnung	Baujahr	Hersteller	Ko-Stelle	Ort
MW01	**Säulenbohrmaschine**	**2010**	**Flott**	**WB**	**WB-105**

INr.	Dokumente	Hinweise
01	Werkzeugliste	Mit Lagerort
02	Betriebsanleitung	Enthält Montagepläne mit Zeichnungen
03	Wartungsplan	Mit Formularen zur Dokumentation
04	Störungen/Reparaturen	Nur ausfallbedingte Instandsetzungen
05	Hinweise	
06		

Wartungsplan

Dokument	Bezeichnung	Baujahr	Hersteller	Ko-Stelle	Ort
MW 01-03	**Säulenbohrmaschine**	**2010**	**Flott**	**WB**	**WB-105**

Periode	Teil	Arbeit	Hinweise
täglich	Maschine	Reinigung; Prüfung auf Betriebsfähigkeit und Arbeitssicherheit	
wöchentl.	Säule	Schmieren	Öl: Standard
wöchentl.	Tischver-stellung	Schmieren	Fett: Standard
wöchentl.	Vorschub	Schmieren	Öl: Standard
monatl.	Pinole	Schmieren	Fett: Standard
monatl.	Laufhülse	Schmieren	Fett: HD
jährl.	–	–	–
sonstige	–	–	–

Wartungsprotokoll

Wartung nach 6 – 8 Betriebsstunden (täglich)

Maschine	Bezeichnung
MW01	**Säulenbohrmaschine**

Reinigung
Prüfung auf Betriebsfähigkeit und Arbeitssicherheit

Datum	Name	Unterschrift

Instandsetzungsprotokoll

Maschine	Bezeichnung
MW01	**Säulenbohrmaschine**

Anlass:
Name des Wartungspersonals:

Art	Maßnahme
Feststellung des Istzustandes	
Sichtprüfung	
Geräusche	
Wartungsarbeiten	
Reinigung	
Ölstand	
Teileaustausch	
Inbetriebnahme	
Funktionsprüfung	
Arbeitsfähigkeit	

Bestätigt durch
Datum: Unterschrift:

F

Optimierung von Zerspanungsvorgängen, Zeitspanungsvolumen

Spanbruchdiagramm

Bei allen Zerspanungen ist ein kontrollierter Spanablauf von besonderer Bedeutung. Das Spanbruchdiagramm zeigt die Beeinflussung der Spanformen durch den Vorschub f und die Schnitttiefe a_p. Durch Zerspanungsversuche wird ein Bereich mit günstigen Spanformen ermittelt.

Größerer Vorschub f bewirkt:
- die Bildung von günstigen Bruchspänen
- kleinere spezifische Schnittkräfte (Seite 301)
- geringere Schneidkantenbelastungen
- geringere Antriebsleistungen

Größere Schnitttiefe a_p bewirkt:
- die Bildung von ungünstigen Wirr- und Bandspänen

Schnitttiefen-Vorschub-Diagramm

Die herstellerspezifischen Schneidplattengeometrien werden in drei Arten unterteilt, die für die Anwendung zum Schruppen (schwere Bearbeitung), für die mittlere Bearbeitung und zum Schlichten (leichte Bearbeitung) ausgelegt sind. Jede Anwendung kann günstigen, normalen oder ungünstigen Bearbeitungsbedingungen unterliegen.

Für jede Schneidplatte gibt der Hersteller in einem Schnitttiefen-Vorschub-Diagramm den empfohlenen Arbeitsbereich an, in dem für bestimmte Kombinationen ein gesicherter Spanbruch gewährleistet ist.[1]

Arbeitsbereich von Schneidplatten	Anwendung und Kennzeichen
	Schruppen • Bearbeitung mit maximaler Materialabtragung • Bearbeitung unter schwierigen Bearbeitungsbedingungen, z.B. Schnittunterbrechungen, keine gute Werkstückaufspannung, Guss-, Schmiedehaut • Kombination von hohen Schnitttiefen und Vorschüben
	mittlere Bearbeitung • für die meisten Anwendungen • mittlere bis leichte Schruppbearbeitung • breiter Bereich von Schnitttiefen- und Vorschubkombinationen
	Schlichten • Bearbeitungen mit geringen Schnitttiefen und niedrigen Vorschüben • Bearbeitungen, die niedrige Schnittkräfte erfordern

Optimierungsreihenfolge	Einfluss auf die Spanform
1. Schnitttiefe a_p	Mit zunehmender Schnitttiefe verschlechtert sich die Spanform, da die Späne weniger brechen.
2. Vorschub f	Durch zunehmenden Vorschub wird der Span stärker gekrümmt und bricht besser.
3. Schnittgeschwindigkeit v_c	Mit zunehmender Schnittgeschwindigkeit verschlechtert sich die Spanform zum Wirr- und Bandspan.

Zeitspanungsvolumen

Bei der Vorbearbeitung (Schruppen) von Werkstücken ist das zerspante Volumen eine wichtige Vergleichsgröße. Das Zeitspanungsvolumen Q bezeichnet das zerspante Volumen in cm³/min.

A	Spanungsquerschnitt in mm²
a_p	Schnitttiefe in mm
f	Vorschub in mm
Q	Zeitspanungsvolumen in cm³/min
v_c	Schnittgeschwindigkeit in m/min

Spanungsquerschnitt

$$A = a_p \cdot f$$

Beispiel:

Schnittgeschwindigkeit $v_c = 125$ m/min,
Schnitttiefe $a_p = 5$ mm, Vorschub $f = 0,8$ mm

Gesucht: Zeitspanungsvolumen Q

Lösung:

$Q = A \cdot v_c = a_p \cdot f \cdot v_c$
$ = 0,5 \text{ cm} \cdot 0,08 \text{ cm} \cdot 12\,500 \frac{\text{cm}}{\text{min}} = \mathbf{500} \frac{\text{cm}^3}{\text{min}}$

Zeitspanungsvolumen

$$Q = A \cdot v_c$$

---

[1] Weitere Einflussfaktoren sind: Zeitspanungsvolumen, Oberflächengüte, Schneidkantenstabilität, Standzeit

Spezifische Schnittkraft

Die spezifische Schnittkraft k_c ist erforderlich, um einen Span mit der Spanungsdicke h und dem Spanungsquerschnitt $A = 1\ mm^2$ abzutrennen. Sie kann aus den Basiswerten $k_{c1.1}$ und m_c berechnet oder aus folgender Tabelle entnommen werden und bildet die Grundlage zur Berechnung von Kräften und Leistungen aller spanenden Bearbeitungsverfahren (Seiten 319, 329, 335).

k_c spezifische Schnittkraft in N/mm²
h Spanungsdicke in mm (verfahrensabhängige Ermittlung siehe Seiten 319, 329, 335)

$k_{c1.1}$ Basiswert der spez. Schnittkraft in N/mm²
m_c Werkstoffkonstante, ohne Einheit
h^{m_c} Umrechnungsfaktor, ohne Einheit

Beispiel:

Werkstoff 16MnCr5, Spanungsdicke $h = 0,44$ mm; $k_c = ?$

Berechnung von k_c:

$$k_c = \frac{k_{c1.1}}{h^{m_c}};$$

$k_{c1.1} = 2100$ N/mm², $m_c = 0,26$ (Tabelle unten)

$$k_c = \frac{2100\ \text{N/mm}^2}{0,44^{0,26}} = 2600\ \text{N/mm}^2$$

k_c nach Tabelle:

Spanungsdicke h entspricht nicht den Tabellenwerten → Anwendung der Rundungsregel: $h = 0,44$ mm wird abgerundet auf $= 0,4$ mm

Tabellenwert $k_c = 2665$ N/mm²

Spezifische Schnittkraft

$$k_c = \frac{k_{c1.1}}{h^{m_c}}$$

Richtwerte für die spezifische Schnittkraft[1]

Werkstoffgruppe	Werkstoff	Basiswerte		spezifische Schnittkraft k_c in N/mm² für die Spanungsdicke h in mm									
		$k_{c1.1}$	m_c	0,05	0,08	0,10	0,20	0,30	0,40	0,50	1,00	1,50	2,00
Baustahl	S235JR	1780	0,17	2962	2735	2633	2340	2184	2080	2003	1780	1661	1582
	E295	1990	0,26	4336	3838	3621	3024	2721	2525	2383	1990	1791	1662
	E335	2110	0,17	3511	3242	3121	2774	2589	2466	2374	2110	1969	1875
	E360	2260	0,3	5552	4821	4509	3663	3243	2975	2782	2260	2001	1836
Automatenstahl	11SMnPb30	1200	0,18	2058	1891	1816	1603	1490	1415	1359	1200	1116	1059
Einsatzstahl	C15	1820	0,22	3518	3172	3020	2593	2372	2226	2120	1820	1665	1563
	16MnCr5	2100	0,26	4576	4050	3821	3191	2872	2665	2515	2100	1890	1754
	20MnCr5	2100	0,25	4441	3949	3734	3140	2838	2641	2497	2100	1898	1766
	18CrMo4	2290	0,17	3811	3518	3387	3011	2810	2676	2576	2290	2137	2035
Vergütungsstahl, unlegiert	C35	1516	0,27	3404	2998	2823	2341	2098	1942	1828	1516	1359	1257
	C45	1680	0,26	3661	3240	3057	2553	2298	2132	2012	1680	1512	1403
	C60	2130	0,18	3652	3356	3224	2846	2645	2512	2413	2130	1980	1880
Vergütungsstahl, legiert	42CrMo4	2500	0,26	5448	4821	4549	3799	3419	3173	2994	2500	2250	2088
	50CrV4	2220	0,26	4837	4281	4040	3374	3036	2817	2658	2220	1998	1854
Nitrierstahl	34CrAlMo5-10	1740	0,26	3792	3355	3166	2644	2380	2208	2084	1740	1566	1453
Werkzeugstahl	102Cr6	1410	0,39	4535	3776	3461	2641	2255	2016	1848	1410	1204	1076
	90MnCrV8	2300	0,21	4315	3909	3730	3225	2962	2788	2660	2300	2112	1988
	X210CrW12	1820	0,26	3966	3510	3312	2766	2489	2310	2179	1820	1638	1520
Nichtrostender Stahl	X5CrNi18-10	2350	0,21	4408	3994	3811	3295	3026	2849	2718	2350	2158	2032
	X30Cr13	1820	0,26	3966	3510	3312	2766	2489	2310	2179	1820	1638	1520
	X46Cr13	1820	0,26	3966	3510	3312	2766	2489	2310	2179	1820	1638	1520
Gusseisen mit Lamellengrafit	GJL-150	950	0,21	1782	1615	1541	1332	1223	1152	1099	950	872	821
	GJL-200	1020	0,25	2157	1918	1814	1525	1378	1283	1213	1020	922	858
	GJL-400	1470	0,26	3203	2835	2675	2234	2010	1865	1760	1470	1323	1228
Gusseisen mit Kugelgrafit	GJS-400	1005	0,25	2125	1890	1787	1503	1358	1264	1195	1005	908	845
	GJS-600	1480	0,17	2463	2274	2189	1946	1816	1729	1665	1480	1381	1315
	GJS-800	1132	0,44	4230	3439	3118	2298	1923	1694	1536	1132	947	834
Al-Knetlegierung	AlCuMg1	830	0,23	1653	1484	1410	1202	1095	1025	973	830	756	708
	AlMg3	780	0,23	1554	1394	1325	1129	1029	963	915	780	711	665
Al-Gusslegierung	AC-AlSi12	830	0,23	1653	1484	1410	1202	1095	1025	973	830	756	708
	AC-AlMg5	544	0,24	1116	997	945	800	726	678	642	544	494	461
Mg-Knetlegierung	MgAl8Zn	390	0,19	689	630	604	530	490	464	445	390	361	342
Cu-Legierung	CuZn40Pb2	780	0,18	1337	1229	1181	1042	969	920	884	780	725	689
	CuSn7ZnPb	640	0,25	1353	1203	1138	957	865	805	761	640	578	538
Titanlegierung	TiAl6V4	1370	0,21	2570	2328	2222	1921	1764	1661	1585	1370	1258	1184

[1] Die Richtwerte gelten für Werkzeuge mit Hartmetallschneiden. Der Norm entsprechende Streuungen in der Zugfestigkeit, der Reinheitsgrad und der Anlieferungszustand (z. B. warmgewalzt, kaltgewalzt, vergütet …) beeinflussen die Richtwerte der spezifischen Schnittkraft. Durch Werkzeugabnutzung kann sich die spezifische Schnittkraft bis ca. 30 % erhöhen.

F

Drehzahldiagramm

Die Bestimmung der Drehzahl n einer Werkzeugmaschine aus dem Werkstück- bzw. aus dem Werkzeugdurchmesser d und der gewählten Schnittgeschwindigkeit v_c kann

- rechnerisch mit der Formel oder
- grafisch mit dem Drehzahldiagramm erfolgen.

Drehzahldiagramme enthalten die an der Maschine einstellbaren Lastdrehzahlen, im unteren Beispiel die abgeleitete Reihe R 20/3 (DIN 804). Dabei wird jeder dritte Wert der Grundreihe R 20 verwendet.

Drehzahl

$$n = \frac{v_c}{\pi \cdot d}$$

Drehzahldiagramm mit logarithmisch geteilten Koordinaten (Nomogramm)

Beispiel: $d = 50$ mm; $v_c = 150$ m/min; einzustellende Drehzahl n an einem Stufenrädergetriebe der Reihe R 20/3 = ?

Ablesung im Drehzahldiagramm: Schnittpunkt zwischen Abszisse $d = 50$ mm und Ordinate $v_c = 150$ m/min: nächstliegende oder kleinere Drehzahl; gewählt $n = \mathbf{1000}$ min^{-1}.

F

Hart- und Trockenzerspanung, Hochgeschwindigkeitsfräsen, MMKS

Hartdrehen mit kubischem Bornitrid (CBN)

Drehverfahren	Werkstoff gehärteter Stahl HRC	Schnittgeschwindigkeit v_c m/min	Vorschub f mm/Umdrehung	Schnitttiefe a_p mm
Außendrehen	45…58	60…220	0,05…0,3	0,05…0,5
Innendrehen		60…180	0,05…0,2	0,05…0,2
Außendrehen	>58…65	50…190	0,05…0,25	0,05…0,4
Innendrehen		50…150	0,05…0,2	0,05…0,2

Hartfräsen mit beschichteten Vollhartmetall-(VHM-)Werkzeugen

Werkstoff gehärteter Stahl HRC	Schnittgeschwindigkeit v_c m/min	Arbeitseingriff $a_{e\ max}$ mm	Vorschub je Zahn f_z in mm bei Fräserdurchmesser d in mm 2…8	> 8…12	> 12…20
bis 35	80…90	$0,05 \cdot d$	0,04	0,05	0,06
36…5	60…70	$0,05 \cdot d$			
46…4	50…60	$0,05 \cdot d$	0,03	0,04	0,05

Hochgeschwindigkeitszerspanung (HSC = High Speed Cutting) mit VHM

Werkstoffgruppe	Schnittgeschwindigkeit v_c m/min	Fräserdurchmesser d in mm 10 a_e mm	f_z mm	20 a_e mm	f_z mm
Stahl R_m 850…1100 > 1100…1400	280…360 210…270	0,25	0,09…0,13	0,40	0,13…0,18
Stahl gehärtet 48 … 55 HRC > 55 … 67 HRC	90…240 75…120	0,25 0,20	0,09…0,13	0,40 0,35	0,13…0,18
EN-GJS > 180HB	300…360	0,25	0,09…0,13	0,40	0,13…0,18
Titanlegierung	90…270	0,20…0,25	0,09…0,13	0,35…0,40	0,13…0,18
Cu-Legierung	90…140	0,20	0,09…0,13	0,35	0,13…0,18

Trockenzerspanung

Verfahren	Schneidstoffe und Kühlschmierung für Eisen-Werkstoffe Vergütungsstähle	hochleg. Stähle	Gusseisen	Al-Werkstoffe Guss-Leg.	Knet-Leg.
Bohren	TiN, trocken	TiAlN[1), MMKS	TiN, trocken	TiAlN, MMKS	TiAlN, MMKS
Reiben	PKD, MMKS	– [2)	PKD, MMKS	TiAlN, PKD, MMKS	TiAlN, MMKS
Fräsen	TiN, trocken	TiAlN, MMKS	TiN, trocken	TiAlN, trocken	TiAlN, MMKS
Sägen	MMKS	MMKS	– [2)	TiAlN, MMKS	TiAlN, MMKS

Minimalmengenkühlschmierung (MMKS oder MMS)[3)

Abhängigkeit der MMKS-Menge vom spanenden Fertigungsverfahren

Fräsen Bohren Schleifen Läppen
Drehen Reiben Honen

→ zunehmender Schmierstoffbedarf

Eignung der Minimalmengenschmierung für die zu spanenden Werkstoffe

Cu Legierungen Al-Gussleg. Stahl ferritisch
Mg-Leg. Al-Knetleg. perlitisch
Eisen-Gusswerkstoffe Nichtrostende Stähle

← zunehmende Werkstoffeignung

[1) Titan Aluminium Nitrid (Superhartbeschichtung)   [2) Anwendung unüblich   [3) im Allgemeinen 0,01…3 l/h

F

Schneidstoffe

Bezeichnung harter Schneidstoffe

vgl. DIN ISO 513 (2005-11)

Beispiel:

Kennbuchstabe (Tabelle unten)	HC – K 20	Anwendungsgruppe

Zerspanungs-Hauptgruppe					
P (blau)	M (gelb)	K (rot)	N (grün)	S (braun)	H (grau)

Schneidstoffgruppe	K[1]	Bestandteile	Eigenschaften	Einsatzgebiete
Hartmetalle		unbeschichtetes Hartmetall, Hauptbestandteil Wolframcarbid (WC)	große Warmhärte bis 1000 °C, hohe Verschleißfestigkeit, hohe Druckfestigkeit, schwingungsdämpfend	Wendeschneidplatten für Bohr-, Dreh- und Fräswerkzeuge, auch für Vollhartmetallwerkzeuge
	HW	mit Korngröße > 1 µm		
	HF	mit Korngröße < 1 µm		
	HT	unbeschichtetes Hartmetall aus Titancarbid (TiC), Titannitrid (TiN) oder aus beiden, auch Cermet genannt	wie HW, jedoch große Schneidkantenstabilität, chemische Beständigkeit	Wendeschneidplatten für Dreh- und Fräswerkzeuge zum Schlichten bei hoher Schnittgeschwindigkeit
	HC	HW und HT, jedoch beschichtet mit Titankarbonitrid (TiCN)	Vergrößerung der Verschleißfestigkeit ohne Minderung der Zähigkeit	Verdrängen zunehmend die unbeschichteten Hartmetalle
Schneidkeramik	CA	Schneidkeramik, vorwiegend aus Aluminiumoxid (Al$_2$O$_3$)	große Härte und Warmhärte bis 1200 °C, empfindlich gegen starke Temperaturwechsel	Zerspanen von Gusseisen, meist ohne Kühlschmierung
	CM	Mischkeramik auf der Basis von Aluminiumoxid (Al$_2$O$_3$) sowie anderen Oxiden	zäher als Reinkeramik, bessere Temperaturwechselbeständigkeit	Hartfeindrehen von gehärtetem Stahl, Zerspanen mit hoher Schnittgeschwindigkeit
	CN	Siliziumnitridkeramik, vorwiegend aus Siliziumnitrid (Si$_3$N$_4$)	große Zähigkeit, hohe Schneidkantenstabilität	Zerspanen von Gusseisen mit großer Schnittgeschwindigkeit
	CR	Schneidkeramik mit Hauptbestandteil Aluminiumoxid (Al$_2$O$_3$), verstärkt	zäher als Reinkeramik durch Verstärkung, bessere Temperaturwechselbeständigkeit	Hartdrehen von gehärtetem Stahl, Zerspanen mit hoher Schnittgeschwindigkeit
	CC	Schneidkeramik wie CA, CM und CN, aber beschichtet mit Titankarbonitrid (TiCN)	Vergrößerung der Verschleißfestigkeit ohne Minderung der Zähigkeit	Verdrängen zunehmend die unbeschichteten Schneidkeramiken
Bornitrid		kubisch-kristallines Bornitrid, Bezeichnung auch CBN, PKB oder „hochharte Schneidstoffe"	sehr große Härte und Warmhärte bis 2000 °C, hohe Verschleißfestigkeit, chemische Beständigkeit	Schlichtbearbeitung harter Werkstoffe (HRC > 48) bei hoher Oberflächenqualität
	BL	mit niedrigem Bornitridgehalt		
	BH	mit hohem Bornitridgehalt		
	BC	BL und BH, aber beschichtet		
Diamant		Schneidstoff aus Kohlenstoff (C)	hohe Verschleißfestigkeit, sehr spröde, Temperaturbeständigkeit bis 600 °C, reagiert mit Legierungselementen	Zerspanen von Nichteisenmetallen und Al-Legierungen mit hohem Siliziumgehalt
	DP	polykristalliner Diamant (PKD)		
	DM	monokristalliner Diamant		
Werkzeugstahl[2]	HS	Hochleistungsschnellarbeitsstahl (HSS) mit Legierungselementen Wolfram (W), Molybdän (Mo), Vanadium (V) und Cobalt (Co), meist beschichtet mit Titannitrid (TiN)	große Zähigkeit, hohe Biegefestigkeit, geringe Härte, Temperaturbeständigkeit bis 600 °C	bei stark wechselnder Schnittkraft, Kunststoffbearbeitung, für die Zerspanung von Al- und Cu-Legierungen

[1] Kennbuchstabe nach DIN ISO 513
[2] Werkzeugstähle sind nicht in DIN ISO 513, sondern in ISO 4957 enthalten

F

Schneidstoffe

Klassifizierung und Anwendung harter Schneidstoffe — vgl. DIN ISO 513 (2005-11)

Kennbuchstabe Kennfarbe	Anwendungsgruppe	Werkstück – Werkstoff	Schneidstoffeigenschaften[1]		Mögliche Schnittwerte[1]	
			Verschleißfestigkeit	Zähigkeit	Schnittgeschwindigkeit	Vorschub
Stahl						
P blau	P01 P10 P20 P30 P40 P50 P05 P15 P25 P35 P45	alle Arten von Stahl und Stahlguss, ausgenommen nichtrostender Stahl mit austenitischem Gefüge	↑	↓	↑	↓
Nichtrostender Stahl						
M gelb	M01 M10 M20 M30 M40 M05 M15 M25 M35	nichtrostender austenitischer und austenitisch-ferritischer Stahl und Stahlguss	↑	↓	↑	↓
Gusseisen						
K rot	K01 K10 K20 K30 K40 K05 K15 K25 K35	Gusseisen mit Lamellen- und Kugelgrafit, Temperguss	↑	↓	↑	↓
Nichteisenmetalle und Nichtmetallwerkstoffe						
N grün	N01 N10 N20 N30 N05 N15 N25	Aluminium und andere Nichteisenmetalle (z.B. Cu, Mg), Nichtmetallwerkstoffe (z.B. GFK, CFK)	↑	↓	↑	↓
Speziallegierungen und Titan						
S braun	S01 S10 S20 S30 S05 S15 S25	hochwarmfeste Speziallegierungen auf der Basis von Eisen, Nickel und Kobalt, Titan und Titanlegierungen	↑	↓	↑	↓
Harte Werkstoffe						
H grau	H01 H10 H20 H30 H05 H15 H25	gehärteter Stahl, gehärtete Gusseisenwerkstoffe, Gusseisen für Kokillenguss	↑	↓	↑	↓

[1] in Pfeilrichtung zunehmend

F

Bezeichnung von Wendeschneidplatten für Zerspanwerkzeuge

Bezeichnung von Wendeschneidplatten (Auswahl)   vgl. DIN ISO 1832 (2005-11)

Bezeichnungsbeispiele:

Wendeschneidplatte aus Hartmetall mit Eckenrundungen (DIN 4968)

Schneidplatte DIN	4968	–	T	N	G	N	16	03	08	T	–	P20

Wendeschneidplatte aus Hartmetall mit Planschneiden (DIN 6590)

Schneidplatte DIN	6590	–	S	P	E	N	15	04	ED		R	– P10

Norm-Nummer   ① ② ③ ④ ⑤ ⑥ ⑦ ⑧ ⑨ ⑩

①	Plattengeometrie	⑥	Plattendicke s in mm
②	Grundform	⑦	Ausführung der Schneidenecke
③	Toleranzklasse	⑧	Schneidkante
④	Spanfläche und Befestigungsmerkmale	⑨	Schneidrichtung
⑤	Plattengröße l in mm	⑩	Schneidstoff

① Plattengeometrie

gleichseitig, gleichwinklig sowie rund

H   O   P   R   S   T

gleichseitig und ungleichwinklig

C (80°)   D (55°)   E (75°)   M (86°)   V (35°)   W (80°)

ungleichseitig und gleichwinklig
L gleichwinklig
A, B, K ungleichwinklig

L   A (85°)   B (82°)   K (55°)

② Grundform

	positive Grundform								negative Grundform
Normal-Freiwinkel	A	B	C	D	E	F	G	P	N
α_n an der Platte	3°	5°	7°	15°	20°	25°	30°	11°	0°

③ Toleranzklassen

Zul. Abw. für	A	F	C	H	E	G
Prüfmaß d	± 0,025	± 0,013	± 0,025	± 0,013	± 0,025	
Prüfmaß m	± 0,005		± 0,013		± 0,025	
Plattendicke s	± 0,025		± 0,025		± 0,025	± 0,09
Zul. Abw. für	J	K	L	M	N	U
Prüfmaß d	± 0,05 ... ± 0,15			± 0,05 ... ± 0,15		± 0,16
Prüfmaß m	± 0,005	± 0,013	± 0,025	± 0,08 ... ± 0,20		± 0,25
Plattendicke s	± 0,025			± 0,09	± 0,025	± 0,13

④ Spanflächen und Befestigungsmerkmale

N	G	B	
R	W	H	
F	T	C	
A	Q	J	
M	U	X	bes. Angaben

⑦ Ausführung der Schneidenecke

Kennzahl multipliziert mit Faktor 0,1 = Eckenradius r_ε

1. **Kennbuchstabe** für den Einstellwinkel $\varkappa$						A	D	E	F	P
der Hauptschneide						45°	60°	75°	85°	90°

2. **Kennbuchstabe** für den Freiwinkel	A	B	C	D	E	F	G	N	P
α'_n an der Planschneide (Eckenfase)	3°	5°	7°	15°	20°	25°	30°	0°	11°

⑧ Schneidkante

F scharf	E gerundet	T gefast	S gefast und gerundet	K doppel-gefast	P doppelgefast und gerundet

⑨ Schneidrichtung

R rechtsschneidend	L linksschneidend	N rechts- und linksschneidend

Werkzeug-Aufnahmen

Werkzeug-Aufnahmen verbinden das Werkzeug mit der Spindel der Werkzeugmaschine. Sie übertragen das Drehmoment und sind mit für einen genauen Rundlauf verantwortlich.

Bauformen	Funktion, Vor- (+) und Nachteile (–)	Anwendung, Größen

Metrische Kegel (ME) und Morsekegel (MK)
vgl. DIN 228-1 (1987-05) und -2 (1987-03)

Metrische Kegel 1 : 20;
Morsekegel 1 : 19,002 bis 1 : 20,047

Übertragung des Drehmoments:
- kraftschlüssig über die Kegelfläche

+ Reduzierhülsen passen unterschiedliche Kegeldurchmesser an
– nicht geeignet für automatische Werkzeugwechsel

Spannmittel beim konventionellen Bohren und Fräsen.

Kegelschaft-Nummern:
- ME 4; 6
- MK 0; 1; 2; 3; 4; 5; 6
- ME 80; 100; 120; (140); 160; (180); 200

Steilkegelschaft (SK)
vgl. DIN 2080-1 (2011-11) und -2 (2011-11) und DIN 69871-1 (1995-10)

Befestigung in der Maschinenspindel:
Form A: mit Anzugsstange
Form B: durch Frontbefestigung
Kegel 7 : 24 (1 : 3,429) nach DIN 254

Übertragung des Drehmoments:
- formschlüssig über Nuten am Kegelrand. Der Steilkegel ist nicht für die Übertragung von Kräften vorgesehen, er zentriert das Werkzeug lediglich. Die axiale Sicherung erfolgt über das Gewinde oder die Ringnut.

+ DIN 69871-1 für automatischen Werkzeugwechsel geeignet
– großes Gewicht, daher weniger geeignet für schnelle Werkzeugwechsel mit hoher axialer Wiederhol-Spanngenauigkeit und für hohe Drehzahlen

Einsatz bei CNC-Werkzeugmaschinen, insbesondere Bearbeitungszentren; weniger geeignet für Hochgeschwindigkeits-Zerspanung (HSC)

Steilkegel-Nummern:
- DIN 2080-1 (Form A): 30; 40; 45; 50; 55; 60; 65; 70; 75; 80
- DIN 69871-1: 30; 40; 45; 50; 60

Kegel-Hohlschaft (Bezeichnung HSK)
vgl. DIN 69893-1 (2011-04)

Kegel 1 : 9,98   ▽ Anlagefläche

Übertragung des Drehmoments:
- kraftschlüssig über die Kegel- und Anlagefläche sowie
- formschlüssig über die Mitnehmernuten am Schaftende.

+ geringeres Gewicht, daher
+ hohe statische und dynamische Steifigkeit
+ hohe Wiederhol-Spanngenauigkeit (3 μm)
+ hohe Drehzahlen
– im Vergleich zum Steilkegel höherer Preis

Sicherer Einsatz bei der Hochgeschwindigkeits-Zerspanung

Nenngrößen: d_1 = 25; 32; 40; 50; 63; 80; 100; 125; 160 mm

Form A: mit Bund und Greifnut für automatischen und manuellen Werkzeugwechsel
Form C: nur manuell wechselbar

Schrumpffutter

lieferbar mit HSK- oder Steilkegel

Übertragung des Drehmoments wie beim HSK.
Spannen des Werkzeugs durch rasche, induktive Erwärmung (ca. 340 °C) der Nabe im Schrumpffutter. Durch das Übermaß des Werkzeugs (ca. 3…7 μm) entsteht nach dem Fügen und Abkühlen eine Schrumpfverbindung.

+ Übertragung hoher Drehmomente
+ hohe radiale Steifigkeit
+ höhere Schnittwerte möglich
+ kürzere Bearbeitungszeiten
+ guter Rundlauf
+ größere Laufruhe
+ bessere Oberflächengüte
+ sicherer Werkzeugwechsel
– relativ teuer
– zusätzliches Induktions- und Abkühlgerät erforderlich

Universell einsetzbar für Werkzeugmaschinen mit Steilkegel- oder Hohlschaftkegel-Aufnahmen; geeignet für Werkzeuge mit zylindrischem Schaft aus HSS oder Hartmetall.

Schaftdurchmesser: 6; 8; 10; 12; 14; 16; 18; 20; 25 mm

F

Kühlschmierstoffe für die spanende Bearbeitung von Metallen

Begriffe und Anwendungsbereiche für Kühlschmierstoffe[1] (Auswahl)   vgl. DIN 51385 (2013-12)

Art des Kühl-schmierstoffes	Wirkungs-weise	Gruppe	Erläuterung	
			Zusammensetzung	Anwendungen
SCESW Kühlschmier-lösungen	zunehmende Kühlwirkung / zunehmende Schmierwirkung	Lösungen/ Dispersionen	anorganische Stoffe in Wasser	Schleifen
			organische oder synthetische Stoffe in Wasser	Spanen mit hoher Schnittgeschwindigkeit
SCEMW Kühlschmier-emulsionen (Öl in Wasser)		Emulsionen	2%…20% emulgier-barer (mischbarer) Kühlschmierstoff in Wasser	gute Kühlwirkung, aber geringe Schmierwirkung, z.B. Spanen (Drehen, Fräsen, Bohren) mit hoher Schnitt-geschwindigkeit bei leicht bearbeitbaren Werkstoffen, für hohe Arbeitstemperaturen; anfällig gegen Bakterien- oder Pilzbefall
SCN nichtwasser-mischbare Kühlschmier-stoffe		Schneidöl	Mineralöle mit polaren Zusätzen (Fettstoffen oder synthetischen Estern) bzw. EP-Zusät-zen[2] zur Erhöhung der Schmierfähigkeit	bei niedriger Schnittge-schwindigkeit, hoher Ober-flächengüte, bei schwer zerspanbaren Werkstoffen, sehr gute Schmier- und Korrosionsschutzwirkung

[1] Kühlschmierstoffe können gesundheitsgefährdend sein (Seite 405) und werden daher nur in geringen Mengen eingesetzt.

[2] EP extreme pressure = Hochdruck; Zusätze zur Steigerung der Aufnahme hoher Flächenpressung zwischen Span und Werkzeug

Richtlinien für die Auswahl von Kühlschmierstoffen

Fertigungsverfahren		Stahl	Gusseisen, Temperguss	Cu, Cu-Legierungen	Al, Al-Legierungen	Mg-Legierungen
Drehen	Schruppen	Emulsion, Lösung	trocken	trocken	Emulsion, Schneidöl	trocken, Schneidöl
	Schlichten	Emulsion, Schneidöl	Emulsion, Schneidöl	trocken, Emulsion	trocken, Schneidöl	trocken, Schneidöl
Fräsen		Emulsion, Lösung, Schneidöl	trocken, Emulsion	trocken, Emulsion, Schneidöl	Schneidöl, Emulsion	trocken, Schneidöl
Bohren		Emulsion, Schneidöl	trocken, Emulsion	trocken, Schneidöl, Emulsion	Schneidöl, Emulsion	trocken, Schneidöl
Reiben		Schneidöl, Emulsion	trocken, Schneidöl	trocken, Schneidöl	Schneidöl	Schneidöl
Sägen		Emulsion	trocken, Emulsion	trocken, Schneidöl	Schneidöl, Emulsion	trocken, Schneidöl
Räumen		Schneidöl, Emulsion	Emulsion	Schneidöl	Schneidöl	Schneidöl
Wälzfräsen, Wälzstoßen		Schneidöl	Schneidöl, Emulsion	–	–	–
Gewindeschneiden		Schneidöl	Schneidöl, Emulsion	Schneidöl	Schneidöl	Schneidöl, trocken
Schleifen		Emulsion, Lösung, Schneidöl	Lösung, Emulsion	Emulsion, Lösung	Emulsion	–
Honen, Läppen		Schneidöl	Schneidöl	–	–	–

F

Abfallarten und Entsorgung von Kühlschmierstoffen

Verbrauchte, wassergemischte und nichtwassermischbare Kühlschmierstoffe (KSS) können bei nicht sachgemäßer Entsorgung das Grundwasser und den Betrieb von Abwasseranlagen gefährden und müssen daher vor ihrer Entsorgung gesondert behandelt werden. Grundlage dafür bilden das Wasserhaushaltsgesetz (WHG) und die Abwasserverordnung (AbwV). Eine Lösungsmöglichkeit stellt die Minimalmengenkühlschmierung dar, welche bei richtiger Einstellung einen Kühlschmiermittelbedarf von 20…50 ml/h aufweist. Bei diesem geringen Schmiermittelverbrauch bleiben die Maschine, das Werkstück und die Späne trocken und müssen nicht gereinigt werden. Zusätzlich ist die aufzubereitende Kühlschmiermittelmenge sehr gering.

Abfallarten und Abfallschlüsselnummern nach dem europäischen Abfallverzeichnis (AVV)

Bezeichnung[1]	Beispiel	Kennbuchstabe nach DIN 51385	Abfallschlüsselnummer nach AVV
Kühlschmierstoffe			
Bohr-, Schneid- und Schleiföle	unbrauchbare und verbrauchte nichtwassermischbare KSS,	SCN	120106 (halogenhaltig)
	unbrauchbare wassermischbare KSS ohne Öl-Wasser-Gemische	SCEM	120107 (halogenfrei)
Synthetische Bearbeitungsöle	unbrauchbare oder verbrauchte KSS auf synthetischer Basis ohne Öl-Wasser-Gemische	SCES	120110
Feinbearbeitungsöle	unbrauchbare und verbrauchte Hon-, Läpp- und Finishöle	SCN	120106 (halogenhaltig) 120107 (halogenfrei)
Biogene Öle	unbrauchbare verbrauchte Pflanzenöle	SCN	130207
Bohr- und Schleifemulsionen[2], Emulsionsgemische oder sonstige Öl-Wasser-Gemische	unbrauchbare und verbrauchte Kühlschmier-Emulsionen,	SCEMW	120108 (halogenhaltig) 120109 (halogenfrei)
	unbrauchbare und verbrauchte Kühlschmier-Lösungen	SCESW	
	Retentate[3] aus Membrananlagen, Verdampfungsrückstände aus Verdampfungsanlagen		130505
Sonstige Abfälle			
Ölabscheiderinhalte, Schlamm aus Öltrennanlagen	Schlämme aus Öl- oder Wasserabscheidern		130502
Öle aus Öl- oder Wasserabscheidern	Öle aus Öl- oder Wasserabscheidern		130506
Hon-, Läpp- und ölhaltige Schleifschlämme	Hon-, Läpp- und Schleifschlämme aus KSS-Pflegeanlagen, wie Filter, Zentrifugen oder Magnetabscheider		120111 120202

[1] Begriffe, die sowohl der Altöl-Verordnung entsprechen als auch in der Praxis üblich sind.
[2] Emulsion: feinste Vermischung zweier Flüssigkeiten, die normalerweise nicht mischbar sind, z. B. Öl und Wasser.
[3] Retentat: Fluid, das beim Trennprozess von der Membran zurückgehalten wird.

Behandlung von Kühlschmierstoffen (KSS)

Wassergemischte Kühlschmierstoffe	Nichtwassermischbare Kühlschmierstoffe
1. Behandlung mit organischen Spaltmitteln (Emulsionsspaltung) und Trennung der KSS in eine Ölphase und eine Wasserphase Dauer des Trennvorgangs: ca. 1 Tag	1. Bei zu hoher Feststoffbelastung vor allem Entfernung der metallischen Feststoffe mittels geeigneter Reinigungsverfahren
2. Behandlung durch Membranfiltration (Querstromfiltration) in der Reihenfolge steigenden Rückhaltevermögens: • Mikrofiltration • Ultrafiltration Dauer des Filtrationsvorgangs: ca. 1 Woche	2. Bei Vermischung mit Wasser ist zu prüfen, ob der KSS ohne Vorbehandlung entsorgt werden kann oder ob eine entsprechende Trennung in eine Ölphase und eine Wasserphase erfolgen muss, wie bei wassergemischten Kühlschmierstoffen.

	Sonstige (ölhaltige) Rückstände
3. Behandlung durch Verdampfung in einem Vakuumverdampfer bei einer Temperatur von ca. 35 °C Dauer des Verdampfungsvorgangs: wenige Stunden	1. Reduzierung der Abfallmengen (ölbehaftete Späne, Schleifschlämme) durch Entölung und Entwässerung in Zentrifugen und Pressen
	2. Wiederverwendung der abgetrennten Kühlschmierstoffe
4. Nachbehandlung der nicht verdampfbaren Rückstände durch thermische Verwertung (Verbrennung) und des Filtrats durch Nanofiltration und Umkehrosmose	3. Sammlung der nicht wieder verwendbaren, ölhaltigen Abfälle und Entsorgung gemäß der Bestimmungen des Kreislaufwirtschafts- und Abfallgesetzes (KrW-/AbfG) (vgl. S. 406)

F

Drehen

Übersicht der Drehverfahren (Auswahl)

Querplandrehen

		Plandrehmeißel oder Schruppdrehmeißel	
Werk-zeug	Wende-schneidplatte (Hartmetall)	$\varepsilon = 80°, 90°$ $\varkappa = 45°…97°$ $r_\varepsilon = 0,8…1,2$ mm	
Schnitt-größen	Schnittgeschwindigkeit	v_c = Startwert je nach Werkstoff (S. 316, 318)	
	Vorschub	$f = 0,1…0,2$ mm	
	Schnitttiefe	$a_p = 1…2$ mm	

Längsrunddrehen – Vorbearbeitung (mittlere Bearbeitung, Schruppen)

		Schruppdrehmeißel	
Werk-zeug	Wende-schneidplatte (Hartmetall)	$\varepsilon = 80°, 55°$ $\varkappa = 93°$ $r_\varepsilon = 0,8…1,2$ mm	
Schnitt-größen	Schnittgeschwindigkeit	v_c = Startwert je nach Werkstoff (S. 316, 318)	
	Vorschub	$f = 0,25…0,6$ mm (S. 300)	
	Schnitttiefe	$a_p = 2…6$ mm (S. 300)	

Längsrunddrehen, Konturdrehen – Fertigbearbeitung (Schlichten)

		Schlichtdrehmeißel	
Werk-zeug	Wende-schneidplatte (Hartmetall)	$\varepsilon = 55°, 35°$ $\varkappa = 93°…107,5°$ $r_\varepsilon = 0,2…0,8$ mm	
Schnitt-größen	Schnittgeschwindigkeit	v_c = Startwert je nach Werkstoff (S. 316, 318)	
	Vorschub	$f = 0,1…0,25$ mm (S. 300)	
	Schnitttiefe	$a_p = 0,5…2$ mm (S. 300)	

Gewindedrehen

		Gewindedrehmeißel	
Werk-zeug	Eckenwinkel der Schneidplatte (Hartmetall)	Metrisches Gewinde: $\varepsilon = 60°$ Whitworth-Gewinde: $\varepsilon = 55°$ Trapezgewinde: $\varepsilon = 30°$	
Schnitt-größen	Schnittgeschwindigkeit	v_c = Startwert je nach Werkstoff (S. 317)	
	Vorschub	$f = P$ (Steigung des Gewindes, S. 206)	
	Anzahl der Schnitte	i = Zustellungen + Leerschnitte (S. 317)	

Abstechdrehen, Einstechdrehen

		Abstechdrehmeißel, Einstechdrehmeißel	
Werk-zeug	Stechmaße der Schneidplatte (Hartmetall)	Stechbreite: $s = 1…6$ mm maximale Stechtiefe: $t_{max} = 5…50$ mm	
Schnitt-größen	Schnittgeschwindigkeit	v_c = Startwert je nach Werkstoff (S. 318)	
	Vorschub	$f = 0,05…0,15$ mm	

Innendrehen – Fertigbearbeitung (Schlichten)

		Innenschlichtdrehmeißel	
Werk-zeug	Wende-schneidplatte (Hartmetall)	$\varepsilon = 55°$ $\varkappa = 93°$ $r_\varepsilon = 0,2…0,8$ mm	
Schnitt-größen	Schnittgeschwindigkeit	v_c = Startwert je nach Werkstoff (S. 316, 318)	
	Vorschub	$f = 0,05…0,2$ mm	
	Schnitttiefe	$a_p = 0,5…1$ mm	

ε = Eckenwinkel (Seiten 306, 315) r_ε = Eckenradius (Seiten 306, 313, 315) $\varkappa$ = Einstellwinkel (Seiten 314, 315)

Fertigungsplanung beim Drehen

Fertigungsaufgabe: Drehen eines Gewindebolzens

Arbeitsplanung zum CNC-Drehen des Gewindebolzens[1]

Nr.	Arbeitsvorgang	Werkzeug[2], Prüfmittel	Schnittgrößen		Bemerkungen
10	Halbzeug prüfen und einspannen	Messschieber, Stahlmaßstab	–		• Stangenmaterial eingespannt im Dreibackenfutter
20	Werkstücknullpunkt setzen	–	–		• Lage des Werkstücknullpunkts siehe Fertigungszeichnung
30	Werkstück querplandrehen ($d = 42$ mm)	Plandrehmeißel T1	$v_c = 250$ m/min $f = 0,2$ mm $a_p = 1$ mm	($n = 1894$ 1/min) $i = 1$	• 11SMnPb30: Automatenstahl mit $R_m \leq 570$ N/mm² • v_c: Startwert bei „normalen" Bearbeitungsbedingungen (Seiten 312, 316)
40	Werkstückansätze durch längsrunddrehen schruppen ($d = 42$ mm, $d' = 31$ mm, $d'' = 25$ mm)	Schruppdrehmeißel T2	$v_c = 200$ m/min $f = 0,45$ mm $a_p = 3$ mm	($n = 1515$ 1/min) $i_1 = 2$ $i_2 = 1$	• auf einer CNC-Maschine werden für die Drehbearbeitung v_c, f und a_p programmiert, die Drehzahl wird automatisch berechnet (Seite 353)
50	Kontur des Werkstücks schlichten ($d''' = 24$ mm)	Schlichtdrehmeißel T3	$v_c = 300$ m/min $f = 0,1$ mm $a_p = 0,5$ mm	($n = 3978$ 1/min) $i = 1$	
60	Gewinde M24 × 2 drehen ($d''' = 24$ mm)	Gewindedrehmeißel T4	$v_c = 150$ m/min $f = 2$ mm	($n = 1989$ 1/min) $i = 12$	• beim Gewindedrehen wird immer n angegeben
70	Werkstück abstechdrehen ($d = 42$ mm)	Abstechdrehmeißel T5	$v_c = 155$ m/min $f = 0,05$ mm	($n = 1174$ 1/min) $i = 1$	• beim Abstechdrehen wird v_c und f angegeben
80	Werkstück abtrennen und prüfen	Messschieber, Tiefenmessschieber, Rachenlehre, Bügelmessschraube, Gewindelehre			• verbleibender Zapfen wird nach dem Drehen geglättet

v_c Schnittgeschwindigkeit d Außendurchmesser a_p Schnittiefe i Anzahl der Schnitte
n Drehzahl d_a Anfangsdurchmesser i_Z Anzahl der i_L Leerdurchläufe ohne
f Vorschub d_e Enddurchmesser   Zustellungen   Zustellung

Berechnung der Drehzahl für das Gewindedrehen

Nr. 60:
$$n = \frac{v_c}{\pi \cdot d} = \frac{150\,000 \text{ mm/min}}{\pi \cdot 24 \text{ mm}} = 1989 \frac{1}{\text{min}}$$

Drehzahl
$$\boxed{n = \frac{v_c}{\pi \cdot d}}$$
Die berechnete Drehzahl wird ganzzahlig abgerundet.

Überprüfung der Anfangsdrehzahlen

Nr. 30:
$$n = \frac{v_c}{\pi \cdot d} = \frac{250\,000 \text{ mm/min}}{\pi \cdot 42 \text{ mm}} = 1894 \frac{1}{\text{min}}$$

Nr. 50:
$$n = \frac{v_c}{\pi \cdot d'''} = \frac{300\,000 \text{ mm/min}}{\pi \cdot 24 \text{ mm}} = 3978 \frac{1}{\text{min}}$$

Nr. 40:
$$n = \frac{v_c}{\pi \cdot d} = \frac{200\,000 \text{ mm/min}}{\pi \cdot 42 \text{ mm}} = 1515 \frac{1}{\text{min}}$$

Nr. 70:
$$n = \frac{v_c}{\pi \cdot d} = \frac{155\,000 \text{ mm/min}}{\pi \cdot 42 \text{ mm}} = 1174 \frac{1}{\text{min}}$$

Anzahl der Schnitte beim Schruppen
$$\boxed{i \geq \frac{d_a - d_e}{2 \cdot a_p}}$$

Anzahl der Schnitte beim Schruppen
$$i \geq \frac{d_a - d_e}{2 \cdot a_p} \Rightarrow i_1 \geq \frac{42 \text{ mm} - 31 \text{ mm}}{2 \cdot 3 \text{ mm}} \Rightarrow 2$$
$$i_2 \geq \frac{31 \text{ mm} - 25 \text{ mm}}{2 \cdot 3 \text{ mm}} \Rightarrow 1$$

Anzahl der Schnitte beim Gewindedrehen (S. 317)
$$i = i_{ZL} + i_L$$
$i = 10$ Zustellungen + 2 Leerdurchläufe
$= 12$ Schnitte

Anzahl der Schnitte beim Gewindedrehen
$$\boxed{i = i_Z + i_L}$$
Die berechnete Anzahl der Schnitte wird immer ganzzahlig aufgerundet.

F

[1] Der Arbeitsplan bezieht sich auf eine CNC-Drehmaschine ohne Gegenspindel mit Kühlschmiermitteleinsatz.
[2] Weitere Angaben zu den Werkzeugen werden in der Werkzeugtabelle auf Seite 353 aufgeführt.

Fertigungsplanung beim Drehen

Schritt 1: Bestimmung der Hartmetall-Schneidstoffgruppe anhand des Werkstoffs (Seite 306)

P P10…30	**Stahl** (Seiten 316, 317)	alle Arten von Stahl und Stahlguss außer Nicht-rostender Stahl	**N** N10…20	**Nichteisenmetalle und Kunststoffe** (Seiten 316, 317)	Aluminiumlegierungen, Kupferlegierungen, Kunststoffe
M M10…30	**Nichtrostender Stahl** (Seiten 316, 317)	Nichtrostender Stahl: austenitisch, ferritisch und martensitisch	**S** S01…20	**Warmfeste Spezniallegierungen und Titan**	Speziallegierungen auf Basis von Eisen, Nickel, Cobalt, Titanlegierungen
K K01…30	**Gusseisen** (Seiten 316, 317)	Gusseisen mit Lamellen- und Kugelgrafit, Temperguss	**H** H01…15	**Harte Werkstoffe** (Seite 318)	gehärteter Stahl und gehärtete Gusseisen-werkstoffe

Schritt 2: Festlegung der Bearbeitungsbedingungen und Vorgehensweise zur Ermittlung der Schnittgeschwindigkeit

Art des Schneideneingriffs	Stabilität der Maschine, Kühlmitteleinsatz, Einspannung und Geometrie des Werkstücks		
	++	+	–
glatter, gleichmäßiger Schnitt, vorbearbeitete Oberfläche	günstige Bearbeitungsbedingungen	**normale Bearbeitungsbedingungen**	normale bis ungünstige Bearbeitungsbedingungen
wechselnde Schnitttiefe, Guss- oder Schmiedehaut	günstige bis normale Bearbeitungsbedingungen	**normale Bearbeitungsbedingungen**	ungünstige Bearbeitungsbedingungen
ungleichmäßiger Schnitt mit Unterbrechungen	**normale Bearbeitungsbedingungen**	ungünstige Bearbeitungsbedingungen	sehr ungünstige Bearbeitungsbedingungen

Beispiel Gewindebolzen (Seite 311)

1. Zuordnung der **Werkstoffgruppe** (Seite 135) und **Schneidstoffgruppe** (Seite 305)
2. Auswahl des **Drehverfahrens** (Seite 310)
3. Wahl der Schnittgeschwindigkeit aus **Tabelle Seite 316** Startwert v_c bei normalen Bearbeitungsbedingungen, kleineres v_c bei ungünstigen Bearbeitungsbedingungen, größeres v_c bei günstigen Bearbeitungsbedingungen

$\Rightarrow$ 11SMnPb30: Automatenstahl mit $R_m \leq 570$ N/mm² Schneidstoffgruppe P
$\Rightarrow$ Drehverfahren: Längsrunddrehen (Schruppen)
$\Rightarrow$ **Tabelle „Längsrunddrehen (Schruppen)"** (Seite 316), normale Bearbeitungsbedingungen (CNC-Maschine mit Kühlschmiermittel, glatter Schnitt)
$\Rightarrow$ Startwert $v_c = 200$ m/min

Schritt 3: Auswahl der Grundform und der Schneidkante

Grundform	Schneidkantenbeispiele (Herstellerabhängig)	Anwendungsbeispiele
	Schruppdrehen für mittlere bis schwere Bearbeitung	
Wendeschneidplatten mit negativer Grundform (Freiwinkel $\alpha_n = 0°$) / negative Grundform doppelseitig / negative Grundform einseitig	0°	Längs- und Plandrehen von Gusseisenwerkstoffen
	6° / 7°	Längs- und Plandrehen von Stahl, für geschmiedete und vorbearbeitete Werkstücke mit geringer Toleranz
	24°	Längs- und Plandrehen von Stahl, hohe Schneidkantenstabilität
	Schlichtdrehen	
	20°	Längs- und Planschlichtdrehen von Stahl und Gusseisenwerkstoffen
	10°	Längs- und Planschlichtdrehen leichtschneidende Geometrie für niedrige Schnittkräfte
Wendeschneidplatten mit positiver Grundform (Freiwinkel $\alpha_n = 3°…30°$) / positive Grundform	0°	Schlichtdrehen für mittlere Bearbeitung Längs- und Plandrehen von Gusseisenwerkstoffen
	6°	Schlichtdrehen von Stahl leichtschneidende Geometrie für niedrige Schnittkräfte
	20°	Schlichtdrehen von Al und anderen NE-Metallen Längs- und Plandrehen bei hoher Schnittgeschwindigkeit
	18°	Schlichtdrehen von Stahl Längs- und Plandrehen mit Schnittunterbrechungen

Abhängigkeit der Schnittdaten von der Grundform

positive Grundform	negative Grundform, doppelseitig	negative Grundform, einseitig

zunehmende Schnittkraft, Schnitttiefe und zunehmender Vorschub →

F

Fertigungsplanung beim Drehen

Schritt 4: Auswahl der Plattengeometrie

Wendeschneidplattenformen Bezeichnung (Seite 306) / ε Eckenwinkel	Schruppen f = 0,25…0,6 mm	leichtes Schruppen/Vorschlichten f = 0,2…0,3 mm	Schlichten f = 0,1…0,25 mm	Längsdrehen	Formdrehen	Plandrehen	vielseitige Einsatzmöglichkeiten	begrenzte vorhandene Maschinenleistung	vorhandene Vibrationsneigung des Werkstücks	harte Werkstoffe	Schnittunterbrechungen	benötigter großer Einstellwinkel κ	benötigter kleiner Einstellwinkel κ
C ε=80° — Schneidenlänge l in mm (Seite 306) 6…15	●	●	○	●	◐	●	●	○	○	○	◐	●	●
W ε=80° — Schneidenlänge l in mm (Seite 306) 6…8	●	●	○	◐	◐	●	◐	○	◐	○	◐	●	●
D ε=55° — Schneidenlänge l in mm (Seite 306) 6…15	○	●	●	●	●	◐	●	◐	●	○	○	●	○
V ε=35° — Schneidenlänge l in mm (Seite 306) 11…22	○	○	●	●	●	○	◐	●	●	○	○	●	○
R — Schneidendurchmesser d in mm (Seite 306) 10…32	●	○	○	○	○	◐	◐	○	○	●	●	–	–

● sehr gut geeignet　　◐ geeignet　　○ nicht geeignet

Erreichbare Rautiefe in Abhängigkeit des Eckenradius und des Vorschubs

Werkzeug
f
Werkstück
a_p, r_ε, R_{th}, ε, ϰ

Rautiefe und Eckenradius können zur Ermittlung des Vorschubs beim Schlichten herangezogen werden.

R_{th} theoretische Rautiefe
r_ε Eckenradius
f Vorschub
a_p Schnitttiefe
ε Eckenwinkel
ϰ Einstellwinkel

Beispiel:

R_{th} = 6,3 µm; r_ε = 0,4 mm; f = ?

$$f \approx \sqrt{8 \cdot r_\varepsilon \cdot R_{th}}$$
$$= \sqrt{8 \cdot 0,4 \text{ mm} \cdot 0,0063 \text{ mm}} \approx 0,14 \text{ mm}$$

Theoretische Rautiefe

$$R_{th} = \frac{f^2}{8 \cdot r_\varepsilon}$$

$$R_{th} \approx R_z$$

Rautiefe R_{th} in µm	Eckenradius r_ε in mm			
	0,2	0,4	0,8	1,2
	Vorschub f in mm			
1,6	0,05	0,07	0,10	0,12
4	0,08	0,11	0,16	0,20
6,3	0,10	0,14	0,20	0,25
10	0,13	0,18	0,25	0,31
16	0,16	0,23	0,32	0,39

F

Fertigungsplanung beim Drehen

Schritt 5: Bestimmung des Klemmhalters   vgl. DIN 4983 (2004-07) und ISO 26623 (2008)

Klemmhalter mit Vierkantschaft DIN 4984

Klemmhalter mit Polygonschaft ISO 26623

Bezeichnungsbeispiele

DIN 4984 – P C L N L 32 25 M 16

- Norm-Nummer des Halters
- Plattenbefestigung
- Grundform der Wendeschneidplatte[1]
- Einstellwinkel und Halterform
- Normalfreiwinkel der Platte[1] α_n
- Halterausführung
- Höhe der Schneidenecke $h_1 = h$ in mm
- Schaftbreite b in mm
- Halterlänge l_1 in mm
- Größe der Wendeschneidplatte[1]

ISO 26623 – C5 – P C L N L 22 110 – 16
(wie DIN 4984)

- Kupplungsgröße d_1
- Höhe der Schneidenecke f in mm
- Halterlänge l_4 in mm

[1] Wendeschneidplatten Seite 306

Kennzeichen		Ausführung				
Platten-befestigung	Kennbuchstabe	C	D	M	P	S
	Befestigung der Wendeschneid-platte	von oben geklemmt	nur von oben über Bohrung geklemmt	von oben und über Bohrung geklemmt	nur von unten über Bohrung geklemmt	durch Befesti-gungsschrau-ben geklemmt
Einstellwinkel und Halterform	Kennbuchstabe	A	B	D	E	N	V	G	H	J	L	T
	Einstellwinkel $\varkappa$	90	75	45	60	62,5	72,5	90	107,5	93	95	60
abgesetzt	Halterform	gerade						abgesetzt				
	Drehverfahren	Längsrunddrehen										
	Kennbuchstabe	C	F	K	L	S	U	W	Y	Halter D und S auch für runde Plattengeometrie (R) erhältlich		
gerade	Einstellwinkel $\varkappa$	90	90	75	95	45	93	60	85			
	Halterform	gerade	abgesetzt									
	Drehverfahren	Querplandrehen										
Halter-ausführung	Kennbuchstabe	R rechter Halter			L linker Halter			N	neutraler Halter (beidseitig)			
Halterlänge (nur bei DIN 4984)	Kennbuchstabe	A	B	C	D	E	F	G	H	J	K	L	M	N	P	Q	R	S	T	U	V	W
	l_1 bzw. l_4 in mm	32	40	50	60	70	80	90	100	110	125	140	150	160	170	180	200	250	300	350	400	450
Kupplungs-größe (nur ISO 26623)	Kennbuchstabe	C3		C4		C5		C6		C8		
	Durchmesser d_1 in mm	32		40		50		63		80		

⇒ **Halter DIN 4984 – PCJNL 3225 M 16:** Klemmhalter mit Vierkantschaft, von unten über Bohrung geklemmt (P), Wendeschneidplatte mit $\varepsilon = 80°$ (C), Einstellwinkel $\varkappa = 95°$ (L), negative Grundform der Platte mit $\alpha_n = 0°$ (N), linker Halter (L), $h_1 = h = 32$ mm (32), $b = 25$ mm (25), $l_1 = 150$ mm (M), Schneidenlänge $l = 16$ mm (16)

F

Fertigungsplanung beim Drehen

Winkel und Flächen am Drehmeißel beim Längsrunddrehen

Symbol	Bezeichnung
α	Freiwinkel
β	Keilwinkel
γ	Spanwinkel
$\varkappa$	Einstellwinkel der Hauptschneide
ε	Eckenwinkel von Haupt- und Nebenschneide
$\varkappa_N$	Einstellwinkel der Nebenschneide
λ	Neigungswinkel
r_ε	Eckenradius

Stahl: $\lambda = 0°...-4°$ $\alpha + \beta + \gamma = 90°$
Al-, Cu-Legierungen: $\lambda = 0°...+4°$ $\alpha \geq 5°$

Schritt 6: Optimierungsmaßnahmen beim Querplan- und Längsrunddrehen

Probleme								mögliche Abhilfe-Maßnahmen
Hoher Verschleiß (Frei- u. Spanfläche)	Deformation der Schneidkante	Bildung von Aufbauschneiden	Risse senkrecht zur Schneidkante	Ausbröckelung der Schneidkanten	Bruch der Wendeschneidplatte	Lange Spiralspäne	Vibrationen	
⇓	⇓		⇑		⇑		⇓	Schnittgeschwindigkeit v_c ändern
⇓	⇓				⇓	⇑	⇑	Vorschub f ändern
					•		•	Schnitttiefe verringern
•	•							verschleißfestere Hartmetall-Sorte wählen
		•	•	•				zähere Hartmetall-Sorte wählen
•		•		•			•	positive Schneidengeometrie wählen

• zu lösendes Problem   ⇑ Schnittwert erhöhen   ⇓ Schnittwert verkleinern

Schritt 7: Einstellen des Oberschlittens beim konventionellen Kegeldrehen[1]

D großer Kegeldurchmesser
d kleiner Kegeldurchmesser
L Kegellänge
α Kegelwinkel
C Kegelverjüngung
$\dfrac{\alpha}{2}$ Einstellwinkel

Beispiel:

$D = 225$ mm, $d = 150$ mm, $L = 100$ mm;
$\dfrac{\alpha}{2} = ?; C = ?$

$\tan\dfrac{\alpha}{2} = \dfrac{D-d}{2 \cdot L}$

$\quad = \dfrac{(225 - 150)\ \text{mm}}{2 \cdot 100\ \text{mm}} = 0{,}375$

$\dfrac{\alpha}{2} = \mathbf{20{,}556°} = \mathbf{20°\,33'\,22''}$

$C = \dfrac{D-d}{L} = \dfrac{(225 - 150)\ \text{mm}}{100\ \text{mm}} = 0{,}75 = \mathbf{1 : 1{,}33}$

Einstellwinkel

$$\tan\frac{\alpha}{2} = \frac{C}{2}$$

$$\tan\frac{\alpha}{2} = \frac{D-d}{2 \cdot L}$$

Kegelwinkel

$$\alpha = 2 \cdot \frac{\alpha}{2}$$

Kegelverjüngung

$$C = \frac{D-d}{L}$$

Kegelverhältnis

$$C = 1 : x$$

F

[1] Kontur- und Kegeldrehen an CNC-Drehmaschinen Seiten 345, 349

Schnittdaten beim Drehen

Richtwerte für das Drehen mit Hartmetall (HM)-Werkzeugen

v_c Schnittgeschwindigkeit
n Drehzahl
f Vorschub
a_p Schnitttiefe
d Außendurchmesser
d_m mittlerer Durchmesser (Seite 320)

Querplandrehen
$$n = \frac{v_c}{\pi \cdot d_m}$$

Längsrunddrehen
$$n = \frac{v_c}{\pi \cdot d}$$

Querplandrehen: a_p = 1…2 mm
Längsrunddrehen Schruppen: a_p = 2…6 mm
Längsrunddrehen Schlichten: a_p = 0,5…2 mm

Schneidstoffgruppe	Werkstoffgruppe	Zugfestigkeit R_m in N/mm² bzw. Härte HB	Querplandrehen f = 0,2…0,1	Längsrunddrehen Schruppen f = 0,6…0,25	Längsrunddrehen Schlichten f = 0,25…0,1
			Schnittgeschwindigkeit v_c[1] in m/min		
P	Baustahl	$R_m \le 500$	210 – **280** – 350	150 – **220** – 300	280 – **340** – 400
		$R_m > 500$	160 – **230** – 300	100 – **170** – 240	220 – **290** – 350
	Automatenstahl	$R_m \le 570$	180 – **250** – 320	130 – **200** – 270	240 – **300** – 360
		$R_m > 570$	130 – **200** – 270	100 – **160** – 220	200 – **250** – 360
	Einsatzstahl	$R_m \le 570$	200 – **270** – 320	150 – **210** – 260	250 – **320** – 300
		$R_m > 570$	160 – **220** – 270	110 – **160** – 210	200 – **270** – 340
	Vergütungsstahl, unlegiert	$R_m \le 650$	180 – **250** – 320	120 – **190** – 240	220 – **300** – 380
		$R_m > 650$	110 – **200** – 280	110 – **150** – 200	190 – **250** – 310
	Vergütungsstahl, legiert	$R_m \le 750$	100 – **160** – 220	90 – **130** – 180	125 – **185** – 245
		$R_m > 750$	80 – **130** – 180	70 – **110** – 160	100 – **150** – 200
	Werkzeugstahl	$R_m \le 750$	95 – **145** – 195	85 – **125** – 170	115 – **165** – 215
		$R_m > 750$	60 – **110** – 160	40 – **80** – 120	100 – **140** – 180
	Stahlguss	$R_m \le 700$	140 – **180** – 220	105 – **155** – 180	160 – **200** – 240
		$R_m > 700$	100 – **135** – 170	80 – **110** – 140	130 – **160** – 190
M	Nichtrostender Stahl austenitisch	$R_m \le 680$	140 – **170** – 200	90 – **110** – 130	200 – **230** – 260
	austenitisch	$R_m > 680$	100 – **120** – 140	70 – **90** – 110	130 – **150** – 170
	ferritisch	$R_m \le 700$	180 – **215** – 240	160 – **180** – 200	230 – **250** – 270
	martensitisch	$R_m \le 500$	130 – **160** – 190	110 – **130** – 150	150 – **190** – 230
K	Gusseisen mit Lamellengrafit	≤ 200 HB	300 – **370** – 440	230 – **280** – 330	380 – **450** – 520
		> 200 HB	195 – **250** – 305	140 – **190** – 240	230 – **300** – 370
	Gusseisen mit Kugelgrafit	≤ 250 HB	210 – **270** – 330	160 – **210** – 260	250 – **320** – 410
		> 250 HB	160 – **200** – 250	140 – **170** – 210	180 – **230** – 300
	Temperguss	≤ 230 HB	190 – **235** – 280	140 – **170** – 200	240 – **300** – 370
		> 230 HB	150 – **190** – 230	100 – **130** – 160	200 – **260** – 330
N	Al-Knetlegierung	$R_m \le 300$	350 – **450** – 560	380 – **450** – 520	600 – **700** – 800
	Al-Legierung, ausgehärtet	$R_m > 300$	200 – **320** – 440	240 – **300** – 360	400 – **500** – 600
	Al-Gusslegierungen	≤ 75 HB	310 – **400** – 490	300 – **360** – 420	450 – **550** – 650
		> 75 HB	290 – **330** – 420	200 – **270** – 340	300 – **400** – 500
	CuZn-Legierung (Messing)	$R_m \le 600$	320 – **355** – 390	250 – **270** – 300	400 – **440** – 480
	CuSn-Legierung (Bronze)	$R_m \le 700$	200 – **230** – 260	130 – **150** – 170	280 – **310** – 340
	Thermoplast, Duroplast	–	340 – **430** – 520	270 – **360** – 450	400 – **500** – 600
	Faserverstärkter Kunststoff	–	230 – **320** – 410	190 – **220** – 310	340 – **420** – 500

F

Auswahlkriterien der Schnittgeschwindigkeit für das Planen, Schruppen und Schlichten

[1] Als **Startwert** wird der **fettgedruckte Wert** von v_c genommen („**normale**" Bearbeitungsbedingungen).
- Bei „**ungünstigen**" Bearbeitungsbedingungen wird ein kleineres v_c bis zum **unteren Grenzwert** eingestellt.
- Bei „**günstigen**" Bearbeitungsbedingungen wird ein größeres v_c bis zum **oberen Grenzwert** verwendet.
(Erläuterungen zu den Bearbeitungsbedingungen Seite 312)

Schnittdaten beim Drehen

Richtwerte für das Drehen mit Hartmetall (HM)-Werkzeugen

v_c	Schnitt-geschwindigkeit	
n	Drehzahl	
f	Vorschub	
d	Außendurchmesser (Nenndurchmesser des Gewindes)	
P	Steigung des Gewindes (Seite 206)	

Drehzahl

$$n = \frac{v_c}{\pi \cdot d}$$

Abstechdrehen / Einstechdrehen — Gewindedrehen

Rechtsgewinde M16 × 1,5 — Linksgewinde M16 × 1,5 – LH

	Werkstoff der Werkstücke		Vorschub f in mm		Steigung P in mm	Anzahl der Schnitte (ohne Leer-durch-läufe)[2]
	Werkstoffgruppe	Zugfestigkeit R_m in N/mm² bzw. Härte HB	0,15…0,05	$f = P$		
			Schnittgeschwindigkeit v_c[1] in m/min			
P	Baustahl	$R_m \leq 500$	140 – **160** – 180	140 – **155** – 170	von bis	
		$R_m > 500$	130 – **150** – 170	130 – **145** – 160		
	Automatenstahl	$R_m \leq 570$	135 – **155** – 175	135 – **150** – 165	0,25 ≤ 0,50	5
		$R_m > 570$	125 – **145** – 165	125 – **140** – 155		
	Einsatzstahl	$R_m \leq 570$	140 – **150** – 160	135 – **145** – 155	> 0,50 ≤ 0,75	5
		$R_m > 570$	130 – **140** – 150	125 – **135** – 145		
	Vergütungsstahl, unlegiert	$R_m \leq 650$	115 – **135** – 155	120 – **130** – 140	> 0,75 ≤ 1,00	6
		$R_m > 650$	110 – **120** – 130	105 – **115** – 125		
	Vergütungsstahl, legiert	$R_m \leq 750$	105 – **115** – 125	100 – **110** – 120	> 1,00 ≤ 1,25	7
		$R_m > 750$	95 – **105** – 115	90 – **100** – 110		
	Werkzeugstahl	$R_m \leq 750$	85 – **95** – 105	85 – **95** – 105	> 1,25 ≤ 1,50	7
		$R_m > 750$	55 – **75** – 95	50 – **60** – 70		
	Stahlguss	$R_m \leq 700$	60 – **80** – 100	60 – **80** – 100	> 1,50 ≤ 1,75	9
		$R_m > 700$	50 – **70** – 90	50 – **70** – 90		
M	Nicht-rostender Stahl — austenitisch	$R_m \leq 680$	110 – **130** – 150	110 – **120** – 130	> 1,75 ≤ 2,00	10
		$R_m > 680$	60 – **80** – 100	60 – **70** – 80		
	ferritisch	$R_m \leq 700$	120 – **140** – 160	125 – **135** – 145	> 2,00 ≤ 2,50	11
	martensitisch	$R_m > 500$	60 – **80** – 100	50 – **70** – 90		
K	Gusseisen mit Lamellengrafit	≤ 200 HB	215 – **230** – 245	155 – **170** – 185	> 2,50 ≤ 3,00	13
		> 200 HB	180 – **195** – 210	110 – **130** – 150		
	Gusseisen mit Kugelgrafit	≤ 250 HB	200 – **220** – 240	100 – **110** – 120	> 3,00 ≤ 3,50	13
		> 250 HB	170 – **180** – 190	70 – **80** – 90		
	Temperguss	≤ 230 HB	120 – **150** – 180	90 – **100** – 110	> 3,50 ≤ 4,00	15
		> 230 HB	100 – **130** – 160	80 – **90** – 100		
N	Al-Knetlegierung	$R_m \leq 300$	500 – **600** – 700	300 – **350** – 400	> 4,00 ≤ 4,50	15
	Al-Legierung, ausgehärtet	$R_m > 300$	400 – **500** – 600	200 – **250** – 300		
	Al-Gusslegierungen	≤ 75 HB	250 – **350** – 450	300 – **350** – 400	> 4,50 ≤ 5,00	15
		> 75 HB	150 – **250** – 350	200 – **250** – 300		
	CuZn-Legierung (Messing)	$R_m \leq 600$	200 – **300** – 400	200 – **225** – 250	> 5,00 ≤ 5,50	16
	CuSn-Legierung (Bronze)	$R_m \leq 700$	250 – **200** – 300	160 – **180** – 200		
	Thermoplast, Duroplast	–	250 – **350** – 450	200 – **225** – 250	> 5,50 ≤ 6,00	16
	Faserverstärkter Kunststoff	–	300 – **400** – 500	180 – **210** – 240		

Auswahl der Schnittgeschwindigkeit für das Einstechdrehen, Abstechdrehen und Gewindedrehen

[1] Als **Startwert** wird der **fettgedruckte Wert** von v_c genommen („**normale**" Bearbeitungsbedingungen).
- Bei „**ungünstigen**" Bearbeitungsbedingungen wird ein kleineres v_c bis zum **unteren Grenzwert** eingestellt.
- Bei „**günstigen**" Bearbeitungsbedingungen wird ein größeres v_c bis zum **oberen Grenzwert** verwendet.
(Erläuterungen zu den Bearbeitungsbedingungen Seite 312)

[2] Nach dem letzten Schnitt wird das Gewinde mit 2 bis 4 Leerdurchläufen (ohne weitere Zustellung) nachgedreht.

Schnittdaten beim Drehen

Richtwerte für das Hartdrehen mit kubischem Bornitrid und oxidkeramischen Schneidstoffen

v_c Schnittgeschwindigkeit
n Drehzahl
f Vorschub
a_p Schnitttiefe
d Außendurchmesser
d_m mittlerer Durchmesser (Seite 320)

Querplandrehen:
$$n = \frac{v_c}{\pi \cdot d_m}$$

Längsrunddrehen:
$$n = \frac{v_c}{\pi \cdot d}$$

Querplandrehen: $a_p = 0,1\ldots0,4$ mm
Längsrunddrehen Schruppen: $a_p = 0,3\ldots0,7$ mm
Längsrunddrehen Schlichten: $a_p = 0,1\ldots0,3$ mm

Werkstoff der Werkstücke		Vorschub f in mm		
Werkstoffgruppe	Härte HRC	0,1…0,15	0,15…0,2	0,05…0,1
		Schnittgeschwindigkeit v_c[1] in m/min		
Gehärteter Stahl, gehärtet und angelassen	≤ 50 HRC	135 – **175** – 215	110 – **145** – 185	165 – **205** – 220
	≤ 55 HRC	115 – **140** – 190	95 – **110** – 155	140 – **175** – 210
	≤ 60 HRC	100 – **120** – 165	80 – **95** – 135	120 – **145** – 180
	≤ 65 HRC	85 – **100** – 140	70 – **80** – 120	105 – **120** – 160
Gehärtetes Gusseisen	≤ 55 HRC	135 – **150** – 170	100 – **110** – 120	170 – **190** – 220

Schneidstoffgruppe: **H**

Richtwerte für das Drehen mit HSS-Werkzeugen

Werkstoff der Werkstücke	R_m in N/mm² bzw. Härte HB	Querplandrehen	Längsrunddrehen Schruppen	Längsrunddrehen Schlichten	Einstech-, Abstechdrehen	Gewindedrehen
	Schnitttiefe a_p in mm →	0,5…2	2…4	0,5…1	–	0,05…0,1
	Vorschub f in mm →	0,2…0,1	0,6…0,3	0,25…0,1	0,02…0,1	$f = P$
		Schnittgeschwindigkeit v_c[1] in m/min				
Baustahl	R_m ≤ 500	50 – **60** – 70	40 – **50** – 60	60 – **70** – 80	30 – **35** – 40	
	R_m > 500	40 – **45** – 50	30 – **40** – 50	50 – **55** – 60	20 – **25** – 30	
Automatenstahl	R_m ≤ 570	30 – **35** – 40	30 – **35** – 40	40 – **45** – 50	20 – **25** – 30	
	R_m > 570	23 – **30** – 37	20 – **23** – 26	25 – **30** – 35	16 – **18** – 20	
Einsatzstahl	R_m ≤ 570	30 – **35** – 40	25 – **30** – 35	35 – **40** – 45	20 – **25** – 30	
	R_m > 570	25 – **30** – 35	20 – **23** – 25	25 – **30** – 35	16 – **18** – 20	
Vergütungsstahl, unlegiert	R_m ≤ 650	30 – **35** – 40	25 – **30** – 35	35 – **40** – 45	20 – **15** – 30	
	R_m > 650	20 – **25** – 30	18 – **20** – 22	22 – **28** – 34	12 – **16** – 20	
Werkzeugstahl	R_m ≤ 750	20 – **25** – 30	18 – **20** – 22	22 – **28** – 34	12 – **16** – 20	
Stahlguss	R_m > 700	18 – **21** – 24	14 – **17** – 20	20 – **25** – 30	10 – **13** – 16	
Nichtrostender Stahl – austenitisch, ferritisch	R_m ≤ 680	19 – **22** – 25	18 – **20** – 22	22 – **26** – 30	11 – **13** – 15	
	R_m > 680	12 – **16** – 20	10 – **13** – 16	15 – **20** – 25	8 – **10** – 12	
Gusseisen mit Lamellengrafit	≤ 200 HB	35 – **40** – 45	30 – **35** – 40	40 – **45** – 50	25 – **30** – 35	
	> 200 HB	18 – **20** – 22	14 – **17** – 20	20 – **27** – 34	12 – **16** – 18	
Al-Knetlegierung	R_m ≤ 300	140 – **160** – 180	120 – **140** – 160	160 – **180** – 200	150 – **175** – 200	
Al-Legierung, ausgehärtet	R_m > 300	90 – **100** – 110	80 – **90** – 100	100 – **110** – 120	90 – **100** – 110	
Al-Gusslegierungen	≤ 75 HB	70 – **80** – 90	50 – **65** – 80	80 – **90** – 100	50 – **70** – 90	
CuZn-Legierung (Messing)	R_m ≤ 600	90 – **100** – 110	80 – **90** – 100	100 – **110** – 120	80 – **90** – 100	
CuSn-Legierung (Bronze)	R_m ≤ 700	70 – **80** – 90	60 – **70** – 80	80 – **90** – 100	60 – **70** – 80	
Thermoplast, Duroplast	–	225 – **250** – 275	200 – **225** – 250	250 – **275** – 300	150 – **175** – 200	
Faserverstärkter Kunststoff	–	70 – **80** – 90	60 – **70** – 80	80 – **90** – 100	50 – **90** – 70	

[1] Als **Startwert** wird der **fettgedruckte Wert** von v_c genommen („normale" Bearbeitungsbedingungen).

Schneidstoffgruppe: **F**

Kräfte und Leistungen beim Drehen

Längsdrehen

F_c　Schnittkraft in N

A　Spanungsquerschnitt in mm²

a_p　Schnitttiefe in mm

f　Vorschub in je Umdrehung in mm

h　Spanungsdicke in mm

b　Spanungsbreite in mm

$\varkappa$　Einstellwinkel in Grad (°)

C_1　Korrekturfaktor für den Schneidstoff

C_2　Korrekturfaktor für den Schneidenverschleiß

v_c　Schnittgeschwindigkeit in m/min

k_c　spezifische Schnittkraft in N/mm² (Seite 301)

$k_{c1.1}$　spezifische Schnittkraft in N/mm² bei $h = 1$ mm und $b = 1$ mm (Seite 301)

m_c　Werkstoffkonstante (Seite 301)

P_c　Schnittleistung in kW

P_1　Antriebsleistung der Maschine in kW

η　Wirkungsgrad der Drehmaschine

Spanungsquerschnitt

$$A = a_p \cdot f$$

$$A = b \cdot h$$

Spanungsdicke

$$h = f \cdot \sin\varkappa$$

Spezifische Schnittkraft

$$k_c = \frac{k_{c1.1}}{h^{m_c}}$$

Schnittkraft[1]

$$F_c = A \cdot k_c \cdot C_1 \cdot C_2$$

Schnittleistung

$$P_c = F_c \cdot v_c$$

Antriebsleistung

$$P_1 = \frac{P_c}{\eta}$$

Beispiel:

Vordrehen des Gewindebolzens (Seite 311) aus 11SMnPb30 mit HM-Wendeschneidplatten; mit Abstumpfung der Werkzeugschneide;

$a_p = 3$ mm, $f = 0{,}45$ mm, $v_c = 200$ m/min, $\varkappa = 95°$, $\eta = 0{,}8$

Gesucht: A; h; $k_{c1.1}$, m_c; k_c; C_1; C_2; F_c; P_c; P_1

Lösung 1
mit Berechnung der spezifischen Schnittkraft k_c anhand der Basiswerte

$A \quad = a_p \cdot f = 3$ mm $\cdot\, 0{,}4$ mm $= \mathbf{1{,}2\ mm^2}$

$h \quad = f \cdot \sin\varkappa = 0{,}45$ mm $\cdot \sin 95° \approx \mathbf{0{,}45\ mm}$

$k_{c1.1} = \mathbf{1200\ N/mm^2}$ (Basiswert aus Tabelle Seite 301)

$m_c \quad = \mathbf{0{,}18}$ (Basiswert aus Tabelle Seite 301)

$k_c \quad = \dfrac{k_{c1.1}}{h^{m_c}} = \dfrac{1200\ \frac{N}{mm^2}}{0{,}45^{0{,}18}} = \mathbf{1385\ \dfrac{N}{mm^2}}$

$F_c \quad = A \cdot k_c \cdot C_1 \cdot C_2 = 1{,}2\ mm^2 \cdot 1385\ \dfrac{N}{mm^2} \cdot 1{,}0 \cdot 1{,}3 = \mathbf{2161\ N}$

$P_c \quad = F_c \cdot v_c = 2161\ N \cdot 200\ \dfrac{m}{60\ s} = 7202\ W = \mathbf{7{,}2\ kW}$

$P_1 \quad = \dfrac{P_c}{\eta} = \dfrac{7202\ W}{0{,}8} = 9003\ W = \mathbf{9\ kW}$

Lösung 2
mit Ermittlung der spezifischen Schnittkraft k_c aus der Tabelle Seite 301

$A \quad = \mathbf{1{,}2\ mm^2}$; $h = \mathbf{0{,}45\ mm}$ (siehe Lösung 1)

$k_c \quad = \mathbf{1415\ N/mm^2}$ (k_c aus Tabelle Seite 301 mit $h = 0{,}4$ mm)

$F_c \quad = A \cdot k_c \cdot C_1 \cdot C_2 = 1{,}2\ mm^2 \cdot 1415\ \dfrac{N}{mm^2} \cdot 1{,}0 \cdot 1{,}3 = \mathbf{2207\ N}$

$P_c \quad = F_c \cdot v_c = 2207\ N \cdot 200\ \dfrac{m}{60\ s} = 7358\ W = \mathbf{7{,}36\ kW}$

$P_1 \quad = \dfrac{P_c}{\eta} = \dfrac{7358\ W}{0{,}8} = 9198\ W = \mathbf{9{,}2\ kW}$

Korrekturfaktor C_1 für den Schneidstoff	
Schneidstoff	C_1
Schnellarbeitsstahl	1,2
Hartmetall	1,0
Schneidkeramik	0,9

Korrekturfaktor C_2 für den Schneidenverschleiß	
Schneide	C_2
mit Abstumpfung	1,3
ohne Abstumpfung	1,0

Wirkungsgrad η der Drehmaschine	
Drehmaschine	η
konventionell	0,7–0,8
CNC	0,8–0,85

F

[1] Vereinfachungen: Der Einfluss auf die Schnittkraft durch die Schnittgeschwindigkeit v_c und dem Schneidstoff wird durch einen gemeinsamen Korrekturfaktor C_1 berücksichtigt. Die Größe des Spanwinkels und des Neigungswinkels wird vernachlässigt.

Hauptnutzungszeit beim Drehen

Hauptnutzungszeit beim Längsrunddrehen und Querplandrehen

t_h	Hauptnutzungszeit	
d	Außendurchmesser	
d_1	Innendurchmesser	
d_m	mittlerer Durchmesser[1]	
l	Werkstücklänge	
l_a	Anlauf	

l_u	Überlauf
L	Vorschubweg
f	Vorschub je Umdrehung
n	Drehzahl
i	Anzahl der Schnitte
v_c	Schnittgeschwindigkeit

Hauptnutzungszeit

$$t_h = \frac{L \cdot i}{n \cdot f}$$

$l_a = l_u = 1 \dots 2 \text{ mm}$

Berechnung des Vorschubweges L, des mittleren Durchmessers d_m und der Drehzahl n

Längsrunddrehen		Querplandrehen		
		Vollzylinder		Hohlzylinder
ohne Ansatz	mit Ansatz	ohne Ansatz	mit Ansatz	
$L = l + l_a + l_u$	$L = l + l_a$	$L = \dfrac{d}{2} + l_a$	$L = \dfrac{d - d_1}{2} + l_a$	$L = \dfrac{d - d_1}{2} + l_a + l_u$
$n = \dfrac{v_c}{\pi \cdot d}$		$d_m = \dfrac{d}{2}; \quad n = \dfrac{v_c}{\pi \cdot d_m}$	$d_m = \dfrac{d + d_1}{2}; \quad n = \dfrac{v_c}{\pi \cdot d_m}$	

[1] Die Verwendung des mittleren Durchmessers d_m führt zu höheren Schnittgeschwindigkeiten. Dadurch ist garantiert, dass bei kleinen Durchmessern (Innenbereich) noch annehmbare Schnittbedingungen herrschen.

Beispiel: Längsrunddrehen (Schruppen) $\varnothing 30$ des Gewindebolzens (Seite 311)

Längs-Runddrehen ohne Ansatz, $l = 50$ mm;

$l_a = l_u = 2$ mm

$f = 0,45$ mm; $v_c = 200$ m/min

$i = 2$; $d = 42$ mm

$L = ?$; $n = ?$

$t_h = ?$

$L = l + l_a = 50 \text{ mm} + 2 \text{ mm} = \mathbf{52\ mm}$

$n = \dfrac{v_c}{\pi \cdot d} = \dfrac{200\ \frac{m}{min}}{\pi \cdot 0,042\ m} = 1515\ \dfrac{1}{min}$

$t_h = \dfrac{L \cdot i}{n \cdot f} = \dfrac{52\ mm \cdot 2}{1515\ \frac{1}{min} \cdot 0,45\ mm} = \mathbf{0,15\ min}$

Hauptnutzungszeit beim Abstechdrehen und Einstechdrehen

F

Berechnung des Vorschubweges L und der Drehzahl n

Hauptnutzungszeit

$$t_h = \frac{L \cdot i}{n \cdot f}$$

Quer-Abstechen	Quer-Einstechen	Längs-Einstechen
$\varkappa = 0° \dots 25°$	$L = l + l_a$	$l_a = 1 \dots 2$ mm $\qquad n = \dfrac{v_c}{\pi \cdot d}$

t_h	Hauptnutzungszeit
d	Außendurchmesser
l	Werkstücklänge
l_a	Anlaufweg
L	Vorschubweg
f	Vorschub je Umdrehung
n	Drehzahl
i	Anzahl der Schnitte
v_c	Schnittgeschwindigkeit
a_p	Schnittbreite
b	Nutbreite
$\varkappa$	Einstellwinkel

Fräsen

Übersicht der Fräsverfahren (Auswahl)[1]

Planfräsen

Werkzeug	**Planfräser mit Wendeschneidplatten**		
	Wendeschneidplatte (Hartmetall)	κ = 10°…75° r_ε = 0,8…2,5 mm l_a = 14 mm b_s = 1,5…2,5 mm	
Schnittgrößen	Schnittgeschwindigkeit	v_c = Startwert je nach Werkstoff (Seite 324)	
	Vorschub	f_z = 0,19…0,34 mm[2]	
	Schnitttiefe	a_{pmax} = 10 mm	

Eck- und Planfräsen

Werkzeug	**Eck- bzw. Planfräser mit Wendeschneidplatten**		
	Wendeschneidplatte (Hartmetall)	κ = 90° r_ε = 0,8…2,0 mm l_a = 10 mm b_s = 1,5 mm	
Schnittgrößen	Schnittgeschwindigkeit	v_c = Startwert je nach Werkstoff (Seite 325)	
	Vorschub	f_z = 0,11…0,14 mm[2]	
	Schnitttiefe	a_{pmax} = 15 mm	

Werkzeug	**Walzenstirnfräser aus HSS**		
	Verzahnung	Schrupp-Kordelverzahnung	
		Schrupp-Schlichtverzahnung	
Schnittgrößen	Schnittgeschwindigkeit	v_c = Startwert je nach Werkstoff (Seite 326)	
	Vorschub	f_z = 0,055…0,100 mm[2]	
	Schnitttiefe	a_{pmax}	

Werkzeug	**Walzenstirnfräser mit Wendeschneidplatten**	
Schnittgrößen	Schnittgeschwindigkeit	v_c = 60…180 m/min[2]
	Vorschub	f_z = 0,08…0,20 mm[2]
	Schnitttiefe	a_{pmax}

Kontur- und Eckfräsen

Werkzeug	**Schaftfräser aus HSS**	
Schnittgrößen	Schnittgeschwindigkeit	v_c = Startwert je nach Werkstoff (Seite 327)
	Vorschub	f_z = 0,004…0,060 mm[2]
	Schnitttiefe	a_{pmax}

Nutenfräsen

1. Bohren

2. Fräsen

Werkzeug	**Langloch-, Bohrnuten- bzw. Schaftfräser mit Zentrumsschnitt**	
Schnittgrößen	Schnittgeschwindigkeit	v_c = Startwert je nach Werkstoff (Seite 327)
	Vorschub	f_z = Startwert je nach Werkstoff (Seite 327) 1. Bohren: $f_z \cdot 0,5$ (Korrekturfaktor) 2. Fräsen: $f_z \cdot 0,6…0,7$ (Korrekturfaktor)
Werkzeug	**Scheibenfräser mit Wendeschneidplatten (Hartmetall)**	
Schnittgrößen	Schnittgeschwindigkeit	v_c = 100…300 m/min[2]
	Schnittbreite	a_p = 2,5…26 mm[2]

	Schnitttiefe a_e bezogen auf Fräser-$\varnothing$ d für h_m = 0,2 mm a_e/d =				
	0,25	0,20	0,15	0,10	0,05
Vorschub je Zahn f_z	0,23 mm	0,25 mm	0,28 mm	0,33 mm	0,46 mm

[1] Die Vorgaben der Werkstoffhersteller sind zu beachten.
[2] Für Stahl-Werkstoffe (Bau-, Automaten-, Einsatz-, Vergütungs-, Werkzeugstahl und Stahlguss)

Fertigungsplanung beim Fräsen

Schritt 1: Bestimmung der Schneidstoffgruppe anhand des Werkstoffs (Seite 305)

P P10…40	**Stahl**	alle Arten von Stahl und Stahlguss außer Nichtrostender Stahl	**N** N15…20	**Nichteisenmetalle und Kunststoffe**	Aluminiumlegierungen, Kupferlegierungen, Kunststoffe
M M15…40	**Nichtrostender Stahl**	Nichtrostender Stahl: austenitisch, ferritisch und martensitisch	**S** S15…30	**Warmfeste Speziallegierungen und Titan**	Speziallegierungen auf Basis von Eisen, Nickel, Cobalt, Titanlegierungen
K K10…30	**Gusseisen**	Gusseisen mit Lamellen- und Kugelgrafit, Temperguss	**H** H10…25	**Harte Werkstoffe**	gehärteter Stahl und gehärtete Gusseisen-werkstoffe

Schritt 2: Bestimmung des Fräsverfahrens und des Fräswerkzeugs (Seiten 321 und 323)

Planfräser   Eckfräser   Walzenstirnfräser   Schaft-fräser   Scheiben-fräser

Schritt 3: Bestimmung der Teilung und der Anzahl der Zähne

Weite Teilung   Enge Teilung

Weite Teilung:
– für große Werkzeuglängen (Überhänge bzw. Auskragung)
– für instabile Bedingungen; geringe Schnittkräfte
– für langspanende Werkstoffe (ISO N); großer Spanraum

Enge Teilung:
– Schruppen bei stabilen Bedingungen → gute Produktivität
– günstiger Spanraum zum Schruppen in ISO P-, M- und S-Werkstoffen

Extra enge Teilung:
– bei geringer Schnittbreite a_e → hohe Produktivität
– Schruppen und Schlichten in ISO K-Werkstoffen

Schritt 4: Auswahl der Plattengeometrie (Seite 306)

Leichte Bearbeitung (Schlichten)	Mittlere Bearbeitung	Schwere Bearbeitung (Schruppen)
Spanwinkel γ = 12° … 30° kleiner Keilwinkel β	Spanwinkel γ = 10° … 18°	Spanwinkel γ = 0° … 12° Großer Keilwinkel β
Scharfe, positive Schneidkante	Positive Geometrie für Mischproduktion	Verstärkte Schneidkante

zunehmende Schnittkraft, Schnitttiefe und zunehmender Vorschub möglich →

Schritt 5: Festlegung der Bearbeitungsbedingungen und Vorgehensweise zur Ermittlung der Schnittgeschwindigkeit beim Fräsen (Seite 324 ff.)

Werkzeug-Auskragung	Stabilität der Maschine, Aufspannung und Geometrie des Werkstücks		
	++	+	–
kurze Auskragung	günstige Bearbeitungsbedingungen	**normale** Bearbeitungsbedingungen	ungünstige Bearbeitungsbedingungen
lange Auskragung	**normale** Bearbeitungsbedingungen	ungünstige Bearbeitungsbedingungen	sehr ungünstige Bearbeitungsbedingungen

F

Beispiel (Seite 329):

1. Zuordnung der **Werkstoffgruppe** und **Schneidstoffgruppe** aus der Richtwerttabelle
⇒ 16MnCr5+A: Einsatzstahl mit Härte = 207 HB R_m ≈ 670 N/mm² (Seite 201), Schneidstoffgruppe P

2. Auswahl des **Fräsverfahrens** und **Fräswerkzeugs** (Seite 321 f.)
⇒ Verfahren: Eckfräsen Werkzeug: 90°-Planfräser mit Wendeschneidplatten

3. Wahl der Schnittgeschwindigkeit aus **Tabellen S. 324 ff.** **Startwert** v_c bei normalen Bearbeitungsbedingungen, kleineres v_c bei ungünstigen Bearbeitungsbedingungen, größeres v_c bei günstigen Bearbeitungsbedingungen
⇒ **Tabelle „90°-Planfräsen (Eckfräsen)"** (Seite 325), normale Bearbeitungsbedingungen (CNC-Maschine, gute Aufspannung, kurze Auskragung) ⇒ Startwert v_c = 165 m/min

Fräswerkzeuge mit Wendeschneidplatten

Anwendungsbeispiele unterschiedlicher Fräser mit Wendeschneidplatten

Fräsertyp Durchmesser in mm	Schitttiefe a_p in mm	Nutenfräsen/ Abstechen	zweiseitige Fräsbearbeitung	Eckfräsen	Planfräsen	Profilfräsen	Spiralförmiges Eintauchen
Planfräser 32…250	6…10	○	○	○	●	○	◐
Planfräser mit enger Teilung (Schlichtfräser) 80…500	1…8	○	○	○	●	○	◐
Planfräser mit weiter Teilung (Schruppfräser) 100…400	12	○	○	○	●	○	◐
Kugelschaftfräser (Kopierfräser) 5…32	2…5	◐	○	○	○	●	●
Eckfräser 40…250	15	◐	○	●	●	○	◐
Scheibenfräser 40…315	6…30	●	●	●	◐	○	○
Trennfräser 80…315	2…6	●	○	○	○	○	○
Schaftfräser 12…100	10…18	◐	●	●	◐	◐	●
Walzenstirnfräser 20…100	5…100[1]	○	○	●	◐	○	◐
Fräser mit runden Wendeschneidplatten 10…160	1…10	◐	○	◐	●	●	●

[1] oberer Wert gilt für das Eckfräsen von NE-Metallen und die Eckfräs-Schlichtbearbeitung

● sehr gut geeignet   ◐ geeignet   ○ nicht geeignet

F

Schnittdaten beim Planfräsen

Richtwerte für das 45°-Planfräsen mit Hartmetall (HM)-Wendeschneidplatten

v_c Schnittgeschwindigkeit

n Drehzahl

f_z Vorschub je Schneide

a_p Schnitttiefe

a_{pmax} maximale Schnitttiefe

a_e Schnittbreite (Fräsbreite)

d Fräserdurchmesser

κ Einstellwinkel ($\kappa = 45°$)

Drehzahl

$$n = \frac{v_c}{\pi \cdot d}$$

Vorschubgeschwindigkeit

$$v_f = n \cdot f_z \cdot z$$

$a_e = 0{,}5 \cdot d$ $a_e = 1{,}0 \cdot d$ $a_e = 0{,}1 \cdot d$

$a_{pmax} = 10$ mm $a_{pmax} = 10$ mm

Schneidstoffgruppe	Werkstoff der Werkstücke		Schnittgeschwindigkeit $v_c^{1)}$ in m/min	Schnittbreite a_e	
	Werkstoffgruppe	Zugfestigkeit R_m in N/mm² bzw. Härte HB		$a_e = (0{,}5…1{,}0) \cdot d$	$a_e = 0{,}1 \cdot d$
				Vorschub je Schneide $f_z^{1)}$ in mm	
P	Baustahl	$R_m \leq 500$	250 – **275** – 300	0,18 – **0,21** – 0,24	0,32 – **0,34** – 0,36
		$R_m > 500$	220 – **235** – 250	0,18 – **0,21** – 0,24	0,32 – **0,34** – 0,36
	Automatenstahl	$R_m \leq 570$	230 – **250** – 270	0,18 – **0,21** – 0,24	0,32 – **0,34** – 0,36
		$R_m > 570$	220 – **240** – 270	0,16 – **0,19** – 0,22	0,27 – **0,30** – 0,33
	Einsatzstahl	$R_m \leq 570$	200 – **230** – 260	0,17 – **0,20** – 0,23	0,32 – **0,34** – 0,36
		$R_m > 570$	150 – **175** – 200	0,16 – **0,19** – 0,22	0,32 – **0,34** – 0,36
	Vergütungsstahl, unlegiert	$R_m \leq 650$	200 – **230** – 260	0,17 – **0,20** – 0,23	0,32 – **0,34** – 0,36
		$R_m > 650$	150 – **175** – 200	0,17 – **0,20** – 0,23	0,32 – **0,34** – 0,36
	Vergütungsstahl, legiert	$R_m \leq 750$	190 – **220** – 250	0,17 – **0,20** – 0,23	0,32 – **0,34** – 0,36
		$R_m > 750$	150 – **175** – 200	0,17 – **0,20** – 0,23	0,32 – **0,34** – 0,36
	Werkzeugstahl	$R_m \leq 750$	120 – **135** – 150	0,17 – **0,20** – 0,23	0,32 – **0,34** – 0,36
		$R_m > 750$	95 – **105** – 115	0,17 – **0,20** – 0,23	0,32 – **0,34** – 0,36
	Stahlguss	$R_m \leq 700$	190 – **210** – 230	0,17 – **0,20** – 0,23	0,32 – **0,34** – 0,36
		$R_m > 700$	140 – **160** – 180	0,16 – **0,19** – 0,22	0,32 – **0,34** – 0,36
M	Nichtrostender Stahl austenitisch	$R_m \leq 680$	190 – **210** – 230	0,16 – **0,19** – 0,22	0,32 – **0,34** – 0,36
		$R_m > 680$	150 – **170** – 190	0,16 – **0,19** – 0,22	0,32 – **0,34** – 0,36
	Nichtrostender Stahl ferritisch	$R_m \leq 700$	200 – **220** – 240	0,16 – **0,19** – 0,22	0,32 – **0,34** – 0,36
	Nichtrostender Stahl martensitisch	$R_m > 500$	130 – **145** – 160	0,16 – **0,19** – 0,22	0,32 – **0,34** – 0,36
K	Gusseisen mit Lamellengrafit	≤ 200 HB	220 – **235** – 250	0,25 – **0,29** – 0,33	0,25 – **0,29** – 0,33
		> 200 HB	115 – **130** – 145	0,18 – **0,21** – 0,24	0,18 – **0,23** – 0,28
	Gusseisen mit Kugelgrafit	≤ 250 HB	200 – **215** – 230	0,25 – **0,29** – 0,33	0,25 – **0,29** – 0,33
		> 250 HB	190 – **210** – 230	0,18 – **0,21** – 0,24	0,18 – **0,23** – 0,28
	Temperguss	≤ 230 HB	190 – **205** – 220	0,18 – **0,21** – 0,24	0,25 – **0,29** – 0,33
		> 230 HB	170 – **190** – 210	0,18 – **0,21** – 0,24	0,18 – **0,23** – 0,28
N	Al-Knetlegierung	$R_m \leq 300$	600 – **725** – 850	0,20 – **0,23** – 0,26	0,38 – **0,42** – 0,46
	Al-Legierung, ausgehärtet	$R_m > 300$	400 – **500** – 600	0,20 – **0,23** – 0,26	0,38 – **0,42** – 0,46
	Al-Gusslegierungen	≤ 75 HB	250 – **350** – 500	0,20 – **0,23** – 0,26	0,38 – **0,42** – 0,46
		> 75 HB	230 – **300** – 370	0,20 – **0,23** – 0,26	0,38 – **0,42** – 0,46
	CuZn-Legierung (Messing)	$R_m \leq 600$	500 – **550** – 600	0,20 – **0,23** – 0,26	0,38 – **0,42** – 0,46
	CuSn-Legierung (Bronze)	$R_m \leq 700$	300 – **350** – 400	0,20 – **0,23** – 0,26	0,38 – **0,42** – 0,46
	Thermoplast, Duroplast	–	400 – **500** – 600	0,20 – **0,23** – 0,26	0,38 – **0,42** – 0,46
	Faserverstärkter Kunststoff	–	250 – **350** – 500	0,20 – **0,23** – 0,26	0,38 – **0,42** – 0,46

[1] Es wird der **fettgedruckte Wert** von v_c und f_z als **Startwert** genommen („**normale**" Bearbeitungsbedingungen).
- Bei „**ungünstigen**" Bearbeitungsbedingungen wird ein kleineres v_c bzw. f_z bis zum **unteren Grenzwert** eingestellt.
- Bei „**günstigen**" Bearbeitungsbedingungen wird ein größeres v_c bzw. f_z bis zum **oberen Grenzwert** verwendet.
(Erläuterungen zu den Bearbeitungsbedingungen Seite 322)

F

Schnittdaten beim Planfräsen

Richtwerte für das 90°-Planfräsen (Eckfräsen) mit Hartmetall (HM)-Wendeschneidplatten

v_c	Schnitt-geschwindigkeit
n	Drehzahl
f_z	Vorschub je Schneide
a_p	Schnitttiefe
a_{pmax}	maximale Schnitt-tiefe
a_e	Schnittbreite (Fräsbreite)
d	Fräserdurchmesser
κ	Einstellwinkel ($\kappa = 90°$)

Drehzahl

$$n = \frac{v_c}{\pi \cdot d}$$

Vorschubge-schwindigkeit

$$v_f = n \cdot f_z \cdot z$$

$a_e = 0,5 \cdot d$ $a_e = 1,0 \cdot d$ $a_e = 0,1 \cdot d$

$a_{pmax} = 15$ mm $a_{pmax} = 15$ mm

Schneidstoffgruppe	Werkstoff der Werkstücke		Schnitt-geschwindigkeit v_c[1] in m/min	Schnittbreite a_e	
	Werkstoffgruppe	Zugfestigkeit R_m in N/mm² bzw. Härte HB		$a_e = (0,5...1,0) \cdot d$	$a_e = 0,1 \cdot d$
				Vorschub je Schneide f_z[1] in mm	
P	Baustahl	$R_m \le 500$	200 – **230** – 260	0,10 – **0,14** – 0,18	0,17 – **0,24** – 0,31
		$R_m > 500$	160 – **200** – 240	0,10 – **0,14** – 0,18	0,17 – **0,24** – 0,31
	Automatenstahl	$R_m \le 570$	160 – **200** – 240	0,10 – **0,14** – 0,18	0,17 – **0,24** – 0,31
		$R_m > 570$	160 – **200** – 240	0,10 – **0,14** – 0,18	0,17 – **0,24** – 0,31
	Einsatzstahl	$R_m \le 570$	200 – **235** – 270	0,10 – **0,14** – 0,18	0,17 – **0,24** – 0,31
		$R_m > 570$	140 – **165** – 190	0,10 – **0,14** – 0,18	0,17 – **0,24** – 0,31
	Vergütungsstahl, unlegiert	$R_m \le 650$	150 – **175** – 200	0,10 – **0,14** – 0,18	0,17 – **0,24** – 0,31
		$R_m > 650$	140 – **165** – 190	0,10 – **0,14** – 0,18	0,17 – **0,24** – 0,31
	Vergütungsstahl, legiert	$R_m \le 750$	140 – **165** – 190	0,10 – **0,14** – 0,18	0,17 – **0,24** – 0,31
		$R_m > 750$	140 – **165** – 190	0,08 – **0,12** – 0,16	0,14 – **0,21** – 0,28
	Werkzeugstahl	$R_m \le 750$	140 – **165** – 190	0,10 – **0,14** – 0,18	0,17 – **0,24** – 0,31
		$R_m > 750$	75 – **100** – 125	0,08 – **0,11** – 0,14	0,14 – **0,19** – 0,24
	Stahlguss	$R_m \le 700$	190 – **210** – 230	0,08 – **0,10** – 0,12	0,11 – **0,15** – 0,19
		$R_m > 700$	130 – **150** – 170	0,08 – **0,10** – 0,12	0,11 – **0,15** – 0,19
M	Nicht-rostender Stahl austenitisch	$R_m \le 680$	180 – **200** – 220	0,10 – **0,13** – 0,16	0,17 – **0,22** – 0,28
		$R_m > 680$	160 – **180** – 200	0,09 – **0,12** – 0,14	0,17 – **0,21** – 0,25
	Nicht-rostender Stahl ferritisch	$R_m \le 700$	190 – **210** – 230	0,10 – **0,13** – 0,16	0,17 – **0,22** – 0,28
	Nicht-rostender Stahl martensitisch	$R_m > 500$	150 – **170** – 190	0,09 – **0,11** – 0,12	0,17 – **0,19** – 0,21
K	Gusseisen mit Lamellengrafit	≤ 200 HB	220 – **240** – 260	0,08 – **0,13** – 0,18	0,14 – **0,23** – 0,32
		> 200 HB	120 – **140** – 160	0,08 – **0,13** – 0,18	0,14 – **0,23** – 0,32
	Gusseisen mit Kugelgrafit	≤ 250 HB	200 – **220** – 240	0,08 – **0,13** – 0,18	0,14 – **0,23** – 0,32
		> 250 HB	110 – **130** – 150	0,08 – **0,13** – 0,18	0,14 – **0,23** – 0,32
	Temperguss	≤ 230 HB	120 – **140** – 160	0,08 – **0,13** – 0,18	0,14 – **0,23** – 0,32
		> 230 HB	100 – **120** –140	0,08 – **0,13** – 0,18	0,14 – **0,23** – 0,32
N	Al-Knetlegierung	$R_m \le 300$	600 – **700** – 800	0,10 – **0,14** – 0,18	0,17 – **0,24** – 0,31
	Al-Legierung, ausgehärtet	$R_m > 300$	400 – **500** – 600	0,10 – **0,14** – 0,18	0,17 – **0,24** – 0,31
	Al-Gusslegierungen	≤ 75 HB	200 – **350** – 500	0,10 – **0,14** – 0,18	0,17 – **0,24** – 0,31
		> 75 HB	180 – **300** – 420	0,10 – **0,14** – 0,18	0,17 – **0,24** – 0,31
	CuZn-Legierung (Messing)	$R_m \le 600$	500 – **600** – 700	0,10 – **0,14** – 0,18	0,17 – **0,24** – 0,31
	CuSn-Legierung (Bronze)	$R_m \le 700$	300 – **400** – 500	0,10 – **0,14** – 0,18	0,17 – **0,24** – 0,31
	Thermoplast, Duroplast	–	400 – **500** – 600	0,10 – **0,14** – 0,18	0,17 – **0,24** – 0,31
	Faserverstärkter Kunststoff	–	200 – **350** – 500	0,10 – **0,14** – 0,18	0,17 – **0,24** – 0,31

[1] Es wird der **fettgedruckte Wert** von v_c und f_z als **Startwert** genommen („**normale**" Bearbeitungsbedingungen).
 • Bei „**ungünstigen**" Bearbeitungsbedingungen wird ein kleineres v_c bzw. f_z bis zum **unteren Grenzwert** eingestellt.
 • Bei „**günstigen**" Bearbeitungsbedingungen wird ein größeres v_c bzw. f_z bis zum **oberen Grenzwert** verwendet.
 (Erläuterungen zu den Bearbeitungsbedingungen Seite 322)

F

Schnittdaten beim Walzenstirnfräsen

Richtwerte für das Fräsen mit HSS-Walzenstirnfräsern (unbeschichtet/beschichtet)

v_c	Schnittgeschwindigkeit	**Drehzahl**
d	Fräserdurchmesser	
n	Drehzahl	$$n = \frac{v_c}{\pi \cdot d}$$
v_f	Vorschubgeschwindigkeit	
f_z	Vorschub je Schneide	
z	Anzahl der Schneiden	**Vorschub-**
a_p	Schnitttiefe	**geschwindigkeit**
a_e	Schnittbreite (Fräsbreite)	$$v_f = n \cdot f_z \cdot z$$

Werkstoff der Werkstücke		HSS unbeschichtet	HSS beschichtet
Werkstoffgruppe	Zugfestigkeit R_m in N/mm² bzw. Härte HB	Vorschub f_z[1] in mm	
		0,055 – 0,085	0,065 – 0,100
		Schnittgeschwindigkeit v_c[2] in m/min	
Baustahl	$R_m \leq 500$	25 – **30** – 35	60 – **65** – 70
	$R_m > 500$	25 – **30** – 35	60 – **65** – 70
Automatenstahl	$R_m \leq 570$	25 – **30** – 35	60 – **65** – 70
	$R_m > 570$	25 – **30** – 35	60 – **65** – 70
Einsatzstahl	$R_m \leq 570$	25 – **30** – 35	60 – **65** – 70
	$R_m > 570$	25 – **30** – 35	60 – **65** – 70
Vergütungsstahl, unlegiert	$R_m \leq 650$	25 – **30** – 35	60 – **65** – 70
	$R_m > 650$	15 – **20** – 25	50 – **55** – 60
Vergütungsstahl, legiert	$R_m \leq 750$	20 – **25** – 30	50 – **55** – 60
	$R_m > 750$	10 – **15** – 20	35 – **40** – 45
Werkzeugstahl	$R_m \leq 750$	25 – **30** – 35	60 – **65** – 70
	$R_m > 750$	10 – **15** – 20	50 – **55** – 60
Stahlguss	$R_m \leq 700$	20 – **25** – 30	60 – **65** – 70
	$R_m > 700$	15 – **20** – 25	55 – **60** – 65
Nicht-rostender Stahl austenitisch	$R_m \leq 680$	7 – **9** – 11	24 – **27** – 30
	$R_m > 680$	7 – **9** – 11	24 – **27** – 30
Nicht-rostender Stahl ferritisch	$R_m \leq 700$	13 – **15** – 18	40 – **45** – 50
Nicht-rostender Stahl martensitisch	$R_m \leq 500$	12 – **14** – 16	35 – **40** – 45
Gusseisen mit Lamellengrafit	≤ 200 HB	15 – **20** – 25	50 – **55** – 60
	> 200 HB	12 – **14** – 16	35 – **40** – 45
Gusseisen mit Kugelgrafit	≤ 250 HB	20 – **25** – 30	50 – **55** – 60
	> 250 HB	12 – **14** – 16	35 – **40** – 45
Temperguss	≤ 230 HB	20 – **25** – 30	50 – **55** – 60
	> 230 HB	12 – **14** – 16	35 – **40** – 45
Al-Knetlegierung	$R_m \leq 300$	180 – **190** – 200	340 – **350** – 360
Al-Legierung, ausgehärtet	$R_m > 300$	180 – **190** – 200	340 – **350** – 360
Al-Gusslegierungen	≤ 75 HB	–	–
	> 75 HB	–	–
CuZn-Legierung (Messing)	$R_m \leq 600$	50 – **55** – 60	80 – **85** – 90
CuSn-Legierung (Bronze)	$R_m \leq 700$	–	–
Thermoplast, Duroplast	–	160 – **180** – 200	300 – **325** – 350

[1] Schruppen: f_z für $a_e = 0,75\,d$ und $a_p = 0,2\,d$; Schlichten: $f_z \cdot 0,9$ (Korrekturfaktor)

[2] Es wird der **fettgedruckte Wert** von v_c und f_z als **Startwert** genommen („**normale**" Bearbeitungsbedingungen).
- Bei „**ungünstigen**" Bearbeitungsbedingungen wird ein kleineres v_c bzw. f_z bis zum **unteren Grenzwert** eingestellt.
- Bei „**günstigen**" Bearbeitungsbedingungen wird ein größeres v_c bzw. f_z bis zum **oberen Grenzwert** verwendet.
(Erläuterungen zu den Bearbeitungsbedingungen Seite 322)

F

Schnittdaten beim Konturfräsen

Richtwerte für das Konturfräsen mit HSS-Schaftfräsern (beschichtet)

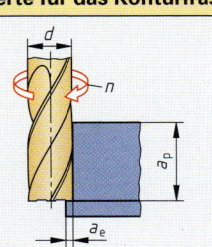

v_c Schnittgeschwindigkeit
d Fräserdurchmesser
n Drehzahl
v_f Vorschubgeschwindigkeit
f_z Vorschub je Schneide
z Anzahl der Schneiden
a_p Schnitttiefe
a_e Schnittbreite (Fräsbreite)

Drehzahl

$$n = \frac{v_c}{\pi \cdot d}$$

Vorschubgeschwindigkeit

$$v_f = n \cdot f_z \cdot z$$

Werkstoffgruppe		Zugfestigkeit R_m in N/mm² bzw. Härte HB	Schnittgeschwindigkeit v_c[1] in m/min	Fräserdurchmesser d in mm 4,0	12,0	20,0	Schnittgeschwindigkeit v_c[1] in m/min	Fräserdurchmesser d in mm 4,0	12,0	20,0
				Vorschub f_z[2] in mm				Vorschub f_z[2] in mm		
Baustahl		$R_m \le 500$	70 – **75** – 80	0,009	0,037	0,060	80 – **85** – 90	0,005	0,022	0,044
		$R_m > 500$	60 – **65** – 70	0,007	0,032	0,053	65 – **70** – 75	0,004	0,019	0,039
Automatenstahl		$R_m \le 570$	65 – **70** – 75	0,007	0,032	0,053	70 – **75** – 80	0,004	0,019	0,031
		$R_m > 570$	60 – **65** – 70	0,007	0,032	0,053	65 – **70** – 75	0,004	0,019	0,031
Einsatzstahl		$R_m \le 570$	50 – **55** – 60	0,007	0,032	0,053	60 – **65** – 70	0,004	0,019	0,031
		$R_m > 570$	40 – **45** – 50	0,009	0,037	0,060	45 – **50** – 55	0,005	0,022	0,035
Vergütungsstahl, unlegiert		$R_m \le 650$	60 – **65** – 70	0,007	0,032	0,053	65 – **70** – 75	0,004	0,019	0,031
		$R_m > 650$	40 – **45** – 50	0,007	0,032	0,053	45 – **50** – 55	0,004	0,019	0,031
Vergütungsstahl, legiert		$R_m \le 750$	40 – **45** – 50	0,007	0,032	0,053	45 – **50** – 55	0,004	0,019	0,031
		$R_m > 750$	35 – **40** – 45	0,009	0,037	0,060	40 – **45** – 50	0,005	0,022	0,035
Werkzeugstahl		$R_m \le 750$	30 – **35** – 40	0,007	0,024	0,053	35 – **40** – 45	0,004	0,019	0,031
		$R_m > 750$	25 – **30** – 35	0,009	0,037	0,060	25 – **30** – 35	0,005	0,022	0,035
Stahlguss		$R_m \le 700$	40 – **45** – 50	0,007	0,024	0,053	45 – **50** – 55	0,004	0,019	0,031
		$R_m > 700$	35 – **40** – 45	0,007	0,032	0,053	40 – **45** – 50	0,004	0,019	0,031
Nichtrostender Stahl	austenitisch	$R_m \le 680$	20 – **25** – 30	0,007	0,032	0,053	25 – **30** – 35	0,004	0,019	0,031
		$R_m > 680$	15 – **20** – 25	0,007	0,032	0,053	15 – **20** – 25	0,004	0,019	0,031
	ferritisch	$R_m \le 700$	25 – **30** – 35	0,007	0,032	0,053	25 – **30** – 35	0,004	0,019	0,031
	martensitisch	$R_m \le 500$	10 – **15** – 20	0,009	0,037	0,060	10 – **15** – 20	0,005	0,022	0,035
Gusseisen mit Lamellengrafit		≤ 200 HB	30 – **55** – 60	0,007	0,032	0,053	55 – **60** – 65	0,004	0,019	0,031
		> 200 HB	25 – **45** – 55	0,007	0,032	0,053	50 – **55** – 60	0,004	0,019	0,031
Gusseisen mit Kugelgrafit		≤ 250 HB	35 – **40** – 45	0,007	0,032	0,053	40 – **45** – 50	0,004	0,019	0,031
		> 250 HB	25 – **30** – 35	0,007	0,032	0,053	30 – **35** – 35	0,004	0,019	0,031
Temperguss		≤ 230 HB	35 – **40** – 45	0,007	0,032	0,053	40 – **45** – 50	0,004	0,019	0,031
		> 230 HB	25 – **30** – 35	0,007	0,032	0,053	30 – **35** – 35	0,004	0,019	0,031
Al-Knetlegierung		$R_m \le 300$	180 – **200** – 220	0,010	0,049	0,085	220 – **230** – 240	0,006	0,036	0,050
Al-Legierung, ausgehärtet		$R_m > 300$	100 – **120** – 140	0,014	0,062	0,094	130 – **140** – 150	0,008	0,041	0,055
Al-Gusslegierungen		≤ 75 HB	90 – **100** – 110	0,018	0,069	0,102	100 – **110** – 120	0,011	0,028	0,060
		> 75 HB	80 – **90** – 100	0,018	0,069	0,102	90 – **100** – 110	0,011	0,028	0,060
CuZn-Legierung (Messing)		$R_m \le 600$	80 – **85** – 90	0,014	0,062	0,094	90 – **95** – 100	0,008	0,036	0,055
CuSn-Legierung (Bronze)		$R_m \le 700$	40 – **50** – 60	0,014	0,062	0,094	50 – **60** – 70	0,008	0,036	0,055
Thermoplast		–	50 – **55** – 60	0,014	0,062	0,094	55 – **60** – 65	0,008	0,036	0,055

[1] Es wird der **fettgedruckte Wert** von v_c als **Startwert** genommen („**normale**" Bearbeitungsbedingungen).
• Bei „**ungünstigen**" Bearbeitungsbedingungen wird ein kleineres v_c bis zum **unteren Grenzwert** eingestellt.
• Bei „**günstigen**" Bearbeitungsbedingungen wird ein größeres v_c bis zum **oberen Grenzwert** verwendet.
(Erläuterungen zu den Bearbeitungsbedingungen Seite 322)
[2] Schruppen: f_z für $a_e = 0,5\ d$ und $a_p = 1,0\ d$; Schlichten: f_z für $a_e = 0,1\ d$ und $a_p = 1,0\ d$

F

Probleme beim Fräsen, Teilen mit dem Teilkopf

Probleme beim Fräsen

Probleme								mögliche Abhilfe-Maßnahmen
Hoher Verschleiß (Frei- u. Spanfläche)	Deformation der Schneidkante	Bildung von Auf- bauschneiden	Risse senkrecht zur Schneidkante	Ausbröckelung der Schneidkanten	Bruch der Wende- schneidplatte	Schlechte Ober- flächengüte	Vibrationen	
$\Downarrow$	$\Downarrow$	$\Uparrow$	$\Downarrow$	$\Uparrow$				Schnittgeschwindigkeit v_c ändern
$\Uparrow$		$\Uparrow$		$\Uparrow$	$\Downarrow$	$\Downarrow$	$\Uparrow$	Vorschub/Zahn f_z ändern
		•				•		verschleißfestere Hartmetall-Sorte wählen
			•	•	•			zähere Hartmetall-Sorte wählen
							•	Fräser mit weiter Teilung verwenden
					•	•		Fräserposition ändern
		•	•	•				trocken fräsen

• zu lösendes Problem $\Uparrow$ Schnittwert erhöhen $\Downarrow$ Schnittwert verkleinern

Teilen mit dem Teilkopf

Direktes Teilen

Teilkopfspindel   Teilscheibe

Werkstück

Schnecke außer Eingriff

Beim direkten Teilen wird die Teilkopfspindel mit der Teilscheibe und dem Werkstück um den gewünschten Teilschritt gedreht. Dabei sind Schnecke und Schnecken- rad außer Eingriff.

T Teilzahl α Winkelteilung
n_L Anzahl der Löcher der Teilscheibe
n_I Teilschritt; Anzahl der weiterzuschaltenden Lochabstände

Beispiel:

$n_L = 24$; $T = 8$; $n_I = ?$

$$n_I = \frac{n_L}{T} = \frac{24}{8} = 3$$

Teilschritt

$$n_I = \frac{n_L}{T}$$

$$n_I = \frac{\alpha \cdot n_L}{360°}$$

Indirektes Teilen

Schneckenrad   Teilkopfspindel

Werkstück

Schnecke

Haltestift (eingerastet)

Teilkurbel   Lochscheibe

Beim indirekten Teilen wird die Teilkopfspindel durch die Schnecke über das Schneckenrad angetrieben.

T Teilzahl α Winkelteilung
i Übersetzungsverhältnis des Teilkopfs
n_k Teilschritt; Anzahl der Teilkurbelumdrehungen für eine Teilung

Beispiel 1:

$T = 68$; $i = 40$; $n_k = ?$

$$n_k = \frac{i}{T} = \frac{40}{68} = \frac{10}{17}$$

Beispiel 2:

$\alpha = 37{,}2°$; $i = 40$; $n_k = ?$

$$n_k = \frac{i \cdot \alpha}{360°} = \frac{40 \cdot 37{,}2°}{360°} = \frac{37{,}2}{9} = \frac{186}{9 \cdot 5} = 4\frac{2}{15}$$

Teilschritt

$$n_k = \frac{i}{T}$$

$$n_k = \frac{i \cdot \alpha}{360°}$$

Lochkreise der Lochscheiben					
15	16	17	18	19	20
21	23	27	29	31	33
37	39	41	43	47	49
oder					
17	19	23	24	26	27
28	29	30	31	33	37
39	41	42	43	47	49
51	53	57	59	61	63

F

Kräfte und Leistungen beim Fräsen

Planfräsen

F_c	Schnittkraft je Schneide in N
A	Spanungsquerschnitt je Schneide in mm²
a_p	Schnitttiefe in mm
a_e	Schnittbreite (Fräsbreite) in mm
h	mittlere Spanungsdicke in mm
f_z	Vorschub je Schneide in mm
d	Fräserdurchmesser in mm
v_c	Schnittgeschwindigkeit in m/min
v_f	Vorschubgeschwindigkeit in mm/min
z	Anzahl der Fräserschneiden
z_e	Anzahl der Schneiden im Eingriff
φ	Eingriffwinkel in Grad (°)
k_c	spezifische Schnittkraft in N/mm² (Seite 301)
$k_{c1.1}$	Basiswert der spezifischen Schnittkraft in N/mm² bei h = 1 mm und b = 1 mm Seite 301)
m_c	Werkstoffkonstante (Seite 301)
C_1	Korrekturfaktor Schneidwerkstoff
C_2	Korrekturfaktor Schneidenverschleiß
P_c	Schnittleistung in kW
P_1	Antriebsleistung der Maschine in kW
η	Wirkungsgrad der Maschine

Vorschubgeschwindigkeit

$$v_f = z \cdot f_z \cdot n$$

Mittlere Spanungsdicke für $d/a_e = (1,2\ldots1,6)$[1]

$$h \approx f_z$$

Spezifische Schnittkraft

$$k_c = \frac{k_{c1.1}}{h^{m_c}}$$

Spanungsquerschnitt je Schneide

$$A = a_p \cdot f_z$$

Schnittkraft je Schneide[2]

$$F_c = k_c \cdot A \cdot C_1 \cdot C_2$$

Anzahl der Schneiden im Eingriff

$$z_e = z \cdot \frac{\varphi}{360°}$$

Schnittleistung

$$P_c = z_e \cdot F_c \cdot v_c$$

Antriebsleistung

$$P_1 = \frac{P_c}{\eta}$$

Beispiel:

Werkstoff 16MnCr5; 90°-Planfräser mit HM-Wendeschneidplatten; mit Abstumpfung der Werkzeugschneiden; d = 180 mm; z = 8; a_e = 120 mm; a_p = 6 mm; f_z = 0,12 mm; v_c = 165 m/min; η = 0,8.

Gesucht: h; $k_{c1.1}$, m_c; k_c; A; C_1; C_2; F_c; φ; z_e; P_c; P_1

Lösung:

$\dfrac{d}{a_e} = \dfrac{180\ mm}{120\ mm} = 1,5; \ h_m \approx f_z; \ h \approx 0,12\ mm$

$k_{c1.1} = 2100\ \dfrac{N}{mm^2}; \ m_c = 0,26$ (Tabelle Seite 301)

$k_c = \dfrac{k_{c1.1}}{h^{m_c}} = \dfrac{2100\ \frac{N}{mm^2}}{0,12^{0,26}} = 3644,4\ \dfrac{N}{mm^2}$

    (k_c nach Tabelle Seite 301: h_m = 0,12 mm abgerundet = 0,10 mm Tabellenwert: k_c = 3821 N/mm²)

$A = a_p \cdot h = 6\ mm \cdot 0,12\ mm = \mathbf{0,72\ mm^2}$

$C_1 = 1,0; \ C_2 = 1,3$

$F_c = k_c \cdot A \cdot C_1 \cdot C_2 = 3644,4\ \dfrac{N}{mm^2} \cdot 0,72\ mm^2 \cdot 1,0 \cdot 1,3 = \mathbf{3411,2\ N}$

$\dfrac{d}{a_e} = \dfrac{180\ mm}{120\ mm} = 1,5; \ \varphi = 83°$ (Tabelle unten)

$z_e = z \cdot \dfrac{\varphi}{360°} = 8 \cdot \dfrac{83°}{360°} = \mathbf{1,84}$

$P_c = z_e \cdot F_c \cdot v_c = 1,84 \cdot 3411,2\ N \cdot \dfrac{165\ m}{60\ s} = 17\,260,7\ \dfrac{N \cdot m}{s} = \mathbf{17,3\ kW}$

$P_1 = \dfrac{P_c}{\eta} = \dfrac{17,3\ kW}{0,8} = \mathbf{21,6\ kW}$

F

Korrekturfaktor C_1 für den Schneidstoff

Schneidstoff	C_1
Schnellarbeitsstahl	1,2
Hartmetall	1,0
Schneidkeramik	0,9

Korrekturfaktor C_2 für den Schneidenverschleiß

Schneide	C_2
mit Abstumpfung	1,3
ohne Abstumpfung	1,0

Eingriffswinkel φ

d/a_e	1,20	1,25	1,30	1,35	1,40	1,45	1,50	1,55	1,60
φ in °	113	106	100	96	91	87	83	80	77

[1] Zur Erzielung günstiger Schnittbedingungen soll der Fräserdurchmesser im Bereich $d/a_e = (1,2\ldots1,6)$ gewählt werden.

[2] Vereinfachungen: Der Einfluss auf die Schnittkraft durch Schnittgeschwindigkeit v_c und Schneidstoff wird durch einen gemeinsamen Korrekturfaktor C_1 berücksichtigt. Die Größe des Spanwinkels und weitere Einflüsse (z. B. durch Spanleitstufen, Beschichtungen) bleiben unberücksichtigt.

Hauptnutzungszeit beim Fräsen

t_h	Hauptnutzungszeit
l	Werkstücklänge
a_p	Schnitttiefe
a_e	Schnittbreite (Fräsbreite)
l_a	Anlauf
l_u	Überlauf
l_s	Anschnitt
L	Vorschubweg
d	Fräserdurchmesser
n	Drehzahl
f	Vorschub je Umdrehung
f_z	Vorschub je Schneide
z	Anzahl der Schneiden
v_c	Schnittgeschwindigkeit
v_f	Vorschubgeschwindigkeit
i	Anzahl der Schnitte

Hauptnutzungszeit

$$t_h = \frac{L \cdot i}{n \cdot f} \qquad t_h = \frac{L \cdot i}{v_f}$$

Vorschub je Fräserumdrehung

$$f = f_z \cdot z$$

Vorschubgeschwindigkeit

$$v_f = n \cdot f \qquad v_f = n \cdot f_z \cdot z$$

Drehzahl

$$n = \frac{v_c}{\pi \cdot d}$$

Vorschubweg L und Anschnitt l_s in Abhängigkeit der Fräsverfahren

Stirnfräsen			Umfangs-Planfräsen
mittig	außermittig		
	$a_e > 0{,}5 \cdot d$	$a_e < 0{,}5 \cdot d$	
$L = l + 0{,}5 \cdot d + l_a + l_u - l_s$	$L = l + 0{,}5 \cdot d + l_a + l_u$		$L = l + l_a + l_u + l_s$
$l_s = 0{,}5 \cdot \sqrt{d^2 - a_e{}^2}$			$l_s = \sqrt{a_e \cdot d - a_e{}^2}$

Beispiel:

Stirnfräsen (nebenstehendes Bild), $z = 10$, $f_z = 0{,}08$ mm, $v_c = 30$ m/min, $l_a = l_u = 1{,}5$ mm, $i = 1$ Schnitt

Gesucht: n; v_f; L; t_h

Lösung:

$$n = \frac{v_c}{\pi \cdot d} = \frac{30 \, \frac{m}{min}}{\pi \cdot 0{,}08 \, m} = 119 \, \frac{1}{min}$$

$$v_f = n \cdot f_z \cdot z = 119 \, \frac{1}{min} \cdot 0{,}08 \, mm \cdot 10 = 95{,}2 \, \frac{mm}{min}$$

$$\frac{a_e}{d} = \frac{30 \, mm}{80 \, mm} = 0{,}375, \text{ daraus folgt: } a_e < 0{,}5 \cdot d$$

$$L = l + l_a + l_u + l_s;$$

$$l_s = \sqrt{a_e \cdot d - a_e^2} = \sqrt{30 \, mm \cdot 80 \, mm - (30 \, mm)^2} = 38{,}7 \, mm$$

$$L = 260 \, mm + 1{,}5 \, mm + 1{,}5 \, mm + 38{,}7 \, mm = 301{,}7 \, mm$$

$$t_h = \frac{L \cdot i}{v_f} = \frac{301{,}7 \, mm \cdot 1}{95{,}2 \, \frac{mm}{min}} = 3{,}2 \, min$$

F

Bohren, Gewindebohren, Reiben (Übersicht)

Bohren (Auswahl)

Spiral-
bohrer

Wende-
platten-
bohrer

Auswahlkriterien	Spiralbohrer		Hartmetall-Wendeplatten-bohrer
Bohrerwerkstoff	Schnellarbeitsstahl HSS	Vollhartmetall VHM	
Bohrerdurchmesser d	ca. 2…20 mm	ca. 4…20 mm	12…60 mm
Bohrungstiefe t	(2…6)·d	(2…6)·d	(2…4)·d
Bohrungstoleranz	IT10	IT8…IT10	± 0,1 mm
Eigenschaften	Standardbohrer, niedrige Schnitt-werte, Kühlung der Schneiden, niedrige Verschleißfestigkeit, günstige Kosten	hohe Steifigkeit, gute Zentrierung, höhere Schnitt-werte als bei HSS, guter Spanabfluss, höhere Standzeit, auch für gehärtete Stähle	Werkzeuggeometrie und Werkzeuglänge sind konstant, günstige Auswahl des Schneidstoffes, kein Nachschleifen

Beschichtungen	Art	Verwendung
	TiN	hochlegierte Stähle, Automatenstähle, Vergütungs-stähle, Baustähle, nichtrostende Stähle, Gusseisen-werkstoffe, Al-Gusslegierungen
	AlN	hochlegierte Stähle, nichtrostende Stähle
	ohne	Al-Knetlegierungen, CuZn-Legierungen

Kühlschmierung	**Äußere Kühlschmierstoffzufuhr** bei guter Spanbildung und geringer Bohrungstiefe einsetzbar **Innere Kühlschmierstoffzufuhr** empfehlenswert zur Vermeidung von Spänestau, bei Bohrungstiefen ab t > 3 · d und/oder einem Druck p > 10 bar.

Gewindebohren (Auswahl)

Arbeits-schritte	• Herstellen der Kernlochbohrung (Seite 206) • Ansenken der Kernlochbohrung mit 90°-Senker • Gewindebohren mit Handgewindebohrersatz (mehrteilig) oder Maschinengewindebohrer

Gewindebohrer, Einsatzbereiche (Auswahl)

Anschnitt l	Nutenform	G[1]	Hinweise, Werkstoffe
ca. 4,5 · P	gerade	A	Schälansicht, mittel- bis langspanende Werkstoffe
ca. 2,5 · P	gerade	B	auch für Form A, kurzspanende Werkstoffe
ca. 4,5 · P	gerade	B	langer Gewindeauslauf
	spiral-genutet	A B	Linksspirale für gute Spanabfuhr nach unten Rechtsspirale für gute Spanabfuhr nach oben

[1] Gewindeform: A Durchgangsgewinde, B Grundlochgewinde

l Anschnitt
p Gewindesteigung

Reiben (Auswahl)

Arbeits-schritte	• Herstellen der Kernbohrung (Reibzugabe Seite 333) • Reiben mit Handreibahle, Maschinenreibahle, verstellbarer Reibahle, Kegelreibahle …

Nuten-formen	Nutenform	Verwendung
	gerade	Bohrungen ohne Unterbrechung, Grundlöcher, die bis auf den Grund gerieben werden, harte und spröde Werkstoffe, z.B. Stähle mit R_m > 700 N/mm², Gusseisen, CuZn-Legierungen
	Linksdrall < 15°	bessere Oberflächengüte, Bohrungen mit Schnitt-unterbrechungen, z.B. Nuten und Querbohrungen, für Durchgangsbohrungen
	Linksdrall ≈ 45°	Schälreibahle, ähnliche Wirkung wie bei Linksdrall, für große Vorschübe in weichen Werkstoffen
Toleranzklassen		beim Reiben sind Toleranzklassen bis IT6, z.B. H6, erreichbar

F

Schnittdaten beim Bohren

Spiralbohrer, Bohrertypen, Winkel

Drallwinkel

Spitzenwinkel

Typ[1]	Anwendung	Drallwinkel γ[2]	Spitzenwinkel σ[3]
N	Universeller Einsatz für Werkstoffe bis $R_m \approx 1000$ N/mm², z.B. Bau-, Einsatz- und Vergütungsstähle	30°…40°	118°
H	Bohren von spröden, kurzspanenden NE-Metallen und Kunststoffen, z.B. CuZn-Legierungen und PMMA (Plexiglas)	13°…19°	118°
W	Bohren von weichen, langspanenden NE-Metallen und Kunststoffen, z.B. Al- und Mg-Legierungen, PA (Polyamid) und PVC	40°…47°	130°

[1] Werkzeug-Anwendungsgruppen für HSS-Werkzeuge nach DIN 1836
[2] abhängig von Durchmesser und Steigung
[3] Regelausführung

Richtwerte für das Bohren mit Spiralbohrern aus HSS und Hartmetall (jeweils beschichtet)

[1] Werkstoffgruppe		Werkstoff der Werkstücke — Zugfestigkeit R_m in N/mm² bzw. Härte HB[3]	Schnittgeschwindigkeit v_c[2] in m/min — Spiralbohrer HSS beschichtet	Spiralbohrer Hartmetall beschichtet	2	5	8	12	16
					Bohrerdurchmesser d in mm — Vorschub f in mm/Umdrehung für HSS- u. HM-Spiralbohrer				
P	Baustahl	$R_m \le 500$	38 – **50** – 63	70 – **85** – 100	0,05	0,13	0,22	0,27	0,32
		$R_m > 500$	31 – **37** – 44	70 – **85** – 100	0,05	0,13	0,22	0,27	0,32
	Automatenstahl	$R_m \le 550$	31 – **37** – 44	70 – **85** – 100	0,05	0,13	0,22	0,27	0,32
		$R_m > 550$	25 – **31** – 38	60 – **75** – 85	0,03	0,08	0,11	0,17	0,22
	Einsatzstahl, unlegiert	$R_m \le 550$	31 – **37** – 44	70 – **85** – 100	0,05	0,08	0,11	0,17	0,22
	Einsatzstahl, legiert	$R_m \le 750$	19 – **22** – 25	60 – **75** – 85	0,02	0,05	0,09	0,13	0,15
		$R_m > 750$	10 – **12** – 15	50 – **65** – 80	0,02	0,05	0,09	0,13	0,15
	Vergütungsstahl, unlegiert	$R_m \le 650$	31 – **37** – 44	70 – **85** – 100	0,03	0,08	0,11	0,17	0,22
		$R_m > 650$	25 – **27** – 31	60 – **75** – 85	0,02	0,06	0,10	0,15	0,19
	Vergütungsstahl, legiert	$R_m \le 750$	19 – **21** – 25	60 – **75** – 85	0,02	0,05	0,09	0,13	0,15
		$R_m > 750$	10 – **12** – 15	50 – **65** – 80	0,02	0,05	0,09	0,13	0,15
	Werkzeugstahl	$R_m \le 750$	13 – **16** – 19	60 – **75** – 85	0,02	0,05	0,09	0,13	0,15
		$R_m > 750$	10 – **12** – 15	40 – **55** – 70	0,02	0,05	0,09	0,13	0,15
M	Nichtrostender Stahl — austenitisch	$R_m \le 680$	13 – **19** – 25	30 – **40** – 50	0,02	0,05	0,09	0,13	0,15
		$R_m > 680$	10 – **15** – 19	25 – **35** – 45	0,02	0,05	0,09	0,13	0,15
	martensitisch	$R_m > 500$	8 – **10** – 13	25 – **30** – 35	0,02	0,05	0,09	0,13	0,15
K	Gusseisen mit Lamellengrafit	≤ 200 HB	25 – **31** – 38	80 – **105** – 130	0,05	0,13	0,22	0,27	0,32
	Gusseisen mit Kugelgrafit	≤ 250 HB	31 – **37** – 44	70 – **85** – 100	0,05	0,13	0,22	0,27	0,32
		> 250 HB	23 – **25** – 28	70 – **85** – 100	0,04	0,11	0,17	0,22	0,27
N	Al-Knetlegierung	$R_m \le 350$	50 – **87** – 125	180 – **240** – 300	0,05	0,15	0,19	0,24	0,32
	Al-Legierung, kurzspanend	$R_m \le 700$	38 – **56** – 75	120 – **170** – 230	0,05	0,15	0,19	0,24	0,32
	Al-Gusslegierungen	–	38 – **50** – 63	120 – **170** – 230	0,03	0,09	0,15	0,22	0,27
	CuZn-Legierung — kurzspanend	$R_m \le 600$	75 – **100** – 125	120 – **170** – 230	0,09	0,19	0,27	0,32	0,28
	langspanend	$R_m \le 600$	44 – **56** – 75	120 – **170** – 230	0,05	0,16	0,22	0,27	0,28
	CuSn-Legierung — kurzspanend	$R_m \le 600$	31 – **50** – 63	120 – **170** – 230	0,05	0,09	0,15	0,22	0,27
	langspanend	$R_m \le 850$	19 – **29** – 44	90 – **135** – 180	0,05	0,09	0,15	0,22	0,27
	Thermoplaste	–	20 – **30** – 40	–	0,05	0,08	0,14	0,20	0,25
	Duroplaste	–	10 – **15** – 20	–	0,05	0,08	0,14	0,20	0,25

F

[1] Schneidstoffgruppe nach DIN 513, Seite 305; gilt nur für harte Schneidstoffe wie z.B. Hartmetall
[2] **Auswahlkriterien der Schnittgeschwindigkeit:** (Erläuterungen zu den Bearbeitungsbedingungen Seite 312)
  • Als **Startwert** wird der **fettgedruckte Wert** von v_c genommen („**normale**" Bearbeitungsbedingungen).
  • Bei „**ungünstigen**" Bearbeitungsbedingungen wird ein kleineres v_c bis zum **unteren Grenzwert** eingestellt.
  • Bei „**günstigen**" Bearbeitungsbedingungen wird ein größeres v_c bis zum **oberen Grenzwert** verwendet.
[3] Umwertungstabelle Härtewerte und Zugfestigkeit Seite 201, Härtewerte im Anlieferungszustand ab Seite 133.

Schnittdaten beim Anbohren, Senken, Reiben

Richtwerte für das Anbohren/Senken mit NC-Anbohrern aus HSS und Hartmetall

Werkstoffgruppe		Zugfestigkeit R_m in N/mm² bzw. Härte HB[4]	Schnittgeschwindigkeit v_c[2] in m/min HSS-Anbohrer beschichtet	HM-Anbohrer beschichtet	NC-Anbohrer Durchmesser d in mm Vorschub f in mm/Umdrehung für NC-Anbohrer aus HM[5]				
					4	6	10	16	20
Baustahl		$R_m \le 500$	38 – **50** – 63	80 – **90** – 100	0,08	0,11	0,14	0,14	0,14
Baustahl		$R_m > 500$	31 – **37** – 44	60 – **80** – 90	0,08	0,11	0,14	0,14	0,14
Einsatzstahl	unlegiert	$R_m \le 750$	25 – **30** – 35	60 – **80** – 90	0,07	0,10	0,12	0,12	0,12
	legiert	$R_m > 950$	19 – **22** – 25	50 – **65** – 70	0,07	0,10	0,12	0,12	0,12
Vergütungsstahl	unlegiert	$R_m \le 670$	31 – **37** – 44	60 – **80** – 90	0,08	0,11	0,14	0,14	0,14
	legiert	$R_m \le 950$	19 – **21** – 25	45 – **55** – 65	0,06	0,09	0,12	0,12	0,12
Werkzeugstahl		$R_m \le 800$	13 – **16** – 19	50 – **60** – 65	0,06	0,10	0,12	0,12	0,12
Nichtrostender Stahl	austenitisch	$R_m \le 700$	13 – **19** – 25	20 – **25** – 30	0,05	0,06	0,06	0,06	0,06
		$R_m = 700…850$	10 – **15** – 19	20 – **25** – 30	0,05	0,06	0,06	0,06	0,06
	martensitisch	$R_m \le 1100$	7 – **10** – 13	25 – **35** – 45	0,05	0,06	0,06	0,06	0,06
Gusseisen mit Lamellengrafit		≤ 250 HB	25 – **31** – 38	80 – **90** – 100	0,08	0,11	0,12	0,12	0,12
		> 250 HB	25 – **31** – 38	80 – **90** – 100	0,07	0,10	0,11	0,11	0,11
Al-Knetlegierung		$R_m \le 350$	50 – **87** – 125	220 – **260** – 300	0,03	0,04	0,07	0,07	0,07
CuZn-Legierung	kurzspanend	$R_m \le 600$	75 – **100** – 125	130 – **200** – 240	0,02	0,03	0,06	0,06	0,06
	langspanend	$R_m \le 600$	44 – **56** – 75	150 – **180** – 200	0,02	0,03	0,06	0,06	0,06
CuSn-Legierung	kurzspanend	$R_m \le 600$	31 – **50** – 63	130 – **140** – 160	0,02	0,03	0,06	0,06	0,06
	langspanend	$R_m \le 850$	19 – **29** – 44	110 – **130** – 150	0,02	0,03	0,06	0,06	0,06

Richtwerte für das Reiben mit HSS-Reibahlen und Reibahlen mit Hartmetall-Schneiden[1]

Werkstoffgruppe		Zugfestigkeit R_m in N/mm² bzw. Härte HB[4]	Schnittgeschwindigkeit v_c[2] in m/min HSS-Reibahle unbeschichtet	HM-Reibahle unbeschichtet	Reibahlendurchmesser d in mm Vorschub f in mm/Umdrehung für HM-Reibahlen[5]				
					5	8	10	15	20
Baustahl		$R_m \le 500$	10 – **11** – 12	30 – **35** – 38	0,15	0,18	0,20	0,25	0,30
Baustahl		$R_m > 500$	6 – **7** – 8	25 – **30** – 35	0,15	0,18	0,20	0,25	0,30
Einsatzstahl	unlegiert	$R_m \le 750$	6 – **7** – 8	20 – **25** – 30	0,15	0,18	0,20	0,25	0,30
	legiert	$R_m > 950$	4 – **5** – 6	12 – **15** – 18	0,15	0,18	0,20	0,25	0,30
Vergütungsstahl	unlegiert	$R_m \le 670$	8 – **9** – 10	25 – **30** – 35	0,15	0,18	0,20	0,25	0,30
	legiert	$R_m \le 950$	3 – **4** – 5	12 – **15** – 18	0,15	0,18	0,20	0,25	0,30
Werkzeugstahl		$R_m \le 800$	6 – **7** – 8	15 – **20** – 25	0,15	0,18	0,20	0,25	0,30
Nichtrostender Stahl	austenitisch	$R_m \le 700$	6 – **7** – 8	12 – **15** – 18	0,15	0,18	0,20	0,25	0,30
		$R_m = 700…850$	4 – **5** – 6	12 – **15** – 18	0,15	0,18	0,20	0,25	0,30
	martensitisch	$R_m \le 1100$	4 – **5** – 6	10 – **12** – 15	0,12	0,15	0,15	0,18	0,20
Gusseisen mit Lamellengrafit		≤ 250 HB	8 – **9** – 10	10 – **12** – 15	0,12	0,15	0,20	0,25	0,30
		> 250 HB	4 – **5** – 6	8 – **10** – 12	0,12	0,15	0,20	0,25	0,30
Al-Knetlegierung		$R_m \le 350$	15 – **18** – 20	20 – **25** – 30	0,20	0,26	0,30	0,35	0,40
Al-Legierung, kurzspanend		$R_m \le 700$	10 – **11** – 12	15 – **20** – 30	0,20	0,26	0,30	0,35	0,40
CuZn-Legierung	kurzspanend	$R_m \le 600$	12 – **13** – 14	20 – **25** – 30	0,20	0,26	0,30	0,35	0,40
	langspanend	$R_m \le 600$	10 – **11** – 12	20 – **25** – 30	0,20	0,26	0,30	0,35	0,40
CuSn-Legierung	kurzspanend	$R_m \le 600$	12 – **13** – 14	20 – **25** – 30	0,20	0,26	0,30	0,35	0,40
	langspanend	$R_m \le 850$	10 – **11** – 12	15 – **20** – 25	0,20	0,26	0,30	0,35	0,40

[1] Reibzugabe für Stahlwerkstoffe: $d < 20$ mm: 0,2 mm, $d > 20$ mm: 0,3 mm
Reibzugabe für NE-Legierungen: $d < 20$ mm: 0,3 mm, $d > 20$ mm: 0,4 mm
[2] Auswahlkriterien der Schnittgeschwindigkeit Seite 332
[3] Schneidstoffgruppe nach DIN 513, Seite 305; gilt nur für harte Schneidstoffe wie z. B. Hartmetall
[4] Umwertungstabelle Härtewerte und Zugfestigkeit Seite 201, Härtewerte im Anlieferungszustand ab Seite 133
[5] Vorschubwerte für HSS-Reibahlen bzw. HSS-Anbohrer bei Stahlwerkstoffen um ca. $1/3$ reduziert

F

Bohren (Beispiel), Schnittdaten beim Senken

Anwendungsbeispiel Bohren

n Drehzahl in 1/min f Vorschub in mm
v_c Schnittgeschwindigkeit in m/min v_f Vorschubgeschwindigkeit in mm/min

Drehzahl

$$n = \frac{v_c}{\pi \cdot d}$$

Beispiel:

Bohrer aus Hartmetall, beschichtet, Bohrerdurchmesser d = 12 mm
Werkstoff: 42CrMo4+A (weichgeglüht)

Gesucht: Schnittdaten n, f, v_f

Lösung: 42CrMo4+A → Vergütungsstahl, legiert, Härte im Anlieferungszustand
         HBW = 241 (Seite 134) → R_m = 770 N/mm² (Seite 201)
         Schnittdaten (Seite 332): v_c = 65 m/min (Startwert), f = 0,13 mm

$$n = \frac{v_c}{\pi \cdot d} = \frac{65 \frac{m}{min}}{\pi \cdot 0,012 \ m} = 1724 \ \frac{1}{min}$$

$$v_f = f \cdot n = 0,13 \ mm \cdot 1724 \ \frac{1}{min} = 224,1 \ \frac{mm}{min}$$

Vorschubgeschwindigkeit

$$v_f = f \cdot n$$

Richtwerte für Kegelsenker (Auswahl)

Werkstoffgruppe		Zugfestigkeit[1] R_m in N/mm² bzw. Härte HB	Schnittgeschwindigkeit[2] v_c in m/min für Senker aus Schnellarbeitsstahl (HSS)		Vorschub f in mm für Senker-durchmesser d in mm				
			unbeschichtet	beschichtet	6	10	16	20	25
Baustahl		R_m < 500	26 – **28** – 30	31 – **34** – 36	0,09	0,12	0,14	0,16	0,20
		R_m > 500	25 – **27** – 28	30 – **32** – 36	0,08	0,10	0,12	0,14	0,18
Automatenstahl		R_m ≤ 800	25 – **27** – 28	30 – **32** – 36	0,08	0,10	0,12	0,14	0,18
		R_m > 800	18 – **22** – 25	22 – **26** – 30	0,06	0,08	0,10	0,12	0,14
Einsatzstahl	unlegiert	R_m ≤ 750	25 – **27** – 28	30 – **32** – 34	0,08	0,10	0,12	0,14	0,18
	legiert	R_m ≤ 980	18 – **22** – 25	21 – **26** – 30	0,06	0,08	0,10	0,12	0,14
		R_m > 980	6 – **8** – 10	7 – **10** – 12	0,04	0,05	0,07	0,08	0,10
Vergütungs-stahl	unlegiert	R_m ≤ 1030	25 – **27** – 28	30 – **32** – 34	0,08	0,10	0,12	0,14	0,18
		R_m = 1030…1150	18 – **22** – 25	22 – **26** – 30	0,08	0,10	0,12	0,14	0,18
	legiert	R_m = 850…980	18 – **22** – 25	22 – **26** – 30	0,06	0,08	0,10	0,12	0,14
		R_m = 1030…1200	6 – **8** – 10	7 – **10** – 12	0,06	0,08	0,10	0,12	0,14
Werkzeugstahl		R_m ≤ 850	18 – **22** – 25	22 – **26** – 30	0,06	0,08	0,10	0,12	0,14
		R_m > 850…1100	6 – **8** – 10	7 – **10** – 12	0,04	0,05	0,07	0,08	0,10
Nichtrosten-der Stahl	austenitisch	R_m < 850	4 – **7** – 10	5 – **9** – 12	0,05	0,06	0,07	0,08	0,09
	martensitisch	R_m < 1100	4 – **7** – 10	5 – **9** – 12	0,05	0,06	0,07	0,08	0,09
Gusseisen, Lamellengrafit		< 190 HB	11 – **16** – 20	15 – **20** – 24	0,10	0,12	0,16	0,20	0,25
Gusseisen, Kugelgrafit		≤ 260 HB	9 – **12** – 15	11 – **14** – 18	0,07	0,08	0,12	0,16	0,20
		> 260 HB	9 – **12** – 15	11 – **14** – 18	0,07	0,08	0,12	0,16	0,20
Al-Knetlegierungen		R_m < 350	50 – **70** – 90	60 – **65** – 110	0,12	0,14	0,18	0,22	0,26
Al-Gusslegierungen		–	10 – **20** – 30	15 – **30** – 35	0,10	0,12	0,14	0,18	0,22
CuZn-Legierungen	kurzspanend	R_m < 600	50 – **65** – 80	60 – **70** – 90	0,12	0,14	0,14	0,20	0,24
	langspanend	R_m < 600	30 – **40** – 50	35 – **50** – 60	0,12	0,14	0,18	0,20	0,24
CuSn-Legierungen	kurzspanend	R_m < 600	50 – **65** – 80	60 – **70** – 90	0,12	0,14	0,18	0,20	0,24
	langspanend	R_m < 850	30 – **40** – 50	35 – **50** – 60	0,12	0,14	0,18	0,20	0,24
Thermoplaste		–	10 – **30** – 50	10 – **30** – 50	0,12	0,14	0,18	0,20	0,24
Duroplaste		–	10 – **35** – 60	10 – **35** – 60	0,12	0,14	0,18	0,20	0,24

[1] Umrechnungstabelle Härtewerte und Zugfestigkeit Seite 201, Härtewerte im Anlieferungszustand ab Seite 133
[2] Als **Startwert** der Schnittgeschwindigkeit wird der **fettgedruckte Tabellenwert** (Normalbedingungen) verwendet.

F

Schnittdaten beim Gewindebohren, Kräfte und Leistungen

Richtwerte für das Gewindebohren mit Gewindebohrern aus HSS und Hartmetall[1]

[3] Werkstoffgruppe			Zugfestigkeit R_m in N/mm² bzw. Härte HB[4]	Schnittgeschwindigkeit v_c[2] in m/min		Schmiermittel
				HSS unbeschichtet	HM unbeschichtet	
P	Baustahl		$R_m \leq 500$	14 – **15** – 16	30 – **40** – 50	Emulsion
			$R_m > 500$	10 – **11** – 12	28 – **35** – 42	Emulsion
	Einsatzstahl, Vergütungsstahl	unlegiert	$R_m \leq 750$	8 – **12** – 15	28 – **35** – 42	Emulsion
		legiert	$R_m > 950$	6 – **9** – 12	25 – **30** – 35	Emulsion
K	Gusseisen	Lamellengrafit	≤ 180 HB	12 – **14** – 16	20 – **25** – 30	Öl
			> 180 HB	6 – **8** – 10	20 – **25** – 30	Öl
		Kugelgrafit	≤ 250 HB	10 – **12** – 14	10 – **15** – 20	Öl
N	Al-Knetlegierungen		$R_m \leq 300$	12 – **16** – 20	40 – **50** – 60	Emulsion
	Cu-Legierung, kurzspanend		$R_m \leq 600$	14 – **16** – 18	25 – **30** – 35	Emulsion
	CuZn-Legierung, langspanend		$R_m \leq 600$	10 – **12** – 14	25 – **30** – 35	Emulsion
	CuSn-Legierung, langspanig		$R_m \leq 850$	8 – **10** – 12	25 – **30** – 35	Emulsion

[1] Bohrerdurchmesser für Gewindekernloch Seite 206   [2] Auswahlkriterien der Schnittgeschwindigkeit Seite 332.
[3] Schneidstoffgruppe nach DIN 513, Seite 305; gilt nur für harte Schneidstoffe wie z.B. Hartmetall.
[4] Umwertungstabelle Härtewerte und Zugfestigkeit Seite 201, Härtewerte im Anlieferungszustand ab Seite 133

Kräfte und Leistungen beim Bohren

Bohren mit Spiralbohrer

F_c Schnittkraft je Schneide in N
z Anzahl der Schneiden (Spiralbohrer $z = 2$)
A Spanungsquerschnitt je Schneide in mm²
d Bohrerdurchmesser in mm
f Vorschub je Umdrehung in mm
f_z Vorschub je Schneide in mm
σ Spitzenwinkel in Grad (°)
h Spanungsdicke in mm
C_1, C_2 Korrekturfaktoren (Tabelle rechts unten)
v_c Schnittgeschwindigkeit in m/min
k_c spezifische Schnittkraft in N/mm²
$k_{c1.1}$ Basiswert spezifische Schnittkraft in N/mm²
P_c Schnittleistung in kW
P_1 Antriebsleistung der Maschine in kW
η Wirkungsgrad der Maschine

Bohrerschneide

Beispiel:

Werkstoff 42CrMo4, HSS-Spiralbohrer mit $\sigma = 118°$ mit Abstumpfung der Werkzeugschneiden, Bohrerdurchmesser $d = 16$ mm, $v_c = 17$ m/min, $f = 0,14$ mm

Gesucht: h; $k_{c1.1}$; m_c; k_c; A; C_1; C_2; F_c; P_c

Lösung: $h = \dfrac{f}{2} \cdot \sin\dfrac{\sigma}{2} = \dfrac{0,14 \text{ mm}}{2} \cdot \sin 59° = 0,06$ mm

$k_{c1.1} = 2500$ N/mm²; $m = 0,26$ (Tabelle Seite 301)

$k_c = \dfrac{k_{c1.1}}{h^{m_c}} = \dfrac{2500 \text{ N/mm}^2}{0,06^{0,26}} = 5195$ N/mm²

$A = \dfrac{d \cdot f}{4} = \dfrac{16 \text{ mm} \cdot 0,14 \text{ mm}}{4} = 0,56$ mm²

$C_1 = 1,2$; $C_2 = 1,3$ (Tabelle Korrekturfaktor C_1 und C_2)

$F_c = k_c \cdot A \cdot C_1 \cdot C_2 = 5195$ N/mm² $\cdot$ 0,56 mm² $\cdot$ 1,2 $\cdot$ 1,3 = 4538 N

$P_c = \dfrac{z \cdot F_c \cdot v_c}{2} = \dfrac{2 \cdot 4538 \text{ N} \cdot 17 \text{ m}}{60 \text{ s} \cdot 2} = 1286 \dfrac{\text{N} \cdot \text{m}}{\text{s}} = 1286$ W = 1,3 kW

[1] Vereinfachung: Der Einfluss auf die Schnittkraft durch Schnittgeschwindigkeit v_c und Schneidstoff wird durch einen gemeinsamen Korrekturfaktor C_1 berücksichtigt. Der Zustand der Schneide wird durch Korrekturfaktor C_2 berücksichtigt. Andere Einflüsse bleiben unberücksichtigt.

Spanungsquerschnitt je Schneide

$$A = \frac{d \cdot f}{4}$$

Spezifische Schnittkraft

$$k_c = \frac{k_{c1.1}}{h^{m_c}} \quad \text{(Seite 301)}$$

Schnittkraft je Schneide[1]

$$F_c = k_c \cdot A \cdot C_1 \cdot C_2$$

Spanungsdicke

$$h = \frac{f}{2} \cdot \sin\frac{\sigma}{2}$$

Schnittleistung

$$P_c = \frac{z \cdot F_c \cdot v_c}{2}$$

Antriebsleistung

$$P_1 = \frac{P_c}{\eta}$$

F

Korrekturfaktor C_1 für den Schneidstoff

Schneidstoff	C_1
Schnellarbeitsstahl	1,2
Hartmetall	1,0

Korrekturfaktor C_2 für den Schneidenverschleiß

Schneide	C_2
mit Abstumpfung	1,3
ohne Abstumpfung	1,0

Bohren, Hauptnutzungszeit, Probleme

Hauptnutzungszeit beim Bohren, Reiben und Senken

t_h	Hauptnutzungszeit
d	Werkzeugdurchmesser
l	Bohrungstiefe
l_a	Anlauf
l_u	Überlauf
l_s	Anschnitt

L	Vorschubweg
f	Vorschub je Umdrehung
n	Drehzahl
v_c	Schnittgeschwindigkeit
i	Anzahl der Schnitte
σ	Spitzenwinkel

Anschnitt l_s

σ	l_s
80°	$0{,}6 \cdot d$
118°	$0{,}3 \cdot d$
130°	$0{,}23 \cdot d$
140°	$0{,}18 \cdot d$

Hauptnutzungszeit

$$t_h = \frac{L \cdot i}{n \cdot f}$$

Drehzahl

$$n = \frac{v_c}{\pi \cdot d}$$

Berechnung des Vorschubweges L

beim Bohren und Reiben　　　　　　　　　　　　　　　　　**beim Senken**

Durchgangsbohrung　　　　　　Grundlochbohrung

$L = l + l_s + l_a + l_u$ 　　　　$L = l + l_s + l_a$ 　　　　$L = l + l_a$

Beispiel:

Grundlochbohrung mit d = 30 mm;
l = 90 mm; f = 0,15 mm;
n = 450/min; i = 15; l_a = 1 mm;
σ = 130°; L = ?; t_h = ?

$L = l + l_s + l_a = 90 \text{ mm} + 0{,}23 \cdot 30 \text{ mm} + 1 \text{ mm} = \textbf{98 mm}$

$t_h = \dfrac{L \cdot i}{n \cdot f} = \dfrac{98 \text{ mm} \cdot 15}{450\ \dfrac{1}{\text{min}} \cdot 0{,}15 \text{ mm}} = \textbf{21,78 min}$

Probleme beim Bohren und deren Abhilfe

Problem	Eingriffsmöglichkeiten zur Beseitigung
Verschleiß der Hauptschneide	Freiwinkel vergrößern; Vorschub f, Schnittgeschwindigkeit verkleinern; Bohrer öfter nachschleifen
Verschleiß der Querschneide	Freiwinkel am Bohrerzentrum vergrößern; Vorschub f, Auskraglänge des Bohrers verkleinern
Verschleiß der Führungsfase	Auskraglänge des Bohrers verkleinern; Bohrer öfter symmetrisch nachschleifen, Verwendung von Bohrern mit größerer Verjüngung
Ausbruch der Hauptschneide	Freiwinkel, Auskraglänge des Bohrers, Vorschub f verkleinern, Verwendung von Bohrern mit kleinerer Führungsfase
Ausbruch der Bohrerspitze	Vorschub f, Schnittgeschwindigkeit v_c, Führungsfasenbreite verkleinern, Bohrer öfter nachschleifen
Bohrung mit Übermaß	Auskraglänge des Bohrers verkleinern, Bohrer symmetrisch nachschleifen
Spänestau in den Spannuten	Vorschub f, Kühlmittelzufuhr vergrößern, Schnittgeschwindigkeit v_c verkleinern
Gratbildung am Bohrungsausgang	Vorschub f verkleinern
Standzeit zu gering	Kühlmittelzufuhr erhöhen, Auskraglänge verkleinern, Schnittwerte und Hartmetallsorte überprüfen
Vibrationen, Rattern	Vorschub f, Auskraglänge verkleinern, Schnittwerte überprüfen

F

Schleifen

Planschleifen Schleifscheibe Werkstück

Längsrundschleifen Werkstück

Schleifscheibe

v_c	Schnittgeschwindigkeit
d_s	Durchmesser der Schleifscheibe
n_s	Drehzahl der Schleifscheibe
v_w	Werkstückgeschwindigkeit
v_f	Vorschubgeschwindigkeit
L	Vorschubweg
n_H	Hubzahl
d_1	Durchmesser des Werkstücks
n	Drehzahl des Werkstücks
q	Geschwindigkeitsverhältnis

Beispiel:

$v_c = 30$ m/s; $v_w = 20$ m/min; $q = ?$

$$q = \frac{v_c}{v_w} = \frac{30 \text{ m/s} \cdot 60 \text{ s/min}}{20 \text{ m/min}} = \frac{1800 \text{ m/min}}{20 \text{ m/min}} = 90$$

Schnittgeschwindigkeit

$$v_c = \pi \cdot d_s \cdot n_s$$

Werkstückgeschwindigkeit

Planschleifen
$$v_w = L \cdot n_H$$

Längsrundschleifen
$$v_w = \pi \cdot d_1 \cdot n$$

Geschwindigkeitsverhältnis

$$q = \frac{v_c}{v_w}$$

Richtwerte für Schnittgeschwindigkeit v_c, Werkstückgeschwindigkeit v_w, Geschwindigkeitsverhältnis q

Werkstoff	Planschleifen						Längsrundschleifen					
	Umfangsschleifen			Seitenschleifen			Außenrundschleifen			Innenrundschleifen		
	v_c m/s	v_w m/min	q	v_c m/s	v_w m/min	q	v_c m/s	v_w m/min	q	v_c m/s	v_w m/min	q
Stahl	30	10…35	80	25	20…25	65	35	12…20	130	25	16…22	80
Gusseisen	25	10…35	70	25	20…30	60	25	10…18	110	25	20…25	65
Hartmetall	10	4…6	120	8	4…6	95	8	4…6	95	8	6…10	60
Al-Legierungen	20	15…40	45	20	25…45	35	20	20…35	45	18	30…40	30
Cu-Legierungen	25	15…40	55	20	20…40	40	30	15…25	90	25	25…35	50

Schleifdaten für Stahl und Gusseisen mit Korund- oder Siliciumcarbid-Schleifscheiben

Verfahren	Körnung	Aufmaß in mm	Zustellung in mm	R_z in µm
Vorschleifen	30…46	0,5…0,2	0,02…0,1	3…10
Fertigschleifen	46…80	0,02…0,1	0,005…0,05	1…5
Feinschleifen	80…120	0,005…0,02	0,002…0,008	1,6…3

Arbeitshöchstgeschwindigkeit für Schleifkörper

vgl. DIN EN 12413 (2011-05)

Schleifscheibenform (Auswahl)	Schleifmaschinenart	Führung[1]	Höchstgeschwindigkeit v_c in m/s bei Bindung[2]							
			B	BF	E	MG	R	RF	PL	V
gerade Schleifscheibe	ortsfest	zg oder hg	50	63	40	25	50	–	50	40
	Handschleifmaschine	freihand	50	80	–	–	50	80	50	–
gerade Trennschleifscheibe	ortsfest	zg oder hg	80	100	63	–	63	80	–	–
	Handschleifmaschine	freihand	–	80	–	–	–	–	–	–

[1] zg zwangsgeführt: Vorschub durch mechanische Hilfsmittel; hg handgeführt: Vorschub durch Bedienperson, Freihand: Schleifmaschine wird vollständig von Hand geführt; [2] Bindungsarten: Seite 338

Verwendungseinschränkungen (VE) für Schleifkörper[3]

vgl. BGV D12[4] (2001-10)

VE	Bedeutung	VE	Bedeutung
VE1	nicht zulässig für Freihand- und handgeführtes Schleifen	VE6	nicht zulässig für Seitenschleifen
		VE7	nicht zulässig für Freihandschleifen
VE2	nicht zulässig für Freihandtrennschleifen	VE8	nicht zulässig ohne Stützteller
VE3	nicht zulässig für Nassschleifen	VE10	nicht zulässig für Trockenschleifen
VE4	zulässig nur für geschlossenen Arbeitsbereich	VE11	nicht zulässig für Freihand- und handgeführtes Trennschleifen
VE5	nicht zulässig ohne Absaugung		

[3] Fehlt die Einschränkung, so ist das Schleifwerkzeug für alle Einsatzformen geeignet.

Farbstreifen für höchstzulässige Umfangsgeschwindigkeiten ≥ 50 m/s

vgl. BGV D12[4] (2001-10)

Farbstreifen	blau	gelb	rot	grün	blau + gelb	blau + rot	blau + grün
$v_{c\,max}$ in m/s	50	63	80	100	125	140	160
Farbstreifen	gelb + rot	gelb + grün	rot + grün	blau + blau	gelb + gelb	rot + rot	grün + grün
$v_{c\,max}$ in m/s	180	200	225	250	280	320	360

[4] BGV Berufsgenossenschaftliche Vorschrift

F

Schleifmittel, Bindung

Schleifmittel — vgl. DIN ISO 525 (2000-08)

Zei-chen	Schleifmittel	chemische Zusammensetzung	Knoop-härte	Anwendungsgebiete
A	Normalkorund	Al_2O_3 + Beimengungen	18 000	unlegierter, ungehärteter Stahl, Stahlguss, Temperguss
A	Edelkorund	Al_2O_3 in kristalliner Form	21 000	hoch- und niedriglegierter Stahl, gehärteter Stahl, Einsatzstahl, Werkzeugstahl, Titan
Z	Zirkonkorund	Al_2O_3 + ZrO_2	–	nichtrostende Stähle
C	Siliziumkarbid	SiC + Beimengungen	24 800	harte Werkstoffe: Hartmetall, Gusseisen, HSS, Keramik, Glas; weiche Werkstoffe: Kupfer, Aluminium, Kunststoffe
BK	Borkarbid	B_4C in kristalliner Form	47 000	Läppen, Polieren von Hartmetall und gehärtetem Stahl
CBN	Bornitrid	BN in kristalliner Form	60 000	Schnellarbeitsstähle, Kalt- und Warmarbeitsstähle
D	Diamant	C in kristalliner Form	70 000	Hartmetall, Gusseisen, Glas, Keramik, Stein, Nichteisenmetalle, nicht für Stahl; Abrichten von Schleifscheiben

Härtegrad — vgl. DIN ISO 525 (2000-08)

Bezeichnung	Härtegrad	Anwendung	Bezeichnung	Härtegrad	Anwendung
äußerst weich	A B C D	Tief- und Seitenschleifen harter Werkstoffe	hart	P Q R S	Außenrundschleifen weicher Werkstoffe
sehr weich	E F G		sehr hart	T U V W	
weich	H I J K	herkömmliches Metall-schleifen	äußerst hart	X Y Z	
mittel	L M N O				

Korngröße — vgl. DIN ISO 525 (2000-08)

Körnungsbezeichnung bei gebundenen Schleifmitteln				
Körnungsbereiche	grob	mittel	fein	sehr fein
Körnungsbezeichnung	F4, F5, F6, …, F24	F30, F36, F46, …, F60	F70, F80, F90, …, F220	F230, …, F1200
erreichbar: Rz in μm	≈ 10…5	≈ 5…2,5	≈ 2,5…1,0	≈ 1,0…0,4

Gefüge — vgl. DIN ISO 525 (2000-08)

Kennziffer	0 1 2 3 4 5 6 7 8 9 10 11 12 13 14 usw. bis 30
Gefüge	← geschlossen (dicht) offen (porös) →

Bindung — vgl. DIN ISO 525 (2000-008) und VDI 3411 (2000-08)

Zei-chen	Bindungsart	Eigenschaften	Anwendungsgebiete
B BF	Kunstharzbindung, faserverstärkt	dicht oder porös, elastisch, ölbeständig, kühler Schliff	Vor- oder Trennschleifen, Profilschleifen mit Diamant und Bornitrid, Hochdruckschleifen
E	Schellackbindung	temperaturempfindlich, zäh-elastisch, stoßunempfindlich	Sägen- und Formschliff, Regelscheibe beim spitzenlosen Schleifen
G	Galvanische Bindung	hohe Griffigkeit durch herausragende Körner	Innenschleifen von Hartmetall, Handschliff
M	Metallbindung	dicht oder porös, zäh, unempfindlich gegen Druck und Wärme	Profil- und Werkzeugschleifen mit Diamant oder Bornitrid, Nassschliff
MG	Magnesitbindung	weich, elastisch, wasser-empfindlich	Trockenschliff, Messerschliff
PL	Plastikbindung	weich, elastisch je nach Kunststoff und Aushärtungsgrad	Kunststoff-Schleifkörper für Gleitschleifen, Präzisionsschleifen und Polieren
R RF	Gummibindung, faserverstärkt	elastisch, kühler Schliff, empfindlich gegen Öl u. Wärme	Trennschleifen
V	Keramikbindung	porös, spröde, unempfindlich gegen Wasser, Öl, Wärme	Vor- und Feinschleifen von Stählen mit Korund und Siliciumkarbid

⇒ **Schleifscheibe ISO 603-1 1 N-300 x 50 x 76,2 – A/F 36 L 5 V – 50:** Form 1 (gerade Schleifscheibe), Randform N, Außendurchmesser 300 mm, Breite 50 mm, Bohrungsdurchmesser 76,2 mm, Schleifmittel A (Normal- oder Edelkorund), Korngröße F 36 (mittel), Härtegrad L (mittel), Gefüge 5, Keramikbindung (V), Höchstumfangsgeschwindigkeit 50 m/s.

F

Auswahl von Schleifscheiben

Richtwerte für die Auswahl von Schleifscheiben (ohne Diamant und Bornitrid)

Längsrundschleifen

Werkstoff	Schleif-mittel	Schruppen		Schlichten mit Scheibendurchmesser bis 500 mm		über 500 mm		Feinschlichten	
		Körnung	Härte	Körnung	Härte	Körnung	Härte	Körnung	Härte
Stahl, ungehärtet	A	54	M…N	80	M…N	60	L…M	180	L…M
Stahl, gehärtet, unleg. u. legiert	A	46	L…M	80	K…L	60	J…K	240…500	H…N
Stahl, gehärtet, hochlegiert	A, C	80	M…N	80	N…O	60	M…N	240…500	H…N
Hartmetall, Keramik	C	60	K	80	K	60	K	240…500	H…N
Gusseisen	A, C	60	L	80	L	60	L	100	M
NE-Metalle, z. B. Al, Cu, CuZn	C	46	K	60	K	60	K	–	–

Innenrundschleifen

Werkstoff	Schleif-mittel	Schleifscheibendurchmesser in mm bis 20		über 20 bis 40		über 40 bis 80		über 80	
		Körnung	Härte	Körnung	Härte	Körnung	Härte	Körnung	Härte
Stahl, ungehärtet	A	80	M	60	L…M	54	L…M	46	K
Stahl, gehärtet, unleg. u. legiert	A	80	K…L	120	M…N	80	M…N	80	L
Stahl, gehärtet, hochlegiert	A, C	80	J…K	100	K	80	K	60	J
Hartmetall, Keramik	C	80	G	120	H	120	H	80	G
Gusseisen	A, C	80	L…M	80	K…L	60	M	46	M
NE-Metalle, z. B. Al, Cu, CuZn	C	80	I…J	120	K	60	J…K	54	J

Umfangsplanschleifen

Werkstoff	Schleif-mittel	Topfscheiben $D < 300$ mm		Gerade Schleifscheiben $D \le 300$ mm		$D > 300$ mm		Schleif-segmente	
		Körnung	Härte	Körnung	Härte	Körnung	Härte	Körnung	Härte
Stahl, ungehärtet	A	46	J	46	J	36	J	24	J
Stahl, gehärtet, unleg. u. legiert	A	46	J	60	J	46	J	36	J
Stahl, gehärtet, hochlegiert	A	46	H…J	60	I…J	46	I…J	36	I…J
Hartmetall, Keramik	C	46	J	60	J	60	J	46	J
Gusseisen	A, C	46	J	46	J	46	J	24	J
NE-Metalle, z. B. Al, Cu, CuZn	C	46	J	60	J	60	J	36	J

Werkzeugschleifen

Schneidstoff	Schleif-mittel	Gerade Schleifscheiben $D \le 225$	$D > 225$		Schleifteller $D \le 100$	$D > 100$		Topf-scheiben	
		Körnung	Körnung	Härte	Körnung	Körnung	Härte	Körnung	Härte
Werkzeugstahl	A	80	60	M	80	60	M	46	K
Schnellarbeitsstahl	A	60	46	K	60	46	K	46	H
Hartmetall	C	80	54	K	80	54	K	46	H

Trennen auf stationären Maschinen

Werkstoff	Schleif-mittel	Gerade Trennscheiben v_c bis 80 m/s $D \le 200$ mm		$D > 200$ mm		Gerade Trennscheiben v_c bis 100 m/s $D \le 500$ mm		$D > 500$ mm	
		Körnung	Härte	Körnung	Härte	Körnung	Härte	Körnung	Härte
Stahl, ungehärtet	A	80	Q…R	46	Q…R	24	U	20	Q…R
Gusseisen	A	60	Q…R	46	Q…R	24	U…V	20	U…V
NE-Metalle, z. B. Al, Cu, CuZn	A	60	Q…R	46	Q…R	30	S	24	S

Schleifen und Trennen mit Handmaschinen

Werkstoff	Schleif-mittel	Trennscheiben v_c bis 80 m/s		Schruppscheiben v_c bis 45 m/s		v_c bis 80 m/s		Schleifstifte	
		Körnung	Härte	Körnung	Härte	Körnung	Härte	Körnung	Härte
Stahl, ungehärtet	A	30	T	24	M	24	R	36	Q…R
Stahl, korrosionsbeständig	A	30	R	16	M	24	R	36	S
Gusseisen	A, C	30	T	20	R	24	R	30	T
NE-Metalle, z. B. Al, Cu, CuZn	A, C	30	R	20	R	–	–	–	–

F

Schleifen mit Diamant und Bornitrid

Körnungsbezeichnung   vgl. DIN ISO 6106 (2006-03)

Anwendungsbereiche		Vorschleifen	Fertigschleifen	Feinschleifen	Läppen
Körnungs-bezeichnung[1]	Diamant	D251…D151	D126…D76	D64, D54, D46	D20, D15, D7
	Bornitrid	B251…B151	B126…B76	B64, B54, B46	B30, B6
erreichbar: Ra in µm		≈ 0,55…0,50	≈ 0,45…0,33	≈ 0,18…0,15	≈ 0,05…0,025

[1] lichte Maschenweite der Prüfsiebe in µm; Mikrokörnungen < D46, B46 nicht in ISO 6106 genormt.

Richtwerte für Schnittgeschwindigkeiten

Verfahren	Schleif-mittel	Schnittgeschwindigkeit v_c in m/s bei Bindungsart[1]							
		B		M		G		V	
		trocken	nass	trocken	nass	trocken	nass	trocken	nass
Planschleifen	CBN	–	30…50	–	30…60	–	30…60	–	30…60
	D	–	22…50	–	22…27	20…30	22…50	–	25…50
Außenrund-schleifen[2]	CBN	–	30…50	–	30…60	–	30…60	–	30…60
	D	–	22…40	–	20…30	20…30	22…40	–	25…50
Innenrund-schleifen	CBN	27…35	30…60	–	30…60	24…40	30…50	–	30…50
	D	12…18	15…30	8…15	18…27	12…20	18…40	–	25…50
Werkzeug-schleifen	CBN	27…35	30…50	22…30	30…40	27…35	30…50	–	30…50
	D	15…22	22…50	15…22	15…27	15…30	22…35	–	–
Trenn-schleifen	CBN	27…35	30…50	–	30…60	27…40	30…60	–	–
	D	12…18	22…35	–	22…27	18…30	22…40	–	–

[1] Bindungsarten Seite 338   [2] Bei Hochgeschwindigkeitsschleifen (HSG) ca. vierfache Werte

Richtwerte für Zustellung und Vorschub bei Diamant-Schleifscheiben

Verfahren	Zustellung pro Hub in mm bei Korngröße			Vorschub-geschwindigkeit m/min	Quervorschub bezüglich der Scheibenbreite b
	D181	D126	D64		
Planschleifen[1]	0,02…0,04	0,01…0,02	0,005…0,01	10…15[2]	$\frac{1}{4} … \frac{1}{2} \cdot b$
Außenrundschleifen[1]	0,01…0,03	0,0…0,02	0,005…0,01	0,3…2,0	–
Innenrundschleifen	0,002…0,007	0,002…0,005	0,001…0,003	0,5…2,0	–
Werkzeugschleifen	0,01…0,03	0,005…0,015	0,002…0,005	0,3…4,0	–
Nutenschleifen	–	1,0…5,0	0,5…3,0	0,01…2,0	–

Richtwerte für Zustellung und Vorschub bei CBN-Schleifscheiben

Verfahren	Zustellung pro Hub in mm bei Korngröße			Vorschub-geschwindigkeit m/min	Quervorschub bezüglich der Scheibenbreite b
	B252/B181	B151/B126	B91/B76		
Planschleifen	0,03…0,05	0,02…0,04	0,01…0,015	20…30[2]	$\frac{1}{4} … \frac{1}{3} \cdot b$
Außenrundschleifen	0,02…0,04	0,02…0,03	0,015…0,02	0,5…2,0	–
Innenrundschleifen	0,005…0,015	0,005…0,01	0,002…0,005	0,5…2,0	–
Werkzeugschleifen	0,002…0,1	0,01…0,005	0,005…0,015	0,5…4,0	–
Nutenschleifen	1,0…10	1,0…5,0	0,5…3,0	0,01…2,0	–

[1] Bei Hochgeschwindigkeitsschleifen (High Speed Grinding = HSG) ca. dreifache Werte
[2] Vorschubgeschwindigkeit längs als Werkstückgeschwindigkeit.

Hochleistungsschleifen mit CBN-Schleifscheiben   vgl. VDI 3411 (2000-08)

Schleifprozesse mit stark erhöhten Zeitspanvolumina durch Einsatz spezieller Maschinen und Werkzeuge, mit denen erhöhte Schnittgeschwindigkeiten (> 80 m/s) und angepasste Kühlschmierung ermöglicht wird. Überwiegend beim Plan- und Außenrundschleifen metallischer Werkstoffe eingesetzt.

Einsatzvorbereitung der Schleifscheiben (Konditionieren)

Arbeitsschritt	Abrichten		Reinigen
	Profilieren	Schärfen	
Vorgang	Abtrennen von Korn und Bindung	Zurücksetzen der Bindung	keine Veränderung des Schleifbelags
Arbeitsziel	Herstellen von Rundlauf und Scheibenprofil	Erzeugen der Scheiben-oberflächenstruktur	Beseitigen von Spänen aus den Spanräumen

Höchstzulässige Umfangsgeschwindigkeiten beim Hochleistungsschleifen

Bindungsart[1]	B	V	M	G
höchstzulässige Umfangsgeschwindigkeit in m/s	140	200	180	280

[1] Bindungsarten Seite 338

F

Schleifen, Hauptnutzungszeit

Längs-Rundschleifen

t_h	Hauptnutzungszeit
L	Vorschubweg
i	Anzahl der Schnitte
n	Drehzahl des Werkstücks
f	Vorschub je Umdrehung des Werkstücks
v_w	Werkstückgeschwindigkeit
d_1	Ausgangsdurchmesser des Werkstücks
d	Fertigdurchmesser des Werkstücks
a_p	Schnitttiefe
l	Werkstücklänge
b_s	Schleifscheibenbreite
l_u	Überlauf
t	Schleifzugabe

Hauptnutzungszeit

$$t_h = \frac{L \cdot i}{n \cdot f}$$

Drehzahl des Werkstücks

$$n = \frac{v_w}{\pi \cdot d_1}$$

Anzahl der Schnitte

für Außenrundschleifen

$$i = \frac{d_1 - d}{2 \cdot a_p} + 2^{1)}$$

für Innenrundschleifen

$$i = \frac{d - d_1}{2 \cdot a_p} + 2^{1)}$$

[1] 2 Schnitte zum Ausfeuern, bei niedrigerem Toleranzgrad sind zusätzliche Schnitte erforderlich

Berechnung des Vorschubweges L

Werkstücke ohne Ansatz

$$L = l - \frac{1}{3} \cdot b_s$$

Werkstücke mit Ansatz

$$L = l - \frac{2}{3} \cdot b_s$$

Vorschub beim Schruppen $f = {}^2/_3 \cdot b_s$ bis $^3/_4 \cdot b_s$; Vorschub beim Schlichten $f = {}^1/_4 \cdot b_s$ bis $^1/_2 \cdot b_s$

Umfangs-Planschleifen (Flachschleifen)

t_h	Hauptnutzungszeit	f	Quervorschub je Hub
l	Werkstücklänge	n_H	Hubzahl je Minute
l_a	Anlauf, Überlauf	v_w	Werkstückgeschwindigkeit
L	Vorschubweg	i	Anzahl der Schnitte
b	Werkstückbreite	t	Schleifzugabe
b_u	Überlaufbreite	b_s	Schleifscheibenbreite
B	Schleifbreite	a_p	Schnitttiefe

Anzahl der Schnitte

$$i = \frac{t}{a_p} + 2^{1)}$$

Hubzahl

$$n_H = \frac{v_w}{L}$$

Hauptnutzungszeit

$$t_h = \frac{i}{n_H} \cdot \left(\frac{B}{f} + 1 \right)$$

[1] 2 Schnitte zum Ausfeuern

Berechnung des Vorschubweges L und der Schleifbreite B

Werkstücke ohne Ansatz

$$L = l + 2 \cdot l_a \qquad l_a \approx 0{,}04 \cdot l \qquad B = b - \frac{1}{3} \cdot b_s$$

Werkstücke mit Ansatz

$$L = l + 2 \cdot l_a \qquad l_a \approx 0{,}04 \cdot l \qquad B = b - \frac{2}{3} \cdot b_s$$

Quervorschub beim Schruppen $f = {}^2/_3 \cdot b_s$ bis $^4/_5 \cdot b_s$; Vorschub beim Schlichten $f = {}^1/_2 \cdot b_s$ bis $^2/_3 \cdot b_s$

F

Honen

v_c	Schnittgeschwindigkeit	A	Anlagefläche der Honsteine
v_a	Axialgeschwindigkeit		
v_u	Umfangsgeschwindigkeit	F_r	radiale Zustellkraft
α	Überschneidungswinkel der Bearbeitungsspuren	n	Anzahl der Honsteine
		b	Breite der Honsteine
p	Anpressdruck	l	Länge der Honsteine

Schnittgeschwindigkeit

$$v_c = \sqrt{v_a{}^2 + v_u{}^2}$$

Überschneidungswinkel

$$\tan\frac{\alpha}{2} = \frac{v_a}{v_u}$$

Anpressdruck

$$p = \frac{F_r}{A}$$

$$p = \frac{F_r}{n \cdot b \cdot l}$$

Beispiel:

Gehärteter Stahl, Fertighonen, $v_u = ?$; $v_a = ?$; $v_c = ?$; $\alpha = ?$
aus Tabelle gewählt: $v_u = 25$ m/min; $v_a = 12$ m/min

$$v_c = \sqrt{v_a{}^2 + v_u{}^2} = \sqrt{12\,\frac{m}{min}^2 + 25\,\frac{m}{min}^2} \approx 28\,\frac{m}{min}$$

$$\tan\frac{\alpha}{2} = \frac{v_a}{v_u} = \frac{12\ m/min}{25\ m/min} = 0{,}48$$

$$\alpha = \arctan 0{,}48 = 51{,}28°$$
$$= 51{,}3°$$

Schnittgeschwindigkeit und Bearbeitungszugaben

Werkstoff	Umfangsgeschwindigkeit v_u in m/min		Axialgeschwindigkeit v_a in m/min		Bearbeitungszugaben in mm für Bohrungsdurchmesser in mm		
	Vorhonen	Fertighonen	Vorhonen	Fertighonen	2...15	15...100	100...500
Stahl, ungehärtet	18...40	20...40	9...20	10...20	0,02...0,05	0,03...0,15	0,06...0,3
Stahl, gehärtet	14...40	15...40	5...20	6...20	0,01...0,03	0,02...0,05	0,03...0,1
legierte Stähle	23...40	25...40	10...20	11...20	0,02...0,05	0,03...0,15	0,06...0,3
Gusseisen	23...40	25...40	10...20	11...20			
Aluminium-Legierungen	22...40	24...40	9...20	10...20			

Honen mit Diamantkorn v_u bis 40 m/min und v_a bis 60 m/min; $\alpha = 60°...90°$

Anpressdruck von Honwerkzeugen

Honverfahren	Anpressdruck p in N/cm²			
	keramische Honsteine	kunststoffgebundene Honsteine	Diamant-Honleisten	Bornitrid-Honleisten
Vorhonen	50...250	200...400	300...700	200...400
Fertighonen	20...100	40...250	100...300	100...200

Auswahl der Honsteine aus Korund, Siliziumkarbid, CBN und Diamant

Werkstoff	Zugfestigkeit N/mm²	Verfahren	Rautiefe Rz µm	Honsteine aus Korund und Siliciumkarbid[2]					CBN oder Diamant
				Honmittel	Körnung	Härte	Bindung	Gefüge	Körnung
Stahl	< 500 (ungehärtet)	Vorhonen	8...12	A	700	R		1	D126
		Zwischenhonen	2...5		400	R	B	5	D54
		Fertighonen	0,5...1,5		1200	M		2	D15
	500...700 (gehärtet)	Vorhonen	5...10	A	80	R		3	B76
		Zwischenhonen	2...3		400	O	B	5	B54
		Fertighonen	0,5...2		700	N		3	B30
Gusseisen	–	Vorhonen	5...8	C	80	M		3	D91
		Fertighonen	2...3		120	K	V	7	D46
		Plateauhonen[1]	3...6		900	H		8	D25
NE-Metalle	–	Vorhonen	6...10	A	80	O		3	D64
		Zwischenhonen	2...3	A	400	O	V	1	D35
		Fertighonen	0,5...1	C	1000	N		5	D15

[1] Beim Plateauhonen werden die obersten Spitzen der Werkstückoberfläche abgetragen.   [2] vgl. Seite 338

Auswahl der Honsteine aus Diamant und kubischem Bornitrid (CBN)

Schleifstoff	Natürlicher Diamant	Synthetischer Diamant	CBN
Werkstoff	Stahl, Hartmetall	Gusseisen, nitrierter Stahl, NE-Metalle, Glas, Keramik	gehärteter Stahl

F

Koordinatensysteme, Nullpunkte

Koordinatensystem und Koordinatenachsen

vgl. DIN 66217 (1975-12)

Koordinatenachsen bei CNC-Drehmaschinen

Drehmeißel vor der Drehmitte

Drehmeißel hinter der Drehmitte

- Das Koordinatensystem bezieht sich auf den Werkstücknullpunkt des eingespannten Werkstücks.
- Die Koordinatenachsen einer CNC-Maschine sind auf die Hauptführungsbahnen ausgerichtet.
- Die Z-Achse verläuft in Richtung der Hauptspindel.
- Beim Programmieren wird immer angenommen, dass das Werkstück still steht und sich nur das Werkzeug bewegt.
- Die Koordinatenachsen X, Y und Z stehen im kartesischen Koordinatensystem senkrecht aufeinander.

Koordinatenachsen bei CNC-Fräsmaschinen

Senkrecht-Fräsmaschine

Waagrecht-Fräsmaschine

Kartesisches Koordinatensystem[1]

Nullpunkte und Bezugspunkte

vgl. DIN ISO 2806 (1996-04)

	Maschinennullpunkt M Er ist der Ursprung des Maschinen-Koordinatensystems und wird vom Maschinenhersteller festgelegt.
	Werkstücknullpunkt W Er ist der Ursprung des Werkstück-Koordinatensystems und wird vom Programmierer nach fertigungstechnischen Gesichtspunkten festgelegt.
	Werkzeugträger-Bezugspunkt T Er liegt mitten an der Anschlagfläche der Werkzeugaufnahme. Bei Drehmaschinen ist dies die Anschlagfläche des Werkzeughalters am Revolver, bei Fräsmaschinen die Stirnfläche der Werkzeugspindel.
	Referenzpunkt R Er wird zum Nullsetzen des inkrementalen Wegmesssystems angefahren. Abstandscodierte Referenzpunkte ermöglichen ein kurzes Anfahren des Werkzeugs.
	Programmnullpunkt P0[2] Er gibt die Koordinaten des Punktes an, an dem sich das Werkzeug vor Beginn des Programmstarts befindet.
	Werkzeugwechselpunkt WWP[2] Er wird vor dem Werkzeugwechsel sowie vor dem Um- und Ausspannen des Werkstücks angefahren.

[1] Die Drehachsen A, B und C werden den Koordinatenachsen X, Y und Z zugewiesen.
Die Bearbeitungsebenen werden zum Fräsen für die Ebenenanwahl bei einer 2½ D-Steuerung angegeben.
Die Zuordnung der Achsen X, Y und Z kann auch durch Daumen, Zeigefinger und Mittelfinger der rechten Hand dargestellt werden.

[2] nicht genormt

F

Werkzeugkorrekturen, Bahnkorrekturen

Werkzeugkorrekturen

CNC-Drehen		CNC-Fräsen

Lagen-Kennziffern des Werkzeug-Schneidenpunktes P bezogen auf den Mittelpunkt M des Schneidenradius r_ϵ

Einzelheit X

Fadenkreuz des Vorein-stellgerätes auf Punkt P

Q	Querablage der X-Achse	E	Werkzeug-Bezugspunkt	Z	Werkzeuglänge
L	Längenkorrektur der Z-Achse	M	Mittelpunkt des Schneiden-	R	Werkzeugradius
r_ϵ	Schneidenradius		radius r_ϵ	T	Werkzeugträger-Bezugspunkt
1...8	Lage-Kennziffern	P	Werkzeug-Schneidenpunkt	E	Werkzeug-Bezugspunkt
T	Werkzeugträger-Bezugspunkt			P	Werkzeug-Schneidenpunkt

Korrekturspeicher	
Q	72
L	53
r_ϵ	0,8
Lage-Kennziffer	3

Korrekturspeicher	
Q	14
L	112
r_ϵ	0,4
Lage-Kennziffer	2

Korrekturspeicher	
Z	126
R	10

Bahnkorrekturen[1]

vgl. DIN 66025 (1988-09) und PAL

Drehmeißel links der Kontur[2]	Drehmeißel rechts der Kontur[2]	
Drehmeißel hinter der Drehmitte		Fräswerkzeug links der Kontur[2]

G41

G42

G41 G41

(Gleichlauffräsen)

Drehmeißel vor der Drehmitte

Fräswerkzeug rechts der Kontur[2]

G41

G42

G42 G42

(Gegenlauffräsen)

[1] Die Bahnkorrekturen G41 und G42 werden mit der Wegbedingung G40 wieder aufgehoben.
[2] Das Werkzeug von oben gesehen befindet sich in Vorschubrichtung links oder rechts neben der Werkstückkontur.

Programmaufbau, Wegbedingungen, Zusatzfunktionen

Aufbau von CNC-Programmen nach DIN
vgl. DIN 66025-2 (1988-09)

Satzaufbau

Erläuterung der Wörter:

N30:	Satznummer 30
G96:	konstante Schnittgeschwindigkeit
G00:	Positionieren im Eilgang
X14:	Koordinatenzielpunkt in X-Richtung
Z2:	Koordinatenzielpunkt in Z-Richtung
F0.15:	Vorschub 0,15 mm
S300:	Schnittgeschwindigkeit 300 m/min
T01:	Werkzeug mit der Nummer 01
M04:	Spindel gegen Uhrzeigersinn
M08:	Kühlschmiermittel ein

Programmaufbau

Wegbedingungen (G-Wort, Auswahl)
vgl. DIN 66025-2 (1988-09)

Wegbe-dingung	Wirksam-keit	Bedeutung	Wegbe-dingung	Wirksam-keit	Bedeutung
G00	●	Positionieren im Eilgang	G53	●	Aufheben der Verschiebung
G01	●	Geraden-Interpolation	G54 …	●	Verschiebung 1 …
G02	●	Kreis-Interpolation rechtsdrehend	… G59		… Verschiebung 6
G03	●	Kreis-Interpolation linksdrehend	G74	●	Referenzpunkt anfahren
G04	●	Verweilzeit, zeitlich vorbestimmt	G80	●	Arbeitszyklus aufheben
G09	●	Genauhalt	G81 …	●	Arbeitszyklus 1 …
G17	●	Ebenenauswahl XY	… G89		… Arbeitszyklus 9
G18	●	Ebenenauswahl ZX	G90	●	Absolute Maßangaben
G19	●	Ebenenauswahl YZ	G91	●	Inkrementale Maßangaben
G33	●	Gewindeschneiden, Steigung konstant	G94	●	Vorschubgeschwindigkeit in mm/min
G40	●	Aufheben der Werkzeugkorrektur	G95	●	Vorschub in mm
G41	●	Werkzeugbahnkorrektur, links	G96	●	Konst. Schnittgeschwindigkeit
G42	●	Werkzeugbahnkorrektur, rechts	G97	●	Spindeldrehzahl in 1/min

● gespeichert: Wegbedingungen, die so lange wirksam bleiben, bis sie durch eine artgleiche Bedingung überschrieben werden.

● satzweise: Wegbedingungen, die nur in dem Satz wirksam sind, in dem sie programmiert sind.

Zusatzfunktionen (M-Wort, Auswahl)
vgl. DIN 66025-2 (1988-09)

M00	Programmierter Halt	M04	Spindel gegen Uhrzeigersinn	M08	Kühlschmiermittel EIN
M02	Programmende	M05	Spindel halt	M09	Kühlschmiermittel AUS
M03	Spindel im Uhrzeigersinn	M06	Werkzeugwechsel	M30	Programmende mit Rücksetzen

F

Arbeitsbewegungen nach DIN (Drehen)

Arbeitsbewegungen bei CNC-Drehmaschinen nach DIN   vgl. DIN 66025-2 (1988-09)

G01	Linearbewegungen

Bezeichnungs- und Bearbeitungsbeispiel:

| N20 | G01 | X30 | Z-16 |

Linear-Interpolation, Arbeitsbewegung im programmierten Vorschub   Koordinate des Zielpunktes   in X-Richtung   in Z-Richtung

CNC-Programm

N...				
N10	G00	X60	Z2	(P1)
N20	G01		Z-50	(P2)
N30		X80		(P3)
N40		X104	Z-62	(P4)
N...				

G02	Kreisbewegung im Uhrzeigersinn (rechtsdrehend)

Bezeichnungs- und Bearbeitungsbeispiel:

| N30 | G02 | X34 | Z-26 | I10.247 | K-8 |

Kreis-Interpolation im Uhrzeigersinn, Arbeitsbewegung im programmierten Vorschub   Koordinate des Kreis-Endpunktes   in X-Richtung   in Z-Richtung   Inkrementale Angabe des Mittelpunktes, bezogen auf den Kreis-Anfangspunkt   in X-Richtung   in Z-Richtung

CNC-Programm

N...					
N10	G00	X60	Z2		(P1)
N20	G01		Z-40		(P2)
N30	G02	X100	Z60	I20	K0	(P3)
N40	G01	X104			(P4)
N...					

G03	Kreisbewegung gegen den Uhrzeigersinn (linksdrehend)

Bezeichnungs- und Bearbeitungsbeispiel:

| N40 | G03 | X40 | Z-20 | I-8.718 | K-18 |

Kreis-Interpolation gegen den Uhrzeigersinn, Arbeitsbewegung im programmierten Vorschub   Koordinate des Kreis-Endpunktes   in X-Richtung   in Z-Richtung   Inkrementale Angabe des Mittelpunktes, bezogen auf den Kreis-Anfangspunkt   in X-Richtung   in Z-Richtung

CNC-Programm

N...						
N10	G01	X0	Z0			(P1)
N20	G03	X60	Z-11.459	I0	K-45	(P2)
N30	G01		Z-40			(P3)
N40	G03	X90	Z-55	I0	K-15	(P4)
N...						

F

Arbeitsbewegungen nach DIN (Fräsen)

Arbeitsbewegungen bei CNC-Senkrecht-Fräsmaschinen nach DIN vgl. DIN 66025-2 (1988-09)

G01 Linearbewegungen

Bezeichnungs- und Bearbeitungsbeispiel:

N30	G01	X50	Y19	Z-8

Linear-Interpolation, Arbeitsbewegung im programmierten Vorschub	Koordinaten des Zielpunktes		
	in X-Richtung	in Y-Richtung	in Z-Richtung

CNC-Programm

```
N...
N10  G00   X20   Y10   Z2   (P1)
N20  G01               Z0   (P2)
N30         X50   Y19   Z-8 (P3)
N...
```

G02 Kreisbewegung im Uhrzeigersinn (rechtsdrehend)

Bezeichnungs- und Bearbeitungsbeispiel:

N40	G02	X32	Y38	I26	J-10.392

Kreis-Interpolation im Uhrzeigersinn, Arbeitsbewegung im programmierten Vorschub	Koordinate des Kreis-Endpunktes		Inkrementale Angabe des Mittelpunktes, bezogen auf den Kreis-Anfangspunkt	
	in X-Richtung	in Y-Richtung	in X-Richtung	in Y-Richtung

CNC-Programm

```
N...
N10  G41
N20  G01  X6   Y4                  (P1)
N30            Y20.392             (P2)
N40  G02  X32  Y38   I26  J-10.392 (P3)
N50  G01  X40                      (P4)
N...
```

G03 Kreisbewegung gegen den Uhrzeigersinn (linksdrehend)

Bezeichnungs- und Bearbeitungsbeispiel:

N40	G03	X32	Y38	I8	J16.125

Kreis-Interpolation gegen den Uhrzeigersinn, Arbeitsbewegung im programmierten Vorschub	Koordinate des Kreis-Endpunktes		Inkrementale Angabe des Mittelpunktes, bezogen auf den Kreis-Anfangspunkt	
	in X-Richtung	in Y-Richtung	in X-Richtung	in Y-Richtung

CNC-Programm

```
N...
N10  G41
N20  G01  X6   Y4                 (P1)
N30            Y21.875            (P2)
N40  G03  X32  Y38   I8  J16.125  (P3)
N50  G01  X40                     (P4)
N...
```

F

Befehle nach PAL (Drehen)

PAL-Befehlscodierung bei CNC-Drehmaschinen (mit angetriebenen Werkzeugen)

G-Funktionen – Wegbedingungen[1] (Auswahl)

Interpolationsarten	(Seiten 349, 350)
G0	Verfahrweg im Eilgang
G1	Linearinterpolation im Arbeitsgang[1]
G2	Kreisinterpolation im Uhrzeigersinn
G3	Kreisinterpolation im Gegenuhrzeigersinn
G4	Verweildauer
G9	Genauhalt
G14	Werkzeugwechselpunkt (WWP) anfahren

Nullpunkte	(Seite 358)
G50	Aufheben der inkrementellen Nullpunktver- schiebung und Drehungen
G53	Alle Nullpunktverschiebungen und Drehungen aufheben[1]
G54... ...G57	Einstellbare absolute Nullpunkte
G59	Inkrementelle Nullpunktverschiebung kartesisch und Drehung

Programmtechniken	(Seite 350)
G22	Unterprogrammaufruf
G23	Programmwiederholung

Bearbeitungsebenen und Umspannen	(Seite 351)
G17	Stirnseiten-Bearbeitungsebene (XY-Ebene)
G18	Drehebene (Haupt-, Gegenspindelbearbeitung)[1]
G19	Mantelflächen-/Sehnenflächen-Bearbeitungs- ebenen
G30	Umspannen/Gegenspindelübernahme (S. 350)

Schnittgrößen	(Seiten 316–318)
G92	Drehzahlbegrenzung
G94	Vorschubgeschwindigk. in mm/min (Adresse: F)
G95	Vorschub[1] in mm (Adresse: F, optional E[4])
G96	konst. Schnittgeschwindigk. in m/min (Adresse: S)
G97	konstante Drehzahl[1] in 1/min (Adresse: S)

Maßangaben	
G70	Umschalten auf Maßeinheit Zoll (Inch)
G71	Umschalten auf Maßeinheit Millimeter[1] (mm)
G90	absolute Maßangabe[1]
G91	Kettenmaßangabe

Zyklen	(Seiten 351–353)
G80	Abwahl einer Bearbeitungszyklus-Kontur- beschreibung
G31	Gewindezyklus
G81	Längsschruppzyklus
G82	Planschruppzyklus
G84	Bohrzyklus
G85	Freistichzyklus
G86	radialer Einstechzyklus
G88	axialer Einstechzyklus

Werkzeugkorrekturen	(Seite 344)
G40	Abwahl der **S**chneiden**r**adius**k**orrektur[1] **(SRK)**
G41	SRK links von der programmierten Kontur
G42	SRK rechts von der programmierten Kontur

G-Funktionen für angetriebene Werkzeuge in der X-Y-Ebene oder Z-X-Ebene[2]   (Seiten 355–361)

G1	Linearinterpolation im Arbeitsgang	G48	tangentiales Abfahren im Viertelkreis
G2	Kreisinterpolation im Uhrzeigersinn	G72	Rechtecktaschenfräszyklus
G3	Kreisinterpolation im Gegenuhrzeigersinn	G73	Kreistaschen- und Zapfenfräszyklus
G10	Verfahren im Eilgang mit Polarkoordinaten	G74	Nutenfräszyklus
G11	Linearinterpolation mit Polarkoordinaten	G75	Kreisbogennut-Fräszyklus
G12	Kreisinterpolation im Uhrzeigersinn mit Polar- koordinaten mit angetriebenem Werkzeug	G76	Mehrfachzyklusaufruf auf einer Lochreihe
G13	Kreisinterpolation im Gegenuhrzeigersinn mit Polarkoordinaten	G77	Mehrfachzyklusaufruf auf einem Lochkreis
		G79	Zyklusaufruf auf einem Punkt
G45	lineares tangentiales Anfahren an einer Kontur	G81	Bohrzyklus
G46	lineares tangentiales Abfahren an einer Kontur	G82	Tiefbohrzyklus mit Spanbruch
G47	tangentiales Anfahren im Viertelkreis	G84	Gewindebohrzyklus
		G85	Reibzyklus

M-Funktionen[1] – Zusatzfunktionen (Auswahl)   (Seite 345)

M0	Programmierter Halt	M10	Reitstock-Pinole lösen
M3	Spindel dreht im Uhrzeigersinn (CW[3])	M11	Reitstock-Pinole setzen
M4	Spindel dreht im Gegenuhrzeigersinn (CCW[3])	M17	Unterprogramm-Ende
M5	Spindel ausschalten[1]	M30	Programmende mit Rücksetzen auf Programman- fang
M8	Kühlschmiermittel ein		
M9	Kühlschmiermittel aus[1]	M60	konstanter Vorschub[1]

T-Adresse – Werkzeugnummer im Magazin (Auswahl)   (Seiten 344, 353)

T	Werkzeugspeicherplatz im Werkzeugrevolver	TX	inkrementelle Veränd. des X-Korrekturwertes im angewählten Korrekturwertspeicher
TC	Korrektur-Speichernummer		
TR	inkrementelle Veränderung des Werkzeug- radiuswertes	TZ	inkrementelle Veränd. des Z-Korrekturwertes im angewählten Korrekturwertspeicher für konturparallele Aufmaße
TL	inkrementelle Veränderung der Werkzeuglänge		

[1] Einschaltzustand beim Start eines CNC-Programms: **G18, G90, G53, G71, G95, G97, G1, G40, M5, M9, M60**
[2] Bei der CNC-Drehmaschine mit angetriebenem Werkzeug sind die Befehle der CNC-Fräsmaschine identisch.
[3] CW: clock wise; CCW: counter clock wise   [4] E: verringerter Vorschub für Übergangselemente

F

Arbeitsbewegungen nach PAL (Drehen)

Arbeitsbewegungen bei CNC-Drehmaschinen

G1 | Linearinterpolation im Arbeitsgang

Bearbeitungsbeispiele (Linearinterpolation von P1 nach P2)

N... G1 X52 Z-43

N... G1 XI17 ZI-30

N... G1 X52 AS150

N... G1 D34 AS150

N... G1 Z-43 AS150 RN18

N... G1 Z-43 AS150 RN-9

optionale Adressen für G1

X/Z	Koordinateneingabe (gesteuert durch G90/G91)
XA/ZA	Absolutmaße[1]
XI/ZI	Inkrementalmaße[2]
RN+	Verrundungsradius zum nächsten Konturelement
RN−	Fasenbreite zum nächsten Konturelement
D	Länge der Verfahrstrecke
AS	Anstiegswinkel der Verfahrstrecke
E	Feinkonturvorschub auf Übergangselement

[1] Die Verwendung der Koordinaten XA/ZA bei den Wegbedingungen G1/G2/G3 ist nur dann notwendig, wenn bei einer eingeschalteten Kettenmaßangabe (G91) Einzelsätze mit den Absolutmaßen XA/ZA programmiert werden sollen.

[2] Für die Programmierung mit den Inkrementalmaßen XI/ZI bei den Wegbedingungen G1/G2/G3 muss die Kettenmaßangabe G91 nicht eingeschaltet sein.

G2 | Kreisinterpolation im Uhrzeigersinn

Bearbeitungsbeispiele (Kreisinterpolation von P1 nach P2)

N... G2 X60 Z-43 R15[3]

N... G2 X60 Z-43 I12 K-9

N... G2 X60 Z-43 AO125

N... G2 X70 Z-37 R15 RN5

verpflichtende Adressen für G2

X/Z	Koordinateneingabe (gesteuert durch G90/G91)
XA/ZA	Absolutmaße
XI/ZI	Inkrementalmaße

optionale Adressen

I/IA	X-Mittelpunktskoordinate (inkremental/absolut)
K/KA	Z-Mittelpunktskoordinate (inkremental/absolut)
R	Radius
AO	Öffnungswinkel
RN+	Verrundungsradius zum nächsten Konturelement
RN−	Fasenbreite zum nächsten Konturelement (vgl. G1)
E	Feinkonturvorschub auf Übergangselement
O1/O2	kurzer/langer Kreisbogen[3]

[3] Ohne Angabe gilt die Voreinstellung O1 (kurzer Kreisbogen).

F

Arbeitsbewegungen nach PAL (Drehen)

Arbeitsbewegungen bei CNC-Drehmaschinen

G3	Kreisinterpolation entgegen dem Uhrzeigersinn

Bearbeitungsbeispiele (Kreisinterpolation von P1 nach P2)

N... G3 X50 Z-37 R15[1]

N... G3 X50 Z-37 I0 K-15

N... G3 X50 Z-37 AO125

N... G3 X50 Z-37 R15 RN8

verpflichtende Adressen für G3

X/Z	Koordinateneingabe (gesteuert durch G90/G91)
XA/ZA	Absolutmaße
XI/ZI	Inkrementalmaße

optionale Adressen

I/IA	X-Mittelpunktskoordinate (inkremental/absolut)
K/KA	Z-Mittelpunktskoordinate (inkremental/absolut)
R	Radius
AO	Öffnungswinkel
RN+	Verrundungsradius zum nächsten Konturelement
RN–	Fasenbreite zum nächsten Konturelement (vgl. G1)
E	Feinkonturvorschub auf Übergangselement
O1/O2	kurzer/langer Kreisbogen

[1] Ohne Angabe gilt die Voreinstellung O1 (kurzer Kreisbogen).

G14	Werkzeugwechselpunkt (WWP) anfahren

Bearbeitungsbeispiel

N... G14 H0

N... G14 H1

N... G14 H2

optionale Adressen für G14

H0	WWP schräg anfahren
H1	zuerst X-Achse, dann Z-Achse wegfahren
H2	zuerst Z-Achse, dann X-Achse wegfahren

G22	Unterprogrammaufruf

Bearbeitungsbeispiel

Hauptprogramm %900

```
N10 G90
N15 F... S... M4
N20 G0 X42 Z6 ;P1
N25 G22 L911 H2
N30..
N35..
N150 M30
```

Unterprogramm L911

```
N10 G91
N15 G0 Z-16
N20 G1 X-6
N25 G1 X6
N30 G0 Z-6
N35 G1 X-6
N40 G1 X6
N45 M17
```

Sprung

Rück-sprung

verpflichtende Adresse für G22

L	Nummer des Unterprogramms

optionale Adressen

H	Anzahl der Wiederholungen
/	Ausblendebene
(M17	Unterprogramm-Ende)

G23	Programmwiederholung

Bearbeitungsbeispiel

```
N10..
N15 G0 X58 Z-15 M4
N20 G91
N25 G1 X-11
N30 G1 X11
N35 G0 Z-16
N40 G23 N20 N35 H2
N45 G90
N50...
```

verpflichtende Adressen für G23

N	Startnummern des Satzes, ab dem wiederholt werden soll
N	Endnummern des Satzes, der wiederholt werden soll

optionale Adresse

H	Anzahl der Wiederholungen

G30	Umspannen des Werkstücks

Bearbeitungsbeispiel

1. Einspannung   2. Einspannung

```
N19 G14 H0
N20        M0
N21 G18 HS
N22 G30 Q1  DE15
N23 G59 ZA-1
N24 G96 G95 T1 ...
N25 G0  X... Z...
```

verpflichtende Adressen für G30

Q1	umspannen des Werkstücks auf der Hauptspindel
DE	Einspannposition der Spannmittelvorderkante zum aktuellen umgedrehten Werkstückkoordinatensystem der Hauptspindel

F

Zyklen nach PAL (Drehen)

Zyklen bei CNC-Drehmaschinen

G17 | Stirnseitenbearbeitungsebene (Bearbeitungsebene für angetriebene Werkzeuge)

Bearbeitungsbeispiel

N19	G14	H0			
N20	G17				
N21	G97	G94	T5 ...		
N22	G0	X55	Y0	Z2	
N23	G1			Z-15	
N24	G41	G47	X25	Y0	R5
N25	G1			Y-25	
N27		X-25			
N28			Y25		

optionale Adressen für G17[1]

HS Hauptspindelbearbeitung[1]
GSU Gegenspindelbearbeitung
mit Drehung des X-Y-Z-
Koordinatensystems um
180° um die Y-Achse

(G47: tangentiales Anfahren,
Seite 357)

G18 | Drehebene (Drehebene für das Umspannen des Werkstücks)

Bearbeitungsbeispiel

N19	G14	H0		
N20			M0	
N21	G18	HS		
N22	G30	Q1		DE15
N23	G59	ZA-1		
N24	G96	G95	T1 ...	
N25	G0	X...	Z...	

optionale Adressen für G18[1]

HS Hauptspindelbearbeitung[1]
GS Gegenspindelbearbeitung
GSU Gegenspindelbearbeitung
mit Drehung des X-Y-Z-
Koordinatensystems um
180° um die X-Achse

(G30: Umspannen, Seite 350)

G19 | Mantelflächen/Sehnenflächenbearbeitungsebene (Bearbeitungsebene für angetriebene Werkzeuge)

Bearbeitungsbeispiel

 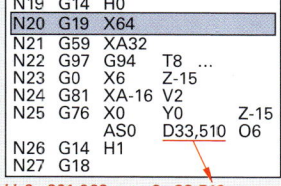

N19	G14	H0		
N20	G19	X64		
N21	G59	XA32		
N22	G97	G94	T8 ...	
N23	G0	X6	Z-15	
N24	G81	XA-16	V2	
N25	G76	X0	Y0	Z-15
		AS0	D33,510	O6
N26	G14	H1		
N27	G18			

optionale Adressen für G19

B Neigungswinkel der Sehnen-
fläche bezogen auf +Z
C ohne Adresswert, direktes
Programmieren der C-Achse
X Durchmesser, für den die
abgewickelte Mantelfläche
erzeugt wird

(G81: Bohrzyklus, Seite 361
G76: Mehrfachzyklusaufruf, S. 359)

Mantelflächenumfang ø64
$U = d \cdot \pi = 64\,mm \cdot \pi = 201,062\,mm$

$D = U : 6 = 201,062\,mm : 6 = 33,510\,mm$

G81 | Längsschruppzyklus

Bearbeitungsbeispiel

N19	G14	H0		
N20	G96	G95	T1 ...	
N21	G0	X80	Z2	
N22	G81	D4	AX0.5	AZ0.1
N23	G0	X42		
N24	G1		Z0	
N25		X54		RN-5
N26			Z-15	
N27		X72		
N28			Z-23	
N29		X82		AS120
N30	G80			
N31	G14	H0		

verpflichtende Adresse für G81

D Zustellung

optionale Adressen[1]

AX Aufmaß in X-Richtung
AZ Aufmaß in Z-Richtung
H1 nur Schruppen, 1x45°
abheben
H2 stufenweises Auswinkeln
entlang der Kontur
H3 wie H1 mit zusätzlichem
Konturschnitt am Ende
H24 Schruppen mit H2 und
anschließendem Schlichten

(Mit G80 erfolgt eine Abwahl der Bearbeitungszyklus-Konturbeschreibung)

G82 | Planschruppzyklus

Bearbeitungsbeispiel

N19	G14	H0	
N20	G96	G95	T1 ...
N21	G0	X82	Z4
N22	G82	D1	H1
N23	G0	X80	Z0.1
N24	G1	X-1.6	
N25			Z3.5
N26	G80		
N27	G14	H0	

verpflichtende Adresse für G82

D Zustellung

optionale Adressen[1]

AX Aufmaß in X-Richtung
AZ Aufmaß in Z-Richtung
H1 nur Schruppen, 1x45°
abheben
H2 stufenweises Auswinkeln
entlang der Kontur
H3 wie H1 mit zusätzlichem
Konturschnitt am Ende
H24 Schruppen mit H2 und
anschließendem Schlichten

T1: Eckenwinkel
$r_\varepsilon = 0,8$

(Mit G80 erfolgt eine Abwahl der Bearbeitungszyklus-Konturbeschreibung)

[1] voreingestellte Adressen: HS, AX0, AZ0, H2

F

Zyklen nach PAL (Drehen)

Zyklen bei CNC-Drehmaschinen

G31   Gewindezyklus

Bearbeitungsbeispiel

D=0,6134·P
D=0,6134·2mm=1,23mm

```
N19  G14  H0
N20  G97  T4  S1989     M3
N21  G31  XA24  ZA-39.5  F2  D1.23  XS24  ZS6  Q10  O2  H14
N22  G14  H0
```

verpflichtende Adressen für G31

XA/ZA   Gewindeendpunkt, absolut
XI/ZI   Gewindeendpunkt, inkremental

optionale Adressen

XS   Gewindestartpunkt, absolut in X
ZS   Werkzeugstartpunkt, absolut in Z
D   Gewindetiefe (Seite 206)
F   Steigung in Richtung der Z-Achse
Q   Anzahl der Schnitte (Zustellungen)
O   Anzahl der Leerdurchläufe
H14   Zustellung wechselseitig, Restschnitte ein

G84   Bohrzyklus (für die Drehmitte ohne angetriebenes Werkzeug)

Bearbeitungsbeispiel

```
N19  G14  H0
N20  G97  T7  S955  F0.25  M3
N21  G0   X0        Z3
N22  G84  ZA-25     U1
N23  G14  H2
```

verpflichtende Adressen für G84

ZA   Tiefe der Bohrung, absolut
ZI   Tiefe der Bohrung, inkremental

optionale Adressen

DA   Anbohrtiefe
D   Zustelltiefe
DR   Reduzierwert der Zustelltiefe
DM   Mindestzustelltiefe
U   Verweilzeit am Bohrgrund (in Sekunden, Voreinstellung U0)
V   Sicherheitsabstand
VB   Sicherheitsabstand vor Bohrgrund

G85   Freistichzyklus

Bearbeitungsbeispiele

```
N19  G1   X24   RN-2
N20  G85  XA24  ZA-40  I1.5  K7  H1   DIN 76
N21  G1   X30
```

```
N19  G1   X25   RN-1
N20  G85  XA25  ZA-40  H2   DIN 509-E
N21  G1   X30
```

```
N19  G1   X25   RN-1
N20  G85  XA25  ZA-40  H3   DIN 509-F
N21  G1   X30
```

verpflichtende Adressen für G85

XA/ZA   Freistichposition, absolut
XI/ZI   Freistichposition, inkremental

optionale Adressen

I   Freistichtiefe für DIN 76 (S. 88)
K   Freistichbreite für DIN 76 (S. 88)
H1   DIN 76 (S. 88)
H2   DIN 509 E (S. 91, Reihe 1)
H3   DIN 509 F (S. 91, Reihe 1)
SX   Schleifaufmaß (Seite 337)
E   Eintauchvorschub

G86   radialer Stechzyklus

Bearbeitungsbeispiele

```
N19  G14  H0
N20  G96  T12   S120  F0.1  M4
N21  G0   X54   Z-17
N22  G86  XA50  ZA-9  ET21  EB-16  D2  RU2  AK0.1  EP1  H14  V2
N23  G14  H0
```

verpflichtende Adressen für G86

XA/ZA   Einstechposition, absolut
XI/ZI   Einstechposition, inkremental
ET   Durchmesser Stechgrund/Öffnung

optionale Adressen

EB   Breite des Einstichs
D   Zustelltiefe
RO/RU   Verrundung (+) oder Fase (-)
AK   konturparalleles Aufmaß
V   Sicherheitsabstand
H14   Schruppen und Schlichten
EP1   Setzpunkt an der Öffnung
EP2   Setzpunkt am Einstichgrund
AE/AS   Flankenwinkel des Einstichs

F

Zyklus, CNC-Programm nach PAL (Drehen)

Zyklus bei CNC-Drehmaschinen

G88 | axialer Stechzyklus

Bearbeitungsbeispiel

```
N19 G14 H0
N20 G96 T9    S120   F0.1   M4
N21 G0  X68   Z2
N22 G88 XA30 ZA-16 ET-32 EB20 D2 RU2 AK0.1 EP1 H14 V2
N23 G14 H2
```

verpflichtende Adressen für G88

XA/ZA	Einstechposition, absolut
XI/ZI	Einstechposition, inkremental
ET	Stechgrund in Z-Achse

optionale Adressen

EB	Breite des Einstichs
D	Zustelltiefe
RO/RU	Verrundung (+) oder Fase (–)
AK	konturparalleles Aufmaß
V	Sicherheitsabstand
H14	Schruppen und Schlichten
EP1	Setzpunkt an der Öffnung
EP2	Setzpunkt am Einstichgrund

CNC-Programm (PAL) für die Drehbearbeitung des Gewindebolzens

(Seite 311)

Werkzeugbezeichnung	Plan-dreh-meißel	Schrupp-dreh-meißel	Schlicht-dreh-meißel	Gewinde-dreh-meißel	Abstech-dreh-meißel
Werkzeug-Nr.	T1	T2	T3	T4	T5
Schneidenradius in mm	0,8	0,8	0,4	–	0,2
Schnittgeschwindigkeit in m/mm	250	200	300	150	155
maximale Schnitttiefe in mm	1	3	0,5	–	–
Vorschub in mm	0,2	0,45	0,1	2	0,05

Nr.	Wegbe-dingung	Koordinaten X/XA/XI	Z/ZA/ZI	Zusätzliche Befehle mit Adressen						Schalt-funktion	Erläuterungen
N1	G54										Nullpunktverschiebung
N2	G92		S4000								Drehzahlbegrenzung
N3	G14		H0								*Eilgang zum WWP*
N4	G96		T1	S250	F0.2					M4	*Werkzeugaufruf T1*
N5	G0	X46	Z0.1							M8	*Eilgang zum Werkstück*
N6	G1	X-1.6									**Planen** in einem Schnitt
N7			Z2								(r_ε = 0,8 mm)
N8	G14		H0							M9	*Eilgang zum WWP*
N9	G96		T2	S200	F0.45					M4	*Werkzeugaufruf T2*
N10	G0	X46	Z2							M8	*Eilgang zum Werkstück*
N11	G81			D3	AX0.5	AZ0.1					**Längsschruppzyklus**
N12	G0	X18	Z2								Anfahrt zum 1. Punkt am Werkstück
N13	G1		Z0								
N14		X24		RN-2							
N15	G85	XA24	ZA-22.05	I1.5	K5	H1					
N16	G1	X30.009		RN-2							Konturbeschreibung zum Vordrehen (schruppen)
N17	G85	XA30.009	ZA-50	H2							
N18	G1	X41		RN3							
N19			Z-62								
N20		X46									
N21	G80										Zyklusende
N22	G14		H0							M9	*Eilgang zum WWP*
N23	G96		T3	S300	F0.1					M4	*Werkzeugaufruf T3*
N24	G0	X0	Z2							M8	*Eilgang zum Werkstück*
N25	G42 G1		Z0								Wiederholung der Konturbeschreibung zum
N26	G23			N14	N20						
N27	G40										**Schlichten**
N28	G14		H0							M9	*Eilgang zum WWP*
N29	G97		T4	S1989						M3	*Werkzeugaufruf T4*
N30	G31	XA24	ZA-21.55	F2	D1.23	XS24	ZS6	Q10	Q2	H14 M8	Gewindezyklus
N31	G14		H0							M9	*Eilgang zum WWP*
N32	G96		T5	S155	F0.05					M4	*Werkzeugaufruf T5*
N33	G0	X46	Z-46							M8	*Eilgang zum Werkstück*
N34	G86	XA42	ZA-60	ET2	EB-3	EP1	V2				**radialer Stechzyklus**
N35	G14		H1							M9	*Eilgang zum WWP*
N36										M30	Programmende

F

Befehle nach PAL (Fräsen)

PAL-Befehlscodierung bei CNC-Fräsmaschinen (mit Mehrseitenbearbeitung)

G-Funktionen – Wegbedingungen[1] (Auswahl)

Interpolationsarten	(Seiten 355–357)	Schnittgrößen	(Seiten 324–327)
G0	Verfahrweg im Eilgang[2]	G94	Vorschubgeschwindigkeit[1] in mm/min (Adresse: F)
G1	Linearinterpolation im Arbeitsgang[1][2]	G95	Vorschub in mm (Adresse: F)
G2	Kreisinterpolation im Uhrzeigersinn[2]	G97	konstante Drehzahl[1] in 1/min (Adresse: S)
G3	Kreisinterpolation im Gegenuhrzeigersinn[2]		
G4	Verweildauer	**Programmtechniken**	**(Seite 350)**
G9	Genauhalt	G22	Unterprogrammaufruf[3]
G10	Verfahren im Eilgang mit Polarkoordinaten[2]	G23	Programmwiederholung[3]
G11	Linearinterpolation mit Polarkoordinaten[2]		
G12	Kreisinterpolation im Uhrzeigersinn mit Polar- koordinaten mit angetriebenem Werkzeug[2]	**Zyklen**	**(Seiten 358–361)**
		G34	Eröffnung des Konturtaschenzyklus
G13	Kreisinterpolation im Gegenuhrzeigersinn mit Polarkoordinaten[2]	G35	Schrupptechnologie des Konturtaschenzyklus
		G37	Schlichttechnologie des Konturtaschenzyklus
G45	lineares tangentiales Anfahren an einer Kontur[2]	G38	Konturbeschreibung des Konturtaschenzyklus
G46	lineares tangentiales Abfahren an einer Kontur[2]	G80	Abschluss einer G38-Taschen-/Insel-Kontur- beschreibung
G47	tangentiales Anfahren im Viertelkreis[2]	G39	Konturtaschenzyklusaufruf
G48	tangentiales Abfahren im Viertelkreis[2]	G72	Rechtecktaschenfräszyklus[2]
		G73	Kreistaschen- und Zapfenfräszyklus[2]
Nullpunkte	**(Seite 358)**	G74	Nutenfräszyklus[2]
G50	aufheben der inkrementellen Nullpunktver- schiebung und Drehungen (G59)	G75	Kreisbogennut-Fräszyklus[2]
G53	alle Nullpunktverschiebungen und Drehungen aufheben[1]	G76	Mehrfachzyklusaufruf auf einer Lochreihe[2]
		G77	Mehrfachzyklusaufruf auf einem Lochkreis[2]
G54... ...G57	einstellbare absolute Nullpunkte	G78	Zyklusaufruf auf einem Punkt (Polarkoordi- naten)[2]
G59	inkrementelle Nullpunktverschiebung kartesisch und Drehung	G79	Zyklusaufruf auf einem Punkt (kartesische Koordinaten)[2]
		G81	Bohrzyklus[2]
Werkzeugkorrekturen	**(Seite 344)**	G82	Tiefbohrzyklus mit Spanbruch[2]
G40	Abwahl der Schneidenradiuskorrektur (SRK)[1][2]	G84	Gewindebohrzyklus[2]
G41	SRK links von der programmierten Kontur[2]	G85	Reibzyklus[2]
G42	SRK rechts von der programmierten Kontur[2]	G88	Innengewindefräszyklus
Maßangaben		**Bearbeitungsebenen**	**(Seite 358)**
G70	Umschalten auf die Maßeinheit Zoll (Inch)	G16	inkrementelle Drehung der aktuellen Bearbei- tungsebene
G71	Umschalten auf die Maßeinheit Millimeter (mm)	G17	Ebenenanwahl mit maschinenfesten Raum- winkeln[1]
G90	absolute Maßangabe[1]		
G91	Kettenmaßangabe		

M-Funktionen[1] – Zusatzfunktionen (Auswahl) (Seite 345)

M0	Programmierter Halt	M13	wie M3 und Kühlschmiermittel ein
M3	Spindel dreht im Uhrzeigersinn (CW[5])	M14	wie M4 und Kühlschmiermittel ein
M4	Spindel dreht im Gegenuhrzeigersinn (CCW[5])	M15	Spindel aus, Kühlmittel aus
M5	Spindel ausschalten[1]	M17	Unterprogramm-Ende
M6	Werkzeugwechsel	M30	Programmende mit Rücksetzen auf Programm- anfang
M8	Kühlschmiermittel ein	M60	konstanter Vorschub[1]
M9	Kühlschmiermittel aus[1]		

T-Adresse[4] – Werkzeugnummer im Magazin (Auswahl) (Seiten 344, 362)

TR	inkrementelle Veränderung des Werkzeug- radiuswertes	T	Werkzeugnummer im Magazin
TL	inkrementelle Veränderung der Werkzeuglänge	TC	Korrektur-Speichernummer

[1] Einschaltzustand beim Start eines CNC-Programms: **G17, G90, G53, G40, G94, G97, G1, M5, M9, M60**

[2] Dieser Befehl kann auch für CNC-Drehmaschinen mit angetriebenem Werkzeug bei der Bearbeitung in der G17- und G19-Ebene verwendet werden (Seite 351). In der G19-Ebene werden die Achsen von XY- zur ZX-Ebene angepasst.

[3] Die Adressen der Programmwiederholung (G22) und des Unterprogrammaufrufs (G23) werden wie beim CNC-Drehen angegeben (Seite 350).

[4] Mit dem Werkzeugaufruf wird gleichzeitig der Werkzeugwechselpunkt (WWP) im Eilgang angefahren.

[5] CW: clock wise; CCW: counter clock wise

Arbeitsbewegungen nach PAL (Fräsen)

Arbeitsbewegungen bei CNC-Fräsmaschinen

G1 Linearinterpolation im Arbeitsgang[1]

Bearbeitungsbeispiele (Linearinterpolation von P1 nach P2)

N... G1 X35 Y30	N... G1 XI25 YI10	N... G1 Y30 AS40 RN10
N... G1 X35 AS18	N... G1 D28 AS18	N... G1 Y30 AS40 RN-5
N... G1 X15 Y17	N... G1 X15 AS18	N... G1 D30 AS18

optionale Adressen für G1

X/Y	Koordinateneingabe (gesteuert durch G90/G91)
XA/YA	Absolutmaße[3]
XI/YI	Inkrementalmaße[4]
RN+	Verrundungsradius zum nächsten Konturelement
RN–	Fasenbreite zum nächsten Konturelement
D	Länge der Verfahrstrecke
AS	Anstiegswinkel der Verfahrstrecke

[3] Die Verwendung der Koordinaten XA/ZA bei den Wegbedingungen G1/G2/G3 ist nur dann notwendig, wenn bei einer eingeschalteten Kettenmaßangabe (G91) Einzelsätze mit den Absolutmaßen XA/ZA programmiert werden sollen.

[4] Für die Programmierung mit den Inkrementalmaßen XI/ZI bei den Wegbedingungen G1/G2/G3 muss die Kettenmaßangabe G91 nicht eingeschaltet sein.

G2 Kreisinterpolation im Uhrzeigersinn[1]

Bearbeitungsbeispiele (Kreisinterpolation von P1 nach P2)

N... G2 X32 Y27 R12[2]	N... G2 X32 Y27 I12 J0	N... G2 X14 Y6 I16 J-6
N... G2 X35 Y33 AO115	N... G2 X35 Y30 R13 RN7	N... G2 X14 Y6 AO95

verpflichtende Adressen für G2

X/Y	Koordinateneingabe (gesteuert durch G90/G91)
XA/YA	Absolutmaße
XI/YI	Inkrementalmaße

optionale Adressen

I/IA	X-Mittelpunktskoordinate (inkremental/absolut)
J/JA	Y-Mittelpunktskoordinate (inkremental/absolut)
R	Radius
AO	Öffnungswinkel
RN+	Verrundungsradius zum nächsten Konturelement
RN–	Fasenbreite zum nächsten Konturelement (vgl. G1)
O1/O2	kurzer/langer Kreisbogen[2]

[1] Dieser Befehl kann auch für CNC-Drehmaschinen mit angetriebenem Werkzeug bei der G17- und G19-Ebene verwendet werden (Seite 351). In der G19-Ebene werden die Achsen von der XY- zur ZX-Ebene angepasst.

[2] Ohne Angabe gilt die Voreinstellung O1 (kurzer Kreisbogen).

F

Arbeitsbewegungen nach PAL (Fräsen)

Arbeitsbewegungen bei CNC-Fräsmaschinen

G3	Kreisinterpolation entgegen dem Uhrzeigersinn[1]

Bearbeitungsbeispiele (Kreisinterpolation von P1 nach P2)

verpflichtende Adressen für G3

X/Y	Koordinateneingabe (gesteuert durch G90/G91)
XA/YA	Absolutmaße
XI/YI	Inkrementalmaße

optionale Adressen

I/IA	X-Mittelpunktskoordinate (inkremental/absolut)
J/JA	Y-Mittelpunktskoordinate (inkremental/absolut)
R	Radius
AO	Öffnungswinkel
RN+	Verrundungsradius zum nächsten Konturelement
RN–	Fasenbreite zum nächsten Konturelement (vgl. G1)
O1/O2	kurzer/langer Kreisbogen

N... G3 X32 Y27 R12[2]

N... G3 X32 Y27 I5.6 J10.56

N... G3 X9 Y4 I8 J17

N... G3 X32 Y27 AO115

N... G3 X27 Y35 R12 RN8

N... G3 X4 Y-5 AO65

G11	Linearinterpolation mit Polarkoordinaten[1]

Bearbeitungsbeispiele (Linearinterpolation von P1 nach P2)

verpflichtende Adressen für G11

RP	Polarradius
AP	Polarwinkel bezogen auf +X
AI	inkrementeller Polarwinkel[3]

optionale Adressen:

I/IA	X-Koordinate des Pols
J/JA	Y-Koordinate des Pols
RN+	Verrundungsradius zum nächsten Konturelement
RN–	Fasenbreite zum nächsten Konturelement

N... G11 AP58 RP34

N... G11 AP70 RP35 IA37 JA7 RN6

G12	Kreisinterpolation im Uhrzeigersinn mit Polarkoordinaten[1]

Bearbeitungsbeispiele (Kreisinterpolation von P1 nach P2)

verpflichtende Adressen für G12

AP	Polarwinkel bezogen auf +X
AI	inkrementeller Polarwinkel[3]

optionale Adressen

RP	Polarradius
I/IA	X-Koordinate des Pols
J/JA	Y-Koordinate des Pols
RN+	Verrundungsradius zum nächsten Konturelement
RN–	Fasenbreite zum nächsten Konturelement

N... G12 AI-130 IA30 JA21

N... G12 AP22 IA28 JA21 RN17

---

[1] Dieser Befehl kann auch für CNC-Drehmaschinen mit angetriebenem Werkzeug bei der G17- und G19-Ebene verwendet werden (Seite 351). In der G19-Ebene werden die Achsen von der XY- zur ZX-Ebene angepasst.

[2] Ohne Angabe gilt die Voreinstellung O1 (kurzer Kreisbogen).

[3] Der inkrementelle Polarwinkel ist auf die aktuelle Werkzeugposition bezogen. Diese Adresse ist nur erlaubt, wenn der Pol von der aktuellen Werkzeugposition verschieden ist.

F

Arbeitsbewegungen nach PAL (Fräsen)

Arbeitsbewegungen bei CNC-Fräsmaschinen

G13 | Kreisinterpolation entgegen dem Uhrzeigersinn[1]

Bearbeitungsbeispiel (Kreisinterpolation von P1 nach P2)

N... G13 AP-45 IA21 JA51 RN17

N... G13 AP-35 IA37 JA45

verpflichtende Adressen für G13
AP	Polarwinkel bezogen auf +X
AI	inkrementeller Polarwinkel

optionale Adressen
RP	Polarradius
I/IA	X-Koordinate des Pols
J/JA	Y-Koordinate des Pols
RN+	Verrundungsradius zum nächsten Konturelement
RN–	Fasenbreite zum nächsten Konturelement

G10 | Verfahren im Eilgang in Polarkoordinaten[1]

Bearbeitungsbeispiel (Anfahren nach P1 und Abfahren von P2)

N... G10 Z2 AP64 RP25 IA40 JA7

verpflichtende Adressen für G10
RP	Polarradius
AP	Polarwinkel bezogen auf +X
AI	inkrementeller Polarwinkel

optionale Adressen
I/IA	X-Koordinate des Pols
J/JA	Y-Koordinate des Pols
Z/ZA	Z-Koordinate der Anfahrt

G45/G46 | Lineares tangentiales Anfahren an die Kontur (G45) und Abfahren von der Kontur (G46)[1]

Bearbeitungsbeispiel (Anfahren nach P1 und Abfahren von P2)

N...	G0		X20	Y-8	Z2
N...					Z-7
N...	G41	G45	X0	Y-11	D10
N...	G1		X-40		
N...			X-48	Y0	
N...	G40	G46			D10
N...	G0		X-70	Y10	Z2

verpflichtende Adressen für G45
D	Abstand zum ersten Konturpunkt (ohne Vorzeichen)
X/Y	Koordinateneingabe (gesteuert durch G90/G91)
XA/YA	Absolutmaße
XI/YI	Inkrementalmaße

verpflichtende Adresse für G46
D	Länge der Abfahrbewegung (ohne Vorzeichen)

- G45 muss mit der Fräserradiuskorrektur G41/G42 aufgerufen werden.
- G46 muss mit dem Aufheben der Fräserradiuskorrektur G40 aufgerufen werden.

G47/G48 | Tangentiales Anfahren an die Kontur (G47) und Abfahren von der Kontur (G48) im ¼-Kreis[1]

Bearbeitungsbeispiel (Anfahren nach P1 und Abfahren von P2)

N...	G0		X24	Y-35	Z2
N...					Z-5
N...	G41	G47	X0	Y-11	R12
N...	G1		X-40		
N...			X-48	Y0	
N...	G40	G48			R8
N...	G0		X-70	Y-15	Z2

verpflichtende Adressen für G47
R	Radius der Anfahrbewegung bezogen auf die Fräsermittelpunktsbahn
X/Y	Koordinateneingabe (gesteuert durch G90/G91)
XA/YA	Absolutmaße
XI/YI	Inkrementalmaße

verpflichtende Adresse für G48
R	Radius der Abfahrbewegung bezogen auf die Fräsermittelpunktsbahn

- G47 muss mit der Fräserradiuskorrektur G41/G42 aufgerufen werden.
- G48 muss mit dem Aufheben der Fräserradiuskorrektur G40 aufgerufen werden.

G54–G57 | Einstellbare absolute Nullpunkte

Mit den jeweiligen Befehlen G54, G56, G57 oder G58 wird zu Beginn der Bearbeitung der Werkstücknullpunkt festgelegt, der einen definierten Abstand zum Maschinennullpunkt hat. Die Verschiebewerte werden vor dem Programmstart vom Bediener in den Nullpunktregister der CNC-Steuerung eingegeben.

[1] Dieser Befehl kann auch für CNC-Drehmaschinen mit angetriebenem Werkzeug bei der G17- und G19-Ebene verwendet werden (Seite 351). In der G19-Ebene werden die Achsen von der XY- zur ZX-Ebene angepasst.

F

Zyklen nach PAL (Fräsen)

Zyklen bei CNC-Fräsmaschinen

G59	Inkrementelle Nullpunktverschiebung kartesisch und Drehung

Bearbeitungsbeispiel (Nullpunktverschiebung von W1 nach W2)

```
N...  G54
N...         T3    S2380  F470  M13
N...  G0   X...    Y...
N...
N...         T4    S4470  F570  M13
N...  G59  XA-40 YA20  ZA30  AR45
N...  G0   X...    Y...    Z...
```

Der durch **G59** verschobene Werkstücknullpunkt wird mit dem Befehl **G50** auf die alte Position, die mit **G54** aufgerufen wurde, zurückgesetzt.

optionale Adressen für G59[1]

XA	X-Koordinate des neuen Nullpunktes, absolut
YA	Y-Koordinate des neuen Nullpunktes, absolut
ZA	Z-Koordinate des neuen Nullpunktes, absolut
AR	Drehwinkel um die Z-Achse, bezogen auf die X-Achse

[1] Die Verschiebung und Drehung bezieht sich auf das aktuelle Werkstückkoordinatensystem.

G17/G16	Ebenenanwahl mit maschinenfesten Raumwinkeln/inkrementelle Drehung der Ebenen

Bearbeitungsbeispiel (Drehung der Bearbeitungsebene Mit G17)

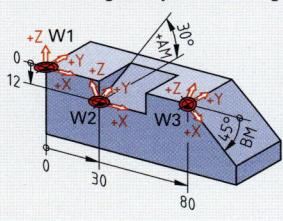

```
N...  G54                              ;W1
N...  (Programmierung in der XY-Ebene vom W1)
N...  G59  XA30  ZA-12                  ;W2
N...  G17              AM30
N...  (Programmierung in der XY-Ebene vom W2)
N...  G22  L100
N...  G59  XA80                         ;W3
N...  G17              BM45
N...  (Programmierung in der XY-Ebene vom W3)
N...  G22  L100
```

L100	(Unterprogramm zum Rücksetzen der Ebene und Nullpunktverschiebung)

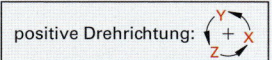

positive Drehrichtung:

```
N1  G0  Z50       (Unterprogramm-
N2  G17           aufruf mit dem
N3  G50           Befehl G22 im
N4        M17     Hauptprogramm)
```

optionale Adressen für G17[2]

AM	absoluter Drehwinkel um die X-Achse
BM	absoluter Drehwinkel um die Y-Achse
CM	absoluter Drehwinkel um die Z-Achse

optionale Adressen für G16[3]

AR	inkrementelle Drehung um die X-Achse
BR	inkrementelle Drehung um die Y-Achse
CR	inkrementelle Drehung um die Z-Achse

G79	Zyklusaufruf auf einen Punkt (kartesische Koordinaten)[4]

Bearbeitungsbeispiel (Aufruf des Nutenfräszyklus G74)

```
N...  G74  ZA-8  LP70  BP20  D4    V2
N...  G79  X40   Y24   Z0    AR25
N...
```

• Es wird der aktuell aktive Fräszyklus aufgerufen.
• Die Anfahrt erfolgt im Eilgang mit dem Sicherheitsabstand V.

optionale Adressen für G79

X/Y/Z	Koordinateneingabe (gesteuert durch G90/G91)
XA/YA/ZA	Absolutmaße
XI/YI/ZI	Inkrementalmaße
AR	Drehwinkel des Objekts bezogen auf die X-Achse
W	Rückzugsebene absolut in Werkstückkoordinaten

G78	Zyklusaufruf auf einen Punkt (Polarkoordinaten)[4]

Bearbeitungsbeispiel (Aufruf des Tiefbohrzyklus G82)

```
N...  G82  ZA-15  D3   V2
N...  G78  Z0     IA65  JA25  RP40  AP78
N...  G78  Z0     IA65  JA25  RP35  AP147
N...
```

• Es wird der aktuell aktive Fräszyklus aufgerufen.
• Die Anfahrt erfolgt im Eilgang mit dem Sicherheitsabstand V.

verpflichtende Adressen für G78

I/IA	X-Koordinate des Pols
J/JA	Y-Koordinate des Pols
RP	Polradius
AP	Polwinkel bezogen auf X

optionale Adresse

Z/ZI/ZA	Z-Koordinate der Oberkante
AR	Drehwinkel
W	Rückzugsebene absolut

[2] Die Drehung erfolgt um die jeweilige Achse des Maschinenkoordinatensystems. Eine mehrfache Drehung um verschiedene Achsen ist in einem G17-Befehl möglich (z.B. N... G17 AM30 CM-45).

[3] Die Drehung erfolgt um die jeweilige Achse des aktuellen Werkstückkoordinatensystems. Eine Bearbeitung kann mehrfach inkrementell mit G16 gedreht werden. Ein erneuter G16-Befehl setzt auf die aktuelle Bearbeitungsebene auf.

[4] Dieser Befehl kann auch für CNC-Drehmaschinen mit angetriebenem Werkzeug bei der G17- und G19-Ebene verwendet werden (Seite 351). In der G19-Ebene werden die Achsen von der XY- zur ZX-Ebene angepasst.

F

Zyklen nach PAL (Fräsen)

Zyklen bei CNC-Fräsmaschinen

G76 Mehrfachzyklus auf einer Geraden (Lochreihe)[1]

Bearbeitungsbeispiel (Aufruf des Nutenfräszyklus auf einer Geraden)

	verpflichtende Adressen für G76	
AS	Winkel der Geraden bezogen auf die X-Achse	
D	Abstand der Aufrufpunkte	
O	Anzahl der Aufrufpunkte	
optionale Adressen		
AR	Drehwinkel des Objekts	
X/Y/Z	Koordinateneingabe (gesteuert durch G90/G91)	
XA/YA/ZA	Absolutmaße	
XI/YI/ZI	Inkrementalmaße zur aktuellen Werkzeugposition	

```
N...  G74  ZA-8  LP70  BP20  D4    V2
N...  G76  X40   Y16   Z0    AS15  D92  O3  AR25
```

G77 Mehrfachzyklusaufruf auf einem Lochkreis[1]

Bearbeitungsbeispiele (Aufruf des Bohrzyklus auf einem Lochkreis)

	verpflichtende Adressen für G77	
R	Radius des Lochkreises	
AN	Startwinkel des 1. Objekts bezogen auf X-Achse	
AP	Endwinkel des letzten Objektes bezogen auf die X-Achse	
AI	konstanter Segmentwinkel	
O	Anzahl der Aufrufpunkte	
I/IA	X-Mittelpunktskoordinate	
J/JA	Y-Mittelpunktskoordinate	
Z, ZA, ZI	Z-Mittelpunktskoordinate	
optionale Adressen		
W	Rückzugsebene (ohne Angabe W = V)	
H1	nach der Bearbeitung wird V angefahren, nach letztem Objekt W (Voreinstellung)	
H2	nach der Bearbeitung wird immer W angefahren	
AR	Drehwinkel des Objekts (ohne Angabe: AR0)	

```
N...  G82  ZA-6   D3    V2
N...  G77  Z0     R27   AN20  AI90  O3   IA37  JA29
```

```
N...  G81  ZA-30  V2
N...  G77  Z-16   R17   AN90  AI120  O3  IA0  JA0
```

G72 Rechtecktaschenfräszyklus[1]

Bearbeitungsbeispiel

	verpflichtende Adressen für G72	
ZI/ZA	Tiefe der Rechtecktasche	
LP	Länge der Tasche in X-Richtung (1. Achse)	
BP	Breite der Tasche in Y-Richtung (2. Achse)	
D	maximale Zustelltiefe	
V	Sicherheitsabstand	
optionale Adressen		
RN	Eckenradius	
EP	Setzpunkt für den Aufruf – ohne Angabe: EP0	
AK	Aufmaß Berandung	
AL	Aufmaß Taschenboden	
H2	Planschruppen	
H4	Schlichten (Rand/Boden)	
H14	Schruppen und Schlichten	
E	Vorschube. beim Eintauchen	
W	Rückzugsebene absolut	

```
N...  T6    S2380  F760                              M13
N...  G72   ZA-16  LP50  BP21  D7  V2  RN5  AK0.5  AL0.1  E100
N...  G79   X31    Y30   Z-3
N...  T...
```

ohne Angabe von H gilt H1: die Tasche wird durch Schruppen komplett gefräst

F

[1] Dieser Befehl kann auch für CNC-Drehmaschinen mit angetriebenem Werkzeug bei der G17- und G19-Ebene verwendet werden (Seite 351). In der G19-Ebene werden die Achsen von der XY- zur ZX-Ebene angepasst.

Zyklen nach PAL (Fräsen)

Zyklen bei CNC-Fräsmaschinen

G73   Kreistaschen- und Zapfenfräszyklus[1]

Bearbeitungsbeispiel

N...	T6	S2380	F220		M13
N...	G73	ZA-15	R23	D8	V2	AK0.5	AL0.1
N...	G79	X94	Y32	Z0	

verpflichtende Adressen für G73	
ZI/ZA	Tiefe der Kreistasche
R	Radius der Kreistasche
D	maximale Zustelltiefe
V	Sicherheitsabstand
optionale Adressen	
RZ	Zapfenradius
AK...W	wie bei G72 (Seite 359)

G74   Nutenfräszyklus[1]

Bearbeitungsbeispiel

N...	T6	S2380	F220		M13
N...	G74	ZA-20	LP100	BP26	D8	V2	AK0.5	AL0.1
N...	G79	X26	Y24	Z0	

verpflichtende Adressen für G74	
ZI/ZA	Tiefe der Nut
LP	Länge der Nut in X-Richtung (1. Achse)
BP	Breite der Nut in Y-Richtung (2. Achse)
D	maximale Zustelltiefe
V	Sicherheitsabstand
optionale Adressen	
EP	Setzpunkt für den Aufruf – ohne Angabe: EP3
AK...W	wie bei G72 (Seite 359)

G75   Kreisbogennut-Fräszyklus[1]

Bearbeitungsbeispiel

N...	T4	S3820	F420		M13
N...	G75	ZA-16	AN60	AO130	BP8	RP23	D7	V2	AK0.5	AL0.1
N...	G79	X13	Y14	Z-4	
N...	T...		

verpflichtende Adressen für G75	
ZI/ZA	Tiefe der Kreisbogennut
AN[2]	polarer Startwinkel
AO[2]	polarer Öffnungswinkel
AP[2]	polarer Endwinkel des Nutkreismittelpunktes
RP	Radius der Kreisbogennut
BP	Breite der Kreisbogennut
D	maximale Zustelltiefe
V	Sicherheitsabstand
optionale Adressen	
EP	Setzpunkt für den Aufruf – ohne Angabe: EP3
AK...W	wie bei G72 (Seite 359)

[2] zwei der polaren Winkelangaben müssen angegeben werden.

G88   Innengewindefräszyklus

Bearbeitungsbeispiel

Schraubenlinienbewegung (Helix-Bewegung)

Rechtsgewinde:
BG2 und D+
oder
BG3 und D−

Linksgewinde:
BG2 und D−
oder
BG3 und D+

N...	T13	S2240	F220		M13
N...	G88	ZA-16	DN20	D-1.5	Q7	V2	BG3
N...	G79	X23	Y17	Z0	

verpflichtende Adressen für G88	
ZI/ZA	Gewindetiefe
DN	Nenndurchmesser
D	Gewindesteigung mit Bearbeitung: D+ von oben nach unten D− von unten nach oben
Q	Gewinderillenzahl Fräser
V	Sicherheitsabstand
optionale Adressen	
BG	Bewegungsrichtung Fräser BG2 im Uhrzeigersinn BG3 im Gegenuhrzeigersinn

F

[1] Dieser Befehl kann auch für CNC-Drehmaschinen mit angetriebenem Werkzeug bei der G17- und G19-Ebene verwendet werden (Seite 351). In der G19-Ebene werden die Achsen von XY- zur ZX-Ebene angepasst.

Zyklen nach PAL (Bohren, Gewindebohren, Reiben)

Zyklen bei CNC-Fräsmaschinen

G81 | Bohrzyklus[1]

Bearbeitungsbeispiel (Zentrieren und Bohren ø10)

N... T1	S950	F140	M13
N... G81	ZA-7	V2	
N... G79	X...	Y...	Z0

N... T2	S1190	F110	M13
N... G81	ZA-16	V2	
N... G79	X...	Y...	Z0

verpflichtende Adressen für G81

ZA Bohrtiefe absolut
ZI Bohrtiefe inkremental ab
  Materialoberfläche (negativ)
V Sicherheitsabstand

optionale Adressen

W Höhe der Rückzugsebene absolut

Der Bohrzyklus G81 wird zum Anbohren, Zentrieren oder Herstellen kleiner Bohrungen (ohne Spanbruch) verwendet.

G82 | Tiefbohrzyklus mit Spanbruch[1]

Bearbeitungsbeispiel (Zentrieren und Tiefbohren ø5)

N... T1	S950	F140	M13
N... G81	ZA-6.5	V2	
N... G79	X...	Y...	Z-3
N... T2	S1350	F95	M13
N... G82	ZA-16	D3	V2
N... G79	X...	Y...	Z-3
N...			

Nach jeder Zustellung D wird ein Rückzug von 1mm mit einer Verweildauer von 1 Umdrehung durchgeführt (Voreinstellung).

verpflichtende Adressen für G82

ZA Bohrtiefe absolut
ZI Bohrtiefe inkremental ab
  Materialoberfläche (negativ)
D Zustelltiefe
V Sicherheitsabstand

optionale Adressen

E Anbohrvorschub
W Höhe der Rückzugsebene absolut

G84 | Gewindebohrzyklus[1]

Bearbeitungsbeispiel (Zentrieren, Tiefbohren und Gewindebohren M8)

N... T1	S950	F140	M13
N... G81	ZA-6.5	V2	
N... G79	X...	Y...	Z-3
N... T2	S1350	F95	M13
N... G82	ZA-16	D3	V2
N... G79	X...	Y...	Z-3
N... T3	S390		M8
N... G84	ZA-12	F1	V2	M3
N... G79	X...	Y...	Z-3
N...			

Nach Erreichen der Gewindetiefe schaltet die Spindel die Drehrichtung um.

verpflichtende Adressen für G84

ZA Gewindetiefe absolut
ZI Gewindetiefe inkremental ab
  Materialoberfläche (negativ)
F Gewindesteigung in mm/U
M Drehrichtung des Gewindebohrers für das Eintauchen
  M3: Rechtsgewinde
  M4: Linksgewinde
V Sicherheitsabstand

optionale Adresse

W Höhe der Rückzugsebene absolut

G85 | Reibzyklus[1]

F

Bearbeitungsbeispiel (Zentrieren, Tiefbohren und Reiben ø5H7)

N... T1	S950	F140	M13
N... G81	ZA-6	V2	
N... G79	X...	Y...	Z-3
N... T4	S1350	F95	M13
N... G82	ZA-10	D3	V2
N... G79	X...	Y...	Z-3
N... T5	S410	F180	M13
N... G85	ZA-11	V2	
N... G79	X...	Y...	Z-3
N...			

verpflichtende Adressen für G85

ZA Reibtiefe absolut
ZI Reibtiefe inkremental ab
  Materialoberfläche (negativ)
V Sicherheitsabstand

optionale Adressen

E Rückzugsvorschub
  in mm/min
W Höhe der Rückzugsebene absolut

---

[1] Dieser Befehl kann auch für CNC-Drehmaschinen mit angetriebenem Werkzeug bei der G17- und G19-Ebene verwendet werden (Seite 351). In der G19-Ebene werden die Achsen von der XY- zur ZX-Ebene angepasst.
Der Aufrufpunkt (Setzpunkt) der Bohr- und Reibzyklen ist der Bohrungsmittelpunkt. Aufgerufen wird mit einem der Befehle G76, G77, G78 oder G79 (Seiten 358, 359).

Zyklus, CNC-Programm nach PAL (Fräsen)

Zyklus bei CNC-Fräsmaschinen

G34/G35/G37/G38/G80/G39	Konturtaschenzyklus (KTZ)

Bearbeitungsbeispiel (gedrehte Ebene und Konturtasche)

G34	Eröffnung des KTZ

Adressen für G34
ZA Tiefe absolut
ZI Tiefe inkremental ab Oberfläche
AK Aufmaß auf die Berandung
AL Aufmaß am Taschenboden

N... G34 ZA-10 AK0.5 AL0.1

G35	Schrupptechnologie des KTZ

Adressen für G35
T Werkzeugnummer
D maximale Zustelltiefe ab Oberfläche
S Drehzahl/Schnittgeschwindigkeit
F Vorschubgeschwind. beim Fräsen
E Vorschubgeschwind. beim Eintauchen

N... G35 T3 D6 S... F... E...

G37	Schlichttechnologie des KTZ

Adressen für G37
T Werkzeugnummer
H4 Schlichten (erst Rand, dann Boden)
D...E wie bei G35

N... G37 T4 D6 S... F... E...

N... G38 H1
N... G0... X38 Y25   ;P1
N... G3 X... ...   ;P2
...
N... G80

G38	Konturbeschreibung des KTZ

Adressen für G38
H1 Tasche   H2 Insel
H3 Tasche mit Insel

G80	Abschluss der Konturbeschreibung

G39	Konturtaschenzyklusaufruf

Adressen für G39
ZA Tiefe der Tasche absolut
ZI Tiefe inkremental ab Oberfläche
V Sicherheitsabstand

N... G39 ZA0 V2

CNC-Programm (PAL) für die Fräsbearbeitung mit gedrehter Ebene G17 und Konturtasche

Nr.	Wegbe-dingung	Koordinaten X/XA/XI	Y/YA/YI	Z/ZA/ZI	Zusätzliche Befehle mit Adressen						Schalt-funktion	Erläuterungen
N1	G54											Nullpunktverschiebung W1
N2					T1	TL0.1	S150	F130			M13	Werkzeugaufruf T1 – ⌀80
N3	G59	XA10	YA30	ZA30								Nullpunktverschiebung W2
N4	G17				BM10							Drehung der Ebene
N5	G0	X35.5	Y-72	Z14								Eilgang zum Werkstück
N6	G1			Z0								Schruppen der Schräge
N7			Y72									
N8					T2	S150	F80				M13	Werkzeugaufruf T2 – ⌀80
N9	G0	X35.5	Y-72	Z2								Eilgang zum Werkstück
N10	G1			Z0								Schlichten der Schräge
N11			Y72									
N12					T3							Werkzeugaufruf T3 – ⌀16
N13	G34			ZA-10	AK0.5	AL0.1						Eröffnung KTZ
N14	G35				T3	S2380	F760	D6	E100		M13	Schrupptechnologie KTZ
N15	G37				T4	S2380	F470	D6	E100	H4	M13	Schlichttechnologie KTZ
N16	G38				H1							Kontur KTZ: Tasche
N17	G0	X38	Y25									P1 Startpunkt Konturtasche
N18	G3	X16.333	Y12.472		R25							P2
N19	G3	X16.333	Y-12.472		I3.667	J-12.472						P3 Konturbeschreibung
N20	G3	X59.667	Y-12.472		R25							P4
N21	G3	X59.667	Y12.472		I-3.667	J12.472						P5
N22	G3	X38	Y25		R25							P1
N23	G80											Abschluss Konturbeschreib.
N24	G39			ZA0	V2							Zyklusaufruf KTZ
N25	G0			Z50								Eilgang zum WWP
N26	G17											Aufhebung der Drehebene
N27	G50											Aufhebung von G59
N28					T0						M30	Programmende

F

Hauptnutzungszeit und Richtwerte beim Abtragen

Funkenerosives Schneiden (Drahterodieren)

Drahtelektrode

t_h Hauptnutzungszeit in min
v_f Vorschubgeschwindigkeit in mm/min
L Vorschubweg, Schnittlänge in mm
H Schnitthöhe in mm
T Formtoleranz in μm

Hauptnutzungszeit

$$t_h = \frac{L}{v_f}$$

Beispiel:

Werkstoff: Stahl, H = 30 mm: L = 320 mm;
T = 30 μm; v_f = ?; t_h = ?

v_f = **1,8 mm/min** (nach Tabelle)

$$t_h = \frac{L}{v_f} = \frac{320 \text{ mm}}{1,8 \text{ mm/min}} = \textbf{178 min}$$

Vorschubgeschwindigkeit v_f (Richtwerte)[1]

Schnitt-höhe H in mm	Vorschubgeschwindigkeit v_f in mm/min										
	Stahlbearbeitung					Kupferbearbeitung			Hartmetallbearbeitung		
	angestrebte Formtoleranz T in μm										
	60	40	30	20	10	40	20	10	80	20	10
10	9,0	8,5	4,0	3,9	2,1	7,5	3,5	2,0	4,5	0,7	0,6
20	5,1	5,5	2,5	2,5	1,5	4,7	2,4	1,5	3,1	0,3	0,3
30	3,7	4,0	1,8	1,8	1,1	4,0	1,9	1,1	2,3	0,2	0,2
50	2,5	2,5	1,2	1,2	0,8	2,6	1,4	0,7	1,4	0,2	0,2

[1] Die angegebenen Richtwerte sind Durchschnittswerte aus dem Hauptschnitt und allen zur Erzielung der Konturtoleranz erforderlichen Nachschnitten. Bei ungünstigen Spülverhältnissen sinkt die erzielbare Vorschubgeschwindigkeit erheblich ab.

Eigenschaften und Anwendung üblicher Drahtelektroden

Draht-werkstoff	el. Leitfähigkeit in m/(Ω · mm²)	Zugfestigkeit in N/mm²	übliche Drahtdurch-messer in mm	Anwendung
CuZn-Leg.	13,5	400…900	0,2 …0,33	universell
Molybdän	18,5	1900	0,025…0,125	Schnitte mit sehr kleiner Formtoleranz
Wolfram	18,2	2500	0,025…0,125	dünne Schneidspalte, kleine Eckenradien

Funkenerosives Senken (Senkerodieren)

S Elektrode

t_h Hauptnutzungszeit in min
S abtragender Querschnitt der Elektrode in mm²
V Abtragvolumen in mm³
V_W Abtragrate in mm³/min

Hauptnutzungszeit

$$t_h = \frac{V}{V_W}$$

Beispiel:

Schruppen von Stahl; Grafitelektrode,
S = 150 mm²; V = 3060 mm³, V_w = ?; t_h = ?

V_W = **31 mm³/min** (nach Tabelle)

$$t_h = \frac{V}{V_W} = \frac{3060 \text{ mm}^3}{31 \text{ mm}^3/\text{min}} = \textbf{99 min}$$

F

Abtragrate V_W (Richtwerte)[1]

Bear-beiteter Werk-stoff	Elektrode	Abtragrate V_W in mm³/min										
		Schruppen abtragender Querschnitt S in mm²						Schlichten angestrebte Rautiefe Rz in μm				
		10 bis 50	50 bis 100	100 bis 200	200 bis 300	300 bis 400	400 bis 600	2 bis 3	3 bis 4	4 bis 6	6 bis 8	8 bis 10
Stahl	Grafit	7,0	18	31	62	81	105	–	–	–	2	5
	Kupfer	13,3	22	28	51	85	105	0,1	0,5	1,9	3,8	5
Hartmetall	Kupfer	6,0	15	18	28	30	33	–	0,1	0,5	2,2	5,2

[1] Die Werte schwanken infolge verfahrenstechnischer Einflüsse stark. Siehe hierzu Seite 364.

Verfahrenstechnische Einflüsse beim funkenerosiven Senken

V_W	Abtragrate in mm³/min	
V	Abtragvolumen in mm³	
t	Abtragzeit in min	
V_E	absoluter Werkzeug-verschleiß in mm³	
V_{rel}	relativer Werkzeug-verschleiß in %	

Abtragrate

$$V_W = \frac{V}{t}$$

relativer Werkzeug-verschleiß

$$V_{rel} = \frac{V_E}{V} \cdot 100\,\%$$

Einfluss		Erläuterungen, Eigenschaften und Verwendung
Elek-troden-werk-stoff	**Elektrolytkupfer**	Universelle Anwendung; geringes Verschleißverhalten; hohe Abtragrate; für Schlicht- und Schruppbearbeitung; Elektrodenherstellung durch Zerspanung schwierig; starke Wärmeausdehnung; keine brüchigen Kanten; verzugsanfällig
	Grafit in verschiedenen Körnungen	Universelle Anwendung; sehr geringer Verschleiß; größere Stromdichten als Cu; geringes Elektrodengewicht; Elektrodenherstellung durch Zerspanung einfach; verzugsfrei; geringe Wärmeausdehnung; je feingliedriger die Elektrode desto feiner die gewählte Grafitkörnung; nicht für Hartmetallbearbeitung geeignet
	Wolfram-Kupfer	Kleine feingliedrige Elektroden; sehr geringer Verschleiß; sehr hohe Abtragraten bei relativ kleinen Entladeströmen trotz großen Stromdichten; nur in begrenzten Abmessungen herstellbar, hohes Elektrodengewicht
	Kupfer-Grafit	Spezieller Einsatz für kleine Elektrodenabmessungen und gleichzeitig hohe Elektrodenfestigkeit; Verschleiß und Abtragrate spielen bei speziellem Einsatz eine untergeordnete Rolle.
Dielek-trikum	**Synthetische Öle,** die gefiltert und gekühlt werden; vom Maschinen-hersteller vorgegeben	Anforderungen an Dielektrikum: • niedriger und konstanter Leitwert für stabile Funkenbildung • geringe Viskosität für Filtrierbarkeit und Eindringfähigkeit in engen Spalten • wenig Verdunstung wegen schädlicher Dämpfe • hoher Flammpunkt wegen Brandgefahr • hoher Wärmeleitwert für gute Kühlung • extrem niedrige Gesundheitsgefährdung des Bedienpersonals
Spülung	**Erneuerung des Dielektrikums** an der Wirkstelle; **Zersetzungs-produkte** aus dem Spalt entfernen	Je nach Erfordernis und Möglichkeit kommen verschiedene Spülverfahren zur Anwendung, um die Erodierleistung stabil zu halten: • Überflutung (häufigste Methode, gleichzeitig Wärmeabfuhr) • Druckspülung durch hohle Elektrode oder neben der Elektrode • Saugspülung durch hohle Elektrode oder neben der Elektrode • Intervallspülung durch Zurückziehen der Elektrode verursacht • Bewegungsspülung durch Relativbewegung zwischen Werkstück und Elektrode, ohne den Erodiervorgang zu unterbrechen
Polarität	**positiv**	Elektrode wird positiv gepolt; für geringen Elektrodenabbrand beim Schruppen mit großer Impulsdauer und niedriger Frequenz
	negativ	Elektrode wird negativ gepolt; für Erodieren mit kleiner Impulsdauer und hoher Frequenz
Arbeits-spalt	**frontal**	Mit Vorschub (geregelt über die Entladespannung) konstant gehalten. Regelempfindlichkeit zu hoch eingestellt: Elektrode schwingt ständig ein und aus, geregelte Entladungen können nicht stattfinden. Regelempfindlichkeit zu niedrig eingestellt: Anomale Entladungen häufen sich oder Spalt bleibt zu groß für Entladungen.
	seitlich	Im Wesentlichen durch Dauer und Höhe der Entladeimpulse, durch die Material-paarung und die Leerlaufspannung bestimmt
Entlade-strom	**gering**	Abtragleistung gering, kleiner Werkzeugverschleiß bei Kupferelektroden, großer Verschleiß bei Grafitelektroden
	groß	Abtragleistung hoch, großer Werkzeugverschleiß bei Kupferelektroden, geringer Verschleiß bei Grafitelektroden
Impuls-dauer	**klein**	Elektrodenverschleiß bei positiver Polarität wird größer, geringe Abtragrate
	groß	Elektrodenverschleiß bei positiver Polarität wird kleiner, Abtragrate größer

F

Schneidkraft, Einsatzbedingungen von Pressen

Schneidkraft, Schneidarbeit

F	Schneidkraft
F_m	gemittelte Schneidkraft
S	Scherfläche
$R_{m\,max}$	maximale Zugfestigkeit
$\tau_{aB\,max}$	maximale Scherfestigkeit
W	Schneidarbeit
s	Blechdicke

Schneidkraft

$$F = S \cdot \tau_{aB\,max}$$

max. Scherfestigkeit

$$\tau_{aB\,max} \approx 0{,}8 \cdot R_{m\,max}$$

Schneidarbeit

$$W = \frac{2}{3} \cdot F \cdot s$$

Beispiel:

$S = 236\ \text{mm}^2$; $s = 2{,}5\ \text{mm}$; $R_{m\,max} = 510\ \text{N/mm}^2$

Gesucht: $\tau_{aB\,max}$; F; W

Lösung:

$\tau_{aB\,max} = 0{,}8 \cdot R_{m\,max}$
$\quad = 0{,}8 \cdot 510\ \text{N/mm}^2 = \mathbf{408\ N/mm^2}$

$F = S \cdot \tau_{aB\,max} = 236\ \text{mm}^2 \cdot 408\ \text{N/mm}^2$
$\quad = 96\,288\ \text{N} = \mathbf{96{,}288\ kN}$

$W = \frac{2}{3} \cdot F \cdot s = \frac{2}{3} \cdot 96{,}288\ \text{kN} \cdot 2{,}5\ \text{mm}$
$\quad \approx 160\ \text{kN} \cdot \text{mm} = \mathbf{160\ N \cdot m}$

Einsatzbedingungen bei Exzenter- und Kurbelpressen

In der Regel sind die Pressenantriebe so ausgelegt, dass die Nenn-Presskraft beim Kurbelwinkel $\alpha = 30°$ wirken kann.

Im Dauerhub arbeiten die Maschinen ohne Unterbrechung. Im Einzelhub werden die Pressen nach jedem Hub stillgesetzt. Bei Pressen mit einstellbarem Hub ist die zulässige Presskraft kleiner als die Nenn-Presskraft.

F	Schneidkraft, Umformkraft
F_n	Nenn-Presskraft
F_{zul}	zul. Presskraft bei einstellbarem Hub
H	Hub, maximaler Hub bei einstellbarem Hub
H_e	eingestellter Hub
h	Arbeitsweg ($\hat{=}$ Blechdicke s)
α	Kurbelwinkel
W	Schneidarbeit, Umformarbeit
W_D	Arbeitsvermögen im Dauerhub
W_E	Arbeitsvermögen im Einzelhub

Arbeitsvermögen im Dauerhub

$$W_D = \frac{F_n \cdot H}{15}$$

Arbeitsvermögen im Einzelhub

$$W_E = 2 \cdot W_D$$

F

Einsatzbedingungen
Bei festem Hub
$F \leq F_n$ $W \leq W_D$ oder $W \leq W_E$
Bei einstellbarem Hub
$F \leq F_{zul}$ $F_{zul} = \dfrac{F_n \cdot H}{4 \cdot \sqrt{H_e \cdot h - h^2}}$ $W \leq W_D$ oder $W \leq W_E$

Beispiel:

Exzenterpresse mit festem Hub, $F_n = 250\ \text{kN}$; $H = 30\ \text{mm}$; $F = 207\ \text{kN}$; $s = 4\ \text{mm}$

Gesucht: W; W_D. Ist die Presse im Dauerhub einsetzbar?

Lösung: $\quad W = \frac{2}{3} \cdot F \cdot s = \frac{2}{3} \cdot 207\ \text{kN} \cdot 4\ \text{mm} = 552\ \text{kN} \cdot \text{mm} = \mathbf{552\ N \cdot m}$

$\qquad\qquad W_D = \dfrac{F_n \cdot H}{15} = \dfrac{250\ \text{kN} \cdot 30\ \text{mm}}{15} = 500\ \text{kN} \cdot \text{mm} = \mathbf{500\ N \cdot m}$

Wenn $F < F_n$, aber $W > W_D$, dann ist die Presse für dieses Werkstück im Dauerhub nicht einsetzbar.

Schneidwerkzeug

Schneidvorgang: Mit dem säulengeführten Folgeschneidwerkzeug werden Deckel aus Stahlblech gefertigt. Der Schnittstreifen wird von links in das Werkzeug eingeführt. In der Arbeitsstufe A werden durch die Schneidstempel (15, 16) die 4 Löcher und der quadratische Durchbruch zusammen gelocht. Gleichzeitig wird mit dem Seitenschneider (20) das Vorschubmaß ausgeklinkt. In der Arbeitsstufe B wird die Außenform des Deckels durch den Schneidstempel (14) ausgeschnitten. Nach jedem Hub wird der Schnittstreifen um das Vorschubmaß V weitergeschoben.

Stückliste

Pos.	Benennung	Norm/Werkstoff	Pos.	Benennung	Norm/Werkstoff
1	Führungsleiste, vorn	S235JR	12	Zylinderschraube	ISO 4762
2	Blechauflage	DC01	13	Zylinderschraube	ISO 4762
3	Führungsleiste, hinten	S235JR	14	Schneidstempel, gehärtet	X210CrW12
4	Säulengestell	DIN 9819	15	Schneidstempel, gehärtet	S6-5-2
5	Schneidplatte, gehärtet	X210CrW12	16	Schneidstempel, gehärtet	DIN 9861
6	Zylinderschraube	ISO 4762	17	Zylinderschraube	ISO 4762
7	Abstreifplatte	S235JR	18	Führungssäule, gehärtet	DIN 9825-2
8	Stempelplatte	S235JR	19	Führungsbuchse	DIN 9831-1
9	Druckplatte, gehärtet	90MnCrV8	20	Seitenschneider, gehärtet	X210CrW12
10	Zylinderstift, gehärtet	ISO 8734	21	Zylinderstift, gehärtet	ISO 8734
11	Einspannzapfen	DIN ISO 10242			

F

Normteile für Schneidwerkzeuge

Bild	Abmessungen von … bis in mm	Norm, Werkstoff	Eigenschaften, Funktion
Säulengestelle *vgl. DIN 9819 (1981-12)*			
	DIN 9819: Form C Arbeitsflächen: a x b = 80 x 63…315 x 125	DIN 9819: übereck stehende Führungssäulen DIN 9812: mittig stehende Führungssäulen **Werkstoffe:** Stahl, Gusseisen, Alu	Rechteckige oder runde Arbeitsfläche mit zwei oder vier Führungssäulen, welche wahlweise mit Gleit- oder Kugelführungen ausgeführt sein können.
Führungssäulen für Säulengestelle *vgl. DIN 9825-2 (2013-01)*			
	d_1 x l = 11 x 80…80 x 560	DIN 9825-2 **Werkstoffe:** z.B. C60E Härte 780+40 HV10 CHD ≥ 0,8 mm	Führungsdurchmesser Toleranzfeld h3, feingeschliffen. Eine Führungssäule sollte möglichst einen kleineren Durchmesser als die andere(n) Säulen haben, damit Werkzeugoberteil und -unterteil nur in der richtigen Lage zusammengefügt werden können.
Führungsbuchse für Säulengestelle *vgl. DIN 9831-1 (2013-01)*			
	d_1 x d_2 x l_1 = 11 x 22 x 23… 80 x 105 x 135	DIN 9831-1: mit Gleitführung DIN 9831-2: mit Wälzführung **Werkstoffe:** z.B. Stahl, Bronze, Gießharz, Sinterwerkstoffe	Führungsbuchsen werden für Führungssäulen nach DIN 9825-2 verwendet. **Vorteile:** • genaue Führung • lange Laufzeit
Runde Schneidstempel mit durchgehendem Schaft *vgl. DIN 9861-1 (1992-07)*			
	d_1 = 0,5…20 l_1 = 71, 80, 100	DIN 9861-1 ISO 6752 **Werkstoffe:** Werkzeugstahl, Schnellarbeitsstahl, auf Wunsch TiN-beschichtet	Verwendung meist als Lochstempel **Schafthärte** bei Werkzeugstahl: HRC 62±2 Schnellarbeitsstahl: HRC 64±2 **Kopfhärte** bei Werkzeugstahl: HRC 50±5 Schnellarbeitsstahl: HRC 50±5 Kopf und Schaft geschliffen.
Schnellwechsel-Schneidstempel *vgl. DIN ISO 10071-1 (2010-11)*			
	Form A: d x l = 6 x 63…32 x 100 **Form BS:** a = 1,6…22,5 **Form BR:** a = 1,6…12 b = 5,9…31,9	DIN ISO 10071-1 **Glatter Schaft:** Form A: zylindrisch **Verjüngte Schäfte:** Form B: zylindrisch Form BS: quadratisch Form BR: rechteckig Form BO: oval	kurze Umrüstzeiten bearbeitbare Blechdicken: bis 3 mm Im Normalien-Fachhandel gibt es zu den Schneidstempeln passende Schneidbuchsen
Einspannzapfen Form A *vgl. DIN ISO 10242-1 (2012-06)*			
	d_1 x d_2 x l_1 = 20 x M16 x 1,5 x 58… 50 x M30 x 2 x 108	Form A: DIN ISO 10242-1 Form C: DIN ISO 10242-2 **Werkstoffe:** z.B. E295, C45 Härte mind. 140 HB	Mit dem Einspannzapfen werden die Werkzeugoberteile mittlerer und kleinerer Werkzeuge mit dem Pressenstößel verbunden. Säulengestelle werden oft auch durch Kupplungszapfen und Aufnahmefutter mit dem Pressenstößel verbunden

F

Werkzeug- und Werkstückmaße

Schneidstempel- und Schneidplattenmaße   vgl. VDI 3368 (1982-05)

		Verfahren	Lochen	Ausschneiden
d	Schneidstempelmaß	Form des Werkstücks		
D	Schneidplattenmaß	Für das Sollmaß ist maßgebend:	Maß des Schneidstempels d	Maß der Schneidplatte D
u	Schneidspalt			
s	Blechdicke	Maß des Gegenwerkzeugs	Schneidplatte $D = d + 2 \cdot u$	Schneidstempel $d = D - 2 \cdot u$
α	Freiwinkel			

Schneidspalt u in Abhängigkeit vom Werkstoff und der Blechdicke

Blechdicke s mm	Schneidplattendurchbruch mit Freiwinkel α				Schneidplattendurchbruch ohne Freiwinkel α			
	Scherfestigkeit τ_{aB} in N/mm²				Scherfestigkeit τ_{aB} in N/mm²			
	bis 250	251...400	401...600	über 600	bis 250	251...400	401...600	über 600
	Schneidspalt u in mm				Schneidspalt u in mm			
0,4...0,6	0,01	0,015	0,02	0,025	0,015	0,02	0,025	0,03
0,7...0,8	0,015	0,02	0,03	0,04	0,025	0,03	0,04	0,05
0,9...1	0,02	0,03	0,04	0,05	0,03	0,04	0,05	0,05
1,5...2	0,03	0,05	0,06	0,08	0,05	0,07	0,09	0,11
2,5...3	0,04	0,07	0,10	0,12	0,08	0,11	0,14	0,17
3,5...4	0,06	0,09	0,12	0,16	0,11	0,15	0,19	0,23

Stegbreite, Randbreite, Seitenschneiderabfall für metallische Werkstoffe

eckige Werkstücke

a	Randbreite
e	Stegbreite
l_a	Randlänge
l_e	Steglänge
B	Streifenbreite
i	Seitenschneiderabfall

Eckige Werkstücke:

Bei der Ermittlung von Steg- und Randbreite wird das jeweils größere Maß der Steg- oder Randlänge benützt.

Runde Werkstücke:

Für die Steg- und Randbreite gelten für alle Durchmesser die Werte, die für $l_e = l_a = 10$ mm bei den eckigen Werkstücken angegeben sind.

Streifenbreite B mm	Steglänge l_e Randlänge l_a mm	Stegbreite e Randbreite a	Blechdicke s in mm										
			0,1	0,3	0,5	0,75	1,0	1,25	1,5	1,75	2,0	2,5	3,0
bis 100 mm	bis 10	e	0,8	0,8	0,8	0,9	1,0	1,2	1,3	1,5	1,6	1,9	2,1
		a	1,0	0,9	0,9								
	11... 50	e	1,6	1,2	0,9	1,0	1,1	1,4	1,4	1,6	1,7	2,0	2,3
		a	1,9	1,5	1,0								
	51...100	e	1,8	1,4	1,0	1,2	1,3	1,6	1,6	1,8	1,9	2,2	2,5
		a	2,2	1,7	1,2								
	über 100	e	2,0	1,6	1,2	1,4	1,5	1,8	1,8	2,0	2,1	2,4	2,7
		a	2,4	1,9	1,5								
	Seitenschneiderabfall i		1,5				1,8	2,2	2,5	3,0	3,5	4,5	
über 100 mm bis 200 mm	bis 10	e	0,9	1,0	1,0	1,0	1,1	1,3	1,4	1,6	1,7	2,0	2,3
		a	1,2	1,1	1,1								
	11... 50	e	1,8	1,4	1,0	1,2	1,3	1,6	1,6	1,8	1,9	2,2	2,5
		a	2,2	1,7	1,2								
	51...100	e	2,0	1,6	1,2	1,4	1,5	1,8	1,8	2,0	2,1	2,4	2,7
		a	2,4	1,9	1,5								
	101...200	e	2,2	1,8	1,4	1,6	1,7	2,0	2,0	2,2	2,3	2,6	2,9
		a	2,7	2,2	1,7								
	Seitenschneiderabfall i		1,5				1,8	2,0	2,5	3,0	3,5	4,0	5,0

F

Lage des Einspannzapfens, Streifenausnutzung

Lage des Einspannzapfens bei Stempelformen mit bekanntem Schwerpunkt

Stempelanordnung   **Werkstück**

gewählte Bezugskante

$U_1, U_2, U_3 \ldots$	Umfänge der einzelnen Stempel
$a_1, a_2, a_3 \ldots$	Abstände der Stempelschwerpunkte von der gewählten Bezugskante
x	Abstand des Kräftemittelpunktes S von der gewählten Bezugskante

Abstand des Kräftemittelpunktes

$$x = \frac{U_1 \cdot a_1 + U_2 \cdot a_2 + U_3 \cdot a_3 + \ldots}{U_1 + U_2 + U_3 + \ldots}$$

Beispiel:

Gesucht ist der Abstand x des Kräftemittelpunktes S im Bild links.

Lösung:

Als Bezugskante wird die äußere Fläche des Ausschneidstempels gewählt.

Ausschneidstempel: $U_1 = 4 \cdot 20$ mm $= 80$ mm; $a_1 = 10$ mm

Lochstempel: $U_2 = \pi \cdot 10$ mm $= 31,4$ mm; $a_2 = 31$ mm

$$x = \frac{U_1 \cdot a_1 + U_2 \cdot a_2}{U_1 + U_2}$$

$$x = \frac{80 \text{ mm} \cdot 10 \text{ mm} + 31,4 \text{ mm} \cdot 31 \text{ mm}}{80 \text{ mm} + 31,4 \text{ mm}} \approx \mathbf{16 \text{ mm}}$$

Lage des Einspannzapfens bei Stempelformen mit unbekanntem Schwerpunkt

Der Kräftemittelpunkt entspricht dem Linienschwerpunkt[1] aller Schneidkanten.

Stempelanordnung   **Werkstück**

gewählte Bezugskante

$l_1, l_2, l_3 \ldots l_n$	Schneidkantenlängen
$a_1, a_2, a_3 \ldots a_n$	Abstände der Linienschwerpunkte von den gewählten Bezugskanten
x	Abstand des Kräftemittelpunktes von der gewählten Bezugskante
n	Nummer der Schneidkante

[1] Linienschwerpunkte: Seite 28

Abstand des Kräftemittelpunktes

$$x = \frac{l_1 \cdot a_1 + l_2 \cdot a_2 + l_3 \cdot a_3 + \ldots}{l_1 + l_2 + l_3 + \ldots}$$

$$x = \frac{\sum l_n \cdot a_n}{\sum l_n}$$

Beispiel:

Für das Werkstück (Bild links) ist die Lage des Einspannzapfens am Schneidwerkzeug zu berechnen.

Lösung:

n	l_n in mm	a_n in mm	$l_n \cdot a_n$ in mm²
1	15	5	75
2	23,6	9,8	231,28
3	20	21	420
4	$2 \cdot 20$	31	1240
5	20	41	820
Σ	118,6	–	2786,28

$$x = \frac{\sum l_n \cdot a_n}{\sum l_n} = \frac{2786,28 \text{ mm}^2}{118,6 \text{ mm}} = \mathbf{23,5 \text{ mm}}$$

Streifenausnutzung bei einreihigem Ausschneiden

l	Werkstücklänge
b	Werkstückbreite
B	Streifenbreite
a	Randbreite
e	Stegbreite
V	Streifenvorschub
A	Fläche eines Werkstücks (einschl. Lochungen)
R	Anzahl der Reihen
η	Ausnutzungsgrad

Streifenbreite

$$B = b + 2 \cdot a$$

Streifenvorschub

$$V = l + e$$

Ausnutzungsgrad

$$\eta = \frac{R \cdot A}{V \cdot B}$$

F

Biegewerkzeug

Werkstück

Stückliste

Pos.	Benennung	Norm/Werkstoff	Pos.	Benennung	Norm/Werkstoff
1	Zylinderschraube	ISO 4762	7	Aufnahmeplatte	C60
2	Matrize	90MnCrV8	8	Zylinderstift (6 x 18)	ISO 2338
3	Senkschraube	ISO 10642	9	Grundplatte	S235JR
4	Aufnahmestift	C45	10	Gegenhalter	C45
5	Biegestempel	C45	11	Druckfeder	DIN 2098
6	Zylinderstift (4 x 8)	ISO 2338	12	Passschraube	C60

F

Biegeverfahren

Bild	Funktion	Anwendung

Freies Biegen

Das Blech liegt an zwei Punkten der Matrize auf. Es wird durch den Stempel nach unten gedrückt. Dabei ergibt sich eine Rundung, die im Wesentlichen von der Öffnungsweite der Matrize (Maß W) abhängt.

Unterschiedliche Winkel können ohne Werkzeugwechsel gebogen werden.

Dieses Verfahren wird auch zum Richten von Werkstücken angewandt.

Gesenkbiegen

Der Stempel drückt das Blech nach unten, bis es am Gesenk fest anliegt. Dabei erfährt es eine Prägung. Man unterscheidet nach der Form des Gesenks:
• V-Gesenkbiegen und
• U-Gesenkbiegen
Beim U-Gesenkbiegen wird häufig ein Gegenhalter eingesetzt. Die Kraft F_2 verhindert während des gesamten Biegeprozesses, dass sich der Boden aufwölbt.

Dieses Verfahren ist genauer als das freie Biegen.

Genauere Innenmaße erhält man durch bewegliche Backen, die durch Keile nach innen gedrückt werden.

Entsprechend drücken Keile von außen an das Biegeteil, wenn die Außenmaße eine höhere Genauigkeit erfordern.

Schwenkbiegen

Das zu biegende Blech wird zwischen der Ober- und der Unterwange festgespannt. Die schwenkbare Biegewange dreht sich mit dem Blech um die Biegekante bis auf den geforderten Biegewinkel. Die Biegewange kann von Hand oder durch Motorantrieb bewegt werden. Vielfach werden für die Herstellung komplizierter Biegeteile CNC-Steuerungen eingesetzt.

• Biegung kurzer Schenkel möglich
• Biegung empfindlicher Oberflächen ist ohne Kratzer möglich (z. B. Cu- und Al-Legierungen sowie rostfreies Stahlblech, beschichtete Oberflächen)

Rollbiegen

Bei der Abwärtsbewegung des Rollstempels wird die Rolle in der zylindrischen Aussparung gebogen. Damit sich die Werkstücke leichter einrollen, ist es vorteilhaft, sie vorher anzukippen. In Folgeverbundwerkzeugen werden die Werkstücke in der 1. Stufe angekippt und in der 2. Stufe gerollt.

Einfaches Verfahren zur Herstellung von:
• Wülsten
• Scharnieren
• Gelenkbändern

Walzbiegen (Walzrunden)

Ein Blech wird zwischen drei Walzen bewegt. Durch Verstellen der Walzen können verschiedene Biegeradien erzeugt werden.

Biegen von Blechen für Kessel und Behälter.

Ein vergleichbares Verfahren ist das **Walzrichten.** Hierbei werden meist durch mehrere Walzentrios Bleche, Stäbe, Drähte oder Rohre gerichtet.

F

Biegeradien, Zuschnittsermittlung

Kleinster zulässiger Biegeradius für Biegeteile aus NE-Metallen   vgl. DIN 5520 (2002-07)

Werkstoff	Werkstoffzustand	Dicke s in mm							
		0,8	1	1,5	2	3	4	5	6
		Mindest-Biegeradius $r^{1)}$ in mm							
AlMg3-01	weich geglüht	0,6	1	2	3	4	6	8	10
AlMg3-H14	kalt verfestigt	1,6	2,5	4	6	10	14	18	–
AlMg3-H111	kalt verfestigt und geglüht	1	1,5	3	4,5	6	8	10	–
AlMg4,5Mn-H112	weich geglüht gerichtet	1	1,5	2,5	4	6	8	10	14
AlMgSi1-T6	lösungsgeglüht und warm ausgelagert	4	5	8	12	16	23	28	36
CuZn37-R600	hart	2,5	4	5	8	10	12	18	24

[1] für Biegewinkel $\alpha = 90°$, unabhängig von der Walzrichtung

Kleinster zulässiger Biegeradius für das Kaltbiegen von Stahl   vgl. DIN 6935 (2011-10)

Stahl-sorten	Biegen zur Walz-richtung	Kleinster zulässiger Biegehalbmesser[1] r für Dicken s								
		bis 1	über 1 bis 1,5	über 1,5 bis 2,5	über 2,5 bis 3	über 3 bis 4	über 4 bis 5	über 5 bis 6	über 6 bis 7	über 7 bis 8	über 8 bis 10
S235JR S235J0 S235J2	quer	1	1,6	2,5	3	5	6	8	10	12	16
	längs	1	1,6	2,5	3	6	8	10	12	16	20
S275JR S275J0 S275J2	quer	1,2	2	3	4	5	8	10	12	16	20
	längs	1,2	2	3	4	6	10	12	16	20	25
S355JR S355J0 S355J2	quer	1,6	2,5	4	5	6	8	10	12	16	20
	längs	1,6	2,5	4	5	8	10	12	16	20	25

[1] Werte gelten für Biegewinkel $\alpha \le 120°$. Für Biegewinkel $\alpha > 120°$ ist der nächste höhere Tabellenwert einzusetzen.

Biegeradien für Rohre   vgl. DIN 25570 (2004-02)

D Rohraußendurchmesser in mm
s Wanddicke in mm
r_{min} Mindest-Biegeradius in mm

Stahlrohre E235, X5CrNi18-10[1]				Aluminiumrohre AlMgSi[2]		Kupferrohre Cu-DHP-R250[2]	
$D \times s$	r_{min}	$D \times s$	r_{min}	$D \times s$	r_{min}	$D \times s$	r_{min}
6 x 1		22 x 1,5	50	16 x 1,5	80	6 x 1	25
8 x 1	20	25 x 1,5	55	20 x 1,5	100	8 x 1	35
10 x 1		30 x 1,5	80	25 x 1,5	110	10 x 1,5	40
12 x 1,5	25	40 x 2,5	100	30 x 1,5	125	12 x 1,5	
16 x 2	35	45 x 2,5	125	40 x 3	180	16 x 1,5	60

[1] Für pneumatische und hydraulische Leitungen;   [2] vorwiegend für Sanitärbereich

F

Zuschnittsermittlung für 90°-Biegeteile   vgl. DIN 6935 (2011-10)

L gestreckte Länge[1]
a, b, c Längen der Schenkel
s Dicke
r Biegeradius
n Anzahl der Biegestellen
v Ausgleichswert (Tabelle Seite 373)

Gestreckte Länge[2]

$$L = a + b + c + \ldots - n \cdot v$$

Beispiel (vgl. Bild):

a = 25 mm; b = 20 mm; c = 15 mm; n = 2; s = 2 mm;
r = 4 mm; Werkstoff S235JR; v = ?; L = ?
v = 4,5 mm
$L = a + b + c - n \cdot v = (25 + 20 + 15 - 2 \cdot 4,5)$ mm = **51 mm**

[1] Bei einem Verhältnis $r/s > 5$ kann auch mit der Formel für gestreckte Längen (Seite 21) gerechnet werden.
[2] Die berechneten gestreckten Längen sind auf volle mm aufzurunden.

Ausgleichswerte, Zuschnittsermittlung, Rückfederung

Ausgleichswerte *v* für Biegewinkel α = 90°   vgl. Beiblatt 2 zu DIN 6935 (2011-10)

Biege-radius r in mm	Ausgleichswert v je Biegestelle in mm für Blechdicke s in mm														
	0,4	0,6	0,8	1	1,5	2	2,5	3	3,5	4	4,5	5	6	8	10
1	1,0	1,3	1,6	1,9	–	–	–	–	–	–	–	–	–	–	–
1,6	1,2	1,5	1,8	2,1	2,9	–	–	–	–	–	–	–	–	–	–
2,5	1,5	1,8	2,1	2,4	3,2	4,0	4,8	–	–	–	–	–	–	–	–
4	–	2,4	2,7	3,0	3,7	4,5	5,2	6,0	6,9	–	–	–	–	–	–
6	–	–	3,5	3,8	4,5	5,2	5,9	6,7	7,5	8,3	9,1	9,9	–	–	–
10	–	–	–	5,5	6,1	6,7	7,4	8,1	8,9	9,6	10,4	11,2	12,7	–	–
16	–	–	–	8,1	8,7	9,3	9,9	10,5	11,2	11,9	12,6	13,3	14,8	17,8	21,0
20	–	–	–	9,8	10,4	11,0	11,6	12,2	12,8	13,4	14,1	14,9	16,3	19,3	22,3
25	–	–	–	11,9	12,6	13,2	13,8	14,4	15,0	15,6	16,2	16,8	18,2	21,1	24,1

Zuschnittsermittlung für Teile mit beliebigem Biegewinkel   vgl. DIN 6935 (2011-10)

$\beta \leq 90°$

$\beta > 90°$ bis 165°

Korrektur-faktor

Verhältnis r/s →

L	gestreckte Länge
a, b	Länge der Schenkel
v	Ausgleichswert
k	Korrekturfaktor
s	Blechdicke
r	Biegeradius
β	Öffnungswinkel

Gestreckte Länge[1]

$$L = a + b - v$$

Ausgleichswert für $\beta = 0°$ bis 90°

$$v = 2 \cdot (r+s) - \pi \cdot \left(\frac{180° - \beta}{180°}\right) \cdot \left(r + \frac{s}{2} \cdot k\right)$$

Ausgleichswert für β über 90° bis 165°

$$v = 2 \cdot (r+s) \cdot \tan\frac{180° - \beta}{2} - \pi \cdot \left(\frac{180° - \beta}{180°}\right) \cdot \left(r + \frac{s}{2} \cdot k\right)$$

Ausgleichswert für β über 165° bis 180° $v \approx 0$ (vernachlässigbar klein)

Korrekturfaktor

$$k = 0{,}65 + 0{,}5 \cdot \log\frac{r}{s}$$

[1] Bei $r/s > 5$ kann mit hinreichender Genauigkeit auch mit der Bogen-länge (Seite 20) gerechnet werden.

Rückfederung beim Biegen

α_1	Biegewinkel vor Rück-federung (am Werkzeug)
α_2	Biegewinkel nach Rück-federung (am Werkstück)
r_1	Radius am Werkzeug
r_2	Biegeradius am Werkstück
k_R	Rückfederungsfaktor
s	Blechdicke

Radius am Werkzeug

$$r_1 = k_R \cdot (r_2 + 0{,}5 \cdot s) - 0{,}5 \cdot s$$

Biegewinkel vor Rückfederung

$$\alpha_1 = \frac{\alpha_2}{k_R}$$

F

Werkstoff der Biegeteile	Rückfederungsfaktor k_R für das Verhältnis r_2/s										
	1	1,6	2,5	4	6,3	10	16	25	40	63	100
DC04	0,99	0,99	0,99	0,98	0,97	0,97	0,96	0,94	0,91	0,87	0,83
DC01	0,99	0,99	0,99	0,97	0,96	0,96	0,93	0,90	0,85	0,77	0,66
X12CrNi18-8	0,99	0,98	0,97	0,95	0,93	0,89	0,84	0,76	0,63	–	–
E-Cu-R200	0,98	0,97	0,97	0,96	0,95	0,93	0,90	0,85	0,79	0,72	0,6
CuZn33-R290	0,97	0,97	0,96	0,95	0,94	0,93	0,89	0,86	0,83	0,77	0,73
CuNi18Zn20-R400	–	–	–	0,97	0,96	0,95	0,92	0,87	0,82	0,72	–
Al99,0	0,99	0,99	0,99	0,99	0,98	0,98	0,97	0,97	0,96	0,95	0,93
AlCuMg1	0,92	0,90	0,87	0,84	0,77	0,67	0,54	–	–	–	–
AlSiMgMn	0,98	0,98	0,97	0,96	0,95	0,93	0,90	0,86	0,82	0,76	0,72

Tiefziehwerkzeug

Tiefziehvorgang

Das zugeschnittene, ebene Blechteil (Zuschnitt, Ronde) wird in die Aufnahme (14) gelegt. Die Ziehmatrize (13) drückt den Zuschnitt auf den Niederhalter (6) und hält ihn am äußeren Rand fest. Die Ziehmatrize bewegt sich dann weiter gegen die Federkraft nach unten und zieht den Werkstoff über die abgerundete Ziehkante des Ziehstempels. Ein Hohlteil entsteht. Der Ziehspalt zwischen dem Stempel und der Ziehmatrize muss größer als die Blechdicke sein. Ein zu enger Ziehspalt führt zum Reißen des Werkstoffes, während sich bei einem zu großen Ziehspalt am Ziehteil Falten bilden.

A Ausgangslage (vor dem Tiefziehvorgang) **B** Endlage (nach dem Tiefziehvorgang)

F

Stückliste

Pos.	Benennung	Norm/Werkstoff	Pos.	Benennung	Norm/Werkstoff
1	Grundplatte	GJL – 250	9	Wälzführungsbuchse	CuSn8
2	Zylinderschraube	ISO 4762	10	Ausstoßer	S235JR
3	Ziehstempel	90Cr3	11	Ausstoßerstift	C60
4	Ansatzschraube	ISO 4762	12	Kupplungszapfen	E335
5	Druckfeder	Federstahl	13	Ziehmatrize	90Cr3
6	Niederhalter	90Cr3	14	Aufnahme	S235JR
7	Kopfplatte	GJL – 250	15	Senkschraube	ISO 2009
8	Führungssäule	16MnCr5			

Tiefziehverfahren

Bild	Funktion	Eigenschaften, Anwendung

Mechanisches Tiefziehen (Erstzug und Weiterzug)

Erstzug

Ziehstempel
Niederhalter
Aufnahme
Ziehkantenrundung
Ziehmatrize

38°

Weiterzug

Ziehstempel
Niederhalter
Aufnahme
Ziehmatrize

38°

Tiefziehvorgang:

- Ronde in Aufnahme legen
- Niederhalter drückt Ronde auf Ziehmatrize und hält sie fest
- Ziehstempel zieht Ronde unter dem Niederhalter weg in den Ziehspalt hinein und formt einen Napf
- bei zu großem Ziehverhältnis D/d_1 sind weitere Ziehstufen erforderlich (Seite 377 Erst- und Weiterzug)
- Einlegen des vorgeformten Napfs in das Werkzeug für den Weiterzug
- der so entstehende Napf hat einen kleineren Durchmesser und eine größere Höhe

Tiefziehfähige Werkstoffe müssen große Umformungen zulassen ohne zu reißen.

Beispiele:
- DCO1, DCO3
- X15CrNiSi25-20
- CuZn37
- Cu95,5
- Al99,8
- AlMg1

Anwendung für Wannen, Töpfe, Dosen, Autoteile

Wanddicke wird durch das Tiefziehen nicht verändert

Tiefziehen mit Elastikkissen

Ausgangsform des Ziehteils

Niederhalter
starrer Ziehstempel

Endform des Ziehteils

elastischer Stempelkopf (verformt)
Werkstück
Ziehmatrize

- starre Ziehmatrize entspricht der geforderten Werkstückform
- der Kopf des Ziehstempels besteht aus einem elastischen Gummi- oder Elastomerkissen
- bei der Abwärtsbewegung des Ziehstempels wird das elastische Kissen verformt und das Blech wird in die Vertiefungen der Ziehmatrize gedrückt

- einfaches, billiges Werkzeug
- geringer Stempelverschleiß
- keine Kratzer auf Werkstückoberfläche
- günstiges Ziehverhältnis
- für kleine Stückzahlen
- für Zierteile

Hydromechanisches Tiefziehen (Hydro-Mac-Verfahren)

Beginn des ersten Zuges

Ziehstempel
Niederhalter
Ziehteil

Ende des ersten Zuges

Dichtung
Wasser
Ventil mit Steuerung

- die Blechplatine wird durch den Niederhalter festgehalten
- der ins Wasserbad eintauchende Ziehstempel erzeugt einen allseitigen Druck (200…700 bar), welcher durch Ventile gesteuert wird
- die Blechplatine wird vom Wasserdruck gegen den Ziehstempel gedrückt
- die Platine nimmt exakt die Form des Ziehstempels an

- sehr günstiges Ziehverhältnis
- geringer Stempelverschleiß
- geringe Werkzeugkosten
- weniger Ziehstufen notwendig
- für komplizierte Formen (z. B. kugelige oder parabolische Ziehteile)

F

Tiefziehen

Berechnung der Zuschnittdurchmesser

Ziehteil	Zuschnittdurchmesser D	Ziehteil	Zuschnittdurchmesser D
	ohne Rand d_2 $$D = \sqrt{d_1^2 + 4 \cdot d_1 \cdot h}$$ **mit Rand d_2** $$D = \sqrt{d_2^2 + 4 \cdot d_1 \cdot h}$$		**ohne Rand d_2** $$D = \sqrt{2 \cdot d_1^2 + 4 \cdot d_1 \cdot h}$$ **mit Rand d_2** $$D = \sqrt{2 \cdot d_1^2 + 4 \cdot d_1 \cdot h + (d_2^2 - d_1^2)}$$
	ohne Rand d_3 $$D = \sqrt{d_2^2 + 4 \cdot (d_1 \cdot h_1 + d_2 \cdot h_2)}$$ **mit Rand d_3** $$D = \sqrt{d_3^2 + 4 \cdot (d_1 \cdot h_1 + d_2 \cdot h_2)}$$		**ohne Rand d_2** $$D = \sqrt{d_1^2 + 4 \cdot h_1^2 + 4 \cdot d_1 \cdot h_2}$$ **mit Rand d_2** $$D = \sqrt{d_1^2 + 4 \cdot h_1^2 + 4 \cdot d_1 \cdot h_2 + (d_2^2 - d_1^2)}$$
	ohne Rand d_4 $$D = \sqrt{d_1^2 + 4 \cdot d_2 \cdot l}$$ **mit Rand d_4** $$D = \sqrt{d_1^2 + 4 \cdot d_2 \cdot l + (d_4^2 - d_3^2)}$$		**ohne Rand d_2** $$D = \sqrt{2 \cdot d_1^2} = 1{,}414 \cdot d$$ **mit Rand d_2** $$D = \sqrt{d_1^2 + d_2^2}$$

Die Durchmesser $d_1 \ldots d_4$ beziehen sich auf das fertige Ziehteil.

Beispiel:

Zylindrisches Ziehteil ohne Rand d_2 (Bild oben links) mit $d_1 = 50$ mm, $h = 30$ mm; $D = ?$

$$D = \sqrt{d_1^2 + 4 \cdot d_1 \cdot h} = \sqrt{50^2 \text{ mm}^2 + 4 \cdot 50 \text{ mm} \cdot 30 \text{ mm}} = \mathbf{92{,}2 \text{ mm}}$$

Ziehspalt und Radien am Ziehring und Ziehstempel

- w Ziehspalt
- s Blechdicke
- k Werkstofffaktor
- r_r Radius am Ziehring
- r_{st} Radius am Ziehstempel
- D Zuschnittdurchmesser
- d_{st} Stempeldurchmesser
- d_r Ziehringdurchmesser

Ziehspalt in mm

$$w = s + k \cdot \sqrt{10 \cdot s}$$

Radius am Ziehring in mm

$$r_r = 0{,}035 \cdot [50 + (D - d_{st})] \cdot \sqrt{s}$$

Bei jedem Weiterzug ist der Radius am Ziehring um 20 bis 40 % zu verkleinern.

Ziehringdurchmesser

$$d_r = 2 \cdot w + d_{st}$$

Radius am Ziehstempel in mm

$$r_{st} = (4 \ldots 5) \cdot s$$

Beispiel:

Stahlblech; $D = 51$ mm; $d_{st} = 25$ mm; $s = 2$ mm; $w = ?$; $r_r = ?$; $r_{st} = ?$

k = **0,07** (aus Tabelle)

w = $s + k \cdot \sqrt{10 \cdot s} = 2 + 0{,}07 \cdot \sqrt{10 \cdot 2} = \mathbf{2{,}3 \text{ mm}}$

r_r = $0{,}035 \cdot [50 + (D - d_{st})] \cdot \sqrt{s} = 0{,}035 \cdot [50 + (51 - 25)] \cdot \sqrt{2} = \mathbf{3{,}8 \text{ mm}}$

r_{st} = $4{,}5 \cdot s = 4{,}5 \cdot 2 \text{ mm} = \mathbf{9 \text{ mm}}$

Werkstofffaktor k	
Stahl	0,07
Aluminium	0,02
Sonstige NE-Metalle	0,04

Tiefziehen

Ziehstufen und Ziehverhältnisse

Erstzug Ziehring

Weiterzug

D Zuschnittdurchmesser
d Innendurchmesser des fertigen Ziehteils
d_1 Stempeldurchmesser beim 1. Zug
d_2 Stempeldurchmesser beim 2. Zug
d_n Stempeldurchmesser beim n. Zug
β_1 Ziehverhältnis für 1. Zug
β_2 Ziehverhältnis für 2. Zug
β_{ges} Gesamt-Ziehverhältnis
s Blechdicke

Beispiel:

Napf ohne Rand aus DC04 (St 14) mit $d = 50$ mm; $h = 60$ mm; $D = ?$; $\beta_1 = ?$; $\beta_2 = ?$; $d_1 = ?$; $d_2 = ?$

$D = \sqrt{d^2 + 4 \cdot d \cdot h}$
$= \sqrt{(50\text{ mm})^2 + 4 \cdot 50\text{ mm} \cdot 60\text{ mm}} \approx \mathbf{120\text{ mm}}$

$\beta_1 = \mathbf{2{,}0}$; $\beta_2 = \mathbf{1{,}3}$ (nach Tabelle unten)

$d_1 = \dfrac{D}{\beta_1} = \dfrac{120\text{ mm}}{2{,}0} = \mathbf{60\text{ mm}}$

$d_2 = \dfrac{d_1}{\beta_2} = \dfrac{60\text{ mm}}{1{,}3} = \mathbf{46\text{ mm}}$

2 Züge ausreichend, da $d_2 < d$

Ziehverhältnis

1. Zug

$$\beta_1 = \frac{D}{d_1}$$

2. Zug

$$\beta_2 = \frac{d_1}{d_2}$$

Gesamt-Ziehverhältnis

$$\beta_{ges} = \beta_1 \cdot \beta_2 \cdot \ldots$$

$$\beta_{ges} = \frac{D}{d_n}$$

Werkstoff	Max. Ziehverhältnisse[1]		R_m[2]	Werkstoff	Max. Ziehverhältnisse[1]		R_m[2]	Werkstoff	Max. Ziehverhältnisse[1]		R_m[2]
	β_1	β_2	N/mm²		β_1	β_2	N/mm²		β_1	β_2	N/mm²
DCO1 (St12)	1,8	1,2	410	CuZn30-R280	2,1	1,3	270	Al99,5 H111	2,1	1,6	95
DCO3 (St13)	1,9	1,3	370	CuZn37-R290	2,1	1,4	300	AlMg1 H111	1,9	1,3	145
DCO4 (St14)	2,0	1,3	350	CuZn37-R460	1,9	1,2	410	AlCu4Mg1 T4	2,0	1,5	425
X10CrNi18-8	1,8	1,2	750	CuSn6-R340	1,5	1,2	350	AlSi1MgMn T6	2,1	1,4	310

[1] Die Werte gelten bis $d_1 : s = 300$; sie wurden für $d_1 = 100$ mm und $s = 1$ mm ermittelt. Für andere Blechdicken und Stempeldurchmesser ändern sich die Werte geringfügig. [2] maximale Zugfestigkeit

Tiefziehkraft, Niederhalterkraft

F_Z Tiefziehkraft
d_1 Stempeldurchmesser
s Blechdicke
R_m Zugfestigkeit
β Ziehverhältnis
β_{max} höchstmögliches Ziehverhältnis
F_N Niederhalterkraft
D Zuschnittdurchmesser
d_N Auflagedurchmesser des Niederhalters
p Niederhalterdruck
r_r Radius am Ziehring
w Ziehspalt

Tiefziehkraft

$$F_Z = \pi \cdot (d_1 + s) \cdot s \cdot R_m \cdot 1{,}2 \cdot \frac{\beta - 1}{\beta_{max} - 1}$$

Niederhalterkraft

$$F_N = \frac{\pi}{4} \cdot (D^2 - d_N^2) \cdot p$$

Auflagedurchmesser des Niederhalters

$$d_N = d_1 + 2 \cdot (r_r + w)$$

Niederhalterdruck p in N/mm²	
Stahl	2,5
Cu-Legierungen	2,0…2,4
Al-Legierungen	1,2…1,5

Beispiel:

$D = 210$ mm; $d_1 = 140$ mm; $s = 1$ mm; $R_m = 380$ N/mm²; $\beta = 1{,}5$; $\beta_{max} = 1{,}9$; $F_Z = ?$

$F_Z = \pi \cdot (d_1 + s) \cdot s \cdot R_m \cdot 1{,}2 \cdot \dfrac{\beta - 1}{\beta_{max} - 1} = \pi \cdot (140\text{ mm} + 1\text{ mm}) \cdot 1\text{ mm} \cdot 380\,\dfrac{N}{mm^2} \cdot 1{,}2 \cdot \dfrac{1{,}5 - 1}{1{,}9 - 1} = \mathbf{112\,218\text{ N}}$

F

Spritzgießwerkzeug

2-Platten-Mehrfachwerkzeug mit Tunnelanguss

Spritzgießvorgang

Aufgeschmolzene Kunststoffformmasse wird unter hohem Druck über den Anguss in das Werkzeug einge-spritzt. Die Kavität wird gefüllt. Die Formmasse kühlt unter Druck im temperierten Werkzeug ab. Hat das Formteil die notwendige Formstabilität erreicht, wird durch Öffnen der Form über Auswerferstifte entformt.

Stückliste					
Pos.	Benennung	Norm/Werkstoff	Pos.	Benennung	Norm/Werkstoff
1	Aufspannplatte (fest)	DIN 16760	9	Auswerfergrundplatte	DIN 16760
2	Formplatte (fest)	DIN 16760	10	Aufspannplatte (beweglich)	DIN 16760
3	Formeinsatz	X19NiCrMo4	11	Zentrierflansch	DIN ISO 10907
4	Formeinsatz	X19NiCrMo4	12	Angießbuchse	DIN ISO 10072
5	Formplatte (beweglich)	DIN 16760	13	Auswerferbolzen	S235JR
6	Leiste	DIN 16760	14	Angussauswerferstift	DIN 1530
7	Auswerferstift	DIN 1530	15	Führungsbuchse	DIN 16716
8	Auswerferhalteplatte	DIN 16760	16	Führungssäule	DIN 16761

Normteile für Spritzgießwerkzeuge

Normteile für Spritzgießwerkzeuge (Auswahl)

Bild	Abmessungen in mm	Norm, Werkstoff	Eigenschaften, Funktion
Bearbeitete ungebohrte und gebohrte Platten			
	$b_1 \times l_1 \times t_1$ $b_1 = 96 \dots 896$ $l_1 = 96 \dots 1116$ $t_1 = 12{,}5 \dots 200$	DIN 16760 C45U 40CrMnMoS8-6	Platten zur Maschinen- und Kraftaufnahme • Aufspannplatten • Formplatten • Druckplatten
Leisten			
	$b_1 \times l_1 \times t_1$ $l_1 = 96 \dots 1116$ $b_1 = 26 \dots 74$ $t_1 = 25 \dots 160$	DIN 16760 C45U	Leisten zur Kraftaufnahme und Distanzherstellung • Leisten verschiedener Form
Führungssäulen			
	$d_1 \times l_1 \times l_2$ $d_1 = 10 \dots 40$ $l_1 = 12{,}5 \dots 200$ $l_2 = 25 \dots 250$	DIN 16761 Einsatzstahl (780+40) HV 10	Führung und Zentrierung Führungssäulen mit abgesetztem Schaft • Form A mit Zentrieransatz • Form B ohne Zentrieransatz
Führungsbuchsen			
	$d_1 \times l_1$ $d_1 = 10 \dots 40$ $l_1 = 12{,}5 \dots 200$	DIN 16716 Einsatzstahl (780+40) HV 10	Führung und Zentrierung Führungssäulen mit abgesetztem Schaft • Form C mit Zentrieransatz • Form E ohne Zentrieransatz
Auswerferstifte			
	$D_1 \times L$ $D_1 = 2 \dots 32$ $L = 100 \dots 1000$	DIN 1530 Warmarbeitsstahl 950 HV 0,3	Entformungssystem Auswerferstifte • mit zylindrischem Kopf
Auswerferhülsen			
	$D_1 \times L$ $D_1 = 2 \dots 12$ $L = 75 \dots 300$	DIN ISO 8405 Warmarbeitsstahl 950 HV 0,3	Entformungssystem Auswerferhülse • mit zylindrischem Kopf
Angießbuchsen			
	$d_1 \times l$ $d_1 = 12 \dots 25$ $l = 20 \dots 100$	DIN ISO 10072 Werkzeugstahl (50±5) HRC	Angusssystem Angießbuchse • Form A, mit Radius für Maschinendüse • Form B, gerade für Maschinendüse
Angusshaltebuchse			
	$D_1 \times l_1$ $D_1 = 12 \dots 25$ $l_1 = 20 \dots 100$	DIN ISO 16915 Werkzeugstahl 50 HRC	Angusssystem Angusshaltebuchse

F

Werkzeugaufbau

Hydraulische Horizontalspritzgießmaschine

Werkzeugarten

Nach der Anzahl der Formhohlräume (Kavitäten) unterscheidet man Einfachwerkzeuge mit einer Kavität und Mehrfachwerkzeuge mit mehreren, meist symmetrisch angeordneten Kavitäten (Formnest). Bei Mehrfachwerkzeugen kann die Schmelze alle Kavitäten gleichzeitig und gleichmäßig füllen. Die Fließwege sind gleich lang.

2-Platten-Werkzeug	Funktion und Anwendung
	• Normalwerkzeug als einfachste Bauform mit zwei Werkzeughälften • Eine Trennebene (I) • Anwendung: einfache Formteile aller Art • Sonderformen: Abstreifwerkzeug, Backenwerkzeug und Schieberwerkzeug für Hinterschneidungen

3-Platten-Werkzeug	Funktion und Anwendung
	• Ausführung wie Normalwerkzeug mit einer Zwischenplatte, welche ein gesondertes Entformen des Angusses, in der Regel Punktanguss, ermöglicht. Abreißwerkzeug • Zwei Trennebenen (I, II) • Anwendung: Formteile aller Art; viele Kavitäten an einem Verteilersystem, viel Abfall

Etagen-Werkzeug	Funktion und Anwendung
	• Die Formteile sind etagenweise angeordnet und liegen dadurch direkt hintereinander. Da die Formteile gleiche projizierte Flächen haben, ist die Schließkraft nur für eine Trennebene nötig. • Zwei oder mehr Trennebenen (I, II, …) • Anwendung: flache Formteile aller Art mit hoher Stückzahl, oft in Heißkanalausführung

Isolierkanalwerkzeug	Funktion und Anwendung
	• Der Aufbau entspricht einem 3-Platten-Werkzeug. Dabei wird die Zwischenplatte mit einem Isolierkanal ausgeführt, der die Schmelze über den ganzen Prozess flüssig halten kann • Zwei Trennebenen (I, II) • Anwendung: Formmassen mit breitem Schmelztemperaturbereich und schneller Zyklusfolge

Heißkanalwerkzeug	Funktion und Anwendung
	• Werkzeuge mit beheizten Düsen oder/und Verteilerkanälen • Ein oder zwei Trennebenen (I, II) • Anwendung: technisch hochwertige Formteile, auch für schlecht zu verarbeitende Formmassen

F

Schwindung und Kühlung

Schwindung

Die Schwindung ist die Volumenänderung durch den Abkühlvorgang bzw. die Kristallisation des Kunststoffes. Man unterscheidet die Verarbeitungsschwindung und die Nachschwindung.

Durch die Schwindung entsteht ein Maßunterschied zwischen dem Werkzeughohlraum und dem hergestellten Kunststoffteil.

Bei Thermoplasten ist das Fertigteil 16 h und bei Duroplasten 24 bis 168 h nach der Herstellung zu messen.

Durch Warmlagerung entsteht bei kristallinen Kunststoffen eine Gefügeänderung, die ebenfalls zu einer Nachschwindung führt.

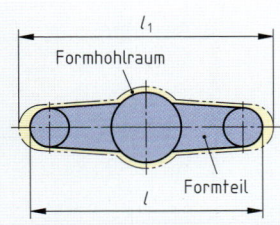

VS	Verarbeitungsschwindung in %
NS	Nachschwindung in %
S	Gesamtschwindung in %
l	Maß Formteil in mm
l_1	Maß Werkzeug in mm
l_{VS}	Maß Formteil nach Verarbeitung in mm
l_x	Maß Formteil nach x Stunden in mm

Verarbeitungsschwindung

$$VS = \frac{l_1 - l_{VS}}{l_1} \cdot 100\%$$

Maß im Werkzeug

$$l_1 = \frac{l \cdot 100\%}{100\% - S}$$

Nachschwindung durch Warmauslagern

$$NS = \frac{l_{VS} - l_x}{l_1} \cdot 100\%$$

Beispiele zur Schwindung durch Abkühlung (vgl. Seite 168)

Kunststoff	Schwindung in %	Kunststoff	Schwindung in %
Polyamid	1,3	Polypropylen	1,5
Polystyrol	0,45	PVC	0,6
Polyethylen	1,7	Polycarbonat	0,8

Kühlung

Spritzzyklus

Werkzeug schließen	Einspritzen	Kühlung			Werkzeug öffnen	Auswerfer vor/zurück
		Nachdruck	Dosieren	Halten		
1 s	2 s	7 s	2 s	12 s	0,8 s	1,4 s
		Zyklus = 26,2 s				

Nach dem Einspritzen wird der Druck je nach Kunststoff auf 30 % bis 70 % des Spritzdruckes reduziert und wirkt so lange, bis der Anschnitt eingefroren ist. Dies ist etwa nach 1/3 der Kühlzeit erreicht. Die restliche Kühlzeit ist notwendig, damit das Formteil eine ausreichende Formbeständigkeit erhält. Während dieser Zeit wird das Dosiervolumen für den nächsten Schuss bereitgestellt.

Die Ermittlung der Kühlzeit erfolgt durch Diagramme oder Überschlagsrechnung und ist hinreichend genau.

s	Formteildicke in mm
t_K	Kühlzeit in s
t_p	Nachdruckzeit in s
t_{RK}	Restkühlzeit in s
t_e	Einspritzzeit in s

Beispiel:

Die Kühlzeit eines Thermoplastes mit 3 mm Dicke und einer Werkzeugtemperatur von 50° ist zu bestimmen.

$t_K = s \cdot (1 + 2 \cdot s)$
$t_K = 3 \cdot (1 + 2 \cdot 3) = \mathbf{21\ s}$

Gesamtkühlzeit

$$t_K = t_p + t_{RK}$$

Kühlzeit überschlägig:
- Werkzeugtemperatur $\leq 60°$

$$t_K = s \cdot (1 + 2 \cdot s)$$

- Werkzeugtemperatur $> 60°$

$$t_K = 1{,}3 \cdot s \cdot (1 + 2 \cdot s)$$

F

Dosieren, Kräfte

Dosieren

Dosieren

Dosierweg L_D

Plastifizieren

Einspritzen

Nach dem Einspritzen und Nachdrücken muss die Formmasse für einen neuen Schuss aufbereitet und in der richtigen Menge zur Verfügung gestellt werden.

Zum **Dosieren** wird der Extruder zurückgesetzt und Granulat nachgefüllt. Die Drehung der Schnecke erzeugt einen **Dosierstrom**. Dabei wird das Granulat erwärmt, verdichtet, geschert und homogenisiert. Die **plastifizierte Formmasse** wird zur Düse gefördert.

Das notwendige **Dosiervolumen** muss neben dem **Formteilvolumen** und dem **Angießvolumen** auch den Unterschied zwischen Schmelze- und Formteildichte ausgleichen (z. B. Faktor 1,25).

Während der Nachdruckphase wird ein **Massepolster** (Nachdruckpolster) benötigt, der das Schwinden ausgleicht und Einfallstellen am Formteil verhindert.

V_S	Spritzvolumen in cm³	m_S	Spritzmasse in g
V_{FT}	Formteilvolumen in cm³	m_D	Dosiermasse in g
V_A	Angießvolumen in cm³	ϱ	Dichte in g/cm³
V_D	Dosiervolumen in cm³	Q_e	Einspritzstrom in cm³/s
V_P	Massepolster in cm³	Q_D	Dosierstrom in cm³/mm
L_D	Dosierweg in mm	t_e	Einspritzzeit in s
n	Kavitäten, Anzahl		

Spritzvolumen

$$V_S = n \cdot V_{FT} + V_A$$

Dosiervolumen

$$V_D = 1,25 \cdot V_S + V_P$$

Dosierweg

$$L_D = V_D / Q_D$$

Einspritzzeit

$$t_e = V_S / Q_e$$

Spritzmasse

$$m_S = \varrho \cdot V_S$$

Beispiele für Einstellwerte und maximale Fließweglänge

Kurz-zeichen	Temperatur in °C		Spritzdruck in bar	Fließweglänge[1] in mm
	Masse	Werkzeug		
PE	160…300	20…70	500	200…600
PP	170…300	20…100	1200	250…700
PVC	170…210	20…60	300[2], 1500[3]	250[3], 500[2]
PS	180…250	30…60	1000	400…500
PA	210…290	80…120	700…1200	200…500
ABS	200…240	40…85	800…1800	300

[1] maximale Fließweglänge bei 2 mm Wanddicke   [2] PVC – weich   [3] PCV – hart

Kräfte

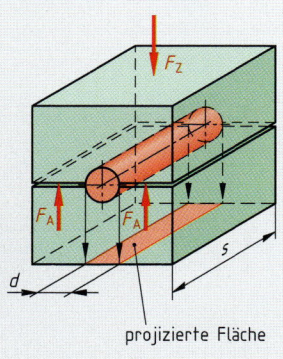

F_Z

F_A

F_A F_A

d s

projizierte Fläche

F

Die Formmasse wird durch den Spritzdruck in das Werkzeug gepresst. Dieser Druck wirkt in der Kavität und im Anguss senkrecht auf ihrer projizierten Fläche (Trennebene) und erzeugt die Auftriebskraft F_A. Damit keine Formmasse entweichen kann, muss hydraulisch, mechanisch oder elektromechanisch eine größere Zuhaltekraft F_Z wirken.

n	Kavitäten, Anzahl
A_p	Projizierte Fläche in cm²
A_{pn}	Projizierte Fläche einer Kavität, cm²
A_{pa}	Projizierte Fläche des Angusses, cm²
p_w	Werkzeuginnendruck in bar
F_A	Auftriebskraft in kN
F_Z	Zuhaltekraft in kN
φ	Sicherheitsfaktor

Beispiel:

Polypropylen (PP), Spritzdruck p_w = 1200 bar, 1 bar = 10 N/cm²
Projizierte Fläche A_p = 12,3 cm², φ = 1,3

$F_A = p_w \, A_p$ = 1200 · 10 N/cm² · 12,3 cm²
F_A = 147 600 N = **147,6 kN**
$F_Z \geq F_A \, \varphi$ = 147,6 kN · 1,3 ≥ **191,9 kN**

Projizierte Fläche

$$A_p = n \cdot A_{pn} + A_{pa}$$

Auftriebskraft

$$F_A = p_w \cdot A_p$$

Zuhaltekraft

$$F_Z \geq F_A \cdot \varphi$$

Schmelzschweißen, Schweißverfahren (Übersicht)

Schmelzschweißen ist das unlösbare Verbinden von Werkstoffen bei örtlichem Schmelzfluss unter Anwendung von
• Wärme und/oder der Verwendung von
• Schweißzusätzen, z.B. Elektroden, Schweißdrähten, zur Füllung von Schweißfugen
• Hilfsstoffen, z.B. Schutzgasen zur Verbesserung der Schweißbedingungen und der Nahteigenschaften.

Schweißverfahren (Auswahl)

Bild	Beschreibung	Verfahren, Anwendung
Gasschmelzschweißen		(Seite 387)
	Wärmequelle Gasflamme aus Sauerstoff und Acetylen. Bevorzugte Flammeneinstellung: neutrale Flamme mit gleichen Anteilen von Sauerstoff und Acetylen. **Schweißzusätze** Blanke Schweißstäbe (Seite 387)	Handschweißverfahren; Verbindungsschweißen von unlegierten und niedriglegierten Stahlrohren, Reparaturschweißungen an Gusseisen
Lichtbogenhandschweißen		(Seite 388)
	Wärmequelle Wechsel- oder Gleichstrom-Lichtbogen zwischen der abschmelzenden Elektrode und dem Grundwerkstoff. Temperaturen im Schmelzbereich bis 4000°C. **Schweißzusätze** Umhüllte Stabelektroden (Seite 388)	Handschweißverfahren; Verbindungsschweißen von unlegierten und legierten Stählen, Schweißungen in Zwangslagen
Schutzgasschweißen		
	Metall-Schutzgas-Schweißen (MIG, MAG)	(Seite 386)
	Wärmequelle Gleich- oder Wechselstrom-Lichtbogen zwischen der abschmelzenden Drahtelektrode und dem Werkstück. **Schweißzusätze** Drahtelektroden (Seite 386), Fülldrahtelektroden **Hilfsstoffe** Schutzgase werden nach den zu verschweißenden Grundwerkstoffen ausgewählt und bestimmen das Schweißverfahren: Verwendung inerter Schutzgase, z.B. Argon oder Helium → **Metall-Inert-Gasschweißen (MIG)**, keine Gasreaktion mit den Grundwerkstoffen Verwendung aktiver Schutzgase, z.B. mit CO_2- oder O_2-Anteilen → **Metall-Aktiv-Gasschweißen (MAG)**, oxidierende Wirkung auf die Grundwerkstoffe	Hand- oder automatisiertes Schweißen, z.B. mit Schweißrobotern, hohe Schweißqualität, hohe Abschmelzleistung. **MIG-Schweißen:** Aluminium und Aluminiumlegierungen, Kupfer und Kupferlegierungen, Nickel und Nickellegierungen **MAG-Schweißen:** unlegierte und legierte Stähle, auch nichtrostende Cr-Ni-Stähle
	Wolfram-Inertgas-Schweißen (WIG)	
	Wärmequelle Gleich- oder Wechselstrom-Lichtbogen zwischen einer nicht abschmelzenden Wolframelektrode und dem Grundwerkstoff. **Schweißzusätze** Schweißstäbe, die in der Regel von Hand zugeführt werden **Hilfsstoffe** Inerte Schutzgase, z.B. Argon oder Helium, → keine Gasreaktion mit den Grundwerkstoffen	Schweißverfahren für hochwertige Verbindungen vor allem im Dünnblechbereich; für fast alle Werkstoffe, wie unlegierte und legierte Stähle, auch nichtrostende Cr-Ni-Stähle, NE-Metalle, Titan, Tantal, Zirkon
	Wolfram-Plasma-Schweißen (WP)	
	Wärmequelle → siehe WIG-Schweißen, gebündelter Lichtbogen (Plasma) mit hoher Leistungsdichte **Schweißzusätze** → siehe WIG-Schweißen **Hilfsstoffe** Beim Plasma-Schweißen werden zwei Gasarten benötigt: – Plasmagas: vorwiegend Argon – Schutzgas: Argon mit werkstoffabhängigen Komponenten, wie Wasserstoff, Helium …	Schweißverfahren für hochwertige Verbindungen mit 0,01…10 mm Dicke, Auftragsschweißen, z.B. an Ventilsitzen; Werkstoff wie beim WIG-Schweißen

F

Verfahren, Schweißpositionen, Allgemeintoleranzen

Schweißen, Schneiden, Löten (Auszug)

vgl. DIN EN ISO 4063 (2011-03)

N[1]	Verfahren, Prozess	N[1]	Verfahren, Prozess	N[1]	Verfahren, Prozess
1	**Lichtbogenschweißen**	**2**	**Widerstandsschweißen**	**7**	**Andere Schweißverfahren**
111 114	Lichtbogenhandschweißen Schwerkraft-Lichtbogenschw.	21 22	Widerstands-Punktschweißen Rollennahtschweißen	73 74	Elektrogasschweißen Induktionsschweißen
11	Metall-Lichtbogenschweißen ohne Gasschutz	225 23	Folienstumpfnahtschweißen Buckelschweißen	742 78	Induktives Rollennahtschweißen Bolzenschweißen
12 13	Unterpulverschweißen Metall-Schutzgasschweißen	**3**	**Gasschmelzschweißen**	**8**	**Schneiden**
131	Metall-Inertgasschweißen (MIG) mit Massivdrahtelektrode	311	Gasschweißen mit Sauerstoff-Acetylen-Flamme	81 82	Autogenes Brennschneiden Lichtbogenschneiden
132	Metall-Inertgasschweißen mit schweißpulvergefüllter Drahtelektrode	312	Gasschweißen mit Sauerstoff-Propan-Flamme	83 84	Plasmaschneiden Laserstrahlschneiden
		4	**Pressschweißen**	**9**	**Hartlöten, Weichlöten**
135	Metall-Aktivgasschw. (MAG) mit Massivdrahtelektrode	41 42	Ultraschallschweißen Reibschweißen	912 916	Flammhartlöten Induktionshartlöten
136	MAG-Schweißen mit schweiß- pulvergefüllter Drahtelektrode	46 47	Diffusionsschweißen Gaspressschweißen	921 926	Ofenhartlöten Tauchbadhartlöten
14	Wolfram-Schutzgasschweißen	**5**	**Strahlschweißen**	942	Flammweichlöten
141	Wolfram-Inertgasschweißen mit Massivdrahtzusatz	51 52	Elektronenstrahlschweißen Laserstrahlschweißen	943 946	Kolbenweichlöten Induktionsweichlöten
15 151	Plasmaschweißen Plasma-Inertgasschweißen	512	Elektronenstrahlschweißen in Atmosphäre	947 953	Ultraschallweichlöten Ofenweichlöten

⇒   **ISO 4063–111:** vorgeschriebener Schweißprozess → Lichtbogenhandschweißen

[1] N Prozessnummer zur Kennzeichnung der Verfahren in Zeichnungen, Arbeitsanweisungen …

Schweißpositionen (Auszug)

vgl. DIN EN ISO 6947 (2011-08)

Hauptschweiß- positionen

PE PD PC PB PA PF PG

Zulässige Abweichungen von der Hauptschweißposition durch Neigung und/oder Drehung der Schweißnaht.
Neigungswinkel S → Winkel zwischen der Schweißnahtachse und der Hauptschweißposition.
Drehwinkel R → Winkel zwischen der Schweißnahtoberfläche und der Hauptschweißposition.

Beispiel: Hauptschweißposition PA

Neigung

Drehung

Kurz- zeichen	Bezeichnung der Hauptschweiß- position	maximale Abweichung für			
		Kehlnähte		Stumpfnähte	
		S	R	S	R
PA	Wannenposition	±15°	±30°	±15°	±30°
PB	Horizontalposition	±15°	±15° −10°	–	–
PC	Querposition	±15°	±35° −10°	±15°	+60° −10°
PD	Horizontal- Überkopfposition	±80°	±35° −10°	–	–
PE	Überkopfposition	±80°	±35°	±80°	±80°
PF PG	Steigposition Fallposition	für S = +75° ist R = ±100° für S = −10° ist R = ±180°			

Allgemeintoleranzen für Schweißkonstruktionen

vgl. DIN EN ISO 13920 (1996-11)

Genauig- keitsgrad	Zulässige Abweichungen								
	für Längenmaße Δl in mm Nennmaßbereich l[1]						für Winkelmaße Δα in ° und ' Nennmaßbereich l[1]		
	bis 30	über 30 bis 120	über 120 bis 400	über 400 bis 1000	über 1000 bis 2000	über 2000 bis 4000	bis 400	über 400 bis 1000	über 1000
A	±1	±1	±1	±2	±3	±4	±20'	±15'	±10'
B	±1	±2	±2	±3	±4	±6	±45'	±30'	±20'
C	±1	±3	±4	±6	±8	±11	±1°	±45'	±30'
D	±1	±4	±7	±9	±12	±16	±1°30'	±1°15'	±1°

[1] l kürzerer Schenkel

F

Nahtvorbereitung, Druckgasflaschen

Nahtvorbereitung für das Schutzgas-, Gas- und Lichtbogenschweißen　　vgl. DIN EN ISO 9692-1 (2013-12)

Form der Schweißfuge	Art der Naht-vorbereitung	$S^{1)}$	Dicke t mm	Nahtvorbereitung Spalt b mm	Nahtvorbereitung Steg c mm	Nahtvorbereitung Winkel α in Grad	empfohlene Schweiß-verfahren[2]	Bemerkungen
(Skizze)	I-Fuge	‖	≤ 4	≈ t	–	–	3, 111, 141	keine Naht-vorbereitung, einseitig geschweißt
			3…8	6…8 ≈ t	–		13 141	
			< 15	≤ 1	–	–	52	
(Skizze)	V-Fuge	V	3…10	≤ 4	≤ 2	40°…60°	3, 111	gegebenenfalls mit Schweiß-badsicherung, einseitig geschweißt
			3…10	≤ 4	≤ 2	40°…60°	13, 141	
			8…12	–	≤ 2	6°…8°	52	
(Skizze)	Y-Fuge	Y	5…40	1…4	2…4	≈ 60°	111, 13, 141	einseitig geschweißt
(Skizze)	Steilflanken-V-Fuge	⅄	> 16	5…15	–	5°…20°	111, 13	mit Schweiß-badsicherung, einseitig geschweißt
(Skizze)	HV-Fuge	⊬	3…10	2…4	1…2	35°…60°	111, 13, 141	einseitig geschweißt
(Skizze)	Stirnfläche rechtwinklig	△	> 2	≤ 2	–	70°…100°	3, 111, 13, 141	Kehlnaht, einseitig geschweißt

[1] S Symbol nach ISO 2553　　　[2] Schweißverfahren Seite 384

Druckgasflaschen　　vgl. DIN EN 1089-3 (2011-10)

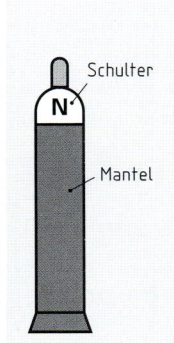

Gasart	Farbkennzeichnung[1] nach DIN EN 1089-3 Mantel	Schulter	bisher	Anschluss-gewinde	Volumen V l	Fülldruck p_F bar	Füll-menge
Sauerstoff	grau	weiß	blau	R3/4	40 50	150 200	6 m³ 10 m³
Acetylen	kastanien-braun	kastanien-braun	gelb	Spannbügel	40 50	19 19	8 kg 10 kg
Wasserstoff	rot	rot	rot	W21,80x1/14	10 50	200 200	2 m³ 10 m³
Argon	grau	dunkel-grün	grau	W21,80x1/14	10 50	200 200	2 m³ 10 m³
Helium	grau	braun	grau	W21,80x1/14	10 50	200 200	2 m³ 10 m³
Argon-Kohlen-dioxid-Gemisch	grau	leuchtend-grün	grau	W21,80x1/14	20 50	200 200	4 m³ 10 m³
Kohlendioxid	grau	grau	grau	W21,80x1/14	10 50	58 58	7,5 kg 20 kg
Stickstoff	grau	schwarz	dunkel-grün	W24,32x1/14	40 50	150 200	6 m³ 10 m³

[1] Die verbindliche Kennzeichnung des Flascheninhaltes erfolgt auf dem Gefahrgutaufkleber (Seite 392). Die Farbkennzeichnung der Flaschenschulter dient zur leichteren Identifizierung des Flascheninhaltes im Notfall, z. B. einem Brand.

F

Schutzgasschweißen

Die Qualität von Schutzgasschweißungen und die Schweißbedingungen werden durch die Auswahl der Drahtelektrode, des Schutzgases und der Lichtbogeneinstellung beeinflusst.

Schutzgasschweißen mit abschmelzender Drahtelektrode

Grundwerkstoff

bestimmt das Schweißverfahren
Stahl   → Metall-Aktiv-Gas-
           schweißen **(MAG)**
Aluminium → Metall-Inert-Gas-
           schweißen **(MIG)**

Drahtelektrode

bestimmt z. B.
• Festigkeit   • Zähigkeit
• Schweißposition • Schutzgastyp
• Stromart

Schutzgas

beeinflusst z. B.
• Nahteigenschaften • Einbrandverhalten
• Wärmeeinbringung • Porenbildung
• Lichtbogeneinstellung

Lichtbogenarten, Lichtbogeneinstellungen[1]

Lichtbogenart	Anwendung, z. B.	Lichtbogenart	Anwendung, z. B.
Kurzlichtbogen (KLB)	Zwangslagen- und Wurzelschweißung, niedrige Schweißleistung, Dünnblechschweißung, MIG- und MAG-Schweißen	Sprühlichtbogen (SLB)	hohe Abschmelzleistungen, größere Blechdicken, höhere Schweißgeschwindigkeiten, MIG- und MAG-Schweißen
Übergangslichtbogen (ÜLB)	mittlere Schweißleistungen, mittlere Blechdicken, MAG-Schweißen	Impulslichtbogen (ILB)	für alle Leistungsbereiche beim MIG- und MAG-Schweißen

[1] Die Einstellung des Lichtbogens richtet sich nach   • der Blechdicke   • der Schweißposition
                                                • dem Schutzgastyp   • der Schweißleistung

MAG-Schweißen von unlegierten und niedriglegierten Stählen

Drahtelektroden und Schweißgut zum MAG-Schweißen von unlegierten Stählen und Feinkornbaustählen   vgl. DIN EN ISO 14341 (2011-04)

Die Festigkeit und Zähigkeit des Schweißgutes werden durch den Elektrodenwerkstoff und das Schutzgas beeinflusst. Die Bezeichnung für das Schweißgut enthält deshalb Angaben über die Festigkeit, die Zähigkeit, das Schutzgas und den Elektrodenwerkstoff. Einteilung zwei Gruppen:
• Schweißgut mit garantierter **Streckgrenze R_e** und **Kerbschlagarbeit 47 J** → Kennbuchstabe A
• Schweißgut mit garantierter **Zugfestigkeit R_m** und **Kerbschlagarbeit 27 J** → Kennbuchstabe B

Bezeichnungsbeispiel (Schweißgut mit garantierter Streckgrenze und Kerbschlagarbeit 47 J):

Norm-Nummer

Kennbuchstabe für Schweißgut mit garantierter Streckgrenze und Kerbschlagarbeit 47 J

ISO 14341 – A – G 46 5 M21 G3Si1

Kennbuchstabe für
• Schweißgut oder
• Drahtelektrode

Kennziffern für Mindeststreckgrenze R_e $46 → R_e = 10 \cdot 46 = 460$ N/mm² $42 → R_e = 10 \cdot 42 = 420$ N/mm²	Kennziffer für die Temperaturgrenze der Kerbschlagarbeit 5 → Kerbschlagarbeit 47 J ist bis −50°C garantiert	Kennbuchstabe für das Schutzgas M21 → Schutzgas M21[1] (Seite 387)	Drahtelektrodenwerkstoff G3Si1 Si → mit Silizium

[1] Das Kurzzeichen M21 muss angewendet werden, wenn die Einteilung mit dem Schutzgas M21 nach DIN EN ISO 14175, jedoch ohne Helium, durchgeführt wurde.

Drahtelektroden für unlegierte Stähle und Feinkornbaustähle (Auswahl)   vgl. DIN EN ISO 14341 (2011-04)

Schweißgut/ Drahtelektrode	Mindeststreckgrenze R_e in N/mm²	t[1] in °C	Schutzgas[2]	Lichtbogen	geeignet für Stähle	Eigenschaften, Verwendung
G 42 3 C G3Si1	420	−30	C1	KLB	S235…S355	spritzerarmer Werkstoffübergang im Kurz- und Sprühlichtbogen, vielseitig einsetzbar in Fertigung und Reparatur
G 42 4 M G3Si1	420	−40	M21	KLB, SLB	S235…S355	
G 46 3 C G4Si1	460	−30	C1	KLB	S235…S460	
G 46 4 M G4Si1	460	−40	M21	KLB, SLB	S235…S460	

[1] Temperaturgrenze für Kerbschlagzähigkeit 47 J
[2] Schutzgase, mit denen die mechanischen Eigenschaften erreicht werden. Sorten Seite 387

F

Schutzgase für das MAG-Schweißen, MIG-Schweißen, Gasschweißen

Schutzgase für das MAG-Schweißen unlegierter Stähle (Auswahl) — vgl. DIN EN ISO 14175 (2008-06)

Sorte[1], Kurz- name	Anteil der Komponenten in %			Eigenschaften, Verwendung
	oxidierend (aktiv)		inert	
	CO_2	O_2	Ar	
M12	> 0,5…5	–	Rest	geringer Aktivanteil (CO_2 und O_2), geringe Schlacken- und Spritzer-
M13	–	> 0,5…3	Rest	bildung, für alle Lichtbogenarten, empfindlich gegen Rost, Zunder
M14	> 0,5…5	> 0,5…3	Rest	und verschmutzte Bleche, bevorzugt für blanke, dünne Bleche
M21	> 15…25	–	Rest	erhöhter Aktivanteil (CO_2 und O_2), höhere Schlacken- und Spritzer-
M22	–	> 3…10	Rest	bildung, unempfindlicher gegen Rost, Zunder und verschmutzte
M23	> 0,5…5	> 3…10	Rest	Blechoberflächen, für alle Lichtbogenarten, größere Blechdicken
M24	> 5…15	> 0,5…3	Rest	**M22**: weniger Spritzer, bei Impulslichtbogen CO_2-Anteil < 20%
C1	100	–	–	hoher Aktivanteil (CO_2 und O_2), hohe Schlacken- und Spritzerbildung,
C2	Rest	> 0,5…30	–	unempfindlich gegen Rost, Zunder und Verschmutzung, nicht für Impulslichtbogen geeignet, für größere Blechdicken mit Rost und Zunder

[1] Die Gaslieferanten bieten innerhalb einer Schutzgassorte oft mehrere Mischgase mit firmenspezifischen Bezeichnungen an, die genau auf den jeweiligen Schweißprozess abgestimmt sind.

MIG-Schweißen von Aluminium und Aluminiumlegierungen

Drahtelektroden für das MIG-Schweißen von Aluminium und Aluminiumlegierungen — vgl. DIN EN ISO 18273 (2004-05)

Bezeichnungsbeispiel:

ISO 18273 – S Al 4047 (Al Si12)

Norm-Nummer

Kennbuchstabe für Draht-elektrode

Chemische Zusammensetzung der Drahtelektrode:
Al = Hauptlegierungselement
Si12 = Siliziumanteil ca. 12%

Nummerisches Kurzzeichen

Drahtelektroden für das MIG-Schweißen von Aluminium und Al-Legierungen (Auswahl)

Kurzbezeichnung	Mindest- streckgrenze R_e in N/mm²	Schutz- gas	Lichtbogen (Seite 386)	Verwendung für Grundwerkstoffe, zum Beispiel
S Al 1450 (Al 99,5Ti)	20	I1		Al 99, Al 99,5, Al 99,8, Al Mg0,5
S Al 4043 (Al Si5)	40	I1		Al MgSi0,5, Al MgSi0,7, Al MgSi1
S Al 4047 (Al Si12)	60	I1	KLB, SLB, ILB	G-Al Si11, G-Al Si10Mg(Cu), G-Al Si12(Cu)
S Al 5754 (Al Mg3)	80	I1		G-Al Mg3,5Si, Al Mg2,5, Al Mg3, Al Mg2Mn0,3
S Al 5356 (Al Mg5Cr(A))	110	I1		Al Mg3, Al Mg5, Al Zn4,5Mg1, Al Mg1SiCu

Die Festigkeitswerte werden mit dem Schutzgas I1 (70% Argon + 30% Helium) erreicht. Die Schweißstäbe und Drahtelektroden sind auch mit dem Schutzgas I3 (Inertgas) verschweißbar.

Gasschweißstäbe für das Verbindungsschweißen von Stahl — vgl. DIN EN 12536 (2000-08)

Kurz- name	Mindest- streckgrenze R_e in N/mm²	KA[1] K_v in J	Verwendung für Stahlsorten	Anwendungsbereich, Schweißverhalten
O I	260	30	S235, S275	Bleche, Rohre; dünnflüssiges Schweißbad, viele Spritzer, Neigung zur Porenbildung
O II	300	47	S235, S275, P235GH, P265GH	Behälter, Rohrleitungen; Schweißbad weniger dünnflüssig als bei O I, wenig Spritzer, Neigung zu Poren
O III	310	47	S235, S275, P235GH, P275GH	Behälter und Rohrleitungen; zähflüssiges Schweißbad, keine Spritzer, keine Porenbildung
O IV	260	47	S235, S275, S355, P235, P235GH, P265GH, P295GH, 16Mo3	warmfeste Kessel und Rohrleitungen bis 450 °C; zähflüssiges Schweißbad, keine Spritzer, keine Porenbildung

[1] KA Kerbschlagarbeit K_v bei 20 °C, ermittelt an einer ISO-V-Probe

F

Lichtbogenschweißen

Umhüllte Stabelektroden für unlegierte Stähle und Feinkornstähle vgl. DIN EN ISO 2560 (2010-03)

Die mechanischen Eigenschaften der Schweißverbindung und das Schweißverhalten werden durch die Elektrode entscheidend beeinflusst.

Der **Kerndraht** der Elektrode beeinflusst
• die chemische Zusammensetzung des Schweißgutes
• die Festigkeit und die Zähigkeit

Stabelektrode

Die **Umhüllung** beeinflusst zum Beispiel
• die Festigkeit und die Zähigkeit
• das Zünd- und Schweißverhalten
• das Nahtaussehen und die Einbrandtiefe
• die Heiß- oder Kaltrissbildung

Die Festigkeit und die Zähigkeit des Schweißgutes sind wichtige Kenngrößen für die Qualität einer Schweißverbindung. Die Bezeichnung der Stabelektroden erfolgt nach diesen Kriterien in zwei Gruppen:
• Stabelektroden für ein Schweißgut mit garantierter **Streckgrenze** und **Kerbschlagarbeit 47 J** (ISO 2560-A)
• Stabelektroden für ein Schweißgut mit garantierter **Zugfestigkeit** und **Kerbschlagarbeit 27 J** (ISO 2560-B)

Bezeichnungsbeispiel: Stabelektrode für ein Schweißgut mit garantierter Streckgrenze und Kerbschlagarbeit von 47 J (**verbindliche** Angaben nach ISO 2560):

Norm-Nummer

Kennbuchstabe für Schweißgut mit garantierter Streckgrenze und Kerbschlagarbeit 47 J

ISO 2560 – A – E 46 3 1Ni B

Kennbuchstabe für die umhüllte Stabelektrode

Kennziffern für die Mindeststreckgrenze R_e
$46 \rightarrow R_e = 10 \cdot 46 = 460\ N/mm^2$
$42 \rightarrow R_e = 10 \cdot 42 = 420\ N/mm^2$
$38 \rightarrow R_e = 10 \cdot 38 = 380\ N/mm^2$

Kennziffer für die Temperaturgrenze der Kerbschlagarbeit
$3 \rightarrow$ Kerbschlagarbeit 47 J ist bis $-30\,°C$ garantiert

Kurzzeichen für die Legierung: 1Ni $\rightarrow$ ca. 0,9% Nickel
• bei fehlendem Legierungskurzzeichen, z.B. bei E 38 0 RC, beträgt der Mn-Anteil immer 2%

Kennbuchstabe für den Umhüllungstyp

Umhüllungstypen, Eigenschaften und Verwendung (Auswahl)

Umhüllungstyp, Bezeichnung	Eigenschaften, Verwendung	Schweißpositionen (Seite 384)
RA rutil-sauer-umhüllt	meist dick umhüllte Stabelektroden, flache und glatte Schweißnähte, empfindlich gegen Erstarrungsrisse	PA, PB, PC, PD, PE, PF
RB rutil-basisch-umhüllt	meist dick umhüllte Elektroden, gute mechanische Eigenschaften, gute Schweißeigenschaften	
RC rutil-zellulose-umhüllt	grober Tropfenübergang, geeignet zur Dünnblechschweißung, auch für Fallpositionen	PA, PB, PC, PD, PE, PF, PG
RR dick-rutil-umhüllt	feinschuppige und gleichmäßige Nähte, gutes Wiederzünden des Lichtbogens, hohe Abschmelzleistung	PA, PB, PC, PD, PE, PF
B basisch-umhüllt	hohe Zähigkeit (Kerbschlagarbeit) bei tiefen Temperaturen, gute Sicherheit gegen Rissbildung	PA, PB, PC, PD, PE, PF, PG

Umhüllte Stabelektroden zum Lichtbogenschweißen unlegierter und niedriglegierter Stähle (Auswahl)

Kurzname	Mindeststreckgrenze R_e in N/mm²	t¹⁾ in °C	geeignet für Stähle	Eigenschaften, Verwendung
E 38 0 RC	380	0	S235…S355	für Montage- und Werkstattschweißungen
E 42 0 RR	420	0	S235…S355	ausgezeichnete Schweißeigenschaften, saubere Nähte
E 38 2 RB	380	−20	S235…S355	für Wurzel-, Füll- und Decklagen geeignet
E 38 2 RA	380	−20	S235…S355	hohe Abschmelzleistung
E 46 6 1Ni	460	−60	S235…S460	rissfreie Verbindungen mit hoher Kaltzähigkeit

¹⁾ Temperaturgrenze für Kerbschlagzähigkeit 47 J
Die Elektrodenhersteller bieten innerhalb einer Normbezeichnung verschiedene Elektrodentypen an, die jeweils auf spezielle Anforderungen abgestimmt sind.

F

Nahtplanung, Einstell- und Leistungswerte beim Schweißen

Nahtform	Nahtplanung			Einstellwerte				Leistungswerte	
	Nahtdicke a mm	Draht-durchmesser mm	Anzahl der Lagen	Spannung V	Strom A	Draht-vorschub-geschw.[1] m/min	Schutzgas l/min	Schweiß-zusatz g/m	Haupt-nutzungs-zeit min/m

Metall-Schutzgasschweißen (MAG) für unlegierte Stähle (Richtwerte)

Schweißposition: PB Drahtelektrode ISO 14341-A-G 46 4 M G3Si1 Schutzgas: M21

Nahtdicke a mm	Draht-durchmesser mm	Anzahl der Lagen	Spannung V	Strom A	Draht-vorschub-geschw. m/min	Schutzgas l/min	Schweiß-zusatz g/m	Haupt-nutzungs-zeit min/m
2	0,8	1	20	105	7	10	45	1,5
3	1,0		22	215	11		90	1,4
4	1,0		23	220	11		140	2,1
5	1,0	1	30	300	10	15	215	2,6
6	1,0	1					300	3,5
7	1,2	3					390	4,6
8	1,2	3	30	300	10	15	545	6,4
10		4					805	9,5

Metall-Schutzgasschweißen (MIG) für Aluminiumlegierungen (Richtwerte)

Schweißposition: PA Drahtelektrode ISO 18273-A-S Al5754 (AlMg3) Schutzgas: I1

Nahtdicke a mm	Draht-durchmesser mm	Anzahl der Lagen	Spannung V	Strom A	Draht-vorschub-geschw. m/min	Schutzgas l/min	Schweiß-zusatz g/m	Haupt-nutzungs-zeit min/m
4	1,2	1	23	180	3	12	30	2,9
5	1,6		25	200	4	18	77	3,3
6	1,6		26	230	7	18	147	3,9
5		1	22	160	6		126	4,2
6	1,6	2	22	170	6	18	147	4,6
8		2	26	220	7		183	5,0

[1] Beim MIG-Schweißen: Schweißgeschwindigkeit

Lichtbogenschweißen, Nahtplanung für V-Nähte

Decklage — 60° — Fülllage — Wurzellage — s

Nahtdicke a mm	Spalt s mm	Anzahl und Art der Lagen[1]	Elektroden-abmessungen $d \times l$ mm	spez. Elektrodenbedarf z_s Stück/m	Nahtmasse je Lagenart m_s g/m	gesamt m g/m
4	1	1 W	3,2 x 450	3	75	155
		1 D	4 x 450	2	80	
5	1,5	1 W	3,2 x 450	4	100	210
		1 D	4 x 450	2,9	110	
6	2	1 W	3,2 x 450	4	100	285
		2 D	4 x 450	4,7	185	
8	2	1 W	3,2 x 450	4	100	460
		1 F	4 x 450	3,7	145	
		1 D	5 x 450	3,5	215	
10	2	1 W	3,2 x 450	4	100	675
		1 F	4 x 450	4	195	
		1 D	5 x 450	6,2	380	

Lichtbogenschweißen, Nahtplanung für Kehlnähte

Decklage — Wurzellage — a

Nahtdicke a mm	Spalt s mm	Anzahl und Art der Lagen[1]	Elektroden-abmessungen $d \times l$ mm	spez. Elektrodenbedarf z_s Stück/m	Nahtmasse je Lagenart m_s g/m	gesamt m g/m
3	–	1	3,2 x 450	3,2	80	80
4	–	1	4 x 450	3,6	140	140
5	–	3	3,2 x 450	8,6	215	215
6	–	3	4 x 450	8	310	310
8	–	1 W	4 x 450	3	120	550
		2 D	5 x 450	7	430	
10	–	1 W	4 x 450	3	120	865
		4 D	5 x 450	12,3	745	
12	–	1 W	4 x 450	3	120	1245
		4 D	5 x 450	18,5	1125	

[1] W Wurzellage; F Fülllage; D Decklage

F

Richtwerte für das Strahlschneiden

Richtwerte für das autogene Brennschneiden

Werkstoff: unlegierter Baustahl;　Brenngas: Acetylen

Blech-dicke s mm	Schneid-düse mm	Schnitt-fugen-breite mm	Sauerstoffdruck		Acetylen-druck bar	Gesamt-sauerstoff-verbrauch m³/h	Acetylen-verbrauch m³/h	Schneidgeschwindigkeit	
			Schneiden bar	Heizen bar				Qualitäts-schnitt m/min	Trenn-schnitt m/min
5			2,0			1,67	0,27	0,69	0,84
8	3...10	1,5	2,5	2,0	0,2	1,92	0,32	0,64	0,78
10			3,0			2,14	0,34	0,60	0,74
10			2,5			2,46	0,36	0,62	0,75
15	10...25	1,8	3,0	2,5	0,2	2,67	0,37	0,52	0,69
20			3,5			2,98	0,38	0,45	0,64
25			4,0			3,20	0,40	0,41	0,60
30	25...40	2,0	4,3	2,5	0,2	3,42	0,42	0,38	0,57
35			4,5			3,54	0,44	0,36	0,55

Richtwerte für das Plasmaschneiden[1]

Blech-dicke s mm	Werkstoff: hochlegierte Baustähle Schneidtechnik: Argon-Wasserstoff							Werkstoff: Aluminium Schneidtechnik: Argon-Wasserstoff					
	Stromstärke		Schneidge-schwindigkeit		Verbrauchswerte			Stromstärke		Schneidge-schwindigkeit		Verbrauchswerte	
	Qualitäts-schnitt A	Trenn-schnitt A	Qualitäts-schnitt m/min	Trenn-schnitt m/min	Argon m³/h	Wasser-stoff m³/h	Stick-stoff m³/h	Qualitäts-schnitt A	Trenn-schnitt A	Qualitäts-schnitt m/min	Trenn-schnitt m/min	Argon m³/h	Wasser-stoff m³/h
4			1,4	2,4	0,6	–	1,2			3,6	6,0		
5	70	120	1,1	2,0	0,6	–	1,2	70	120	1,9	5,0	1,2	0,5
10			0,65	0,95	1,2	0,24	–			1,1	1,6		
15			0,35	0,6	1,2	0,24	–			0,6	1,3		
20	70	120	0,25	0,45	1,2	0,24	–	70	120	0,35	0,75	1,2	0,5
25			0,35	0,35	1,5	0,48	–			0,2	0,5		

[1] Die Werte gelten für eine Lichtbogenleistung von ca. 12 kW und 1,2 mm Schneiddüsen-Durchmesser.

Richtwerte für das Laserstrahlschneiden[1]

W[2]	Blech-dicke s mm	Schneid-geschw. v m/min	Schneid-gas	Schneid-gasdruck p bar	Schneid-geschw. v m/min	Schneid-gas	Schneid-gasdruck p bar	Schneid-geschw. v m/min	Schneid-gas	Schneid-gasdruck p bar
		Laserleistung 1 kW			Laserleistung 1,5 kW			Laserleistung 2 kW		
Stahl unlegiert	1	5,0...8,0			7,0...10			7,0...10		
	1,5	4,0...7,0			5,5...7,5			5,6...7,4		
	2	4,0...6,0			4,8...6,2			4,8...6,1		
	2,5	3,5...5,0	O_2	1,5...3,5	4,2...5,0	O_2	1,5...3,5	4,2...5,0	O_2	1,5...3,5
	3	3,5...4,0			3,5...4,2			2,8...3,6		
	4	2,5...3,0			2,8...3,3			2,8...3,4		
	5	1,8...2,3			2,3...2,7			2,5...3,0		
	6	1,3...1,6			1,9...2,2			2,1...2,5		
Stahl rostfrei	1	4,0.. 5,5		8	5,0...7,0		6	4,5...9,0		12
	1,5	2,8...3,6		10	3,5...5,2		10	3,8...6,6		13
	2	2,2...2,8		14	2,0...4,0		10	3,4...5,3		14
	2,5	1,6...2,0	N_2		1,9...3,2	N_2	14	2,7...3,8	N_2	
	3	1,3...1,4		15	1,8...2,4		14	2,2...2,7		14
	4	–		–	1,0...1,1		15	1,4...1,8		16

[1] Die Tabellenwerte gelten für eine Linsenbrennweite f = 127 mm (5") und eine Schnittspaltbreite b = 0,15 mm.
[2] W Werkstoffgruppe

F

Anwendungsbereiche und Schnittqualität für das Strahlschneiden

Anwendungsbereiche für Trennverfahren

Werkstoffe	Blechdicke s in mm
	1 2 4 6 8 10 20 40 100

Baustähle, unlegiert und legiert
- Autogenes Brennschneiden
- Laserschneiden
- Plasmaschneiden
- Wasserstrahlschneiden

Chrom-Nickel-Stähle
- Pulverbrennschneiden
- Laserschneiden
- Plasmaschneiden
- Wasserstrahlschneiden

Aluminium, Aluminiumlegierungen
- Laserschneiden
- Plasmaschneiden
- Wasserstrahlschneiden

Titan, Glas, Keramik, Gestein, Kunststoffe, Gummi, Schaumstoffe …
- Wasserstrahlschneiden

Schnittqualität und Maßtoleranzen für thermische Schnitte

vgl. DIN EN ISO 9013 (2003-07)

Die Angaben gelten für
- autogenes Brennschneiden,
- Plasmaschneiden,
- Laserstrahlschneiden.

Die Qualität der Schnittflächen wird festgelegt durch
- die Rechtwinkligkeitstoleranz u,
- die gemittelte Rautiefe R_{z5}.

l	Nennlänge
s	Werkstückdicke
u	Rechtwinkligkeitstoleranz
R_{z5}	gemittelte Rautiefe
Δl	Grenzabmaße für die Nennlänge l

ISO 9013-342

Norm-Nummer

Schnittqualität

Rechtwinkligkeitstoleranz u nach Reihe 3

gemittelte Rautiefe R_{z5} nach Reihe 4

Toleranzklasse 2

Qualität der Schnittflächen

Bereich	Rechtwinkligkeitstoleranz u in mm	gemittelte Rautiefe R_{z5} in µm	Bemerkung
1	$u < 0{,}05 + 0{,}003 \cdot s$	$R_{z5} < 10 + 0{,}6 \cdot s$	
2	$u < 0{,}15 + 0{,}007 \cdot s$	$R_{z5} < 40 + 0{,}8 \cdot s$	Werkstückdicke s in mm einsetzen
3	$u < 0{,}4 + 0{,}01 \cdot s$	$R_{z5} < 70 + 1{,}2 \cdot s$	
4	$u < 1{,}2 + 0{,}035 \cdot s$	$R_{z5} < 110 + 1{,}8 \cdot s$	

Grenzabmaße für Nennlängen

Werkstückdicke s in mm	Grenzabmaße Δl für Nennlängen l in mm					
	Toleranzklasse 1			Toleranzklasse 2		
	> 35 ≤ 125	> 125 ≤ 315	> 315 ≤ 1000	> 35 ≤ 125	> 125 ≤ 315	> 315 ≤ 1000
> 1 ≤ 3,15	± 0,3	± 0,3	± 0,4	± 0,7	± 0,8	± 0,9
> 3,15 ≤ 6,3	± 0,4	± 0,5	± 0,5	± 0,9	± 1,1	± 1,2
> 6,3 ≤ 10	± 0,6	± 0,7	± 0,7	± 1,3	± 1,4	± 1,5
> 10 ≤ 50	± 0,7	± 0,8	± 1	± 1,8	± 1,9	± 2,3
> 50 ≤ 100	± 1,3	± 1,4	± 1,7	± 2,5	± 2,6	± 3
> 100 ≤ 150	± 2	± 2,1	± 2,3	± 3,3	± 3,4	± 3,7

Beispiel: Autogenes Brennschneiden nach Toleranzklasse 2, l = 450 mm, s = 12 mm, Schnittqualität nach Bereich 4

Gesucht: Δl; u; R_{z5}

Lösung: Δl = ± **2,3 mm**

$u = 1{,}2 + 0{,}035 \cdot s = 1{,}2$ mm $+ 0{,}035 \cdot 12$ mm = **1,62 mm**

$R_{z5} = 110 + 1{,}8 \cdot s = 110$ µm $+ 1{,}8 \cdot 12$ µm = **131,6 µm**

F

Gasflaschen-Kennzeichnung

Gefahrgutaufkleber   vgl. DIN EN ISO 7225 (2013-01)

Auf Einzelgasflaschen muss zur Kennzeichnung des Inhalts und der von diesem Inhalt ausgehenden Gefahren ein Gefahrgutaufkleber auf der Flaschenschulter angebracht werden. Bis zu drei Gefahrzettel weisen auf die hauptsächlichen Gefahren hin.
Beispiel:

Produktbezeichnung, z.B. Sauerstoff

Gefahrzettel mit Nummer der Gefahrgutklasse

UN-Nummer und Gasbenennung, z.B. Sauerstoff, verdichtet

Herstellername, Adresse, Telefonnummer

z.B. Gasgemisch-Zusammensetzung oder Reinheitsangabe des Gases

Herstellerhinweise

Signalwort

EG-Nummer bei Einzelstoffen (entfällt bei Gasgemischen)

Gefahren- und Sicherheitshinweise

Gefahrzettel

nicht entzündbar nicht giftig   entzündbar   giftig   entzündend   ätzend

Farbkennzeichnung   vgl. DIN EN 1089-3 (2011-10)

Die verbindliche Kennzeichnung des Gasinhaltes erfolgt auf dem Gefahrgutaufkleber. Die Farbkennzeichnung der Flaschenschulter dient im Notfall, z.B. bei einem Brand, als zusätzliche Identifizierung des Flascheninhaltes aus größerer Entfernung. Diese Farbkennzeichnung gilt nicht für Flüssiggase, für Gase zur Verwendung als Kältemittel und für Flaschenbündel.

Allgemeine Kennzeichenregel für Gefahreigenschaften

abnehmendes Gefahrenpotenzial

gelb	rot	hellblau	leuchtendes Grün
Eigenschaften			
giftig und/oder korrosiv	entzündbar	oxidierend	inert[1]
Beispiele			
Ammoniak, Chlor, Fluor, Kohlenmonoxid, Kohlendioxid	Wasserstoff, Methan, Ethylen	Sauerstoff + Kohlendioxid (> 23,5% Sauerstoff)	Krypton, Xenon, Neon, Schweißschutzgasgemische, Druckluft (techn.)

Farbkennzeichnung bei Gasen mit mehr als einer Gefahreigenschaft[2] (Beispiele)

Ethylenoxid — giftig (und/oder korrosiv) und entzündbar

Fluorwasserstoff — giftig (und/oder korrosiv) und oxidierend

Farbkennzeichnung für besondere Gase (Beispiele)

Acetylen — entzündbar

Sauerstoff (techn.) — oxidierend

[1] nicht giftig, nicht korrosiv, nicht entzündbar, nicht oxidierend
[2] Bei Gasen und Gasgemischen mit mehr als einer Gefahreigenschaft muss die Flaschenschulter mit der Farbe gekennzeichnet werden, welche die Hauptgefahr darstellt. Die Farbe mit der geringeren Gefahr darf ebenfalls auf der Flaschenschulter angegeben werden.

F

Gasflaschen-Kennzeichnung

Spezielle Kennzeichnung der Flaschenschulter für gebräuchliche Gase

vgl. DIN EN 1089-3 (2011-10) und Merkblatt des Industriegaseverbandes

Sauerstoff	Acetylen	Argon	Stickstoff	Kohlendioxid	Helium
weiß	kasta-nien-braun	dunkel-grün	schwarz	grau	braun

Reingase und Gasgemische für den industriellen Einsatz; Farbkennzeichnung für Flaschenschulter und -mantel[1] (Beispiele)

vgl. Merkblatt des Industriegaseverbandes

Sauerstoff (technisch)	Acetylen	Argon	Stickstoff
weiß / grau	kasta-nien-braun / kasta-nien-braun	dunkel-grün / grau (dunkel-grün)	schwarz / grau (schwarz)

Kohlendioxid	Helium	Xenon/Krypton/Neon	Wasserstoff
grau / grau	braun / grau	leuchtend-grün / grau (leuchtend-grün)	rot / rot

Formiergas (Gemisch Stickstoff/Wasserstoff)	Gemisch (Argon/Kohlendioxid)	Druckluft	Ammoniak, Chlor ... (giftige Gase)
rot / grau	leuchtend-grün / grau	leuchtend-grün / grau	gelb / grau

Spezielle Kennzeichnung für Schutzgasgemische (Beispiele)

vgl. Merkblatt des Industriegaseverbandes

Kohlendioxid/Stickstoff	Kohlendioxid/Sauerstoff	Argon/Stickstoff	Argon/Sauerstoff
grau / schwarz / grau	grau / weiß / grau	dunkel-grün / schwarz / grau	dunkel-grün / weiß / grau

F

[1] Die Farbe des zylindrischen Flaschenmantels ist für Industriegase nicht genormt. Der Industriegaseverband schlägt folgende Farbgebung vor: Flaschenmantel grau oder gleiche Farbe wie Flaschenschulter, aber nicht weiß.

Lote und Flussmittel

Hartlote für Schwermetalle　　vgl. DIN EN ISO 17672 (2010-11), Ersatz für DIN EN 1044 (1999-07)

Silberhaltige Lote

Lotwerkstoff			Hinweise für die Verwendung[3]			
Gruppe	Kurz-zeichen[1]	Legierungskurzzeichen nach ISO 3677	Arbeits-tempe-ratur °C	Löt-stoß	Lot-zu-fuhr[2]	Werkstoffe
AgCuZnCd	Ag 345	B-Ag45CdZnCu-605/620	620	S	a, e	Edelmetalle, Stähle, Kupferlegierungen
AgCuZnCd	Ag 350	B-Ag50CdZnCu-620/640	640	S	a, e	Edelmetalle, Stähle, Kupferlegierungen
AgCuZnCd	Ag 326	B-Cu30ZnAgCd-605/765	750	S, F	a, e	Stähle, Temperguss, Kupfer, Kupfer-legierungen, Nickel, Nickellegierungen
AgCuZnCd	Ag 340	B-Ag40ZnCdCu-595/630	610	S	a, e	Stähle, Temperguss, Kupfer, Kupfer-legierungen, Nickel, Nickellegierungen
AgCuZn(Sn)	Ag 134	B-Cu36AgZnSn-630/730	710	S	a, e	Stähle, Temperguss, Kupfer, Kupferlegierungen, Nickel, Nickellegierungen
AgCuZn(Sn)	Ag 145	B-Ag45CuZnSn-640/680	670	S	a, e	Stähle, Temperguss, Kupfer, Kupferlegierungen, Nickel, Nickellegierungen
AgCuZn(Sn)	Ag 225	B-Cu40ZnAg-700/790	780	S	a, e	Stähle, Temperguss, Kupfer, Kupferlegierungen, Nickel, Nickellegierungen
AgCuZn(Sn)	Ag 244	B-Ag44CuZn-675/735	730	S	a, e	Stähle, Temperguss, Kupfer, Kupferlegierungen, Nickel, Nickellegierungen
Silbergehalt < 20 %	Ag 205	B-Cu55ZnAg(Si)-820/870	860	S, F	a, e	Stähle, Temperguss, Kupfer, Kupfer-legierungen, Nickel, Nickellegierungen
Silbergehalt < 20 %	Ag 212	B-Cu48ZnAg(Si)-800/830	830	S	a, e	Stähle, Temperguss, Kupfer, Kupfer-legierungen, Nickel, Nickellegierungen
Silbergehalt < 20 %	CuP 279	B-Cu92PAg-645/825	710	S, F	a, e	Kupfer u. nickelfreie Kupferlegierungen **Nicht** geeignet für eisen- oder nickelhaltige Grundwerkstoffe
Silbergehalt < 20 %	CuP 281	B-Cu80AgP-645/800	710	S, F	a, e	Kupfer u. nickelfreie Kupferlegierungen **Nicht** geeignet für eisen- oder nickelhaltige Grundwerkstoffe
Silbergehalt < 20 %	CuP 284	B-Cu89PAg-645/815	710	S, F	a, e	Kupfer u. nickelfreie Kupferlegierungen **Nicht** geeignet für eisen- oder nickelhaltige Grundwerkstoffe
Sonder-Hartlote	Ag 351	B-Ag50CdZnCuNi-635/655	660	S	a, e	Kupferlegierungen
Sonder-Hartlote	Ag 449	B-Ag49ZnCuMnNi-680/705	690	S	a, e	Hartmetall auf Stahl, Wolfram- und Molybdän-Werkstoffe
Sonder-Hartlote	Ag 463	B-Ag63CuSn-690/800	790	S	a, e	Chrom, Chrom-Nickel-Stähle

Kupferbasislote

Cu 141		B-Cu100(P)-1085	1100	S	e	Stähle
Cu 922		B-Cu94Sn(P)-910/1040	1040	S	e	Eisen- und Nickelwerkstoffe
Cu 925		B-Cu88Sn(P)-825/990	990	S	e	Eisen- und Nickelwerkstoffe
Cu 470a		B-Cu60Zn(Si)-875/895	900	S, F	a, e	St, Temperguss, Cu, Ni, Cu- u. Ni-Leg.
Cu 773		B-Cu48ZnNi(Si)-890/920	910	S, F	a, e	Stähle, Temperguss, Ni, Ni-Legierungen
Cu 773		B-Cu48ZnNi(Si)-890/920	910	F	a	Gusseisen
CuP 180		B-Cu93P-710/820	720	S	a, e	Cu, Fe-freie und Ni-freie-Cu-Legie-rungen

Nickelbasislote zum Hochtemperaturlöten

Ni 620		B-Ni82CrSiBFe-970/1000	990	S	a, e	Nickel, Cobalt, Nickel- und Cobaltlegierungen, unlegierte und legierte Stähle
Ni 630		B-Ni92SiB-980/1040	1030	S	a, e	Nickel, Cobalt, Nickel- und Cobaltlegierungen, unlegierte und legierte Stähle
Ni 650		B-Ni71CrSi-1080/1135	1130	S	a, e	Nickel, Cobalt, Nickel- und Cobaltlegierungen, unlegierte und legierte Stähle
Ni 710		B-Ni76CrP-890	890	S	a, e	Nickel, Cobalt, Nickel- und Cobaltlegierungen, unlegierte und legierte Stähle

Aluminiumbasislote

Al 107		B-Al92Si-575/615	610	S	a, e	Aluminium und Al-Legierungen der Typen AlMn, AlMgMn, G-AlSi; bedingt für Al-Legierungen der Typen AlMg, AlMgSi bis zu 2% Mg-Gehalt
Al 110		B-Al90Si-575/590	600	S	a, e	Aluminium und Al-Legierungen der Typen AlMn, AlMgMn, G-AlSi; bedingt für Al-Legierungen der Typen AlMg, AlMgSi bis zu 2% Mg-Gehalt
Al 112		B-Al88Si-575/585	595	S	a, e	Aluminium und Al-Legierungen der Typen AlMn, AlMgMn, G-AlSi; bedingt für Al-Legierungen der Typen AlMg, AlMgSi bis zu 2% Mg-Gehalt

[1] Die beiden Buchstaben geben die Legierungsgruppe an, während die dreistelligen Zahlen reine Zählnummern in fortlaufender Form darstellen.

[2] a Lot angesetzt;　e Lot eingelegt

[3] Die Angaben der Hersteller sind zu beachten.

Lötstoß

Spaltlöten:
$b < 0,25\,\text{mm}$

Fugenlöten:
$b > 0,3\,\text{mm}$

F

Weichlote und Flussmittel

Weichlote

vgl. DIN EN ISO 9453 (2006-12)

Legierungs-gruppe[1]	Legie-rungs-Nr.[2]	Legierungs-kurzzeichen nach ISO 3677[3]	bisherige Kurzzeichen DIN 1707	Arbeits-temperatur °C	Anwendungsbeispiele
Zinn-Blei	101	S-Sn63Pb37	L-Sn63Pb	183	Feinwerktechnik
	102	S-Sn63Pb37E	L-Sn63Pb	183	Elektronik, gedruckte Schaltungen
	103	S-Sn60Pb40	L-Sn60Pb	183…190	gedruckte Schaltungen, Edelstahl
Blei-Zinn	111	S-Pb50Sn50	L-Sn50Pb	183…215	Elektroindustrie, Verzinnung
	114	S-Pb60Sn40	L-PbSn40	183…235	Feinblechpackungen, Metallwaren
	116	S-Pb70Sn30	–	183…255	Klempnerarbeiten, Zink, Zinklegierungen
	124	S-Pb98Sn2	L-PbSn2	320…325	Kühlerbau
Zinn-Blei-Antimon	131	S-Sn63Pb37Sb	–	183	Feinwerktechnik
	132	S-Sn60Pb40Sb	L-Sn60Pb(Sb)	183…190	Feinwerktechnik, Elektroindustrie
	134	S-Pb58Sn40Sb2	L-PbSn40Sb	185…231	Kühlerbau, Schmierlot
	136	S-Pb74Sn25Sb1	L-PbSn25Sb	185…263	Schmierlot, Bleilötungen
Zinn-Blei-Bismut	141	S-Sn60Pb38Bi2	–	180…185	Feinlötungen
	142	S-Pb49Sn48Bi3	–	138	Niedertemperaturlot, Schmelzsicherungen
Zinn-Blei-Cadmium	151	S-Sn50Pb32Cd18	L-SnPbCd18	145	Thermosicherungen, Kabellötungen
Zinn-Blei-Kupfer	161	S-Sn60Pb39Cu1	L-SnPbCu3	230…250	Elektrogerätebau, Feinwerktechnik
	162	S-Sn50Pb49Cu1	L-Sn50PbCu	183…215	
Zinn-Blei-Silber	171	S-Sn60PbAg	L-Sn60PbAg	178…180	Elektrogeräte, gedruckte Schaltungen
Blei-Zinn-Silber	182	S-Pb95Ag5	L-PbAg5	304…365	für hohe Betriebstemperaturen
	191	S-Pb93Sn5Ag2	–	296…301	Elektromotoren, Elektrotechnik

[1] Weichlote für Aluminium sind in EN ISO 9453 nicht mehr enthalten.
[2] Die Legierungsnummern ersetzen die Werkstoffnummern nach DIN 1707.
[3] Mit Spuren (< 0,5 %) von Sb, Bi, Cd, Au, In, Al, Fe, Ni, Zn: Seiten 116 und 117.

Flussmittel zum Weichlöten

vgl. DIN EN 29454-1 (1994-02)

Flussmittel-typ	Kennzeichen nach den Hauptbestandteilen			Flussmittel-art	Einteilung nach der Wirkung		
	Flussmittelbasis	Flussmittelaktivator			Kurzzeichen DIN EN	DIN 8511	Wirkung der Rückstände
1 Harz	1 Kolophonium 2 ohne Kolophonium	1 ohne Aktivator		A flüssig	3.2.2… 3.1.1…	F-SW11 F-SW12	stark korrodierend
2 orga-nisch	1 wasserlöslich 2 nicht wasserlöslich	2 mit Halogenen aktiviert 3 ohne Halogene aktiviert			3.2.1… 3.1.1… 2.1.3… 2.1.2… 1.2.2…	F-SW13 F-SW21 F-SW23 F-SW25 F-SW28	bedingt korrodierend
3 anor-ganisch	1 Salze	1 mit Ammoniumchlorid 2 ohne Ammoniumchlorid		B fest			
	2 Säuren	1 Phosphorsäure 2 andere Säuren		C Paste	1.1.1… 1.2.3…	F-SW31 F-SW33	nicht korrodierend
	3 alkalisch	1 Amine und/oder Ammoniak					

⇒ **Flussmittel ISO 9454 – 1.2.2.C:** Flussmittel vom Typ Harz (1), Basis ohne Kolophonium (2), mit Halogenen aktiviert (2), geliefert in Pastenform (C)

Flussmittel zum Hartlöten

vgl. DIN EN 1045 (1997-08)

Flussmittel	Wirktemperatur	Hinweise für die Verwendung
FH10	550…800 °C	Vielzweckflussmittel; Rückstände sind abzuwaschen oder abzubeizen.
FH11	550…800 °C	Cu-Al-Legierungen; Rückstände sind abzuwaschen oder abzubeizen.
FH12	550…850 °C	Rostfreie und hochlegierte Stähle, Hartmetalle; Rückstände sind abzubeizen.
FH20	700…1000 °C	Vielzweckflussmittel; Rückstände sind abzuwaschen oder abzubeizen.
FH21	750…1100 °C	Vielzweckflussmittel; Rückstände sind mechanisch entfernbar oder abzubeizen.
FH30	über 1000 °C	Für Kupfer- und Nickellote; Rückstände sind mechanisch entfernbar.
FH40	650…1000 °C	Borfreies Flussmittel; Rückstände sind abzuwaschen oder abzubeizen.
FL10	400…700 °C	Leichtmetalle; Rückstände sind abzuwaschen oder abzubeizen.
FL20	400…700 °C	Leichtmetalle; Rückstände sind nicht korrosiv, jedoch vor Feuchtigkeit zu schützen.

F

Lötverbindungen

Einteilung der Lötverfahren

Unterscheidungs-merkmale	Lötverfahren		
	Weichlöten	Hartlöten	Hochtemperaturlöten
Arbeitstemperatur	< 450 °C	> 450 °C	> 900 °C
Energiequelle	Kolben, Lötbad, elektrischer Widerstand	Flamme, Ofen	Flamme, Laserstrahl, elektrische Induktion
Grundwerkstoff	Cu-, Ag-, Al-Legierungen, Nichtrostender Stahl, Stahl, Cu-, Ni-Legierungen	Stahl, Hartmetall-Schneidplatten	Stahl, Hartmetall
Lotwerkstoff	Sn-, Pb-Legierungen	Cu-, Ag-Legierungen	Ni-Cr-Legierungen, Ag-Au-Pd-Legierungen
Hilfsmittel	Flussmittel	Flussmittel, Vakuum	Vakuum, Schutzgas

Richtwerte für Lötspaltbreiten

Grundwerkstoff	Lötspaltbreite in mm			
	für Weichlote	für Hartlote auf		
		Kupferbasis	Messingbasis	Silberbasis
Stahl, unlegiert	0,05...0,2	0,05...0,15	0,1...0,3	0,05...0,2
Stahl, legiert	0,1...0,25	0,1...0,2	0,1...0,35	0,1...0,25
Cu, Cu-Legierungen	0,05...0,2	–	–	0,05...0,25
Hartmetall	–	0,3...0,5	–	0,3...0,5

Gestaltungsregeln für Lötverbindungen

$l_{ümax} \approx 5 \cdot s$

auf Abscheren belastete Lötverbindung

Entlastung der Lötnaht durch Falz

Anschlag　　　Rändel-presssitz

Fertigungserleichterung

auf Rohr gelötete Kugelbuchse

Vorbedingungen

- Lötspaltbreite so groß, dass Flussmittel und Lot durch die Kapillarwirkung den Lötspalt sicher füllen (Tabelle oben)
- Parallelität der beiden Lötflächen
- Die durch die Bearbeitung vorhandene Rautiefe bei Cu-Loten Rz = 10...16 µm, bei Ag-Loten Rz = 25 µm kann bestehen bleiben.

Kraftübertragung

- Die Lötnaht ist so anzuordnen, dass sie möglichst auf Abscheren (Schub) beansprucht wird. Insbesondere Weichlötnähte dürfen nicht auf Zug oder schälend beansprucht werden.
- Bei Lötspalttiefen $l_{ü}$ > 5 · s füllt sich der Spalt nicht mehr zuverlässig mit Lot. Deshalb kann die Belastbarkeit durch eine größere Spalttiefe nicht erhöht werden.
- Die Kraftübertragung kann z. B. durch Falzen vergrößert werden

Fertigungserleichterung

- Beim Löten muss die Position der zu verbindenden Bauteile z. B. durch entsprechende Gestaltung, durch eine Vorrichtung oder durch Rändelpresssitze gewährleistet werden.

Anwendungsbeispiele

- Rohre und Fittings
- Blechteile
- Werkzeuge mit aufgelöteten Hartmetallschneiden

F

Klebstoffe, Vorbehandlung der Fügeflächen

Eigenschaften und Einsatzbedingungen von Klebstoffen[1]

Klebstoff	Handels-name	Aushärte-bedingungen		max. Betriebs-tempera-tur °C	Zugscher-festigkeit τ_E N/mm²	Elastizität	Verwendung, besondere Eigenschaften
		Temperatur °C	Zeit				
Acrylharz	Agomet M, Acronal, Stabilit-Express	20	24 h	120	6...30	gering	Metalle, Duroplaste, Keramik, Glas
Epoxidharz (EP)	Araldit, Metallon, Uhu-Plus	20...200	1 h... 12 h	50...150	10.. 35	gering	Metalle, Duroplaste, Glas, Keramik, Beton, Holz; lange Härtezeit
Phenolharz (PF)	Porodur, Pertinax, Bakelite	120...200	60 s	140	20	gering	Metalle, Duroplaste, Glas, Elastomere, Holz, Keramik
Polyvinyl-chlorid (PVC)	Hostalit, Isodur, Macroplast	20	> 24 h	60	60	gering	Metalle, Duroplaste, Glas, Elastomere, Holz, Keramik
Polyurethan (PUR)	Desmocoll, Delopur, Baydur	50	24 h	40	50	vorhanden	Metalle, Elastomere, Glas, Holz, einige Thermoplaste
Polyester-harz (UP)	Fibron, Leguval, Verstopal	25	1 h	170	60	gering	Metalle, Duroplaste, Keramik, Glas
Poly-chloroprene (CR)	Baypren, Contitec, Fastbond	50	1 h	110	5	vorhanden	Kontaktkleber für Metalle und Kunststoffe
Cyanacrylat	Permabond, Sicomet 77	20	40 s	85	20...25	gering	Schnellkleber für Metalle, Kunststoffe, Elastomere
Schmelz-klebstoffe	Jet-Melt, Ecomelt, Vesta-Melt	20	> 30 s	50	2...5	vorhanden	Werkstoffe aller Art; Klebewirkung durch Erkalten

[1] Aufgrund der unterschiedlichen chemischen Zusammensetzung der Klebstoffe sind die angegebenen Werte nur grobe Richtwerte. Exakte Angaben sind beim Hersteller zu erfragen.

Vorbehandlung von Fügeteilen für Klebeverbindungen

vgl. VDI 2229 (1979-06)

Werkstoff	Behandlungsfolge[1] für Beanspruchungsart[2]			Werkstoff	Behandlungsfolge[1] für Beanspruchungsart[2]		
	niedrig	mittel	hoch		niedrig	mittel	hoch
Al-Legierungen		1-6-5-3-4	1-2-7-8-3-4	Stahl, blank		1-6-2-3-4	1-7-2-3-4
Mg-Legierungen	1-2-3-4	1-6-2-3-4	1-7-2-9-3-4	Stahl, verzinkt	1-2-3-4	1-2-3-4	1-2-3-4
Ti-Legierungen		1-6-2-3-4	1-2-10-3-4	Stahl, phosphatiert		1-2-3-4	1-6-2-3-4
Cu-Legierungen	1-2-3-4	1-6-2-3-4	1-7-2-3-4	Übrige Metalle	1-2-3-4	1-6-2-3-4	1-7-2-3-4

[1] **Kennziffern für die Behandlungsart**

1 **Reinigen** von Schmutz, Zunder, Rost
2 **Entfetten** mit organischen Lösungsmitteln oder wässrigen Reinigungsmitteln
3 **Spülen** mit klarem Wasser
4 **Trocknen** in Warmluft bis 65 °C
5 **Entfetten** mit gleichzeitigem Beizen
6 **Mechanisches Aufrauen** durch Schleifen oder Bürsten
7 **Mechanisches Aufrauen** durch Strahlen
8 **Beizen 30 min**, bei 60 °C in 27,5%iger Schwefelsäure
9 **Beizen 1 min**, bei 20 °C in 20%iger Salpetersäure
10 **Beizen 3 min**, bei 20 °C in 15%iger Flusssäure

[2] **Beanspruchungsarten für Klebeverbindungen**

niedrig: Zugscherfestigkeit bis 5 N/mm²; trockene Umgebung; für Feinmechanik, Elektrotechnik
mittel: Zugscherfestigkeit bis 10 N/mm²; feuchte Luft; Kontakt mit Öl; für Maschinen und Fahrzeugbau
hoch: Zugscherfestigkeit bis 10 N/mm²; direkte Berührung mit Flüssigkeiten; für Flugzeug-, Schiffs- und Behälterbau

F

Klebekonstruktionen, Prüfverfahren

Konstruktionsbeispiele

Klebeverbindungen sollten möglichst auf Druck oder Scherung beansprucht werden. Zug-, Schäl- oder Biegebeanspruchungen sind zu vermeiden.

Überlappstoß

gut, da Klebefläche nur auf Abscherung beansprucht

weniger gut, da abschälende Kräfte durch außermittige Krafteinleitung wirken

T-Stoß

gut, da Klebefläche nur auf Abscherung und Druck beansprucht

weniger gut, da abschälende Kräfte durch Biegebeanspruchung wirken

Rohrverbindung

gut, da ausreichend große Klebefläche für die Aufnahme der Scherbeanspruchung

weniger gut, da kleine Klebefläche für die Aufnahme der Zug- u. Scherbeanspruchung

Prüfverfahren

Prüfverfahren Norm	Inhalt
Biegeschälversuch DIN 54461	Bestimmung des Widerstands von Klebeverbindungen gegen abschälende Kräfte
Zugscherversuch DIN EN 1465	Bestimmung der Zugscherfestigkeit hochfester Überlappungsklebungen
Ermüdungsprüfung DIN EN ISO 9664	Bestimmung der Ermüdungseigenschaften von Strukturklebungen bei Zugscherbeanspruchung
Zugversuch DIN EN 15870	Bestimmung der Zugfestigkeit von Stumpfklebungen rechtwinklig zur Klebefläche
Rollenschälversuch DIN EN 1464	Bestimmung des Widerstands gegen abschälende Kräfte
Druckscherversuch DIN EN 15337	Bestimmung der Scherfestigkeit vorwiegend anaerober[1] Klebstoffe

[1] unter Luftabschluss aushärtend

Klebstoffverhalten in Abhängigkeit von Temperatur und Größe der Klebefläche

F

Zugscherfestigkeit von Überlappungsklebungen

Einfluss der Klebefläche auf die Bruchlast

Arbeits- und Umweltschutz

Gefahren und Belastungen am Arbeitsplatz (Auswahl)   vgl. BGI/GUV-I 8700

Gefährdung	Beispiele	Gefährdung	Beispiele	Gefährdung	Beispiele
mechanische, kinetische Energie	Quetsch-, Scher-, Einzugstellen; scharfe Kanten, Schneiden; kippende, herabfallende Teile; umherfliegende Späne; Stolperfallen, Sturz	Schwingungen, Strahlung	Lärm (Seite 412), Ultraschall, Vibrationen, Laserstrahlung, UV-Strahlung, Infrarotstrahlung, Röntgenstrahlung, Gammastrahlung	Psychischer Druck	Arbeitsdruck, Zeitdruck, Stress, unzureichende Arbeitsorganisation, fehlende Qualifikation, Überqualifikation

Gefährdung	Beispiele	Gefährdung	Beispiele	Gefährdung	Beispiele
Elektrischer Strom	Spannung, Stromstärke, Lichtbögen, elektrische Felder, elektrostatische Aufladung	Klima	Lufttemperatur, Luftfeuchte, Luftgeschwindigkeit, (Zugluft)	Brand und Explosion	explosionsfähige Atmosphäre, Explosivstoffe, brennbare Stoffe

Gefährdung	Beispiele	Gefährdung	Beispiele	Gefährdung	Beispiele
Gefahrstoffe Seite 405	Flüssigkeiten, Gase, Dämpfe, Nebel[1], Stäube[1], Rauche[1], Feststoffe	Physische Belastungen	schwere dynamische Arbeit, einseitige dynamische Arbeit, Haltungsarbeit	Sonstige	Überdruck, Unterdruck, heiße Medien, heiße Oberflächen, biologische Gefährdungen, Beleuchtung

Gefahrstoffe am Arbeitsplatz (Auswahl)

Tätigkeit	Gefahrstoff	Gefährdung	Schutzmaßnahmen
Zerspanung	Kühlschmierstoffe bzw. darin enthaltene Additive	Einatmen vernebelter Aerosole Kontakt mit der Haut kann zu allergischen Reaktionen führen	Verwendung von Kühlschmierstoffen gem. TRGS 611[2] oder Umstellung auf Minimalmengenschmierung Hautschutzmittel verwenden
Wartung/ Reparatur	Reinigungs-, Testbenzin	leichtentzündlich reizt die Haut Dämpfe lösen Benommenheit aus	Rauchverbot, Zündquellen fernhalten Schutzhandschuhe tragen gute Arbeitsplatzbelüftung
Wartung/ Reparatur	Aceton	leichtentzündlich reizt die Augen spröde Haut bei Hautkontakt Dämpfe lösen Benommenheit aus	Rauchverbot, Zündquellen fernhalten gute Belüftung, Absaugung Schutzhandschuhe tragen Raumbelüftung auch am Bodenbereich
Löten	Flussmittel enthalten z.B. Fluorverbindungen	Fluoride sind sehr giftig, selbst in geringer Konzentration ätzend, Gefährdung von Augen und Schleimhäuten	Schutzhandschuhe tragen Augenschutz tragen Rauchabzug am Entstehungsort
Schweißen	Schweißelektroden enthalten diverse Metalloxide Dämpfe und Rauch enthalten Kohlenmonoxid, Kohlendioxid, Ozon u.v.a.	Vergiftungsgefahr durch Einatmen reizt die Atemwege krebserregend Gefahr der sog. Staublungenerkrankung oder Lungenödem	Schweißrauch und -dämpfe nah am Entstehungsort absaugen und abführen Räume gut belüften evtl. vorhandene Werkstück-Schutzüberzüge vorher entfernen
Kleben	Industrieklebstoffe, Schraubensicherungen	reizt Augen und Atemwege gesundheitsschädlich beim Einatmen	Berührung mit Haut und Augen vermeiden, Schutzhandschuhe und Schutzbrille tragen nur in gut belüfteten Bereichen verarbeiten
Schleifen	Metallstäube, Fluor und Phenol	krebserregend Frucht schädigend allergische Reaktionen	beim Nass- und Trockenschleifen Schleifstäube nahe am Entstehungsort absaugen

[1] werden als Aerosole zusammengefasst   [2] TRGS – Technische Regeln für Gefahrstoffe

F

Arbeits- und Umweltschutz

Gefahrstoffverordnung   vgl. GefStoffV: 2010-01

Schutz vor Gefahren und Belastungen am Arbeitsplatz

Der Schutz des Mitarbeiters vor den Gefahren am Arbeitsplatz ist seit 1993 durch die Gefahrstoffverordnung gesetzlich geregelt. Der **Arbeitgeber** hat die Pflicht dafür zu sorgen, dass die Bestimmungen der Gefahrstoffverordnung verbindlich eingehalten werden.

Für den **Mitarbeiter** ist es wichtig zu wissen, welchen Gefahren er ausgesetzt ist und wie er sich davor zu schützen hat.

Inhalte der Gefahrstoffverordnung (Auszug)   vgl. GefStoffV: 2010-01

Abschnitt	Inhalt
Gefährlichkeitsmerkmale § 3	Der Arbeitgeber hat vor dem Einsatz eines neuen Stoffes zu prüfen, ob es sich um einen Gefahrstoff im Sinne der Gefahrstoffverordnung handelt und wenn ja, ob er durch einen Stoff mit geringerem Risiko ersetzt werden kann. Es handelt sich um einen Gefahrstoff im Sinne der Gefahrstoffverordnung, wenn dieser explosionsgefährlich, brandfördernd, entzündlich, giftig, gesundheitsschädlich, ätzend, reizend, sensibilisierend, krebserzeugend, fortpflanzungsgefährdend, erbgutverändernd ist oder eine Gefahr für die Umwelt darstellt.
Kennzeichnungspflicht § 4	Gefährliche Stoffe, Zubereitungen oder Erzeugnisse sind auch bei der Verwendung entsprechend zu kennzeichnen. Kennzeichnung bedeutet immer Gefahr!
Sicherheitsdatenblatt § 5	Hersteller oder Importeure müssen detaillierte Auskunft über die Gefährlichkeit aller Inhaltsstoffe ihrer Produkte geben. Zumindest bei der Erstlieferung muss das Sicherheitsdatenblatt unaufgefordert mitgeliefert werden. Die Sicherheitsdatenblätter stehen meist auf den Internetseiten der Erzeuger zum Herunterladen bereit.
Gefährdungsbeurteilung § 6	Der Arbeitgeber hat die Pflicht zu prüfen, ob die Gesundheit des Beschäftigten gefährdet und seine Sicherheit gewährleistet ist. Er muss prüfen, ob ein Gefahrstoff durch einen weniger gefährlichen ersetzt werden kann. Außerdem muss er die Arbeitsplatzgrenzwerte (kurz: **AGW**) ermitteln. Diese wurden früher als MAK-Werte bezeichnet (MAK = maximale Arbeitsplatzkonzentration).
Schutzmaßnahmen § 8 – § 11	Lässt sich der Umgang mit gefährlichen Stoffen und Zubereitungen nicht vermeiden, so hat der Arbeitgeber folgende **Rangfolge der Schutzmaßnahmen** sicherzustellen: • Verhindern der Freisetzung von Gefahrstoffen (z. B. Kapselung) • Gefahrstoffe an der Entstehungsstelle abführen (z. B. Absaugung) • Geeignete Schutzmaßnahmen ergreifen (z. B. gute Raumbelüftung) • Persönliche Schutzausrüstung (PSA) zur Verfügung stellen
Unterweisungspflicht § 14	Der Arbeitgeber muss die Beschäftigten durch die Erstellung einer **Betriebsanweisung** auf die Gefahren am Arbeitsplatz hinweisen und die Schutzmaßnahmen erläutern. Mündliche Unterweisungen auf Basis der Betriebsanweisung ergänzen diese. Die Betriebsanweisung ist immer arbeitsplatzbezogen und muss stets auf dem aktuellen Stand gehalten werden.

F

Global Harmoniertes System (GHS)

vgl. CLP[1)]-Verordnung (EG) Nr. 1272/2008

Verordnungen und Zielsetzung	Kennzeichen des Systems
2009 ist ein international vereinheitlichtes System für die Kennzeichnung von Gefahrstoffen in Deutschland in Kraft getreten. Reinigungsmittel, Pflegemittel, Pflanzenschutzmittel und Chemikalien, von denen eine gesundheitsbeeinträchtigende Gefahr ausgeht, werden international mit einem Warnsymbol (rote Raute mit einem schwarzen Symbol) versehen. Die EG-Verordnung Nr. 172/2008 schreibt die verbindliche Einführung ab 1.12.2010 für Stoffe und ab 1.6.2015 für chemische Gemische vor. Für die alten Gefahrbezeichnungen gelten zweijährige Übergangsvorschriften.	• Neun Gefahren-**Piktogramme**, jeweils mit einem Code (z. B. GHS01, Tabelle unten) • Das **Symbol** ist die bildliche Darstellung und die Beschreibung der Gefahr • Signalwort **Gefahr** warnt vor gravierenden Gefährdungen • Signalwort **Achtung** weist auf geringere Risiken hin • **Gefahrenhinweise (Seite 402),** sog. H-Sätze, geben genauere Hinweise zur Gefahr, z. B. „verursacht schwere Augenreizung" • **Sicherheitshinweise (Seiten 403, 404),** sog. P-Sätze, informieren, welche Risiken bestehen und wie z. B. bei Vergiftungen reagiert werden sollte.

Gefahren-Piktogramme mit Code, Symbol, Signalwort und Erläuterung

GHS01 explodierende Bombe	GHS02 Flamme	GHS03 Flamme über einem Kreis
Gefahr explosionsgefährlich	**Gefahr** leicht-/hochentzündlich	**Gefahr** brandfördernd
GHS04 Gasflasche	GHS05 Ätzwirkung	GHS06 Totenkopf mit gekreuzten Knochen
		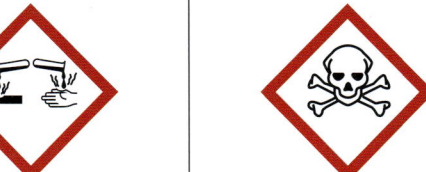
Achtung komprimierte Gase	**Gefahr** ätzend (Zerstörung der Haut)	**Gefahr** giftig/sehr giftig (u. U. tödlich)
GHS07 Ausrufezeichen	GHS08 Gesundheitsgefahr	GHS09 Umwelt
Achtung gesundheitsgefährdend (Reizung, Allergie)	**Gefahr** gesundheitsschädlich (u. U. krebsauslösend)	**Achtung** umweltgefährdend

[1)] **CLP** = **C**lassification, **L**abelling and **P**ackaging of Chemical Products. CLP ist die europäische Bezeichnung für GHS.

F

Gefahrenhinweise – H-Sätze

vgl. CLP-Verordnung (EG) Nr. 1272/2008

H-Satz	Bedeutung	H-Satz	Bedeutung
Gefahrenhinweise für physikalische Gefahren		H311	giftig bei Hautkontakt
H200	instabil, explosiv	H312	gesundheitsschädlich bei Hautkontakt
H202	explosiv, große Gefahr durch Splitter, Spreng- und Wurfstücke	H314	verursacht schwere Veränderungen der Haut und schwere Augenschäden
H203	explosiv, Gefahr durch Feuer, Luftdruck oder Splitter, Spreng- und Wurfstücke	H315	verursacht Hautreizungen
H204	Gefahr durch Feuer oder Splitter, Spreng- und Wurfstücke	H317	kann allergische Hautreaktionen verursachen
		H318	verursacht schwere Augenschäden
H205	Gefahr der Massenexplosion bei Feuer	H319	verursacht schwere Augenreizung
H220	extrem entzündbares Gas	H330	Lebensgefahr bei Einatmen
H221	entzündbares Gas		
H222	extrem entzündbares Aerosol[1]	H331	giftig bei Einatmen
H223	entzündbares Aerosol	H332	gesundheitsschädlich bei Einatmen
H224	Flüssigkeit und Dampf extrem entzündbar	H334	kann bei Einatmen Allergie, asthmaartige Symptome oder Atembeschwerden verursachen
H225	Flüssigkeit und Dampf leicht entzündbar		
H226	Flüssigkeit und Dampf entzündbar	H335	kann Atemwege reizen
H228	entzündbarer Feststoff	H336	kann Schläfrigkeit und Benommenheit verursachen
H240	Erwärmung kann Explosion verursachen		
H241	Erwärmung kann Brand oder Explosion verursachen	H340	kann genetische Defekte verursachen[2]
H242	Erwärmung kann Brand verursachen	H341	kann vermutlich genetische Defekte verursachen[2]
H250	entzündet sich in Berührung mit Luft von selbst	H350	kann Krebs erzeugen[2]
H251	selbstentzündungsfähig; kann in Brand geraten	H351	kann vermutlich Krebs erzeugen[2]
H252	in großen Mengen selbstzündungsfähig; kann in Brand geraten	H360	kann die Fruchtbarkeit beeinträchtigen oder das Kind im Mutterleib schädigen[2]
H260	in Berührung mit Wasser entstehen entzündbare Gase, die sich spontan entzünden können	H361	kann vermutlich die Fruchtbarkeit beeinträchtigen oder das Kind im Mutterleib schädigen[2]
H261	in Berührung mit Wasser entstehen entzündbare Gase	H362	kann Säuglinge über die Muttermilch schädigen
H270	kann Brand verursachen oder verstärken; Oxidationsmittel	H370	schädigt die Organe[2] [3]
H271	kann Brand oder Explosion verursachen; starkes Oxidationsmittel	H371	kann die Organe schädigen[2] [3]
H272	kann Brand verstärken; Oxidationsmittel	H372	schädigt die Organe bei längerer oder wiederholter Exposition[2] [3]
H280	enthält Gas unter Druck; kann bei Erwärmung explodieren	H373	kann die Organe schädigen bei längerer oder wiederholter Exposition[2] [3]
H281	enthält tiefkaltes Gas; kann Kälteverbrennungen oder -verletzungen verursachen	**Gefahrenhinweise für Umweltgefahren**	
H290	kann gegenüber Metallen korrosiv sein	H400	sehr giftig für Wasserorganismen
Gefahrenhinweise für Gesundheitsgefahren		H410	sehr giftig für Wasserorganismen, mit langfristiger Wirkung
H300	Lebensgefahr bei Verschlucken		
H301	giftig bei Verschlucken	H411	giftig für Wasserorganismen, mit langfristiger Wirkung
H302	gesundheitsschädlich bei Verschlucken		
H304	kann bei Verschlucken und Eindringen in die Atemwege tödlich sein	H412	schädlich für Wasserorganismen, mit langfristiger Wirkung
H310	Lebensgefahr bei Hautkontakt	H413	kann für Wasserorganismen schädlich sein, mit langfristiger Wirkung

[1] Gemisch aus festen oder flüssigen Schwebeteilchen und einem Gas
[2] Expositionsweg angeben, sofern schlüssig belegt ist, dass diese Gefahr bei keinem anderen Expositionsweg besteht. Exposition = Ausgesetztsein des Organismus gegenüber externen, meist schädlichen Einflüssen (z.B. Bakterien)
[3] oder alle betroffenen Organe nennen, sofern bekannt

F

Sicherheitshinweise – P-Sätze

vgl. CLP-Verordnung (EG) Nr. 1272/2008

P-Satz	Bedeutung	P-Satz	Bedeutung
Allgemein		P282	Schutzhandschuhe/Gesichtsschild/Augenschutz mit Kälteisolierung tragen
P101	ist ärztlicher Rat erforderlich, Verpackung oder Kennzeichnungsetikett bereithalten	P283	schwer entflammbare/flammhemmende Kleidung tragen
P102	darf nicht in die Hände von Kindern gelangen	P284	Atemschutz tragen
P103	vor Gebrauch Kennzeichnungsetikett lesen	P285	bei unzureichender Belüftung Atemschutz tragen
Prävention		P231 + P232	unter inertem Gas handhaben; vor Feuchtigkeit schützen
P201	vor Gebrauch besondere Anweisungen einholen	P235 + P410	kühl halten; vor Sonnenbestrahlung schützen
P202	vor Gebrauch alle Sicherheitshinweise lesen und verstehen	**Reaktion**	
P210	vor Hitze/Funken/offener Flamme/heißen Oberflächen fernhalten. Nicht rauchen	P301	bei Verschlucken:
P211	nicht gegen offene Flammen oder andere Zündquelle sprühen	P302	bei Berührung mit der Haut:
		P303	bei Berührung mit der Haut (oder dem Haar):
P220	von Kleidung/… brennbaren Materialien fernhalten/entfernt aufbewahren	P304	bei Einatmen:
P221	mischen mit brennbaren Stoffen/… unbedingt verhindern	P305	bei Kontakt mit den Augen:
		P306	bei kontaminierter Kleidung:
P222	Kontakt mit Luft nicht zulassen	P307	bei Exposition:
P223	Kontakt mit Wasser wegen heftiger Reaktion und möglichem Aufflammen unbedingt verhindern	P308	bei Exposition oder falls betroffen:
		P309	bei Exposition oder Unwohlsein:
P230	feucht halten mit …	P310	sofort Giftinformationszentrum oder Arzt anrufen
P231	unter inertem Gas handhaben	P311	Giftinformationszentrum oder Arzt anrufen
P232	vor Feuchtigkeit schützen	P312	bei Unwohlsein Giftinformationszentrum oder Arzt anrufen
P233	Behälter dicht verschlossen halten		
P234	nur im Originalbehälter aufbewahren	P313	ärztlichen Rat einholen/ärztliche Hilfe hinzuziehen
P235	kühl halten		
P240	Behälter und zu befüllende Anlage erden	P314	bei Unwohlsein ärztlichen Rat einholen/ärztliche Hilfe hinzuziehen
P241	explosionsgeschützte elektrische Betriebsmittel/Lüftungsanlagen/Beleuchtung/… verwenden	P315	sofort ärztlichen Rat einholen/ärztliche Hilfe hinzuziehen
P242	nur funkenfreies Werkzeug verwenden	P320	besondere Behandlung dringend erforderlich (siehe … auf diesem Kennzeichnungsetikett)
P243	Maßnahmen gegen elektrostatische Aufladung treffen	P321	besondere Behandlung (siehe … auf diesem Kennzeichnungsetikett)
P244	Druckminderer frei von Fett und Öl halten		
P250	nicht schleifen/stoßen/… reiben	P322	gezielte Maßnahmen (siehe … auf diesem Kennzeichnungsetikett)
P251	Behälter stehen unter Druck: nicht durchstechen oder verbrennen, auch nicht nach der Verwendung	P330	Mund ausspülen
		P331	kein Erbrechen herbeiführen
P260	Staub/Rauch/Gas/Nebel/Dampf/Aerosol nicht einatmen	P332	bei Hautreizung:
		P333	bei Hautreizung oder -ausschlag:
P261	Einatmen Staub/Rauch/Gas/Nebel/Dampf/Aerosol vermeiden	P334	in kaltes Wasser tauchen/nassen Verband anlegen
P262	nicht in die Augen, auf die Haut oder auf die Kleidung gelangen lassen	P335	lose Partikel von der Haut abbürsten
		P336	vereiste Bereiche mit lauwarmem Wasser auftauen; betroffenen Bereich nicht reiben
P263	Kontakt während der Schwangerschaft/und der Stillzeit vermeiden		
P264	nach Gebrauch gründlich waschen	P337	bei anhaltender Augenreizung:
P270	bei Gebrauch nicht essen, trinken oder rauchen	P338	eventuell vorhandene Kontaktlinsen nach Möglichkeit entfernen. Weiter ausspülen
P271	nur im Freien oder in gut gelüfteten Räumen verwenden	P340	die betroffene Person an die frische Luft bringen und in einer Position ruhigstellen, die das Atmen erleichtert
P272	kontaminierte Arbeitskleidung nicht außerhalb des Arbeitsplatzes tragen	P341	bei Atembeschwerden an die frische Luft bringen und in einer Position ruhigstellen, die das Atmen erleichtert
P273	Freisetzung in die Umwelt vermeiden		
P280	Schutzhandschuhe/Schutzkleidung/Augenschutz/Gesichtsschutz tragen	P342	bei Symptomen der Atemwege:
P281	vorgeschriebene persönliche Schutzausrüstung verwenden	P350	behutsam mit viel Wasser und Seife waschen

F

Sicherheitshinweise – P-Sätze

vgl. CLP-Verordnung (EG) Nr. 1272/2008

P-Satz	Bedeutung	P-Satz	Bedeutung
P351	einige Minuten lang behutsam mit Wasser ausspülen	P305 + P351 + P338	bei Kontakt mit den Augen: Einige Minuten lang behutsam mit Wasser spülen. Vorhandene Kontaktlinsen nach Möglichkeit entfernen. Weiter spülen
P352	mit viel Wasser und Seife waschen		
P353	Haut mit Wasser abwaschen/duschen		
P360	kontaminierte Kleidung und Haut sofort mit viel Wasser abwaschen und danach Kleidung ausziehen	P306 + P360	bei Kontakt mit der Kleidung: Kontaminierte Kleidung und Haut sofort mit viel Wasser abwaschen und danach Kleidung ausziehen
P361	alle kontaminierten Kleidungsstücke sofort ausziehen	P307 + P311	bei Exposition: Giftinformationszentrum oder Arzt anrufen
P362	kontaminierte Kleidung ausziehen und vor erneutem Tragen waschen	P308 + P313	bei Exposition oder falls betroffen: Ärztlichen Rat einholen/ärztliche Hilfe hinzuziehen
P363	kontaminierte Kleidung vor erneutem Tragen waschen	P309 + P311	bei Exposition oder Unwohlsein: Giftinformationszentrum oder Arzt anrufen
P370	bei Brand:	P332 + P313	bei Hautreizung: Ärztlichen Rat einholen/ärztliche Hilfe hinzuziehen
P371	bei Großbrand und großen Mengen:	P333 + P313	bei Hautreizung oder -ausschlag: Ärztlichen Rat einholen/ärztliche Hilfe hinzuziehen
P372	Explosionsgefahr bei Brand		
P373	keine Brandbekämpfung, wenn das Feuer explosive Stoffe/Gemische/Erzeugnisse erreicht	P335 + P334	lose Partikel von der Haut abbürsten. In kaltes Wasser tauchen/nassen Verband anlegen
P374	Brandbekämpfung mit üblichen Vorsichts-maßnahmen aus angemessener Entfernung	P337 + P313	bei anhaltender Augenreizung: Ärztlichen Rat einholen/ärztliche Hilfe hinzuziehen
P375	wegen Explosionsgefahr Brand aus der Entfernung bekämpfen	P342 + P311	bei Symptomen der Atemwege: Giftinformationszentrum oder Arzt anrufen
P376	Undichtigkeit beseitigen, wenn gefahrlos möglich	P370 + P376	bei Brand: Undichtigkeit beseitigen, wenn gefahrlos möglich
P377	Brand von ausströmendem Gas: Nicht löschen, bis Undichtigkeit gefahrlos beseitigt werden kann	P370 + P378	bei Brand: … zum Löschen verwenden
P378	… zum Löschen verwenden	P370 + P380	bei Brand: Umgebung räumen
P380	Umgebung räumen	P370 + P380 + P375	bei Brand: Umgebung räumen. Wegen Explosionsgefahr Brand aus der Entfernung bekämpfen
P381	alle Zündquellen entfernen, wenn gefahrlos möglich		
P390	verschüttete Mengen aufnehmen, um Materialschäden zu vermeiden	P371 + P380 + P375	bei Großbrand und großen Mengen: Umgebung räumen. Wegen Explosionsgefahr Brand aus der Entfernung bekämpfen
P391	verschüttete Mengen aufnehmen		
Kombinationen		**Aufbewahrung**	
P301 + P310	bei Verschlucken: Sofort Giftinformations-zentrum oder Arzt anrufen	P401	… aufbewahren
P301 + P312	bei Verschlucken: Bei Unwohlsein Giftinformationszentrum oder Arzt anrufen	P402	an einem trockenen Ort aufbewahren
		P403	an einem gut belüfteten Ort aufbewahren
P301 + P330 + P331	bei Verschlucken: Mund ausspülen. Kein Erbrechen herbeiführen	P404	in einem geschlossenen Behälter aufbewahren
		P405	unter Verschluss aufbewahren
P302 + P334	bei Kontakt mit der Haut: In kaltes Wasser tauchen/nassen Verband anlegen	P406	in korrosionsbeständigem/… Behälter mit korrosionsbeständiger Auskleidung aufbe-wahren
P302 + P350	bei Kontakt mit der Haut: Behutsam mit viel Wasser und Seife waschen		
P302 + P352	bei Kontakt mit der Haut: Mit viel Wasser und Seife waschen	P407	Luftspalt zwischen Stapeln/Paletten zulassen
		P410	vor Sonnenbestrahlung schützen
P303 + P361 + P353	bei Kontakt mit der Haut (oder dem Haar): Alle beschmutzten, getränkten Kleidungs-stücke sofort ausziehen. Haut mit Wasser abwaschen/duschen	P411	bei Temperaturen von nicht mehr als … C°/ … aufbewahren
		P412	nicht Temperaturen von mehr als 50 °C aussetzen
P304 + P340	bei Einatmen: An die frische Luft bringen und in einer Position ruhigstellen, die das Atmen erleichtert	P413	Schüttgut in Mengen von mehr als … kg bei Temperatur von nicht mehr als … °C aufbewahren
P304 + P341	bei Einatmen: Bei Atembeschwerden an die frische Luft bringen und in einer Position ruhigstellen, die das Atmen erleichtert	P420	von anderen Materialien entfernt aufbewahren
		P422	Inhalt in/unter … aufbewahren

F

Gefährliche Stoffe

Kennzeichnung und Behandlung gefährlicher Stoffe — vgl. CLP-Verordnung (EG) Nr. 1272/2008

Bezeichnung Signalwort	Piktogramm Code (Seite 401)	Gefahrenhinweise H-Sätze (Seite 402)	Sicherheitshinweise P-Sätze (Seiten 403, 404)	Bemerkungen
Acetylen Gefahr	GHS02 GHS04	H220; H280	P210; P377; P403	farbloses, geruchloses, reaktionsfreudiges, brennbares Gas, mit und ohne Luft explosionsfähig
Benzin Gefahr	GHS02 GHS07 GHS08 GHS09	H225; H304; H336; H411	P201; P210; P260; P262; P281; P301 + P310; P303 + P361 + P353; P405; P501	nach Hautkontakt mit Wasser und Seife abwaschen, Kleidung ausziehen
Kohlenmonoxid Gefahr	GHS02 GHS04 GHS06 GHS08	H331; H220; H360; H372; H280	P260; P210; P202; P304 + P340 + P315; P308 + P313; P377; P381; P403; P405	farbloses, hochgiftiges, brennbares, geruchloses Gas, starkes Blutgift
Salzsäure **25 %, 31 %,** **36 %** Gefahr	GHS05 GHS07	H314; H355; H290	P102; P280; P301 + P330 + P331; P305 + P351 + P338; P406	bei Hautkontakt oder Verschlucken schwere Verätzungen
Sauerstoff verdichtet Gefahr	GHS03 GHS04	H270; H280	P244; P220; P370 + 376; P403	farb-, geruchloses Gas; kann Fette und Öle bei Raumtemperatur entzünden
Schwefelsäure 96 % Gefahr	GHS05	H290; H314	P102; P280; P305 + P351 + P338; P406; P501	nach Hautkontakt mit reichlich Wasser und Seife abwaschen; Kleidung ausziehen
Trichlorethylen (Tri) Gefahr, Achtung	GHS07 GHS08	Gefahr: H341; H350; Achtung: H315; H319; H336; H412	P281; P273; P302 + P352 P305 + P351 + P338; P308 + P313; P405	nach Hautkontakt mit Wasser abwaschen; bei auftretenden Beschwerden Arzt aufsuchen
Wasserstoff verdichtet Gefahr	GHS02 GHS04	H220; H280	P210; P377; P381; P403	farb- und geruchloses brennbares Gas; explodiert mit Luft bzw. Sauerstoff (Knallgas!)
Argon Achtung	GHS04	H280	P403	in hohen Konzentrationen erstickend
Butan Gefahr	GHS02 GHS04	H220; H280	P201; P210; P281; P308 + P313; P403 + P410	Dämpfe sind schwerer als Luft und verdrängen diese. Durch Sauerstoffmangel kann Bewusstlosigkeit und Tod eintreten
Propan Gefahr	GHS02 GHS04	H220; H280	P201; P210; P281; P308 + P313; P377; P381; P403 + P410	
Stickstoff Achtung	GHS04	H280	P403	etwas leichter als Luft; erstickend in hoher Konzentration

F

Entsorgung von Stoffen

Abfallrecht

vgl. Kreislaufwirtschaftsgesetz KrWG (2012-04)

Zweck des Gesetzes:
- Schonung der natürlichen Ressourcen (Rohstoffquellen)
- Schutz von Mensch und Umwelt

Maßnahmen der Abfallvermeidung und Abfallbewirtschaftung stehen in folgender Reihenfolge:
1. Vermeidung von Abfällen, z. B. durch abfallarme Produktgestaltung
2. Vorbereitung zur Wiederverwendung (z. B. Vorbehandlung)
3. Recycling (stoffliche Verwertung) hat Vorrang vor energetischer Verwertung (z. B. Verbrennung)
4. Sonstige Verwertung, insbesondere energetische Verwertung, Verwendung als Dämmstoff und Verfüllung (z. B. Auffüllen von Steinbrüchen, Kiesgruben usw.)
5. Beseitigung (z. B. Lagerung in Deponien)

Auswahl besonders überwachungsbedürftiger Abfälle (Sonderabfälle) in Metallbetrieben[1]

Abfall-schlüssel	Bezeichnung der Abfallart	Vorkommen, Beschreibung, Entstehung	Besondere Hinweise, Maßnahmen
150199D1	Verpackungen mit schädlichen Verunreinigungen	Fässer, Kanister, Eimer und Dosen, die Reste von Farben, Lacken, Lösemitteln, Kaltreiniger, Rostschutzmittel, Rost- und Silikonentferner, Spachtelmassen usw. enthalten.	Entleerte, tropffreie, pinsel- oder spachtelreine Behältnisse sind kein besonders überwachungsbedürftiger Abfall. Sie entsprechen Verkaufspackungen. Entsorgung über das Duale System oder in Metallbehältnissen über Schrotthändler. Behältnisse mit eingetrocknetem Lack sind hausmüllähnlicher Gewerbeabfall.
		Spraydosen mit Restinhalten	Auf Spraydosen möglichst verzichten, Entsorgung als Sonderabfall.
160602	Nickel-Cadmium-Batterien	Akkus, z. B. aus Bohrmaschinen und Schraubern	Alle schadstoffhaltigen Batterien sind gekennzeichnet. Sie müssen vom Handel unentgeltlich zurückgenommen werden. Für Verbraucher gilt Rückgabepflicht an den Handel oder an öffentliche Sammelstellen.
160603	Quecksilbertrockenzellen	Knopfzellen, quecksilberhaltige Monozellen	
160604	Alkalibatterien	nichtaufladbare Batterien	
060404	Quecksilberhaltige Abfälle	Leuchtstofflampen (sog. „Neonröhren")	Können verwertet werden. Unzerstört beim Handel oder beim Entsorger abgeben. Nicht ins Glasrecycling geben!
120106	verbrauchte Bearbeitungsöle, halogenhaltig, keine Emulsion	wasserfreie Bohr-, Dreh-, Schleif- und Schneideöle, sog. Kühlschmierstoffe (KSS)	KSS möglichst vermeiden, z. B. durch • Trockenbearbeitung • Minimalmengen-Kühlschmierung Getrenntes Sammeln verschiedener KSS-Öle, -Emulsionen, -Lösungen. Rücknahmemöglichkeit zur Aufarbeitung oder Verbrennung (energetische Verwertung) beim Lieferanten erfragen.
120107	verbrauchte Bearbeitungsöle, halogenfrei, keine Emulsion	überalterte, wasserfreie Honöle	
120110	synthetische Bearbeitungsöle	KSS-Öle aus synthetischen Ölen, z. B. auf Estherbasis	
130202	nichtchlorierte Maschinen-, Getriebe- und Schmieröle	Altöl und Getriebeöl, Hydrauliköl, Kompressorenöl von Kolbenluftverdichtern	Rücknahmepflicht durch Lieferanten. Altöle bekannter Herkunft können verwertet werden durch Zweiraffination oder energetische Verwertung. Nicht mit anderen Stoffen mischen!
150299D1	Aufsaug- und Filtermaterialien, Wischtücher und Schutzkleidung mit schädlichen Verunreinigungen	z. B. Altlumpen, Putzlappen; mit Öl oder Wachs verschmutzte Pinsel, Ölbinder, Öl- und Fettdosen	Möglichkeit, einen Mietservice für Putzlappen zu nutzen.
130505	andere Emulsionen	Kondensatwasser aus Kompressoren	Kompressorenöle mit demulgierenden Eigenschaften verwenden; Möglichkeit ölfreier Kompressoren erkunden.
140102	andere halogenierte Lösemittel und Lösemittelgemische	Per (Tetrachlorethen), Tri (Trichlorethen), vermischte Lösemittel	Rücknahme durch Lieferanten und Ersatz durch wässrige Reinigungsmittel prüfen.

[1] Verordnung zur Bestimmung besonders überwachungsbedürftiger Abfälle zur Beseitigung und zur Verwertung – BestbüAbfV (1999-01), **Anlage 1:** Abfälle des Europäischen Abfallkatalogs (EAK-Abfälle) gelten als besonders gefährlich. **Anlage 2:** Besonders überwachungsbedürftige EAK-Abfälle sowie nicht in EAK-Liste aufgeführte Abfallarten (Buchstabe „D" im Abfallschlüssel).

F

Sicherheitsfarben, Verbotszeichen

Sicherheitsfarben, Übersicht — vgl. DIN EN ISO 7010 (2012-10) und ASR[1] A1.3 (2013-02)

Kategorie	E	F	M	P	W
Farbe	grün	rot	blau	rot	gelb
Sicherheits-aussage	Rettungszeichen	Brandschutz-zeichen	Gebotszeichen	Verbotszeichen	Warnzeichen
Bild mit Register-nummer	E001	F001	M001	P001	W001
Bedeutung	Notausgang links	Feuerlöscher	Allgemeines Gebotszeichen	Allgemeines Verbotszeichen	Allgemeines Warnzeichen

Verbotszeichen — vgl. DIN EN ISO 7010 (2012-10) und ASR[1] A1.3 (2013-02)

P001	P002	P003	P004	P005	P006
allgemeines Verbotszeichen, nur in Verbindung mit Zusatzzeichen verwenden	Rauchen verboten	keine offene Flamme; Feuer, offene Zündquelle und Rauchen verboten	für Fußgänger verboten	kein Trinkwasser	für Flurförderfahr-zeuge verboten
D-P006	P007	P010	P011	P012	P013
Zutritt für Unbefugte verboten	kein Zutritt für Personen mit Herz-schrittmachern oder implantierten Defibrillatoren[2]	Berühren verboten	mit Wasser löschen verboten	keine schwere Last	eingeschaltete Mobiltelefone verboten
P015	P017	P018	P019	P020	P022
Hineinfassen verboten	Schieben verboten	Sitzen verboten	Aufsteigen verboten	Aufzug im Brandfall nicht benutzen	Essen und Trinken verboten
P023	P024	P027	P031	P033	P034
Abstellen oder Lagern verboten	Betreten der Fläche verboten	Personen-beförderung verboten	Schalten verboten	nicht zulässig für Nassschleifen	nicht zulässig für Freihand- und handgeführtes Schleifen

[1] Technische Regeln für Arbeitsstätten (ASR)
[2] Gerät zur Beseitigung von Herzrhythmusstörungen

F

Warnzeichen

Warnzeichen				vgl. DIN EN ISO 7010 (2012-10) und ASR[1] A1.3 (2013-02)	

W001	W002	W003	W004	W005	W006
allgemeines Warnzeichen, nur in Verbindung mit Zusatzzeichen verwenden	Warnung vor explosionsgefährlichen Stoffen	Warnung vor radioaktiven Stoffen oder ionisierender Strahlung	Warnung vor Laserstrahl	Warnung vor nicht ionisierender Strahlung	Warnung vor magnetischem Feld
W007	W008	W009	W010	W011	W012
Warnung vor Hindernissen am Boden	Warnung vor Absturzgefahr	Warnung vor Biogefährdung	Warnung vor niedriger Temperatur (Frost)	Warnung vor Rutschgefahr	Warnung vor elektrischer Spannung
W013	W014	W015	W016	W017	W018
Warnung vor Wachhund	Warnung vor Flurförderzeugen	Warnung vor schwebender Last	Warnung vor giftigen Stoffen	Warnung vor heißer Oberfläche	Warnung vor automatischem Ablauf
W019	W020	W021	W022	W023	W024
Warnung vor Quetschgefahr	Warnung vor Hindernissen im Kopfbereich	Warnung vor feuergefährlichen Stoffen	Warnung vor spitzem Gegenstand	Warnung vor ätzenden Stoffen	Warnung vor Handverletzungen
W025	W026	W027	W028	W029	D-W021
Warnung vor gegenläufigen Rollen	Warnung vor Gefahren durch das Aufladen von Batterien	Warnung vor optischer Strahlung	Warnung vor brandfördernden Stoffen	Warnung vor Gasflaschen	Warnung vor explosionsfähiger Atmosphäre[2]

[1] Technische Regeln für Arbeitsstätten (ASR)
[2] aus DIN 4844-2 (2012-12)

F

Sicherheitskennzeichnung

Gebotszeichen   vgl. DIN EN ISO 7010 (2012-10) und ASR[1] A1.3 (2013-02)

M001	M002	M003	M004	M005	M006
allgemeines Gebotszeichen	Anleitung beachten	Gehörschutz benutzen	Augenschutz benutzen	vor Benutzung erden	Netzstecker ziehen
M007	M008	M009	M010	M011	M012
weitg. undurchlässigen Augenschutz benutzen	Fußschutz benutzen	Handschutz benutzen	Schutzkleidung benutzen	Hände waschen	Handlauf benutzen
M013	M014	M016	M017	M018	M019
Gesichtsschutz benutzen	Kopfschutz benutzen	Maske benutzen	Atemschutz benutzen	Auffanggurt benutzen	Schweißmaske benutzen
M020	M021	M022	M023	M024	M026
Rückhaltesystem benutzen	vor Wartung oder Reparatur freischalten	Hautschutzmittel benutzen	Übergang benutzen	Fußgängerweg benutzen	Schutzschürze benutzen

Rettungszeichen   vgl. DIN EN ISO 7010 (2012-10) und ASR[1] A1.3 (2013-02)

E001	E002	E003	E004	E007	E008
Notausgang (links)	Notausgang (rechts)	Erste Hilfe	Notruftelefon	Sammelstelle	Notausgangsvorrichtung (Zerschlagen einer Scheibe)
E009	E010	E011	E012	E013	E018
Arzt	Automatisierter externer Defibrillator[2] (AED)	Augenspüleinrichtung	Notdusche	Krankentrage	Öffnung durch Linksdrehung

[1] Technische Regeln für Arbeitsstätten (ASR)
[2] Gerät zur Beseitigung von Herzrhythmusstörungen

F

Sicherheitskennzeichnung

Brandschutzzeichen vgl. DIN EN ISO 7010 (2012-10) und ASR[1]) A1.3 (2013-02)

F001	F002	F003	F004	F005	F006
Feuerlöscher	Löschschlauch	Feuerleiter	Mittel und Geräte zur Brand-bekämpfung	Brandmelder	Brandmelde-telefon

Kombinationszeichen

Schalten verboten

Warnung vor Hochspannung

Kombinationszeichen für Flucht-wege oder Notausgänge mit den entsprechenden Richtungs-angaben durch Pfeile

Erste Hilfe im Sanitätsraum	Verbot! Das Dach darf nicht betreten werden.	Löschdecke zur Brandbekämpfung	Warnung vor giftigen Gasen

[1]) Technische Regeln für Arbeitsstätten (ASR)

Kennzeichnung von Rohrleitungen

vgl. DIN 2403 (2007-05)

Anwendungsbereich und Anforderungen

Anwendungsbereich: Eine deutliche Kennzeichnung der Rohrleitungen nach dem Durchflussstoff ist aus Gründen der Sicherheit, der wirksamen Brandbekämpfung und der sachgerechten Instandsetzung unerlässlich. Mit der Kennzeichnung soll auf Gefahren hingewiesen werden, um Unfälle und gesundheitliche Schäden zu vermeiden.

Anforderungen an die Kennzeichnung

- Kennzeichnung muss deutlich sichtbar und dauerhaft sein.
- Kennzeichnungen dürfen durch Anstrich und Beschriftung, Bänder (z.B. selbstklebende Folienbänder) oder Schilder ausgeführt werden.
- Kennzeichnung insbesondere an betriebswichtigen und gefährlichen Punkten (z.B. am Anfang und Ende, bei Abzweigungen, Wanddurchführungen, Armaturen).
- Nach maximal 10 m Rohrlänge muss das Kennzeichen wiederholt werden.
- Angabe der Gruppen- und Zusatzfarbe (vgl. unten).
- Angabe der Durchflussrichtung mittels eines Pfeils.
- Angabe des Durchflussstoffes zusätzlich durch Wortangabe (z.B. Wasser) oder die chemische Formel (z.B. H_2O).
- bei Gefahrstoffen zusätzliche Angabe der Gefahrensymbole (Seite 401) bzw. bei allgemeinen Gefahren zusätzliche Angabe von Warnzeichen (Seite 408).

Zuordnung der Farben zu den Durchflussstoffen

Durchflussstoff	Gruppe	Gruppen-farbe	RAL	Zusatz-farbe	RAL	Schrift-farbe	RAL
Wasser	1	grün	6032	–	–	weiß	9003
Wasserdampf	2	rot	3001	–	–	weiß	9003
Luft	3	grau	7004	–	–	schwarz	9004
Brennbare Gase	4	gelb	1003	rot	3001	schwarz	9004
Nicht brennbare Gase	5	gelb	1003	schwarz	9004	schwarz	9004
Säuren	6	orange	2010	–	–	schwarz	9003
Laugen	7	violett	4008	–	–	weiß	9003
Brennbare Flüssigkeiten und Feststoffe	8	braun	8002	rot	3001	weiß	9003
Nicht brennbare Flüssigkeiten und Feststoffe	9	braun	8002	schwarz	9004	weiß	9003
Sauerstoff	0	blau	5005	–	–	weiß	9003

Kennzeichnung besonderer Rohrleitungen

Feuerlöschleitungen sind mit einer rot-weiß-roten Farbmarkierung zu kennzeichnen. Im weißen Feld wird jeweils in der Farbe des Löschmittels das grafische Symbol des Sicherheitskennzeichens „Brandschutzzeichen" (vgl. Seite 410) angebracht.

Trinkwasserleitungen sind mit einer grün-weiß-grünen Farbmarkierung zu kennzeichnen. **Nichttrinkwasserleitungen** haben eine grün-blau-grüne Markierung. Kurzzeichen und deren Farben sind der Tabelle zu entnehmen.

Benennung	Kurzzeichen	Farbe	Benennung	Kurzzeichen	Farbe
Trinkwasserleitung Trinkwasserleitung, kalt	PW PWC	grün	Trinkwasserleitung, warm, zirkulierend	PWH-C	violett
Trinkwasserleitung, warm	PWH	rot	Nichttrinkwasserleitung	NPW	weiß

Beispiele für Kennzeichnungen

Heizöl

Feuerlöscheinrichtung (Wasser)

Trinkwasser

Druckluft

Sauerstoff (brandfördernd)

Acetylen (hochentzündlich)

F

Schall und Lärm

Schalltechnische Begriffe

Begriff	Erläuterung	Begriff	Erläuterung
Schall	Schall entsteht durch mechanische Schwingungen. Er breitet sich in gasförmigen, flüssigen und festen Körpern aus.	Lärm	Unerwünschte, belästigende oder schmerzhafte Schallwellen. Die Schädigung ist abhängig von der Stärke und Dauer der Einwirkung.
Schalldruckpegel	Der Schalldruckpegel ist ein Maß für die Lautstärke bzw. die Intensität des Schalls.	Frequenz	Schwingungen je Sekunde. Einheit: 1 Hertz = 1 Hz = 1/s. Tonhöhe steigt mit Frequenz. Frequenzbereich des menschlichen Ohres von 16 Hz bis 20 000 Hz.
Dezibel	In Dezibel (dB) werden logarithmische Vergleichsgrößen angegeben. Der gemessene Schalldruckpegel wird zum kleinsten, vom menschlichen Ohr noch wahrzunehmenden Schalldruck ins Verhältnis gesetzt. 0 dB entspricht der Hörschwelle. Eine Steigerung von 3 dB entspricht einer Verdoppelung der Schallleistung (Energiegröße).	dB(A)	Das menschliche Ohr empfindet verschieden hohe Töne mit gleichem Schalldruckpegel verschieden stark. Um den Gehöreindruck vergleichbar zu machen, werden Filter eingesetzt, z. B. Filter A → dB(A) dämpft tiefe Töne stark und verstärkt hohe Töne schwach. Eine Zunahme von 10 dB(A) wird vom Menschen als Verdoppelung der Lautstärke empfunden (psychologische Größe).

dB(A)-Werte

Schallart	dB(A)	Schallart	dB(A)	Schallart	dB(A)
Beginn der Hörempfindlichkeit	4	Normales Sprechen in 1 m Abstand	70	Schwere Stanzen	95…110
Atemgeräusche in 30 cm Abstand	10	Werkzeugmaschinen	75…90	Winkelschleifer	95…115
Flüstern	30	Schweißbrenner, Drehmaschine	85	Diskomusik	110…115
Leise Unterhaltung	50…60	Schlagbohrmaschine, Motorrad	90	Düsentriebwerk	120…130

Lärm- und Vibrations-Arbeitsschutzverordnung   vgl. LärmVibrationsArbSchV (2007-03)

Messgrößen für den Lärm:
- **Tages-Lärmexpositionspegel:** durchschnittliche Lärmentwicklung, gemittelt über Acht-Stunden-Schicht.
- **Spitzenschalldruckpegel:** Höchstwert des Schalldruckpegels, z. B. verursacht durch Explosion oder Knall.

Zu ergreifende Maßnahmen bei Erreichen bzw. Überschreiten der Auslösewerte[1]

untere Auslösewerte (u. A.): Tages-Lärmexpositionspegel = 80 dB(A) oder Spitzenschalldruckpegel = 135 dB(C)		obere Auslösewerte (o. A.): Tages-Lärmexpositionspegel = 85 dB(A) oder Spitzenschalldruckpegel = 137 dB(C)	
untere Auslösewerte werden erreicht oder überschritten	• Informations- und Unterweisungspflicht der Mitarbeiter über gesundheitliche Beeinträchtigungen	obere Auslösewerte werden erreicht oder überschritten	• Kennzeichnung der Lärmbereiche • Regelmäßige Vorsorgeuntersuchungen sind Pflicht • Gehörschutz ist Pflicht
untere Auslösewerte werden überschritten	• Gehörschutz muss zur Verfügung gestellt werden • Vorsorgeuntersuchung muss angeboten werden	obere Auslösewerte werden überschritten	• Lärmminderungsprogramm muss erstellt und durchgeführt werden. Ziel: Reduzierung des Schalldruckpegels um 5 dB(A).

F

[1] Grenzwerte, bei deren Überschreitung vom Arbeitgeber bestimmte Maßnahmen zur Lärmminderung ergriffen werden müssen.

7 Automatisierungstechnik

Netzwerk 4: Schritt 2
Zylinder A1 ausfahren

A

Schaltzeichen
vgl. DIN ISO 1219-1 (zurückgezogen)

Funktionselemente

Hydrostrom / Druckluftstrom	Strömungsrichtung	Drehrichtung / Verstellbarkeit	Feder / Drosselung

Energieübertragung

Druckquelle hydraulisch	Leitungsverbindung	Schalldämpfer	Filter oder Sieb
Druckquelle pneumatisch	Leitungskreuzung	Behälter	Wasserabscheider
Arbeitsleitung	Schnellkupplung	Druckbehälter	
Steuerleitung Leckstromleitung	Entlüftung ohne Anschluss	Hydro-Gasdruckspeicher mit Blase	Lufttrockner
Umrahmung von Baugruppen	Entlüftung mit Anschluss	Wartungseinheit	Öler

Pumpen, Kompressoren, Motoren

Konstant-Hydropumpe, eine Drehrichtung	Hydraulik-Konstantmotor, eine Drehrichtung	Hydraulik-Verstellmotor, zwei Drehrichtungen	Dreh-/Schwenkantrieb, zwei Volumenstromrichtungen
Verstell-Hydropumpe, zwei Drehrichtungen	Pneumatik-Konstantmotor, eine Drehrichtung	Pneumatik-Verstellmotor, zwei Drehrichtungen	Dreh-/Schwenkantrieb, einfach wirkend
Kompressor, eine Drehrichtung			Elektromotor

Einfachwirkende Zylinder | Doppeltwirkende Zylinder

Einfachwirkender Zylinder. Rückhub durch eingebaute Feder	Einfachwirkender Membranzylinder, einseitige Endlagendämpfung, Entlüftung ohne Anschlussmöglichkeit	Doppeltwirkender Zylinder, einseitige Kolbenstange	Doppeltwirkender Zylinder, einseitige Kolbenstange, beidseitig einstellbare Endlagendämpfung

Sperrventile | Druckventile | Stromventile

Rückschlagventil, unbelastet	Entsperrbares Rückschlagventil	Druckbegrenzungsventil	Drosselventil verstellbar
Rückschlagventil, federbelastet		Folgeventil	2-Wege-Stromregelventil, weitgehend unabhängig von Viskosität und Druckdifferenzen
Wechselventil (ODER-Funktion)	Drosselrückschlagventil	2-Wege-Druckreduzierventil	
Schnellentlüftungsventil	Zweidruckventil (UND-Funktion)	3-Wege-Druckreduzierventil, Ausgleich von Druckspitzen am Ausgang	3-Wege-Stromregelventil, teilt Eingangsstrom in Konstantstrom und Reststrom

A

Schaltzeichen, Wegeventile
vgl. DIN ISO 1219-2 (zurückgezogen), DIN ISO 5599 (2005-12)

Anschluss- und Kurzbezeichnung von Wegeventilen

Beispiel:
5/2-Wegeventil mit Anschlussbezeichnung

Kurzbezeichnung

5 / 2 – Wegeventil 6 V 7

Anzahl der Anschlüsse	
Anzahl der Schaltstellungen	
Schaltkreis-nummer	
Bauteil-Kennzeichnung	
Bauteil-nummer	

Schaltstellungen[1]

| a | b | Ventil mit 2 Schaltstellungen |
| a | 0 | b | Ventil mit 3 Schaltstellungen |

[1] Anzahl der Rechtecke ≙ Anzahl der Schaltstellungen

Bauteil-Kennzeichnung

P Pumpen, Kompressoren
A Antriebe, Aktoren, z. B. Zylinder
M Antriebsmotoren
S Signalaufnahme, z. B. Handtaster
B[1] Signalaufnahme, durch den Ablauf betätigt, z. B. Tastrolle, Sensor
V Ventile
Z andere Bauteile

[1] nach DIN EN 81346-2

Anschlussbezeichnung von pneumatischen und hydraulischen Geräten

Anschluss	nach DIN: mit Zahlen	veraltet: mit Buchstaben[1] [2]
Zufluss, Druckanschluss	1	P
Arbeitsanschlüsse	2, 4, 6	A, B, C
Entlüftung, Abfluss	3, 5, 7	R, S, T
Lecköl-anschluss	–	L
Steueran-schlüsse[3]	10, 11, 12, 14	X, Y, Z

[1] Buchstaben werden noch häufig in Hydraulikschaltplänen benutzt.
[2] Die Folge der Buchstaben entspricht nicht unbedingt der Ziffernfolge.
[3] Ein Impuls, z. B. am Steueranschluss 12, bewirkt eine Verbindung der Anschlüsse 1 und 2.

Bauarten von Wegeventilen

2/-Wegeventile	3/-Wegeventile	4/-Wegeventile	5/-Wegeventile
2/2-Wegeventil mit Sperr-Ruhestellung	3/2-Wegeventil mit Sperr-Ruhestellung	4/2-Wegeventil	5/2-Wegeventil
2/2-Wegeventil mit Durchfluss-Ruhestellung	3/2-Wegeventil mit Durchfluss-Ruhestellung	4/3-Wegeventil mit Sperr-Mittelstellung	5/3-Wegeventil mit Sperr-Mittelstellung
	3/3-Wegeventil mit Sperr-Mittelstellung	4/3-Wegeventil mit Schwimm-Mittelstellung	

Durchflusswege

	ein Durchflussweg
	zwei gesperrte Anschlüsse
	zwei Durchflusswege
	zwei Durchflusswege und ein gesperrter Anschluss
	zwei Durchflusswege mit Verbindung zueinander
	ein Durchflussweg in Nebenschlussschaltung und zwei gesperrte Anschlüsse

Betätigung von Wegeventilen

Betätigung durch Muskelkraft	Mechanische Betätigung	Druckbetätigung	
allgemein, ohne Angabe der Betätigungsart	Stößel	direkt	hydraulisch
Druckknopf	Stößel mit einstellbarer Hubbegrenzung	indirekt über Vorsteuerventil	pneumatisch
Hebel	Feder	**Elektrische Betätigung**	
Zugknopf	Rollenstößel	durch Elektromagnet	
Druck- und Zugknopf	Rollenhebel, eine Betätigungsrichtung	durch Elektromotor	
durch Pedal		**Kombinierte Betätigung**	
		durch Elektromagnet und Vorsteuerventil	
		Mechanische Bestandteile	
		Raste	

A

Schaltpläne

vgl. DIN ISO 1219-2 (zurückgezogen)

Aufbau eines Schaltplans

Schaltkreis 1   Schaltkreis 2

1A1   1B2
1B2

Die Schaltung wird untergliedert in Schaltkreise mit zusammenhängenden Steuerfunktionen.

Die räumliche Anordnung der Bauteile wird nicht berücksichtigt.

3-6 V 7

| Schaltkreisnummer | Bauteilkennzeichnung |
| Anlagennummer | Bauteilnummer |

Besteht ein Schaltplan aus mehreren Anlagen, muss die Anlagennummer, beginnend mit der Ziffer 1, angegeben werden.

Energiefluss

Bauteile werden von unten nach oben in Richtung des Energieflusses und von links nach rechts angeordnet.

1S1   2B1   2B2

Gleichartige Bauglieder oder Baugruppen werden innerhalb eines Schaltkreises in gleicher Höhe dargestellt.

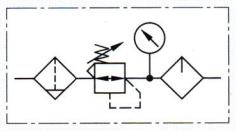

Baugruppen, wie z. B. Drosselrückschlagventile oder Aufbereitungseinheiten, werden durch eine strichpunktierte Linie umgrenzt.

2B1

Bauteile werden mit Schaltzeichen an der Wirkstelle eingezeichnet. Die reale Lage wird mit Markierungsstrich und Kennzeichnungsschlüssel dargestellt.

Hydraulikbauteile werden in der Ausgangsstellung der Anlage ohne Druckbeaufschlagung dargestellt.

2B1   2B2

Bei einseitig arbeitenden Rollenhebelventilen ist zusätzlich ein Richtungspfeil an den Markierungsstrich anzufügen.

Pneumatikbauteile werden in der Ausgangsstellung der Anlage mit Druckbeaufschlagung dargestellt.

Bauteile eines Schaltkreises

Arbeitsglieder	Motoren, Zylinder, Ventile
Stellglieder	Ventile zur Steuerung der Antriebsglieder
Steuerglieder	Ventile zur Signalverknüpfung
Signalglieder	Bauteile zur Auslösung eines Schaltschrittes
Versorgungsglieder	Aufbereitungseinheit, Hauptventil

Beispiel: Pneumatik-Schaltplan mit zwei Zylindern (Hubeinrichtung)

Ablauf: 1A1 fährt aus, 2A1 fährt aus, 1A1 fährt ein, 2A1 fährt ein

A

Pneumatische Steuerung (Biegewerkzeug)

Bleche werden manuell in ein Biegewerkzeug eingelegt und sollen dann maschinell um 90° gebogen werden. Der Spannzylinder 1A1 hält das Blech in Bearbeitungsposition während der Biegezylinder 2A1 mit dem Biegewerkzeug ausfährt und das Werkstück biegt. Danach fährt zuerst der Biegezylinder 2A1 und anschließend der Spannzylinder 1A1 zurück.

Technologie-Schema

1A1 2A1
1B1
1B2 2B1
2B2
1S1

Darstellung der Schrittfolge (nicht genormt)

1A1+	2A1+	2A1–	1A1–

+: fährt aus, –: fährt ein

Funktionsdiagramm – wird durch Grafcet ersetzt

Schritte
1 2 3 4 5=1

Zylinder 1A1 — 1: ausgefahren / 0: eingefahren

Zylinder 2A1

Umschaltventil OV1 — 1: betätigt / 0: nicht betätigt

Stellelement 1V1

Signalaufnehmer für START 1S1

Signalaufnehmer 1B1

Signalaufnehmer 2B1

Stellelement 2V1

Signalaufnehmer 1B2

Signalaufnehmer 2B2

GRAFCET

1   „Grundstellung"

(1) 1S1*1B1*2B1 „Startbedingung"

2   1V1/14:=1   1V1/12:=0   „Spannzylinder 1A1 fährt aus"

(2) 1B2 „Spannzylinder 1A1 ist ausgefahren"

3   2V1/14:=1   2V1/12:=0   „Biegezylinder 2A1 fährt aus"

(3) 2B2 „Biegezylinder 2A1 ist ausgefahren"

4   2V1/14:=0   2V1/12:=1   „Biegezylinder 2A1 fährt ein"

(4) 2B1 „Biegezylinder 2A1 ist eingefahren"

5   1V1/14:=0   1V1/12:=1   „Spannzylinder 1A1 fährt ein"

(5) 1B1 „Spannzylinder 1A1 ist eingefahren"

Pneumatik-Schaltplan

Spannen   Biegen

1A1   1B1   1B2   2A1   2B1   2B2

1V2   2V2

1V1   14   12   2B1   1B2   2V1   14   12

0V1   14   12

1S1   1B1   2B2

A

Proportionalventile

Grundbegriffe

Beispiel: Elektrisch betätigtes, vorgesteuertes
4/3-Wegeventil mit Federzentrierung

Lageregelung der
Vorsteuerstufe   Hauptsteuerstufe

integrierte   hydraulische   verstellbare
Elektronik   Vorsteuerung   elektrische
                                          Betätigung

Proportionalventile werden über eine stufenlos verstellbare, elektromagnetische Betätigung angesteuert. Sie werden vor allem in der Hydraulik verwendet. Das Ausgangssignal, z. B. Druck, Durchflussmenge oder Durchflussrichtung, ist eine dem Eingangssignal (Strom) proportionale Größe. Über den Druck sind z. B. die Kolbenkraft eines Hydraulikzylinders, über die Durchflussmenge z. B. die Kolbengeschwindigkeit eines Hydraulikzylinders oder die Drehzahl eines Hydromotors und über die Durchflussrichtung z. B. das Ein- und Ausfahren eines Kolbens bzw. die Drehrichtung eines Hydromotors schnell und genau einstellbar. Diese Größen können während des Betriebs der Anlage z. B. durch eine speicherprogrammierbare Steuerung (SPS) automatisch verstellt und dem automatisierten Prozess angepasst werden.

Ein Proportionalventil kann auch mehrere Ventile, wie z. B. ein Wegeventil und ein Stromventil, ersetzen.

Schaltzeichen (Auswahl)   vgl. DIN ISO 1219-1 (2007-12, zurückgezogen)

Stetig-Wegeventile

	Elektrohydraulisch vorgesteuertes Proportional-Wegeventil, mit Lageregelung der Haupt- und der Vorsteuerstufe, integrierte Elektronik		Elektrohydraulisch vorgesteuertes Regelventil, mit Lageregelung der Haupt- und der Vorsteuerstufe, integrierte Elektronik
	Elektrohydraulisch vorgesteuertes Wegeventil, Vorsteuerstufe in beiden Richtungen stetig wirkend, integrierte Elektronik		Elektrohydraulisch geregeltes Wegeventil mit Vorzugsstellung bei Stromausfall und elektrischer Rückführung, integrierte Elektronik
	Proportional-Wegeventil, direkt betätigt		Elektrohydraulischer Linearantrieb, bestehend aus Zylinder und Servoventil mit Schrittmotor, mechanische Rückführung der Zylinderposition

Stetig-Druckventile

	Proportional-Druckbegrenzungsventil, direkt betätigt, Magnet wirkt über Feder auf Ventilkegel		Proportional-Druckbegrenzungsventil, direkt betätigt, Magnet wirkt auf Ventilkegel, integrierte Elektronik
	Proportional-Druckbegrenzungsventil, direkt betätigt, mit Lageregelung des Magneten, integrierte Elektronik		Proportional-Druckbegrenzungsventil, vorgesteuert, mit elektrischer Positionserfassung des Magneten, mit externem Steuerölablauf

Stetig-Stromventile

	Proportional-Stromventil, direkt betätigt		Proportional-Stromventil, direkt betätigt, mit Lageregelung des Magneten, integrierte Elektronik
	Proportional-Stromventil, vorgesteuert, mit Lageregelung der Haupt- und der Vorsteuerstufe, integrierte Elektronik		Stromventil mit durch Proportionalmagnet einstellbarer Blende zum Ausgleich von Viskositätsänderungen

A

Pneumatikzylinder (Auswahl)

vgl. DIN ISO 15552 (2005-12),
DIN ISO 21287 (2005-12), DIN ISO 6432 (1987-10)

Abmessungen und Kolbenkräfte

Kolbendurchmesser		12	16	20	25	32	40	50	63	80	100	125	160	200
Kolbenstangendurchmesser (mm)		6	8	8	10	12	16	20	20	25	25	32	40	40
Anschlussgewinde		M5	M5	$G^{1}/_{8}$	$G^{1}/_{8}$	$G^{1}/_{8}$	$G^{1}/_{8}$	$G^{1}/_{4}$	$G^{3}/_{8}$	$G^{3}/_{8}$	$G^{1}/_{2}$	$G^{1}/_{2}$	$G^{3}/_{4}$	$G^{3}/_{4}$
Druckkraft[1] bei p_e = 6 bar in N	einfachwirk. Zyl.[2]	50	96	151	241	375	644	968	1560	2530	4010	–	–	–
	doppeltwirk. Zyl.	58	106	164	259	422	665	1040	1650	2660	4150	6480	10 600	16 600
Zugkraft[1] bei p_e = 6 bar in N	doppeltwirk. Zyl.	54	79	137	216	364	560	870	1480	2400	3890	6060	9960	15 900
Hublängen in mm	einfachwirk. Zyl.	10, 25, 50			25, 50, 80, 100							–		
	doppeltwirk. Zyl.	bis 160	bis 200	bis 320	10, 25, 50, 80, 100, 160, 200, 250, 320, 400, 500									

[1] Bei einem Zylinderwirkungsgrad $\eta = 0{,}88$.   [2] Dabei ist die Rückzugskraft der Feder berücksichtigt.

Luftverbrauch durch Berechnung

Einfach wirkender Zylinder

p_e p_{amb}

Doppelt wirkender Zylinder

p_e bzw. p_{amb} p_{amb} bzw. p_e
(beim Rücklauf)   (beim Rücklauf)

Q Luftverbrauch
p_e Überdruck im Zylinder
p_{amb} Luftdruck
n Hubzahl

A Kolbenfläche
q spezifischer Luftverbrauch je cm Kolbenhub
s Kolbenhub

Beispiel:

Einfachwirkender Zylinder mit $d = 50$ mm; $s = 100$ mm; $p_e = 6$ bar; $n = 120$/min; $p_{amb} = 1$ bar; Luftverbrauch Q in l/min?

$$Q = A \cdot s \cdot n \cdot \frac{p_e + p_{amb}}{p_{amb}}$$

$$= \frac{\pi \cdot (5\,\text{cm})^2}{4} \cdot 10\,\text{cm} \cdot 120\,\frac{1}{\text{min}} \cdot \frac{(6+1)\,\text{bar}}{1\,\text{bar}}$$

$$= 164\,934\,\frac{\text{cm}^3}{\text{min}} \approx 165\,\frac{\text{l}}{\text{min}}$$

Luftverbrauch[1] einfachwirkender Zylinder

$$Q = A \cdot s \cdot n \cdot \frac{p_e + p_{amb}}{p_{amb}}$$

Luftverbrauch[1] doppeltwirkender Zylinder

$$Q \approx 2 \cdot A \cdot s \cdot n \cdot \frac{p_e + p_{amb}}{p_{amb}}$$

Luftverbrauch durch Ermittlung aus Diagramm

Luftverbrauch[1] einfachwirkender Zylinder

$$Q = q \cdot s \cdot n$$

Luftverbrauch[1] doppeltwirkender Zylinder

$$Q \approx 2 \cdot q \cdot s \cdot n$$

Beispiel:

Der Luftverbrauch eines einfachwirkenden Zylinders mit $d = 50$ mm, $s = 100$ mm und $n = 120$/min soll aus dem Diagramm für $p_e = 6$ bar ermittelt werden. Nach dem Diagramm ist $q = 0{,}14$ l/cm Kolbenhub.

$Q = q \cdot s \cdot n =$
$= 0{,}14$ l/cm $\cdot$ 10 cm $\cdot$ 120/min
$= $ **168 l/min**

A

[1] Durch das Füllen der Toträume kann der wirkliche Luftverbrauch bis zu 25 % höher liegen. Toträume sind z. B. Druckluftleitungen zwischen Wegeventil und Zylinder oder nicht nutzbare Räume in der Endstellung des Kolbens. Die Querschnittsfläche der Kolbenstange wird nicht berücksichtigt.

Hydraulikzylinder, Hydraulikpumpen

Kolbenkräfte

p_e Überdruck
A_1, A_2 Kolbenflächen
F_1, F_2 wirksame Kolbenkräfte

d_1 Kolbendurch-
messer
d_2 Kolbenstangen-
durchmesser
η Wirkungsgrad

Wirksame Kolbenkraft

$$F = p_e \cdot A \cdot \eta$$

Beispiel:

Hydrozylinder mit d_1 = 100 mm; d_2 = 70 mm; η = 0,85 und p_e = 60 bar.
Wie groß sind die wirksamen Kolbenkräfte?

Ausfahren:

$$F_1 = p_e \cdot A_1 \cdot \eta = 600\,\frac{\text{N}}{\text{cm}^2} \cdot \frac{\pi \cdot (10\,\text{cm})^2}{4} \cdot 0,85$$

$$= \mathbf{40\,055\ N}$$

Einfahren:

$$F_2 = p_e \cdot A_2 \cdot \eta$$

$$= 600\,\frac{\text{N}}{\text{cm}^2} \cdot \frac{\pi \cdot [(10\,\text{cm})^2 - (7\,\text{cm})^2]}{4} \cdot 0,85$$

$$= \mathbf{20\,428\ N}$$

Druckeinheiten

$$1\,\text{Pa} = 1\,\frac{\text{N}}{\text{m}^2} = 10^{-5}\ \text{bar}$$

$$1\,\text{bar} = 10\,\frac{\text{N}}{\text{cm}^2} = 0,1\,\frac{\text{N}}{\text{mm}^2}$$

$$1\,\text{mbar} = 100\,\text{Pa} = 1\,\text{hPa}$$

Kolbengeschwindigkeiten

Q Volumenstrom
A_1, A_2 wirksame Kolbenflächen
v_1, v_2 Kolbengeschwindigkeiten

Kolbengeschwindigkeit

$$v = \frac{Q}{A}$$

Beispiel:

Hydrozylinder mit d_1 = 50 mm; d_2 = 32 mm und Q = 12 l/min. v_1 = ?; v_2 = ?

Ausfahren:

$$v_1 = \frac{Q}{A_1} = \frac{12\,000\,\text{cm}^3/\text{min}}{\dfrac{\pi \cdot (5\,\text{cm})^2}{4}} = 611\,\frac{\text{cm}}{\text{min}} = \mathbf{6,11\,\frac{m}{min}}$$

Einfahren:

$$v_2 = \frac{Q}{A_2} = \frac{12\,000\,\text{cm}^3/\text{min}}{\dfrac{\pi \cdot (5\,\text{cm})^2}{4} - \dfrac{\pi \cdot (3,2\,\text{cm})^2}{4}}$$

$$= 1035\,\frac{\text{cm}}{\text{min}} = \mathbf{10,35\,\frac{m}{min}}$$

Leistung von Pumpen

A

P_1 zugeführte Leistung an der Pumpenan-
triebswelle
P_2 abgegebene Leistung am Pumpenausgang
Q Volumenstrom
p_e Überdruck
η Wirkungsgrad der Pumpe
M Drehmoment
n Drehzahl
9550 Umrechnungs-
600 faktoren

Zugeführte Leistung

$$P_1 = \frac{M \cdot n}{9550}$$

Abgegebene Leistung

$$P_2 = \frac{Q \cdot p_e}{600}$$

Wirkungsgrad

$$\eta = \frac{P_2}{P_1}$$

Beispiel:

Pumpe mit Q = 40 l/min; p_e = 125 bar; η = 0,84; P_1 = ?; P_2 = ?

$$P_2 = \frac{Q \cdot p_e}{600} = \frac{40 \cdot 125}{600}\ \text{kW} = \mathbf{8,333\ kW}$$

$$P_1 = \frac{P_2}{\eta} = \frac{8,333}{0,84}\ \text{kW} = \mathbf{9,920\ kW}$$

Formeln für zugeführte und abgegebene Leistung mit:
P in kW, M in N · m, n in 1/min, Q in l/min, p_e in bar

Druckflüssigkeiten

Hydrauliköle auf Mineralölbasis

vgl. DIN 51524-1 bis -3 (2006-04)

Typ	Norm	Wirkung der Inhaltsstoffe		Verwendung
HL	DIN 51524-1	Erhöhung des Korrosionsschutzes + Erhöhung der Alterungsbeständigkeit	–	Hydraulikanlagen bis 200 bar, bei hohen Temperaturanforderungen
HLP	DIN 51524-2		+ Verminderung des Fressverschleißes im Mischreibungsbereich	Hydraulikanlagen mit Hydropumpen und Hydromotoren über 200 bar Betriebsdruck und bei hohen Temperaturanforderungen
HVLP	DIN 51524-3		+ Verminderung des Fressverschleißes im Mischreibungsbereich + Verbesserung des Viskositäts-Temperatur-Verhaltens	

Eigenschaften		HL 10 HLP 10	HL 22 HLP 22	HL 32 HLP 32	HL 46 HLP 46	HL 68 HLP 68	HL 100 HLP 100
Kinematische Viskosität in mm²/s	bei − 20 °C	600	–	–	–	–	–
	bei 0 °C	90	300	420	780	1400	2560
	bei 40 °C	9 … 11	19,8 … 24,2	28,8 … 35,2	41,4 … 50,6	61,2 … 74,8	90 … 110
	bei 100 °C	2,4	4,1	5,0	6,1	7,8	9,9
Pourpoint[1] gleich oder tiefer als		− 30 °C	− 21 °C	−18 °C	−15 °C	−12 °C	−12 °C
Flammpunkt höher als		125 °C	165 °C	175 °C	185 °C	195 °C	205 °C

[1] Der Pourpoint (dt.: Fließpunkt) ist die Temperatur, bei der das Hydrauliköl unter Schwerkrafteinfluss gerade noch fließt.

⇒ **Hydrauliköl DIN 51524 – HLP 46**: Hydrauliköl vom Typ HLP, kinematische Viskosität = 46 mm²/s bei 40 °C

Viskositäts-Temperatur-Verhalten der HL- und HLP-Hydrauliköle

HL 100/HLP 100
HL 68/HLP 68
HL 46/HLP 46
HL 32/HLP 32
HL 22/HLP 22
HL 10/HLP 10

Ablesebeispiel:

Eine Zahnradpumpe arbeitet mit einer mittleren Betriebstemperatur von 40 °C. Während des Betriebs darf die zulässige kinematische Viskosität des Hydrauliköls zwischen 20 bis 50 mm²/s schwanken.

Nach dem Diagramm können 3 geeignete Hydrauliköle ausgewählt werden:

- HL 22/HLP 22
- HL 32/HLP 32
- HL 46/HLP 46

Schwerentflammbare Hydraulikflüssigkeiten

Typ	ISO-Viskositäts-klassen	Eignung für Temperaturen °C	Eigenschaften	Verwendung
HFC	VG 15, VG 22 VG 32, VG 46	− 20 … + 60	wässrige Monomer- und/oder Polymerlösungen, guter Verschleißschutz	Bergbau, Druckmaschinen, Schweißautomaten, Schmiedepressen
HFD	VG 68, VG100	− 20 … + 150	wasserfreie synthetische Flüssigkeiten, gut alterungsbeständig, schmierfähig, großer Temperaturbereich	Hydraulische Anlagen mit hohen Betriebstemperaturen

Biologisch abbaubare Hydraulikflüssigkeiten

vgl. VDMA 24569 (1994-03)

Hydraulik-flüssigkeit	Eignung und Eigenschaften						
	Tieftemperatur-Fließfähigkeit	Hochtemperatur-Oxidationsstabilität	Rostschutz	Verträglichkeit mit Innenbeschichtungen	Dichtungsverträglichkeit	Wirtschaftlichkeit	Standzeit
ungesättigte Ester	◑	◑	●	◕	◔	◐	◕
gesättigte Ester	●	●	●	◕	◔	◔	●
Polyglykolöle	●	●	◔	◕	◕	◐	◕

Eignung: ● sehr gut   ◕ gut   ◐ durchschnittlich   ◔ eingeschränkt/schlecht

A

Rohre (Auswahl)　　　　　vgl. DIN 2445-1 bis -2 (2000-09)

Nahtlose Präzisionsstahlrohre für Hydraulik und Pneumatik

Werkstoffe	E235 und E355 nach DIN EN 10025-2			
Mechanische Eigenschaften	Werk- stoff	Zugfestigkeit R_m N/mm²	Streckgrenze R_e N/mm²	Bruchdehnung A %
	E235	340 ... 480	235	25
	E355	490 ... 630	355	22
	gute Kaltumformbarkeit, Oberfläche phosphatiert oder verzinkt und chromatiert			
Verwendung	für Leitungen in hydraulischen oder pneumatischen Anlagen bei maximalen Nenndrücken bis 500 bar			

Lieferart: Herstellfestlänge: 6 m, normalgeglüht. Die Rohre weisen eine Oberflächenqualität von $Ra \leq 4$ µm auf.

⇒ **Rohr HPL-E235-NBK-20 x 2:** Nahtloses Präzisionsstahlrohr für Hydraulik und Pneumatik, aus E235, normalgeglüht, zugblank, Außendurchmesser 20 mm, Wanddicke 2 mm

Außen- durch- messer D mm	Wand- dicke s mm	Durchfluss- querschnitt A cm²	Außen- durch- messer D mm	Wand- dicke s mm	Durchfluss- querschnitt A cm²	Außen- durch- messer D mm	Wand- dicke s mm	Durchfluss- querschnitt A cm²
4	0,8	0,05	20	2,0	2,01	38	2,5	8,55
4	1,0	0,01	20	2,5	1,77	38	4,0	7,07
5	0,8	0,10	20	3,0	1,54	38	5,0	6,16
5	1,0	0,07	20	4,0	1,13	38	7,0	4,52
6	1,0	0,13	22	1,0	3,14	38	10,0	2,55
6	1,5	0,07	22	2,0	2,54	42	2,0	11,34
8	1,0	0,28	22	3,0	2,01	42	5,0	8,04
8	1,5	0,20	22	3,5	1,77	42	8,0	5,31
8	2,0	0,13	25	1,5	3,80	50	4,0	13,85
10	1,0	0,50	25	2,5	3,14	50	5,0	12,57
10	1,5	0,39	25	3,0	2,84	50	8,0	9,08
10	2,0	0,28	25	3,5	2,55	50	10,0	7,07
12	1,0	0,79	25	4,5	2,01	50	13,0	4,52
12	1,5	0,64	25	6,0	1,33	55	4,0	17,35
12	2,0	0,50	28	1,5	4,91	55	6,0	14,52
14	1,0	1,13	28	2,0	4,52	55	8,0	11,95
14	1,5	0,95	28	3,0	3,80	55	10,0	9,62
14	2,0	0,79	28	3,5	3,46	60	5,0	19,64
15	1,0	1,33	28	4,0	3,14	60	8,0	15,21
15	1,5	1,13	30	2,0	5,31	60	10,0	12,57
15	2,5	0,79	30	2,5	4,91	60	12,5	9,62
16	1,0	1,54	30	3,0	4,52	70	5,0	28,27
16	2,0	1,13	30	5,0	3,14	70	8,0	22,90
16	3,0	0,79	30	6,0	2,55	70	10,0	19,64
16	3,5	0,64	35	2,5	7,07	70	12,5	15,90
18	1,0	2,01	35	3,5	6,16	80	6,0	36,32
18	1,5	1,77	35	4,0	5,73	80	8,0	32,17
18	2,0	1,54	35	5,0	4,91	80	10,0	28,27
18	3,0	1,13	35	6,0	4,16	80	12,5	23,76

Nenndruck in Abhängigkeit der Wanddicke

Außendurch- messer D in mm	Nenndruck p in bar					
	64	100	160	250	320	400
	Wanddicke s in mm					
6	1,0	1,0	1,0	1,0	1,0	1,5
8	1,0	1,0	1,0	1,5	1,5	2,0
10	1,0	1,0	1,0	1,5	1,5	2,0
12	1,0	1,0	1,5	2,0	2,0	2,5
16	1,5	1,5	1,5	2,0	2,5	3,0
20	1,5	1,5	2,0	2,5	3,0	4,0
25	2,0	2,0	2,5	3,0	4,0	5,0
30	2,5	2,5	3,0	4,0	5,0	6,0
38	3,0	3,0	4,0	5,0	6,0	8,0
50	4,0	4,0	5,0	6,0	8,0	10,0

A

Grundbegriffe, Grundstruktur

vgl. DIN EN 60848 (2002-12)

Der Funktionsplan nach GRAFCET ist eine grafische Entwurfssprache für Ablaufsteuerungen. Er macht jedoch keine Aussage über die Art der verwendeten Geräte, die Führung der Leitungen und den Einbau der Betriebsmittel. Nur die allgemeine Darstellung der Symbole ist verbindlich; Abmessungen und andere Einzelheiten bleiben dem Anwender überlassen.

Wichtige Grundbegriffe

GRAFCET	franz.: **GRA**phe **F**onctionel de **C**ommande **E**tape **T**ransition (gesprochen: grafset)	George Boole	britischer Mathematiker
	dt.: Grafische Funktionsdarstellung mit Schritten und Übergangsbedingungen	Boole'sche Variable	engl.: TRUE = wahr; FALSE = falsch TRUE = logischer Wert 1 FALSE = logischer Wert 0
Transition	Übergangsbedingung von einem Schritt zum nächsten	Initialschritt	Anfangsschritt
Variable	Veränderliche	Makroschritt	komprimierte Darstellung einer Schrittkette

Grundstruktur eines GRAFCET

Die Grundstruktur eines GRAFCET besteht aus:

Schritten, z.B. $\boxed{2}$ Wirkverbindungen, z.B. $|$

Aktionen, z.B. $\boxed{1A1}$ Transitionen, z.B. — 1B2

Ablaufstruktur

Schritte und Transitionen (Übergangsbedingungen) wechseln sich ständig ab. Bei linearen Abläufen ist nur 1 Schritt aktiv und er kann beliebig viele Aktionen auslösen. Bei Alternativ- oder Parallel-Verzweigungen können mehrere Schritte gleichzeitig aktiv sein.

Beispiel eines GRAFCET (Ablaufkette)

Strukturteil mit Schritten   **Wirkungsteil mit Aktionen**

Erläuterungen zum Strukturteil

Schritte 1 und 2

Wirkverbindungen

Transitionsname

Transitionen 3, 4 und 5

$\boxed{1}$

(1) — Taster S1 UND Sensor 1B1 UND 2B1

$\boxed{2}$ — $\boxed{1V1\text{-}14}$ „Zyl. 1A1 fährt aus"

(2) | 1B2 „Zyl. 1A1 ist ausgefahren"

$\boxed{3}$ — $\boxed{1V1\text{-}12}$ „Zyl. 1A1 fährt ein"

(3) | 1B1 „Zyl. 1A1 ist eingefahren"

$\boxed{4}$ — $\boxed{2V1\text{-}14}$ „Zyl. 2A1 fährt aus"

(4) | 2B2 „Zyl. 2A1 ist ausgefahren"

$\boxed{5}$ — $\boxed{2V1\text{-}12}$ „Zyl. 2A1 fährt ein"

(5) | 2B1 „Zyl. 2A1 ist eingefahren"

Eingangsvariable, verknüpft zur Transitionsbedingung durch den Logikoperator „UND"

Ausgangsvariable, zugeordnet der mit Schritt 2 verbundenen Aktion

Kommentare

Stetige Aktionen, verbunden mit den Schritten 3, 4, und 5

Transitionsbedingung, verbunden mit Transition 5

Technologie-Schema und Schaltpläne sind nicht Bestandteile eines GRAFCET. Sie tragen jedoch erheblich zur Transparenz der Aufgabenstellung bei.

Beispiel: Förderband

Nach Betätigung des Tasters S1 schiebt der Zylinder 1A1 das Werkstück auf eine Palette und fährt zurück. Zylinder 2A1 schiebt danach das Werkstück auf ein Förderband und fährt zurück.

Förderband

Pneumatik-Schaltplan mit bistabilen Elementen

Unterschiedliche Darstellungsformen von Schritten im Wirkungsteil

Ausführlicher und verkürzter Schritt

Beispiele:

$\boxed{\ }$ — Pneumatikventil 2V1 betätigt

$\boxed{\ }$ — Pn. Vent. 2V1 bet. $\boxed{\ }$ — 2V1

2 Aktionen im selben Schritt

$\boxed{\ }$ — Vent. 6V1 | Vent. 8V1

$\boxed{\ }$ — Vent. 6V1
Vent. 8V1

$\boxed{\ }$ — Vent. 6V1
Vent. 8V1

$\boxed{\ }$ — Vent. 6V1 | Vent. 8V1

A

Schritte, Transitionen

vgl. DIN EN 60848 (2002-12)

Beispiel	Erklärung	(Kennzeichnung elektrischer Betriebsmittel Seite 430)

Schritte

Anfangsschritt

| 1 |

Der Anfangsschritt, auch Initialisierungsschritt, kennzeichnet die Ausgangsstellung einer Steuerung. Beim Programmstart ist er der erste aktive Schritt.

Allgemeiner Schritt

| 2 |

Schritt mit zugeordneter Schrittnummer 2. Ein Schritt wird mit einem Quadrat dargestellt. Die Schrittnummer steht in der oberen Mitte des Schriftfeldes. Bei linearen Abläufen ist immer nur 1 Schritt aktiv; bei parallelen Ablaufketten können mehrere Schritte gleichzeitig aktiv sein.

Schrittvariable

Die Schrittvariable X besteht aus der Boole'schen Variablen X und dem Schrittnamen (2).

Die Schrittvariable kann:
– entweder den Wert 0 (Schritt nicht aktiv; FALSE)
– oder den Wert 1 (Schritt aktiv; TRUE) haben.

Beispiel: 4 s nach der Aktivierung von Schritt 2 wird die Aktion ausgeführt. Dies entspricht einer Einschaltverzögerung.

Transitionen

Transitionsbedingungen allgemein

Links angeordnet kann in Klammern eine alphanummerische Kennzeichnung sein.
Rechts steht die Übergangsbedingung als Text oder Boole'scher Ausdruck.

Beispiel:
Schritt 2 wird dann aktiv, wenn Starttaster S1 betätigt UND Kolben des Hubzylinders eingefahren ist (1B1).

Unterschiedliche Darstellungsformen von Transitionsbedingungen

Grafcet DIN EN 60848		Boole'sche Darstellung		Text	Grafisch
• entspricht logischem UND	+ entspricht logischem ODER	∧ entspricht logischem UND	∨ entspricht logischem ODER		& UND
S1·1B1	S1+1B1	S1 ∧ 1B1	S1 ∨ 1B1	Start S1 UND 1B1	& S1 1B1

Zeitbegrenzte Transitionen

Einschaltverzögerung, bezogen auf einen Schritt
Wenn der Schritt 8 aktiv ist, wird die Aktion „1A1 Zyl. Ausf." für die Zeit von 4 s ausgeführt. Ist der Schritt 8 weniger als 4 s aktiv, wird die Aktion „1A1 Zyl. Ausf." kürzer.

Signal-Zeit-Diagramm

Gleichwertige Darstellung:

Zeitbegrenzte kontinuierlich wirkende Aktion

Transitionsbedingung immer TRUE

Das Symbol 1 bedeutet, dass die Transitionsbedingung immer erfüllt (TRUE) ist. Daraus ergibt sich ein durchgängiger Ablauf. Die Transition ist durch die Aktivierung des vorangegangenen Schrittes erfüllt.

Beispiel:
Durch Betätigung des Starttasters S1 wird Schritt 2 aktiv und damit die Ventilspule 1M1 geschaltet.
Wird der Starttaster S1 nicht mehr betätigt, wird Schritt 3 aktiv und damit die Ventilspule 1M1 ausgeschaltet.
Zylinder 1A1 fährt wieder ein.

START S1

Pneumatik-Schaltplan mit monostabilem Element

Aktionen

vgl. DIN EN 60848 (2002-12)

| Beispiel | Erklärung | (Kennzeichnung elektrischer Betriebsmittel Seite 430) |

Kontinuierlich wirkende Aktionen

Kontinuierlich wirkende Aktionen werden ausgeführt, solange der Schritt aktiv ist (evtl. mit Zuweisungsbedingungen).

8 — 1A1 Zyl. Ausf.
8 — 2A1
8 — 2V1-14
8 — 2M1

Solange der Schritt aktiv ist, wird der Variablen der Wert 1 (TRUE) zugewiesen. Ist er nicht mehr aktiv, wird der Variablen der Wert 0 (FALSE) zugewiesen.

Varianten im Aktionsrahmen (Beispiele):

1A1 Zyl. Ausf. ⇒ Befehlsform
2A1 ⇒ Bezeichnung des Antriebs
2V1-14 ⇒ Anschlussbezeichnung des Ventils
2M1 ⇒ Magnetspule bei einer elektropneumatischen Steuerung

mit Zuweisungsbedingung

B10 ist Schließer: / B10 ist Öffner:

Beispiel: Presse und Schritt 2, Buchse ist vorhanden, B10 schaltet. Es gibt 2 Fälle: B10 ist Schließer: Zuweisungsbedingung ist erfüllt, wenn B10 den Wert 1 (TRUE) liefert. B10 ist Öffner: Zuweisungsbedingung ist erfüllt, wenn B10 den Wert 0 (FALSE) liefert. Ein waagerechter Oberstrich symbolisiert die Negation einer Bedingung.
1M1 bekommt den Wert 1 (TRUE) zugeordnet, 1V1 schaltet um und 1A1 fährt aus.

Pneumatik-Schaltplan mit monostabilem Element

mit zeitabhängiger Zuweisungsbedingung

Beispiel: Rührwerk mit Schritt 4

Erst 2 Sekunden nach Aktivierung des Füllstandsensors B3 (steigende Flanke: von 0 nach 1) wird die Aktion Rührwerkmotor M1 ausgeführt. Dies entspricht einer **Einschaltverzögerung.**

Nach dem Abfallen von B3 (fallende Flanke: von 1 nach 0) ist Rührwerkmotor M1 trotzdem noch 5 s ang aktiv. Dies entspricht einer **Ausschaltverzögerung.**

Ein- und Ausschaltverzögerung | **Einschaltverzögerung** | **Ausschaltverzögerung**

Signal-Zeit-Diagramm

mit Verzögerung

9 — Magnetspule 1M1 (4s/X9)

Wenn Schritt 9 aktiv ist, wird erst nach Ablauf von 4 s der Variablen 1M1 (Magnetspule 1M1) der Wert 1 (TRUE) zugeordnet. Die Zuordnung endet mit der Deaktivierung des Schrittes 9.

mit Zeitbegrenzung

Wenn der Schritt 11 aktiv ist, wird die Aktion „Magnetspule 1M1" für die Zeitdauer von 4 s ausgeführt. Ist der Schritt 11 weniger als 4 s aktiv, wird die Aktion „Magnetspule 1M1" kürzer. Dies entspricht einer **Zeitlimitierung.**

Gleichwertige Darstellung: (11) — 4s/X11

A

Aktionen

vgl. DIN EN 60848 (2002-12)

Beispiel	Erklärung	(Kennzeichnung elektrischer Betriebsmittel Seite 430)

Gespeichert wirkende Aktion

Wird ein Schritt aktiv, wird in der Aktion der Variablen dauerhaft ein Wert zugewiesen. Der Wert dieser Variablen bleibt über den zurzeit aktiven Funktionsschritt hinaus gespeichert, bis er durch eine weitere Aktion überschrieben wird.

Speichernd wirkende Aktionen können auf logisch „1" (TRUE) gesetzt und zu einem späteren Zeitpunkt in einem anderen Schritt auf logisch „0" (FALSE) zurückgesetzt werden.

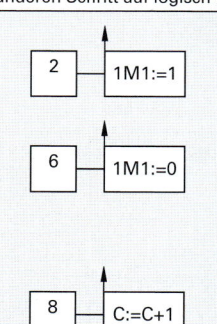

bei Aktivierung des Schrittes

Wird Schritt 2 aktiv, wird der Ventilspule 1M1 der Wert 1 zugewiesen.

Wird Schritt 6 aktiv, wird der Ventilspule 1M1 der Wert 0 zugewiesen.

Der Wert bleibt über den aktiven Schritt hinaus gespeichert, bis ihn eine weitere Aktion überschreibt bzw. löscht.

Wird Schritt 8 aktiv, erhöht sich bei jedem Zyklusdurchlauf der aktuelle Wert der Variablen um 1.

bei Deaktivierung des Schrittes

Wird Schritt 9 aktiv, geschieht nichts.

Erst dann, wenn Schritt 9 inaktiv wird, erhält die Variable 1M1 den Wert 1 zugewiesen.

Die Variable 1M1 behält diesen Wert solange, bis sie von einer Aktion überschrieben wird.

Anm.: Die speichernde Aktion durch Deaktivierung ist nur mit einem PC oder einer SPS realisierbar.

Beispiel: Schiebetür (Zustand: OFFEN)

GRAFCET

bei Ereignis

Der seitwärts weisende Pfeil zeigt an, dass eine Aktion erst nach dem Eintreten eines **Ereignisses speichernd ausgeführt wird.**

Ist Schritt 10 aktiv und ändert der Sensor 1B2 von „0" nach „1" (steigende Flanke↑), erhält der Pneumatikzylinder „1A1" den Wert „1". Der Wert der Variablen 1A1 bleibt über den Funktionsschritt 10 hinaus gespeichert, bis sie überschrieben wird.

mit Zeitverzögerung

Signal-Zeit-Diagramm

Ist Schritt 12 aktiv, wird nach Ablauf von 10 s der Variablen Motor der Wert „1" zugewiesen. Der Wert der Variablen M1 bleibt über den Funktionsschritt 12 hinaus gespeichert, bis sie überschrieben wird.

Ansteuerung von Zylindern mit 5/2-Wegeventilen (Beispiele)

Monostabiles (federrückgestelltes) **5/2-Pneumatikventil**	**Bistabiles 5/2-Wege-Impulsventil** bei <u>kontinuierlich</u> wirkenden Aktionen	**Bistabiles 5/2-Wege-Impulsventil** bei <u>speichernd</u> wirkenden Aktionen
Wird Schritt 16 aktiv, erhält der Anschluss 14 Druckluft und den Wert 1 zugewiesen. Der Wert bleibt über den aktiven Schritt hinaus gespeichert, bis ihn eine weitere Aktion überschreibt bzw. löscht.	Erhält die Ventilspule 2M1 den Wert 1, schaltet sie um. Selbst wenn der Wert 0 wird, bleibt das Ventil in dieser Schaltstellung. Man nennt dies auch **„Mechanische Signalspeicherung".**	Um Signalüberschneidungen zu vermeiden, werden jeweils 2 entgegengesetzte Aktionen für das gleiche Magnetventil durchgeführt.

A

Verzweigung

vgl. DIN EN 60848 (2002-12)

Parallele Verzweigung (Ablaufspaltung)
(Kennzeichnung elektrischer Betriebsmittel Seite 430)

Die parallele Verzweigung ermöglicht eine gleichzeitige Aktivierung von mehreren Teilabläufen. Wird der erste Funktionsschritt innerhalb der parallelen Verzweigung aktiv, laufen die Teilabläufe unabhängig voneinander ab.

Beispiel: Mischen von zwei Flüssigkeiten in einem Rührwerk

In einem Rührwerksbehälter sollen zwei unterschiedliche Flüssigkeiten gemischt werden. Aufgrund der unterschiedlichen Viskositäten wird die Flüssigkeit 1 über das Ventil 1 in den Behälter geleitet. Ist die Füllmarke B1 erreicht, wird gleichzeitig:

1. der Motor M1 des Rührwerks eingeschaltet <u>und</u>
2. das Ventil V1 geschlossen <u>und</u> die Flüssigkeit 2 über das Ventil V2 in den Behälter geleitet.

Beide Teilabläufe werden jedoch unabhängig voneinander bearbeitet.
Ist die Füllmarke B2 erreicht, werden der Motor M1 des Rührwerks und das Ventil V2 wieder abgeschaltet.

GRAFCET
(mit speichernd wirkenden Aktionen)

Technologie-Schema

START S1

Flüssigkeit 1   Flüssigkeit 2

1

S1 „Start S1"

2   V1:=1   „Ventil V1 wird geöffnet"

B1 „Unterer Füllstand ist erreicht"

3A   M1:=1   „Rührwerk M1 wird eingeschaltet"

3B   V1:=0   „Ventil V1 wird geschlossen"
    V2:=1   „Ventil V2 wird geöffnet"

B2 „Oberer Füllstand ist erreicht"

4   M1:=0   „Rührwerk M1 wird ausgeschaltet"

1   V2:=0   „Ventil V2 wird geschlossen"

Erläuterung der Flanken am Ventil V1:

Die steigende Flanke (auch „positive Flanke") ist der Wechsel vom Zustand logisch 0 zum Zustand logisch 1.
Die fallende Flanke (auch „negative Flanke") ist der Wechsel vom Zustand logisch 1 zum Zustand logisch 0.

Steigende Flanke   Fallende Flanke
V1:=1   V1:=0
     Zustand logisch 1

Zustand logisch 0

Signal-Schritt-Diagramm

Schr. 2   Schr. 3   Schr. 4

Startschalter S1
Ventil V1
Ventil V2
Füllstand-Sensor B1
Füllstand-Sensor B2
Rührwerk M1

A

Verzweigung

vgl. DIN EN 60848 (2002-12)

Alternative Verzweigung (Ablaufverzweigung)   (Kennzeichnung elektrischer Betriebsmittel Seite 430)

Ein Ablauf kann sich in mehrere Alternativabläufe verzweigen. Nach der alternativen Verzweigung muss vor und nach jedem Schritt eine Transition sein, die jedoch nicht mit einer anderen Transition gleichzeitig erfüllt sein darf. Nach der letzten aktiven Transition werden die Teilabläufe zu einem gemeinsamen Ablauf zusammengeführt.

Beispiel: Hubeinrichtung, Aktionen zum Selektieren von dünnen und dicken Werkstücken

Wenn ein Werkstück im unteren Rollengang vorhanden ist (B1) und der Starttaster (S1) betätigt wird, fährt der Langhubzylinder 1A1 bis 1B2 aus und bringt das Werkstück vor eine Lichtschranke. Nun gibt es 2 Varianten:

Variante 1: <u>Dickes</u> Werkstück ist da. Ein Signal kommt über B3 der Lichtschranke. Schwenkzylinder 2A1 <u>fährt aus</u>.

Variante 2: <u>Dünnes</u> Werkstück ist da, Ein Signal kommt über B2 der Lichtschranke. Schwenkzylinder 2A1 <u>fährt ein</u> bzw. <u>bleibt eingefahren</u>.

Anschließend schiebt der Verschiebezylinder 3A1 das Werkstück aus und fährt nach Beendigung der Aktion gleichzeitig mit dem Langhubzylinder 1A1 wieder in die jeweilige Ausgangsstellung zurück.

Technologie-Schema

Pneumatik-Schaltplan

bistabile Elemente   monostabiles Element

Anmerkung: Bistabile Wegeventile speichern das Ausgangssignal (Schaltstellung) infolge des Eingangssignals an einer Magnetspule so lange, bis die andere Magnetspule ein Eingangssignal bekommt.

GRAFCET
(mit kontinuierlich wirkenden Aktionen)

A

Signal-Schritt-Diagramm für die Verzweigung

Schaltzeichen
vgl. DIN EN 60617-1 bis -11 (1997-08)

Allgemeine Schaltzeichen

	Widerstand, allgemein		Induktivität, Spule		Lampe, allgemein, wahlweise Darstellung		galvanisches Element
	Sicherung		nichtge-normte Darstellung		Summer		
	Kondensator		Dauermagnet		Hupe		Umsetzer, Umformer

Leiter, Verbinder und Anschlüsse

	Leiter, allgemein		Schutzleiter, PE		Abzweig, wahlweise Darstellung		Massen-anschluss, wahlweise Darstellung
	Leiter, beweglich		Neutralleiter, PN		Doppel-abzweig, wahlweise Darstellung		Erdung
	Leiter, geschirmt		Neutralleiter mit Schutz-funktion PEN				Schutzleiter-anschluss

Geräte und Maschinen | Halbleiterelemente

	Messgerät, Maschine		Transfor-mation, wahlweise Darstellung		Halbleiter-diode, allgemein		PNP-Transistor
	Messgerät, aufzeichnend		Ventil		Leuchtdiode LED (engl.: light emitting diode)		NPN-Transistor

Kennzeichen | Stromarten | Schaltungsarten

Veränder-barkeit		**Funktion**	gestuft		Gleichstrom		Stern-schaltung
allgemein			stetig		Wechsel-strom mit niedriger Frequenz		Dreieck-schaltung
einstellbar		**Wirkung**	thermisch		Wechsel-strom mit ho-her Frequenz		Stern-Dreieck-schaltung
geregelt			Strahlung				

Schaltzeichen in Installationsplänen

a) b)	Ausschalter a) einpolig b) zweipolig		Wechsel-schalter, beleuchtet	IP 44	Schalter drei-polig, Schutz-art IP 44		Motor-Schutz-schalter
	Sensor-schalter		Schutz-kontakt-steckdose		Leitungs-Schutz-schalter		Fehlerstrom-Schutz-schalter
	Serienschalter		Taster				

Anwendungsbeispiele

	Spule, veränderbar		Wechsel-richter, geregelt		dreiadrige Leitung mit Abzweigung		Gleichstrom-motor
5	Widerstand, 5-stufig verstellbar		Gleich- oder Wechsel-strom (Allstrom)	3 G 1,5	Leitung mit 3 Adern, mit Schutzleiter (G) und 1,5 mm² Querschnitt		Drehstrom-motor

A

Schaltzeichen

vgl. DIN EN 60617-1 bis -11 (1997-08)

Relaiskontakte

	Schließer, Einschaltglied
	Öffner, Ausschaltglied
	Wechsler, Umschaltglied

Betätigungsarten

⊢ - -	von Hand, allgemein	T - -	durch Kippen
E - -	durch Drücken	⚲ - -	durch Schlüssel
⅃ - -	durch Ziehen	⟋ - -	durch Pedal
F - -	durch Drehen	⊖ - -	durch Rolle

⊏⊞ - -	durch Druckenergie
◇ - -	durch Annähern
◈ - -	durch Berühren
	durch Bimetall (thermisch)

El.-mech. Relais

	Relaisspule, allgemein
	mit Ansprechverzögerung
	mit Rückfallverzögerung
	mit Ansprech- und Rückfallverzögerung

Schaltverhalten

-⌄-	Raste, verhindert selbsttätige Rückkehr
a)	verzögerte Wirkung (Fallschirmwirkung) bei Bewegung a) nach rechts b) nach links
b)	
↑	Kennzeichen für „betätigter Zustand"

Anwendungsbeispiele für Schalter

	Schließer mit Handbetätigung	a) b)	a) Öffner b) Schließer Darstellung in betätigtem Zustand
	Stellschalter mit 1 Schließer und 1 Öffner	a) b)	Schließer a) schließt b) öffnet verzögert bei Betätigung
- - -⟦⟧⋀	Druckschalter, gibt bei einem voreingestellten Druck ein elektrisches Signal ab		Pilz-Notdruck-Taster

Endschalter, Näherungsschalter, Ventil

	Endschalter, Öffner
	Endschalter, Schließer
	Ventil mit elektromagnetischer Betätigung

magnetischer Näherungsschalter mit Schließerkontakt, reagiert auf Annäherung magnetischer Stoffe
kapazitiver Näherungsschalter mit Öffnerkontakt, reagiert auf Annäherung aller Stoffe

Schaltungselemente im Strompfad (Auswahl)

Magnetischer Sensor (2-polig)

+24V

Sensor „Reedkontakt"

Relais

0V

Magnetischer Sensor (3-polig)

+24V

Spannungsversorgung

Sensor

Signalausgang

Relais

0V

Kennzeichnung von Betriebsmitteln in Schaltungsunterlagen

vgl. DIN EN 81346 (2010-05)

Beispiel: – S 2

Vorzeichen[1]		Kennbuchstabe	Zählnummer		Beispiel Stromlaufplan

Aspekt bezogen auf das Bauteil	Kennbuchstaben für die Art (Auswahl)
– der Kennbuchstabe bezeichnet die Art (Produktaspekt)	B Sensor, Näherungsschalter
	F Sicherung
= der Kennbuchstabe bezeichnet die Funktion (Funktionsaspekt)	K Schaltrelais, Zeitrelais
	Q Leistungsschalter, Schütz
	M Magnetventil, Motor
+ der Kennbuchstabe bezeichnet den Einbauort (Ortsaspekt)	P Meldeleuchte, Hupe
	R Widerstand
	S Steuerschalter, Tastschalter
	W Leiter, Kabel

Stromlaufplan: –F1, –S1, –S2, –K1, –K1, –P1, –1M1

[1] Im Tabellenbuch entfällt das Vorzeichen (–), da es sich bei allen Bauteilen immer um den Produktaspekt handelt.

A

Stromlaufpläne
vgl. DIN EN 61082 (2007-03)

Anschlussbezeichnungen an Relais

Beispiel:
Relais mit 2 Schließern und 2 Öffnern

2. Ziffer
Funktionsziffer für Kontakte

Öffner	Öffner verzögert	Schließer	Schließer verzögert	Wechsler	Wechsler verzögert

1. Ziffer
Durchnummerierung der Kontaktsätze

Gestaltung von Stromlaufplänen
(Kennzeichnung elektrischer Betriebsmittel Seite 430)

Stromwege und Aufteilung der Stromkreise

- Jedes elektrische Betriebsmittel erhält einen senkrechten Strompfad ohne Rücksicht auf die räumliche Anordnung der Elemente.
- Die Strompfade werden von links nach rechts durchnummeriert.
- Der **Steuerstromkreis** enthält die Geräte für die Signaleingabe und die Signalverarbeitung.
- Der **Hauptstromkreis** enthält die für die Betätigung der Arbeitsglieder erforderlichen Stellglieder.
- Die räumliche Zusammengehörigkeit z.B. von Relaisspule und Relaiskontakt wird nicht dargestellt.

Steuerstromkreis

Hauptstromkreis

Kennzeichnung der Betriebsmittel

- Kontakte und die zugehörige Relaisspule werden mit der gleichen Kennziffer bezeichnet.
  Beispiel: Stromwege 1, 2 und 3
- Zur Relaisspule K1 gehören 2 Schließer, die beide mit K1 bezeichnet werden. Der Schließer K1 im Strompfad 2 dient zur Selbsthaltung.
- Alle Kontakte eines Relais werden als vollständiger Kontaktsatz oder als Tabelle unter dem Strompfad des Relais eingetragen. Beide Darstellungen geben Auskunft, in welchem Strompfad ein Kontakt zu finden ist.

Darstellung als Kontaktsatz

Kontakte K1	Pfad	Kontakte K2	Pfad	Kontakte K3	Pfad
	2 3		5		6

Darstellung als Tabelle

Beispiel: Die Relaisspule K1 betätigt einen Schließer im Strompfad 2 und einen Schließer im Strompfad 3.

A

Sensoren

Sensoren (Arten)

	Näherungsempfindliche Sensoren		**Sensoren**		Berührungsempfindliche Sensoren	

Induktive Sensoren	Kapazitive Sensoren	Foto-elektrische Sensoren	Ultraschall-Sensoren	Magnetische Sensoren	Grenz-taster

Merkmale von Sensoren (Auswahl)

Sensor-typ	Symbol	Prinzip	Vorteile	Nachteile	Objekt-distanz
Induktiv		Schaltet, wenn ein Objekt das magnetische Streu-wechselfeld des Sensors beeinflusst	Hoher Schutzgrad (IP67), sehr hohe Schaltpunkt-genauigkeit, schmutz-unempfindlich	Nur Objekte mit hoher elek-trischer Leitfähigkeit, nicht geeignet bei erhöhtem Anfall von Metallspänen	1 mm … 150 mm
Kapazitiv		Schaltet, wenn ein Objekt das elektrische Streu-wechselfeld des Sensors beeinflusst	Hoher Schutzgrad (IP67), erfasst alle Materialien; schmutzunempfindlich.	Kleine Objektdistanzen, größere Bauweise als vergleichbare induktive Sensoren	20 mm … 40 mm
Foto-elektrisch		Schaltet, wenn ein Objekt das Infrarotfeld des Sensors zurücksendet	Erfasst alle Materialien, große Entfernungen.	Empfindlich gegen Schmutz, Rauch und Fremdlicht, Hilfsenergie notwendig	ca. 2 m
Ultra-schall		Wertet die Laufzeit von re-flektierten Ultraschallim-pulsen aus und ermittelt die Distanz zum Objekt	Unempfindlich gegen Staub, Verschmutzung und Licht, Erfassung kleinster Objekte bei großer Entfernung	Langsam, Einsatz nur bei Nor-maldruck, nicht explosivge-fährdeten Räumen und kei-nem hochfrequenten Lärm	60 mm … 6 m
Magne-tisch		Ein Dauermagnet betätigt über zwei Kontaktfedern einen Näherungsend-schalter (Reed-Kontakt)	Geeignet in rauer Umge-bung, hohe Lebensdauer, geeignet zum Schalten in Hochfrequenzkreisen	Gefahr des Verschweißens der Kontaktfedern, Unterdrückung von Strom-spitzen mit RC-Gliedern	–
Mecha-nisch		Schaltet über Hand-betätigung oder ein Hebelsystem	Niedriger Preis, robust, klein, keine Beeinflussung durch Fremdfelder, keine Hilfsenergie erforderlich	Kontaktprellen, unzulässig in Lebensmittel- und chemischer Industrie	–

Bezeichnung von Näherungssensoren

vgl. DIN EN 60947-5-2 (2008-08)

Beispiel:

U 1 A30 A F 2 N

Erfassungs-art	Mechanische Einbaubedingung	Bauform und Größe	Schaltele-mentfunktion	Ausgangs-art	Anschluss-art	NAMUR-Funktion
I induktiv C kapazitiv U Ultraschall D fotoelek-trisch diffus reflektiertes Lichtbündel M magnetisch R fotoelek-trisch reflek-tiertes Licht-bündel T fotoelek-trisch direk-tes Licht-bündel	1 bündig einbaubar 2 nicht bündig einbaubar 3 nicht fest-gelegt	FORM A zylindrische Gewindehülse B glatte zylin-drische Hülse C rechteckig mit quadr. Querschnitt D rechteckig, mit recht-eckigem Querschnitt GRÖSSE (2 Ziffern) für Durch-messer oder Seitenlänge	A Schließer B Öffner C Wechsler (Schließer/ Öffner) P program-mierbar durch Anwender S andere	P PNP-Ausgang, 3 oder 4 Anschlüsse DC N NPN-Ausgang, 3 oder 4 Anschlüsse DC D 2 Anschlüsse DC[1] F 2 Anschlüsse AC[2] U 2 Anschlüsse AC oder DC S andere	1 integrierte Anschluss-leitung 2 Steck-anschluss 3 Schraub-anschluss 4 frei ⋮ 8 9 andere Anschluss-art	N NAMUR-[3] Funktion Anm.: NAMUR-Sensoren sind 2-Draht-Sensoren zum Anschluss an externe Schalt-verstärker

[1] DC = Direct Current (Gleichstrom)
[2] AC = Alternating Current (Wechselstrom)
[3] NAMUR = **N**ormen**a**rbeitsgemeinschaft für **M**ess- **u**nd **R**egelungstechnik

A

Elektrohydraulische Steuerung (Reibvorrichtung)

Ein Werkstück, bestehend aus zwei unterschiedlichen Werkstoffen, soll mit einer Reibahle bearbeitet werden. Nach Betätigung der Starttaste S1 fährt der Kolben im Vorschub aus und bearbeitet den weichen Werkstoff. Sensor 1B2 bewirkt, dass der Vorschub beim harten Werkstoff reduziert wird. Wird Sensor 1B3 erreicht, ist der harte Werkstoff bearbeitet und der Kolben fährt nach einer Verzögerungszeit von 2 s wieder verzögert zurück und danach in die Grundstellung. Vor dem ersten Start muss die „SET"-Taste gedrückt werden.

Technologie-Schema

Spann-zylinder

Reibahle

Hub-zylinder 1A1

Werkstoff weich

Werkstoff hart

Hydraulik-Schaltplan mit Proportional-Wegeventil

Hubzylinder 1A1

S1   1B2
1B1   1B4 / 1B3

Proportional-Wegeventil

1M2   1M1

Differenzdruck-Regler (Druckwaage)

Werden Proportional-Wegeventile eingesetzt, kann man bei dem Hydraulikzylinder einer Vorschubeinheit die Richtung, die Geschwindigkeit, die Beschleunigung und die Verzögerung beeinflussen. Man spart dadurch Drosseln, Stromregel-, Rückschlag- und Umschaltventile ein. Mithilfe eines Proportionalverstärkers ist es z. B. möglich, unterschiedliche An- und Abfahrtsrampen zu programmieren.

GRAFCET

1 „Grundstellung"

(1) S1 * 1B1

2 Kolben im Vorschub (mit Rampe 1)   „Weicher Werkstoff"

(2) 1B2

3 Kolben im reduzierten Vorschub (mit Rampe 2)   „Harter Werkstoff"

(3) 1B3

2s/X4

4 Kolben im reduzierten Vorschub zurück (mit Rampe 3)

(4) 1B4

5 Kolben fährt in Grundstellung (mit Rampe 4)

(5) 1B1

Wegdiagramm

S1   1B2   1B3
                                                    Kolben fährt aus
                                                    Kolben fährt ein
1B1   1B4

Geschwindigkeits-Diagramm

Vor $v+$ Rampe 1   Rampe 2
                  v_1 1B2
                                Verzög.-Zeit 2s
                          v_2 1B3
                                              1B1
S1 und
1B1
                                        v_3 v_4 t
                                        1B4
Zurück $v-$ Rampe 3   Rampe 4

Elektrohydraulischer Schaltplan   (Kennzeichnung elektrischer Betriebsmittel Seite 430)

	K1	K2	Schritt
Hauptstromkreis	1	0	1
	1	1	2
	K3	K4	Schritt
	1	0	3
	1	1	4

Zurück 1M2   Vor 1M1

Digitaler Proportionalverstärker mit Mikroprozessor (stark vereinfacht)

Zustands-anzeige

Display

Programmier-Tastatur

Steuerstromkreis   Hauptstromkreis

L+

Start
E-
S1 K1   1B2 K2   1B3 K3   1B4 K4   1B1 K5   K3   K1

K5   K1   K3   K4 E-SET   K4 K4 K2 K2

K3   K3   K5   K5   K1

K1   K2   K3   K4   K5   Netz-gerät 230V~   30 V-

L-   0 V   0 V

Eingangssignale Ausgangssignale

A

Elektropneumatische Steuerung (Hubeinrichtung)

Lageplan

(S0) Einzel-
betrieb

(S1) Automatik
EIN

(S2) Automatik
AUS

Verschiebezylinder 2A1
2B1 2B2

S0 wird gedrückt:
Die Schrittkette[1] wird
einmal durchlaufen.

S1 wird gedrückt und
B1 meldet ein Werk-
stück: Schrittkette[1]
wird im Automatik-
betrieb durchlaufen, bis
kein Werkstück mehr
da ist oder bis S2
(Öffner) gedrückt wird.

B1
Maga-
zin-
abfrage

1B2 — Hubzylinder 1A1
1B1 —

Grafcet (gehört auch zu SPS S. 440)

Automatikbetrieb

0

T1 — S1*B1 „Automatik EIN UND Magazin voll"

1 — Automatik

T2 — S2+$\overline{B1}$ „Automatik AUS ODER Magazin leer"

— G0

Schrittkette[1]

0 — „Grundstellung"

T1 — S0+Automatik „Einzel ODER Automatik"

1 — 1M1 — „1A1 fährt aus"

T2 — 1B2 „1A1 ist ausgefahren"

2 — 2M1:=1 — „2A1 fährt aus"

T3 — 2B2 „2A1 ist ausgefahren"

3 — 1M2 — „1A1 fährt ein"

T4 — 1B1 „1A1 ist eingefahren"

4 — 2M1:=0 — „2A1 fährt ein"

T5 — 2B1 „2A1 ist eingefahren"

— G1

Pneumatikplan

Heben
1A1 1B1 1B2

Verschieben
2A1 2B1 2B2

1V2 1V3   2V2 2V3

1V1   2V1

1M1   1M2 2M1

Stromlaufplan (Kennzeichnung elektrischer Betriebsmittel Seite 430)

A

[1] *Schrittkette:* Der Hubzylinder 1A1 fährt aus. Dann fährt der Verschiebezylinder 2A1 aus und bleibt ausgefahren (Selbsthaltung K5 setzen). Nun fährt der Hubzylinder 1A1 ein. Zum Schluss fährt der Verschiebezylinder 2A1 ein (Selbsthaltung K5 zurücksetzen). Das Beispiel auf Seite 440 enthält die gleiche Schrittkette.

SPS-Programmiersprachen

SPS-Programmiersprachen (Übersicht)

vgl. DIN EN 61131 (2003-12)

```
                    Textsprachen                              Grafische Sprachen

  Anweisungsliste AWL    Strukturierter Text ST    Kontaktplan KOP    Funktionsbaustein-
                                                                      Sprache FBS/FUP
```

Gemeinsame Elemente aller SPS-Sprachen (Auswahl)

Begrenzungszeichen (Auswahl)

vgl. DIN EN 61131 (2003-12)

Zeichen	Gebrauch	Zeichen	Gebrauch
(**)	Kommentar-Anfang, Kommentar-Ende	:	Schrittnamen- und Variable/Typ-Trennzeichen Anweisungsmarken-Trennzeichen (ST) Netzmarken-Trennzeichen (KOP und FBS)
+	führendes Vorzeichen bei Dezimalzahlen Additionsoperator (ST)		
–	führendes Vorzeichen bei Dezimalzahlen Jahr-Monat-Tag-Trennzeichen Subtraktion, Negationsoperator (ST) horizontale Linie (KOP und FBS)	( )	Anweisungslisten-Modifizierer/Operator (ST) Funktionsargumente (ST) Begrenzungszeichen für FBS-Eingangsliste (ST)
:=	Initialisierungsoperator Zuweisungsoperator (ST)	;	Trennzeichen für Typdeklaration Trennzeichen für Anweisungen (ST)
#	Basiszahl- und Zeitliteral-Trennzeichen	„	Trennzeichen für Bereiche Trennzeichen für CASE-Bereiche (ST)
'	Anfang und Ende von Zeichenfolgen	,	Aufzählungslisten-, Anfangswert- und Feld-index-Trennzeichen, Operandenlisten-, Funktionsargumentlisten- und CASE-Wertlisten-Trennzeichen (ST)
$	Anfang von Sonderzeichen in Folgen		
.	ganze Zahl/Bruch-Trennzeichen Trennzeichen für hierarchische Adressen und strukturierte Elemente	%	Direkt-Darstellungs-Präfix[1]
e oder E	Real-Exponent-Begrenzungszeichen	I oder !	vertikale Linien (KOP)

Einzelelement-Variablen für Speicherorte

Variable	Bedeutung	Variable	Bedeutung	Beispiel (AWL)
I	Speicherort Eingang	B	Byte-Größe (8 bit)	**ST %QB5[1]:**
Q	Speicherort Ausgang	W	Wort-Größe (16 bit)	Speichert (storage) aktuelles Ergebnis in
M	Speicherort Merker	D	Doppelwort-Größe (32 bit)	Byte-Größe am Ausgangs-Speicherort 5
X	(Einzel-)Bit-Größe	L	Langwort-Größe (64 bit)	

Operatoren

Name	Symbol	Bedeutung
ADD	+	Addition
SUB	–	Subtraktion
MUL	*	Multiplikation
DIV	/	Division
AND	&	Boolesches UND
OR	>= [2]	Boolesches ODER
XOR	---- [3]	Boolesches Exklusiv-ODER
NOT	---- [3]	Verneinung
S	---- [3]	Setzt booleschen Operator auf „1"
R	---- [3]	Setzt booleschen Operator auf „0"
GT	>	Vergleich: größer
GE	>=	Vergleich: größer gleich
EQ	=	Vergleich: gleich
NE	< >	Vergleich: ungleich
LE	<=	Vergleich: kleiner gleich
LT	<	Vergleich: kleiner

Elementare Datentypen

Schlüsselwort	Datentyp	Bits
BOOL	boolesche	1
SINT	kurze ganze Zahl	8
INT	ganze Zahl	16
DINT	doppelte ganze Zahl	32
LINT	lange ganze Zahl	64
REAL	reelle Zahl	32
LREAL	lange reelle Zahl	64
STRING	variabel lange Zeichenfolge	– [4]
TIME	Zeitdauer	– [4]
DATE	Datum	– [4]
BYTE	Bit-Folge der Länge 8	8
WORD	Bit-Folge der Länge 16	16
DWORD	Bit-Folge der Länge 32	32
LWORD	Bit-Folge der Länge 64	64

[1] Der direkt dargestellten Einzelelement-Variablen wird ein %-Zeichen vorangestellt.
[2] Dieses Symbol ist als Operator in den Textsprachen nicht zulässig.
[3] kein Symbol
[4] herstellerspezifisch

A

SPS-Programmiersprachen (KOP, FBS/FUP, ST)

Kontaktplan (KOP)   vgl. DIN EN 61131 (2003-12)

Der Kontaktplan stellt den Stromfluss in einem elektromechanischen Relais-System dar.

Symbol	Beschreibung	Symbol	Beschreibung	Symbol	Beschreibung
Linien und Blöcke		Kontakte		Spulen	
———	horizontale Linie	┤ ⁣├ ***[1]	Schließer Abfrage auf logisch „1"	—( )— ***[1]	Spule, Zuweisung, Ausgabe
|	vertikale Linie			—(/)— ***[1]	Negative Spule, negierte Zuweisung, Ausgabe
—┼—	Linienverbindung	┤/├ ***[1]	Öffner Abfrage auf logisch „0"	—(S)— ***[1]	Setze Spule, Speicherung einer Verknüpfung
—|⌐ ⌐|—	Kreuzung ohne Verbindung				
***[1] Blöcke mit Verbindungslinien		—|P|— ***[1]	Kontakt zur Erkennung von positiven Flanken, Signal von „0" auf „1"	—(R)— ***[1]	Rücksetze Spule
				—(P)— ***[1]	Spule zur Erkennung von positiven Flanken, Signal von „0" auf „1"
├—	linke Stromschiene	—|N|— ***[1]	Kontakt zur Erkennung von negativen Flanken, Signal von „1" auf „0"	—(N)— ***[1]	Spule zur Erkennung von negativen Flanken, Signal von „1" auf „0"
—┤	rechte Stromschiene				[1] Element-Bezeichnung

Funktionsbaustein-Sprache (FBS/FUP)   vgl. DIN EN 61131 (2003-12)

Die Funktionsbaustein-Sprache besteht aus einzelnen Funktionsbausteinen mit statischen Daten. Sie eignet sich bei häufig wiederkehrenden Funktionen. Diese Darstellung wird auch Funktionsplan (FUP) genannt.

Symbol	Beschreibung	Symbol	Beschreibung
	Die Elemente sind rechteckig oder quadratisch. Eingangsparameter sind auf der linken, Ausgangsparameter auf der rechten Seite anzubringen.	& ≥1 / ≥1	Die Elemente müssen durch horizontale und vertikale Signalfluss-Linien verbunden werden.
FB 1.2 ADD	Die Funktion des Bausteins wird als Name oder Symbol innerhalb des Bausteins angegeben. Die Bezeichnung des Bausteins steht über dem Element.	○— —○	Die Negation von booleschen Signalen wird durch einen Kreis am Eingang oder Ausgang angezeigt.

Strukturierter Text (ST)   vgl. DIN EN 61131 (2003-12)

Der Strukturierte Text ist eine Hochsprache und lehnt sich an die Syntax von ISO-PASCAL an.

$$A := A + B \cdot (B - C)$$

	Variable	Zuweisungs-Operator	Operand

Anweisung	Typ
:=	Zuweisung
IF	Bedingte Anweisung
CASE	Auswahlanweisung
FOR	Wiederholungsanweisung
WHILE	Wiederholungsanweisung
REPEAT	Wiederholungsanweisung
EXIT	Verlassen einer Wiederholungsanweisung

Gegenüberstellung Funktionsbaustein-Sprache (FBS) – Strukturierter Text (ST)

Funktionsbausteine (Beispiele)	Strukturierter Text (Beispiele)

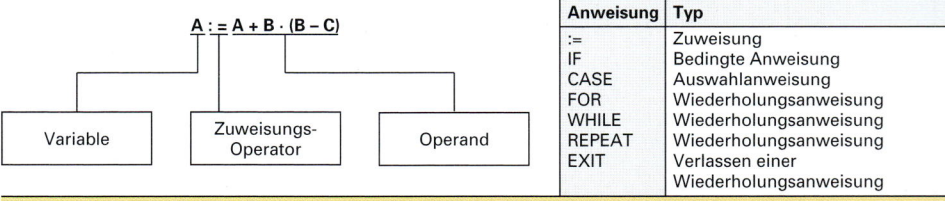

A:= ADD (B, C, D)
oder
A:= B + C + D

E:= AND (F, G, H)
oder
E:= F & G & H

A

SPS-Programmiersprachen (AWL)

Anweisungsliste (AWL) nach DIN

vgl. DIN EN 61131 (2003-12)

Die Anweisungsliste ist eine maschinennahe, textuelle Programmiersprache, ähnlich der Assemblersprache.

Aufbau einer Anweisung

Modifikatoren für den Operator	
N	Boolesche Negierung des Operanden
C	Anweisung wird nur dann ausgeführt, wenn das ausgewertete Ergebnis eine boolesche 1 ist.
,	Trennt mehrere Operanden
(	Auswertung des Operators wird zurückgestellt, bis „)" erscheint.

Standard-Operatoren

Operator	Modifikator	Bedeutung	Operator	Modifikator	Bedeutung
LD	N	Setzen eines Operanden	DIV	(	Division
ST	N	Speicherung auf Operanden-Adresse	GT	(	Vergleich: >
S	–	Setzt booleschen Operator auf 1	GE	(	Vergleich: >=
R	–	Setzt booleschen Operator auf 0 zurück	EQ	(	Vergleich: =
AND	N,(	Boolesches UND	NE	(	Vergleich: < >
&	N,(	Boolesches UND	LE	(	Vergleich: <=
OR	N,(	Boolesches ODER	LT	(	Vergleich: <
XOR	N,(	Boolesches Exklusiv-ODER	JMP	C,N	Sprung zur Marke
ADD	(	Addition	CAL	C,N	Aufruf Funktionsbaustein
SUB	(	Subtraktion	RET	C,N	Rücksprung
MUL	(	Multiplikation	)	–	Bearbeitung zurückgestellter Operationen

Anweisungsliste (AWL) nach VDI[1]

vgl. VDI 2880 (1985-09)

Aufbau einer Anweisung

Operatoren zur Programmorganisation		Operatoren zur Signalverarbeitung		Operatoren	
L	Laden	U	UND-Verknüpfung	ZV	Vorwärtszählen
(	Klammer auf	O	ODER-Verknüpfung	ZR	Rückwärtszählen
)	Klammer zu	N	Negation	XO	Exklusiv-ODER
NOP	Nulloperation	UN	UND-NICHT-Verknüpfung	**Operanden**	
SP	unbedingter Sprung	ON	ODER-NICHT-Verknüpfung	E	Eingang
SPB	bedingter Sprung	=	Zuweisung	A	Ausgang
BA	Baustein-Aufruf	ADD	Addition	M	Merker
BAB	bedingter Baustein-Aufruf	SUB	Subtraktion	K	Konstante
BE	Baustein-Ende	MUL	Multiplikation	T	Zeitglied
"	Kommentar-Anfang	DIV	Division	Z	Zähler
"	Kommentar-Ende	S	Setzen	P	Programm-Baustein
PE	Programmende	R	Rücksetzen	F	Funktions-Baustein

[1] In der Praxis existieren noch viele SPS-Steuerungen, die nach den VDI-Richtlinien programmiert werden.

A

SPS-Programmiersprachen

Gegenüberstellung der geläufigsten SPS-Programmiersprachen

Funktionen als Bestandteile in Programmen	Anweisungsliste (AWL) nach VDI	Funktionsbaustein-Sprache (FBS/FUP)	Kontaktplan (KOP)
UND (AND) mit 3 Eingängen	U E11 U E12 UN E13 = A10	E11, E12, E13 → & → A10	E11 E12 E13 → A10
ODER (OR) mit 3 Eingängen	U E11 O E12 O E13 = A10	E11, E12, E13 → ≥1 → A10	E11, E12, E13 → A10
UND vor ODER	U E11 U E12 O U E13 U E14 = A10	E11, E12 → &; E13, E14 → & → ≥1 → A10	E11 E12 / E13 E14 → A10
ODER vor UND mit Zwischenmerker	U E11 O E12 = M1 U E13 O E14 U M1 = A10	E11, E12 → ≥1 → M1; E13, E14 → ≥1; M1 → & → A10	E11/E12 → M1; E13/E14, M1 → A10
Exclusiv **ODER** (XOR)	U E11 UN E12 O (UN E11 U E12) = A10	E11, E12 → =1 → A10	E11 E12 / ; E11 / E12 → A10
RS-Flipflop Setzen dominant	U E12[1] R A11 U E11 S A11	E11→S1, E12→R 1 → A11 oder E11→R, E12→S 1 → A11 „1" bei S markiert dominanten Eingang oder dominanter Eingang S unten	E11→S1 1, E12→R → A11
RS-Flipflop Rücksetzen dominant	U E11[1] S A11 U E12 R A11	E11→S, E12→R1 1 → A11 oder E11→S, E12→R 1 → A11 „1" bei R markiert dominanten Eingang oder dominanter Eingang R unten	E11→S 1, E12→R1 → A11
Einschaltverzögerung	U E11 = T1 U T1 = A10	T1; E11 → t 0 → A10	E11 → T1; T1 → A10
Selbsthaltung, EIN (E 12) dominierend	U E12 O A10 UN E11 = A10	E11, E12 → & → ≥1 → A10	E11/, A10 → A10; E12

[1] Bei Flipflops gilt: Wenn S = 1 und R = 1, dann dominiert die in der AWL zuletzt programmierte Funktion.

A

Binäre Verknüpfungen (SPS, Pneumatik, E-Pneumatik) vgl. DIN EN 60617-12 (1999-04)

Funktion	SPS (FBS/FUP) Logische Gleichung	Funktionstabelle	technische Realisierung pneumatisch	technische Realisierung elektrisch
UND (AND)	A = E1 * E2	E1 E2 A / 0 0 0 / 0 1 0 / 1 0 0 / 1 1 1		
ODER (OR)	A = E1 + E2	E1 E2 A / 0 0 0 / 0 1 1 / 1 0 1 / 1 1 1		
NICHT (NOT)	A = $\overline{E}$	E1 A / 0 1 / 1 0		
UND-NICHT (NAND)	A = $\overline{E1 * E2}$	E1 E2 A / 0 0 1 / 0 1 1 / 1 0 1 / 1 1 0		
ODER-NICHT (NOR)	A = $\overline{E1 + E2}$	E1 E2 A / 0 0 1 / 0 1 0 / 1 0 0 / 1 1 0		
exklusiv ODER (XOR)	A = (E1 * $\overline{E2}$) + ($\overline{E1}$ * E2)	E1 E2 A / 0 0 0 / 0 1 1 / 1 0 1 / 1 1 0		
Speicher (SR-Flipflop) S Setzen R Rücksetzen (dominant)		E1 E2 A / 0 0 ● / 0 1 0 / 1 0 1 / 1 1 0 ● Zustand unverändert		

E = Eingänge   A = Ausgänge, z. B. Lampen   K = Relais, Kontakte

A

Ablaufsteuerung mit SPS (Hubeinrichtung)

(Kennzeichnung elektrischer Betriebsmittel Seite 430)

Lageplan	Pneumatikplan

Lageplan:

- S0 Einzelbetrieb
- S1 Automatik EIN
- S2 Automatik AUS

Verschiebezylinder 2A1
2B1 2B2

Drücken von S0:
Die Schrittkette[1] wird einmal durchlaufen.

Drücken von S1 und B1 meldet ein Werkstück: Schrittkette[1] wird durchlaufen, bis kein Werkstück mehr da ist oder bis S2 (Öffner) gedrückt wird.

B1 Magazinabfrage

1B2
1B1 Hubzylinder 1A1

[1] Seite 434 unten

Pneumatikplan:

Heben   Verschieben

Grafcet: entspricht dem Elektropneumatik-Beispiel „Hubeinrichtung" (Seite 434)

Anschlussplan vgl. IEC 60617	Zuordnungsliste		

Bauteile	Bez.	Adr.	Bemerkung
Einzelbetrieb Start	S0	I5	Schließer
Automatik EIN	S1	I6	Schließer
Automatik AUS	S2	I7	Öffner
Magazinabfrage	B1	I8	Kapazitiv (S)
Magnetische Sensoren (Reedkontakte)	1B1	I1	Magnetschalter, Schließer
	1B2	I2	
	2B1	I3	
	2B2	I4	
Ventilmagnete	1M1	Q1	1A ausfahren
	1M2	Q2	1A einfahren
	2M1	Q3	2A ausfahren

SPS-Programm   vgl. DIN EN 61131-3 (2009-12)

Funktion Betriebsarten (FC1)

Netzwerk 1

B1 meldet ein Werkstück (B1=1) und S1 (Automatik EIN): Automatik wird gesetzt. (Teilgrafcet G0 Seite 434)

„B1"
„S1"   &   S
„B1"
„S2"   ≥1   R Q   „Automatik" =

Netzwerk 2

Wenn beide Zylinder in der hinteren Endstellung sind (1B1=1 und 2B1=1) wird die Grundstellung festgestellt. (Schritt 0 im Teilgrafcet G1 Seite 434)

„1B1"
„2B1"   &   „Grundstellung" =

Funktion Schrittkette (FC2)

Schrittkette: Netzwerke 3–6 sind die Schritte 1 bis 4 aus dem Teilgrafcet G1 Seite 434. Jeder Folgeschritt (z.B. Schritt 2) startet erst, wenn der vorangegangene Schritt aktiv war (z.B. Schritt 1=1) und wenn er abgeschlossen ist (z.B. 1B2=1).

Netzwerk 3

„Grundstellung"
„Automatik"   ≥1   &   S
„S0"
    „Schritt 2"   R Q   „Schritt 1" =

Netzwerk 4

„Schritt 1"
„1B2"   &   SR S
„Schritt 3"   R Q   „Schritt 2" =

Netzwerk 5

„Schritt 2"
„2B2"   &   SR S
„Schritt 4"   R Q   „Schritt 3" =

Netzwerk 6

„Schritt 3"
„1B1"   &   SR S
„2B1"   R Q   „Schritt 4" =

Funktion Befehlsausgabe (FC3)

Netzwerke 7–9

Den Schritten werden die zugehörigen Aktionen zugeordnet. (Aktionsfelder im Teilgrafcet G1 Seite 434). Die speichernd wirkenden Aktionen in Schritt 2 und Schritt 4 (Aktionsfeld mit Pfeil) erfordern einen Speicher (Flipflop, SR-Glied).

„Schritt 2"   S
„Schritt 4"   R Q   „2M1" =

„Schritt 1"   „1M1" =

„Schritt 3"   „1M2" =

Organisationsbaustein (OB1)

Im OB1 werden die Teilfunktionen FC1 bis FC3 aufgerufen.

FC1 — EN ENO
FC2 — EN ENO
FC3 — EN ENO

Hinweis: Jeder Baustein steht für ein CALL. EN (Enable Eingang) und ENO (Enable Ausgang) werden nicht gesetzt.

A

Ablaufsteuerung mit SPS (Prägewerkzeug)

(Kennzeichnung elektrischer Betriebsmittel Seite 430)

Technologie-Schema

Zylinder A1
1B1
1B2
Zylinder A2
2B1 Zylinder A3
2B2
3B1
3B2
B1
B2

Auto-matik / Einzel-Schritt
START STOPP
Bedienfeld

Zylinderansteuerung durch 5/2-Wegeventile, beidseitig durch bistabile Elektromagnete betätigt, bei kontinuierlich wirkenden Aktionen

Hinweis: Grundstellung wird von Hand angefahren

Beschreibung

In einem Prägewerkzeug sollen Werkstücke eine Werkstücknummer erhalten. Der Sensor B1 kontrolliert, ob noch Material im Stapelmagazin vorhanden ist. Der Pneumatikzylinder A1 schiebt nun das Werkstück aus dem Magazin in die Arbeitsposition. Anschließend fährt der Prägezylinder A2 aus und prägt das Werkstück. Nach einer Zeitverzögerung von 1s fährt zuerst der Prägezylinder A2 und danach der Schiebezylinder A1 zurück. Zylinder A3 dient als Auswerfer für das geprägte Werkstück. Sensor B2 stellt fest, ob das Werkstück tatsächlich ausgeworfen wurde.

Funktionsplan nach GRAFCET

Ablauf der Schrittkette (ohne Betriebsarten)

1 „Initialschritt"

(1) 1B1*2B1*3B1*B1*$\overline{B2}$

2 1M1 „Zylinder A1 fährt aus"

(2) 1B2*B2 „Zylinder A1 ist ausgefahren" „Werkstück ist vorhanden"

3 2M1 „Zylinder A2 fährt aus"

(3) 2B2 / 1/X4 „Zylinder A2 ist ausgefahren"

4 1M2 „Verweilzeit 1s" „Zylinder A2 fährt ein"

(4) 2B1 „Zylinder A2 ist eingefahren"

5 2M2 „Zylinder A1 fährt ein"

(5) 1B1 „Zylinder A1 ist eingefahren"

6 3M1 „Zylinder A3 fährt aus"

(6) 3B2*$\overline{B2}$ „Zylinder A3 ist ausgefahren" „Werkstück ist ausgeworfen"

7 3M2 „Zylinder A3 fährt ein"

(7) 3B1 „Zylinder A3 ist eingefahren"

Zuordnungsliste

Bauteil und Aktion	Bauteil-bezeichnung	Adresse	Bemerkung
Stellschalter AUTOMATIK/EINZEL	S0/S1	E0.0/E0.1	Schließer
Taster START	S2	E0.2	Schließer
Taster STOPP	S3	E0.3	Öffner
Näherungsschalter	1B1/2, 2B1/2 3B1/2, B1, B2	E0.4–E0.7 E1.0–E1.3	Schließer
Magnetventil (mit Zyl. A1)	1M1 und 1M2	A0.0/A0.1	–
Magnetventil (mit Zyl. A2)	2M1 und 2M2	A0.2/A0.3	–
Magnetventil (mit Zyl. A3)	3M1 und 3M2	A0.4/A0.5	–

SPS-Progr. (ohne OB1 mit CALL FC1-FC3)

Betriebsarten FC1

Netzwerk 1: Automatikbetrieb. Schrittkette läuft bis das Magazin leer ist oder bis STOPP

„Schr. 7" M7.0
„START" E0.2 ≥1
„AUTOMATIK" E0.0 & SR S „Auto" M10.0
„STOPP" E0.3 R Q =
„B1" E1.2 ≥1

Netzwerk 2: Einzelbetrieb. Schrittkette läuft bis zum letzten Schritt oder bis STOPP

„START" E0.2
„EINZELBETR." E0.1 & SR S „Einzel" M10.1
„STOPP" E0.3 R Q =
„Schr. 7" M7.0 ≥1

Netzwerk 3: „Auto" oder „Einzel" steuern die Schrittkette über „run"

„Auto" M10.0 ≥1 „run" M0.1
„Einzel" M10.1 =

Schrittkette FC2

Netzwerk 1: Schritt 1
Initialschritt

„1B1" E0.4
„2B1" E0.6
„3B1" E1.0
„B1" E1.2 & SR S „Schr.1" M1.0
„B2" E1.3
„STOPP" E0.3 R Q =
„Schr. 2" M2.0 ≥1

Netzwerk 2: Schritt 2
Zylinder A1 ausfahren

„run" M0.1
„Schr. 1" M1.0 & SR S „Schr.2" M2.0
„STOPP" E0.3 R Q =
„Schr. 3" M3.0 ≥1

Netzwerk 3: Schritt 3
Zylinder A2 ausfahren

„run" M0.1
„1B2" E0.5
„B2" E1.3 & SR S „Schr. 3" M3.0
„Schr. 2" M2.0
„STOPP" E0.3 R Q =
„Schr. 4" M4.0 ≥1

Netzwerk 4: Schritt 4
Zylinder A2 einfahren

„run" M0.1
„2B2" E0.7 T1
„Schr. 3" M3.0 & 1 0 SR S „Schr. 4" M4.0
„STOPP" E0.3 R Q =
„Schr. 5" M5.0 ≥1

Netzwerk 5: Schritt 5
Zylinder A1 einfahren

„run" M0.1
„2B1" E0.6
„Schr. 4" M4.0 & SR S „Schr.5" M5.0
„STOPP" E0.3 R Q =
„Schr. 6" M6.0 ≥1

Netzwerk 6: Schritt 6
Zylinder A3 ausfahren

„run" M0.1
„1B1" E0.4
„Schr. 5" M5.0 & SR S „Schr.6" M6.0
„STOPP" E0.3 R Q =
„Schr. 7" M7.0 ≥1

Netzwerk 7: Schritt 7
Zylinder A3 einfahren

„run" M0.1
„B2" E1.3
„3B2" E1.1 & SR S „Schr.7" M7.0
„Schr. 6" M6.0
„STOPP" E0.3 R Q =
„Schr. 1" M1.0 ≥1

Befehlsausgabe FC3

Netzwerke 1-6

„Schr. 2" M2.0 A0.0 = (A1 ausfahren)
„Schr. 3" M3.0 A0.2 = (A2 ausfahren)
„Schr. 4" M4.0 A0.3 = (A2 einfahren)
„Schr. 5" M5.0 A0.1 = (A1 einfahren)
„Schr. 6" M6.0 A0.4 = (A3 ausfahren)
„Schr. 7" M7.0 A0.5 = (A3 einfahren)

A

Kennzeichnung: Schrittmerker rot, Weiterschaltbedingungen blau, Über Bedienfeld direkt/indirekt grün

Grundbegriffe, Kennbuchstaben

Grundbegriffe

vgl. DIN IEC 60050-351 (2009-06)

Steuern	Regeln
Beim Steuern wird die Ausgangsgröße, z. B. die Temperatur in einem Härteofen, von der Eingangsgröße, z. B. dem Strom in der Heizwicklung, beeinflusst. Die Ausgangsgröße wirkt auf die Eingangsgröße nicht zurück. Die Steuerung hat einen offenen Wirkungsweg.	Beim Regeln wird die Regelgröße, z. B. die Ist-Temperatur in einem Härteofen, fortlaufend erfasst, mit der Soll-Temperatur als Führungsgröße verglichen und bei Abweichungen an die Führungsgröße angeglichen. Die Regelung hat einen geschlossenen Wirkungskreislauf.

Beispiel: Härteofen

Schemadarstellung

Schemadarstellung

Wirkungsplan der Steuerkette

w Führungsgröße	y Stellgröße	z Störgröße	x Steuergröße
Soll-Temperatur	Strom	Wärmeverluste	Ist-Temperatur

vereinfachter Wirkungsplan des Regelkreises

w Führungsgröße	e Regeldifferenz $e = w - x$	y Stellgröße	z Störgröße	x Regelgröße
Soll-Temperatur		Strom	Wärmeverluste	Ist-Temp.

Aufgabenbezogene Kennbuchstaben

vgl. DIN EN 62424 (2010-01)

Bezeichnungsbeispiel: P D   I C

1. Buchstabe: Kategorie
D Dichte (Density)
E Elektrische Spannung
F Durchfluss (Flow)
G Abstand, Länge, Stellung
H Hand Eingabe – Eingriff
K Zeitfunktion
L Füllstand (Level)
M Feuchte (Moisture)
P Druck (Pressure)
Q Menge/Anzahl (Quantity)
R Strahlung (Radiation)
S Geschw., Drehzahl (Speed)
T Temperatur
W Gewicht, Masse (Weight)

Folgebuchstaben
D Differenz
F Verhältnis
Q Summe, Integral

Beispiel: Differenzdruckregelung

Zusatzinformation[1]
A Störungsmeldung
C selbsttätige Regelung
H oberer Grenzwert
I Anzeige
L unterer Grenzwert
R Registrierung

[1] Darf nur außerhalb des Ovals verwendet werden!

Erläuterung: P Druck
D Differenz
I Anzeige
C Selbsttätige Regelung

umgangssprachlich: Differenzdruckregelung und Anzeige der Druckdifferenz

A

Bildzeichen für Orte und Geräte

vgl. DIN EN 62424 (2010-01)

Ausgabe- und Bedienort		Einwirkung auf die Strecke		Messort, Stellort	
oder	vor Ort, allgemein	○	Stellantrieb, allgemein	———	Bezugslinie
	Prozessleitwarte	⊖↓	Stellantrieb; bei Ausfall der Hilfsenergie wird die Stellung für minimalen Massenstrom oder Energiefluss eingestellt	o—•	Messort, Fühler
	örtlicher Leitstand	⊖↑	Stellantrieb; bei Ausfall der Hilfsenergie wird die Stellung für maximalen Massenstrom oder Energiefluss eingestellt.	▽	Stellglied, Stellort
	vor Ort, realisiert mit einem Prozessleitsystem	⊖‡	Stellantrieb; bei Ausfall der Hilfsenergie bleibt das Stellgerät in der zuletzt eingenommenen Stellung.		
	vor Ort, realisiert mit einem Prozessrechner				

Beispiel:

Temperatur T
Registrierung R
selbsttätige
Regelung C

Temperaturregelung und Registrierung im örtlichen Leitstand Messstelle 310

Lösungsbezogene Bildzeichen für Geräte

vgl. DIN EN 62424 (2010-01)

Sinnbild	Erläuterung	Sinnbild	Erläuterung	Sinnbild	Erläuterung
Aufnehmer		**Regler**		**Stell- und Bediengeräte**	
oder ⊶ T	Aufnehmer für Temperatur, allgemein		Regler, allgemein		Ventilstellglied mit Motor-Antrieb
P	Aufnehmer für Druck	PID	Zweipunktregler mit schaltendem Ausgang und PID-Verhalten		Ventilstellglied mit Magnet-Antrieb
L	Aufnehmer für Stand mit Schwimmer		Dreipunktregler mit schaltendem Ausgang		Signaleinsteller für elektrisches Signal
		Anpasser		**Signalkennzeichen**	
W	Aufnehmer für Gewichtskraft, Waage; anzeigend		Messumformer für Druck mit pneumatischem Signalausgang	⌐ E	Signal, elektrisch
				A	Signal, pneumatisch
				∩	Analogsignal
				#	Digitalsignal
Ausgeber		**Beispiel: Temperaturregler**			
	Basissymbol, Anzeiger allgemein				
	Schreiber, analog, Anzahl der Kanäle als Ziffer				
	Bildschirm				

A

Analoge Regler

Analoge (stetige) Regler	vgl. DIN EN 62424 (2010-01) und DIN IEC 60050-351 (2009-06)

Bei analogen Reglern kann die Stellgröße y innerhalb des Stellbereiches jeden beliebigen Wert annehmen.

Reglerart	Beispiel Niveauregelung, Beschreibung	Übergangsfunktion	Sinnbild[1] Blockdarstellung[2]
P-Regler Proportional wirkender Regler Die Ausgangsgröße ist proportional der Eingangsgröße. P-Regler besitzen eine bleibende Regeldifferenz.		x Regelgröße — Sprungfunktion[3] y Stellgröße — Sprungantwort[4] e Regeldifferenz 	
I-Regler Integral wirkender Regler **I**-Regler sind langsamer als P-Regler, beseitigen aber die Regeldifferenz vollständig.			
PI-Regler Proportional-integral wirkender Regler Beim PI-Regler werden ein P-Regler und ein I-Regler parallel geschaltet.			
D-Regler Differenzierend wirkender Regler	D-Regeleinrichtungen kommen nur zusammen mit P- oder PI-Regeleinrichtungen vor, da reines D-Verhalten bei konstanter Regeldifferenz keine Stellgröße und damit keine Regelung liefert.		
PD-Regler Proportional-differenzierend wirkender Regler	PD-Regler entstehen durch die Parallelschaltung eines P-Reglers mit einem D-Glied. Der D-Anteil ändert die Ausgangsgröße proportional zur Änderungsgeschwindigkeit der Eingangsgröße. Der P-Anteil ändert die Ausgangsgröße proportional zur Eingangsgröße. PD-Regler wirken schnell.		
PID-Regler Proportional-integral-differenzierend wirkender Regler	PID-Regler entstehen durch die Parallelschaltung eines P-, eines I- und eines D-Reglers. Am Anfang reagiert der D-Anteil mit einer großen Steuersignaländerung, danach wird diese Veränderung etwa bis zum Anteil des P-Gliedes verringert, um anschließend durch den Einfluss des I-Gliedes linear anzusteigen.		

A

[1] Sinnbild nach DIN EN 62424
[2] Blockdarstellung nach DIN IEC 60050-351
[3] Signalverlauf am Eingang der Regelstrecke
[4] Signalverlauf am Ausgang der Regelstrecke

Unstetige und digitale Regler

Schaltende (unstetige) Regler

Schaltende Regler verändern die Stellgröße y unstetig durch Schalten in mehreren Stufen.

Reglerart	Beispiel, Beschreibung	Übergangsfunktion, Schaltverhalten	Sinnbild Blockdarstellung
Zweipunktregler	Relais, Heizwicklung, Wärmestrahlung, Kontakte, Bimetall, Sollwerteinsteller	Temp. x / Strom y über t; Schaltstellung 2, Schaltst. 1, Regeldifferenz e	x → 1 / 0 → y
Dreipunktregler	**Klima-Anlage** Bei einer Klima-Anlage können den drei Temperaturbereichen drei Schaltstellungen zugeordnet werden: – Heizung EIN – Heizung/Kühlung AUS – Kühlung EIN	Schaltstellung 3, Schaltstellung 2, Schaltst. 1, Regeldifferenz e	x → 1 / 0 / −1 → y

Digitale Regler (Software-Regler)

Die Funktionsweise des digitalen Reglers ist als Programm im Computer realisiert.

Reglerart	Beispiel (vereinfacht)	Übergangsfunktion	Erläuterung
Computer Speicherprogrammierbare Steuerungen (SPS) Mikrocontroller Mikroprozessoren	**Digitaler PID-Regler** Start → Eingabe der Führungsgröße w → Erfassen der Regelgröße x → Bildung der Regeldifferenz $e = w - x$ → PID-Regelalgorithmus → Ausgabe Stellgröße y	Regeldifferenz-Sprung (e über Zeit t); Einzelanteile: D-Anteil, I-Anteil, P-Anteil (y über Zeit t); Aufsummierung, Sprungantwort (y über Zeit t)	Das Computerprogramm hat folgende Aufgaben: – Bildung der Regeldifferenz e – Berechnung der Stellgröße y auf Grund der programmierten Regelalgorithmen Bei der Sprungantwort werden alle P-, D- und I-Anteile aufsummiert. Die Abtastung der analogen Signale und deren Umwandlung in digitale Werte sowie der interne Programmablauf bewirken eine zeitliche Verzögerung der Regelgröße x (ähnlich wie bei einer T-Strecke).

P-Regelstrecken mit zeitlicher Verzögerung (T-Anteil)

Reglerart	Beispiel	Übergangsfunktion	Erläuterung
P-Strecke mit Verzögerung 1. Ordnung (P-T$_1$-Strecke)	**Füllen eines Gasbehälters** p_1, p_0	x über Zeit t; y über Zeit t	Wird der Druckbehälter durch einen Gasstrom gefüllt, erreicht der Druck p_1 im Behälter allmählich den Druck des Gasstroms.
P-Strecke mit Verzögerung 2. Ordnung (P-T$_2$-Strecke)	**Füllen von zwei Gasbehältern** 1, 2; p_1, p_0	x über Zeit t; y über Zeit t	Werden zwei Behälter hintereinander geschaltet, steigt der Druck p_2 im zweiten Behälter langsamer an als der Druck p_1 im ersten Behälter.

A

Koordinatensysteme, Achsen und Symbole   vgl. DIN EN ISO 9787 (2000-07)

Roboterachsen

Koordinatensystem	Roboter-Hauptachsen zum Positionieren		Roboter-Nebenachsen zum Orientieren
Um Werkstücke oder Werkzeuge im Raum zu handhaben, benötigt man • 3 Freiheitsgrade für die Positionierung und • 3 Freiheitsgrade für die Orientierung	Um einen beliebigen Punkt im Raum zu erreichen, sind 3 Roboter-Hauptachsen notwendig.		3 Roboter-Nebenachsen für die räumliche Orientierung • D (Rollen) • E (Neigen) • P (Gieren)
	Kartesischer Roboter	Gelenkroboter	
	3 translatorische Achsen (T-Achsen) mit den Bezeichnungen X, Y und Z	3 rotatorische Achsen (R-Achsen) mit den Bezeichnungen A, B und C	

Koordinatensysteme   vgl. DIN EN ISO 9787 (2000-07)

Basis-Koordinatensystem

Das Basis-Koordinatensystem bezieht sich
• in der X-Y-Ebene auf die ebene Aufstellfläche
• in der Z-Achse auf die Robotermitte.

Flansch-Koordinatensystem

Das Flansch-Koordinatensystem bezieht sich auf die Abschlussfläche der letzten Roboterhauptachse.

Werkzeug-Koordinatensystem

Der Ursprung des Werkzeugkoordinatensystems liegt im Werkzeugmittelpunkt TCP (Tool Center Point).
Die Geschwindigkeit des Werkzeugmittelpunkts wird als Robotergeschwindigkeit und der Wegverlauf als Roboterbewegungsbahn bezeichnet.

Symbole zur Darstellung von Robotern (Auswahl)   vgl. VDI 2861 (1988-06)

Bezeichnung	Sinnbild	Bezeichnung	Sinnbild	Beispiel RRR-Roboter
Translationsachse (T-Achse)[1]		**Rotationsachse (R-Achse)[2]**		
Translation fluchtend (Teleskop)		Rotation fluchtend		
Translation nicht fluchtend		Rotation nicht fluchtend		
Greifer		Nebenachse (z. B. zum Rollen, Neigen und Gieren)		

[1] Translation = geradlinige Bewegung   [2] Rotation = Drehbewegung

Aufbau von Robotern

vgl. DIN EN ISO 9787 (2000-07)

Mechanische Struktur[1]	Kinematik[2] und Arbeitsraum	Beispiele für Bauformen	Merkmale, Einsatzgebiete
Kartesischer Roboter	**TTT-Kinematik**	Portalroboter	Hauptachsen: • 3 translatorische Einsatzgebiete: • großer Arbeitsraum, deshalb oft in Portalbauweise • Werkzeug- und Werkstückzuführung in Fertigungszellen • Blechbearbeitung durch Laser- und Wasserstrahlschneiden • Palettieren
Zylindrischer Roboter	**RTT-Kinematik**	Ständerroboter	Hauptachsen: • 1 rotatorische • 2 translatorische Einsatzgebiete: • geeignet für schwere Massen • Handhabung von schweren Schmiede- und Gussteilen • Transport von Paletten und Werkzeugkassetten • Be- und Entladen
Polarroboter 1	**RRT-Kinematik**	Vertikaler Schwenkarmroboter	Hauptachsen: • 2 rotatorische • 1 translatorische Einsatzgebiete: • teleskopartige Achse 3, dadurch tiefer Arbeitsraum • Punkt- und einfaches Bahnschweißen, z. B. bei Autokarosserien • Be- und Entladearbeiten bei Druckgießmaschinen
Polarroboter 2 **Typ: SCARA[3]-Roboter**	**RRT-Kinematik**	Horizontaler Schwenkarmroboter	Hauptachsen: • 2 rotatorische als waagrechter Drehgelenkarm • 1 translatorische Einsatzgebiete: • hauptsächlich im Senkrecht-Montagebereich • Punkt- und einfaches Bahnschweißen • Be- und Entladearbeiten
Gelenkroboter	**RRR-Kinematik**	Vertikaler Knickarmroboter	Hauptachsen: • 3 rotatorische Einsatzgebiete: • Handhabungs- und Montagebereich • kompliziertes Bahnschweißen • Lackierarbeiten • Kleben • geringer Platzbedarf bei großem Arbeitsraum

[1] Achsen werden mit Ziffern bezeichnet, wobei die Achse 1 die erste Bewegungsachse ist.
[2] R = Rotationsachse; T = Translationsachse (Bezeichnungen „R" und „T" sind nicht genormt.)
[3] SCARA engl.: Selective Compliance Assembly Robot Arm = Montageroboterarm mit ausgewählter Nachgiebigkeit

A

Greifer, Arbeitssicherheit

Greifer　　　vgl. DIN EN ISO 14539 (2002-12) und VDI 2740 (1995-04)

```
                        ┌──────────┐
                        │ Greifer  │
                        └──────────┘
```

mechanisch	pneumatisch	magnetisch	adhäsiv
	• Sauggreifer	• Elektromagnete	• Klettbandgreifer
	• Spreizfingergreifer	• Dauermagnete	

Fingergreifer	Zangengreifer	Klemmgreifer	Nadelgreifer

Linearer Greifer	Merkmale	Scheren-greifer	Merkmale	feder-belastet	Merkmale	
	1 Beweglich-keitsgrad		Die beiden Greiffinger drehen sich um eine gestellfeste Achse. Häufig eingesetzter Greifer.		Klemmkraft wird durch eine Feder erzeugt. Öffnung des Greifers durch Druck.	
Flächiger Greifer	3 Beweglich-keitsgrade					
Räumlicher Greifer	6 Beweglich-keitsgrade	Parallel-greifer	Die beiden Greiffinger werden parallel zueinander gegenüber dem Greifergehäuse verschoben.	gewichts-belastet	Klemmkraft wird durch das Eigengewicht des Greifobjekts erzeugt. Öffnung des Greifers durch Druck.	Verwendung im Textilbereich. Vier Nagelplatten werden durch einen Spreizkegel nach außen gefahren und greifen den Stoff.

Arbeitssicherheit bei Handhabungs- und Robotersystemen　　vgl. DIN EN ISO 10218-1 (2009-07)

Schutzvorhang mit Sensoren, die wegen des Werkstückwechsels zwischen Mensch und Roboter unterscheiden können.

Sicherheits-Lichtvorhang

Abgegrenzter Raum durch Schutzzaun

Schaltmatte

A

Begriffe	Erläuterungen
Maximaler Raum	Überstrichener Bereich von: • beweglichen Teilen des Roboters • Werkzeugflansch • Werkstück
Eingeschränkter Raum	Ein Teil des maximalen Raums, der im Falle eines vorhersehbaren Ausfalls des Robotersystems nicht überschritten werden darf
Trennende Schutzeinrichtungen	Sperrzäune, Abdeckungen, feste Verkleidungen, Verriegelungseinrichtungen (DIN EN 1088)
Berührungslos wirkende Schutzeinrichtungen	Gefahrenbereichssicherung: Lichtvorhänge und Lichtgitter Flächenüberwachung: Laserscanner Zugangssicherung: Lichtgitter und Lichtschranken

Wichtige sicherheitsrelevante Normen	
DIN EN ISO 12100	Sicherheit von Maschinen – Risikobeurteilung
DIN EN 61496	Sicherheit von Maschinen – berührungslos wirkende Schutzeinrichtungen
DIN EN ISO 13850	Sicherheit an Maschinen – NOT-Aus-Einrichtungen
DIN EN ISO 13855	Sicherheit an Maschinen – Anordnung von Schutzeinrichtungen
DIN EN ISO 7731	Akustische Gefahrensignale

Schutzmaßnahmen

Schutzmaßnahmen gegen elektrischen Schlag

vgl. DIN VDE 0 100-410 (2003-06)

Schutz gegen direktes Berühren und bei indirektem Berühren	**Schutz gegen elektrischen Schlag unter normalen Bedingungen: gegen direktes Berühren**	**Schutz gegen elektrischen Schlag unter Fehlerbedingungen: bei indirektem Berühren**
Schutz durch: – Schutzkleinspannung SELV (engl.: Savety Extra Low Voltage) – Funktionskleinspannung mit sicherer Trennung PELV (engl.: Protective Extra Low Voltage) – Funktionskleinspannung ohne sichere Trennung FELV (engl.: Functional Extra Low Voltage)	Schutz durch: – Schutzisolierung von aktiven Teilen, z. B. Kabel – Umhüllung als Isolierung, z. B. Gehäuse an elektr. Geräten – Abstand, z. B. Schutzhauben, Gehäuse aus Maschinengitter – Hindernisse, z. B. Schutzgitter, Abschrankung	Schutz durch: – automatische Abschaltung oder Meldung, z. B. Fehlerstrom-Schutzeinrichtungen – Potenzialausgleich – nichtleitende Räume, z. B. durch isolierende Beläge – Schutzisolierung, z. B. isolierstoffgekapselte Gehäuse

Zusätzlicher Schutz durch Fehlerstrom-Schutzschalter RCDs:
(engl.: Residual Current Device = Reststrom-Schaltung)

Wirkung von Wechselstrom

vgl. IEC 60479-1 (1994)

Sicherheitskurven für AC 50 Hz von Hand zu Hand oder von Hand zu Fuß bei erwachsenen Personen

Durchströmungsdauer — Körperstrom —

Auslösekennlinie eines FI-Schutzhalters (≤ 30 mA)

Zone	Körperliche Auswirkungen
AC-1	normalerweise keine Wirkung
AC-2	normalerweise keine schädlichen körperlichen Auswirkungen
AC-3	meist kein organischer Schaden, Atemschwierigkeiten (>2s), Muskelkrämpfe
AC-4.1	5-prozentige Wahrscheinlichkeit von Herzkammerflimmern
AC-4.2	bis 50-prozentige Wahrscheinlichkeit von Herzkammerflimmern
AC-4.3	über 50-prozentige Wahrscheinlichkeit von Herzkammerflimmern
AC-4	Herzstillstand, Atemstillstand und schwere Verbrennungen (zunehmend mit Einwirkungsdauer und Stromstärke)

Leitungsschutzsicherungen und Leitungsquerschnitte

vgl. DIN VDE 0 100-430 (1991-11)

Nennstrom der Sicherung I_n in A	Kennfarbe der Sicherung	Mindestquerschnitt in mm² für Cu-Leitungen bei Verlegeart								Nennstrom der Sicherung I_n in A	Kennfarbe der Sicherung	Mindestquerschnitt in mm² für Cu-Leitungen bei Verlegeart							
		A1		B1		B2		C				A1		B1		B2		C	
		und Anzahl der belasteten Adern										und Anzahl der belasteten Adern							
		2	3	3	3	2	3	2	3			2	3	3	3	2	3	2	3
10 (13)	rot	1,5	1,5	1,5	1,5	1,5	1,5	1,5	1,5	25	gelb	4	4	2,5	4	4	4	2,5	2,5
16	grau	1,5	2,5	1,5	1,5	1,5	1,5	1,5	1,5	35	schwarz	6	6	6	6	6	6	4	4
20	blau	2,5	2,5	2,5	2,5	2,5	2,5	1,5	2,5	50	weiß	10	16	10	10	10	10	10	10

Verlegeart von Kabeln und isolierten Leitungen

vgl. DIN VDE 0 298-4 (2003-08)

A1	Verlegung in wärmegedämmten Wänden, im Elektroinstallationsrohr	B2	Verlegung im Elektroinstallationsrohr auf oder in der Wand, im Installationskanal oder hinter Sockelleisten
B1	Verlegung im Elektroinstallationsrohr auf oder in der Wand oder im Installationskanal	C	Verlegung direkt auf oder in der Wand

A

Schutzarten und Explosionsschutz

Schutzarten elektrischer Betriebsmittel
vgl. DIN EN 60529 (2000-09)

Beispiel: **IP 3 4 C M**

| Schutzartkennzeichnung IP (engl.: International Protection = Internationale Schutzart) | 1. Kennziffer für Schutz des Betriebsmittels[1] gegen Eindringen von festen Fremdkörpern | 2. Kennziffer für Schutz des Betriebsmittels[1] gegen Wasser mit schädlicher Wirkung | Zusätzlicher Kennbuchstabe[2] | Ergänzender Buchstabe |

Kenn-ziffer	1. Kennziffer		Kenn-ziffer	2. Kennziffer		Zusätzlicher Kennbuchstabe	
	Berührungsschutz	Fremdkörperschutz		Wasserschutz	Symbol		
0	kein Schutz	kein Schutz	0	kein Schutz	ohne	A	Schutz gegen Berührung mit dem Handrücken
1	Schutz gegen Berührung mit dem Handrücken	Schutz gegen Eindringen von Fremdkörpern $d \geq 50$ mm	1	Schutz gegen senkrechte Tropfen			
2	Schutz gegen Berührung mit dem Finger $d = 12$ mm	Schutz gegen Eindringen von Fremdkörpern $d \geq 12{,}5$ mm	2	Schutz gegen Tropfen, wenn Gerät um 15° geneigt ist		B	Schutz gegen Berührung mit dem Finger $d = 12$ mm, 80 mm lang
3	Schutz gegen Berührung mit einem Werkzeug $d = 2{,}5$ mm	Schutz gegen Eindringen von Fremdkörpern $d \geq 2{,}5$ mm	3	Schutz gegen Sprühwasser, das mit 60° auf das Gerät trifft		C	Schutz gegen Berührung mit einem Werkzeug $d = 2{,}5$ mm, 100 mm lang
4	Schutz gegen Berührung mit einem Draht $d = 1$ mm	Schutz gegen Eindringen von Fremdkörpern $d \geq 1$ mm	4	Schutz gegen Spritzwasser aus allen Richtungen		D	Schutz gegen Berührung mit einem Draht $d = 1$ mm, 100 mm lang
5	Schutz gegen Berührung mit einem Draht $d = 1$ mm	staubgeschützt (Symbol)	5	Schutz gegen Wasserstrahl aus allen Richtungen			**Ergänzender Buchstabe**
6	Schutz gegen Berührung mit einem Draht $d = 1$ mm	staubdicht	6	Schutz gegen starken Wasserstrahl aus allen Richtungen		H	Betriebsmittel für Hochspannung
			7	Schutz gegen zeitweiliges Untertauchen in Wasser		M	geprüft auf Wassereintritt bei laufender Maschine
			8	Schutz gegen dauerndes Untertauchen in Wasser	...kPa	S	geprüft auf Wassereintritt bei stillstehender Maschine
						W	geeignet bei festgelegten Witterungsbedingungen

[1] Ist eine Kennziffer nicht angegeben, steht an deren Stelle der Buchstabe X, z.B. IP X6 oder IP 3X

[2] Wird nur angegeben, wenn der Schutz größer ist als die 1. Kennziffer.

Elektrische Betriebsmittel für explosionsgefährdete Bereiche
vgl. DIN EN 13237 (2003-11)

Beispiel: **EEx de II/B T2**

| Symbol für Explosionsschutz | Zündschutzart | Elektrische Betriebsmittelgruppe | Temperaturklasse |

Kurz-zeichen	Zündschutzart	Gruppe II			Kurz-zeichen	Oberflächen-temperatur
		A	B	C		
		Explosionsgefahr durch Auftreten folgender Gase:				
o	Ölkapselung				T1	450 °C
p	Überdruckkapselung	Methan, Propan, Butan,	Ethylen, Acrylnitril,	Wasserstoff,	T2	300 °C
q	Sandkapselung	Propen, Styrol, Benzol,	Cyanwasserstoff,	Actylen,	T3	200 °C
d	druckfeste Kapselung	Toluol, Naphthalin, Terpentin,	Dimethylether,	Schwefelkohlenstoff, Etylnitrat	T4	135 °C
e	erhöhte Sicherheit	Petroleum, Benzin, Heizöl, Dieselöl, Kohlenmonoxid,	Propylenoxid, Koksofengas,		T5	100 °C
i	Eigensicherheit	Methanol, Metaldehyd, Aceton, Säuren, Chloride	Tetrafluorethylen		T6	85 °C

A

Elektromotoren

vgl. IEC 60034 (2009-11), DIN EN 60617 (1997-08)

Elektromotoren/Eigenschaften (Auswahl)	Symbol	Anwendungsbeispiele
Gleichstrommotor – fremderregt Drehzahl bleibt bei Belastung annähernd konstant, großer Drehzahlbereich bei hohen Leistungen.		Aufzüge, Förderanlagen, Fensterheber- u. Scheibenwischmotoren in Kfz
Wechselstrom-Reihenschlussmotor einphasig (Universalmotor) Wird mit Gleichstrom oder Wechselstrom betrieben. Drehmoment steigt mit sinkender Drehzahl an, d.h. der Motor „zieht durch". Enthält die Verschleißteile Kohlebürsten und Kollektor.		Handbohrmaschinen, Staubsauger, Rührwerke
Drehstrom-Asynchronmotor (Käfigläufer/Kurzschlussläufer) Einfacher Aufbau, robust, wartungsarm, geringer Drehzahlabfall bei Belastung. Drehzahl ist durch Regelungs-Elektronik einstellbar.		Hauptspindelantrieb, Antrieb von Pumpen, Verdichtern und Förderanlagen
Drehstrom-Asynchronmotor (Schleifringläufer) Hohes Anzugsdrehmoment. Enthält die Verschleißteile Kohlebürsten und Kollektor. Drehzahl ist durch Regelungs-Elektronik einstellbar.		Hebezeuge, große Wasserwerkpumpen
Drehstrom-Synchronmotor (Permanentmagneterregung) Sehr hoher Wirkungsgrad, hohe Leistungsfähigkeit bei kompakter Baugröße. Drehzahl ist belastungsunabhängig, damit Eignung als Stellantrieb. Drehzahl ist durch Regelungs-Elektronik einstellbar.		Vorschubantrieb (Servomotor), Hauptspindelantrieb, Roboter
Schrittmotor Genaue Positionierung möglich, geringere Kräfte und Geschwindigkeiten als Servomotoren.		Drucker, Plotter, Linearantrieb

Typenschild Asynchronmotor	Drehmoment-Kennlinie – Asynchronmotor

vgl. Maschinenrichtlinie 2006/42/EG und IEC 60034

1	Asynchronmotor	ASM **100L-2**	9
2	Motorwerk ETM Industriestr. 12 D-45678 Stadt	CE	10
3	**0123456**	**5,41** A	11
4	Δ **400** V	cos φ 0,87	12
5	**3** kW	**50** Hz	13
6	**2890** 1/min	IP **54**	14
7	Isol. Kl. **F**	2014	15
8	**IE2**	Made in Germany	

Bedeutung der Eintragungen auf dem Typenschild

Nr.	Symbol	Bezeichnung	Bemerkungen
1		Art der Maschine	Art des Motors, z.B. Asynchronmotor
2		Hersteller	Firmenname und vollständige Adresse des Herstellers
3		Seriennummer	Diese Nummer wird vom Hersteller vergeben
4	U	Nennspannung	Spannung mit evtl. Anschlussart (z.B. Dreieck)
5	P_N	Nennleistung	Zulässige dauernde mechanische Abgabeleistung
6	n	Nenndrehzahl	Drehzahl bei der Belastung mit der Nennleistung
7		Isolationsklasse	Temperaturfestigkeit der Wicklung[1] vgl. DIN 62114 (2002)
8		Effizienzklasse	IE2 (high efficiency): Mindeststandard für Neumotoren vgl. IEC 60034-30
9		Motortyp	Baureihen- oder Typbezeichnung. Oft Baugröße und Polpaare
10		CE-Kennzeichnung	Zeigt, dass Maschinenrichtlinie u. produktbezogene EG-Richtlinien erfüllt werden
11	I	Nennstrom	Stromaufnahme bei Nennspannung und Nennbelastung
12	$\cos \varphi$	Leistungsfaktor	Phasenwinkel bei Nennspannung und Nennbelastung
13	f	Nennfrequenz	Netzfrequenz, an die der Motor angeschlossen wird
14		Schutzart	Schutz gegen Fremdkörper, Berührung und Wasser[2] vgl. DIN 60529 (2000)
15		Baujahr	Baujahr, in dem der Herstellungsprozess abgeschlossen wurde

[1] max. zulässige Temperatur der Wicklung in °C bei … Umgebungsluft max. 40°C: Y 90°, A 105°, E 120°, B 130°, F 155°
… Umgebungsluft max. 60°C: H 180°, C >180°
Bei Überschreitung der max. Umgebungslufttemperatur verkürzt sich die Lebensdauer des Motors.

[2] Die IP-Kennzahl besteht aus 2 Ziffern gemäß Tabelle S. 450.

A

Elektromotoren

Berechnungsbeispiel:

Ein Asynchronmotor mit 1 Polpaar ist mit dem Typenschild der Seite 451 gekennzeichnet. Gesucht sind: der Schlupf s, der Wirkungsgrad η und das Drehmoment M_t im Nennbetrieb.

$$n_0 = \frac{50\,\frac{1}{s} \cdot 60\,\frac{s}{min}}{1} = 3000\,\frac{1}{min}$$

$$s = \frac{2890\,\frac{1}{min}}{3000\,\frac{1}{min}} \cdot 100\% = 96,3\%$$

$$P_1 = \sqrt{3} \cdot 400\,V \cdot 5,41\,A \cdot 0,87 = 3260,9\,W$$

mit $P_2 = 3000\,W$ folgt: $\eta = \dfrac{3000\,W}{3260,9\,W} \cdot 100\% = 92\%$

$$M_t = 9550 \cdot \frac{3\,kW}{2890\,\frac{1}{min}} = 9,91\,Nm$$

Drehfeld und Schlupf

n_0 Drehzahl (Drehfeld) in 1/Minute
f Frequenz in 1/Sekunde
p Anzahl der Polpaare
s Schlupf
n Drehzahl (Motor) in 1/Minute

Elektrische Leistung (Wirkleistung)

P Wirkleistung in W
U Spannung in V
I Stromstärke in A

Wirkungsgrad und Drehmoment

P_2 Motorleistung in W
P_1 Wirkleistung in W

Zahlenwertgleichung
M_t Drehmoment in Nm
P Motorleistung in kW
n Drehzahl in 1/Minute

Drehfelddrehzahl

$$n_0 = \frac{f \cdot 60\,\frac{s}{min}}{p}$$

Schlupf (Asynchronmotor)

$$s = \frac{n}{n_0} \cdot 100\%$$

Gleichstrommotor

$$P = U \cdot I$$

Wechselstrommotor

$$P = U \cdot I \cdot \cos\varphi$$

Drehstrommotor

$$P = \sqrt{3} \cdot U \cdot I \cdot \cos\varphi$$

Wirkungsgrad des Motors

$$\eta = \frac{P_2}{P_1} \cdot 100\%$$

Drehmoment des Motors

$$M_t = 9550 \cdot \frac{P}{n}$$

Schutzklassen   vgl. DIN EN 61140 (2007-03)

Schutz gegen gefährliche Spannung (s. S. 449) durch:

Schutzleiter	Schutzisolierung	Schutzkleinspannung
Gehäuse wird geerdet	stromführende Bauteile sind verstärkt isoliert	ungefährliche Spannung (Batterien, Sicherheitstrafo)

Kennzeichnung von Leitern und Anschlüssen   vgl. DIN EN 60445 (2011-10)

Art des Leiters		Kurzzeichen	Farbe des Leiters	Bildzeichen	Beispiel Gleichrichterschaltung
Wechselstromnetz	Außenleiter 1	L1	schwarz[1]		
	Außenleiter 2	L2	schwarz[1]		
	Außenleiter 3	L3	schwarz[1]		
	Neutralleiter	N	hellblau		
Schutzleiter		PE	grün-gelb		
PEN-Leiter (Neutralleiter mit Schutzfunktion, PE + N)		PEN	grün-gelb[2]		
Erder		E	schwarz[1]		

Betriebsmittelanschlüsse

Anschluss für	Kennzeichnung	Beispiel
Außenleiter 1	U	
Außenleiter 2	V	
Außenleiter 3	W	

Kurzschlussläufermotor in Sternschaltung

M 3~   Klemmenbrett

 A

[1] Farbe ist nicht festgelegt. Empfohlen wird schwarz, für Unterscheidung braun. Nicht verwendet werden darf grün-gelb.

[2] PEN-Leiter haben durchgängig eine grün-gelbe Aderfarbe. Um Verwechslungen mit dem PE-Leiter zu vermeiden, sind PEN-Leiter an den Leitungsenden zusätzlich hellblau gekennzeichnet, z. B. mit einem Leitungsclip oder Klebeband.

Verzeichnis der zitierten Normen und anderer Regelwerke

Verzeichnis der zitierten Normen und anderer Regelwerke

Verzeichnis der zitierten Normen und anderer Regelwerke

Verzeichnis der zitierten Normen und anderer Regelwerke

Sachwortverzeichnis

A

B

G

H

M

N

EUROPA-FACHBUCHREIHE
für Metallberufe

Roland Gomeringer   Volker Menges   Claudius Scholer

Max Heinzler   Friedrich Näher   Andreas Stephan

Roland Kilgus   Stefan Oesterle   Falko Wieneke

Formeln für Metallberufe

11. Auflage

Bildbearbeitung:
Zeichenbüro des Verlages Europa-Lehrmittel, Ostfildern

Druck   5   4   3   2
Alle Drucke derselben Auflage sind parallel einsetzbar, da sie bis auf die Behebung von Druck-
fehlern unverändert sind.

© 2014 by Verlag Europa-Lehrmittel, Nourney, Vollmer GmbH & Co. KG, 42781 Haan-Gruiten
http://www.europa-lehrmittel.de

Satz: Satz+Layout Werkstatt Kluth GmbH, 50374 Erftstadt
Druck: M.P. Media-Print Informationstechnologie GmbH, 33100 Paderborn

Europa-Nr.: 10714   ISBN 978-3-8085-1214-2

VERLAG EUROPA-LEHRMITTEL · Nourney, Vollmer GmbH & Co. KG
Düsselberger Straße 23 · 42781 Haan-Gruiten

Umrechnung von Einheiten

Diese Formelsammlung gibt zu allen Größen einer Formel immer das Formelzeichen und eine Einheit an. Setzt man bei Berechnungen die gegebenen Größen in den vorgeschlagenen Einheiten in die Formel ein, erhält man auch die gesuchte Größe in der angegebenen Einheit.

Beispiel:

Formel für die Leistung $P = F \cdot v$ (Seite 24) mit	P Leistung	W
	F Kraft	N
	v Geschwindigkeit	m/s

Berechnungsbeispiel: $F = 12$ kN, $v = 300$ m/min; $P = ?$ kW

Umrechnung der Einheiten: $F = 12$ kN $= 12\,000$ N

                                  $v = 300$ m/min $= 300$ m $/$ 60 s $= 5$ m/s

Lösung: $P = F \cdot v = 12\,000$ N $\cdot 5$ m/s $= \mathbf{60\,000\ W} = 60$ kW

<table>
<tr>
<th colspan="2">Größe</th>
<th colspan="2">Einheit</th>
<th rowspan="2">Umrechnung in andere Einheiten</th>
</tr>
<tr>
<th>Beispiel</th>
<th>Formel-zeichen</th>
<th>Name</th>
<th>Zei-chen</th>
</tr>
<tr>
<td colspan="5">Länge</td>
</tr>
<tr>
<td rowspan="2">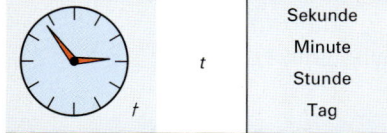</td>
<td rowspan="2">l</td>
<td rowspan="2">Meter</td>
<td rowspan="2">m</td>
<td>1 m   = 10 dm = 100 cm = 1000 mm
1 mm = 1000 µm
1 µm = $\dfrac{1}{1000}$ mm; 1 km = 1000 m</td>
</tr>
<tr>
<td colspan="5">Fläche</td>
</tr>
<tr>
<td>A, S</td>
<td>Quadratmeter</td>
<td>m²</td>
<td>1 m² = 100 dm² = 10 000 cm² = 1 000 000 mm²
1 dm² = 100 cm² = 10 000 mm²
1 cm² = 100 mm²
1 a   = 100 m²   } nur für Grundstücksflächen
1 ha = 10 000 m²</td>
</tr>
<tr>
<td colspan="5">Volumen und Hohlmaße</td>
</tr>
<tr>
<td>V</td>
<td>Kubikmeter

Liter</td>
<td>m³

l, L</td>
<td>1 m³ = 1000 dm³ = 1 000 000 cm³
1 dm³ = 1000 cm³
1 cm³ = 1000 mm³
1 l   = 1 L = 1 dm³ = 0,001 m³
1 dl   = 100 cm³;   1 ml = 1 cm³</td>
</tr>
<tr>
<td colspan="5">Winkel (eben)</td>
</tr>
<tr>
<td>α, β, γ</td>
<td>Grad

Minute

Sekunde</td>
<td>°

'

''</td>
<td>$1° = 60'$ für Drehbewegungen auch
$1' = \dfrac{1°}{60} = 60'' = 0,016\bar{6}°$ Radiant   rad
$1'' = \dfrac{1°}{3600} = \dfrac{1'}{60}$ $1\text{ rad} = \dfrac{180°}{\pi} \approx 57,296°$</td>
</tr>
<tr>
<td colspan="5">Zeit</td>
</tr>
<tr>
<td>t</td>
<td>Sekunde
Minute
Stunde
Tag</td>
<td>s
min
h
d</td>
<td>$1\text{ s} = \dfrac{1}{60}$ min
$1\text{ min} = 60\text{ s} = \dfrac{1}{60}$ h
$1\text{ h} = 60\text{ min} = 3600\text{ s}$
$1\text{ d} = 24\text{ h}$</td>
</tr>
<tr>
<td colspan="5">Drehzahl, Drehfrequenz</td>
</tr>
<tr>
<td></td>
<td>n</td>
<td>1 pro Sekunde

1 pro Minute</td>
<td>1/s

1/min</td>
<td>$1/\text{s} = 60/\text{min} = 60\text{ min}^{-1}$

$1/\text{min} = 1\text{ min}^{-1} = \dfrac{1}{60\text{ s}}$</td>
</tr>
</table>

Umrechnung von Einheiten

Größe		Einheit		Umrechnung in andere Einheiten
Beispiel	Formel-zeichen	Name	Zei-chen	

Geschwindigkeit

	v	Meter pro Sekunde	m/s	1 m/s $= 60$ m/min $= 3{,}6$ km/h
		Meter pro Minute	m/min	1 m/min $= \dfrac{1}{60}\ \dfrac{m}{s} = 0{,}0167\ \dfrac{m}{s}$
		Kilometer pro Stunde	km/h	1 km/h $= \dfrac{1}{3{,}6}\ \dfrac{m}{s} = 0{,}278\ \dfrac{m}{s}$

Winkelgeschwindigkeit

	ω	1 pro Sekunde	$\dfrac{1}{s}$	$\dfrac{1}{s} = 1\ \dfrac{rad}{s} \approx \dfrac{57{,}296°}{s}$

Masse

	m	Kilogramm	kg	1 kg $= 1000$ g
		Gramm	g	1 g $= 1000$ mg
		Tonne	t	1 t $= 1000$ kg $= 1$ Mg

Dichte

	ϱ	Kilogramm pro Meter hoch drei	kg/m³	1 t/m³ = 1 kg/dm³ = 1 g/cm³ = 1 mg/mm³ bei Gasen: 1 kg/m³ = 1 g/dm³

Kraft, Gewichtskraft

	F, F_G	Newton	N	1 N $= 1\ \dfrac{kg \cdot m}{s^2}$ 1 daN $= 10$ N 1 kN $= 1000$ N $= 10^3$ N 1 MN $= 10^3$ kN $= 1\,000\,000$ N $= 10^6$ N

Druck, mechanische Spannung

	p σ, τ	Pascal Bar Newton pro Meter hoch zwei	Pa bar N/m²	1 Pa $= 1$ N/m² $= 0{,}01$ mbar 1 bar $= 100\,000$ N/m² $= 10^5$ Pa 1 bar $= 10$ N/cm² $= 1$ daN/cm² $= 0{,}1$ N/mm² 1 mbar $= 100$ Pa $= 1$ hPa 1 N/mm² $= 100$ N/cm² $= 1\,000\,000$ N/m² $= 1$ MPa 1 N/mm² $= 10$ bar

Arbeit, Energie, Wärmemenge

	W, E, Q	Joule	J	1 J $= 1$ N·m $= 1$ W·s $= 1\ \dfrac{kg \cdot m^2}{s^2}$ 1 kW·h $= 3\,600\,000$ W·s 1 kW·h $= 3600$ kJ $= 3{,}6 \cdot 10^6$ J $= 3{,}6$ MJ

Leistung, Wärmestrom

	P, Φ	Watt	W	1 W $= 1$ J/s $= 1\ \dfrac{N \cdot m}{s} = 1\ \dfrac{kg \cdot m^2}{s^3}$ 1 W $= 1$ V · A 1 kW $= 1000$ W $= 1$ kJ/s $= 1\ \dfrac{kN \cdot m}{s}$ ($= 1{,}36$ PS) 1 MW $= 1\,000\,000$ W $= 10^6$ W 1 PS $= \dfrac{1}{1{,}36}$ kW $= 0{,}736$ kW

Größen und Einheiten

Zahlenwerte und Einheiten

Physikalische Größe
10 mm
Zahlenwert Einheit

Physikalische Größen, z. B. 125 mm, bestehen aus einem
- **Zahlenwert** und aus einer
- **Einheit**, z. B. mm, kg

Sehr große oder sehr kleine Zahlenwerte lassen sich über Vorsatzzeichen als dezimale Vielfache oder Teile vereinfacht darstellen, z. B. 0,004 mm = 4 µm.

Dezimale Vielfache oder Teile von Einheiten

Vorsatz-Zeichen	Name	Zehner-potenz	Mathematische Bezeichnung	Beispiele
T	Tera	10^{12}	Billion	$12\,000\,000\,000\,000$ N = $12 \cdot 10^{12}$ N = 12 TN (Tera-Newton)
G	Giga	10^9	Milliarde	$45\,000\,000\,000$ W = $45 \cdot 10^9$ W = 45 GW (Giga-Watt)
M	Mega	10^6	Million	$8\,500\,000$ V = $8,5 \cdot 10^6$ V = 8,5 MV (Mega-Volt)
k	Kilo	10^3	Tausend	$12\,600$ W = $12,6 \cdot 10^3$ W = 12,6 kW (Kilo-Watt)
h	Hekto	10^2	Hundert	500 l = $5 \cdot 10^2$ l = 5 hl (Hekto-Liter)
da	Deka	10^1	Zehn	32 N = $3,2 \cdot 10^1$ N = 3,2 daN (Deka-Newton)
–	–	10^0	Eins	1,5 m = $1,5 \cdot 10^0$ m
d	Dezi	10^{-1}	Zehntel	0,5 l = $5 \cdot 10^{-1}$ l = 5 dl (Dezi-Liter)
c	Zenti	10^{-2}	Hundertstel	0,25 m = $25 \cdot 10^{-2}$ m = 25 cm (Zenti-Meter)
m	Milli	10^{-3}	Tausendstel	0,375 A = $375 \cdot 10^{-3}$ A = 375 mA (Milli-Ampere)
µ	Mikro	10^{-6}	Millionstel	0,000052 m = $52 \cdot 10^{-6}$ m = 52 µm (Mikro-Meter)
n	Nano	10^{-9}	Milliardstel	0,000000075 m = $75 \cdot 10^{-9}$ m = 75 nm (Nano-Meter)
p	Piko	10^{-12}	Billionstel	0,000000000006 F = $6 \cdot 10^{-12}$ F = 6 pF (Pico-Farad)

Umrechnung von Einheiten

Berechnungen mit physikalischen Größen sind nur dann möglich, wenn sich ihre Einheiten jeweils auf eine Basis beziehen. Bei der Lösung von Aufgaben müssen Einheiten häufig auf Basiseinheiten umgerechnet werden, z. B. mm in m, s in h, mm² in m². Dies geschieht durch Umrechnungsfaktoren, die den Wert 1 (kohärente Einheiten) darstellen.

Umrechnungsfaktoren für Einheiten (Auszug)

Größe	Umrechnungsfaktoren	Größe	Umrechnungsfaktoren
Längen	$1 = \dfrac{10\ mm}{1\ cm} = \dfrac{1000\ mm}{1\ m} = \dfrac{1\ m}{1000\ mm} = \dfrac{1\ km}{1000\ m}$	Zeit	$1 = \dfrac{60\ min}{1\ h} = \dfrac{3600\ s}{1\ h} = \dfrac{60\ s}{1\ min} = \dfrac{1\ min}{60\ s}$
Flächen	$1 = \dfrac{100\ mm^2}{1\ cm^2} = \dfrac{100\ cm^2}{1\ dm^2} =$	Winkel	$1 = \dfrac{60'}{1°} = \dfrac{60''}{1'} = \dfrac{3600''}{1°} = \dfrac{1°}{60''}$
Volumen	$1 = \dfrac{1000\ mm^3}{1\ cm^3} = \dfrac{1000\ cm^3}{1\ dm^3} =$	Zoll	1 inch = 25,4 mm; 1 mm = $\dfrac{1}{25,4}$ inch

1. Beispiel:

Das Volumen $V = 3416\ mm^3$ ist in cm³ umzurechnen.

$$V = 3416\ mm^3 = \frac{1\ cm^3 \cdot 3416\ mm^3}{1000\ mm^3} = \frac{3416\ cm^3}{1000} = \mathbf{3,416\ cm^3}$$

2. Beispiel:

Die Winkelangabe $\alpha = 42° \, 16'$ ist in Grad (°) auszudrücken.

$$\alpha = 42° + 16' \cdot \frac{1°}{60'} = 42° + \frac{16 \cdot 1°}{60} = 42° + 0,267° = \mathbf{42,267°}$$

Umstellen von Formeln

Umstellen von Formeln

Formeln und Zahlenwertgleichungen werden umgestellt, damit die gesuchte Größe allein auf der linken Seite der Gleichung steht. Dabei darf sich der Wert der linken und der rechten Formelseite nicht ändern.

Zur Rekonstruktion der einzelnen Schritte ist es sinnvoll, jeden Schritt rechts neben der Formel zu kennzeichnen:

$| \cdot t \rightarrow$ beide Formelseiten werden mit t multipliziert.

$| : F \rightarrow$ beide Formelseiten werden durch F dividiert.

Umstellung von Summen

Beispiel: Formel $L = l_1 + l_2$, Umstellung nach l_2

① $L = l_1 + l_2$	$\| - l_1$	l_1 subtrahieren	③ $L - l_1 = l_2$	Seiten vertauschen
② $L - l_1 = l_1 + l_2 - l_1$		subtrahieren durchführen	④ $l_2 = L - l_1$	umgestellte Formel

Umstellung von Produkten

Beispiel: Formel $A = l \cdot b$, Umstellung nach l

① $A = l \cdot b$	$\| : b$	dividieren durch b	③ $\dfrac{A}{b} = l$	Seiten vertauschen
② $\dfrac{A}{b} = \dfrac{l \cdot b}{b}$		kürzen mit b	④ $l = \dfrac{A}{b}$	umgestellte Formel

Umstellung von Brüchen

Beispiel: Formel $n = \dfrac{l}{l_1 + s}$, Umstellung nach s

① $n = \dfrac{l}{l_1 + s}$	$\| \cdot (l_1 + s)$	mit $(l_1 + s)$ multiplizieren	④ $n \cdot l_1 - n \cdot l + n \cdot s = l - n \cdot l_1 \quad \| : n$	subtrahieren dividieren durch n
② $n \cdot (l_1 + s) = \dfrac{l \cdot (l_1 + s)}{(l_1 + s)}$		rechte Formelseite kürzen Klammer auflösen	⑤ $\dfrac{s \cdot n}{n} = \dfrac{l - n \cdot l_1}{n}$	linke Formelseite kürzen mit n
③ $n \cdot l_1 + n \cdot s = l$	$\| - n \cdot l_1$	$- n \cdot l_1$ subtrahieren	⑥ $s = \dfrac{l - n \cdot l_1}{n}$	umgestellte Formel

Umstellung von Wurzeln

Beispiel: Formel $c = \sqrt{a^2 + b^2}$, Umstellung nach a

① $c = \sqrt{a^2 + b^2}$	$\| \ (\ )^2$	Formel quadrieren	④ $a^2 = c^2 - b^2$	$\| \sqrt{}$ Wurzelzeichen einfügen
② $c^2 = a^2 + b^2$	$\| - b^2$	b^2 subtrahieren	⑤ $\sqrt{a^2} = \sqrt{c^2 - b^2}$	linke Formelseite radizieren
③ $c^2 - b^2 = a^2 + b^2 - b^2$		subtrahieren, Seite tauschen	⑥ $a = \sqrt{c^2 - b^2}$	umgestellte Formel

Winkelarten, Strahlensatz, Winkel im Dreieck, Satz des Pythagoras

Winkelarten

g Gerade
g_1, g_2 parallele Geraden
α, β Stufenwinkel
β, δ Scheitelwinkel
α, δ Wechselwinkel
α, γ Nebenwinkel

Werden zwei Parallelen durch eine Gerade geschnitten, so bestehen unter den dabei gebildeten Winkeln geometrische Beziehungen.

Stufenwinkel
$$\alpha = \beta$$

Scheitelwinkel
$$\beta = \delta$$

Wechselwinkel
$$\alpha = \delta$$

Nebenwinkel
$$\alpha + \gamma = 180°$$

Strahlensatz

a_1, a_2 Abschnitte zweier Parallelen
b_1, b_2 Abschnitte einer Geraden
D, d Abschnitte einer Geraden

Werden zwei Geraden durch zwei Parallelen geschnitten, so bilden die zugehörigen Strahlenabschnitte gleiche Verhältnisse.

Strahlensatz
$$\frac{a_1}{a_2} = \frac{b_1}{b_2} = \frac{\frac{d}{2}}{\frac{D}{2}}$$

$$\frac{a_1}{b_1} = \frac{a_2}{b_2} \qquad \frac{b_1}{d} = \frac{b_2}{D}$$

Winkelsumme im Dreieck

a, b, c Dreieckseiten
α, β, γ Winkel im Dreieck

In jedem Dreieck ist die Summe der Innenwinkel 180°.

Winkelsumme im Dreieck
$$\alpha + \beta + \gamma = 180°$$

Lehrsatz des Pythagoras

Im **rechtwinkligen Dreieck** ist das Hypotenusenquadrat flächengleich der Summe der beiden Kathetenquadrate.

a Kathete   mm
b Kathete   mm
c Hypotenuse   mm

Quadrat über der Hypotenuse
$$c^2 = a^2 + b^2$$

Länge der Hypotenuse
$$c = \sqrt{a^2 + b^2}$$

Länge der Katheten
$$a = \sqrt{c^2 - b^2}$$
$$b = \sqrt{c^2 - a^2}$$

Winkelfunktionen

Winkelfunktionen im rechtwinkligen Dreieck

Bezeichnungen im rechtwinkligen Dreieck	Bezeichnungen der Seitenverhältnisse		Anwendung	
			für ∢ α	für ∢ β
	Sinus $= \dfrac{\text{Gegenkathete}}{\text{Hypotenuse}}$		$\sin \alpha = \dfrac{a}{c}$	$\sin \beta = \dfrac{b}{c}$
c Hypotenuse a Gegenkathete von α b Ankathete von α	**Kosinus** $= \dfrac{\text{Ankathete}}{\text{Hypotenuse}}$		$\cos \alpha = \dfrac{b}{c}$	$\cos \beta = \dfrac{a}{c}$
c Hypotenuse a Ankathete von β b Gegenkathete von β	**Tangens** $= \dfrac{\text{Gegenkathete}}{\text{Ankathete}}$		$\tan \alpha = \dfrac{a}{b}$	$\tan \beta = \dfrac{b}{a}$
	Kotangens $= \dfrac{\text{Ankathete}}{\text{Gegenkathete}}$		$\cot \alpha = \dfrac{b}{a}$	$\cot \beta = \dfrac{a}{b}$

Beziehungen zwischen den Funktionen eines Winkels

	$\sin^2 \alpha + \cos^2 \alpha = 1$	$\tan \alpha \cdot \cot \alpha = 1$
	$\tan \alpha = \dfrac{\sin \alpha}{\cos \alpha}$	$\cot \alpha = \dfrac{\cos \alpha}{\sin \alpha}$

Arcus-Funktion[1] Schreibweise	Beispiel
Arcus-Sinus asin, arcsin, sin⁻¹	$\sin \alpha = 0{,}5 \rightarrow \arcsin 0{,}5 = 30°$ Winkel $\alpha = 30°$
Arcus-Cosinus acos, arccos, cos⁻¹	$\cos \beta = 0{,}5 \rightarrow \arccos 0{,}5 = 60°$ Winkel $\beta = 60°$
Arcus-Tangens atan, arctan, tan⁻¹	$\tan \gamma = 1{,}0 \rightarrow \arctan 1{,}0 = 45°$ Winkel $\gamma = 45°$

Die Berechnung eines Winkels erfolgt mit der Arcus-Funktion[1] (Umkehrfunktion oder Inverse Funktion) aus der Winkelfunktion. Sie beschreibt die Weite eines Winkels in Grad (°) oder als Bogenmaß (rad).

[1] lat. arcus: der Bogen

Winkelfunktionen im schiefwinkligen Dreieck

	Sinussatz	
	$a : b : c = \sin \alpha : \sin \beta : \sin \gamma$ $\dfrac{a}{\sin \alpha} = \dfrac{b}{\sin \beta} = \dfrac{c}{\sin \gamma}$	$a = \dfrac{b \cdot \sin \alpha}{\sin \beta} = \dfrac{c \cdot \sin \alpha}{\sin \gamma}$ $b = \dfrac{a \cdot \sin \beta}{\sin \alpha} = \dfrac{c \cdot \sin \beta}{\sin \gamma}$ $c = \dfrac{b \cdot \sin \gamma}{\sin \beta} = \dfrac{a \cdot \sin \gamma}{\sin \alpha}$

	Kosinussatz	
	$a^2 = b^2 + c^2 - 2 \cdot b \cdot c \cdot \cos \alpha$ $b^2 = a^2 + c^2 - 2 \cdot a \cdot c \cdot \cos \beta$ $c^2 = a^2 + b^2 - 2 \cdot a \cdot b \cdot \cos \gamma$	$\cos \alpha = \dfrac{b^2 + c^2 - a^2}{2 \cdot bc}$ $\cos \beta = \dfrac{a^2 + c^2 - b^2}{2 \cdot ac}$ $\cos \gamma = \dfrac{a^2 + b^2 - c^2}{2 \cdot ab}$

Werte der Winkelfunktionen

Grad	sin	cos	tan	cot	Grad	sin	cos	tan	cot
0°	0,0000	1,0000	0,0000	∞	45°	0,7071	0,7071	1,0000	1,0000
1°	0,0175	0,9999	0,0175	57,290	46°	0,7193	0,6947	1,0355	0,9657
2°	0,0349	0,9994	0,0349	28,636	47°	0,7314	0,6820	1,0724	0,9325
3°	0,0523	0,9986	0,0524	19,081	48°	0,7431	0,6691	1,1106	0,9004
4°	0,0698	0,9976	0,0699	14,301	49°	0,7547	0,6561	1,1504	0,8693
5°	0,0872	0,9962	0,0875	11,430	50°	0,7660	0,6428	1,1918	0,8391
6°	0,1045	0,9945	0,1051	9,5144	51°	0,7771	0,6293	1,2349	0,8098
7°	0,1219	0,9925	0,1228	8,1443	52°	0,7880	0,6157	1,2799	0,7813
8°	0,1392	0,9903	0,1405	7,1154	53°	0,7986	0,6018	1,3270	0,7536
9°	0,1564	0,9877	0,1584	6,3138	54°	0,8090	0,5878	1,3764	0,7265
10°	0,1736	0,9848	0,1763	5,6713	55°	0,8192	0,5736	1,4281	0,7002
11°	0,1908	0,9816	0,1944	5,1446	56°	0,8290	0,5592	1,4826	0,6745
12°	0,2079	0,9781	0,2126	4,7046	57°	0,8387	0,5446	1,5399	0,6494
13°	0,2250	0,9744	0,2309	4,3315	58°	0,8480	0,5299	1,6003	0,6249
14°	0,2419	0,9703	0,2493	4,0108	59°	0,8572	0,5150	1,6643	0,6009
15°	0,2588	0,9659	0,2679	3,7321	60°	0,8660	0,5000	1,7321	0,5774
16°	0,2756	0,9613	0,2867	3,4874	61°	0,8746	0,4848	1,8040	0,5543
17°	0,2924	0,9563	0,3057	3,2709	62°	0,8829	0,4695	1,8807	0,5317
18°	0,3090	0,9511	0,3249	3,0777	63°	0,8910	0,4540	1,9626	0,5095
19°	0,3256	0,9455	0,3443	2,9042	64°	0,8988	0,4384	2,0503	0,4877
20°	0,3420	0,9397	0,3640	2,7475	65°	0,9063	0,4226	2,1445	0,4663
21°	0,3584	0,9336	0,3839	2,6051	66°	0,9135	0,4067	2,2460	0,4452
22°	0,3746	0,9272	0,4040	2,4751	67°	0,9205	0,3907	2,3559	0,4245
23°	0,3907	0,9205	0,4245	2,3559	68°	0,9272	0,3746	2,4751	0,4040
24°	0,4067	0,9135	0,4452	2,2460	69°	0,9336	0,3584	2,6051	0,3839
25°	0,4226	0,9063	0,4663	2,1445	70°	0,9397	0,3420	2,7475	0,3640
26°	0,4384	0,8988	0,4877	2,0503	71°	0,9455	0,3256	2,9042	0,3443
27°	0,4540	0,8910	0,5095	1,9626	72°	0,9511	0,3090	3,0777	0,3249
28°	0,4695	0,8829	0,5317	1,8807	73°	0,9563	0,2924	3,2709	0,3057
29°	0,4848	0,8746	0,5543	1,8040	74°	0,9613	0,2756	3,4874	0,2867
30°	0,5000	0,8660	0,5774	1,7321	75°	0,9659	0,2588	3,7321	0,2679
31°	0,5150	0,8572	0,6009	1,6643	76°	0,9703	0,2419	4,0108	0,2493
32°	0,5299	0,8480	0,6249	1,6003	77°	0,9744	0,2250	4,3315	0,2309
33°	0,5446	0,8387	0,6494	1,5399	78°	0,9781	0,2079	4,7046	0,2126
34°	0,5592	0,8290	0,6745	1,4826	79°	0,9816	0,1908	5,1446	0,1944
35°	0,5736	0,8192	0,7002	1,4281	80°	0,9848	0,1736	5,6713	0,1763
36°	0,5878	0,8090	0,7265	1,3764	81°	0,9877	0,1564	6,3138	0,1584
37°	0,6018	0,7986	0,7536	1,3270	82°	0,9903	0,1392	7,1154	0,1405
38°	0,6157	0,7880	0,7813	1,2799	83°	0,9925	0,1219	8,1443	0,1228
39°	0,6293	0,7771	0,8098	1,2349	84°	0,9945	0,1045	9,5144	0,1051
40°	0,6428	0,7660	0,8391	1,1918	85°	0,9962	0,0872	11,430	0,0875
41°	0,6561	0,7547	0,8693	1,1504	86°	0,9976	0,0698	14,301	0,0699
42°	0,6691	0,7431	0,9004	1,1106	87°	0,9986	0,0523	19,081	0,0524
43°	0,6820	0,7314	0,9325	1,0724	88°	0,9994	0,0349	28,636	0,0349
44°	0,6947	0,7193	0,9657	1,0355	89°	0,9999	0,0175	57,290	0,0175
45°	0,7071	0,7071	1,0000	1,0000	90°	1,0000	0,0000	∞	0,0000

Schlussrechnung, Prozentrechnung, Zinsrechnung

Schlussrechnung

Dreisatz für direkt proportionale Verhältnisse

Beispiel:

60 Rohrkrümmer wiegen 330 kg. Wie groß ist das Gewicht von 35 Rohrkrümmern?

1. Satz: | Behauptung | 60 Rohrkrümmer wiegen 330 kg

2. Satz: | Berechnung der Einheit: durch Dividieren |

$\qquad$ 1 Rohrkrümmer wiegt $\dfrac{330 \text{ kg}}{60}$

3. Satz: | Berechnung der Mehrheit: durch Multiplizieren |

$\qquad$ 35 Rohrkrümmer wiegen $\dfrac{330 \text{ kg} \cdot 35}{60}$ = **192,5 kg**

Dreisatz für indirekt proportionale Verhältnisse

Beispiel:

3 Arbeiter benötigen für einen Auftrag 170 Stunden. Wie viele Stunden benötigen 12 Arbeiter für den gleichen Auftrag?

1. Satz: | Behauptung | 3 Arbeiter benötigen 170 Stunden

2. Satz: | Berechnung der Einheit: durch Multiplizieren |

$\qquad$ 1 Arbeiter benötigt 3 · 170 h

3. Satz: | Berechnung der Mehrheit: durch Dividieren |

$\qquad$ 12 Arbeiter benötigen $\dfrac{3 \cdot 170 \text{ h}}{12}$ = **42,5 h**

Prozentrechnung

Der **Prozentsatz** gibt an, wie viel Prozent gerechnet werden sollen.
Der **Grundwert** ist der Wert, von dem die Prozente zu rechnen sind.
Der **Prozentwert** ist der Betrag, den die Prozente des Grundwertes ergeben.

P_s Prozentsatz, Prozent $\qquad$ %
P_w Prozentwert $\qquad$ –
G_w Grundwert $\qquad$ –

Prozentwert

$$P_w = \frac{G_w \cdot P_s}{100\,\%}$$

Zinsrechnung

K_0	Anfangskapital	EUR (€)	1 Zinsjahr (1 a) = 360 Tage (360 d)
K_t	Endkapital	EUR (€)	360 d = 12 Monate
Z	Zinsen	EUR (€)	1 Zinsmonat = 30 Tage
p	Zinssatz pro Jahr	%/a	
t	Laufzeit in Tagen, Verzinsungszeit	d	

Zins

$$Z = \frac{K_0 \cdot p \cdot t}{100\,\% \cdot 360}$$

Zinseszinsrechnung bei Einmalzahlung

K_0	Anfangskapital	EUR (€)	n	Laufzeit in Jahren	a
K_n	Endkapital	EUR (€)	q	Aufzinsungsfaktor	–
Z	Zinsen	EUR (€)	p	Zinssatz pro Jahr	%

Endkapital

$$K_n = K_0 \cdot q^n$$

Aufzinsungsfaktor

$$q = 1 + \frac{p}{100\,\%}$$

Längen

Teilung von Längen

Randabstand = Teilung

l	Gesamtlänge	mm
p	Teilung	mm
n	Anzahl der Bohrungen, Sägeschnitte …	–

Teilung

$$p = \frac{l}{n+1}$$

$$l = p \cdot (n+1)$$

Randabstand ≠ Teilung

l	Gesamtlänge	mm
p	Teilung	mm
n	Anzahl der Bohrungen, Sägeschnitte …	–
a, b	Randabstände	mm

Teilung

$$p = \frac{l-(a+b)}{n-1}$$

$$l = p \cdot (n-1) + a + b$$

$$n = \frac{l-(a+b)}{p} + 1$$

Trennen von Teilstücken

l	Stablänge	mm
l_s	Länge eines Teiles	mm
z	Anzahl der Teile	–
s	Breite der Sägeschnitte	mm
l_R	Restlänge	mm

Anzahl der Teile

$$z = \frac{l}{l_s + s}$$

$$l = z \cdot (l_s + s)$$

Restlänge

$$l_R = l - z \cdot (l_s + s)$$

Gestreckte Länge kreisförmiger Bauteile

l	gestreckte Länge	mm
d	Innendurchmesser	mm
d_m	mittlerer Durchmesser	mm
D	Außendurchmesser	mm
α	Mittelpunktswinkel	°
s	Dicke	mm

Gestreckte Länge

$$l = \frac{\pi \cdot d_m \cdot \alpha}{360°}$$

$$d_m = \frac{D+d}{2}$$

Außendurchmesser von Vierkant- und Sechskant-Profilen

D	Außendurchmesser	mm
SW	Schlüsselweite	mm
t	Frästiefe	mm
l	Seitenlänge	mm

Frästiefe

$$t = \frac{D - SW}{2}$$

Vierkant	Sechskant	Achtkant	Zwölfkant
$D = \dfrac{SW}{\cos 45°}$	$D = \dfrac{SW}{\cos 30°}$	$D = \dfrac{SW}{\cos 22{,}5°}$	$D = \dfrac{SW}{\cos 15°}$
$A = SW^2$	$A \approx 0{,}867 \cdot SW^2$	$A \approx 0{,}828 \cdot SW^2$	$A \approx 0{,}804 \cdot SW^2$

Flächen

Quadrat

A	Fläche	mm²
l	Seitenlänge	mm
e	Eckenmaß	mm

Fläche
$$A = l^2$$
$$l = \sqrt{A}$$

Eckenmaß
$$e = \sqrt{2} \cdot l$$

Rhombus (Raute)

A	Fläche	mm²
l	Seitenlänge	mm
b	Breite	mm

Fläche
$$A = l \cdot b$$
$$l = \frac{A}{b}$$

Rechteck

A	Fläche	mm²
l	Länge	mm
b	Breite	mm
e	Eckenmaß	mm

Fläche
$$A = l \cdot b$$
$$l = \frac{A}{b}$$

Eckenmaß
$$e = \sqrt{l^2 + b^2}$$

Rhomboid (Parallelogramm)

A	Fläche	mm²
l	Länge	mm
b	Breite	mm

Fläche
$$A = l \cdot b$$
$$l = \frac{A}{b}$$

Trapez

A	Fläche	mm²
l_1	große Länge	mm
l_2	kleine Länge	mm
l_m	mittlere Länge	mm
b	Breite	mm

Fläche
$$A = \frac{l_1 + l_2}{2} \cdot b$$
$$A = l_m \cdot b$$

Mittlere Länge
$$l_m = \frac{l_1 + l_2}{2}$$

Dreieck

A	Fläche	mm²
l	Seitenlänge	mm
b	Breite	mm

Fläche
$$A = \frac{l \cdot b}{2}$$
$$l = \frac{2 \cdot A}{b} \qquad b = \frac{2 \cdot A}{l}$$

Flächen

Gleichseitiges Dreieck

A	Fläche	mm²
l	Seitenlänge	mm
D	Durchmesser des Umkreises	mm
d	Durchmesser des Inkreises	mm
h	Höhe	mm

Durchmesser des Umkreises

$$D = \frac{2}{3} \cdot \sqrt{3} \cdot l = 2 \cdot d$$

Fläche

$$A = \frac{1}{4} \cdot \sqrt{3} \cdot l^2$$

Durchmesser des Inkreises

$$d = \frac{1}{3} \cdot \sqrt{3} \cdot l = \frac{D}{2}$$

Höhe

$$h = \frac{1}{2} \cdot \sqrt{3} \cdot l$$

Regelmäßiges Vieleck

A	Fläche	mm²
l	Seitenlänge	mm
D	Durchmesser des Umkreises	mm
d	Durchmesser des Inkreises	mm
SW	Schlüsselweite	mm
n	Eckenzahl	–
α	Mittelpunktswinkel	°
β	Eckenwinkel	°

Mittelpunktswinkel

$$\alpha = \frac{360°}{n}$$

Fläche

$$A = \frac{n \cdot l \cdot d}{4}$$

Eckenwinkel

$$\beta = 180° - \alpha$$

Seitenlänge

$$l = D \cdot \sin\left(\frac{180°}{n}\right)$$

Durchmesser des Inkreises

$$d = \sqrt{D^2 - l^2}$$

Kreis

A	Fläche	mm²
d	Durchmesser	mm
U	Umfang	mm

Umfang

$$U = \pi \cdot d$$

$$d = \frac{U}{\pi}$$

Fläche

$$A = \frac{\pi \cdot d^2}{4}$$

$$d = \sqrt{\frac{4 \cdot A}{\pi}}$$

Kreisausschnitt

A	Fläche	mm²
d	Durchmesser	mm
l_B	Bogenlänge	mm
l	Sehnenlänge	mm
r	Radius	mm
α	Mittelpunktswinkel	°

Sehnenlänge

$$l = 2 \cdot r \cdot \sin\frac{\alpha}{2}$$

Bogenlänge

$$l_B = \frac{\pi \cdot r \cdot \alpha}{180°}$$

Fläche

$$A = \frac{\pi \cdot d^2}{4} \cdot \frac{\alpha}{360°}$$

$$A = \frac{l_B \cdot r}{2}$$

Flächen

Kreisabschnitt

A	Fläche	mm²
d	Durchmesser	mm
r	Radius	mm
l_B	Bogenlänge	mm
l	Sehnenlänge	mm
b	Breite	mm
α	Mittelpunktswinkel	°

Fläche

$$A = \frac{\pi \cdot d^2}{4} \cdot \frac{\alpha}{360°} - \frac{l \cdot (r - b)}{2}$$

$$A = \frac{l_B \cdot r - l \cdot (r - b)}{2}$$

Bogenlänge

$$l_B = \frac{\pi \cdot r \cdot \alpha}{180°}$$

Breite

$$b = \frac{l}{2} \cdot \tan\frac{\alpha}{4}$$

$$b = r - \sqrt{r^2 - \frac{l^2}{4}}$$

Sehnenlänge

$$l = 2 \cdot r \cdot \sin\frac{\alpha}{2}$$

$$l = 2 \cdot \sqrt{b \cdot (2 \cdot r - b)}$$

Radius

$$r = \frac{b}{2} + \frac{l^2}{8 \cdot b}$$

Kreisring

A	Fläche	mm²
D	Außendurchmesser	mm
d	Innendurchmesser	mm
d_m	mittlerer Durchmesser	mm
b	Breite	mm

Fläche

$$A = \pi \cdot d_m \cdot b$$

$$A = \frac{\pi}{4} \cdot (D^2 - d^2)$$

$$D = \sqrt{\frac{4 \cdot A}{\pi} + d^2}$$

Kreisringausschnitt

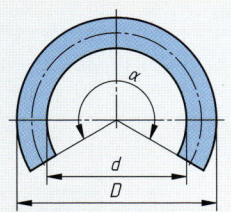

A	Fläche	mm²
D	Außendurchmesser	mm
d	Innendurchmesser	mm
α	Mittelpunktswinkel	°

Fläche

$$A = \frac{\pi \cdot \alpha}{4 \cdot 360°} \cdot (D^2 - d^2)$$

Zusammengesetzte Flächen

Beispiel: 3 Teilflächen

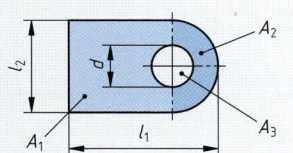

Die Gesamtfläche erhält man durch Addieren bzw. Subtrahieren der Teilflächen.

A	Gesamtfläche	mm²
A_1, A_2, A_3	Teilflächen	mm²
l_1, l_2	Längen	mm
d	Durchmesser	mm

Gesamtfläche

$$A = A_1 + A_2 - A_3$$

Volumen, Oberfläche

Würfel

V	Volumen	mm³
A_O	Oberfläche	mm²
l	Seitenlänge	mm

Volumen

$$V = l^3$$

$$l = \sqrt[3]{V}$$

Oberfläche

$$A_O = 6 \cdot l^2$$

$$l = \sqrt{\frac{A_O}{6}}$$

Vierkantprisma, Quader

V	Volumen	mm³
A_O	Oberfläche	mm²
l	Seitenlänge	mm
h	Höhe	mm
b	Breite	mm

Volumen

$$V = l \cdot b \cdot h$$

Oberfläche

$$A_O = 2 \cdot (l \cdot b + l \cdot h + b \cdot h)$$

Zylinder

V	Volumen	mm³
A_O	Oberfläche	mm²
A_M	Mantelfläche	mm²
d	Durchmesser	mm
h	Höhe	mm

Volumen

$$V = \frac{\pi \cdot d^2}{4} \cdot h$$

Mantelfläche

$$A_M = \pi \cdot d \cdot h$$

Oberfläche

$$A_O = \pi \cdot d \cdot h + 2 \cdot \frac{\pi \cdot d^2}{4}$$

Hohlzylinder

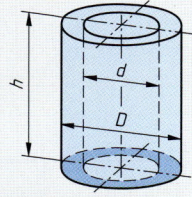

V	Volumen	mm³
A_O	Oberfläche	mm²
D, d	Durchmesser	mm
h	Höhe	mm

Volumen

$$V = \frac{\pi \cdot h}{4} \cdot (D^2 - d^2)$$

Oberfläche

$$A_O = \pi \cdot (D + d) \cdot \left[\frac{1}{2} \cdot (D - d) + h\right]$$

Pyramide

V	Volumen	mm³
h	Höhe	mm
h_s	Mantelhöhe	mm
l	Seitenlänge	mm
l_1	Kantenlänge	mm
b	Breite	mm

Volumen

$$V = \frac{l \cdot b \cdot h}{3}$$

Kantenlänge

$$l_1 = \sqrt{h_s^2 + \frac{b^2}{4}}$$

Mantelhöhe

$$h_s = \sqrt{h^2 + \frac{l^2}{4}}$$

Volumen, Oberfläche

Pyramidenstumpf

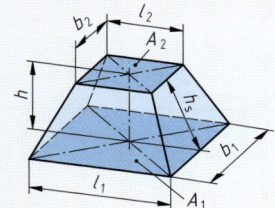

V	Volumen	mm³
A_1	Grundfläche	mm²
A_2	Deckfläche	mm²
h	Höhe	mm
h_s	Mantelhöhe	mm
l_1, l_2	Seitenlänge	mm
b_1, b_2	Breite	mm

Volumen

$$V = \frac{h}{3} \cdot \left(A_1 + A_2 + \sqrt{A_1 \cdot A_2}\right)$$

Mantelhöhe

$$h_s = \sqrt{h^2 + \left(\frac{l_1 - l_2}{2}\right)^2}$$

Kegel

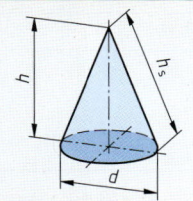

V	Volumen	mm³
A_M	Mantelfläche	mm²
d	Durchmesser	mm
h	Höhe	mm
h_s	Mantelhöhe	mm

Volumen

$$V = \frac{\pi \cdot d^2}{4} \cdot \frac{h}{3}$$

Mantelfläche

$$A_M = \frac{\pi \cdot d \cdot h_s}{2}$$

Mantelhöhe

$$h_s = \sqrt{\frac{d^2}{4} + h^2}$$

Kegelstumpf

V	Volumen	mm³
A_M	Mantelfläche	mm²
D	großer Durchmesser	mm
d	kleiner Durchmesser	mm
h	Höhe	mm
h_s	Mantelhöhe	mm

Volumen

$$V = \frac{\pi \cdot h}{12} \cdot (D^2 + d^2 + D \cdot d)$$

Mantelfläche

$$A_M = \frac{\pi \cdot h_s}{2} \cdot (D + d)$$

Mantelhöhe

$$h_s = \sqrt{h^2 + \left(\frac{D-d}{2}\right)^2}$$

Kugel

V	Volumen	mm³
A_O	Oberfläche	mm²
d	Kugeldurchmesser	mm

Volumen

$$V = \frac{\pi \cdot d^3}{6}$$

Oberfläche

$$A_O = \pi \cdot d^2$$

Kugelabschnitt

V	Volumen	mm³
A_M	Mantelfläche	mm²
A_O	Oberfläche	mm²
d	Kugeldurchmesser	mm
d_1	kleiner Durchmesser	mm
h	Höhe	mm

Volumen

$$V = \pi \cdot h^2 \cdot \left(\frac{d}{2} - \frac{h}{3}\right)$$

Oberfläche

$$A_O = \pi \cdot h \cdot (2 \cdot d - h)$$

Mantelfläche

$$A_M = \pi \cdot d \cdot h$$

Volumen, Masse

Volumen zusammengesetzter Körper

Zusammengesetzte Körper werden zur Berechnung des Gesamtvolumens in Teilvolumen zerlegt.

V Gesamtvolumen   mm³
$V_1, V_2, V_3 \dots$ Teilvolumen   mm³

Gesamtvolumen

$$V = V_1 + V_2 + \dots - V_3 - V_4$$

Masse, allgemein

Die Masse eines Körpers wird aus seinem Volumen und seiner Dichte berechnet.

m Masse   kg
V Volumen   dm³
ϱ Dichte   kg/dm³

Umrechnung der Einheiten:

$$1\,\frac{t}{m^3} = 1\,\frac{kg}{dm^3} = 1\,\frac{g}{cm^3} = 1\,\frac{mg}{mm^3}$$

Werte für die Dichte siehe Tabellenbuch.

Masse

$$m = V \cdot \varrho$$

$$V = \frac{m}{\varrho}$$

Längenbezogene Masse

Die Masse von Profilen, Rohren oder Drähten kann auch mithilfe von Tabellenwerten für die längenbezogene Masse m' berechnet werden.

m Masse   kg
m' längenbezogene Masse   kg/m
l Länge   m

Werte für die längenbezogene Masse m' siehe Tabellenbuch.

Masse

$$m = m' \cdot l$$

$$m' = \frac{m}{l}$$

Flächenbezogene Masse

Die Masse von Blechen, Folien oder Belägen kann auch mithilfe von Tabellenwerten für die flächenbezogene Masse m'' berechnet werden.

m Masse   kg
m'' flächenbezogene Masse   kg/m²
A Fläche   m²

Werte für die flächenbezogene Masse m'' siehe Tabellenbuch.

Masse

$$m = m'' \cdot A$$

$$m'' = \frac{m}{A}$$

Konstante Bewegung, beschleunigte und verzögerte Bewegung

Konstante Bewegung

Geradlinige Bewegung

v	Geschwindigkeit	m/s
s	Weg	m
t	Zeit	s

$$1\,\frac{m}{min} = \frac{1}{60}\,\frac{m}{s} = 0{,}06\,\frac{km}{h}$$

$$1\,\frac{m}{s} = 60\,\frac{m}{min} = 3{,}6\,\frac{km}{h}$$

Geschwindigkeit

$$v = \frac{s}{t}$$

$$t = \frac{s}{v} \qquad s = v \cdot t$$

Kreisförmige Bewegung

v	Umfangsgeschwindigkeit	m/s
ω	Winkelgeschwindigkeit	1/s
n	Drehzahl, Drehfrequenz	1/s
r	Radius	m
d	Durchmesser	m

Drehzahl

$$\frac{1}{min} = \frac{1}{60\,s}; \quad \frac{1}{s} = \frac{60}{min}$$

Umfangsgeschwindigkeit

$$1\,\frac{m}{min} = \frac{1}{60}\,\frac{m}{s}$$

$$1\,\frac{m}{s} = 60\,\frac{m}{min}$$

Umfangsgeschwindigkeit

$$v = \pi \cdot d \cdot n$$

$$v = \omega \cdot r$$

$$d = \frac{v}{\pi \cdot n} \qquad n = \frac{v}{\pi \cdot d}$$

Winkelgeschwindigkeit

$$\omega = 2 \cdot \pi \cdot n$$

$$n = \frac{\omega}{2 \cdot \pi}$$

Beschleunigte und verzögerte Bewegung

Geradlinig beschleunigte Bewegung

Die Zunahme der Geschwindigkeit je Zeiteinheit heißt Beschleunigung, die Abnahme Verzögerung.

Die Formeln gelten für die Beschleunigung aus dem Stillstand oder die Verzögerung bis zum Stillstand.

v	Endgeschwindigkeit bei Beschleunigung oder Anfangsgeschwindigkeit bei Verzögerung	m/s
s	Beschleunigungs- oder Verzögerungsweg	m
a	Beschleunigung oder Verzögerung	m/s²
t	Beschleunigungs- oder Verzögerungszeit	s
g	Fallbeschleunigung	m/s²

Der freie Fall ist eine gleichmäßig beschleunigte Bewegung, bei der die Fallbeschleunigung g wirksam ist.

$$g = 9{,}81\,\frac{m}{s^2} \approx 10\,\frac{m}{s^2}$$

End- oder Anfangsgeschwindigkeit

$$v = a \cdot t$$

$$v = \sqrt{2 \cdot a \cdot s}$$

$$a = \frac{v}{t} \qquad t = \frac{v}{a}$$

$$a = \frac{v^2}{2 \cdot s} \qquad s = \frac{v^2}{2 \cdot a}$$

Beschleunigungs- oder Verzögerungsweg

$$s = \frac{1}{2} \cdot v \cdot t$$

$$s = \frac{1}{2} \cdot a \cdot t^2$$

$$v = \frac{2 \cdot s}{t} \qquad t = \frac{2 \cdot s}{v}$$

$$a = \frac{2 \cdot s}{t^2} \qquad t = \sqrt{\frac{2 \cdot s}{a}}$$

Geschwindigkeit an Maschinen

Vorschubgeschwindigkeit, Werkstückgeschwindigkeit

Drehen, Bohren

v_f	Vorschubgeschwindigkeit	mm/min
f	Vorschub	mm
n	Drehzahl	1/min

Vorschubgeschwindigkeit

$$v_f = n \cdot f$$

$$f = \frac{v_f}{n}$$

Fräsen

v_f	Vorschubgeschwindigkeit	mm/min
f_z	Vorschub je Schneide	mm
n	Drehzahl	1/min
z	Anzahl der Schneiden	–

Vorschubgeschwindigkeit

$$v_f = n \cdot f_z \cdot z$$

$$f_z = \frac{v_f}{n \cdot z}$$

Gewindetrieb

Gewindespindel
mit Steigung P

v_f	Vorschubgeschwindigkeit	mm/min
P	Gewindesteigung	mm
n	Drehzahl der Gewindespindel	1/min

Vorschubgeschwindigkeit

$$v_f = n \cdot P$$

$$n = \frac{v_f}{P}$$

Zahnstangentrieb

v_f	Vorschubgeschwindigkeit	mm/min
z	Zähnezahl des Ritzels	–
p	Zahnteilung	mm
n	Drehzahl des Ritzels	1/min
d	Teilkreisdurchmesser des Ritzels	mm

Vorschubgeschwindigkeit

$$v_f = n \cdot z \cdot p$$

$$v_f = \pi \cdot d \cdot n$$

$$n = \frac{v_f}{p \cdot z} \qquad n = \frac{v_f}{\pi \cdot d}$$

Schleifen

Längsrundschleifen

Schleifscheibe

v_w	Werkstückgeschwindigkeit	mm/min
v_f	Vorschubgeschwindigkeit	mm/min
d_1	Durchmesser des Werkstücks	mm
n	Drehzahl des Werkstücks	1/min

Werkstückgeschwindigkeit

$$v_w = \pi \cdot d_1 \cdot n$$

$$n = \frac{v_w}{\pi \cdot d_1}$$

Planschleifen

Schleifscheibe
Werkstück

v_w	Werkstückgeschwindigkeit	mm/min
v_f	Vorschubgeschwindigkeit	mm/min
L	Vorschubweg	mm
n_H	Hubzahl (Einzelhübe)	1/min

Werkstückgeschwindigkeit

$$v_w = L \cdot n_H$$

$$n_H = \frac{v_w}{L}$$

Geschwindigkeit an Maschinen, Arten von Kräften

Schnittgeschwindigkeit

Drehen

v_c	Schnittgeschwindigkeit	m/min
n	Drehzahl	1/min
d	Durchmesser (Drehen)	m
	Scheibendurchmesser (Schleifen)	
	Bohrerdurchmesser (Bohren)	
	Fräserdurchmesser (Fräsen)	

Schnittgeschwindigkeit

$$v_c = \pi \cdot d \cdot n$$

$$n = \frac{v_c}{\pi \cdot d} \qquad d = \frac{v_c}{\pi \cdot n}$$

Umfangsgeschwindigkeit

v	Umfangsgeschwindigkeit	m/min
n	Drehzahl	1/min
d	Durchmesser	m

Umfangsgeschwindigkeit

$$v = \pi \cdot d \cdot n$$

$$n = \frac{v}{\pi \cdot d} \qquad d = \frac{v}{\pi \cdot n}$$

Gewichtskraft

F_G	Gewichtskraft	N
m	Masse	kg
g	Fallbeschleunigung	m/s²

$$g = 9,81 \,\frac{m}{s^2} \approx 10 \,\frac{m}{s^2}$$

Gewichtskraft

$$F_G = m \cdot g$$

$$m = \frac{F_G}{g}$$

Kräfte bei Beschleunigung und Verzögerung

F	Beschleunigungskraft	N
m	Masse	kg
a	Beschleunigung oder Verzögerung	m/s²

$$1 \,\frac{m}{s^2} = \frac{1 \text{ m/s}}{1 \text{ s}}$$

Beschleunigungskraft

$$F = m \cdot a$$

$$a = \frac{F}{m} \qquad m = \frac{F}{a}$$

Federkraft

F	Federkraft	N
R	Federrate	N/mm
s	Federweg	mm

Federkraft

$$F = R \cdot s$$

$$R = \frac{F}{s} \qquad s = \frac{F}{R}$$

Fliehkraft

F_z	Fliehkraft	N
m	Masse	kg
r	Radius	m
ω	Winkelgeschwindigkeit	1/s
v	Umfangsgeschwindigkeit	m/s

Umfangsgeschwindigkeit: oben und Seite 17

Fliehkraft

$$F_z = m \cdot r \cdot \omega^2$$

$$F_z = \frac{m \cdot v^2}{r}$$

Kräfte

Darstellung, Resultierende von Kräften, Zerlegung einer Kraft in Teilkräfte

Darstellen von Kräften

F	Kraft	N
l	Pfeillänge	mm
M_k	Kräftemaßstab	N/mm

Die Einheit der Kraft ist 1 Newton (1 N).

$$1\,N = 1\,kg \cdot 1\,\frac{m}{s^2} = 1\,\frac{kg \cdot m}{s^2}$$

Pfeillänge

$$l = \frac{F}{M_k}$$

$$M_k = \frac{F}{l} \qquad F = M_k \cdot l$$

Addieren von Kräften auf gleicher Wirkungslinie

F_1, F_2	Teilkräfte	N
F_r	Resultierende	N

Resultierende

$$F_r = F_1 + F_2$$

Subtrahieren von Kräften auf gleicher Wirkungslinie

F_1, F_2	Teilkräfte	N
F_r	Resultierende	N

Resultierende

$$F_r = F_1 - F_2$$

Resultierende von Kräften, deren Wirkungslinien sich schneiden (grafisch)

Beispiel: Spannseile

Kräfteplan

F_1, F_2	Teilkräfte	N
F_r	Resultierende	N
α_1, α_2	Winkel der Teilkräfte	°
α_r	Winkel der Resultierenden	°
l_r	Pfeillänge der Resultierenden	mm
M_k	Kräftemaßstab	N/mm

Resultierende

$$F_r = M_k \cdot l$$

Arbeitsschritte:

1. Kraftpfeile vom Anfangspunkt A bis zum Endpunkt E winkel- und maßstabsgetreu in beliebiger Reihenfolge aneinander fügen.
2. Die Resultierende F_r liegt zwischen den Punkten A und E des Kräfteplans.
3. Betrag der Resultierenden F_r aus l_r und M_k berechnen und Winkellage von F_r ausmessen.

Grafisches Zerlegen einer Kraft in zwei Teilkräfte

Beispiel: schiefe Ebene

Kräfteplan

F_G	Kraft, Gewichtskraft	N
F_N, F_H	Teilkräfte, Normalkraft, Hangabtriebskraft	N
α	Neigungswinkel	°
l_1, l_2	Pfeillängen	mm
M_k	Kräftemaßstab	N/mm

Teilkräfte

$$F_1 = M_k \cdot l_1$$

$$F_2 = M_k \cdot l_2$$

Arbeitsschritte:

1. Bekannte Kraft $F\,(= F_G)$ winkel- und maßstabsgetreu darstellen und Wirkungslinien der gesuchten Teilkräfte durch A und E legen. Diese schneiden sich im Punkt S. Der Linienzug ASE bildet den Kräfteplan.
2. Die Teilkräfte $F_1\,(= F_N)$ und $F_2\,(= F_H)$ liegen zwischen AS und SE.
3. Beträge der Teilkräfte $F_1\,(= F_N)$ und $F_2\,(= F_H)$ aus l_1, l_2 und M_k berechnen.

Kräfte

Kraft und Kraftkomponenten im X-Y-Koordinatensystem

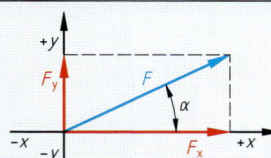

F	Kraft	N
F_x	X-Komponente der Kraft	N
F_y	Y-Komponente der Kraft	N
α	spitzer Winkel zur x-Achse	°

X-, Y-Komponente

$$F_x = F \cdot \cos\alpha$$

$$F_y = F \cdot \sin\alpha$$

Betrag der Kraft

$$F = \sqrt{F_x^2 + F_y^2}$$

Gleichgewicht in der Ebene, Vorzeichenregel, Ermittlung unbekannter Kräfte

Gleichgewicht in der Ebene, Vorzeichenregel

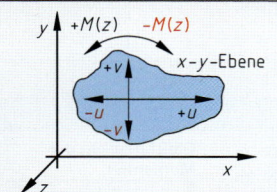

Für eine freie ebene starre Scheibe bestehen drei Bewegungsmöglichkeiten:

$u \;\rightarrow\;$ Verschiebung in ± X-Richtung
$v \;\rightarrow\;$ Verschiebung in ± Y-Richtung
$M_{(z)} \rightarrow\;$ Drehung um die Z-Achse

Vorzeichen der Momente:

$M_{(z)}$ linksdrehend = +
$M_{(z)}$ rechtsdrehend = –

Gleichgewichtsbedingungen

$$\sum F_x = 0$$

$$\sum F_y = 0$$

$$\sum M_{(z)} = 0$$

Zentrales Kräftesystem (alle Kräfte haben einen gemeinsamen Schnittpunkt)

Beispiel: Halterung

Lageskizze

F_1, F_2	bekannte Kräfte	N
F	unbekannte Kraft (Betrag und Wirkrichtung unbekannt)	N
$\alpha, \alpha_1 \dots \alpha_B$	spitze Winkel zur x-Achse	°
F_x, F_{1x}, F_{2x}	X-Komponenten	N
F_y, F_{1y}, F_{2y}	Y-Komponenten	N

Arbeitsschritte:

1. Kräfte in Komponenten F_x und F_y zerlegen. (Richtung unbekannter Kräfte annehmen)
2. Gleichgewichtsbedingungen formulieren[1].
3. unbekannte Kraft (F) bzw. Kraftkomponenten (F_x, F_y) mit Betrag und Richtung berechnen.

Kräfteplan:

Kräfte im Gleichgewicht bei gleicher Umlaufrichtung und geschlossenem Krafteck.

X-Komponente (Beispiel)
$\sum F_x = 0$: $F_{1x} + F_{2x} - F_x = 0$

$$F_x = F_{1x} + F_{2x}$$

Y-Komponente (Beispiel)
$\sum F_y = 0$: $F_{1y} - F_{2y} - F_y = 0$

$$F_y = F_{1y} - F_{2y}$$

Betrag der Kraft

$$F = \sqrt{F_x^2 + F_y^2}$$

Winkel der Kraft

$$\alpha = \arctan\frac{|F_y|}{|F_x|}$$

Allgemeines Kräftesystem (kein gemeinsamer Schnittpunkt aller Kräfte)

Beispiel: Welle

Lageskizze

F_1, F_2	bekannte Kräfte	N
F_3, F_4	unbekannte Kräfte	N
M	Moment	N · m
$l_1 \dots l_4$	Wirkabstände vom Drehpunkt D	m
α_1, α_3	spitze Winkel zur x-Achse	°
$F_{1x}, F_{1y}, F_{3x}, F_{3y}$	X-, Y-Komponenten	N

Arbeitsschritte:

1. Kräfte in Komponenten F_x und F_y zerlegen. (Richtung unbekannter Kräfte annehmen)
2. Drehpunkt günstig (z.B. auf Wirklinie einer unbekannten Kraft) wählen.
3. Gleichgewichtsbedingungen formulieren[1].
4. unbekannte Kräfte (F_3, F_4) bzw. Kraftkomponenten (F_{3x}, F_{3y}) mit Betrag und Richtung berechnen.

[1] Vorzeichen beachten
[2] vgl. Seite 22

Momente[2] (Beispiel)
$\sum M_{(D)} = 0$: $F_4 \cdot l_4 + F_{1x} \cdot l_3 - F_{1y} \cdot l_1 - F_2 \cdot l_2 = 0$

$$F_4 = \frac{F_{1y} \cdot l_1 + F_2 \cdot l_2 - F_{1x} \cdot l_3}{l_4}$$

X-Komponente (Beispiel)
$\sum F_x = 0$: $F_{3x} - F_{1x} = 0$

$$F_{3x} = F_{1x}$$

Y-Komponente (Beispiel)
$\sum F_y = 0$:
$F_{3y} + F_4 - F_{1y} - F_2 = 0$

$$F_{3y} = F_{1y} + F_2 - F_4$$

Betrag und Winkel der Kraft wie im zentralen Kräftesystem, siehe oben

Drehmoment und Hebel

Drehmoment

M	Drehmoment, Moment	$N \cdot m$
F	Kraft	N
l, r	wirksame Hebellänge	m

Zwei gleich große Kräfte, auf parallelen Wirkungslinien mit entgegengesetztem Richtungssinn bilden ein Kräftepaar, welches ein Drehmoment (eine Drehwirkung) erzeugt.

Die wirksame Hebellänge (Wirkabstand) ist immer der senkrechte Abstand vom Drehpunkt zur Wirkungslinie der Kraft.

Drehmoment

$$M = F \cdot l$$

$$M = F \cdot r$$

$$F = \frac{M}{l} \qquad l = \frac{M}{F}$$

Gleichgewicht der Momente am Hebel (Hebelgesetz)

Einfacher Hebel

einseitiger Hebel

M_l	linksdrehendes Moment	$N \cdot m$
M_r	rechtsdrehendes Moment	$N \cdot m$
F_1, F_2	Kräfte	N
l_1, l_2	wirksame Hebellängen	m
$\Sigma M_{(D)}$	Summe aller Momente um den Drehpunkt D	

Gleichgewicht der Momente[1]

$$\Sigma M_{(D)} = 0$$

$$M_l - M_r = 0$$

$$F_1 \cdot l_1 - F_2 \cdot l_2 = 0$$

zweiseitiger Hebel

Die wirksamen Hebellängen sind die rechtwinkligen Abstände zwischen dem Drehpunkt des Hebels und der jeweiligen Wirkungslinie der Kraft.

Hebelgesetz bei nur zwei Kräften

$$M_l = M_r$$

$$F_1 \cdot l_1 = F_2 \cdot l_2$$

Winkelhebel

Einzelkräfte

$$F_1 = \frac{F_2 \cdot l_2}{l_1}$$

$$F_2 = \frac{F_1 \cdot l_1}{l_2}$$

[1] Vorzeichen der Momente: Seite 21

Mehrfacher Hebel

Beispiel: Schwenkarm

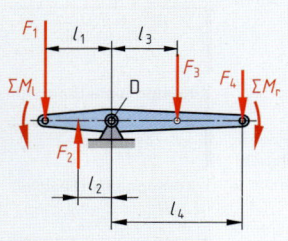

$F_1 \dots F_4$	Kräfte	N
$l_1 \dots l_4$	wirksame Hebellängen	m
ΣM_l	Summe aller linksdrehenden Momente	$N \cdot m$
ΣM_r	Summe aller rechtsdrehenden Momente	$N \cdot m$

Die wirksamen Hebellängen sind die rechtwinkligen Abstände zwischen dem Drehpunkt des Hebels und der jeweiligen Wirkungslinie der Kraft.

Gleichgewicht der Momente[1]

$$\Sigma M_{(D)} = 0$$

Beispiel Schwenkarm:
$$F_1 \cdot l_1 - F_2 \cdot l_2 - F_3 \cdot l_3 - F_4 \cdot l_4 = 0$$

Hebelgesetz

$$\Sigma M_l = \Sigma M_r$$

Beispiel Schwenkarm:
$$F_1 \cdot l_1 = F_2 \cdot l_2 + F_3 \cdot l_3 + F_4 \cdot l_4$$

Einzelkräfte
(Beispiele Schwenkarm)

$$F_1 = \frac{F_2 \cdot l_2 + F_3 \cdot l_3 + F_4 \cdot l_4}{l_1}$$

$$F_2 = \frac{F_1 \cdot l_1 - F_3 \cdot l_3 - F_4 \cdot l_4}{l_2}$$

[1] Vorzeichen der Momente: Seite 21

Lagerkräfte, Drehmoment bei Zahnrädertrieben

Lagerkräfte

F_A, F_B	Lagerkräfte	N
F, F_1, F_2	Kräfte	N
l, l_1, l_2	wirksame Hebellängen	m
A, B	Auflagerpunkte	
$\Sigma M_{(A)}$	Summe aller Momente um Auflagerpunkt A	N · m
$\Sigma M_{(B)}$	Summe aller Momente um Auflagerpunkt B	N · m

Gleichgewicht der Kräfte[1]

$$\Sigma F_y = 0$$

$$F_A + F_B - F_1 - F_2 = 0$$

Summe der Lagerkräfte A und B

$$F_A + F_B = F_1 + F_2 + \dots$$

Zur Berechnung der Lagerkräfte nimmt man einen der Auflagerpunkte als Drehpunkt (z. B. im Lager B) an und berechnet die Lagerkraft an dem anderen Auflagerpunkt (z. B. im Lager A).

Die zweite Lagerkraft (z. B. im Lager B) wird wahlweise aus dem Gleichgewicht der Kräfte oder aus dem Gleichgewicht der Momente um den anderen Auflagerpunkt (z. B. im Lager A) berechnet.

Lagerkraft in A, B

$$F_A = F_1 + F_2 + \dots - F_B$$

$$F_B = F_1 + F_2 + \dots - F_A$$

Gleichgewicht der Momente um B[1]

$$\Sigma M_{(B)} = 0$$

Lagerkraft in A

$$F_A = \frac{F_1 \cdot l_1 + F_2 \cdot l_2 + \dots}{l}$$

Gleichgewicht der Momente um A[1]

$$\Sigma M_{(A)} = 0$$

Lagerkraft in B

$$F_B = \frac{F_1 \cdot (l - l_1) + F_2 \cdot (l - l_2) + \dots}{l}$$

[1] Vorzeichen der Kräfte und Momente: Seite 21

Drehmoment bei Zahnrädertrieben

treibendes Rad:

F_{u1}	Umfangskraft	N
M_1	Drehmoment	N · m
d_1	Teilkreisdurchmesser	m
z_1	Zähnezahl	–
n_1	Drehzahl	1/min

getriebenes Rad:

F_{u2}	Umfangskraft	N
M_2	Drehmoment	N · m
d_2	Teilkreisdurchmesser	m
z_2	Zähnezahl	–
n_2	Drehzahl	1/min

Für beide Räder:

i	Übersetzungsverhältnis (Seite 43)	–

Drehmoment

$$M_1 = \frac{F_{u1} \cdot d_1}{2}$$

$$M_2 = \frac{F_{u2} \cdot d_2}{2}$$

$$M_2 = i \cdot M_1$$

$$\frac{M_2}{M_1} = \frac{z_2}{z_1}$$

$$\frac{M_2}{M_1} = \frac{n_1}{n_2}$$

$$M_1 = \frac{M_2 \cdot z_1}{z_2}$$

$$M_2 = \frac{M_1 \cdot z_2}{z_1}$$

Arbeit, Energie, Einfache Maschinen

Mechanische Arbeit, Hubarbeit und Reibungsarbeit

Hubarbeit

Reibungsarbeit

Arbeit wird verrichtet, wenn eine Kraft längs eines Weges wirkt.

F	Kraft in Wegrichtung	N
F_G	Gewichtskraft	N
F_R	Reibungskraft	N
F_N	Normalkraft	N
W	Arbeit	J
s	Kraftweg	m
s, h	Hubhöhe	m

$$1\,J = 1\,N \cdot 1\,m = 1\,W \cdot s = 1\,\frac{kg \cdot m^2}{s^2}$$

Reibungskraft: Seite 25

Arbeit
$$W = F \cdot s$$
$$F = \frac{W}{s} \qquad s = \frac{W}{F}$$

Hubarbeit
$$W = F_G \cdot h$$
$$F_G = \frac{W}{h} \qquad h = \frac{W}{F_G}$$

Reibungsarbeit
$$W = \mu \cdot F_N \cdot s$$

Potenzielle Energie

Lageenergie

Federenergie

Potenzielle Energie ist gespeicherte Arbeit (Lageenergie, Federenergie).

W_p	potenzielle Energie	J
F_G	Gewichtskraft	N
F	Federkraft	N
R	Federrate	N/m
s, h	Weg, Hub- oder Fallhöhe, Federweg	m

$$1\,N/mm = 1000\,N/m$$

Lageenergie
$$W_p = F_G \cdot s$$
$$F = \frac{W_p}{s} \qquad s = \frac{W_p}{F}$$

Federenergie
$$W_p = \frac{R \cdot s^2}{2}$$

Kinetische Energie

Kinetische Energie ist Energie der Bewegung.

W_k	kinetische Energie	J
v	Geschwindigkeit	m/s
m	Masse	kg

Kinetische Energie
$$W_k = \frac{m \cdot v^2}{2}$$
$$m = \frac{2 \cdot W_k}{v^2}; \; v = \sqrt{\frac{2 \cdot W_k}{m}}$$

Flaschenzug[1]

F_1	aufgewendete Kraft	N
s_1	Weg der Kraft F_1	m
F_G	Gewichtskraft	N
h	Hubhöhe	m
n	Anzahl der tragenden Seilstränge ≙ Anzahl der Rollen	–
W_2	abgegebene Arbeit	J

$$F_1 = \frac{F_G}{n}$$
$$s_1 = n \cdot h$$
$$W_2 = F_G \cdot h$$

[1] Die Formeln gelten für den reibungsfreien Zustand. Bei diesem ist die aufgewendete Arbeit W_1 gleich der abgegebenen Arbeit W_2, d.h. was an Kraft gewonnen wird, geht an Weg verloren.

Einfache Maschinen, Reibung

Keil[1]

F_1	aufgewendete Kraft	N
F_2	abgegebene Kraft	N
s_1	Weg der Kraft F_1	mm
h	Hubhöhe	mm
β	Neigungswinkel	°
W_2	abgegebene Arbeit	N·mm

$$F_1 \cdot s_1 = F_2 \cdot h$$

$$F_2 = \frac{F_1}{\tan \beta}$$

$$h = s_1 \cdot \tan \beta$$

$$W_2 = F_2 \cdot h$$

Schraube[1]

W_1	aufgewendete Arbeit	N·mm
W_2	abgegebene Arbeit	N·mm
F_1	aufgewendete Kraft	N
F_2	abgegebene Kraft	N
s_1	Weg der Kraft F_1	mm
l	Hebellänge	mm
P	Gewindesteigung	mm

Die Berechnung wird stets für eine volle Umdrehung (360°) durchgeführt.

$$F_1 \cdot 2 \cdot \pi \cdot l = F_2 \cdot P$$

$$s_1 = 2 \cdot \pi \cdot l$$

$$W_1 = F_1 \cdot 2 \cdot \pi \cdot l$$

$$W_2 = F_2 \cdot P$$

Räderwinde[1]

F_1	aufgewendete Kraft	N
F_G	Gewichtskraft	N
l	Kurbellänge	m
h	Hubhöhe	m
d	Trommeldurchmesser	m
i	Übersetzungsverhältnis	–
W_2	abgegebene Arbeit	J

$$F_1 \cdot l \cdot i = \frac{F_G \cdot d}{2}$$

$$i = \frac{z_2}{z_1}$$

$$W_2 = F_G \cdot h$$

[1] Die Formeln gelten für den reibungsfreien Zustand. Bei diesem ist die aufgewendete Arbeit W_1 gleich der abgegebenen Arbeit W_2, d.h. was an Kraft gewonnen wird, geht an Weg verloren.

Reibungskraft, Reibungsmoment

Haftreibung, Gleitreibung

Reibungsmoment

Rollreibung

F_N	Normalkraft	N
F_R	Reibungskraft	N
μ	Reibungszahl bei Haft- oder Gleitreibung (Ruhe- oder Bewegungsreibung)	–
M_R	Reibungsmoment	N·m
d	Durchmesser	m
f	Rollreibungszahl	mm
r	Radius	mm

μ und f siehe Tabellenbuch Metall

Reibungskraft bei Haft- und Gleitreibung

$$F_R = \mu \cdot F_N$$

$$F_N = \frac{F_R}{\mu} \qquad \mu = \frac{F_R}{F_N}$$

Reibungsmoment

$$M_R = \frac{\mu \cdot F_N \cdot d}{2}$$

Reibungskraft bei Rollreibung

$$F_R = \frac{f \cdot F_N}{r}$$

Leistung und Wirkungsgrad

Leistung bei geradliniger Bewegung

Leistung ist die Arbeit je Zeiteinheit.

P	Leistung	W
W	Arbeit	J
F	Kraft	N
v	Geschwindigkeit	m/s
s	Weg in Kraftrichtung	m
t	Zeit	s

$$1\,W = 1\,\frac{J}{s} = 1\,\frac{N \cdot m}{s}$$

$$1\,kW = 1000\,W = 1{,}36\,PS$$

Hydraulische Leistung: Seite 56

Leistung

$$P = \frac{W}{t}$$

$$W = P \cdot t \qquad t = \frac{W}{P}$$

Leistung

$$P = \frac{F \cdot s}{t}$$

$$F = \frac{P \cdot t}{s} \quad s = \frac{P \cdot t}{F} \quad t = \frac{F \cdot s}{P}$$

Leistung

$$P = F \cdot v$$

$$F = \frac{P}{v} \qquad v = \frac{P}{F}$$

Leistung bei kreisförmiger Bewegung

P	Leistung	W
M	Drehmoment	N·m
F	Umfangskraft	N
v	Geschwindigkeit	m/s
s	Weg in Kraftrichtung	m
t	Zeit	s
n	Drehzahl	1/s
ω	Winkelgeschwindigkeit	1/s

$$\frac{1}{min} = 1\,min^{-1} = \frac{1}{60\,s} = 0{,}01667\,s^{-1}$$

Zahlenwertgleichung:
Einsetzen → M in N · m, n in 1/min
Ergebnis → P in kW

Schnittleistung bei Werkzeugmaschinen:
Seite 45

Leistung

$$P = F \cdot v$$

$$P = F \cdot \pi \cdot d \cdot n$$

$$P = M \cdot 2 \cdot \pi \cdot n$$

$$P = M \cdot \omega$$

oder: Leistung (Zahlenwertgleichung)

$$P = \frac{M \cdot n}{9550}$$

$$M = 9550 \cdot \frac{P}{n}$$

Wirkungsgrad

zugeführte Leistung **abgegebene Leistung**

$P_{M1} = P_1$ $P_{G2} = P_2$

$P_{M2} = P_{G1}$

Motor   Getriebe

η_1 η_2

$$\eta = \eta_1 \cdot \eta_2$$

P_1	zugeführte Leistung	W
P_2	abgegebene Leistung	W
W_1	zugeführte Arbeit (Energie)	J
W_2	abgegebene Arbeit (Energie)	J
η	Gesamtwirkungsgrad	–
η_1, η_2, η_3	Teilwirkungsgrade	–
i	Übersetzungsverhältnis	–

Wirkungsgrad

$$\eta = \frac{P_2}{P_1}$$

$$\eta = \frac{W_2}{W_1}$$

Gesamtwirkungsgrad

$$\eta = \eta_1 \cdot \eta_2 \cdot \eta_3 \cdot \ldots$$

$$\eta_1 = \frac{\eta}{\eta_2 \cdot \eta_3 \cdot \ldots} \quad \eta_2 = \frac{\eta}{\eta_1 \cdot \eta_3 \cdot \ldots}$$

Druckarten, Auftrieb, Druckübersetzung

Druck

Fläche A F

Flächeneinheit

F p A

p	Druck	N/cm²
F	Kolbenkraft	N
A	Kolbenfläche	cm²

1 bar $= 10 \, \dfrac{N}{cm^2} = 1000 \, \dfrac{N}{dm^2} = 100\,000$ Pa

1 Pa $= 1 \, \dfrac{N}{m^2} = 10^{-5}$ bar

Druck

$$p = \frac{F}{A}$$

$$F = p \cdot A \qquad A = \frac{F}{p}$$

Überdruck, Luftdruck, absoluter Druck

p_e	Überdruck (excedens, überschreitend)	bar
p_{amb}	Luftdruck (ambient, umgebend)	bar
p_{abs}	absoluter Druck	bar

Der Überdruck ist positiv, wenn $p_{abs} > p_{amb}$ ist und negativ, wenn $p_{abs} < p_{amb}$ ist (Unterdruck)

Überdruck

$$p_e = p_{abs} - p_{amb}$$

$$p_{abs} = p_e + p_{amb}$$

$$p_{amb} = p_{abs} - p_e$$

$p_{amb} = 1,013$ bar ≈ 1 bar (Normal-Luftdruck)

Schweredruck, Auftriebskraft

p_e	Schweredruck	N/dm²
ϱ	Dichte der Flüssigkeit	kg/dm³
g	Fallbeschleunigung	m/s²
h	Flüssigkeitstiefe	dm
F_A	Auftriebskraft	N
V	Eintauchvolumen	dm³, l

$1 \, \dfrac{N}{m^2} = 0,01 \, \dfrac{N}{dm^2} = 1$ Pa $= 10^{-5}$ bar

$1 \, \dfrac{g}{cm^3} = 1 \, \dfrac{kg}{dm^3} = 1 \, \dfrac{t}{m^3}$

Schweredruck

$$p_e = g \cdot \varrho \cdot h$$

$$h = \frac{p_e}{g \cdot \varrho}$$

Auftriebskraft

$$F_A = g \cdot \varrho \cdot V$$

$$V = \frac{F_A}{g \cdot \varrho}$$

Druckübersetzung

A_1, A_2	Kolbenflächen	cm²
p_{e1}	Überdruck an der Kolbenfläche A_1	bar
p_{e2}	Überdruck an der Kolbenfläche A_2	bar
η	Wirkungsgrad des Druckübersetzers	–

Überdruck

$$p_{e2} = p_{e1} \cdot \frac{A_1}{A_2} \cdot \eta$$

$$p_{e1} = \frac{p_{e2} \cdot A_2}{A_1 \cdot \eta}$$

Schaltzeichen nach DIN ISO 1219-1

Festigkeitsberechnungen

Beanspruchung auf Zug

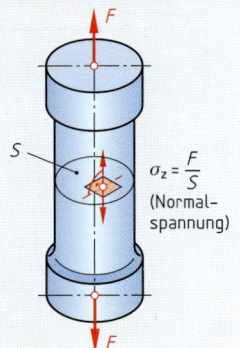

σ_z	Zugspannung	N/mm²
F	Zugkraft	N
S	Querschnittsfläche	mm²
S_{erf}	erforderliche Querschnitts-fläche	mm²
σ_{zzul}	zulässige Zugspannung	N/mm²
R_e	Streckgrenze	N/mm²
v	Sicherheitszahl	–

Zugspannung

$$\sigma_z = \frac{F}{S}$$

erforderliche Querschnittsfläche

$$S_{erf} = \frac{F}{\sigma_{zzul}}$$

zulässige Zugspannung[1]

$$\sigma_{zzul} = \frac{R_e}{v}$$

Beanspruchung auf Druck

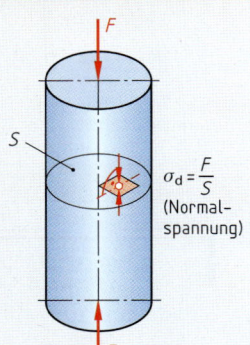

σ_d	Druckspannung	N/mm²
F	Druckkraft	N
S	Querschnittsfläche	mm²
S_{erf}	erforderliche Querschnitts-fläche	mm²
σ_{dzul}	zulässige Druckspannung	N/mm²
σ_{dF}	Quetschgrenze (bei Stahl $\sigma_{dF} \approx R_e$)	N/mm²
R_e	Streckgrenze	N/mm²
v	Sicherheitszahl	–

Druckspannung

$$\sigma_d = \frac{F}{S}$$

erforderliche Querschnittsfläche

$$S_{erf} = \frac{F}{\sigma_{dzul}}$$

zulässige Druckspannung[1]

$$\sigma_{dzul} = \frac{\sigma_{dF}}{v}$$

Beanspruchung auf Flächenpressung

$A = l \cdot b$

$A = l \cdot d$
(projizierte Fläche)

p	Flächenpressung	N/mm²
F	Kraft	N
A	Berührungsfläche, projizierte Fläche	mm²
A_{erf}	erforderliche Berührungs-fläche	mm²
p_{zul}	zulässige Flächenpressung	N/mm²
R_e	Streckgrenze	N/mm²

Flächenpressung

$$p = \frac{F}{A}$$

erforderliche Berührungsfläche

$$A_{erf} = \frac{F}{p_{zul}}$$

zulässige Flächen-pressung[1][2] (Richtwert)

$$p_{zul} = \frac{R_e}{1,2}$$

[1] Die Berechnungsformel der zulässigen Spannung gilt nur für statische Belastung zäher Werkstoffe (z. B. Stahl). Für spröde Werkstoffe ist die zulässige Spannung sinngemäß zu ermitteln.

[2] Für die Berechnung von Maschinenelementen gelten die dort jeweils festgelegten zulässigen Werte.

Festigkeitsberechnungen

Beanspruchung auf Abscherung

ein-schnittig   **zwei-schnittig**

Der belastete Querschnitt darf nicht abgeschert werden.

τ_a	Scherspannung	N/mm²
F	Scherkraft	N
S	Querschnittsfläche	mm²
S_{erf}	erforderliche Querschnitts-fläche	mm²
τ_{azul}	zulässige Scherspannung	N/mm²
τ_{aF}	Scherfließgrenze (bei Stahl $\tau_{aF} \approx 0{,}6 \cdot R_e$)	N/mm²
R_e	Streckgrenze	N/mm²
ν	Sicherheitszahl	–

Scherspannung

$$\tau_a = \frac{F}{S}$$

erforderliche Querschnittsfläche

$$S_{erf} = \frac{F}{\tau_{azul}}$$

zulässige Scherspannung[1)][2)]

$$\tau_{azul} = \frac{\tau_{aF}}{\nu}$$

Beanspruchung auf Torsion (Verdrehung)

τ_t	Torsionsspannung	N/mm²
M_t	Torsionsmoment	N · mm
W_p	polares Widerstandsmoment	mm³
W_{perf}	erforderliches polares Widerstandsmoment	mm³
τ_{tzul}	zulässige Torsionsspannung	N/mm²
τ_{tF}	Torsionsfließgrenze (bei Stahl $\tau_{tF} \approx 0{,}65 \cdot R_e$)	N/mm²
R_e	Streckgrenze	N/mm²
ν	Sicherheitszahl	–

Torsionsspannung

$$\tau_t = \frac{M_t}{W_p}$$

erforderliches polares Widerstandsmoment

$$W_{perf} = \frac{M_t}{\tau_{tzul}}$$

zulässige Torsionsspannung[1)]

$$\tau_{tzul} = \frac{\tau_{tF}}{\nu}$$

Beanspruchung auf Biegung

σ_b Zug

σ_b Druck

σ_b	Biegespannung	N/mm²
M_b	Biegemoment	N · mm
W	axiales Widerstandsmoment	mm³
W_{erf}	erforderliches axiales Widerstandsmoment	mm³
σ_{bzul}	zulässige Biegespannung	N/mm²
σ_{bF}	Biegefließgrenze (bei Stahl $\sigma_{bF} \approx 1{,}2 \cdot R_e$)	N/mm²
R_e	Streckgrenze	N/mm²
ν	Sicherheitszahl	–
F	Biegekraft	N
f	Durchbiegung	mm

Das Biegemoment M_b ist abhängig vom jeweiligen Biegebelastungsfall, z. B. einseitig oder zweiseitig eingespannt.

Biegespannung

$$\sigma_b = \frac{M_b}{W}$$

erforderliches axiales Widerstandsmoment

$$W_{erf} = \frac{M_b}{\sigma_{bzul}}$$

zulässige Biegespannung[1)]

$$\sigma_{bzul} = \frac{\sigma_{bF}}{\nu}$$

[1)] Die Berechnungsformel der zulässigen Spannung gilt nur für statische Belastung zäher Werkstoffe (z. B. Stahl). Für spröde Werkstoffe ist die zulässige Spannung sinngemäß zu ermitteln.
[2)] Für die Berechnung von Maschinenelementen gelten die dort jeweils festgelegten zulässigen Werte.

Festigkeitsberechnungen

Biegebelastung auf Bauteile durch Querkräfte als Punktlasten

Beispiel:

F_1, F_A, F_B	Kräfte als Punktlasten	N
$l_1 \ldots l_3$	Längsabstände	m
F_q	innere Querkraft	N
A_q	Querkraftfläche	N · m
M_b	(inneres) Biegemoment	N · m
(1), (2)	betrachtete (Schnitt-)Stellen	

Arbeitsschritte:

1. Freischneiden des gesamten Bauteils und Ermittlung aller angreifenden Kräfte (vgl. Seite 23).

2. Verlauf der Querkräfte F_q ergibt Querkraftflächen $A_q = F_q \cdot l$ (= M_b). An den Nulldurchgängen der Querkraft sind Biegemomentspitzen (M_{bmax}).

3. Ermittlung der Biegemomentspitzen oder einer für den Spannungsnachweis erforderlichen Schnittstelle. Linke und rechte Seite der Schnittstelle liefern dabei gleiche Ergebnisse.

4. Der Betrag des Biegemomentes (ohne Vorzeichen) wird für die Festigkeitsrechnung verwendet.

[1] Vorzeichen der Kräfte und Momente: Seite 21
[2] Querkraft F_q bewirkt auch Abscherung. Die Scherspannung bleibt aber bei der Festigkeitsrechnung biegebeanspruchter Bauteile in der Regel unberücksichtigt.

Gleichgewichtsbedingungen[1][2]
(in der Ebene)

$$\Sigma F = 0$$

$$\Sigma M_{(x)} = 0$$

Lagerkräfte:

$$F_A = \frac{F_1 \cdot l_2}{(l_1 + l_2)}$$

$$F_B = F_1 - F_A$$

Biegemoment (1):

$\Sigma M_{(1)} = 0$

linke Seite:
$M_{b(1)} - F_A \cdot l_1 = 0$
$M_{b(1)} = F_A \cdot l_1$

rechte Seite:
$F_B \cdot l_2 - M_{b(1)} = 0$
$M_{b(1)} = F_B \cdot l_2$

Biegemoment (2):

$\Sigma M_{(2)} = 0$

linke Seite:
$M_{b(2)} - F_A \cdot (l_1 + l_2)$
$\quad + F_1 \cdot l_3 = 0$
$M_{b(2)} = F_A \cdot (l_1 + l_2) - F_1 \cdot l_3$

rechte Seite:
$F_B \cdot (l_2 - l_3) - M_{b(2)} = 0$
$M_{b(2)} = F_B \cdot (l_2 - l_3)$

Biegebelastungsfälle auf Bauteilen (Auswahl von Sonderfällen)

einseitig eingespannt (Einzelkraft)

$$M_b = F \cdot l$$

$$f = \frac{F \cdot l^3}{3 \cdot E \cdot I}$$

einseitig eingespannt (Streckenlast)

$$M_b = \frac{F \cdot l}{2}$$

$$f = \frac{F \cdot l^3}{8 \cdot E \cdot I}$$

auf zwei Stützen

$$M_b = \frac{F \cdot l}{4}$$

$$f = \frac{F \cdot l^3}{48 \cdot E \cdot I}$$

auf zwei Stützen (Streckenlast)

$$M_b = \frac{F \cdot l}{8}$$

$$f = \frac{5 \cdot F \cdot l^3}{384 \cdot E \cdot I}$$

auf zwei Stützen (Einzelkraft)

$$M_b = F \frac{a \cdot b}{l}$$

$$f = \frac{F \cdot a^2 \cdot b^2}{3 \cdot E \cdot I \cdot l}$$

doppelseitig eingesp. (Streckenlast)

$$M_b = \frac{F \cdot l}{12}$$

$$f = \frac{F \cdot l^3}{384 \cdot E \cdot I}$$

E Elastizitätsmodul; *I* Flächenmoment 2. Grades; *F'* Streckenlast (Last pro Längeneinheit, z. B. N/cm)

Festigkeitsberechnungen

Flächenmomente und Widerstandsmomente

Querschnitt	Biegung und Knickung		Verdrehung (Torsion)
	Flächenmoment 2. Grades I	axiales Widerstandsmoment W	polares Widerstandsmoment W_p
	$I = \dfrac{\pi \cdot d^4}{64}$	$W = \dfrac{\pi \cdot d^3}{32}$	$W_p = \dfrac{\pi \cdot d^3}{16}$
	$I = \dfrac{\pi \cdot (D^4 - d^4)}{64}$	$W = \dfrac{\pi \cdot (D^4 - d^4)}{32 \cdot D}$	$W_p = \dfrac{\pi \cdot (D^4 - d^4)}{16 \cdot D}$
	$I = 0{,}05 \cdot D^4 - 0{,}083\, d \cdot D^3$	$W = 0{,}1 \cdot D^3 - 0{,}17\, d \cdot D^2$	$W_p = 0{,}2 \cdot D^3 - 0{,}34\, d \cdot D^2$
	$I = 0{,}003 \cdot (D + d)^4$	$W = 0{,}012 \cdot (D + d)^3$	$W_p = 0{,}2 \cdot d^3$
	$I_x = I_z = \dfrac{h^4}{12}$	$W_x = \dfrac{h^3}{6}$ $W_z = \dfrac{\sqrt{2} \cdot h^3}{12}$	$W_p = 0{,}208 \cdot h^3$
	$I_x = I_y = \dfrac{5 \cdot \sqrt{3} \cdot s^4}{144}$ $I_x = I_y = \dfrac{5 \cdot \sqrt{3} \cdot d^4}{256}$	$W_x = \dfrac{5 \cdot s^3}{48} = \dfrac{5 \cdot \sqrt{3} \cdot d^3}{128}$ $W_y = \dfrac{5 \cdot s^3}{24 \cdot \sqrt{3}} = \dfrac{5 \cdot d^3}{64}$	$W_p = 0{,}188 \cdot s^3$ $W_p = 0{,}123 \cdot d^3$
	$I_x = \dfrac{b \cdot h^3}{12}$ $I_y = \dfrac{h \cdot b^3}{12}$	$W_x = \dfrac{b \cdot h^2}{6}$ $W_y = \dfrac{h \cdot b^2}{6}$	–
	$I_x = \dfrac{b \cdot (H^3 - h^3)}{12}$ $I_y = \dfrac{b^3 \cdot (H - h)}{12}$	$W_x = \dfrac{b \cdot (H^3 - h^3)}{6 \cdot H}$ $W_y = \dfrac{b^2 \cdot (H - h)}{6}$	–
	$I_x = \dfrac{B \cdot H^3 - b \cdot h^3}{12}$ mit $b = b_1 + b_2$	$W_x = \dfrac{B \cdot H^3 - b \cdot h^3}{6 \cdot H}$ mit $b = b_1 + b_2$	–
	$I_x = \dfrac{B \cdot H^3 + b \cdot h^3}{12}$ mit $B = B_1 + B_2$ $b = b_1 + b_2$	$W_x = \dfrac{B \cdot H^3 + b \cdot h^3}{6 \cdot H}$ mit $B = B_1 + B_2$ $b = b_1 + b_2$	–

Festigkeitsberechnungen

Dynamische Festigkeitsrechnung, Vordimensionierung

Dynamische Belastungsgrößen, z. B. dynamisches M_b, M_t

↓

Beanspruchungen und Lastfälle mit z. B. Spannungshypothesen

↓

Querschnittsgeometrie, z. B. Kreis, Rechteck

↓

Ermittlung der im gefährdeten Querschnitt **vorhandenen Ausschlagspannung**

Nachweis der Spannungen

≤ → zulässige Spannung ◄

Werkstoffkennwerte, z. B. Biegewechselfestigkeit

↓

Konstruktionsfaktor, z. B. mit Kerbwirkung, Größenbeiwert

↓

Gestaltwechselfestigkeit, Überbelastungsfall

↓

Ermittlung der dauerhaft ertragbaren Spannung: **Gestaltausschlagfestigkeit**

↓

erforderliche Sicherheit

Vordimensionierung

Der überschlägig erforderliche Bauteilquerschnitt wird anhand der jeweiligen Grenzspannung und der stark erhöhten Sicherheitszahl bestimmt.

Bei zusammengesetzter Beanspruchung auf Biegung und Torsion wird das Vergleichsmoment berücksichtigt.

σ_{zul}	zulässige Normalspannung	N/mm²
τ_{zul}	zulässige Schubspannung	N/mm²
σ_{grenz}	Grenzspannung der Normalspannung	N/mm²
τ_{grenz}	Grenzspannung der Schubspannung	N/mm²
ν_D	Sicherheitszahl	–
M_v	Vergleichsmoment	Nmm
M_b	Biegemoment	Nmm
M_t	Torsion	Nmm
α_0	Anstrengungsverhältnis	–
d	Entwurfsdurchmesser Vollachse, Vollwelle	mm

Zulässige Spannung
(Vordimensionierung)

$$\sigma_{zul} = \frac{\sigma_{grenz}}{\nu_D}; \ \tau_{zul} = \frac{\tau_{grenz}}{\nu_D}$$

Vergleichsmoment
(zäher Werkstoff)

$$M_v = \sqrt{M_b{}^2 + 0{,}75 \cdot (\alpha_0 \cdot M_t)^2}$$

Vordimensionierung:

Achsendurchmesser[1]

$$d \approx 3{,}4 \cdot \sqrt[3]{M_b / \sigma_{grenz}}$$

Wellendurchmesser[1]
(nur Torsion)

$$d \approx 2{,}7 \cdot \sqrt[3]{M_t / \tau_{grenz}}$$

Wellendurchmesser[1,2]
(Torsion und Biegung)

$$d \approx 3{,}4 \cdot \sqrt[3]{M_v / \sigma_{grenz}}$$

[1] Dimensionierungsformeln fassen Sicherheitszahl, Belastung, Belastungskombinationen und z.T. Konstruktionserfahrungen zusammen.

[2] Bei noch unbekannten Längen: $M_V \approx 1{,}17 \cdot M_t$ (Lagerabstand normal), $M_V \approx 2{,}1 \cdot M_t$ (Lagerabstand groß)

Gestaltfestigkeit, vereinfachter dynamischer Spannungsnachweis

Beispiel:
Spannungsverteilung bei Zugbeanspruchung

Nennspannung im ungekerbten Bauteil

σ_n

S

σ_n, σ_{max}

Spannungsspitze im gekerbten Bauteil

Gestaltfestigkeit (Wechselfestigkeit unter zusätzlicher Berücksichtigung der festigkeitsmindernden Einflüsse)

$\sigma(\tau)_{GW}$	Gestaltwechselfestigkeit	N/mm²
$\sigma(\tau)_W$	Wechselfestigkeit	N/mm²
b_1	Oberflächenbeiwert	–
b_2	Größenbeiwert	–
β_k	Kerbwirkungszahl	–

Spannungsnachweis allgemein

$\sigma(\tau)_{avorh}$	vorhandene Ausschlagspannung	N/mm²
$\sigma(\tau)_{zul}$	zulässige Spannung	N/mm²

Vereinfachter Spannungsnachweis
(Vereinfachung: $\sigma_{GA} = \sigma_{GW}$, $\tau_{GA} = \tau_{GW}$)

$\sigma(\tau)_{zul}$	zulässige Spannung	N/mm²
$\sigma(\tau)_{GW}$	Gestaltwechselfestigkeit	N/mm²
$\sigma(\tau)_{GA}$	Gestaltausschlagfestigkeit	N/mm²
ν_D	Sicherheit gegen Dauerbruch	–

Gestaltwechselfestigkeit
(dynamische Beanspruchung)

$$\sigma_{GW} = \frac{\sigma_W \cdot b_1 \cdot b_2}{\beta_k}$$

$$\tau_{GW} = \frac{\tau_W \cdot b_1 \cdot b_2}{\beta_k}$$

Nachweis der Spannungen
(allgemein)

$$\sigma_{avorh} \leq \sigma_{zul}$$

$$\tau_{avorh} \leq \tau_{zul}$$

zulässige Spannung
vereinfachter Nachweis
(dynamische Beanspruchung)

$$\sigma_{zul} = \frac{\sigma_{GW}}{\nu_D} = \frac{\sigma_{GA}}{\nu_D}$$

$$\tau_{zul} = \frac{\tau_{GW}}{\nu_D} = \frac{\tau_{GA}}{\nu_D}$$

Werkstoffprüfung

Zugversuch

Spannungs-Dehnungs-Diagramm mit ausgeprägter Streckgrenze, z.B. bei weichem Stahl

Spannungs-Dehnungs-Diagramm ohne ausgeprägte Streckgrenze, z.B. bei vergütetem Stahl

Zugprobe

F	Zugkraft	N
F_m	Höchstzugkraft	N
F_e	Zugkraft an der Streckgrenze	N
$F_{p0,2}$	Zugkraft an der Dehngrenze	N
L	Messlänge	mm
L_0	Anfangsmesslänge	mm
L_u	Messlänge nach dem Bruch der Probe	mm
d_0	Anfangsdurchmesser der Probe	mm
S_0	Anfangsquerschnitt der Probe	mm²
S_u	kleinster Probenquerschnitt nach dem Bruch	mm²
e	Dehnung	%
A	Bruchdehnung	%
Z	Brucheinschnürung	%
R	Zugspannung	N/mm²
R_m	Zugfestigkeit	N/mm²
R_e	Streckgrenze	N/mm²
$R_{p0,2}$	Dehngrenze	N/mm²

Zugspannung

$$R = \frac{F}{S_0}$$

$$F = R \cdot S_0$$

Zugfestigkeit

$$R_m = \frac{F_m}{S_0}$$

Streckgrenze

$$R_e = \frac{F_e}{S_0}$$

Dehngrenze

$$R_{p0,2} = \frac{F_{p0,2}}{S_0}$$

Dehnung

$$e = \frac{L - L_0}{L_0} \cdot 100\,\%$$

Bruchdehnung

$$A = \frac{L_u - L_0}{L_0} \cdot 100\,\%$$

Brucheinschnürung

$$Z = \frac{S_0 - S_u}{S_0} \cdot 100\,\%$$

Bestimmung der Eigenschaften von Kunststoffen bei Zugbeanspruchung

typische Spannungs-Dehnungs-Kurven

Probekörper

F_m	Höchstkraft	N
F_y	Streckspannungskraft	N
ΔL_{Fm}	Längenänderung bei Höchstkraft	mm
ΔL_{Fy}	Längenänderung bei Streckspannungskraft	mm
L_0	Messlänge	mm
S_0	Anfangsquerschnitt	mm²
σ_m	Zugfestigkeit	N/mm²
σ_y	Streckspannung	N/mm²
ε_m	Höchstdehnung	%
ε_y	Streckdehnung	%

Zugfestigkeit

$$\sigma_m = \frac{F_m}{S_0}$$

Streckspannung

$$\sigma_y = \frac{F_y}{S_0}$$

Höchstdehnung

$$\varepsilon_m = \frac{L_{Fm}}{L_0} \cdot 100\,\%$$

Streckdehnung

$$\varepsilon_y = \frac{L_{Fy}}{L_0} \cdot 100\,\%$$

Berechnung von Schrauben

Die meisten Schrauben (einfache Verbindungen) werden ohne Kontrolle des Anziehdrehmoments montiert. Für das Anziehen von Hand liegen Erfahrungswerte[1] für die Vorspannkraft F_v und die Vorspannung σ_v vor. Für die Mindeststreckgrenze ist ein Sicherheitsfaktor von 1,5 vorzusehen.

Betriebskraft in Achsrichtung

Bei Berechnung der Schrauben allein über die axiale Betriebskraft F_B wird ein hoher Sicherheitsfaktor (z. B. $\nu = 2{,}5$) berücksichtigt, der die ungenaue Berechnung der Schraubengesamtkraft kompensiert.

F_B	Betriebskraft	N
R_e	Streckgrenze	N/mm²
$R_{e\,erf}$	Mindeststreckgrenze	N/mm²
σ_{zul}	Zulässige Spannung	N/mm²
σ_v	Vorspannung	N/mm² (lt. Tabelle)
S	Spannungsquerschnitt	mm²
ν	Sicherheitsfaktor $\nu = 2{,}5$	

Zulässige Spannung
$$\sigma_{zul} = \frac{R_e}{\nu}$$

Spannungsquerschnitt
$$S = \frac{F_B}{\sigma_{zul}}$$

Spannungsnachweis
$$R_{e\,erf} \geq 1{,}5 \cdot \sigma_v$$

[1] Werte beim Anziehen von Hand		
d	F_V in N	σ_v in N/mm²
M6	7 000	350
M8	10 000	280
M10	16 000	

Betriebskraft quer zur Achsrichtung

F_B	Betriebskraft	N
R_e	Streckgrenze	N/mm²
F_R	Reibungskraft	N
F_{verf}	erforderliche Vorspannkraft	kN
μ	Reibungszahl	
φ	Rutschsicherheit	
S	Spannungsquerschnitt	mm²
σ_{zul}	zulässige Spannung	N/mm²

$$\sigma_{zul} = \frac{R_e}{1{,}5}$$

Erforderliche Vorspannkraft
$$F_{verf} = \frac{\varphi \cdot F_B}{\mu}$$

Spannungsquerschnitt
$$S = \frac{F_{verf}}{\sigma_{zul}}$$

Scheibenkupplung

F_B	Betriebskraft	N
F_R	Reibungskraft	N
M_K	Kupplungsmoment	N · m
d_1	Teilkreisdurchmesser	mm
n	Anzahl der Schrauben	
F_{verf}	erforderliche Vorspannkraft	kN
μ	Reibungszahl	
φ	Rutschsicherheit	
S	Spannungsquerschnitt	mm²
σ_{zul}	zulässige Spannung	N/mm²

$$\sigma_{zul} = \frac{R_e}{1{,}5}$$

Vorhandene Betriebskraft
$$F_B = \frac{M_K \cdot 2}{n \cdot d_1}$$

Erforderliche Vorspannkraft
$$F_{verf} = \frac{\varphi \cdot F_B}{\mu}$$

Spannungsquerschnitt
$$S = \frac{F_{verf}}{\sigma_{zul}}$$

Wärmetechnik

Temperatureinheiten

Die thermodynamische Temperatur in Kelvin (K) geht von der tiefstmöglichen Temperatur (vom absoluten Nullpunkt) aus, die Celsiustemperatur vom Schmelzpunkt des Eises.

T	thermodynamische Temperatur	K
t, ϑ	Celsius-Temperatur	°C
t_F	Fahrenheit-Temperatur	°F

Thermodynamische Temperatur

$$T = t + 273$$

$$t = T - 273$$

Fahrenheit-Temperatur

$$t_F = 1{,}8 \cdot t + 32$$

Längenänderung

α_l	Längenausdehnungskoeffizient	1/K, 1/°C
$\Delta t, \Delta \vartheta, \Delta T$	Temperaturänderung	K, °C
Δl	Längenänderung	mm
Δd	Durchmesseränderung	mm
l_1	Anfangslänge	mm
d_1	Anfangsdurchmesser	mm

Längenänderung

$$\Delta l = \alpha_l \cdot l_1 \cdot \Delta t$$

Durchmesseränderung

$$\Delta d = \alpha_l \cdot d_1 \cdot \Delta t$$

Volumenänderung

α_V	Volumenausdehnungskoeffizient	1/K, 1/°C
$\Delta t, \Delta \vartheta, \Delta T$	Temperaturänderung	K, °C
ΔV	Volumenänderung	dm³, l
V_1	Anfangsvolumen	dm³, l

Volumenänderung

$$\Delta V = \alpha_V \cdot V_1 \cdot \Delta t$$

$$\alpha_V \approx 3 \cdot \alpha_l$$

Zustandsänderung von Gasen

Verdichtung

Zustand 1

p_{abs1}	absoluter Druck	bar
V_1	Volumen	dm³, l
T_1	absolute Temperatur	K

Zustand 2

p_{abs2}	absoluter Druck	bar
V_2	Volumen	dm³, l
T_2	absolute Temperatur	K

$1\ l = 1\ dm^3 = 1000\ cm^3 = 0{,}001\ m^3$

Allgemeine Gasgleichung

$$\frac{p_{abs1} \cdot V_1}{T_1} = \frac{p_{abs2} \cdot V_2}{T_2}$$

Sonderfälle:

bei konstanter Temperatur ($T_1 = T_2$): Gesetz von Boyle-Mariotte

$$p_{abs1} \cdot V_1 = p_{abs2} = V_2$$

bei konstantem Volumen ($V_1 = V_2$)

$$\frac{p_{abs1}}{T_1} = \frac{p_{abs2}}{T_2}$$

bei konstantem Druck ($p_{abs1} = p_{abs2}$)

$$\frac{V_1}{T_1} = \frac{V_2}{T_2}$$

Gesetz von Boyle-Mariotte

Wärmetechnik

Schwindung

S	Schwindmaß	%
l	Werkstücklänge	mm
l_1	Modelllänge	mm

Modelllänge

$$l_1 = \frac{l \cdot 100\%}{100\% - S}$$

$$l = \frac{l_1 \cdot (100\% - S)}{100\%}$$

Wärmemenge bei Temperaturänderung

Q	Wärmemenge	kJ
m	Masse	kg
c	spezifische Wärmekapazität	$\dfrac{kJ}{kg \cdot K}$
$\Delta t, \Delta \vartheta, \Delta T$	Temperaturänderung	K, °C

Wärmemenge

$$Q = c \cdot m \cdot \Delta t$$

$$\Delta t = \frac{Q}{c \cdot m}$$

Schmelzwärme, Verdampfungswärme

Q	Schmelzwärme, Verdampfungswärme	kJ
q	spezifische Schmelzwärme	kJ/kg
r	spezifische Verdampfungswärme	kJ/kg
m	Masse	kg

Schmelzwärme

$$Q = q \cdot m$$

$$m = \frac{Q}{q}$$

Verdampfungswärme

$$Q = r \cdot m$$

$$m = \frac{Q}{r}$$

Verbrennungswärme

Q	Verbrennungswärme	MJ
H, H_u	spezifischer Heizwert fester und flüssiger Brennstoffe	MJ/kg
H, H_u	spezifischer Heizwert von Gasen	MJ/m³
m	Masse fester und flüssiger Brennstoffe	kg
V	Volumen von Brenngasen	m³

Verbrennungswärme fester und flüssiger Stoffe

$$Q = H_u \cdot m$$

$$m = \frac{Q}{H_u}$$

Verbrennungswärme von Gasen

$$Q = H_u \cdot V$$

$$V = \frac{Q}{H_u}$$

Elektrotechnik

Ohmsches Gesetz

U	Spannung	V
I	Stromstärke	A
R	Widerstand	Ω

$$1\,\Omega = \frac{1\,\text{V}}{1\,\text{A}}$$

Stromstärke

$$I = \frac{U}{R}$$

$$R = \frac{U}{I} \qquad U = I \cdot R$$

Widerstand und Leitwert

R	Widerstand	Ω
G	Leitwert	S

Widerstand

$$R = \frac{1}{G}$$

Leitwert

$$G = \frac{1}{R}$$

Spezifischer elektrischer Widerstand, elektrische Leitfähigkeit, Leiterwiderstand

ϱ	spezifischer elektrischer Widerstand	Ω · mm²/m
γ	elektrische Leitfähigkeit	m/(Ω · mm²)
R	Widerstand	Ω
A	Leiterquerschnitt	mm²
l	Leiterlänge	m

Spezifischer elektrischer Widerstand

$$\varrho = \frac{1}{\gamma}$$

Leiterwiderstand

$$R = \frac{\varrho \cdot l}{A}$$

Widerstand und Temperatur

Temperaturkoeffizient α	
Werkstoff	α in 1/K
Aluminium	0,0040
Blei	0,0039
Gold	0,0037
Kupfer	0,0039
Silber	0,0038
Wolfram	0,0044
Zinn	0,0045
Zink	0,0042
Grafit	− 0,0013
Konstantan	± 0,00001

ΔR	Widerstandsänderung	Ω
R_{20}	Widerstand bei 20 °C	Ω
R_t	Widerstand bei der Temperatur t	Ω
α	Temperaturkoeffizient (T_k-Wert)	1/K
Δt	Temperaturdifferenz	K

Widerstandsänderung

$$\Delta R = \alpha \cdot R_{20} \cdot \Delta t$$

Widerstand bei Temperatur t

$$R_t = R_{20} + \Delta R$$

$$R_t = R_{20} \cdot (1 + \alpha \cdot \Delta t)$$

Stromdichte in Leitern

J	Stromdichte	A/mm²
I	Stromstärke	A
A	Leiterquerschnitt	mm²

Stromdichte

$$J = \frac{I}{A}$$

Elektrotechnik

Spannungsabfall in Leitern

U_a Spannungsabfall im Leiter   V
U Klemmenspannung   V
U_v Spannung am Verbraucher   V
I Stromstärke   A
R_{Ltg} Leiterwiderstand für Zuleitung
     bzw. Rückleitung   Ω

Spannungsabfall

$$U_a = 2 \cdot I \cdot R_{Ltg}$$

Spannung am Verbraucher

$$U_v = U - U_a$$

Reihenschaltung von Widerständen

R Gesamtwiderstand   Ω
I Gesamtstrom   A
U Gesamtspannung   V
R_1, R_2 Einzelwiderstände   Ω
I_1, I_2 Teilströme   A
U_1, U_2 Teilspannungen   V

Gesamtwiderstand

$$R = R_1 + R_2 + \dots$$

Gesamtspannung

$$U = U_1 + U_2 + \dots$$

Gesamtstrom

$$I = I_1 = I_2 = \dots$$

Teilspannungen

$$\frac{U_1}{U_2} = \frac{R_1}{R_2}$$

Parallelschaltung von Widerständen

R Gesamtwiderstand   Ω
I Gesamtstrom   A
U Gesamtspannung   V
R_1, R_2 Einzelwiderstände   Ω
I_1, I_2 Teilströme   A
U_1, U_2 Teilspannungen   V

Gesamtwiderstand

$$\frac{1}{R} = \frac{1}{R_1} + \frac{1}{R_2} + \dots$$

Gesamtwiderstand bei nur 2 Teilwiderständen

$$R = \frac{R_1 \cdot R_2}{R_1 + R_2}$$

Gesamtspannung

$$U = U_1 = U_2 = \dots$$

Gesamtstrom

$$I = I_1 + I_2 + \dots$$

Teilströme

$$\frac{I_1}{I_2} = \frac{R_2}{R_1}$$

Elektrotechnik

Elektrische Arbeit

W	elektrische Arbeit	kW·h
P	elektrische Leistung	kW
t	Zeit	h

1 kW·h = 3,6 MJ = 3 600 000 W·s

Elektrische Arbeit

$$W = P \cdot t$$

$$P = \frac{W}{t} \qquad t = \frac{W}{P}$$

Elektrische Leistung bei ohmscher Belastung[1]

P	elektrische Leistung	W
U	Spannung (Leiterspannung)	V
I	Stromstärke	A
R	Widerstand	Ω

[1] d.h. nur bei Wärmegeräten (ohmsche Widerstände)

Leistung bei Gleich- oder Wechselstrom

$$P = U \cdot I$$

$$P = I^2 \cdot R$$

$$P = \frac{U^2}{R}$$

Leistung bei Drehstrom

$$P = \sqrt{3} \cdot U \cdot I$$

Wirkleistung bei Wechsel- und Drehstrom mit induktivem oder kapazitivem Lastanteil[2]

P	Wirkleistung	W
U	Spannung (Leiterspannung)	V
I	Stromstärke	A
$\cos \varphi$	Leistungsfaktor	–

[2] z.B. bei Elektromotoren und Generatoren

Wirkleistung bei Wechselstrom

$$P = U \cdot I \cdot \cos \varphi$$

Wirkleistung bei Drehstrom

$$P = \sqrt{3} \cdot U \cdot I \cdot \cos \varphi$$

Transformator

Eingangsseite (Primärspule)   **Ausgangsseite** (Sekundärspule)

N_1, N_2	Windungszahlen	–
U_1, U_2	Spannungen	V
I_1, I_2	Stromstärken	A

Spannungen

$$\frac{U_1}{U_2} = \frac{N_1}{N_2}$$

Stromstärken

$$\frac{I_1}{I_2} = \frac{N_2}{N_1}$$

$$I_1 = \frac{N_2 \cdot I_2}{N_1} \qquad I_2 = \frac{I_1 \cdot N_1}{N_2}$$

Toleranzen und Passungen

Grenzmaße und Toleranzen für Bohrungen[1]

N	Nennmaß	mm
G_{oB}	Höchstmaß Bohrung	mm
G_{uB}	Mindestmaß Bohrung	mm
ES	oberes Grenzabmaß Bohrung	mm
EI	unteres Grenzabmaß Bohrung	mm
T_B	Toleranz Bohrung	mm

Höchstmaß

$$G_{oB} = N + ES$$

Mindestmaß

$$G_{uB} = N + EI$$

Toleranz

$$T_B = ES - EI$$
$$T_B = G_{oB} - G_{uB}$$

Grenzmaße und Toleranzen für Wellen[1]

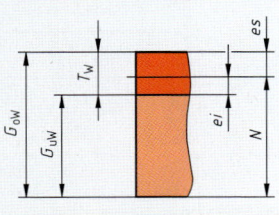

N	Nennmaß	mm
G_{oW}	Höchstmaß Welle	mm
G_{uW}	Mindestmaß Welle	mm
es	oberes Grenzabmaß Welle	mm
ei	unteres Grenzabmaß Welle	mm
T_W	Toleranz Welle	mm

Höchstmaß

$$G_{oW} = N + es$$

Mindestmaß

$$G_{uW} = N + ei$$

Toleranz

$$T_W = es - ei$$
$$T_W = G_{oW} - G_{uW}$$

Passungen

Spielpassung[1]

P_{SH}	Höchstspiel	mm
P_{SM}	Mindestspiel	mm

Höchstspiel

$$P_{SH} = G_{oB} - G_{uW}$$
$$P_{SH} = ES - ei$$

Mindestspiel

$$P_{SM} = G_{uB} - G_{oW}$$
$$P_{SM} = EI - es$$

Übergangspassung[1]

P_{SH}	Höchstspiel	mm
$P_{ÜH}$	Höchstübermaß	mm

Höchstspiel

$$P_{SH} = G_{oB} - G_{uW}$$
$$P_{SH} = ES - ei$$

Höchstübermaß

$$P_{ÜH} = G_{uB} - G_{oW}$$
$$P_{ÜH} = EI - es$$

Übermaßpassung[1]

$P_{ÜH}$	Höchstübermaß	mm
$P_{ÜM}$	Mindestübermaß	mm

Höchstübermaß

$$P_{ÜH} = G_{uB} - G_{oW}$$
$$P_{ÜH} = EI - es$$

Mindestübermaß

$$P_{ÜM} = G_{oB} - G_{uW}$$
$$P_{ÜM} = ES - ei$$

[1] Grenzabmaße sind in Tabellen meist in µm angegeben. Zur Berechnung von Grenzmaßen, Toleranzen und Passungen müssen sie zuerst in mm umgerechnet werden.

Toleranzen und Passungen

Begriffe
vgl. DIN EN ISO 286-1 (2010-11)

Bohrung
N	Nennmaß
G_{oB}	Höchstmaß Bohrung
G_{uB}	Mindestmaß Bohrung
ES	oberes Grenzabmaß Bohrung
EI	unteres Grenzabmaß Bohrung
T_B	Toleranz Bohrung

Welle
N	Nennmaß
G_{oW}	Höchstmaß Welle
G_{uW}	Mindestmaß Welle
es	oberes Grenzabmaß Welle
ei	unteres Grenzabmaß Welle
T_W	Toleranz Welle

Ø30H7 — Nennmaß, Toleranzklasse, Toleranzgrad, Grundabmaß

Ø30s6 — Nennmaß, Toleranzklasse, Toleranzgrad, Grundabmaß

Bezeichnung	Erklärung	Bezeichnung	Erklärung
Nennmaß	Theoretisch genaues Maß eines Geometrieelementes.	**Toleranz-grad**	Zahl des Grundtoleranzgrades, z. B. 7 bei IT7.
Grenzabmaß	Oberes bzw. unteres Abmaß, bezogen auf das Nennmaß.	**Grund-toleranz**	Die einem Grundtoleranzgrad, z. B. IT7, einem Nennmaßbereich, z. B. 30…50 mm, zugeordnete Toleranz.
Toleranz-intervall	Bereich zwischen Mindestmaß und Höchstmaß.	**Grund-abmaß**	Grenzabmaß, das am nächsten beim Nennmaß liegt. Grundabmaße werden mit Buchstaben, z. B. H, h, gekennzeichnet.
Toleranz	Differenz zwischen Höchst- und Mindestmaß bzw. zwischen oberem und unterem Grenzabmaß.		
		Toleranz-klasse	Kombination eines Grundabmaßes mit einem Toleranzgrad, z. B. H7.
Grund-toleranzgrad	Eine Gruppe von Toleranzen, die dem gleichen Genauigkeitsniveau, z. B. IT7, zugeordnet sind.	**Passung**	Geplanter Fügezustand zwischen Bohrung und Welle.

Passungssysteme
vgl. DIN EN ISO 286-1 (2010-11)

Passungssystem Einheitsbohrung (alle Bohrungsmaße besitzen das Grundabmaß H)

Grundabmaße für Wellen

Beispiele für Nennmaß 25, Toleranzgrad 7

Passungssystem Einheitswelle (alle Wellenmaße besitzen das Grundabmaß h)

Grundabmaße für Bohrungen

Beispiele für Nennmaß 25, Toleranzgrad 6

Zahnradmaße

Nicht korrigierte Stirnräder mit Geradverzahnung

Außenverzahnung

Maße außenverzahnter Räder

Zähnezahl
$$z = \frac{d}{m} = \frac{d_a - 2 \cdot m}{m}$$

Kopfkreisdurchmesser
$$d_a = d + 2 \cdot m = m \cdot (z + 2)$$

Fußkreisdurchmesser
$$d_f = d - 2 \cdot (m + c)$$

Achsabstand
$$a = \frac{d_1 + d_2}{2} = \frac{m \cdot (z_1 + z_2)}{2}$$

m	Modul	mm
p	Teilung	mm
z, z_1, z_2	Zähnezahlen	–
h	Zahnhöhe	mm
h_a	Zahnkopfhöhe	mm
h_f	Zahnfußhöhe	mm
d, d_1, d_2	Teilkreisdurchmesser	mm
d_a, d_{a1}, d_{a2}	Kopfkreisdurchmesser	mm
d_f, d_{f1}, d_{f2}	Fußkreisdurchmesser	mm
c	Kopfspiel	mm
a	Achsabstand	mm

Gemeinsame Maße innen- und außenverzahnter Räder

Modul
$$m = \frac{p}{\pi} = \frac{d}{z}$$

Teilung
$$p = \pi \cdot m$$

Teilkreisdurchmesser
$$d = m \cdot z$$

Kopfspiel
$$c = 0,1 \cdot m \text{ bis } 0,3 \cdot m$$
häufig $c = 0,167 \cdot m$

Zahnkopfhöhe
$$h_a = m$$

Zahnfußhöhe
$$h_f = m + c$$

Zahnhöhe
$$h = 2 \cdot m + c$$

Innenverzahnung

Maße innenverzahnter Räder

Zähnezahl
$$z = \frac{d}{m} = \frac{d_a + 2 \cdot m}{m}$$

Kopfkreisdurchmesser
$$d_a = d - 2 \cdot m = m \cdot (z - 2)$$

Fußkreisdurchmesser
$$d_f = d + 2 \cdot (m + c)$$

Achsabstand
$$a = \frac{d_2 - d_1}{2} = \frac{m \cdot (z_2 - z_1)}{2}$$

Übersetzungen

Zahnradtrieb

einfache Übersetzung

treibend   getrieben

mehrfache Übersetzung

treibende Räder

z_1, z_3, z_5 …	Zähnezahlen	–
n_1, n_3, n_5 …	Drehzahlen	1/min
n_a	Anfangsdrehzahl	1/min

getriebene Räder

z_2, z_4, z_6 …	Zähnezahlen	–
n_2, n_4, n_6 …	Drehzahlen	1/min
n_e	Enddrehzahl	1/min

für den gesamten Zahnradtrieb

i	Gesamt-übersetzungs-verhältnis	–
i_1, i_2, i_3 …	Einzel-übersetzungs-verhältnisse	–

Drehmomente bei Zahnrädern: Seite 23

Antriebsformel

$$n_1 \cdot z_1 = n_2 \cdot z_2$$

Übersetzungsverhältnis

$$i = \frac{z_2}{z_1} = \frac{n_1}{n_2} = \frac{n_a}{n_e}$$

Gesamtübersetzungs-verhältnis

$$i = \frac{z_2 \cdot z_4 \cdot z_6 \cdots}{z_1 \cdot z_3 \cdot z_5 \cdots}$$

$$i = i_1 \cdot i_2 \cdot i_3 \cdots$$

Riementrieb

einfache Übersetzung

treibend i getrieben

mehrfache Übersetzung

treibend

treibende Scheiben

d_1, d_3, d_5 …	Durchmesser	mm
n_1, n_3, n_5 …	Drehzahlen	1/min
n_a	Anfangsdrehzahl	1/min

getriebene Scheiben

d_2, d_4, d_5 …	Durchmesser	mm
n_2, n_4, n_5 …	Drehzahlen	1/min
n_e	Enddrehzahl	1/min

für den gesamten Riementrieb

i	Gesamt-übersetzungs-verhältnis	–
i_1, i_2, i_3 …	Einzel-übersetzungs-verhältnisse	–
v, v_1, v_2	Umfangs-geschwindigkeiten	m/min

Berechnung der Umfangs-geschwindigkeiten: Seite 19

Geschwindigkeit

$$v = v_1 = v_2$$

Antriebsformel

$$n_1 \cdot d_1 = n_2 \cdot d_2$$

Übersetzungsverhältnis

$$i = \frac{d_2}{d_1} = \frac{n_1}{n_2} = \frac{n_a}{n_e}$$

Gesamtübersetzungs-verhältnis

$$i = \frac{d_2 \cdot d_4 \cdot d_6 \cdots}{d_1 \cdot d_3 \cdot d_5 \cdots}$$

$$i = i_1 \cdot i_2 \cdot i_3 \cdots$$

Schneckentrieb

treibend n_1

z_1	Zähnezahl (Gangzahl) der Schnecke	–
n_1	Drehzahl der Schnecke	1/min
z_2	Zähnezahl des Schneckenrades	–
n_2	Drehzahl des Schneckenrades	1/min
i	Übersetzungsverhältnis	–

Antriebsformel

$$n_1 \cdot z_1 = n_2 \cdot z_2$$

Übersetzungsverhältnis

$$i = \frac{n_1}{n_2} = \frac{z_2}{z_1}$$

Qualitätsmanagement

Statistische Auswertung (kontinuierliche Merkmale)

Klasse Nr.	Messwert $\geq$	Messwert $<$	Strich-liste	n_j	h_j in %	F_j in %
1	7,94	7,96	|	1	2,5	2,5
2	7,96	7,98	|||	3	7,5	10
6	8,04	8,06	||	2	5	100
			$\Sigma =$	40	100	

$$w \approx \frac{R}{k}$$

n	Anzahl der Einzelwerte
k	Anzahl der Klassen
w	Klassenweite
R	Spannweite
n_j	absolute Häufigkeit
h_j	relative Häufigkeit in %
F_j	Summe der relativen Häufigkeiten in %

Anzahl der Klassen

$$k \approx \sqrt{n}$$

Relative Häufigkeit

$$h_j = \frac{n_j}{n} \cdot 100\%$$

Kennwerte der Stichprobe

n	Anzahl der Einzelwerte (Stichprobenumfang)
x_i	Wert des messbaren Merkmals, z. B. Einzelwert
x_{max}	größter Messwert
x_{min}	kleinster Messwert
$\overline{x}$	arithmetischer Mittelwert
$\widetilde{x}$	Medianwert (Zentralwert), mittlerer Wert der nach Größe geordneten Messwerte
s, σ	Standardabweichung
R	Spannweite
D	Modalwert (häufigster Messwert einer Messreihe)
$g_{(x)}$	Wahrscheinlichkeitsdichte

Kennwerte bei Auswertung mehrerer Stichproben

m	Anzahl der Stichproben
$\overline{R}$	Mittelwert mehrerer Stichprobenspannweiten
$\overline{\overline{x}}$	Mittelwert mehrerer Stichprobenmittelwerte
$\overline{s}$	Mittelwert mehrerer Standardabweichungen

Kennwerte der Grundgesamtheit

$\hat{\mu}$	geschätzter Prozessmittelwert
$\hat{\sigma}$	geschätzte Prozessstandardabweichung

Arithmetischer Mittelwert

$$\overline{x} = \frac{x_1 + x_2 + \ldots + x_n}{n}$$

Standardabweichung

$$s = \sqrt{\frac{\sum (x_i - \overline{x})^2}{n-1}}$$

Spannweite

$$R = x_{max} - x_{min}$$

Mittelwert mehrerer Stichprobenspannweiten

$$\overline{R} = \frac{R_1 + R_2 + \ldots + R_m}{m}$$

Mittelwert mehrerer Stichprobenmittelwerte

$$\overline{\overline{x}} = \frac{\overline{x}_1 + \overline{x}_2 + \ldots + \overline{x}_m}{m}$$

Mittelwert mehrerer Standardabweichungen

$$\overline{s} = \frac{s_1 + s_2 + \ldots + s_m}{m}$$

Qualitätsfähigkeit von Prozessen

UGW	unterer Grenzwert
OGW	oberer Grenzwert
T	Toleranz
$(\hat{\sigma}), s$	(geschätzte) Standardabweichung
$\overline{x}$	arithmetischer Mittelwert
Δkrit	kleinster Abstand zwischen Mittelwert und Toleranzgrenze
C_m, C_{mk}	Maschinenfähigkeitsindex
P_P, P_{PK}	Prozessleistungsindex
C_p, C_{pk}	Prozessfähigkeitsindex

[1] Kunden- bzw. auftragsabhängige Forderungen

Nachweisforderungen:[1] Maschinenfähigkeitsindex

$$C_m = \frac{T}{6 \cdot s} \geq 1,67$$

$$C_{mk} = \frac{\Delta krit}{3 \cdot s} \geq 1,67$$

Prozessleistungsindex, Prozessfähigkeitsindex

$$P_P = C_p = \frac{T}{6 \cdot \hat{\sigma}} \geq 1,33$$

$$P_{PK} = C_{pk} = \frac{\Delta krit}{3 \cdot \hat{\sigma}} \geq 1,33$$

Kräfte und Leistungen beim Zerspanen

Drehen

F_c	Schnittkraft	N
A	Spanungsquerschnitt	mm²
a_p	Schnitttiefe	mm
f	Vorschub	mm
h	Spanungsdicke	mm
$\varkappa$	Einstellwinkel	°
k_c	spezifische Schnittkraft	N/mm²
C_1	Korrekturfaktor für den Schneidstoff	–
C_2	Korrekturfaktor für den Schneidenverschleiß	–
v_c	Schnittgeschwindigkeit	m/min
P_c	Schnittleistung	N · m/s, kW
P_1	Antriebsleistung der Maschine	N · m/s, kW
η	Wirkungsgrad der Maschine	–

Umrechnungen:

$$1 \text{ kW} = 1000 \frac{\text{N·m}}{\text{s}}; \quad 1 \frac{\text{m}}{\text{min}} = \frac{1 \text{ m}}{60 \text{ s}}$$

Schnittkraft

$$F_c = A \cdot k_c \cdot C_1 \cdot C_2$$

Spanungsquerschnitt

$$A = a_p \cdot f$$

Spanungsdicke

$$h = f \cdot \sin \varkappa$$

Schnittleistung

$$P_c = F_c \cdot v_c$$

Antriebsleistung

$$P_1 = \frac{P_c}{\eta}$$

Bohren

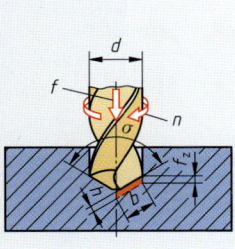

F_c	Schnittkraft je Schneide	N
A	Spanungsquerschnitt je Schneide	mm²
z	Anzahl der Schneiden (Spiralbohrer $z = 2$)	–
d	Bohrerdurchmesser	mm
σ	Spitzenwinkel	°
f	Vorschub je Umdrehung	mm
h	Spanungsdicke	mm
k_c	spezifische Schnittkraft	N/mm²
C_1	Korrekturfaktor für den Schneidstoff	–
C_2	Korrekturfaktor für den Schneidenverschleiß	–
v_c	Schnittgeschwindigkeit	m/min
P_c	Schnittleistung	N · m/s, kW
P_1	Antriebsleistung der Maschine	N · m/s, kW
η	Wirkungsgrad der Maschine	–

Umrechnungen:

$$1 \text{ kW} = 1000 \frac{\text{N·m}}{\text{s}}; \quad 1 \frac{\text{m}}{\text{min}} = \frac{1 \text{ m}}{60 \text{ s}}$$

Schnittkraft je Schneide

$$F_c = A \cdot k_c \cdot C_1 \cdot C_2$$

Spanungsquerschnitt je Schneide

$$A = \frac{d \cdot f}{4}$$

Spanungsdicke

$$h = \frac{f}{2} \cdot \sin \frac{\sigma}{2}$$

Schnittleistung

$$P_c = \frac{z \cdot F_c \cdot v_c}{2}$$

Antriebsleistung

$$P_1 = \frac{P_c}{\eta}$$

Drehzahldiagramm

n	Drehzahl	1/min
v_c	Schnittgeschwindigkeit	m/min
d	Werkzeug- bzw. Werkstückdurchmesser	m

Drehzahl

$$n = \frac{v_c}{\pi \cdot d}$$

Hauptnutzungszeit beim Bohren, Senken, Reiben und Gewindebohren

Hauptnutzungszeit t_h, Drehzahl n

t_h	Hauptnutzungszeit	min	i	Anzahl der Bohrungen	–	
d	Werkzeugdurchmesser	m (mm)	n	Drehzahl	1/min	
l	Bohrungstiefe	mm	f	Vorschub je Umdrehung	mm	
l_a	Anlauf	mm	v_c	Schnittgeschwindigkeit	m/min	
l_u	Überlauf	mm	σ	Spitzenwinkel	°	
l_s	Anschnitt	mm	P	Steigung	mm	
L	Vorschubweg	mm	g	Gangzahl	–	

Hauptnutzungszeit

$$t_h = \frac{L \cdot i}{n \cdot f}$$

Drehzahl

$$n = \frac{v_c}{\pi \cdot d}$$

Vorschubweg L und Anschnitt l_s

Durchgangsbohrung beim Bohren und Reiben

Bohrer-Anschnitt l_s	
σ	l_s
80°	$0,6 \cdot d$
118°	$0,3 \cdot d$
130°	$0,23 \cdot d$
140°	$0,18 \cdot d$

Vorschubweg

$$L = l + l_s + l_a + l_u$$

Anschnitt

$$l_s = \frac{d}{2 \cdot \tan \frac{\sigma}{2}}$$

Anschnitt für Bohrertyp N

$$l_s \approx 0,3 \cdot d$$

Grundlochbohrung beim Bohren und Reiben

Bohrer-Anschnitt l_s	
σ	l_s
80°	$0,6 \cdot d$
118°	$0,3 \cdot d$
130°	$0,23 \cdot d$
140°	$0,18 \cdot d$

Vorschubweg

$$L = l + l_s + l_a$$

Anschnitt

$$l_s = \frac{d}{2 \cdot \tan \frac{\sigma}{2}}$$

Senken

Vorschubweg

$$L = l + l_a$$

Durchgangsgewinde

Vorschubweg

$$L = l + l_s + l_a + l_u$$

Anschnitt

$$l_s = g \cdot P$$

Grundlochgewinde

Vorschubweg

$$L = l + l_s + l_a$$

Anschnitt

$$l_s = g \cdot P$$

Hauptnutzungszeit beim Drehen

Längsrunddrehen

t_h	Hauptnutzungszeit	min
L	Vorschubweg	mm
i	Anzahl der Schnitte	–
n	Drehzahl	1/min
f	Vorschub	mm
v_c	Schnittgeschwindigkeit	m/min
d	Außendurchmesser	m
l_a	Anlauf	mm
l_u	Überlauf	mm

Hauptnutzungszeit

$$t_h = \frac{L \cdot i}{n \cdot f}$$

Drehzahl

$$n = \frac{v_c}{\pi \cdot d}$$

Berechnung des Vorschubweges L

Vorschubweg ohne Ansatz

$$L = l + l_a + l_u$$

Vorschubweg mit Ansatz

$$L = l + l_a$$

Querplandrehen

t_h	Hauptnutzungszeit	min
L	Vorschubweg	mm
i	Anzahl der Schnitte	–
n	Drehzahl	1/min
f	Vorschub	mm
v_c	Schnittgeschwindigkeit	m/min
d	Außendurchmesser	mm
d_m	mittlerer Durchmesser[1]	m (mm)
l_a	Anlauf	mm
l_u	Überlauf	mm

Hauptnutzungszeit

$$t_h = \frac{L \cdot i}{n \cdot f}$$

Drehzahl[1]

$$n = \frac{v_c}{\pi \cdot d_m}$$

Berechnung des Vorschubweges L und des mittleren Durchmessers d_m

Vollzylinder ohne Ansatz

Vorschubweg

$$L = \frac{d}{2} + l_a$$

Mittlerer Durchmesser[1]

$$d_m = \frac{d}{2}$$

Vollzylinder mit Ansatz

Vorschubweg

$$L = \frac{d - d_1}{2} + l_a$$

Mittlerer Durchmesser[1]

$$d_m = \frac{d + d_1}{2}$$

Hohlzylinder

Vorschubweg

$$L = \frac{d - d_1}{2} + l_a + l_u$$

Mittlerer Durchmesser[1]

$$d_m = \frac{d + d_1}{2}$$

[1] Die Verwendung vom mittleren Durchmesser führt zu höheren Schnittgeschwindigkeiten. Damit ist garantiert, dass bei kleineren Durchmessern im Innenbereich noch annehmbare Schnittgeschwindigkeiten herrschen.

Hauptnutzungszeit beim Fräsen

Hauptnutzungszeit, Vorschubgeschwindigkeit, Vorschub, Drehzahl

t_h	Hauptnutzungszeit	min
l	Werkstücklänge	mm
a_p	Schnitttiefe	mm
a_e	Schnittbreite (Fräsbreite)	mm
l_a	Anlauf	mm
l_u	Überlauf	mm
l_s	Anschnitt	mm
L	Vorschubweg	mm
d	Fräserdurchmesser	mm
n	Drehzahl	1/min
f	Vorschub je Umdrehung	mm
f_z	Vorschub je Schneide	mm
z	Anzahl der Schneiden	–
v_c	Schnittgeschwindigkeit	m/min
v_f	Vorschub-geschwindigkeit	mm/min

Hauptnutzungszeit

$$t_h = \frac{L \cdot i}{n \cdot f} \qquad t_h = \frac{L \cdot i}{v_f}$$

Vorschub je Umdrehung

$$f = f_z \cdot z$$

Vorschubgeschwindigkeit

$$v_f = n \cdot f \qquad v_f = n \cdot f_z \cdot z$$

Drehzahl

$$n = \frac{v_c}{\pi \cdot d}$$

Vorschubweg L und Anschnitt l_s in Abhängigkeit der Fräsverfahren

Fräsverfahren	Fräserposition	Bild	Berechnung
Stirnfräsen	mittig		**Vorschubweg** $$L = l + 0{,}5 \cdot d + l_a + l_u - l_s$$ **Anschnitt** $$l_s = 0{,}5 \cdot \sqrt{d^2 - a_e^2}$$
Stirnfräsen	außermittig $a_e > 0{,}5 \cdot d$		**Vorschubweg** $$L = l + 0{,}5 \cdot d + l_a + l_u$$
Stirnfräsen	außermittig $a_e < 0{,}5 \cdot d$		**Vorschubweg** $$L = l + l_a + l_u + l_s$$ **Anschnitt** $$l_s = \sqrt{a_e \cdot d - a_e^2}$$
Umfangs-fräsen	–		

CNC-Technik

Koordinatensystem und Koordinatenachsen
vgl. DIN 66217 (1975-12)

Koordinatenachsen bei CNC-Drehmaschinen

Drehmeißel vor der Drehmitte

Drehmeißel hinter der Drehmitte

- Das Koordinatensystem bezieht sich auf den Werkstücknullpunkt des eingespannten Werkstücks.
- Die Koordinatenachsen einer CNC-Maschine sind auf die Hauptführungsbahnen ausgerichtet.
- Die Z-Achse verläuft in Richtung der Hauptspindel.
- Beim Programmieren wird immer angenommen, dass das Werkstück still steht und sich nur das Werkzeug bewegt.
- Die Koordinatenachsen X, Y und Z stehen im kartesischen Koordinatensystem senkrecht aufeinander.

Koordinatenachsen bei CNC-Fräsmaschinen

Senkrecht-Fräsmaschine

Waagrecht-Fräsmaschine

Kartesisches Koordinatensystem[1]

Nullpunkte und Bezugspunkte

Maschinennullpunkt M
Er ist der Ursprung des Maschinen-Koordinatensystems und wird vom Maschinenhersteller festgelegt.

Werkstücknullpunkt W
Er ist der Ursprung des Werkstück-Koordinatensystems und wird vom Programmierer nach fertigungstechnischen Gesichtspunkten festgelegt.

Werkzeugträger-Bezugspunkt T
Er liegt mitten an der Anschlagfläche der Werkzeugaufnahme. Bei Drehmaschinen ist dies die Anschlagfläche des Werkzeughalters am Revolver, bei Fräsmaschinen die Stirnfläche der Werkzeugspindel.

Referenzpunkt R
Er wird zum Nullsetzen des inkrementalen Wegmesssystems angefahren. Abstandscodierte Referenzpunkte ermöglichen ein kurzes Anfahren des Werkzeugs.

Programmnullpunkt P0[2]
Er gibt die Koordinaten des Punktes an, an dem sich das Werkzeug vor Beginn des Programmstarts befindet.

Werkzeugwechselpunkt WWP[2]
Er wird vor dem Werkzeugwechsel sowie vor dem Um- und Ausspannen des Werkstücks angefahren.

[1] Die Drehachsen A, B und C werden den Koordinatenachsen X, Y und Z zugewiesen.
Die Bearbeitungsebenen werden zum Fräsen für die Ebenenanwahl bei einer 2 ½ D-Steuerung angegeben.
Die Zuordnung der Achsen X, Y und Z kann auch durch Daumen, Zeigefinger und Mittelfinger der rechten Hand dargestellt werden.
[2] nicht genormt

CNC-Technik

Werkzeugkorrekturen

CNC-Drehen	CNC-Fräsen

Lagen-Kennziffern des Werkzeug-Schneidenpunktes P bezogen auf den Mittelpunkt M des Schneidenradius r_ϵ

Einzelheit X

Fadenkreuz des Vorein-stellgerätes auf Punkt P

Q	Querablage der X-Achse
L	Längenkorrektur der Z-Achse
r_ϵ	Schneidenradius
1…8	Lage-Kennziffern
T	Werkzeugträger-Bezugspunkt

E	Werkzeug-Bezugspunkt
M	Mittelpunkt des Schneiden-radius r_ϵ
P	Werkzeug-Schneidenpunkt

Z	Werkzeuglänge
R	Werkzeugradius
T	Werkzeugträger-Bezugspunkt
E	Werkzeug-Bezugspunkt
P	Werkzeug-Schneidenpunkt

Korrekturspeicher	
Q	72
L	53
r_ϵ	0,8
Lage-Kennziffer	3

Korrekturspeicher	
Q	14
L	112
r_ϵ	0,4
Lage-Kennziffer	2

Korrekturspeicher	
Z	126
R	10

Bahnkorrekturen[1]

vgl. DIN 66025 (1988-09) und PAL

Drehmeißel links der Kontur[2]	Drehmeißel rechts der Kontur[2]	Fräswerkzeug links der Kontur[2]

Drehmeißel hinter der Drehmitte

(Gleichlauf-fräsen)

Drehmeißel vor der Drehmitte

Fräswerkzeug rechts der Kontur[2]

(Gegenlauf-fräsen)

[1] Die Bahnkorrekturen G41 und G42 werden mit der Wegbedingung G40 wieder aufgehoben.
[2] Das Werkzeug von oben gesehen befindet sich in Vorschubrichtung links oder rechts neben der Werkstückkontur.

CNC-Technik nach DIN

Aufbau von CNC-Programmen nach DIN
vgl. DIN 66025-2 (1988-09)

Satzaufbau

N30	G96	F0.15	S300	T01	M04
Satz-Nummer	Weg-Bedingung (G-Wort)	Vor-schub	Schnitt-geschwin-digkeit	Werk-zeug	Zusatz-funktion- (M-Wort)

Weginformationen

N40	G00	X14	Z2	M08

Erläuterung der Wörter:

N30: Satznummer 30
G96: konstante Schnittgeschwindigkeit
G00: Positionieren im Eilgang
X14: Koordinatenzielpunkt in X-Richtung
Z2: Koordinatenzielpunkt in Z-Richtung
F0.15: Vorschub 0,15 mm
S300: Schnittgeschwindigkeit 300 m/min
T01: Werkzeug mit der Nummer 01
M04: Spindel gegen Uhrzeigersinn
M08: Kühlschmiermittel 1 ein

Programmaufbau

CNC-Programm

% 01 — Programm-anfang

N10	G90				
N20	G00		X150	Z50	
N30	G96	F0.15	S300	T01	M04
N40	G00		X12	Z2	M08
N50	G42				
N60	G01		X16	Z0	
N70			X22	Z-3	
N...					
N100	G40				
N110	G00		X150	Z50	M09

CNC-Sätze

N120					M30

Programm-ende

Wegbedingungen (G-Wort, Auswahl)
vgl. DIN 66025-2 (1988-09)

Wegbe-dingung	Wirksam-keit	Bedeutung	Wegbe-dingung	Wirksam-keit	Bedeutung
G00	●	Positionieren im Eilgang	G53	●	Aufheben der Verschiebung
G01	●	Geraden-Interpolation	G54 ...	●	Verschiebung 1 ...
G02	●	Kreis-Interpolation rechtsdrehend	... G59	●	... Verschiebung 6
G03	●	Kreis-Interpolation linksdrehend	G74	●	Referenzpunkt anfahren
G04	○	Verweilzeit, zeitlich vorbestimmt	G80	○	Arbeitszyklus aufheben
G09	○	Genauhalt	G81 ...	●	Arbeitszyklus 1 ...
G17	●	Ebenenauswahl XY	... G89	●	... Arbeitszyklus 9
G18	●	Ebenenauswahl ZX	G90	●	Absolute Maßangaben
G19	●	Ebenenauswahl YZ	G91	●	Inkrementale Maßangaben
G33	●	Gewindeschneiden, Steigung konstant	G94	○	Vorschubgeschwindigkeit in mm/min
G40	●	Aufheben der Werkzeugkorrektur	G95	●	Vorschub in mm
G41	●	Werkzeugbahnkorrektur, links	G96	●	Konst. Schnittgeschwindigkeit
G42	●	Werkzeugbahnkorrektur, rechts	G97	●	Spindeldrehzahl in 1/min

● gespeichert: Wegbedingungen, die so lange wirksam bleiben, bis sie durch eine artgleiche Bedingung überschrieben werden.

● satzweise: Wegbedingungen, die nur in dem Satz wirksam sind, in dem sie programmiert sind.

Zusatzfunktionen (M-Wort, Auswahl)
vgl. DIN 66025-2 (1988-09)

M00	Programmierter Halt	M04	Spindel gegen Uhrzeigersinn	M08	Kühlschmiermittel EIN
M02	Programmende	M05	Spindel halt	M09	Kühlschmiermittel AUS
M03	Spindel im Uhrzeigersinn	M06	Werkzeugwechsel	M30	Programmende mit Rücksetzen

CNC-Technik nach PAL

PAL-Befehlscodierung bei CNC-Drehmaschinen (mit angetriebenen Werkzeugen)

G-Funktionen – Wegbedingungen[1] (Auswahl)

Interpolationsarten

G0	Verfahrweg im Eilgang
G1	Linearinterpolation im Arbeitsgang[1]
G2	Kreisinterpolation im Uhrzeigersinn
G3	Kreisinterpolation im Gegenuhrzeigersinn
G4	Verweildauer
G9	Genauhalt
G14	Werkzeugwechselpunkt (WWP) anfahren

Nullpunkte

G50	Aufheben der inkrementellen Nullpunktverschiebung und Drehungen
G53[1]	Alle Nullpunktverschiebungen und Drehungen aufheben
G54… …G57	Einstellbare absolute Nullpunkte
G59	Inkrementelle Nullpunktverschiebung kartesisch und Drehung

Programmtechniken

G22	Programmwiederholung
G23	Unterprogrammaufruf

Bearbeitungsebenen und Umspannen

G17	Stirnseiten-Bearbeitungsebene (XY-Ebene)
G18	Drehebene (Haupt-, Gegenspindelbearbeitung)[1]
G19	Mantelflächen-/Sehnenflächen-Bearbeitungsebenen
G30	Umspannen/Gegenspindelübernahme

Schnittgrößen

G92	Drehzahlbegrenzung
G94	Vorschubgeschwindigkeit in mm/min
G95	Vorschub[1] in mm
G96	konstante Schnittgeschwindigkeit in m/min
G97	konstante Drehzahl[1] in 1/min

Maßangaben

G70	Umschalten auf Maßeinheit Zoll (Inch)
G71	Umschalten auf Maßeinheit Millimeter[1] (mm)
G90	absolute Maßangabe[1]
G91	Kettenmaßangabe

Zyklen

G80	Abwahl einer Bearbeitungszyklus-Konturbeschreibung
G31	Gewindezyklus
G81	Längsschruppzyklus
G82	Planschruppzyklus
G84	Bohrzyklus
G85	Freistichzyklus
G86	radialer Einstechzyklus
G88	axialer Einstechzyklus

Werkzeugkorrekturen

G40	Abwahl der Schneidenradiuskorrektur[1] (SRK)
G41	SRK links von der programmierten Kontur
G42	SRK rechts von der programmierten Kontur

G-Funktionen für angetriebene Werkzeuge in der X-Y-Ebene oder Z-X-Ebene[2]

G1	Linearinterpolation im Arbeitsgang	G48	tangentiales Abfahren im Viertelkreis
G2	Kreisinterpolation im Uhrzeigersinn	G72	Rechtecktaschenfräszyklus
G3	Kreisinterpolation im Gegenuhrzeigersinn	G73	Kreistaschen- und Zapfenfräszyklus
G10	Verfahren im Eilgang mit Polarkoordinaten	G74	Nutenfräszyklus
G11	Linearinterpolation mit Polarkoordinaten	G75	Kreisbogennut-Fräszyklus
G12	Kreisinterpolation im Uhrzeigersinn mit Polarkoordinaten mit angetriebenem Werkzeug	G76	Mehrfachzyklusaufruf auf einer Lochreihe
G13	Kreisinterpolation im Gegenuhrzeigersinn mit Polarkoordinaten	G77	Mehrfachzyklusaufruf auf einem Lochkreis
		G79	Zyklusaufruf auf einem Punkt
G45	lineares tangentiales Anfahren an einer Kontur	G81	Bohrzyklus
G46	lineares tangentiales Abfahren an einer Kontur	G82	Tiefbohrzyklus mit Spanbruch
G47	tangentiales Anfahren im Viertelkreis	G84	Gewindebohrzyklus
		G85	Reibzyklus

M-Funktionen[1] – Zusatzfunktionen (Auswahl)

M0	Programmierter Halt	M10	Reitstock-Pinole lösen
M3	Spindel dreht im Uhrzeigersinn (CW[3])	M11	Reitstock-Pinole setzen
M4	Spindel dreht im Gegenuhrzeigersinn (CCW[3])	M17	Unterprogramm-Ende
M5	Spindel ausschalten[1]	M30	Programmende mit Rücksetzen auf Programmanfang
M8	Kühlschmiermittel ein		
M9	Kühlschmiermittel aus[1]	M60	konstanter Vorschub[1]

T-Adresse – Werkzeugnummer im Magazin (Auswahl)

T	Werkzeugspeicherplatz im Werkzeugrevolver	TX	inkrementelle Veränd. des X-Korrekturwertes im angewählten Korrekturwertspeicher
TC	Korrektur-Speichernummer		
TR	inkrementelle Veränderung des Werkzeugradiuswertes	TZ	inkrementelle Veränd. des Z-Korrekturwertes im angewählten Korrekturwertspeicher für konturparallele Aufmaße
TL	inkrementelle Veränderung der Werkzeuglänge		

[1] Einschaltzustand beim Start eines CNC-Programms: **G18, G90, G53, G71, G95, G97, G1, G40, M5, M9, M60**
[2] Bei der CNC-Drehmaschine mit angetriebenem Werkzeug sind die Befehle der CNC-Fräsmaschine identisch.
[3] CW: clock wise; CCW: counter clock wise

Grafcet (Auswahl)

Schritte und Aktionen

`0` Kommentar „Grundstellung"	**Anfangsschritt** (Initialschritt), z. B. Schritt 0		1B1 1B2 — Schritt 0: Zylinder in Grundstellung
`1` Schrittvariable X1	**allgemeiner Schritt**, z. B. Schritt 1 $X1=1 \Rightarrow$ Schritt 1 ist aktiv $\Rightarrow$ z. B. Zylinder fährt aus $X1=0 \Rightarrow$ Schritt 1 ist inaktiv		1B1 1B2 — Schritt 1: Zylinder fährt aus

Schritt / Aktion	**Kontinuierlich wirkende Aktion**		1B1 1B2
`1` 1V3-14 — Zuweisung	1V3-14 / Schritt `0` `1` `2`	Zuweisung wird ausgeführt, solange der Schritt aktiv ist.	1A1 / 1V3 / 14 ← 12

	Speichernd wirkende Aktion bei Schrittaktivierung		1B1 1B2
`3` 1V1-14:=1 — `6` 1V1-14:=0	1V1-14 / Schritt `0` `1` `2` `3` `4` `5` `6`	Zuweisung wird ausgeführt, bis sie zurückgesetzt wird.	1A1 / 1V1 / 14

	S1 — **Aktion mit Zuweisungsbedingung**		2B1 2B2
`8` 2M2	Wenn Schritt 8 aktiv: 2M2 / S1 / Zeit	Zuweisung wird ausgeführt, wenn Schritt aktiv UND die Zuweisungsbedingung erfüllt ist.	2A1 / 2V1

	2/2B1/3 — **Aktion mit zeitlicher Zuweisungsbedingung**		
`9` 2M1	Wenn Schritt 9 aktiv: 2M1 / 2B1 / Zeit (EV / AV)	EV: Einschaltverzögerung (Bsp. 2 Sek.) AV: Ausschaltverzögerung (Bsp. 3 Sek.)	S1

Transitionen (Übergänge)

$1S1 \cdot 1B1 \quad 1S3 + 1S4 \quad \overline{1S5}$

Logische Verknüpfungen

UND (*) ODER (+) Negation ($\bar{x}$)

$1S1$ —[ ]— $1B1$

`0` — Transition — Transitionsbedingung 1S1 * 1B1 `1` „1A1 fährt aus" 3s/1B2 `2` „1A1 fährt ein" 1B1	**Die Transitionsbedingung (Übergangsbedingung) …** • wird durch Boole'sche Ausdrücke/Text beschrieben • folgt auf jeden Schritt • lässt nur einen Schritt in einer Kette aktiv werden • kann Kommentare erhalten **Beispiel:** Wenn 1S1 UND 1B1 ein Signal liefern, erfolgt Übergang auf Schritt 1. **Transition mit Zeitbedingung**

Schritt 2 / 1B2 / Zeit

Beispiel: 3 Sekunden nach Erreichen von 1B2 (1B2=1) erfolgt der Übergang zu Schritt 2.

Schrittkette und Funktionsplan (FUP)

`0` — 1S1 * 1B1 — `1` „1A1 fährt aus"

Schritt n-1	&	SR	n: Schrittnummer
Bedingungen n-1		S	S: Setzen
Schritt n+1		R Q ⎓ Schritt n	R: Rücksetzen &: UND im FUP Q: Ausgang

Schritt 1 im SPS-Funktionsplan (FUP):

Schritt 0		
1S1	&	SR
1B1		S
Schritt 2		R Q ⎓ Schr.1

Hydraulik, Pneumatik

Luftverbrauch pneumatischer Zylinder

Einfachwirkender Zylinder (EZ)

Doppeltwirkender Zylinder (DZ)

p_e bzw. p_{amb} p_{amb} bzw. p_e
(beim Rücklauf)   (beim Rücklauf)

Q	Luftverbrauch	l/min
p_e	Überdruck im Zylinder	bar
p_{amb}	Luftdruck	bar
n	Hubzahl	1/min
A	Kolbenfläche	cm²
s	Kolbenhub	cm
q	spezifischer Luftverbrauch	l/cm

Der spezifische Luftverbrauch q für die vereinfachten Formeln hängt vom Überdruck im Zylinder und von der Kolbenfläche ab. Er kann Diagrammen (Beispiel siehe unten) oder Tabellen entnommen werden.

Berechnung mit Formeln

Luftverbrauch[1]
einfachwirkender Zylinder

$$Q = A \cdot s \cdot n \cdot \frac{p_e + p_{amb}}{p_{amb}}$$

Luftverbrauch[1]
doppeltwirkender Zylinder

$$Q \approx 2 \cdot A \cdot s \cdot n \cdot \frac{p_e + p_{amb}}{p_{amb}}$$

Berechnung mit Diagramm

Luftverbrauch[1]
einfachwirkender Zylinder

$$Q = q \cdot s \cdot n$$

Luftverbrauch[1]
doppeltwirkender Zylinder

$$Q \approx 2 \cdot q \cdot s \cdot n$$

Beispiel:

Der Luftverbrauch eines einfachwirkenden Zylinders mit $d = 50$ mm, $s = 100$ mm und $n = 120$/min soll aus dem Diagramm für $p_e = 6$ bar ermittelt werden. Nach dem Diagramm ist $q = 0{,}14$ l/cm Kolbenhub.
$Q = q \cdot s \cdot n =$
$= 0{,}14$ l/cm $\cdot 10$ cm $\cdot 120$/min
$= 168$ l/min

[1] Durch das Füllen der Toträume kann der wirkliche Luftverbrauch bis zu 25 % höher liegen. Toträume sind z. B. Druckluftleitungen zwischen Wegeventil und Zylinder oder nicht nutzbare Räume in der Endstellung des Kolbens. Die Querschnittsfläche der Kolbenstange wird nicht berücksichtigt.

Durchflussgeschwindigkeiten

Q, Q_1, Q_2	Volumenströme
A, A_1, A_2	Querschnittsflächen
v, v_1, v_2	Durchflussgeschwindigkeiten

Kontinuitätsgleichung

In einer Rohrleitung mit wechselnden Querschnittsflächen fließt in der Zeit t durch jeden Querschnitt der gleiche Volumenstrom Q.

Volumenstrom

$$Q = A \cdot v$$

$$Q_1 = Q_2$$

Verhältnis der Durchflussgeschwindigkeiten

$$\frac{v_1}{v_2} = \frac{A_2}{A_1}$$

Hydraulik, Pneumatik

Kolbenkräfte

p_e	Überdruck
A_1, A_2	Kolbenflächen
F_1	Kolbenkraft beim Ausfahren
F_2	Kolbenkraft beim Einfahren
d_1	Kolbendurchmesser
d_2	Kolbenstangendurchmesser
η	Wirkungsgrad

Wirksame Kolbenkraft

$$F = p_e \cdot A \cdot \eta$$

Druckeinheiten

$$1\,\text{Pa} = 1\,\frac{\text{N}}{\text{m}^2} = 10^{-5}\,\text{bar}$$

$$1\,\text{bar} = 10\,\frac{\text{N}}{\text{cm}^2} = 0{,}1\,\frac{\text{N}}{\text{mm}^2}$$

$$1\,\text{mbar} = 100\,\text{Pa} = 1\,\text{hPa}$$

Kolbengeschwindigkeiten

Q	Volumenstrom
A_1, A_2	wirksame Kolbenflächen
v_1, v_2	Kolbengeschwindigkeiten

Kolbengeschwindigkeit

$$v = \frac{Q}{A}$$

Leistung von Pumpen und Zylindern

P_1	zugeführte Leistung an der Pumpenantriebswelle
P_2	abgegebene Leistung am Pumpenausgang
Q	Volumenstrom
p_e	Überdruck
η	Wirkungsgrad der Pumpe
M	Drehmoment
n	Drehzahl
9550	Umrechnungs-
600	faktoren

Zugeführte Leistung

$$P_1 = \frac{M \cdot n}{9550}$$

Abgegebene Leistung

$$P_2 = \frac{Q \cdot p_e}{600}$$

Wirkungsgrad

$$\eta = \frac{P_2}{P_1}$$

Formeln für zugeführte und abgegebene Leistung mit:
P in kW, M in N · m, n in 1/min, Q in l/min, p_e in bar